AS NOITES DAS GRANDES FOGUEIRAS

UMA HISTÓRIA DA COLUNA PRESTES

DOMINGOS
MEIRELLES

AS NOITES DAS GRANDES FOGUEIRAS

UMA HISTÓRIA DA COLUNA PRESTES

13ª EDIÇÃO

EDITORA RECORD
RIO DE JANEIRO • SÃO PAULO
2013

CIP-Brasil. Catalogação na fonte
Sindicato Nacional dos Editores de Livros, RJ.

M454n
13ª ed.

Meirelles, Domingos
As noites das grandes fogueiras: uma história da Coluna Prestes / Domingos Meirelles; [projeto gráfico, Hélio de Almeida]. – 13ª ed. – Rio de Janeiro: Record, 2013.

1. Prestes, Luís Carlos, 1898-1990. 2. Brasil – História – Coluna Prestes, 1924-1927. I. Título. II. Título: Uma História da Coluna Prestes.

95-1943

CDD – 981.05
CDU – 981 "1924/1927"

Capa e projeto gráfico: Hélio de Almeida
Fotos do encarte: Agência Estado e Arquivo do Autor
Editoração eletrônica da capa: Graphbox

Rua Argentina 171 – 20921-380 Rio de Janeiro, RJ – Tel.: 2585-2000

Impresso no Brasil

ISBN 978-85-01-04550-8

Para Maria e João Eduardo,
pelo muito que sofreram
enquanto eu escrevia este livro.

À memória dos que construíram a lenda da Coluna e
morreram pela esperança de um Brasil melhor

"...tudo é falso, tudo é mentira: mentira a data oficial do descobrimento do Brasil; mentira a emancipação política; mentira a independência; mentira o juramento do príncipe regente; mentira o segundo reinado; mentira a Abolição; mentira a fundação da República, que não passou de uma quartelada; mentira as eleições; mentira a representação parlamentar... O país, de norte a sul, de leste a oeste, está nas mãos ávidas e rapaces de oligarquias constituídas, de negocistas sem escrúpulos, de espertalhões, de politiqueiros cínicos. (...)"

Everardo Dias

"A revolta é o último dos direitos a que deve recorrer um povo livre para salvaguardar os interesses coletivos; mas é também o mais imperioso dos deveres impostos aos verdadeiros cidadãos."

Juarez Távora

"Não é sem sangue, sem sofrimentos e sem sacrifícios que se constrói uma grande nação."

(Da Seção de Cartas de O Estado de S. Paulo, *julho de 1924)*

"...no rastro da Coluna ficava a Esperança."

Jorge Amado

ALMA, CARNE E OSSOS

Maurício Azêdo

Há diferença entre a narrativa histórica daquele que escreve por imposição da natureza de sua atividade e a produzida por alguém que devassa um tema e o desenvolve pela paixão da busca da verdade e pela compulsão de expô-la. Derivam daí distinções essenciais na recomposição de momentos da História: o profissional do ofício, o historiador, empenha-se em levantar os fatos, recorrendo a fontes trabalhadas com rigor, e em estabelecer as motivações que lhes deram origem, para assim retratar determinado momento ou acontecimento da vida social. Não será esta regra absoluta e onipresente na produção dos historiadores, mas dessa prática ou metodologia resultam relatos em que a frieza do autor se sobrepõe à sua sensibilidade. Os agentes e personagens da História são desprovidos de alma, carne, ossos; o distanciamento em que se situa o narrador priva-os da humanidade.

Repórter, essencialmente repórter, Domingos Meirelles está no segundo pólo da dualidade proposta. Ele não é um acadêmico, jamais alimentou veleidades de enfeitar seu currículo denso com teses ou dissertações de mestrado ou doutorado, mas se entregou com tal paixão a um instante grandioso da História do Brasil, a aventura da Coluna Prestes, que terminou por elaborar, como demonstra *As Noites das Grandes Fogueiras*, uma obra impressionante, comovente, esclarecedora.

Em todos os passos, Meirelles teve a rigidez do historiador: na procura e análise de fontes primárias; na paciência e disciplina de levantamento de testemunhos orais; na persistente e metódica consulta a documentos de variada espécie; na reconstituição minudente, perfeccionista, de cenários, vestuário, equipamentos, costumes, sentimentos individuais e coletivos, diálogos entre os personagens que povoam esta história da Coluna Prestes, vivendo e atravessando a História com a força de figuras de romance — de muitos romances, aliás.

Nada do que está presente na obra é fruto de ficção ou fabulação. Como este momento e seus agentes não foram focalizados pela lente fria do historiador profissional, mas pelo olhar sensível do repórter, capaz de recompor, com alma, carne e ossos, personagens/seres feitos com a massa, inclusive a de sonhos e ilusões, que forma as criaturas humanas, a narrativa assumiu um ritmo romanesco.

Como ele conta na apresentação da obra, *As Noites das Grandes Fogueiras* começou a surgir quando, em missão do *Jornal da Tarde* de São Paulo, Meirelles refez, 50 anos depois da legendária campanha dos insurretos, os caminhos da Coluna Prestes, em busca de depoimentos de participantes da extraordinária marcha militar que tivessem sobrevivido aos embates da vida que enfrentaram depois daquele momento. A partir de então, numa gestação e num amadurecimento que se prolongaram por 20 anos, cresceu nele a obsessão de recontar tanto a saga da Coluna Prestes como o transe daquela quadra dos anos 20 em que eclodiram as conspirações e insurreições militares do primeiro ciclo do tenentismo. A serviço dessa paixão, Meirelles voltou mais de uma vez àqueles pontos que percorrera em 1975, para aprofundar informações, recolher novos testemunhos, levantar documentação inédita, debruçar-se sobre fontes que durante décadas reclamavam a presença de pesquisadores, como os monumentais autos do inquérito policial-militar sobre a Revolução de 1924 em São Paulo.

Assim surgiu este livro revelador, em que pela primeira vez é narrado o quadro de destruição e sofrimentos produzidos na amorável cidade de São Paulo dos anos 20 pelos impiedosos bombardeios ordenados pelo também impiedoso presidente Artur Bernardes. Pela primeira vez se revela, igualmente, a história dos Batalhões Estrangeiros constituídos pelos revolucionários de São Paulo, assim como pioneiramente, com base em documentos reproduzidos de arquivos oficiais norte-americanos, é relatado o acompanhamento que as Embaixadas dos Estados Unidos e da Inglaterra faziam dos movimentos insurrecionais no Brasil. Documentos de origem inglesa permitem a Meirelles demonstrar que não há nada de novo sob o sol no Brasil: muito do que se fez e se faz e se prega em política econômica no país nas duas últimas décadas do século — a mudança do padrão monetário, a diminuição do tamanho do Estado, a abertura da economia — integra o receituário que os britânicos já nos anos 20 denominavam de moderno, de modernização.

É impossível relatar em poucas linhas, o que é bom para o leitor, que não se privará de descobrir tudo isso com seus olhos, o muito que há de revelador nesta obra, que alcança momentos poéticos, como na descrição do encantamento a que os guerreiros gaúchos da Coluna Prestes se entregam quando descobrem um parque de mangueiras no Nordeste, e tem também momentos de horror, como no relato do triste destino dos desterrados para a Amazônia pelo Governo Bernardes ou no do assassinato do empresário Conrado Niemeyer pela Polícia Política. A época e seu clima são restaurados com a agilidade e a força de um filme cinematográfico.

Além da exatidão nas informações, Domingos Meirelles imprimiu à obra um fascínio especial ao dotar os personagens de carne, osso, alma, sonho, desencanto. É um elenco apaixonante, desde o cerébro e condutor da Coluna, o jovem capitão Luís Carlos Prestes, e seus companheiros no comando dos destacamentos que a compunham, como Siqueira Campos, João Alberto, Juarez Távora, ao mais obscuro dos integrantes do movimento revolucionário, como *Bamburral*, um dos muitos vultos sem renome que protagonizam este alto momento da nossa História. Junto com eles desfilam pelas páginas de *As Noites das Grandes Fogueiras* personagens de grandeza épica, como o tenente João Cabanas, ou de grandeza trágica, como o jovem oficial Cleto Campelo, sacrificado num equívoco de seus próprios camaradas. Na moldura histórica estão também os algozes, os responsáveis pela desapiedada repressão que assinalou o período, desde o impassível presidente Artur Bernardes ao caricato e truculento marechal Carneiro da Fontoura, o *General Escuridão*, executor das tropelias que o poder consumou na época, sem contenção nem misericórdia.

Fique advertido o leitor de que Domingos Meirelles deu vida a toda essa gente — a heróis, bandidos, anjos, demônios —, mas isto não é um romance, embora com sabor de tal. O que se verá adiante aconteceu mesmo, é História. Contada com paixão.

PREFÁCIO

Janio de Freitas

A idéia de que a vida institucional e política se processa no Brasil de maneira vertiginosa, com os fatos depressa se sobrepondo e sufocando-se uns aos outros, é um dos lugares-comuns freqüentes nas análises políticas brasileiras. Mas freqüentes não quer dizer verdadeiros. E a evidenciação disso é um dos tantos méritos do precioso levantamento, feito por Domingos Meirelles, das circunstâncias institucionais, políticas, econômicas e sociais que envolveram a longa sucessão, nos anos 20, de levantes militares. Sucessão que foi uma aventura, em iguais medidas, heróica e delirante, ingênua e feroz, conseqüente e melancólica.

Domingos Meirelles saiu, primeiro, atrás dos rastros da Coluna em seu extenso percurso e, depois, atrás dos documentos de época, por ele esmiuçados em todos os recantos possíveis, com achados surpreendentes. O que encontrou, porém, tanto foi o tempo remoto, que procurava, como o tempo presente, que não esperava. Encontrou a contemporaneidade brasileira do passado, a presença do remoto neste 1995, como se não existissem, na vida do país, os 70 anos que existiram nas vidas pessoais.

Privatizar é a "solução" da "modernidade" de 95, segundo a receita do Consenso de Washington e do FMI adotada por Fernando Henrique Cardoso. E qual era a receita da Comissão Inglesa dada ao então presidente Artur Bernardes? Nada menos do que privatizar o Banco do Brasil, a Central do Brasil, o Lloyd Brasileiro, todas as estatais dos anos 20. Apenas este passo, ambicionado pelo capitalismo internacional, seria, porém, insuficiente para "modernizar" o Brasil. Daí que a proposta mais ampla do governo, motivo do maior debate da época, não fosse outra senão a reforma constitucional — combatida, também aquela, por seu propósito de eliminar direitos adquiridos.

Enquanto as famílias de desaparecidos e mortos pela brutal repressão de Bernardes aos opositores, reais ou imaginados, lutavam por seus direitos sentimentais e materiais, a principal atividade do governo, em relação à opinião pública, era iludi-la a respeito da eficiência governamental — com a sempre disponível ajuda da maior parte da imprensa. Meras coincidências do ontem e do hoje?

A falsa moralidade do poder público, sempre pronto a evitar uma investigação que apurasse a corrupção por tráfico de influência; a degradação da polícia, comprometida com o crime organizado e o desorganizado; a influência de negocistas estendida até o Catete, predecessor do Planalto; a degenerada vida partidária e os sempre crescentes vencimentos autoconcedidos pelos governantes e pelos parlamentares — tudo isso pode ser lido, em *As Noites das Grandes Fogueiras*, com os olhos distantes da história ou com o olhar dos nossos dias repetitivos.

Já no discurso de posse, Washington Luís, outro "modernizante", deixou de fora os graves problemas sociais para concentrar-se na sua principal meta: a estabilização da moeda e do câmbio. Isto se daria por intermédio de um plano econômico que previa também o lançamento de uma nova moeda com novo valor. Só não era o real, mas o cruzeiro, que viria a ser lançado, mais de dez anos depois, por Getúlio. E como os revolucionários dos anos 20 houvessem propagado a necessidade de ampla reforma tributária, propunha-se a criação do imposto único. Tal como nestes últimos anos.

Prova a mais, e pior, de que tempo e mudanças são brasileiramente desconexos, o Supremo Tribunal Federal atravessou os anos 20 sob a acusação de submisso, curvado aos desejos do Executivo mesmo quando, por exemplo, a intenção de Bernardes foi a de retirar-lhe o direito de conceder *habeas-corpus*. Nada a estranhar, portanto, do STF que abençoou o seqüestro da poupança e das contas bancárias pelo Plano Collor e, de lá para cá, mantém-se mais disponível para o governo do que para o Direito.

A "modernidade" que agora nos é prometida está no passado. Mas não é um paradoxo. É apenas o Brasil. O Brasil de Bernardes, de Washington Luís, do regime militar, de Collor, de Fernando Henrique. O mesmo Brasil de uma elite econômico-financeira, e política por conseqüência, desinteressada do país, do povo, do futuro, e concentrada no seu imediatismo voraz e insaciável.

INTRODUÇÃO

Durante vinte anos fui atormentado por uma paixão: escrever um livro que revelasse o longo e comovente martírio dos rebeldes que participaram da marcha da Coluna Prestes. Há muito me emocionava a história pungente daqueles jovens oficiais do Exército e da Força Pública de São Paulo que se deixaram conduzir pelo sonho de transformar o Brasil numa grande nação. Dignos, probos e obstinados — em sua maioria recém-saídos da Escola Militar —, os rebeldes tinham o talhe de caráter dos homens de bem do seu tempo: arraigado sentimento de respeito para com o semelhante e a capacidade de indignar-se e revoltar-se, como cidadãos, contra o arbítrio, o nepotismo e a corrupção que devastavam o país. Tão diferentes entre si, mas algemados pelos mesmos sentimentos e desejos de mudança, esses moços, de origens sociais e econômicas heterogêneas, vagaram durante dois anos e meio pelo interior de dez estados, sofrendo toda sorte de provações em defesa da honra e da liberdade.

Este livro é o relato dramático de uma das mais extraordinárias marchas revolucionárias da História da Humanidade. Uma epopéia de 36 mil quilômetros, que seria motivo de orgulho para qualquer povo, mas que no Brasil é tratada com um misto de indiferença e pouco-caso pela historiografia tradicional. Apesar da possível reação de incredulidade que determinadas passagens possam causar ao leitor, tanto os episódios como os personagens que povoam esta narrativa são dolorosamente verdadeiros como as tragédias por eles vividas.

Meu interesse pelo despojamento desses jovens que doaram suas vidas para restaurar a moralidade e os bons costumes começou em 1972, através de leituras esparsas. Dois anos depois, em abril de 1974, durante a coleta de material para uma reportagem sobre a rebelião paulista de 5 de julho de 1924, o que não passava de mera curiosidade se transformou em paixão. Num país onde 80% da população eram analfabetos, esses oficiais faziam parte de uma elite; fascinava-me o fato de terem exposto a riscos uma carreira militar promissora.

Ao entrevistar, no Rio, um grupo de oficiais do Exército que participaram do levante e marcharam, depois, com a Coluna, fiquei também impressionado com a força de alguns depoimentos. Meio século depois, as lembranças continuavam tão vivas como se todos aqueles acontecimentos tivessem ocorrido na véspera. Encantados com meus planos de refazer a marcha da Coluna, o general Emigdio Miranda e os marechais Juarez Távora e Cordeiro de Farias empenharam-se com entusiasmo juvenil em confeccionar um roteiro das cidades por eles conquistadas; por alguns momentos, tive a sensação de que estavam, outra vez, preparando-se para repetir essa louca caminhada.

Um mês depois, com o esboço do mapa de campanha debaixo do braço, deixei o Rio em companhia do fotógrafo Fernando Bueno, com a missão de reconstituir a marcha da Coluna Prestes para o *Jornal da Tarde*, de São Paulo. Durante dois meses, eu e Bueno vasculhamos dezenas de cidades do interior em busca de depoimentos sobre os rebeldes. Em Oeiras, interior do Piauí, encontramos a verdade até então inédita sobre a prisão de Juarez Távora, assim como o relato desconhecido de áspera discussão entre Prestes e Siqueira Campos, antes de seguirem em direção a Goiás. E assim foi na Bahia, em Goiás, Maranhão, Pernambuco, Ceará, Paraíba, Mato Grosso e Paraná. Desenterramos fatos surpreendentes, como o plano da oposição paraguaia de contar com a ajuda dos rebeldes para derrubar o governo do seu país, além de versões inéditas sobre episódios conhecidos, histórias que se haviam perdido no rastro da Coluna mas que ainda permaneciam bem nítidas na lembrança de toda aquela gente.

No início esbarramos numa dificuldade que nos parecia intransponível: como localizar testemunhas de episódios que ocorreram há cinqüenta anos? Apesar de complicado, o problema foi aparentemente contornado com um artifício: a publicação de pequenos anúncios nos jornais das cidadezinhas por onde passávamos. As pessoas liam os comunicados e nos procuravam. Nessas escavações à procura de pistas do movimento revolucionário, foi inestimável a ajuda prestada pelas emissoras de rádio do interior. Dávamos sempre longas entrevistas explicando o objetivo da reportagem que estávamos realizando; quando menos esperávamos, as testemunhas brotavam. Foi também valiosa a colaboração prestada pelos serviços de alto-falantes de muitas localidades visitadas pela Coluna. Não fora o serviço de alto-falantes da igrejinha de Puerto Suarez, teria sido impossível localizar, na Bolívia, o ex-soldado do Exército Guilhermino Barbosa, que aderiu à revolução em 1924, quando servia ao 3º Regimento de Infantaria de Alegrete, no Rio Grande do Sul. Depois de ter-se asilado com a Coluna em San Mathias, em 1927, Guilhermino nunca mais voltou ao Brasil. Em 1974, vivia com a mulher e doze filhos no povoado de El Carmen, a 120 quilômetros da fronteira com o Mato Grosso do Sul.

A ida ao encontro de Guilhermino foi em si uma aventura. O local onde morava era tão pobre e distante que não constava do mapa da Bolívia. E mais: não havia estradas de rodagem nem caminhos carroçáveis para El Carmen. O trem para Santa Cruz de La Sierra, nossa única esperança, passava em frente à casa de Guilhermino, mas não parava no povoado. A solução foi então convencer o diretor regional da Ferrocarrilles Bolivianos, em Quijarro, a nos emprestar um autolinha para chegarmos a El Carmen. O engenheiro-chefe foi extremamente atencioso, mas fez uma advertência: teríamos que ser rápidos; às nove da noite chegaria um cargueiro de Santa Cruz e não havia como avisá-lo da nossa presença na via permanente. Além de estar com as lanternas traseiras queimadas, o motor cansado do autolinha só conseguia desenvolver quarenta quilômetros por hora; tínhamos, portanto, que torcer para encontrar logo Guilhermino, fazer a entrevista, tirar algumas fotos e retornar a Quijarro antes do anoitecer. Caso contrário, seríamos atropelados pelo cargueiro.

Ao chegarmos a El Carmen, não acreditei no que vi: encontramos Guilhermino sentado na porta de casa, tomando chimarrão, como se estivesse à nossa espera. Fizemos a reportagem em pouco mais de três horas. Havia, portanto, tempo de sobra para regressarmos a Quijarro em segurança: tínhamos cerca de quatro horas para vencer os 120 quilômetros que nos separavam da fronteira. A despedida foi emocionante. Ainda muito nervoso, Guilhermino chorou como um menino, no momento em que me abraçou. Ele entrara em pânico ao nos ver chegar. O autolinha era um veículo normalmente utilizado por autoridades bolivianas ou pelos engenheiros da Ferrocarrilles; Guilhermino pensou que fôssemos prendê-lo por ter participado da revolução de 1924. Há cinqüenta anos não cruzava a fronteira, com medo de ser preso, julgado e condenado como desertor. Nunca acreditara na história de que fora beneficiado pela anistia. Antes de começar a entrevista, tivemos que acalmá-lo. A última vez que o procuraram foi em 1930. Um oficial gaúcho quis levá-lo de volta para o Rio Grande, mas ele preferiu *se quedar* em El Carmen. Mostramos nossas credenciais de jornalistas, exibimos a carta de recomendação em que o marechal Juarez Távora nos apresentava aos comandantes das regiões militares por onde deveríamos passar, e ele se tranqüilizou. Ao nos ver partir, Guilhermino sorveu um gole de chimarrão, apertou os olhos miúdos para enxergar melhor o passado e deixou em aberto um convite.

— Se tiver outra briguinha boa daquelas é só mandar me chamar.

Nunca mais o vi.

Nosso regresso a Quijarro por pouco não se transformou em tragédia. Com dez minutos de viagem, o autolinha enguiçou. Durante o tempo em que estivemos entrevistando Guilhermino, o maquinista boliviano embebedou-se e se esqueceu de colocar água no radiador; superaquecido, o motor parou. Tomamos uma decisão drástica: destituímos o maquinista, à força, do comando do veículo, enquanto Bueno tentava fazer o autolinha funcionar. Mais uma vez a sorte não nos abandonou. Bueno, antes de se iniciar no jornalismo como repórter-fotográfico, trabalhara, no Rio, como mecânico de automóveis. Duas horas depois, o milagre esperado aconteceu: o motor esfriou, Bueno fez um gatilho e conseguimos partir. Chegamos a Quijarro às sete da noite. *Borracho*, como dizem os bolivianos, o maquinista ainda dormia, com o peito encharcado de cerveja, quando o cargueiro de Santa Cruz mergulhou na estação ofegante, cuspindo fumaça para os lados.

Ao regressar ao Brasil, ainda sob o impacto dessa acidentada aventura, fomos mais uma vez ungidos pela sorte: encontramos o ex-revolucionário Nelson Pereira de Souza, o *Bamburral*, civil que se engajara na Coluna no Maranhão. Magro, doente e miserável, o repentista *Bamburral*, que tanto encantava o general Miguel Costa, um dos principais chefes revolucionários, morava agora de favor numa cabana tosca, com chão de terra batida, em companhia da mulher e três filhas menores, alimentando-se apenas de milho e feijão. Meio século depois, em meio a condições ainda mais deploráveis do que a dos homens que um dia imaginou libertar, *Bamburral* revelou detalhes desconhecidos de um dos mais dramáticos episódios da Coluna. Ele fora um dos principais protagonistas da chacina de Piancó, na Paraíba, onde os rebeldes revidaram a cilada do padre Aristides com desapiedada violência.

O trabalho realizado com a ajuda de Fernando Bueno rendeu uma série de reportagens sobre a marcha da Coluna Prestes que o *Jornal da Tarde* publicou em julho de 1974. Apesar dos elogios recebidos, na redação, pelo ineditismo do trabalho, muitas perguntas continuavam sem resposta. Onde todos aqueles moços, por exemplo, encontraram a força, a determinação e a disciplina que os mantiveram unidos, durante tanto tempo, no sofrimento e na desgraça? Qual o segredo da magia que os tornava permanentemente solidários, como se estivessem acorrentados, presos entre si, sempre juntos nas situações mais dramáticas? Por que, mesmo distantes, quando partiam em direções diferentes, estavam sempre tão próximos? Onde os rebeldes feridos encontravam a força e a luz que os faziam cavalgar, dia e noite sem parar, amarrados em suas montarias, só para morrer nos braços dos companheiros? Que tipo de sentimento movia aqueles homens e os aprisionavam uns aos outros?

Esses vínculos de fogo forjaram-se ao redor dos *fogões*, como os gaúchos se referiam às fogueiras onde se reuniam à noite para fazer churrasco, tomar chimarrão, charlar, conversar. Foi em volta dessas grandes fogueiras que se cristalizou essa espécie de sentimento de irmandade, como Cordeiro de Farias costumava definir a nobreza do afeto que ligava todos aqueles homens de regiões tão distantes, com hábitos e costumes tão diferentes. Apesar de tão desiguais entre si, na formação intelectual e nas suas origens, eram uma família, uma grande e solidária família.

Os vinte anos que se seguiram à publicação da reportagem foram consumidos com pesquisas de natureza diversa. O primeiro passo foi aprofundar meus conhecimentos sobre a revolta de 5 de julho de 1924 para melhor compreender as raízes desse movimento rebelde. Em 1976, aproveitei uma viagem ao interior da Bahia, a serviço de *O Estado de S. Paulo*, e visitei Lençóis, cidade de onde partiu um dos mais ferozes batalhões de jagunços que perseguiram a Coluna. No alto da serra, em Mucugê, povoado vizinho, descobri em quatro grandes baús um tesouro que historiadores baianos acreditavam perdido: o copioso arquivo particular do *coronel* Horácio de Matos, chefe sertanejo que organizou e comandou o famoso Batalhão Patriótico Lavras Diamantina. Além de milhares de documentos pessoais, o acervo reunia também cópias da correspondência oficial por ele mantida com o Ministério da Guerra, denominação do Ministério do Exército na época, ao qual comunicava sempre, com riqueza de pormenores, as escaramuças travadas com os rebeldes. No meio dessa montanha de papéis, uma pérola: o diário de campanha dos jagunços, escrito por Franklin de Queirós, primo de Horácio. Através das suas anotações diárias, mais tarde publicadas em forma de folhetim pelo jornal *O Sertão*, foi possível conhecer também as vicissitudes que os jagunços sofriam ao perseguirem a Coluna. Com as informações do diário e com o dia-a-dia da Coluna registrados no livro *Marchas e Combates*, de Lourenço Moreira Lima, consegui obter uma visão panorâmica do que ocorrera no campo de batalha. Era como se eu espiasse do alto e visse, ao mesmo tempo, o que se passava, de um lado, com os rebeldes; do outro, com os jagunços que os perseguiam. Assim pude fixar a verdade de episódios narrados por protagonistas situados em ângulos diferentes e opostos.

Dois meses depois de encontrar o arquivo, tirei férias no jornal exclusivamente para retornar a Mucugê, em companhia da socióloga Marilena Balsa. Durante duas semanas, catalogamos e selecionamos o material que ainda não fora roído pelas traças. Anos depois, aproveitei a viagem aos Estados Unidos do repórter Victor Snejzder, meu colega em *O Globo*, para adquirir os microfilmes da correspondência diplomática reservada mantida no período de 1920 a 1930 entre o Departamento de Estado e as embaixadas americanas no Rio, Buenos Aires e Montevidéu. Meu interesse era conhecer como os americanos acompanharam a trajetória dessa imbatível coluna rebelde que havia introduzido nos combates o revolucionário conceito da *guerra de movimento*, enquanto o Exército se mantinha apegado à tradicional *guerra de posição*, pregada pela Missão Militar Francesa e que fora vitoriosa na Primeira Guerra Mundial.

Em 1980 fui a Mato Grosso e Goiás à procura de determinados documentos que imaginava encontrar em arquivos estaduais. Ao ingressar na TV Globo, em 1985, as viagens do *Globo Repórter* não só possibilitaram-me o aprofundamento das pesquisas pelo interior como também permitiram sua ampliação ao exterior, durante a realização de matérias na Bolívia, Paraguai, Argentina, Uruguai e Guiana Francesa. Em Caiena obtive informações valiosas sobre a Colônia Agrícola de Clevelândia, no Amapá, para onde foram desterrados, entre 1924 e 1926, cerca de mil presos políticos. A direção da Colônia mantinha estreito relacionamento com a administração da penitenciária francesa de Saint-Laurent du Maroni, no Oiapoque, a cuja estação radiotelegráfica recorria com relativa freqüência, sempre que precisava comunicar-se com o Ministério da Justiça, no Rio de Janeiro. Um historiador local revelou-me que muitos dos presos fugitivos de Clevelândia sumiram para sempre na selva da Guiana.

Depois de começar o livro em março de 1994, realizamos pesquisas complementares no Cepedoc da Fundação Getúlio Vargas, no Rio; no Arquivo Artur Bernardes, depositado na Unicamp, em Campinas; e no Arquivo do Tribunal de Justiça do Estado de São Paulo, onde estão os 167 volumes do IPM sobre a revolta de 5 de julho de 1924. Estes compõem um material fantástico, que há setenta anos espera a curiosidade e a paciência de outros pesquisadores.

Durante três semanas consultei toda essa documentação manuscrita. A leitura dos autos foi penosa e cansativa porque a maioria dos depoimentos foi colhida a bico-de-pena, juntamente com outras peças do IPM, à exceção dos relatórios dos delegados e dos exames realizados pela perícia, que eram datilografados. O *Relatório Geral*, confeccionado por uma comissão de delegados, fornece uma visão ampla do que foi a revolta. Escrito em linguagem clara, quase didática, cheio de detalhes, o *Relatório* é um excelente resumo do trabalho realizado pela Polícia Política. A primeira parte reúne 107 volumes produzidos na fase policial: depoimentos dos acusados e testemunhas, autos de apreensão, fotografias, laudos periciais etc.; os sessenta restantes reproduzem o que foi a batalha judicial.

Todos os volumes do IPM são acompanhados de um *relatório parcial*, datilografado. Ali estão especificados os fatos apurados por cada delegado, os nomes dos indiciados, os atos praticados, datas e locais onde ocorreram, com indicação das provas documental e testemunhal. Classificados por assunto (aviação rebelde, batalhões estrangeiros, imprensa revolucionária, mapas, croquis, correspondência, códigos secretos etc.), os volumes têm ainda, em cada um, um índice alfabético remissivo, com a indicação das folhas em que os nomes são mencionados, juntamente com a natureza da citação. O IPM reúne 5.676 documentos e 170 fotografias. Ao longo de suas 18.715 páginas, foram lavrados 400 autos diversos e ouvidas 2.217 pessoas, das quais foram tomados 1.693 depoimentos.

Além de entrevistas, pesquisas em fontes primárias, consulta e estudo de extensa bibliografia, preocupou-me a recomposição dos cenários em que ocorreram os fatos narrados. Esse empenho levou-me a devassar a estrutura da estação da Luz, QG dos rebeldes de 1924 em São Paulo, a conhecer a tipologia dos aviões usados pelo Exército para bombardear a cidade, além do armamento utilizado tanto pelas tropas revolucionárias como pelas forças legalistas, e a visitar os principais cenários retratados no livro. Entrei nas celas reservadas aos presos políticos, no antigo prédio da Polícia Central, no Rio, onde eles ficavam detidos, meses seguidos, sem culpa formada. Fui à ilha Grande ver o que restou do presídio militar que funcionava no Lazareto. Estive na ilha da Trindade, o ponto mais distante do litoral brasileiro, local escolhido para o desterro de oficiais rebeldes como Maynard Gomes, Juarez Távora e Eduardo Gomes. Percorri o Catete para poder detalhar seu interior e conhecer a intimidade do palácio onde Bernardes viveu prisioneiro do seu próprio arbítrio. Informei-me na Escola da Motomecanização da Vila Militar, no Rio, acerca do funcionamento das armas, dos canhões e dos tanques franceses lançados contra os rebeldes, nos bairros de Belém e Belenzinho. Peregrinei pela Mooca e pelo Brás, bairros proletários de São Paulo bombardeados pelo Exército em 1924, e conheci no Museu Aeroespacial, no Rio, os aviões usados para atacar a cidade. Andei pelo Paraná à procura de vestígios das trincheiras de Catanduvas. Fiz ampla pesquisa de vestuário para saber como eram os uniformes militares e como as pessoas se vestiam na *belle époque*. Com a ajuda de livros, fotos, revistas e jornais, procurei reconstituir o *glamour* dos anos 20. As velhas listas telefônicas do Rio e de São Paulo, editadas entre 1924 e 1927, possibilitaram-me completar nomes e restabelecer endereços. Os diálogos que ilustram a narrativa foram extraídos, na íntegra, de livros, revistas e jornais, ou reproduzidos por testemunhas. Nos anos 20, era comum o uso da conversação no noticiário dos jornais, recurso amplamente utilizado pela imprensa, na época, para prender a atenção do leitor, e que exigia dos repórteres a preocupação permanente de, nos diálogos e duelos verbais, não perder uma palavra das pronunciadas.

Este é um relato histórico, captado com a técnica de investigação do jornalista e montado com a paixão do repórter.

Antes de encaminhar o texto final ao editor, submeti esta reportagem à apreciação severa do meu querido amigo e companheiro de todas as horas Maurício Azêdo, um dos mais brilhantes e aguerridos jornalistas do país, de quem me orgulho de ter sido o foca predileto, na velha redação de *Última Hora* da rua Sotero dos Reis, no Rio. Com seu entusiasmo habitual e contagiante, Azêdo, nas intermináveis conversas que tivemos sobre a Coluna, era capaz de ver o livro pronto antes mesmo que eu começasse a escrevê-lo. *As Noites das Grandes Fogueiras* tem muito do que aprendi com ele: nobreza de sentimentos, lhaneza de caráter, arraigado compromisso com a verdade. Além de mestre na arte de escrever, ele foi um exemplo no qual sempre procurei me espelhar, ao longo dos meus trinta anos como repórter.

A escolha de Jânio de Freitas para escrever o prefácio deste livro tem para mim significação especial. Ele foi meu diretor na mesma *Última Hora* de Maurício Azêdo e de Moacir Werneck de Castro. Digno, honrado e intransigente na defesa dos valores ditados por sua rígida formação ética, este exuberante *construtor* de jornais foi um dos mais extraordinários jornalistas com quem tive o privilégio de trabalhar. Sua pena vem lancetando os mais escabrosos abscessos da sociedade brasileira com a mesma firmeza, coragem e desassombro com que enfrentou a ditadura militar, em 1967, ao assumir a direção de *Última Hora*, no Rio. Ninguém, portanto, melhor do que Jânio para dissecar as entranhas deste livro que tem muitos pontos de contato com a realidade que vivemos.

Não poderia deixar também de registrar minha gratidão pela admirável colaboração prestada pela socióloga Marilena Balsa, cujo talento, dedicação, estímulo e obstinação foram determinantes para a conclusão deste trabalho. Durante vinte anos, Marilena partilhou dos meus delírios em escrever este livro, fantasias em que, muitas vezes, só ela parecia acreditar. Além de ter traduzido, selecionado e classificado a correspondência diplomática americana, ela foi também a responsável pela coordenação final da pesquisa. Este livro guarda muito do seu brilho intelectual e do carinho que demonstrou pelos personagens que ajudou a construir. Na paciência e na paixão, é tão meu quanto desta querida amiga.

Gostaria também de agradecer a Antônio Cunha, Elisa Valduga, Regina Barreiros e Ivo Cardoso pela paciência que demonstraram em ler as primeiras páginas do livro, quando era ainda um rascunho. Sou grato também ao fotógrafo Fernando Bueno, meu fiel e dedicado companheiro de todas as horas, durante os quase dois meses em que reconstituímos a marcha da Coluna Prestes para o *Jornal da Tarde*. Boa parte do livro lhe pertence.

Sou particularmente grato a todas as pessoas e instituições que me ajudaram a concluir este trabalho. A Maria Alice Fontes, diretora do Centro de Documentação da Rede Globo de Televisão, que colocou à minha disposição a biblioteca especializada da emissora, onde fiz as pesquisas sobre legislação, hábitos e costumes, meios de transporte, figurino e arquitetura da *belle époque* que me permitiram reproduzir a atmosfera mundana que emoldurou os anos 20. À professora Eloína Monteiro dos Santos, autora da brilhante tese de mestrado *A Rebelião de 1924 em Manaus*, que me prestou excelentes informações sobre o levante das tropas do Exército no Amazonas. Ao professor e historiador pernambucano Alberto Frederico Lins pela extraordinária tese de mestrado sobre Cleto Campelo e pelas fotos que me cedeu do infortunado mártir de Gravatá. À professora Ana Maria Martinez Corrêa, autora do melhor trabalho realizado sobre a rebelião de 5 de julho de 1924, pela delicadeza com que sempre me ouviu, nas horas que lhe roubei, em São Paulo, em duas manhãs de domingo.

Devo um agradecimento especial a Otávio Fernandes da Silva Filho, diretor do Arquivo do Tribunal de Justiça do Estado de São Paulo, pela acolhida fidalga que me dispensou, durante as três semanas em que pesquisei os autos do IPM da revolução de 1924, e a Antônio de Souza Castro, que tem sido vigilante guardião dos inquéritos históricos. Sou igualmente grato a Paulo Bonfim, assessor da presidência do Tribunal, por me ter facilitado o acesso a essa documentação. Não poderia deixar de registrar também a elegância com que fui tratado, no Rio, pelo coronel Luís Macedo, diretor da Biblioteca do Exército, a quem agradeço as valiosas informações que me prestou sobre a história da Primeira Guerra Mundial.

Os funcionários da seção de microfilmes da Biblioteca Nacional merecem também o meu mais sincero agradecimento pela atenção e presteza com que sempre atenderam às minhas solicitações, entre eles Tânia Mara Guimarães Di Motta, sempre muito gentil, mesmo diante dos mais extravagantes pedidos. O mesmo carinho nos foi dispensado por Ema Camilo, Eliana Marqueti, Ema Maria Franzonni, da Unicamp, e Eustáquio Gomes e Amarildo Batista Carnicel, que facilitaram nosso acesso aos arquivos da Universidade de Campinas. Agradeço também a ajuda e a atenção carinhosa que me foram prestadas por Sílvia Tanguenutti e Mariângela Castro, da Fundação Roberto Marinho.

Não poderia deixar também de registrar publicamente minha gratidão a Celso Freitas, meu colega de Rede Globo, pelo desvelo com que sempre me socorreu, nas horas mais ingratas, ao me ajudar a resolver as dificuldades que enfrentei com meu 386, quando ainda navegava a baixo calado pelo universo do Windows.

Cabem ainda outros agradecimentos especiais: o primeiro para minha amiga Eliana Sá, da Editora Globo, pelo estímulo, carinho e a delicada atenção com que sempre ouviu minhas histórias sobre a Coluna e por ter acreditado nesta reportagem quando ela era ainda um desejo; o segundo é para antigo e talentoso companheiro de Editora Abril, o genial Hélio de Almeida, autor da capa e responsável pelo elegante projeto gráfico que tornou possível transformar toda esta massa de texto num livro de leitura agradável; o terceiro é para Clara Diament, da Editora Record, que se envolveu emocionalmente com os personagens deste livro e lutou para que suas histórias chegassem logo ao conhecimento do leitor; o quarto é para os meus editores Sérgio e Alfredo Machado, que, com seu habitual pragmatismo, apostaram suas melhores fichas neste projeto; o quinto é para Ricardo Gribel, diretor-geral do Banco Real, pela extraordinária sensibilidade e raro descortínio intelectual demonstrados em relação a este trabalho. Sem me conhecer pessoalmente, Ricardo encantou-se com o projeto deste livro durante uma conversação telefônica que durou pouco mais de quinze minutos. Sou imensamente grato ao Banco Real por ter patrocinado a parte final da pesquisa, sem a qual este trabalho não teria sido concluído.

Agradeço ainda o estímulo e a colaboração de Alberico Souza Cruz, Alberto Pompeu, Antônio Osório, Ana Paola Abraão Jana, Aparecida Queiroz, Augusto do Amaral Peixoto, Beatriz Góis Dantas, Carlos Amorim, Caco Barcelos, Carlos Giovanni Coelho, Carlos Schröder, Carlos Jurandir Monteiro Lopes, Cesar Cuello, Chico José, Cláudio Lacerda, Cordeiro de Farias, Cristina Valentino Pires, Custódio de Oliveira, Distéfano Fonseca Vieira, Diogo Martinez, Edson Santos, Elizabeth Mari, Fernando Mitre, Emigdio Miranda, Fernando Martins, Francisco de Paula Freitas, Ester Kupperman, Fichel Davit Chargel, Hélio Silva, Hernani Donato, Henrique Samet, Hélio Pennafort, Jane de Souza, João Victor Strauss, Jackson Flores Jr., Jorge Luís dos Santos, José Augusto Drumond, José Ibarê Costa Dantas, José Prisciliano Martinez, Jotair Assad, Júlio Abe, Juarez Tapety, Juarez Távora, Otávio Sérgio, Mônica Maia, Léia Beatriz Paniz, Lilian Gabizo de Faria, Luciana Savaget, Luciana Quintela, Luís Fernando Viana, Luzia Santos Silva, Jailton José de Sá, Mário Cunha, Marilka Lannes, Mário Lago, Miguel Jorge, Miguel Costa, filho, Murilo Felisberto, Otávio Sérgio, Paulo Mota Lima, Raul

Silvestre, Regina Célia Silva, Regina Gonçalves, Tássilo Matos, Teresinha Rodrigues Santa Rita, Valéria Prochmann, Victor Snejzder, Walfrido Moraes e Zoylo Martinez de La Vega.

Foi graças à colaboração e ao apoio de tanta gente que nasceu este fruto da minha paixão.

Domingos Meirelles
Rio, outubro de 1995

Sumário

1924

1925

AS NOITES DAS GRANDES FOGUEIRAS

UMA HISTÓRIA DA COLUNA PRESTES

1924

1

O BERÇO DA REVOLTA

São Paulo, 5 de julho de 1924

O perfume ligeiramente adocicado que exala dos salões do Hotel Esplanada, enfeitados com ramagens e flores do campo, se derrama pelas calçadas da praça Ramos de Azevedo e alcança até o Teatro Municipal de São Paulo, do outro lado da rua. As paredes dos salões, vestidas com tecido brocado francês, exibem laçarotes de seda branca a cada dois metros, em suave contraste com o lambri de jequitibá. Nos cantos, jarrões de mármore com folhagens e algumas esculturas de bronze e marfim acentuam ainda mais o refinamento do ambiente de fausto e riqueza. Sobre a cômoda imensa e pesada, ao lado da parede voltada para o *hall*, uma raridade: um conjunto de peças delicadas do século XVII, confeccionadas em *papier maché*. Uma obra de arte rara e deslumbrante, importada da Mongólia, numa época em que os artistas e a religião andavam de mãos dadas.

O bom gosto e a delicadeza da decoração, supervisionada pela proprietária do hotel, podem ser também apreciados através de pequenos detalhes como o acabamento em pátina dos pés das cadeirinhas Luís XVI, estofadas com veludo azul. Ah!, só mesmo o Esplanada para dar uma festa como aquela.

— *Merveilleux...*

— *C'est trop froid.*

— *Fantastique!*

Os convidados não apenas conversam em francês. Vestem-se como se estivessem em Paris, apesar de a festa ter sido organizada pelo consulado americano de São Paulo para comemorar mais um aniversário da Independência dos Estados Unidos.

Em 1924, a França é o centro de tudo. De lá são importados não apenas os *pince-nez*, o melhor champanhe, os perfumes e os figurinos, mas toda uma forma nova de viver. A *belle époque* e o *art nouveau* são mais do que simples referências estéticas ou visuais. Os anos 20 abrem espaço para o surgimento de uma sociedade audaciosa e irreverente, despida de preconceitos e assediada por modernos conceitos urbanos, que estimulam o consumo das mais incríveis inovações produzidas pela era industrial. Os salões do Esplanada espelham o que há de mais sofisticado em Paris, a catedral da moda, do luxo e do requinte.

Muita gente veio de longe só para participar desta festa e se manter informada sobre as últimas novidades da Corte, como a maioria dos convidados se refere, de forma afetada e pejorativa, ao Rio de Janeiro, que, além de ser a capital da República, é também o mais importante centro irradiador de hábitos e costumes importados da França. Os melhores vestidos da noite tinham sido adquiridos, no Rio, em *boutiques* como a de madame Blanc, que comunicava sempre, pelos jornais, a chegada de novas *collections*, em pequenos anúncios publicados em francês:

> *"Avisé son élégant clientèle qu'elle vient de recevoir un joli choix de robes du soir e d'après-midi à sa nouvelle adresse.*
>
> *27, rua Buarque de Macedo"*[1]

A festa é acima de tudo um tributo à beleza feminina e aos grandes mestres do *córte*. Os decotes são tão ousados e perturbadores que quase deixam os seios à mostra. Acolchoadas de frivolidades, as mais lindas mulheres, os mais belos rostos e os mais esfuziantes *manteaux* se exibem, pelos salões, como se estivessem em uma vitrina. Este momento inesquecível reúne a nata da sociedade paulista e do baronato do café. Um ambiente impregnado de hipocrisia e afetação que os convidados do cônsul Haeberle dificilmente esquecerão.

Uma das presenças mais requintadas nesta festa de mil e uma noites é a do general Abílio de Noronha, comandante da 2ª Região Militar, sediada em São Paulo. Enfiado num uniforme de gala, com o peito forrado de condecorações, o general está há várias horas de pé, ao lado de seu ajudante-de-ordens, empunhando protocolarmente uma taça de champanhe. Vaidoso e galante, apesar da idade, ele jamais perderia uma festa como essa. O cônsul Haeberle acaba de apresentá-lo a um grupo de senhoras, mulheres de fazendeiros ricos do interior, mas com palacetes na avenida Paulista, uma das áreas mais *chics* de São Paulo.

Algumas ausências importantes haviam sido registradas não só pelo anfitrião mas também por todo o corpo diplomático, como a do presidente da Província de São Paulo, Carlos de Campos, e de vários oficiais do Exército, presenças que seriam obrigatórias numa recepção como esta. O coronel Klingelhofer, tradicional *habitué* das festas promovidas pela colônia americana, também não havia comparecido nem mandou representante. Nesta madrugada de 5 de julho, o general Abílio de Noronha e seu ajudante-de-ordens são os únicos militares presentes.[2]

Duas horas da manhã. O general, ainda de pé, luta contra o sono manifestando ensaiado interesse pelas mulheres que circulam pelos salões com os olhos excessivamente pintados e a boca tingida de vermelho, numa imitação de Theda Bara e Pola Negri, as grandes divas do cinema mudo.

Derrotado pelo sono e pelo cansaço, o general finalmente se rende, puxa o assistente pelo braço e sai pelos salões à procura do cônsul, para as despedidas de praxe. Nesse momento, as atenções se voltam, de repente, para o salão principal. A orquestra começa a tocar o ritmo da moda, o *charleston*, a grande novidade da época. Apenas dois casais de americanos se aventuram a dançar esse ritmo frenético e alucinante que começara também a freqüentar as melhores festas da aristocracia paulista. Mas a maioria dos convidados, por gosto e elegância, ainda prefere o tango e outros ritmos latinos que fazem enorme sucesso em Paris.

Os homens encasacados e de aspecto grave que conversam, em voz baixa, ao lado de uma das janelas voltam-se para cumprimentar o general Abílio. Ele é tratado com respeito e consideração.

— Como tem passado Vossa Excelência...

São todos fazendeiros, com grandes plantações de café no vale do Paraíba, mas que vivem na cidade, onde moram em grandes mansões construídas com mão-de-obra importada da Europa.

A cultura do café não fez só florescer a economia do país como acabou também produzindo uma nova safra de proprietários rurais: o fazendeiro, mais culto, inteligente, de hábitos refinados e ainda mais poderoso que o ultrapassado *coronel* do interior, tipo geralmente rude e violento. O barão do café, além de ser ainda muito mais rico do que os velhos *coronéis*, tem crédito bancário, mais dinheiro, financiamentos especiais do governo, prestígio político. A sua fortuna e o seu poder não são avaliados só pelo tamanho de suas terras, mas pela sua capacidade de interferir na vida política do país. Todos os instrumentos legais parecem ter sido criados para manipulação desta nova casta que viceja com os cafezais. O padre, o delegado, o escrivão, o coletor de impostos, o juiz, estão todos sob o seu comando político. Os *coronéis* controlam o processo eleitoral com a mesma eficiência com que administram as suas fazendas. Das apurações fraudadas pela sua pena são *eleitos* vereadores, prefeitos, deputados, senadores e até o presidente da República. O sistema eleitoral em vigor se assenta na fraude e no suborno.[3]

Nesta noite de 5 de julho de 1924, aquele grupo de fazendeiros em nenhum momento suspeita que o homem por eles indicado para ocupar o Palácio do Catete está sendo vítima de uma conspiração. Ao amanhecer, de acordo com o plano dos rebeldes, São Paulo estaria sob o comando do general Isidoro Dias Lopes, o chefe supremo da revolução. Dentro de mais algumas horas, os quartéis do Exército e da Força Pública cairiam num golpe de mão, sem confrontos ou qualquer outro tipo de resistência. A rebelião fora meticulosamente planejada para que não houvesse derramamento de sangue. O cerco e a invasão, em seguida, do Rio de Janeiro, para prender e depor o presidente Artur Bernardes, que governava o país ao arrepio da lei, seriam depois só uma questão de tempo. Os rebeldes estão convencidos de que a época das eleições a bico-de-pena está chegando ao fim.

Na porta do Hotel Esplanada, o cônsul americano, homem reconhecidamente bem-informado nos meios políticos e diplomáticos, até agora não percebeu que a revolução já está nas ruas. Ele se despede afetuosamente do general Abílio de Noronha num português fluente, quase sem sotaque, que aperfeiçoou na Universidade de Berkeley, antes de ser designado para servir no consulado de São Paulo. Há muito que Haeberle e o comandante da 2ª Região Militar cultivam laços da melhor estima e carinho. O diplomata, ao chegar à soleira da porta, recebe o impacto de uma lufada de ar frio e recua. Leva uma das mãos ao pescoço, para proteger a garganta atravessada por uma gravatinha-borboleta, e despede-se, rápido, com um lembrete:

— General, não se esqueça de me telefonar segunda-feira para combinarmos o jantar com o cônsul inglês.

Trôpego de sono, o general embarca no carro junto com o ajudante-de-ordens. O sargento motorista vai deixá-lo em casa, no bairro das Perdizes, e levar depois o outro oficial até a Mooca. Faz muito frio e o carro custa a pegar. O motor tosse uma, duas, três vezes, o Renault estremece e deixa finalmente a praça Ramos de Azevedo, aos solavancos, até desaparecer entre as sombras da rua Conselheiro Crispiniano.

São duas e quinze da manhã. As ruas estão pessimamente iluminadas por causa do racionamento de luz, os poucos bares e restaurantes que insistem em manter as portas abertas estão vazios, mas o movimento de carros de aluguel é anormalmente intenso àquela hora da madrugada. O sargento tem a atenção atraída para o excesso de passageiros que viajam em cada um desses táxis, mas lembra que é sábado e que podem estar, também como ele, voltando de alguma festa. Deveriam estar retornando daqueles jantares insuportáveis que, se o tempo tivesse permitido, teriam sido servidos ao ar livre, onde era muitas vezes obrigado a ouvir o dono da casa declamar em italiano, empunhando um monóculo de cristal.

Como de hábito, o sargento vai resmungando pelo caminho. Amaldiçoa a festa do consulado americano e a vida que escolheu. Por dever de ofício, já terá que estar de pé, banhado e de rosto escanhoado, às oito da manhã, no QG da 2ª Região Militar, no centro da cidade, à espera de um telefonema do general Abílio de Noronha, pronto para apanhá-lo em sua residência e levá-lo a Jundiaí, para almoçar em casa de um parente.

O motorista olha por cima do ombro e vê o general deitado no banco de trás. Ele dorme de boca aberta, esparramado no banco, com as comendas e os galardões embaralhados sobre o peito. Com o uniforme amarrotado, descalço, as botas de cano alto atiradas no chão, não parece o homem de hábitos finos e reconhecidamente elegante de que a tropa tanto se orgulha de ter como chefe. À direita do sargento, no banco da frente, o ajudante-de-ordens também dorme profundamente, com a cabeça tombada sobre o peito.

Uma buzina estridente interrompe os pensamentos do sargento. Ele observa o retrovisor e vê, de repente, surgirem dois olhos de metal. A luz dos faróis cresce e se espalha, depois, pelo pára-brisa embaçado, chamando a atenção para dois táxis, com as cortinas arriadas, que pedem passagem, acendendo e apagando as lanternas dianteiras. Os carros, como monstros cambaleantes, ultrapassam o Renault. Estão apinhados de rebeldes.

O sargento não se contém e esbraveja:

— Idiotas! Não sabem que é proibido buzinar durante a noite?

Tenta anotar o número das placas para fazer depois uma queixa por escrito à prefeitura, mas os táxis são logo devorados pela neblina e se perdem na escuridão. Os oficiais amotinados jamais poderiam imaginar que no banco de trás daquele Renault dormia o homem que eles tinham ordem de prender antes que amanhecesse.

A madrugada agasalha os conspiradores que se deslocam, amontoados em táxis de sete lugares, para tentar tomar de assalto os quartéis da Luz. Ofegantes, soltando baforadas pelo capô, os carros arrastam-se com dificuldade, como se fossem vergar ao excesso de peso. Com os solavancos, os passageiros pulam nos bancos, alguns chegam a bater com a cabeça nas costelas de ferro das capotas de lona. Mas o pior são as derrapagens, nas curvas, o chão molhado e escorregadio. Os rebeldes são atirados, como fardos, de um lado para outro, como se os motoristas estivessem empenhados em cuspi-los para fora dos táxis o mais rapidamente possível.

Embuçada pela neblina, a cidade oferece o *décor* ideal para uma rebelião, um painel difuso, marcado por contornos e formas indefinidos, que parecem se mover dentro do nevoeiro, como nos cenários de ficção. O racionamento de energia, imposto por longa estiagem, dá preciosa contribuição para manter uma atmosfera de suspense e mistério, ao permitir que só as principais ruas e avenidas permaneçam com as luzes acesas. O resto da cidade dorme sob a escuridão.

As ruas do Centro, sempre povoadas até ao amanhecer por uma fauna de tolos, boêmios e desocupados, estão assustadoramente desertas e silenciosas. Mesmo os ruidosos cafés, que ficavam abertos a noite inteira, sempre cheios de gente, estão com as portas fechadas por causa da brusca mudança do tempo. O frio intenso, que parece molhar os ossos, empurrou as pessoas mais cedo para a cama. A névoa úmida que se espraia pelo centro de São Paulo conseguiu enxotar até os bondes das ruas.

Os táxis movem-se como sombras no meio da neblina. A gola pesada e alta dos sobretudos usados pelos passageiros não é apenas um traço de compromisso com os padrões de elegância da época. O disfarce ingênuo não só chama ainda mais a atenção para aquele punhado de rostos, extremamente jovens, como também denuncia o caráter romântico da conspiração. Nem mesmo as boas e felpudas capas de lã, largas e bem mais longas que os sobretudos, ocultam as perneiras de couro e os uniformes militares que seriam logo inevitavelmente traídos por outro detalhe revelador: o cheiro forte de naftalina. Estas fardas de brim cáqui, pálidas e levemente esgarçadas pelo uso e pelo tempo, há muito estavam confinadas, no fundo de um velho baú de madeira, à espera de serem usadas a serviço da revolução.

O capitão Juarez Távora solta o trinco, a cortina balança com o vento e se enrosca no teto; depois, ele se debruça sobre a porta do carro e olha para trás. Um hálito frio invade o táxi e todos se voltam, ao mesmo tempo, na direção da janela que permanece aberta. Com o corpo dobrado para fora, Juarez confere se todos os táxis contratados continuam integrados ao pequeno comboio que partira, minutos antes, de Vila Pari. Cada grupo fora contemplado mais ou menos com a mesma quantidade de armas e munições. Juarez vira-se para os companheiros, atulhados no banco traseiro. A fronte ampla, permanentemente vincada, emoldura um rosto sob forte tensão. A voz estridente, quase metálica, sai sufocada.

— Esquecemos de mandar ocupar o telégrafo!

Os companheiros estremecem com a revelação. O grupo, perplexo, revê mentalmente as últimas instruções discutidas com o comando revolucionário e logo percebe que foram descumpridas também outras decisões igualmente importantes. Falam quase todos ao mesmo tempo:

— Não mandamos ninguém para a estação telefônica...

— Esquecemos também de mandar cortar as ligações ferroviárias com o Rio.[4]

Não há mais tempo para adiar ou refazer o plano de ataque. Juarez puxa pela corrente o relógio Walthaman de bolso, presente do irmão Joaquim, e balança a cabeça em sinal de reprovação. Não é mais possível voltar atrás, a revolução já está nas ruas. O destino da conspiração agora pertence à História.

Emigdio Miranda, um dos ex-alunos da Academia Militar do Realengo, não esconde a preocupação com a possibilidade de um confronto violento e impiedoso, mas prefere manter-se em silêncio. Por alguns momentos, distrai-se com as próprias mãos. Os dedos pequenos e arredondados, que a mãe dizia serem expressivos como o rosto, acalentam a pistola Astra-400, de fabricação espanhola, comprada de um armeiro em Santa Teresa uma semana antes de deixar o Rio e viajar de trem para São Paulo. Observa, depois, os companheiros, como se procurasse ler os pensamentos de cada um. Ele se convence de que todos também devem ter consciência de que não estão militarmente preparados para enfrentar o fogo pesado dos quartéis. Não dispõem de granadas, morteiros ou metralhadoras. Não possuem sequer um fuzil. Estão armados apenas com revólveres e algumas pistolas alemãs, como a pesada e deselegante Mauser 1895, que haviam desviado do Exército. A munição é igualmente pobre e escassa, cerca de duzentas balas, pouco mais de trinta tiros para cada um.[5] Não há como sustentar uma luta prolongada. Mesmo assim, apesar do quadro aparentemente desalentador, estão prontos para o combate. Emigdio percebe que, apesar da calma que todos aparentam, o medo e a expectativa brilham nos olhos dos companheiros.

Os táxis Berliet, de fabricação francesa, com capotas de lona e bancos de couro marroquim, voam a vinte quilômetros por hora, velocidade máxima autorizada pela prefeitura para o perímetro urbano de São Paulo. A idéia de alugar esses autotaxímetros fora festejada como um exemplo da criatividade revolucionária. Existiam 1.567 táxis circulando dia e noite pela cidade, e aqueles carros elegantes, com painel de madeira e volante de marfim, não despertariam suspeitas quando estivessem se aproximando da praça da Luz. Por causa da seca, algumas linhas de bonde haviam também deixado de circular durante a madrugada, para economizar energia.[6] Era natural que houvesse tantos táxis rodando.

O plano de usar esse tipo de veículo para invadir os quartéis parecia perfeito. Nem mesmo os motoristas, de luvas e boné, que haviam recolhido os rebeldes no velho sobrado da rua Vauthier, no bairro do Parı, tinham percebido que estavam participando de uma rebelião.

A idéia de usar táxis para transportar os rebeldes não era, porém, original. Na reunião em que o plano foi aprovado, Emigdio Miranda lembrou-se de que ele fora utilizado também com sucesso pelo marechal Enrich Philippe Pétain, em 1916, durante a Primeira Guerra Mundial. Pétain surpreendeu os alemães ao comandar a defesa da cidade francesa de Verdun com a ajuda dos táxis de Paris, já que eram reduzidos os meios de transporte colocados à sua disposição.

Na ocasião em que um dos conspiradores expôs as excelências do plano, Emigdio achou melhor não fazer nenhum comentário. Foi melhor. Naquela noite os ânimos estavam exaltados, e ele, recém-chegado, poderia ser mal-interpretado e rotulado como um intelectual pretensioso.

Os rebeldes não sabem que o Governo está monitorando todos os movimentos da revolta. O Catete só desconhece a data, o local em que ela será deflagrada e a verdadeira extensão do movimento. Há meses que Bernardes vem sendo abastecido, semanalmente, com informes reservados sobre a conspiração. Quatro meses antes, a 3 de março, o general Carneiro da Fontoura entregara pessoalmente ao presidente da República um relatório confidencial sobre as atividades subversivas dos oficiais que se encontravam presos, em quartéis, à disposição da Justiça Militar, por terem participado do levante do Forte de Copacabana, em 1922.

O documento assinado pelo coronel Carlos Reis, titular da 4ª Delegacia, repartição policial responsável pela repressão política, informava que vários tenentes estavam saindo à noite dos quartéis onde se encontravam detidos para conspirar com civis. Os secretas da 4ª Delegacia, como eram conhecidos os seus investigadores, descobriram que no dia 2 de março todos os oficiais recolhidos ao 2º Regimento de Artilharia, em Santa Cruz, haviam passado a noite fora do quartel. O coronel Carlos Reis informou que essas saídas tinham se transformado em tal rotina que o capitão Guerê, apesar de preso, fora visto no centro da cidade "se divertindo no carnaval".[7]

A interceptação de um telegrama por agentes secretos do governo brasileiro confirmava não só a existência da conspiração como também as suas ligações com o exterior. Esse telegrama, redigido em inglês, havia sido enviado da capital argentina para os Estados Unidos, comunicando que a revolução estava prestes a estourar:

> *"Chitrib — Chicago:*
> *Buenos Aires, 17 — Rio, 13. Se rebentar revolução telegrafarei do seguinte modo: 'Sigo viagem para Londres', designando o dia da semana em que for deflagrado o movimento. Se as forças do Rio se juntarem aos rebeldes, acrescentarei: 'com Alberto'. Se os navios de guerra do porto do Rio aderirem à revolução acrescentarei: 'com Nellie'. Como a censura se tornou mais rigorosa com a chegada do Dr. Bernardes ao Rio, certamente ficarei impossibilitado de enviar mais pormenores. Quando esse despacho chegar às suas mãos, telegrafe-me para o Rio dizendo: 'João chegou'."*

A polícia aguardava apenas a chegada do telegrama-resposta para o Rio, com a expressão "João chegou", confirmando o recebimento da mensagem, para prender os conspiradores que agiam na capital da República.[8]

O táxi, com o motor arquejando, dobra à direita e avança, sacolejando, com os faróis apagados, pela estradinha que liga São Paulo a Quitaúna. Os outros dois seguem em direção ao centro da cidade. O caminho é péssimo, quase não se vê nada por causa da neblina, o motorista reduz ainda mais a velocidade, e o táxi, como um velho cão perdigueiro, vai lentamente farejando o leito de terra, no meio do nevoeiro, para não perder a trilha da estrada. O terreno acidentado joga os homens de um lado para o outro, enquanto o motorista se contorce ao volante para fugir dos buracos cheios de lama que ameaçam engolir o táxi. De repente, o carro ameaça virar numa curva, os passageiros inclinam-se todos para o lado direito, e ouve-se um barulho seco. Emigdio dobra o corpo sobre os joelhos, apóia a mão esquerda sobre o encosto do banco dianteiro e, com a outra, procura alguma coisa no chão do carro. Os dedos pequenos e arredondados esbarram no cano da Astra-400 caída junto à porta traseira.

— Foi a pistola que escorregou do meu colo...

O capitão Juarez Távora e Emigdio sentem-se desconfortáveis dentro daqueles uniformes engomados com parafina que o Exército brasileiro copiara do figurino militar alemão. Foi com grande sacrifício que conseguiram fechar o dólmã ornamentado com toda aquela fieira de botões. No banco de trás, Emigdio ainda lutava contra a rebeldia de alguns botões que se recusavam a ficar alinhados por causa do volume da barriga. Todos, sem exceção, haviam engordado bastante com a falta dos exercícios físicos que faziam diariamente nos quartéis. A disciplina rígida imposta pela clandestinidade obrigara os rebeldes a cultivar hábitos quase monásticos para não despertar suspeitas. Quase não circulavam pelas ruas para não serem identificados pelos agentes do governo. Passavam a maior parte do tempo dentro de casa, lendo e conspirando, à espera de que os líderes do movimento marcassem a data em que seria deflagrada a revolução.

Há dois anos que eles estavam sendo procurados pela polícia. Quase todos já haviam sido condenados pela Justiça Militar e eram agora caçados também como desertores. Desde o levante fracassado do Forte de Copacabana, em 1922, para tentar impedir a posse do presidente Artur Bernardes, a maior parte do grupo vivia em São Paulo, com identidades falsas. O capitão Juarez Távora, um dos acusados de liderar a revolta no Rio, escondia-se sob o nome de Otávio Fernandes, eletricista de profissão e técnico da Casa Stolze, uma das oficinas mais conceituadas da capital paulista. O tenente Eduardo Gomes, que passara a maior parte do tempo refugiado no interior de Mato Grosso, era o Dr. Eugênio Guimarães, advogado e professor primário.[9]

A neblina, a estradinha de terra toda esburacada e o cuidado de só rodarem com os faróis do carro apagados, por medida de segurança, transformam a viagem para Quitaúna num martírio. O caminho acidentado, com o passar do tempo, fazia o quartel parecer cada vez mais distante. Alguma coisa de errado devia estar acontecendo. Antes de tomar a direção de Quitaúna, para tentar sublevar o 4º Regimento de Infantaria, os rebeldes haviam passado às duas da manhã por Pinheiros, um bairro distante do centro de São Paulo, e não encontraram no local combinado o tenente Custódio de Oliveira, peça-chave no levante. Não havia também vestígios dos canhões do 2º Grupo de Artilharia Pesada, que seriam utilizados no ataque aos quartéis da Luz. Emigdio foi o primeiro a desabafar:

— Como vamos fazer uma revolução sem canhões?

— Calma, o Custódio sabe o que está fazendo. Ele deve estar a caminho — observou Juarez, procurando simular tranqüilidade.

— Será que ele foi preso?

A ausência inesperada do tenente Custódio deixa o grupo atordoado. Era ele quem deveria conduzir os rebeldes até Quitaúna. Além de ter um bom relacionamento com a tropa, o tenente contava ainda com a cumplicidade de alguns oficiais já comprometidos com a rebelião. Foi também na casa de Custódio, no número 27 da rua Vauthier, que se refugiaram vários conspiradores procurados pela polícia. Havia ainda outro motivo que justificava a apreensão: Custódio conhecia os planos do levante nos mínimos detalhes, pois tinha se reunido, várias vezes, com as principais figuras da revolução.[10]

Dois oficiais propõem adiar o ataque ao quartel para saber o que acontecera com o tenente; a conspiração já podia ter sido descoberta pelo governo.

A intervenção enérgica do capitão Juarez Távora é decisiva para restabelecer o controle da situação. Não há mais tempo para recuar:

— Agora é vencer ou morrer!

— Vencer!

— Viva a revolução!

Emigdio Miranda consulta o relógio. Duas e meia da manhã. Os rebeldes não sabem o que fazer. Em Pinheiros, haviam esperado durante quinze minutos pelo tenente Custódio e agora têm pouco mais de meia hora para improvisar um plano de ataque ao quartel. Os conspiradores haviam reconhecido, desde o início, que a queda do 4º Batalhão de Infantaria é fundamental para o sucesso da rebelião. Sem a adesão ou a conquista, mesmo pelas armas, dessa unidade do Exército, a revolução correria o risco de se frustrar.

O táxi tropeça nas pedras soltas do caminho e segue, balançando, em direção a Quitaúna. A água do radiador está fervendo, e o ronco do motor, extenuado, insinua que o carro pode enguiçar a qualquer momento, por causa do excesso de passageiros. O motorista acha melhor parar o táxi para completar a água do radiador e verificar o nível do óleo. Emigdio levanta a cortina e espia pela janela. Não se consegue ver quase nada com aquele tempo ruim. Quinze minutos depois o carro volta a se movimentar, até ser lentamente tragado pela neblina.

Três da manhã. O capitão Juarez Távora, Emigdio e o resto do grupo estão agora com o táxi parado, faróis apagados, a pouco mais de cem metros do 4º Regimento de Infantaria de Quitaúna. O quartel está com os portões fechados e só as luzes do corpo da guarda estão acesas. O silêncio é tão profundo que parece não existir vida do outro lado do muro. As guaritas vazias aumentam ainda mais a sensação de medo e angústia dos rebeldes. Juarez desce do carro, cauteloso, para fazer um levantamento superficial da área e evitar uma cilada.

Tudo indica que o governo descobrira os planos da revolução, mas não se pode mais recuar. A resistência será apenas simbólica para que a rendição possa ser negociada com altivez. Os oficiais rebeldes só dispõem de três revólveres americanos Smith and Wesson, duas pistolas Mauser, uma Luger e a pistola espanhola que Emigdio conseguiu com um armeiro do Rio. De todas, a mais moderna é a Luger, que adquirira excelente reputação durante a Primeira Guerra, não só pela elegância e precisão de tiro como, também, por sua versatilidade. O coldre de madeira se encaixa no cabo da arma, aumentando a coronha, e a pistola se transforma, de repente, numa carabina.[11]

Juarez faz um sinal com a mão, o táxi acende os faróis e começa a se aproximar lentamente do quartel. Ele sobe no estribo do carro e repete a advertência que fizera durante a viagem. Fala pausadamente, acentuando a pontuação, como quem procura ganhar tempo para refletir melhor sobre o que fazer se estiverem caminhando para uma armadilha. O clima é de tensão e expectativa.

— Vamos atirar só em último caso, se houver resistência. Lembrem-se de que eles são oficiais e que também cumprem ordens como nós. Vamos tentar convencê-los a passarem para o nosso lado. Eles têm consciência de que a nossa causa é justa. Só atirem se eu mandar.

As rodas do táxi vão mordendo as pedras soltas, deixando um rastro de lama e cascalho no chão de barro que se contorce entre a vegetação rasteira que se espraia pelo caminho. Uma lâmpada nua e tosca, pendurada na porta do quartel, mostra que ali terminam não só a estradinha como as fantasias acalentadas durante quase dois anos de clandestinidade. A lâmpada nua, que balança com o vento, indica que a partir daquele portão de ferro começa outro caminho, uma trilha dura, cruel e impiedosa, que os rebeldes terão que percorrer agora com os próprios pés: matar ou morrer em nome da revolução.

Nas reuniões clandestinas realizadas tanto na travessa da Fábrica como na rua Vauthier, sempre se destacou a importância estratégica de se sublevar o 4º Regimento de Infantaria de Quitaúna. Com o efetivo desse quartel, cerca de 400 homens, é que se promoveria o cerco das unidades da Força Pública localizadas na praça da Luz: 1º, 2º, 4º Batalhões de Infantaria, Corpo-Escola, Cadeia Pública e o Regimento de Cavalaria. Só nesse grupamento de casernas se alojam mais de 2.500 soldados. O único trunfo de que dispõe a revolução, nesse aglomerado de quartéis, é o apoio da tropa de 500 homens do Regimento de Cavalaria, comandada pelo major Miguel Costa, um dos chefes da rebelião. Com a queda do complexo militar da Luz, os rebeldes poderão então atacar outras guarnições, espalhadas pela cidade, e ocupar o quartel do Corpo de Bombeiros, a Secretaria de Justiça, o QG da Guarda Cívica e o Palácio dos Campos Elíseos.[12] Sem a adesão do 4º RI de Quitaúna, o levante, minuciosamente planejado durante tanto tempo, corre o risco de se transformar num grande desastre político.

O táxi pára diante do portão de ferro do quartel que, visto de perto, parece ainda maior e assustador. Juarez Távora desce do estribo e caminha a passos largos. A mão direita enfiada no bolso do sobretudo esconde a arma que carrega com o dedo no gatilho. Duas sentinelas saltam, de repente, de dentro da noite. Um dos soldados aponta a baioneta do fuzil para o peito de Juarez e pede que se identifique. As sentinelas estão vestidas com uma capa enorme, de lã, que se estende até à altura do tornozelo, por causa do frio. O capitão Juarez Távora procura demonstrar tranqüilidade. Apresenta as suas credenciais, os soldados batem continência e o conduzem ao corpo da guarda. Não perceberam que os documentos são falsificados.

No interior do táxi, com as portas abertas, os tenentes estão prontos para atirar. Emigdio acha que o tenente Custódio foi preso e teme que Juarez também seja detido. O grupo decide esperar dez minutos antes de tomar qualquer iniciativa. A silhueta do capitão Juarez aparece, de repente, recortada, na porta do corpo da guarda. Ele caminha lentamente, de cabeça baixa, com as mãos enterradas no sobretudo. Ao se aproximar dos companheiros, mal consegue dissimular o desalento. Há um travo de emoção em sua voz.

— O tenente Custódio de Oliveira não está no quartel. Vamos embora antes que desconfiem de nós. Alguma coisa de errado está acontecendo.

O inesperado movimento de tropas dentro do quartel sem qualquer motivo aparente e a presença inquietante, àquela hora da madrugada, de uma bateria de metralhadoras pesadas, de tripé, montadas no pátio interno desaconselham qualquer tipo de ação armada. Invadir o 4º RI neste momento, mesmo com a possibilidade de contar com a adesão de alguns sargentos e oficiais já comprometidos com o levante, não será apenas uma aventura inconseqüente, um ato de insensatez, mas suicídio.[13]

O grupo, derrotado pelo desânimo, decide voltar rapidamente para São Paulo. O Alto-Comando rebelde precisa ser logo informado do fracasso da missão para que os planos de ataque aos quartéis da Luz sejam reformulados antes do amanhecer. Os conspiradores retornam abatidos e desesperançados, com a sensação de que a revolução perdera a primeira batalha.

Quatro horas. É tarde demais para qualquer mudança: a rebelião já começou. O 4º Batalhão de Caçadores do Exército, no bairro de Santana, fora sublevado por um grupo de conspiradores, por volta das três da manhã. O quartel foi conquistado, sem violência, graças ao trabalho de persuasão do capitão Estillac Leal e dos tenentes Asdrúbal Gwyer e Luiz Castro Afilhado. Quando o capitão Joaquim Távora, irmão de Juarez e um dos líderes do movimento, chega ao 4º BC, em companhia do tenente Eduardo Gomes, depois de louca caminhada de quase duas horas, a tropa já está rebelada.

Protegidos pela neblina, os soldados do 4º BC marcham agora pelas ruas desertas até alcançar a Ponte-Pequena. Ao se aproximar do centro de São Paulo, eles se separam, em grupos de dez, para começar o cerco da Luz. Estão armados com granadas fumígenas, fuzis Mauser 1908 e metralhadoras leves Hotkiss, de fabricação francesa.

Quatro e quinze. Os quartéis da Força Pública estão ilhados. O Alto-Comando revolucionário espera apenas a chegada da tropa do 4º RI de Quitaúna, prometida pelo tenente Custódio, para iniciar o assalto final. O capitão Joaquim Távora, que vai comandar o ataque, está impaciente não só com a demora dos soldados mas também com a falta de notícias do irmão Juarez e dos outros oficiais que foram participar do levante e que já deveriam ter chegado em companhia dos amotinados.

Quatro e meia. O general Abílio de Noronha é arrancado da cama, aos gritos, pelo capitão Grimualdo Favila, do 4º BC de Santana, que esmurra a porta sem parar:

— Acorde, general, acorde! Os quartéis estão rebelados!

A primeira reação do general é de que está diante de um pesadelo. Ele só se convence de que não está dormindo porque o oficial, visivelmente descontrolado, continua socando sem parar a porta da varanda. Abílio salta da cama, atordoado, convencido de que alguma coisa realmente grave deve estar acontecendo. Ao procurar as chaves da porta, ainda no escuro, recebe, aos berros, a notícia da revolta.

— Comandante, a Força Pública está sitiada na Luz.

Não há tempo a perder. Na pressa, Abílio acaba saindo de casa, todo amarfanhado, com o uniforme de gala usado na festa do Consulado americano.[14] Só percebe que saiu com a farda trocada quando já se encontra dentro do carro, a caminho do QG da 2ª Região Militar. A princípio sente-se ridículo, com todos aqueles galardões, mas acaba se convencendo de que talvez tenha sido melhor assim. A tropa rebelada acabará se curvando à sua autoridade e ao peso de suas condecorações.

Sentado no banco traseiro, ao lado do capitão Favila, o general procura avaliar mentalmente a extensão e as implicações da revolta. Através do pára-brisa, tenta recolher os primeiros indícios de anormalidade. As ruas, com os bondes já circulando, estão aparentemente calmas e quase desertas. Os bondes, polidos e generosos, seguem o seu caminho, vagarosos, com os motorneiros atentos e prontos a suspender o passo sempre que percebem a presença de um automóvel nas imediações de um cruzamento.

Nas calçadas, algumas pessoas, em sua maioria funcionários do comércio, caminham para o trabalho com o rosto protegido por espessos cachecóis de lã. A neblina já diminuiu bastante, mas o frio ainda é intenso. O termômetro enorme, pendurado na porta da Farmácia Agostini, cortesia do Elixir 914, "o mais indicado no tratamento das infecções syphilíticas", registra 6 graus, temperatura surpreendentemente baixa para este começo de inverno.

O carro avança velozmente em direção ao QG, na rua Conselheiro Crispiniano, mas não se ouvem tiros. Pelo caminho, os únicos sons que quebram o silêncio da manhã gelada de sábado vêm dos sinos das igrejas e do relógio inglês da Estação da Luz. As pancadas pesadas desse relógio são inconfundíveis e podem ser ouvidas num raio de dez quilômetros, uma das características dos modelos fabricados por John Walker, um dos mais renomados relojoeiros de Londres.

O general olha por cima dos óculos e tem a atenção atraída para o cartaz enorme do Cine Avenida, que anuncia a distribuição de chocolate às crianças e senhoritas durante a exibição de *Beijos que se Vendem*, superprodução americana com Pola Negri e Jack Holt. Nada sugere que a cidade não esteja vivendo sob o império da ordem e da lei.

O comandante da 2ª Região Militar vê de longe a sentinela, na porta do QG, e se convence de que está apenas diante de uma insurreição localizada, circunscrita a pequeno grupo de quartéis, envolvendo reivindicações de natureza exclusivamente policial. Imagina que se trata de mais um motim da Força Pública, como os muitos que o Exército tem sido chamado a sufocar. Abílio desce do carro e se dirige ao seu gabinete para tomar as providências que o caso requer. As suspeitas se fortalecem quanto à dimensão do episódio ao ser informado de que as ligações telefônicas não haviam sido cortadas. Até o telégrafo está funcionando. O general vira-se para um dos seus auxiliares e comenta com desdém:

— Não deve ser nada muito sério, porque as comunicações não foram cortadas. Isso é a primeira coisa que se faz em qualquer revolução.

O capitão Favila esclarece, entretanto, que, pelas primeiras informações recebidas, algumas unidades do Exército estariam também participando da rebelião. O general franze a testa, surpreso com a informação, e ordena que seja imediatamente convocado o chefe do Estado-Maior. Pede também que os oficiais avisem, pelo telefone, o presidente Carlos Campos, no Palácio dos Campos Elíseos, e determina que a Força

Pública seja colocada de sobreaviso. Um dos tenentes é instruído, pessoalmente, pelo general, para transmitir a notícia do levante ao ministro da Guerra, no Rio de Janeiro.

Às cinco da manhã, o general Abílio Noronha, em companhia de dois capitães, chega ao 4º BC do Exército, em Santana, e encontra na porta o comandante do quartel, que também acabara de chegar. O general é informado de que só 80 homens haviam seguido com os rebeldes. Como é sábado, o grosso da tropa, cerca de 400 soldados, está de folga, neste fim de semana.

Agora ele tem consciência não só da natureza como da verdadeira dimensão da rebelião. O movimento é de caráter político e tem como principal objetivo a deposição do presidente Artur Bernardes. É preciso agir com energia, eficiência e rapidez para impedir que os amotinados conquistem o apoio de outras guarnições da capital e do interior.

Depois de se reunir com os seus melhores oficiais, o general Abílio de Noronha segue pela avenida Tiradentes, em direção à praça da Luz, a bordo do seu Renault, decidido a enfrentar e desarmar pessoalmente os rebeldes. Sente-se traído e ultrajado com o levante. Sempre tratou as questões políticas com absoluta isenção, recusando-se mesmo a espionar ou promover perseguições, de caráter policial, aos ex-oficiais do Exército que passaram a viver clandestinamente em São Paulo, depois de terem sido condenados, no Rio, pela Justiça Militar.[15] Não distinguia também, entre seus comandados, simpatizantes ou adversários da política oficial. Tratava a todos como camaradas. Vê-se, agora, humilhado e apunhalado pelas costas. O general mal consegue controlar a indignação. Vai fazendo ameaças, em voz alta, pelo caminho:

— Eles precisam de uma boa lição, de um castigo exemplar. Vou levá-los à corte marcial!

2

A FORÇA PÚBLICA ENTRA NA REVOLUÇÃO

Os quartéis da Força Pública rendem-se sem disparar um tiro A primeira unidade policial a soar o toque de formatura, em sinal de adesão, é o Regimento de Cavalaria, sublevado pelo major Miguel Costa, que faz parte da corporação. Em pouco mais de quinze minutos, a bandeira rebelde tremula, triunfante, sobre o temido bastião da polícia paulista. Num golpe de audácia, com apenas um punhado de soldados, os conspiradores conseguiram que a cidadela da Luz se dobrasse, sem oferecer resistência, como fora planejado. Apesar da sucessão de imprevistos e atropelos que quase comprometem o sucesso da rebelião, o movimento segue o seu curso, vitorioso.

Os rebeldes dispõem, ao amanhecer, de uma tropa com 2.600 homens, 100 armas automáticas e cerca de dois milhões e meio de cartuchos. O efetivo que o Governo do estado pode mobilizar, de imediato, para tentar estancar a revolta não chega a 1.500 homens. Uma força débil, quase sem expressão, que se encontra dispersa por vários bairros, sem artilharia, cavalaria, praticamente sem condições de oferecer combate ao pequeno exército revolucionário que vai começar agora a ocupar a cidade de São Paulo.

A segunda parte do plano, a defesa e ampliação das posições conquistadas, será executada o mais rapidamente possível. O capitão Joaquim Távora vai avançar com 500 homens pela Estrada de Ferro Central do Brasil, em direção a Barra do Piraí, no estado do Rio de Janeiro. Pelo caminho, deverá incorporar à tropa o efetivo de várias unidades do Exército já comprometidas com o movimento. A previsão é de que alcance Pindamonhangaba com cerca de 1.000 homens, número que deverá aumentar consideravelmente com o apoio de voluntários e de pequenos destacamentos policiais até chegar a Cruzeiro, antes que a cidade seja ocupada por tropas enviadas do Rio ou de Minas Gerais.

O outro destacamento seguirá imediatamente para Santos, através da São Paulo Railway, a fim de ocupar o porto e a cidade, onde várias guarnições do Exército, da Marinha e da Força Pública estão prontas para aderir à revolta. Caso a cidade não possa ser ocupada militarmente, os rebeldes deverão cavar trincheiras, na serra do Mar, para impedir a chegada de reforços através do litoral.[16]

Para consolidar a revolta, é preciso também garantir rapidamente a ocupação dos principais pontos estratégicos da cidade e assumir o controle dos serviços públicos. São então organizadas patrulhas com soldados do Regimento de Cavalaria para invadir os Correios, a Telefônica e o Telégrafo Nacional. Um oficial recebe a missão de transmitir, pelo telégrafo, a palavra da revolução para as guarnições do Exército no sul de Minas, Mato Grosso, Paraná, Santa Catarina e Rio Grande do Sul. Chegara a hora de todos os conspiradores honrarem os compromissos que haviam assumido com os líderes da rebelião.

Cinco e meia da manhã. Os rebeldes ainda comemoram a vitória, no interior dos quartéis, quando são surpreendidos pela chegada inesperada do general Abílio de Noronha. Ele salta do carro, esbravejando, seguido dos seus oficiais, e invade o 4º Batalhão da Força Pública. Vê que o quartel está ocupado por trinta soldados do 4º Batalhão de Caçadores de Santana.

Pessoalmente, desarma as sentinelas e ordena que o resto da tropa entregue os fuzis:

— Vocês estão presos: recolham-se ao seu quartel!

Perplexos com a presença e a pompa do seu comandante, em uniforme de gala, os soldados obedecem imediatamente. Assustados, abandonam o 4° BFP, desarmados e de cabeça baixa, marchando em fila indiana. O general liberta em seguida os oficiais detidos pelos rebeldes e ordena que sejam fechados os portões. Determina ao oficial mais graduado que prenda, em seu nome, os soldados e oficiais do Exército e da Força Pública que entrarem no batalhão sem a sua autorização.

O comandante da 2ª Região Militar avança agora, a pé, na direção do Corpo-Escola, seguido sempre de perto pelos seus oficiais. Mais uma vez desarma as sentinelas, que também pertencem ao 4° BC, e alveja o resto da tropa, cerca de 40 homens, com o peso e a autoridade que lhe confere a hierarquia militar. Sem demonstrar medo, arranca o fuzil das mãos dos indecisos e ordena que se recolham, presos, ao quartel de Santana. A determinação do general de rapidamente restabelecer a ordem e a disciplina surpreende até mesmo os oficiais do seu Estado-Maior, que o acompanham nessa fatigante e enlouquecida missão de reverter a marcha da revolução.

Os olhos miúdos e agitados, que se movem sem parar atrás das lentes engorduradas, revelam o quanto o general Abílio se sentiu atingido com o levante. A calvície que invade os seus cabelos brancos e os óculos antigos, esquecidos sobre o nariz, parecem acentuar ainda mais a aura de respeito e dignidade que o velho soldado exibe neste momento dramático. Mesmo os seus adversários exaltam a sua coragem: não se intimidou com o revólver que lhe foi apontado pelo tenente Asdrúbal Gwyer e, de dedo em riste, lhe deu voz de prisão. O tenente, paralisado com a reação do general, acabou fugindo, com a arma na mão, pelos fundos do quartel.

A rebelião ameaça desmoronar diante da energia pessoal do general Abílio de Noronha. Escudado na hierarquia e no poder que o cargo lhe confere, ele vai demolindo, aos poucos, o ânimo dos rebeldes. Seus oficiais acabam de desarmar mais uma patrulha, desta vez do Regimento de Cavalaria da Força Pública, no momento em que ela passava pela frente do Corpo-Escola, transformado numa espécie de QG da contra-revolução pelo comandante da 2ª RM. Em pouco mais de quinze minutos, a rebelião já perdera cerca de 200 soldados, apreciável quantidade de armas, entre elas duas metralhadoras pesadas, e muita munição. A exemplo dos amotinados, os oficiais legalistas, sem disparar um único tiro, já haviam também conquistado algumas vitórias, apenas com pequenos golpes de presença de espírito.

No interior do quartel do Corpo-Escola, os passos do general Abílio são barrados, de repente, pelo revólver de um homem alto, chapéu de feltro quebrado na testa, o corpo coberto por uma grande capa de inverno. O homem, que entrara por uma porta lateral do quartel, está escoltado por um grupo de soldados da Força Pública, armados com fuzis-baionetas. Fardado com o uniforme do Exército, aponta a arma na direção do peito do velho soldado:

— General, o senhor está preso.

— Não o conheço, quem é o senhor?

— Pois eu o conheço bem. Sou o capitão Távora.

— Se me conhece, devia saber que não recebo ordens de capitão. Ainda mais quando esse capitão é um desertor do Exército que está envolvido em um processo de saque, durante a revolta de Mato Grosso.[17]

O comandante da 2ª Região Militar desafia o capitão Joaquim Távora a puxar o gatilho. Prefere morrer a receber ordens de um subalterno. O diálogo é interrompido por um homem à paisana, de gestos educados e idade já avançada, a quem todos tratam com reverência. Os soldados se afastam, respeitosamente, para lhe dar passagem. O general Abílio observa o homem a distância. A fisionomia, mesmo de longe, lhe parece familiar. O bigode branco, penteado com esmero, e os lábios finos que cortam o rosto enérgico, dominado por profundos olhos azuis, pertencem a um velho conhecido. Os dois não se viam há mais de dez anos:

— General Abílio, o senhor está preso.

A voz mansa e pausada, quase tímida, continua a mesma. A postura, sempre altiva, permanece também intocada, apesar dos ombros sugados e do corpo levemente curvado. O general Abílio de Noronha está diante do general Isidoro Dias Lopes, o chefe supremo da revolução. Os dois se olham em silêncio, durante alguns segundos, sem saber o que fazer com as palavras. O general Abílio mal consegue controlar sua indignação com a ofensa de que ainda está sendo vítima. Olha desafiador para a arma que o capitão Joaquim Távora continua a apontar para o seu peito. Volta-se, hostil, para o líder dos rebeldes:

— Vossa Excelência, senhor general, aceite o nosso protesto. Mande atirar, se for do seu agrado...

— General, ninguém quer matá-lo! Vossa Excelência ficará preso à minha ordem e sob palavra, em sua residência.

— Não aceito a sua proposta. Assim que puder sair daqui agirei com o máximo de energia contra a sua prepotência.

— Se Dom Pedro II foi preso, por que o senhor não pode ser?

O general Abílio vira-se na direção do outro homem que acabou de questioná-lo com a alusão ao imperador deposto. Ele está vestido também com uma capa de inverno. Observa o desconhecido dos pés à cabeça e o interpela com desdém:

— Não o conheço. Quem é o senhor para se dirigir a mim dessa maneira?

— Sou o coronel João Francisco, um dos chefes da revolução.

O comandante da 2ª RM olha para os homens à sua volta. Faz uma expressão de deboche e pergunta, com ironia:

— Afinal de contas, quem comanda esse movimento?

O general Isidoro responde, rápido e seco:

— O comandante sou eu!

— Vossa Excelência não sabe que as revoluções só são legítimas quando partem do povo?

O coronel João Francisco intervém em defesa do chefe:

— Mas o povo quer esta revolução...

A iniciativa de encerrar a discussão parte do próprio general Isidoro. Esgotara-se a sua paciência. Não está mais disposto a fazer concessões:

— Chega, general! Como Vossa Excelência recusa a minha proposta de ficar preso sob palavra em sua residência, ficará detido aqui mesmo, no Corpo-Escola, com seus oficiais. Tenha a bondade de acompanhar-me até à sala do comando.[18]

A revolução se espraia pelas ruas do centro. Táxis abarrotados de soldados, muitos viajando de pé, nos estribos, são despachados em todas as direções. O Alto-Comando revolucionário faz o rápido inventário dos danos causados pela estóica resistência do general Abílio de Noronha e procura agora recuperar o tempo perdido, ultimando uma série de providências. O militar e seu Estado-Maior são confinados num conjunto de salas anexas ao gabinete do comandante do Corpo-Escola, até que seja definido o local onde ficarão detidos, como prisioneiros de guerra.

O capitão Juarez Távora, recém-chegado de Quitaúna, é enviado ao Palácio dos Campos Elíseos com a missão de comunicar ao tenente Villa Nova, comandante do corpo da guarda, que se apresente imediatamente com seus soldados ao major Miguel Costa, no 1º BFP, na praça da Luz. Juarez sabe que o oficial estava comprometido com o levante. Os dois já haviam se encontrado em algumas reuniões clandestinas na república da rua Vauthier e na casa do major Miguel Costa. Conversam rapidamente entre as grades do palácio, o tenente faz que sim com a cabeça e promete recolher-se ao quartel com a tropa. Mas é só fingimento. Juarez ignora que está diante de um delator. Villa Nova espionava para o Governo desde 1922. Por medida de segurança, só os líderes do levante sabiam que a revolução seria deflagrada naquela noite.

Assim que Juarez se afasta, de volta ao quartel da Luz, o tenente Villa Nova corre até a Polícia Central e denuncia a revolta. O secretário de Justiça, o presidente Carlos de Campos e o QG do general Abílio de Noronha são imediatamente alertados sobre o início da rebelião.[19]

Ao retornar aos Campos Elíseos, o tenente ajuda a organizar a defesa do palácio. Paralelepípedos são arrancados do calçadão e levados para os jardins a fim de serem usados na construção de trincheiras e barricadas. Chegam também os primeiros reforços: 12 bombeiros do posto da alameda Barão de Piracicaba, armados com carabinas embaladas. Duas metralhadoras pesadas são rapidamente instaladas no portão principal, para rechaçar qualquer tentativa de invasão. Em pouco mais de meia hora o presidente de São Paulo transforma o palácio do governo num fortim. Começa a resistência ao levante.

No Corpo-Escola, do outro lado da cidade, onde permanece detido o Estado-Maior do general Abílio, um dos seus oficiais aproveita-se do descuido de uma das sentinelas, entra no gabinete do comandante e gira três vezes a manivela do telefone de magneto para tentar falar com a central telefônica:

— Telefonista, telefonista, é uma emergência!

O oficial mal consegue ser ouvido do outro lado da linha. Nervoso, voltando-se a todo instante na direção da porta, preocupado em não ser apanhado ao telefone, acaba usando o aparelho de forma incorreta: fala rápido e muito distante do fone.

— Telefonista...

O telefone é uma conquista do mundo moderno com a qual muitas pessoas ainda não estão suficientemente familiarizadas. O uso correto, como ensina a lista de assinantes, é falar devagar, com o tom de voz natural, "diretamente no bocal do telefone e com os lábios junto ao mesmo".

Ele percebe o erro, corrige a maneira de empunhar o aparelho e consegue finalmente se comunicar com o 4° BC de Santana. Em nome do general Abílio, ordena que seja organizado um ataque imediato aos quartéis da Luz, com todas as tropas do Exército localizadas na cidade de São Paulo. Determina, também, que sejam enviados reforços, com urgência, das guarnições do interior.

Absorvidos em expedir telegramas para o resto do país e em redigir comunicados à população, que ainda dormia, os rebeldes até agora não perceberam que o 4º BFP, na avenida Tiradentes, mudou de lado e não está mais alinhado com a revolução. Por volta das seis e meia da manhã, o Alto-Comando revolucionário ainda não sabe que o general Abílio libertara os oficiais de polícia que se haviam recusado a aderir ao levante. O 4º BFP permanece silencioso, com os portões fechados e a bandeira rebelde hasteada em um dos torreões do quartel. Sem que ninguém suspeitasse, os oficiais legalistas passam a aprisionar, um a um, os praças e oficiais rebeldes que entram no batalhão. Em pouco mais de uma hora, a armadilha atraíra dezenas de soldados e fizera um estrago na liderança revolucionária. De uma só tacada, conseguiu fisgar três importantes prisioneiros: o tenente Castro Afilhado e os capitães Joaquim e Juarez Távora. A cada momento os amotinados se defrontam com situações imprevisíveis e alucinantes. A rebelião parece mover-se sobre um lodaçal.

Os chefes da revolução custam a acreditar que o 4º BFP, bem no epicentro do levante, tenha caído nas mãos do Governo. Sua localização estratégica, nas imediações da praça da Luz, representa grave ameaça para o movimento. Em poder dos legalistas, essa unidade pode não só atacar os quartéis que estão à sua volta como impedir que a revolta prospere rapidamente, como planejado. A audácia, a rapidez e a surpresa tinham sido até agora usadas com sucesso pelos rebeldes. As muralhas do 4º BFP bloqueiam, agora, o avanço da revolução.

Com a prisão do capitão Joaquim Távora, o Alto-Comando revolucionário decide suspender, temporariamente, o envio de tropas para Cruzeiro, na divisa com o estado do Rio de Janeiro. O batalhão que deveria seguir, com uma bateria de metralhadoras, para ocupar a cidade de Santos recebe ordens de permanecer também em São Paulo. Os líderes resolvem sufocar primeiro a resistência oferecida pelo 4º BFP e consolidar as suas posições, dentro da cidade, para só depois então abrir outras frentes de luta.

Os rebeldes acreditam que ainda desfrutam do privilégio de surpreender e paralisar o adversário só com a coreografia das armas e o palavrório das suas boas intenções. O Governo do Estado, já informado da revolta, prefere usar a linguagem dos canhões.

O Telégrafo Nacional, na rua São José, é ocupado, em nome da revolução. O tenente Ari Cruz, escoltado por um pelotão de cavalaria da Força Pública, assume o controle das instalações, sem encontrar resistência. Só agora, com atraso de algumas horas, o QG revolucionário decide finalmente interromper as comunicações com o Rio de Janeiro. No segundo andar do prédio, o tenente Simas, com a ajuda dos funcionários, transmite despachos em código para as guarnições do interior, informando que a cidade de São Paulo está sob o comando da revolução. Para o 5º Batalhão de Caçadores do Exército, sediado em São Paulo, ele envia o seguinte telegrama cifrado:

> *"Cel. Padilha. Rio Claro.*
> *Paulo fora de perigo. Saudações.*
> *(ass.) Severo."*

O tenente Simas expede outro telegrama, igualmente importante, para a estação de Barra do Piraí, também classificado como "urgente", mas em linguagem convencional, para não despertar suspeitas:

> *"Heitor Silva. Barra do Piraí.*
> *Joãozinho agoniza. Venha rápido.*
> *(ass.) Maria."*

Assim que fosse cumprida a missão de explodir com cargas de dinamite as ligações ferroviárias, telefônicas e telegráficas entre o Rio de Janeiro e as cidades de Barra do Piraí e Paraíba do Sul, *Heitor* deveria encaminhar a seguinte resposta para o tenente Simas:

> *"Maria Silva. Hotel Guanabara. São Paulo.*
> *Ciente. Seguirei logo.*
> *(ass.) Heitor."*[20]

Nesse momento, surge uma companhia de infantaria da Força Pública, com os fuzis engatilhados. O tenente Ari Cruz não entende por que mandaram substituí-lo tão rapidamente; imagina que lhe tenham reservado outra missão e que talvez estejam precisando, com urgência, dos seus serviços. O oficial se identifica, informa que vai ficar no lugar dele e diz ao tenente que se apresente com seus homens no QG da praça da Luz. Após as formalidades militares de estilo, a tropa é substituída e o tenente Ari deixa o prédio, marchando com seus soldados.[21] O tenente Simas, apesar de assoberbado com o volume de telegramas, vira pela vidraça a chegada da companhia de infantaria e acredita que se trata de reforços. Afinal, o Governo poderia a qualquer momento tentar retomar o telégrafo e restabelecer as comunicações com o Rio. Olhando melhor pela janela e sem ser visto, escondido atrás da cortina, Simas acha estranho que o tenente Ari seja trocado por um oficial que ele não conhece. Vozes nervosas chegam até onde ele está. O oficial recém-chegado ordena, aos gritos, aos soldados:

— Ocupem o prédio em posição de tiro. Montar barricada no meio da rua!

É tarde demais para desfazer o engano. O tenente Ari fora ludibriado. O telégrafo voltava a ser ocupado por tropas fiéis ao Governo. Antes que o prédio seja totalmente cercado, o tenente Simas consegue fugir, pela porta dos fundos. Sobre a mesa, abandona uma montanha de telegramas cifrados.

Sete horas da manhã. A cidade estremece com o estrondo dos canhões. Os rebeldes estão tentando bombardear o Palácio dos Campos Elíseos com duas peças de artilharia, de 105 milímetros, montadas no Campo de Marte, mas as balas não acertam o alvo. Um dos obuses atinge a torre do Mosteiro de São Bento, onde se iniciava a celebração da missa pela almas das vítimas do levante do Forte de Copacabana, em 5 de julho de 1922. A missa é interrompida para que as pessoas possam encontrar um lugar seguro para se proteger. As famílias deixam a igreja em pânico, sem entender o que se passa.

A população sai às ruas, confusa, procurando uma explicação para aqueles tiros de canhão. A bateria de artilharia erra a pontaria uma, duas, três vezes. Os canhões não conseguem também acertar o quartel do 5º BFP, na rua Vergueiro, que permanece fiel ao Governo. O cálculo imperfeito do ângulo de tiro e as incorreções da carta cadastral de São Paulo impedem os artilheiros de atingirem os alvos com precisão.

Os tiros de canhão, de acordo com a convenção estabelecida pelos rebeldes, são orientados a distância por uma chuva de fogos de artifício. Os foguetes com lágrimas vermelhas pedem o emprego de granadas explosivas. As lágrimas brancas determinavam a suspensão do bombardeio. Os tiros que caem muito longe do alvo são denunciados por lágrimas azuis e brancas; quando são demasiado curtos, disparam-se lágrimas azuis. As cargas de canhão que se afastam do alvo, para a direita, são corrigidas com lágrimas azuis e vermelhas. Quando os tiros se desviam para a esquerda, os artilheiros são advertidos com lágrimas brancas e vermelhas, a fim de que possam corrigir a pontaria.[22] Para impedir que a população civil continuasse sendo sacrificada com os disparos de canhão, o general Isidoro Dias Lopes decidiu suspender imediatamente o bombardeio.

No Campo de Marte, os tenentes Felinto Müller e Henrique Ricardo Hall enfrentam dificuldade ainda maior: o fogo cruzado dos soldados do 4º Batalhão de Caçadores do Exército, que deixaram o quartel de Santana para tentar sufocar a revolta.

Só às sete e meia da manhã os rebeldes têm notícias do tenente Custódio de Oliveira. Ao se deslocar, durante a madrugada, com a sua companhia de artilharia para o Campo de Marte, próximo à várzea do Tietê, nas imediações da Ponte-Grande, Custódio sofrera um acidente: a roda de um dos canhões tinha passado por cima do seu pé. Com o acidente, que o impede de caminhar, ele se atrasou e não conseguiu se juntar a Juarez para levantar a tropa de Quitaúna. Custódio só consegue ser medicado pela manhã, em uma farmácia no centro de São Paulo. No momento em que passava de carro pelo largo da Sé, na esperança de alugar alguns táxis para ainda tentar deslocar os soldados e oficiais do 4º RI, que aguardavam a sua presença no quartel, fora detido por uma patrulha legalista e conduzido ao xadrez da Polícia Central, onde permanece preso e incomunicável, à disposição do Governo.[23]

No centro da cidade a situação continua confusa. Ouvem-se tiros por toda parte. Ninguém sabe explicar o que está acontecendo. A população corre para o telefone, congestionando as comunicações e aumentando ainda mais a confusão. As telefonistas estão atarefadas e exaustas. Cada mesa de PBX só comporta 25 chamadas, um trabalho cansativo, já que para cada ligação, além de enfiarem as pegas no número solicitado, ainda têm que girar manualmente uma roldana de engrenagens para completar a comunicação.

As atenções da população estão agora voltadas para a praça da Luz, onde ocorre violento tiroteio que pode ser ouvido em toda a cidade. Os rebeldes atiram sem parar, com fuzis e metralhadoras, contra o quartel do 4º BFP para tentar libertar o tenente Castro Afilhado e os capitães Joaquim e Juarez Távora. Os três acabam de ser condenados à morte por fuzilamento.

A imagem que o tampo de vidro da mesa reflete é a de um rosto severo, de expressão grave, o nariz cavalgado por óculos de aro redondo, cabelos ralos e levemente grisalhos como o bigode, bem-tratado, que se mexe de um lado para o outro com o movimento nervoso dos lábios. O rosto, precocemente envelhecido, que está refletido no vidro é bem diferente do retratado a óleo, um ano atrás, por Brur Kronstand. Artur Bernardes levanta os olhos vermelhos, ainda nublados de sono, e observa o quadro, pendurado na parede, ao lado de sua mesa de trabalho, no Palácio do Catete, no Rio de Janeiro, onde aparece de fraque e faixa presidencial. O advogado recém-eleito presidente da República, fixado pelos pincéis de Kronstand, era ainda um político de ar sereno que alimentava certas fantasias em relação ao poder.

Há quinze minutos que ele está ali, sentado no seu gabinete, com o ouvido colado no transmissor do telefone de magneto, os lábios bem perto do bocal, recebendo as últimas notícias sobre o levante. O presidente da República está falando, desde às seis e quarenta e cinco da manhã, com o presidente de São Paulo. Foi uma ligação, como de hábito, difícil de ser completada, por causa da distância, e que agora se tornou ainda mais demorada por causa dos problemas causados pela revolta. Bernardes fora despertado um pouco antes das seis com um telefonema do ministro do Exército, comunicando o início da rebelião.

Carlos de Campos aparenta calma, do outro lado da linha, apesar de se ouvir ao longe pesado tiroteio. Tranqüiliza o presidente, informando que o Palácio dos Campos Elíseos, apesar de cercado, está fortemente protegido, com homens e armas, e pronto para repelir qualquer investida rebelde. Diz que tropas do Exército e da Força Pública que permaneceram leais ao Governo já começaram a ocupar a cidade e se preparam para atacar os amotinados, que continuam concentrados na praça da Luz.

— Vossa Excelência tem notícias do general Abílio de Noronha?

Carlos de Campos diz que ele continua preso em poder dos *mazorqueiros*. No Palácio dos Campos Elíseos, a conversa telefônica com o presidente Bernardes é acompanhada, a distância, por um grupo de jornalistas que se esforça para tentar ouvir o que eles estão falando.[24]

— Vossa Excelência sabe se os sediciosos enviaram tropas para atacar a cidade de Santos ou alguma outra cidade do interior?

O presidente de São Paulo revela que os *mazorqueiros* continuam entrincheirados na praça da Luz, tentando dominar o 4º BFP, que não aderiu à revolta. Conta que foram também espalhadas algumas patrulhas rebeldes para tentar ocupar determinados pontos estratégicos no centro da cidade, mas garante que os serviços públicos essenciais continuam sob o controle do Governo.

Bernardes está inquieto. Por que os rebeldes não avançaram para ocupar o porto e a cidade de Santos? Arrisca mais uma pergunta, tentando entender o que está acontecendo.

— Circulou alguma informação de que os revoltosos estariam aguardando a chegada de reforços do interior ou de outros estados?

Não se ouviu nada sobre esse assunto. A rebelião, até agora, limita-se às guarnições do Exército, de Santana, do 2º Grupo de Artilharia Pesada, de Quitaúna, e aos quartéis da Força Pública, sediados na Luz.

No salão de despachos, no andar térreo do Palácio do Catete, alguns ministros, ainda sonolentos, conversam em voz baixa, aguardando a chegada do presidente, que permanece no terceiro andar, falando com São Paulo. Os ministros da Justiça e das Relações Exteriores preferem aguardar o início da reunião extraordinária do ministério na sala da capela, local de recolhimento e oração, que às vezes é também utilizado como sala de visitas para personalidades ilustres. É nesse ambiente que Bernardes, às vezes, costuma receber visitantes estrangeiros e representantes do corpo diplomático, sempre que deseja manter uma conversação mais reservada.

O marechal Setembrino de Carvalho, ministro da Guerra, não pára de bocejar. Ele caminha pelo salão de despachos, conduzindo pelo braço um dos homens mais odiados do país: o marechal Carneiro da Fontoura, chefe de polícia do Distrito Federal, que goza da mais absoluta confiança do presidente da República. Autoritário e truculento, o marechal Fontoura tornou-se famoso pelos seus métodos de trabalho, principalmente pela violência com que seus homens dissolvem as manifestações operárias. Por isso, foi batizado pelos inimigos e adversários políticos com o apelido de *General Escuridão*, numa alusão preconceituosa e perversa à sua condição de mulato.

Os dois marechais trocam agora informações confidenciais, diante da *Pátria*, tela assinada por Pedro Bruno, que reproduz um ateliê de costura no final do século passado, onde o nascimento da República é simbolizado pela confecção do primeiro exemplar da bandeira. No céu azul, onde as costureiras já começaram a bordar as estrelas que simbolizam os estados e o Distrito Federal, ainda não se vê a legenda com os ideais positivistas de Ordem e Progresso.

O *General Escuridão* aponta para o quadro e observa:

— É justamente isso que falta até hoje neste país: ordem e progresso.

No seu gabinete de trabalho, na ala íntima do terceiro andar do Palácio, Bernardes procura tranqüilizar o presidente de São Paulo. Informa que já foi tomada uma série de providências pelos ministros do Exército e da Marinha. Os primeiros reforços deverão chegar a Santos ainda na manhã seguinte.

— Presidente, Vossa Excelência pode estar seguro de que vamos agir com o máximo de energia para reprimir esse levante. A nação inteira repudia esse ato de violência contra um estado ordeiro, pacífico e trabalhador, que é um dos orgulhos deste país...

A ligação cai, de repente. Bernardes aproxima ainda mais os lábios do bocal. Há um travo de ansiedade em sua voz:

— Presidente, presidente, Vossa Excelência está me ouvindo?

A telefonista da estação Beira-Mar, que funciona perto do Palácio do Catete, entra na linha e informa que a comunicação foi cortada.

Bernardes pendura o bocal na haste do telefone de mesa e caminha, silencioso, até à janela do quarto. Abre o cofre Fichet com segredo, embutido na parede e escondido atrás da porta-janela, recolhe algumas anotações e desce, de elevador, para presidir a reunião extraordinária do ministério. São sete horas da manhã.

O presidente Artur Bernardes tem motivos de sobra para se preocupar com a rebelião. São Paulo, com seus 700 mil habitantes e um parque industrial já bastante desenvolvido, oferece o cenário ideal para uma revolução como a que levara os bolcheviques ao poder, na Rússia, sete anos atrás. Não só ele mas também quase todos os seus ministros pensam assim. Foi com o pensamento voltado para os graves conflitos operários, cada vez mais freqüentes no Brasil, que se criara, no ano anterior, o Conselho Nacional do Trabalho, órgão de assessoramento do Governo federal, incumbido de recolher sugestões, de patrões e empregados, para uma nova legislação social. Na verdade, essa intervenção do Governo no mercado de trabalho não se amparava em supostos princípios de justiça social. Seu principal objetivo era só impedir ou prevenir perturbações da ordem pública, com o atendimento de algumas reivindicações da classe operária.

Apesar de inicialmente conduzida por oficiais do Exército e da Força Pública, a revolta de São Paulo trazia em seu ventre uma possibilidade inquietadora: o movimento poderia escapar, a qualquer momento, do controle militar e se transformar numa insurreição popular que se alastraria por outros estados e acabaria incendiando o país. Não se poderia permitir a repetição do que havia ocorrido na Rússia.

As condições de trabalho nas indústrias de São Paulo, como o próprio Bernardes reconhece, são extremamente desumanas. Muitas vezes instaladas em locais inadequados, mal-iluminados e sem qualquer ventilação, com as correias e as engrenagens das máquinas funcionando sem proteção, as fábricas são responsáveis pelo elevado índice de acidentes de trabalho que vitima dezenas de operários por mês. Os acidentes se multiplicam porque os operários, exaustos, além de cumprirem uma jornada de doze horas, que vai das seis da manhã às seis da tarde, com uma hora de almoço, ainda são obrigados, muitas vezes, a trabalhar além do horário e até mesmo aos domingos, sem qualquer tipo de remuneração. A exploração brutal do braço operário é o traço dominante na maioria das fábricas de São Paulo.

Além de uma remuneração indigna, os trabalhadores são ainda impiedosamente multados pelos patrões, sob acusação de indolência ou por erros cometidos durante o serviço. Não há também limite de idade para o trabalho nas indústrias. Algumas fábricas de tecidos, como as localizadas na Mooca, costumam empregar crianças com até oito anos de idade. Metade da força de trabalho industrial é representada por menores. Esses pequenos trabalhadores, que exercem as mesmas tarefas pesadas do operário adulto, ganham salário ínfimo; quando cometem qualquer falha, são espancados pelos gerentes. A maioria dessas crianças, descalças e raquíticas, de aspecto miserável, exibe quase sempre hematomas nas pernas, nos braços e nas costas, em conseqüência das surras que levam durante o serviço. Como executam tarefas muitas vezes incompatíveis com a idade e a sua estrutura física, chegam quase sempre à fase adulta com a saúde arruinada.[25]

Não há praticamente lei de férias. A legislação de 1917, que concedeu férias de quinze dias aos trabalhadores, nunca foi respeitada pelos patrões. As fábricas dispensam os operários sem pagar indenização. As mulheres que integram esse proletariado fabril, em sua maioria mocinhas, quando engravidam, são castigadas com demissão sumária.

O salário é miserável: um operário ganha pouco mais de 5 mil-réis por dia, o equivalente a 15 dólares por mês. O alto custo de vida, a chamada carestia, desidrata ainda mais o salário vil. A anemia e a tuberculose, agravadas pelas péssimas condições de moradia, em cortiços e porões insalubres, acabam por afastá-los do trabalho, empurrando-os para as grandes filas que se formam na Santa Casa da Misericórdia, onde são tratados como indigentes.

A crise econômica que o país vive desde 1922 aguça ainda mais o quadro de miséria e sofrimento. A queda das exportações de café, algodão e açúcar, aliada à redução brutal da produção da borracha, provocara insuportável aumento do custo de vida, que sufoca a população. Em relação a 1914, a carestia tinha se elevado, em 1924, quase 140%, um patamar que contribuía para exacerbar ainda mais o clima de insatisfação dos habitantes dos grandes centros urbanos, já duramente castigados pela escassez de alimentos.[26]

Um jornal influente, *O Estado de S. Paulo*, já havia advertido, em um dos seus editoriais, que se estava formando um clima de grave insatisfação popular: "Os impostos sobem dia a dia na mesma proporção em que baixa o valor da moeda e da produção, começando a haver verdadeiro enfado, quase um princípio de revolta."

Esse quadro, de desespero e abandono, empurrara os operários para uma situação-limite: continuar suportando a exploração, a fome e a miséria ou se organizar e começar a lutar pelos seus direitos. Eles passaram então a se reunir em pequenos sindicatos, que se multiplicavam em número e militância, sob influência dos imigrantes europeus recém-chegados a São Paulo. Com a importação de milhares de operários da Europa, logo depois da Primeira Guerra Mundial, aportara na cidade a tradição européia de organização sindical e de reivindicações trabalhistas. Só em 1923, apesar de não serem legalmente reconhecidos, tinham sido fundados em São Paulo 71 novos sindicatos.[27] O Governo federal não esquecera a greve dos tecelões da Fábrica Crespi, em janeiro, iniciada com uma reivindicação de aumento salarial de 40% e que, de repente, se alastrou por outras indústrias, paralisando cerca de 120.000 operários durante quase todo o mês. A repressão policial fora violenta, ainda havia muito ressentimento entre os trabalhadores contra o Governo.

É sob esse pano de fundo político, econômico e social que se move a rebelião militar comandada pelo general Isidoro Dias Lopes.

Oito horas e quinze minutos. A reunião ministerial, no Palácio do Catete, está quase chegando ao fim. O ministro interino da Justiça, José Félix Alves Pacheco, está terminando de ler o decreto a ser enviado imediatamente ao Congresso Nacional, estabelecendo medidas de exceção em todo o país. Félix Pacheco lê o último parágrafo em voz alta:

— É declarado o estado de sítio, pelo prazo de 60 dias, na capital federal e nos estados do Rio de Janeiro e de São Paulo, ficando o presidente da República autorizado a prorrogá-lo e estendê-lo a outros pontos do território nacional e a suspendê-lo, no todo ou em parte, revogadas as disposições em contrário. Rio de Janeiro, 5 de julho de 1924, 103 da Independência e 36 da República. Assinado: Artur da Silva Bernardes.

A reunião ministerial terminou. O presidente da República deixa o salão de despachos em companhia do ministro da Guerra e do *General Escuridão*, para tomarem juntos o café da manhã. O chefe de polícia está visivelmente mal-humorado. A rebelião o havia tirado de casa ainda de madrugada, além de ter subvertido os seus planos para o fim de semana. Não poderia mais assistir à tão esperada estréia, na noite deste sábado, de um dos maiores sucessos musicais de Paris, a peça *Oh! Chéri!*, no Copacabana Cassino Theatro, com a companhia francesa Las Hudson Randall-Girls. Mas ele já destilara uma boa dose da sua irritação mandando a 4ª Delegacia prender, como de hábito, os suspeitos de sempre. Já tinha também proibido a venda de armas e bebidas alcoólicas no Distrito Federal e determinado que só pessoas com salvo-conduto expedido por ele poderiam viajar para São Paulo. O estado de sítio dava ao chefe de polícia poderes discricionários: poderiam ser realizadas prisões em massa, sem culpa formada ou mandado judicial, além de manter os jornais sob censura.

O ministro da Guerra também adotara as suas providências. Os quartéis da Vila Militar tinham acabado de ser colocados de prontidão. O almirante Alexandrino Alencar, ministro da Marinha, já havia ordenado a mobilização das principais unidades da esquadra que se encontravam no Rio de Janeiro. O encouraçado *Minas Gerais* já estava com o fogo esperto, alimentado a carvão, para partir a qualquer momento com destino ao porto de Santos, escoltado por três submarinos e pelos contratorpedeiros *Amazonas*, *Maranhão*, *Rio Grande do Norte*, *Alagoas* e *Mato Grosso*, que realizavam manobras perto da baía de Guanabara.

O ministro da Justiça acreditava que o foco da rebelião estava no Distrito Federal e que a escolha de São Paulo fora apenas um exercício de despistamento. O *General Escuridão* partilhava da mesma opinião. Os dois tinham muitos pontos de vista em comum. Achavam que o Rio, como capital da República, estava sempre muito exposto a pressões de toda a natureza. O ideal seria transferir o Distrito Federal para o planalto de Goiás, como propusera, na véspera, o senador Ramos Caiado. O chefe de Polícia, que havia assistido por acaso a essa sessão do Congresso, foi um dos primeiros a elogiar a iniciativa do senador. As considerações finais de Ramos Caiado foram aplaudidas, de pé, pelo *General Escuridão*.

— Só com a mudança da capital o Governo poderá administrar livremente o país, aliviado da mazorca das ruas, dos levantes militares, das greves, dos motins, da ação demagógica e demolidora dos anarquistas, do fermento socialista e das desordens dos comunistas, todos inimigos do capital e do Estado. Esta cidade, que serve de capital ao país, faz pressão sobre o Congresso por meio da imprensa e das manifestações, dos aplausos, indo às vezes à vaia, às ameaças e ao tumulto. É preciso assegurar o bom funcionamento e a estabilidade das instituições, ameaçados por todo esse ambiente pernicioso.[28]

Dez horas da manhã. Os bondes deixaram de circular e as ruas do centro de São Paulo estão desertas. O comércio, que funciona das sete da manhã às oito da noite, cerrara as portas logo que se ouviram os primeiros disparos de canhão. Ninguém consegue explicar a origem do tiroteio. Não se sabe também se as patrulhas que circulam pela cidade estão a serviço dos rebeldes ou do Governo. Não há nada que diferencie os amotinados das tropas que combatem a rebelião. Usam todos o mesmo uniforme, o mesmo tipo de armamento, além de exibirem também outro traço comum: só andam de táxi. Até os combatentes estão sendo vítimas dessa confusão.[29] Acredita-se que a revolução começara no Rio e se estendera, depois, a São Paulo.

O 4º BFP continua sendo bombardeado pelos rebeldes, que ainda não conseguiram libertar os três líderes condenados à morte pelo secretário de Justiça Bento Bueno. As paredes do quartel, que permanece cercado, se esfarinham com os primeiros tiros de canhão, mas os oficiais legalistas não se entregam. As tropas revolucionárias, que já deveriam estar se aproximando de Cruzeiro e ocupando, também, a cidade de Santos, permanecem retidas em São Paulo. A resistência desesperada oferecida pelo 4º BFP, na avenida Tiradentes, e pelo 5º BFP, na rua Vergueiro, paralisara os rebeldes.

As prisões de Joaquim e Juarez Távora, além de desfalcar as forças revolucionárias de duas das suas melhores lideranças, acabam contribuindo para que o levante tivesse permanecido, durante algumas horas, praticamente à deriva. Com o grosso das tropas rebeldes ainda fincado em torno da praça da Luz, a revolução expõe, logo no início, uma de suas maiores fraquezas: seus líderes não estão suficientemente amadurecidos, política e militarmente, para participar de uma conspiração desse porte. Não sabem, por exemplo, como enfrentar e superar a coleção de infortúnios que, a cada momento, parece engessar ainda mais os seus movimentos. Uma das conseqüências imediatas dessa falta de experiência é o abandono da estratégia de continuar sempre avançando. A revolução perdera a capacidade de surpreender o inimigo e impedir qualquer reação, inclusive o derramamento de sangue, preocupação que sempre permeara as longas discussões sobre a revolta durante a fase de conspiração.

O Alto-Comando revolucionário tampouco tem notícias do desdobramento do levante nos estados de Minas, Paraná, Mato Grosso e Rio Grande do Sul. Um relatório confidencial confeccionado ainda durante a fase de conspiração estimava que só com a adesão das guarnições de Minas e Mato Grosso os rebeldes poderiam dispor, em 72 horas, de um exército de 6.823 homens formado por tropas de infantaria, cavalaria e engenharia. A certeza dos conspiradores em contar com o apoio dos quartéis do Exército em Mato Grosso era tão grande que eles chegaram a enviar instruções detalhadas de como essas unidades deveriam marchar em defesa da revolução.

> *"As forças acantonadas no estado de Mato Grosso e constituídas pelo 17º BC (Corumbá), 10º RCI (Bela Vista), 5º BI (Coimbra) e GAM (Campo Grande) formarão, provisoriamente, um destacamento misto. Após o levante, o batalhão deverá se concentrar, inicialmente, em Campo Grande, no prazo de uma semana, e partir imediatamente para São Paulo. O restante das tropas deverá embarcar em cinco dias após a partida do primeiro destacamento."*[30]

O QG está apreensivo com o silêncio desses quartéis.

O prédio do Telégrafo Nacional, que fora reconquistado pelos rebeldes, voltara, mais uma vez, ao controle do Governo. Os amotinados continuam, entretanto, ocupando o viaduto do Chá, a ponte de Santa Efigênia e a chamada área de negócios da cidade, conhecida como Triângulo.

No terraço do Palácio dos Campos Elíseos é intenso o movimento de civis, cintados de cartucheiras, armados com pistolas e fuzis, prontos para conter o avanço da infantaria rebelde. O presidente Carlos de Campos aguarda para qualquer momento a chegada de reforços do Exército, enviados pelo 6º RI de Caçapava. Todo o seu secretariado participa do esforço comum de defender a sede do Governo. A conversa, pelo telefone, com o presidente Artur Bernardes fora alentadora. Nas vinte e quatro horas seguintes deveriam chegar as primeiras tropas do Exército e da Marinha despachadas do Rio para sufocar a rebelião. Bernardes já ordenara também o embarque, de trem, de três baterias de canhões de 105 e 305 milímetros, além de uma companhia de carros de assalto, blindados com grande poder de fogo, os famosos tanques fabricados na França e usados com muito sucesso durante a Primeira Guerra Mundial.

O levante apanhou de surpresa não só o cônsul Haeberle, sempre muito bem-informado sobre a política paulista, como todo o corpo diplomático acreditado em São Paulo. A notícia da rebelião alcançou o cônsul americano em casa, quando ainda dormia, recuperando-se da maratona de festejos em comemoração à Independência dos Estados Unidos. O baile promovido na véspera pelo Consulado, no Hotel Esplanada, estendera-se até às três da manhã. Haeberle foi expulso da cama pelos canhões da artilharia rebelde. Apesar do cansaço, desde as onze ele já se encontrava no seu posto, no Consulado americano, na rua São

Bento, onde chegou de táxi, depois de cruzar a ponte de Santa Efigênia, no momento em que começava a ser sitiada pelos amotinados.

Ao chegar ao Consulado, Haeberle já encontrou o vice-cônsul Woodfor envolvido com uma série de providências. Woodfor tomara a iniciativa de mandar um mensageiro recolher a mala diplomática, no Correio Geral, antes que o serviço postal fosse interrompido. A primeira atitude de Haeberle, assim que chegou ao seu gabinete, foi tentar entrar em contato com o Consulado Geral, no Rio de Janeiro, a fim de que o Departamento de Estado, em Washington, fosse imediatamente informado sobre a rebelião. Mas não conseguiu usar nem o telégrafo nem o telefone; as comunicações com o Rio estavam cortadas. Haeberle recorreu aos bons serviços de James Bell, gerente da Light and Power, da qual a companhia telefônica fazia parte, mas foi impossível fazer a ligação.

O cônsul inglês, Francis Patron, também não conseguira enviar nenhuma mensagem para a Embaixada britânica. Ele estava preocupado com os danos que os rebeldes poderiam causar às instalações da São Paulo Railway, propriedade inglesa. Na Embaixada dos Estados Unidos, no Rio, o cônsul-geral Gaulin, informado do levante pelo gerente do National City Bank, não conseguia estabelecer contato com o consulado de São Paulo.

Haeberle acabara de ser informado por um funcionário que tanto os rebeldes como as forças do Governo estavam requisitando todos os meios de transporte disponíveis: táxis, caminhões e até carros particulares. Ele mesmo tinha visto o cônsul do México desfilando com duas bandeirinhas de seu país na parte dianteira do automóvel, para impedir que o carro oficial do Consulado fosse confiscado.

Como o prédio do Consulado americano estava localizado no centro, próximo à área conflagrada, Haeberle achou melhor, por medida de segurança, transferir o serviço consular para a sua residência, na avenida Angélica. Ali, poderia trocar informações com outros membros do corpo diplomático e enviar, mais tarde, um relatório confidencial mais minucioso à Divisão de Assuntos Latino-Americanos do Departamento de Estado.

A situação permanece praticamente inalterada pelo resto do dia, com os rebeldes ocupando as estações ferroviárias da Luz e da Sorocabana, o Hotel Terminus e a estação do Brás. Os tiroteios se sucedem, por toda a cidade, até ao anoitecer. Os amotinados, a intervalos regulares, despejam nuvens de ferro e fogo sobre os quartéis do 4º BFP e do 5º BFP, que se mantêm fiéis ao Governo. Ao longe, ouve-se o espocar forte e rouco de uma metralhadora pesada, espaçado por estrondos de canhão.

O Centro de São Paulo e os bairros vizinhos estão mergulhados na escuridão. Os clarões que riscam o céu são provocados pelos incêndios e pelas explosões de granadas e morteiros. Os canhões montados no Campo de Marte continuam emudecidos, por ordem do general Isidoro Dias Lopes, para impedir que sejam, mais uma vez, usados de forma desastrada. Eles só voltariam a ser empregados quando os artilheiros oferecessem garantias de que os alvos seriam atingidos com precisão.[31]

Meia-noite. No Palácio dos Campos Elíseos, onde o presidente Carlos de Campos comanda a reação contra os rebeldes, soldados e civis mantêm-se vigilantes, à espera do ataque, entrincheirados nas varandas, no terraço e nos jardins. As forças que defendem o palácio estão protegidas por sacos de areia e barricadas de paralelepípedos.

De repente, surgem, ao longe, vultos que se movem como sombras, arrastando-se pelo chão. Uma voz, nervosa, ordena, do portão:

— Às armas! Às armas!

É o ataque esperado desde o amanhecer.

Atiram todos ao mesmo tempo. As metralhadoras varrem a entrada do Palácio, impedindo a aproximação dos rebeldes. O major Marcílio Franco, que comanda a defesa dos Campos Elíseos, grita, de revólver em punho:

— Fogo! Fogo!

As trincheiras legalistas, escavadas na alameda Barão do Rio Branco, estremecem o Palácio com o vômito das metralhadoras de tripé.

A fuzilaria atravessa a noite, com tiroteios esparsos, até o amanhecer. Faz muito frio durante a madrugada. Com o passar das horas, o combate vai, aos poucos, diminuindo de intensidade, e praticamente silencia a partir das cinco da manhã.

Com as primeiras luzes do dia, a visão que se tem é dolorosa. Janelas despedaçadas, vidros quebrados, buracos de balas por toda parte, varandas desfiguradas, rombos enormes nas paredes. Os feridos, que não param de chegar, são levados, às pressas, em macas improvisadas, para uma das salas do andar térreo, transformada em enfermaria. Um dos assistentes do presidente Carlos Campos liga para a Polícia Central e pede que sejam enviadas padiolas e ambulâncias com a máxima urgência.

Com o alvorecer já é possível ver, recortados pela neblina, também os telhados de ardósia dos palacetes, abandonados por seus moradores assim que começaram a ser levantadas barricadas em volta dos Campos Elíseos. Os feridos são arrastados até os jardins e, depois, conduzidos em padiolas para a enfermaria. A praça em frente ao palácio está juncada de cadáveres.

De repente, ouvem-se tiros, partidos não se sabe de onde. A rua está deserta, mas os disparos se sucedem com uma pontaria surpreendente. Os soldados, mesmo protegidos atrás das trincheiras, vão sendo abatidos um a um. O massacre semeia o pânico entre a tropa legalista, que abandona as barricadas, em atropelo, para se proteger dos franco-atiradores, no interior do Palácio. Um oficial identifica de onde estão partindo os tiros. Durante a madrugada, os rebeldes haviam invadido os palacetes e atiravam, agora, através do forro dos telhados. Os defensores dos Campos Elíseos são obrigados a permanecer, acuados, dentro do prédio. O Palácio está completamente cercado.

O Rio de Janeiro é sacudido, no domingo, com as manchetes dos jornais anunciando a rebelião em São Paulo. As notícias, censuradas pela polícia, são francamente favoráveis ao Governo do estado. Apesar da tiragem reforçada, os jornais esgotam-se rapidamente nas bancas. *O Paiz*, governista, anuncia no alto da primeira página: "As forças sediciosas estão sendo vencidas. Espera-se que dentro de poucas horas o movimento esteja extinto."

Logo depois do café da manhã, Bernardes reúne-se, reservadamente, com o chefe de polícia e com os ministros do Exército, da Justiça e das Relações Exteriores. Na reunião, o *General Escuridão* externa a sua preocupação com um anúncio suspeito, estampado em duas colunas na edição de domingo, numa página interna de *O Paiz*:

> *"Revolução no Rio. Durante este mês, a antiga Casa Indiana, rua dos Andradas, 11 e 13, liquida todo o "stok" de artigos para homens, camisaria etc., para transferir-se para a rua do Ouvidor, 134."*

O chefe de polícia imaginou que fosse uma senha dos conspiradores do Rio para deflagrarem um levante também no Distrito Federal. Ele já havia, inclusive, determinado ao titular da 4ª Delegacia, repartição encarregada da repressão política, que prendesse as pessoas responsáveis pelo anúncio, a fim de submetê-las a severo interrogatório na Polícia Central.

No Rio, as prisões de suspeitos continuam. Já tinham sido detidos o general-de-brigada Estelita Werner, o major Mário Clementino, ex-professor da Escola Militar, o professor e líder anarquista José Oiticica e os jornalistas Mário Rodrigues, Paulo e Edmundo Bitencourt, do *Correio da Manhã*, Diniz Júnior, de *A Pátria*, e Renato de Toledo Lopes, diretor de *O Jornal*.

Os boatos que circulam pela cidade atraem legiões de curiosos para as principais ruas do Centro. Uma multidão se concentra rapidamente na Cinelândia, para saber "das últimas". A polícia age com violência, dissolvendo as rodinhas de populares, que se formam para discutir a situação política, em frente ao Teatro Municipal. Os boateiros estão sendo presos por agentes secretos, infiltrados na multidão, e levados para o xadrez da Polícia Central. A ação da polícia é aplaudida por *O Paiz*: "(...) a alma infernal do boateiro permanece intangível, ejaculando de esquina em esquina, nos restaurantes e cafés, por todos os lugares que passa, a sua maldade venenosa".[32]

O porto de Santos, no domingo, tinha se transformado, desde as primeiras horas da manhã, em uma praça de guerra. O encouraçado *Minas Gerais*, recém-chegado do Rio de Janeiro, despejara 2.100 marinheiros e fuzileiros, armados com fuzis, que tinham seguido imediatamente para São Paulo. No caminho, eles foram cavando trincheiras, ao longo da serra do Mar. Tinham embarcado em dezenas de vagões da São Paulo Railway. Os trens estavam carregados com toneladas de munição, transportavam seis canhões de artilharia de campo e um hospital-vagão completo, equipado para realizar qualquer tipo de cirurgia.

O cônsul americano em Santos, Herndon W. Goforth, que reside nas imediações do porto, acompanha de perto o desembarque dos reforços enviados do Distrito Federal. Ele chegou a pensar em abandonar a casa em que mora, por se encontrar exatamente na linha de tiro, entre o encouraçado *Minas Gerais* e o Forte Duque de Caxias, que se acreditava comprometido com o levante. Goforth ouvira rumores inquietantes de que a guarnição do Forte, durante a madrugada, havia aderido à revolução. Mas a chegada inesperada do *Minas Gerais*, que entrou na baía com os canhões já em posição de combate, foi decisiva para desestimular qualquer reação dos defensores do Itaipu, como o Forte é conhecido entre os habitantes de Santos.

Durante o desembarque dos marinheiros e fuzileiros, um detalhe chamara particularmente a atenção de Goforth: a falta de entusiasmo da população com a chegada da tropa. Em casa, mais tarde, ele registrou em suas anotações: "Havia notável ausência de aplausos nas ruas por onde os soldados marchavam." A observação seria por ele incluída no relatório reservado que enviou, mais tarde, à Embaixada Americana, no Rio, no qual informava que o almirante José Maria Penido havia assumido o comando militar da cidade.[33]

Goforth desconhecia que por pouco não fora obrigado a sair de casa. É que o delegado de polícia Coriolano Góes havia interceptado, na manhã do levante, dois telegramas cifrados, despachados às pressas de São Paulo pelo tenente Simas, no momento em que o Telégrafo Nacional era reconquistado pelo Governo. Um dos telegramas era endereçado ao Forte e o outro à Escola de Aprendizes de Marinheiros:

> *"Urgente — Tenente Mury. Itaipu-Santos. Faça trabalho encomendado, dinheiro está pronto. Ass. general Isidoro."*
>
> *"Urgente — Comandante Soares Pina. Dinheiro está garantido. Pode mandar fazer trabalho. Ass. general Isidoro."*

Os dois oficiais, que seriam os cabeças do levante em Santos, foram presos ainda dentro dos seus quartéis.[34]

A população de Santos é surpreendida com a revolta. Os jornais de São Paulo, vendidos por 200 réis, são negociados, nesta manhã, a 5 mil-réis. A notícia dos combates na praça da Luz, no Telégrafo Nacional e em outros pontos do centro arranca expressões de horror dos leitores. As pessoas se amontoam, fazendo rodinhas, às vezes em torno de um exemplar. É difícil acreditar que São Paulo esteja vivendo sob o reinado do medo e do terror. Alguns leitores, com os olhos revirados, cheios de espanto, lêem as notícias em voz alta:

> *" Ao encerrarmos o expediente, na redação, às três e meia da manhã, ainda se ouviam fortes descargas em vários pontos da cidade..."*

A sorte dos rebeldes começa a mudar nesta manhã de domingo. O 4º Batalhão da Força Pública, que se mantém fiel ao Governo, exibe pela primeira vez sinais de debilidade. Os oficiais legalistas, com os portões ainda bloqueados por barricadas de tijolos, troncos de árvores e automóveis, resolvem soltar os cavalos na rua: não dispõem mais de ração para alimentar os animais. A tropa, que já estava com pouca munição, agora, sem os cavalos, não tem como se movimentar. Os ninhos de metralhadora do quartel que varrem a avenida Tiradentes são, de repente, pulverizados com tiros de canhão. O tenente Eduardo Gomes, que assumira o comando da artilharia, usa a arma com invejável precisão. Em 1922, ele demonstrara a mesma competência com o emprego de canhões, durante o levante do Forte de Copacabana. Os disparos têm agora que ser precisos, para não colocar em perigo os oficiais rebeldes, ainda presos no batalhão. Os capitães Joaquim e Juarez Távora e o tenente Castro Afilhado estão detidos, incomunicáveis, em uma sala pequena, no primeiro andar do quartel, junto com a aviadora Anésia Pinheiro Machado, isolada numa sala ao lado. O 4º BFP é duramente atingido pela artilharia, mas os oficiais legalistas não se entregam.

Os efetivos do Governo, que se mantêm entrincheirados em vários pontos da cidade, sentem-se revigorados com a chegada de 150 soldados de cavalaria e 130 de infantaria, vindos de Pirassununga, sob o comando do general Carlos Arlindo. É imaginado então um plano audacioso para assaltar de surpresa o QG rebelde e esmagar a rebelião. Duzentos homens, divididos em duas colunas, serão os responsáveis por sua execução. Metade atacará os quartéis da Luz, pela retaguarda, enquanto os outros 100, disfarçados de passageiros e armados com revólveres, invadirão a estação ferroviária, ocupada pelos rebeldes, libertando os prisioneiros.[35] O plano será desencadeado assim que desembarquem, na estação de Vila Matilde, os mil soldados do Exército do 6º RI de Caçapava e do 5º RI de Lorena, esperados desde o dia anterior.

Os marinheiros do encouraçado *Minas Gerais*, recém-chegados a São Paulo, são recebidos a tiros de canhão, no Ipiranga. A marujada entra em pânico, sofre elevado número de baixas nesse primeiro combate, mas não abandona a luta. As tropas federais se recuperam rapidamente do ataque de surpresa e devolvem o fogo com a mesma intensidade: defendem-se com canhões de 105 milímetros retirados do Forte Itaipu. Os revolucionários, que não esperavam uma reação tão violenta, recuam, para evitar um confronto desigual para suas peças Krupp, de 75 milímetros, com rodas de madeira. Os marinheiros e fuzileiros estão agora com o caminho livre para se juntar às forças do Governo, concentradas no quartel do Corpo de Bombeiros, na rua Anita Garibaldi.

Ao anoitecer, o Palácio dos Campos Elíseos estremece com o impacto de uma notícia que abre uma fenda profunda no moral de seus defensores. Dos mil soldados do Exército que estavam sendo esperados de Pirassununga, 600 haviam se bandeado, com armas e munição, para o lado rebelde. O presidente Carlos de Campos não se desespera. Com a calma habitual, sempre cercado pelos auxiliares imediatos, procura tranqüilizar a oficialidade, manifestando a esperança de que a situação será logo revertida com a chegada dos carros de assalto prometidos pelo presidente Artur Bernardes. O avanço dos marinheiros do *Minas Gerais* em direção ao centro da cidade robustece a sua confiança numa vitória que ele sente cada vez mais próxima. Uma vitória que deverá ocorrer no máximo em 48 horas, de forma rápida e fulminante.

3

O DESFECHO DA BATALHA DE SÃO PAULO

As posições ocupadas pelas forças legais e pelos amotinados, no enxadrezado labirinto urbano de São Paulo, permanecem praticamente inalteradas nos dias 7 e 8 de julho. Os reforços representados pela chegada dos marinheiros, que ainda não haviam conseguido alcançar o centro, são praticamente anulados pela adesão dos 600 soldados do Exército vindos de Pirassununga. Há 24 horas que a tropa do Minas Gerais está encalhada, com os seus canhões, nas imediações da cidade, sob forte pressão da artilharia inimiga.

Apesar do aparente equilíbrio no campo militar, o QG rebelde está sendo dolorosamente acossado por dissensões internas. O destino da rebelião não mais se decide no fogo das trincheiras, mas numa batalha de gabinete, uma luta de lideranças entre as duas principais figuras da revolta: o general Isidoro Dias Lopes, o chefe supremo da revolução, e o major Miguel Costa, um dos cérebros militares do levante. O general Isidoro garante ter uma visão clara da gravidade da situação. Os amotinados estão insulados no centro de São Paulo, sem chances de conquistar uma vitória a curto prazo. Ele teme que a chegada de novos contingentes do Rio e de outros estados possa abater o espírito combativo das forças revolucionárias, produzindo um colapso capaz de implodir o levante.

Veterano de outras batalhas, o velho general não esconde o temor com a possibilidade de deserções em massa, depois de quatro dias de combates intensos. A tropa está exausta, mal-alimentada e sem conseguir dormir, além de estar sendo também obrigada a enfrentar, no desabrigo das trincheiras, outro adversário ainda mais implacável: o inverno rigoroso, que, nas últimas noites, castigara os rebeldes com a temperatura média de seis graus. Há quatro dias que os soldados vivem praticamente dentro das trincheiras, sujos e com aspecto andrajoso, cheirando a pólvora, enrolados em mantas e cobertores, descansando o corpo moído em colchões improvisados com fardos de alfafa.

O general Isidoro imagina poder conseguir fora de São Paulo as energias de que os rebeldes necessitam para manter acesa a chama da revolução. Ele resolve então tomar uma difícil decisão, que o atormenta desde que começaram os primeiros combates: abandonar a cidade e concentrar as tropas revolucionárias, ainda bastante numerosas, na cidade de Jundiaí, sede do 2º Grupo de Artilharia de Montanha, que armara os rebeldes com os seus canhões. Para Jundiaí, de acordo com os seus planos, deverão marchar também o 4º Regimento de Artilharia Montada, de Itu, e o 5º Batalhão de Caçadores, guarnições do Exército que aderiram à revolta e se encontram aquarteladas em Rio Claro.[36]

O major Miguel Costa, um dos mais brilhantes oficiais da Força Pública de São Paulo, se insurge contra a decisão de abandonar a cidade. A retirada, diz, em vez de preservar a unidade das forças revolucionárias, acabaria praticamente dissolvendo o exército rebelde. Os soldados, que constituem a espinha dorsal da rebelião, não estão dispostos a trocar o emaranhado urbano, que conhecem bem, pelo combate em campo aberto, defendido pelo chefe da rebelião. Miguel Costa, que exerce liderança inquestionável sobre a tropa, resolve perfilar ao lado dos seus comandados. Ele e o Regimento de Cavalaria preferem ficar em São

Paulo, sozinhos, lutando contra o governo, a se refugiar, "como um animal vadio", no interior do estado.

O general Isidoro não abre mão de sua autoridade. Como não consegue romper a resistência obstinada do major Miguel Costa, retira-se, magoado, para o seu hotel, mantendo a decisão de ordenar a retirada da cidade, ao amanhecer. A revolução, que desde o início é perseguida por uma sucessão de infortúnios, vê-se, agora, diante de mais uma vicissitude: o risco de fraturar gravemente a estrutura das forças que sustentam a revolta e, com isso, apressar o seu fim.

Miguel Costa atravessa a madrugada do dia 9 organizando a defesa dos quartéis da Luz, disposto a lutar contra o governo até que se esgotem seus recursos. Prefere morrer combatendo do que abandonar a luta quando ainda acredita haver chances de vitória. Dirá isto em uma carta pessoal ao presidente Carlos de Campos, na qual assume a total responsabilidade pelo levante dos quartéis da Força Pública e reafirma o compromisso revolucionário de resistir, com os seus homens, até o último cartucho. Um mensageiro é despachado com a missão de entregar a carta no Palácio dos Campos Elíseos o mais rapidamente possível.

Com a chegada do primeiro contingente de marinheiros à sede do governo, assim que anoitece, os rebeldes são enxotados para longe do Palácio. Têm que recuar suas trincheiras até as imediações do largo de Santa Efigênia, para escapar da linha de tiro dos canhões de Itaipu. Desde as primeiras horas da manhã os amotinados fustigam, de longe, os Campos Elíseos, com espaçadas cargas de artilharia. Mas os defensores do Palácio, inexplicavelmente, não esboçam nenhum tipo de reação. O emudecimento repentino das forças legalistas é preocupante. Os rebeldes acreditam que o governo está planejando uma grande ofensiva, com a chegada dos reforços enviados pelo presidente Bernardes.

O mensageiro do major Miguel Costa salta as trincheiras, empunhando uma bandeira branca, e se aproxima, cauteloso, do Palácio. O sargento da Força Pública que conduz a correspondência está desarmado. Ele caminha lentamente na direção do inimigo, para que todos percebam que sua missão é de paz. O envelope branco que carrega na mão esquerda pode ser visto de longe. O silêncio angustiante daquela caminhada solitária através de escombros fumegantes chega a ser sufocante. O primeiro vulto que o sargento vê é o de um marinheiro, ao lado de uma porta, apoiado em sua carabina. O mensageiro agita a bandeira branca, em sinal de paz, mas o vulto permanece imóvel, como se estivesse dormindo. É muito comum, durante os tiroteios, os combatentes serem abatidos pelo sono e pelo cansaço, dentro das trincheiras. Um sono pesado que, às vezes, não consegue ser abalado nem mesmo pelo estrugir dos canhões.

O sargento grita para a sentinela:

— Tenho uma carta do meu comandante para o presidente Carlos de Campos!

O marinheiro continua imóvel. O mensageiro se aproxima, de braços abertos, e pára, de repente, perplexo, diante da sentinela: do lado esquerdo da cabeça, levemente curvada sobre o peito, escorre um filete de sangue que empasta a farda, na altura do coração. O marinheiro está morto.[37]

O sargento continua sua marcha, solitária, em direção ao que resta do imponente portão principal, um punhado de ferros retorcidos, que dá passagem para uma pessoa de cada vez. Ele procura a quem se dirigir. Corre os olhos pelo palácio, as paredes cheias de cicatrizes, com os tijolos à mostra, buracos enormes abertos pelo fogo dos canhões, parece que vão desabar a qualquer momento. Crateras imensas indicam os lugares onde ficavam as janelas que se abriam para os jardins. As duas grandes colunas da fachada, mutiladas pelo bombardeio, só não desmoronaram porque ficaram presas às cornijas, em estilo romano, fixadas no teto. Na calçada, em frente ao prédio, uma montanha de escombros: dois automóveis queimados, usados como barricada, vidros quebrados, vigas de madeira, pedaços de ferro, blocos de tijolos, e muitas cápsulas, milhares de cápsulas deflagradas. O chão está coalhado por rastros de sangue que se perdem no interior do prédio. Não há mais ninguém ali. O Palácio dos Campos Elíseos está vazio.[38]

O mensageiro volta correndo, na direção das trincheiras, e anuncia, aos gritos:

— O Palácio está abandonado. O presidente fugiu!

Os soldados começam a se erguer lentamente, de trás das barricadas construídas com troncos de árvores, móveis, paralelepípedos, sacos de terra, automóveis destruídos. Magros, com a farda esfarrapada, malcheirosos, de rosto encovado e com barba de vários dias por fazer, os rebeldes parecem despertar de longo pesadelo. Não acreditam no que acabaram de ouvir. Só há uma explicação para a retirada surpreendente: os marinheiros e fuzileiros do *Minas Gerais* devem ter aderido à revolta, obrigando o governo a se refugiar em outro lugar. Mas onde estão os marinheiros com os seus canhões? Ninguém sabe dizer. Os rebeldes se abraçam, alguns mal conseguem caminhar, o corpo está todo dolorido por causa da posição em que haviam permanecido, agachados ou deitados, dentro das trincheiras, durante dias seguidos. Os gritos de alegria e o congraçamento emocionado dos soldados, festejando a vitória, começam a atrair populares que acompanhavam os combates a distância.

— Abaixo o presidente Bernardes!

— Viva a revolução!

— Viva!

O povo caminha ao lado dos soldados, para ver de perto o estrago que os bombardeios fizeram no palácio do Governo. Os mais afoitos chegam a penetrar nos jardins para espiar melhor o interior do prédio. As ruínas, ainda fumegantes, provocam expressões de horror. Quase todas as paredes, picadas pelas metralhadoras, estão manchadas de sangue. As pessoas circulam pelas barricadas, à procura de pequenas lembranças dos combates, recolhem cápsulas de fuzis, bonés, cobertores, qualquer coisa que possa servir como *souvenir*. Em poucos minutos, o Campos Elíseos é cercado por uma multidão vestida de terno e colete, os homens com chapéu de feltro marca Benetto, alguns ainda se exibem com os de palhinha, hábito fora de moda em Paris. Quase todos carregam bengalas, símbolo de distinção usado indiscriminadamente, em gestos largos e afetados, para melhor acentuar a conversação.

O mensageiro retorna ao QG, esbaforido, mal consegue falar ao comunicar a notícia de que o Palácio do Governo fora abandonado pelas tropas legalistas. Miguel Costa ordena que o Campos Elíseos seja imediatamente ocupado em nome da revolução. O tenente Azhaury de Sá Brito entra no prédio, em companhia dos seus homens, sob os aplausos do público que se acotovela diante das barricadas, para ver os estragos causados pelos combates.

O major Miguel Costa procura o general Isidoro para comunicar que São Paulo está nas mãos dos rebeldes. Os dois se reúnem, a sós, no quarto do general. Isidoro permanece ressentido com o episódio ocorrido durante a madrugada. Continua intimamente magoado e ferido na sua autoridade com o gesto de insubordinação do major Miguel Costa. O velho general recusa-se a permitir que essa vitória, por ele atribuída a capricho do acaso, seja contabilizada como um feito militar conquistado sob o seu comando. O comportamento indisciplinado de Miguel Costa, além de ter arranhado a hierarquia, da qual não abre mão, convencera-o também de que já não é mais o chefe da revolução em São Paulo. O major, com a ajuda de outros oficiais, tenta convencer Isidoro de que, agora mais do que nunca, a revolução não pode prescindir do seu prestígio e da sua liderança. Miguel Costa e os oficiais lhe fazem um apelo dramático, em nome dos ideais que sempre defenderam, durante os anos em que conspiraram juntos. Isidoro reconsidera a sua posição e decide continuar no comando. O velho general é aclamado pela oficialidade.[39] O próximo passo é ocupar a cidade, sem atropelos, e comunicar à população que São Paulo está sob o controle das forças revolucionárias.

Uma das primeiras iniciativas dos rebeldes é manter no cargo o prefeito Firmino Pinto, num gesto de respeito e lealdade para com o povo que o elegeu. A rebelião não alimenta nenhuma animosidade contra as autoridades municipais, apesar de estarem solidárias com o presidente Artur Bernardes, em conseqüência da posição situacionista do Governo do estado. Não tem também divergências com o músico, poeta e compositor Carlos de Campos, personalidade muito querida e apreciada nos meios políticos e intelectuais, que há pouco mais de dois meses assumira a presidência do estado de São Paulo. Se o Palácio dos Campos Elíseos tivesse caído sem resistência, na madrugada de 5 de julho, como fora planejado pelos rebeldes, talvez Carlos de Campos fosse convidado também a continuar exercendo suas funções administrativas, com toda a liberdade.[40] A revolucão não cultiva interesses regionais, nem ambições de caráter pessoal; seu único objetivo é derrubar o presidente Artur Bernardes, restabelecer o Estado de Direito e assegurar as garantias constitucionais. O pensamento rebelde está sendo agora cristalizado num documento, em que o general Isidoro pretende expor as razões da revolta: "O Exército quer a pátria como a deixou o Império, com os mesmos princípios de integridade moral, consciência patriótica, probidade administrativa e alto descortino político."[41]

A notícia de que a cidade foi abandonada pelo Governo se espalha rapidamente. Os bares, cafés e restaurantes, que atendiam ao público com as portas fechadas, por causa das balas perdidas, passam a funcionar normalmente. Com a interrupção dos combates, o povo, que há quatro dias estava trancado dentro de casa, sai às ruas, à procura de comida e de notícias. A população não sabe direito quem são os chefes da revolta, além de desconhecer, também, quais são os seus verdadeiros objetivos. Os próprios soldados, muitas vezes, não sabem também a quem obedecer.[42]

A fisionomia da cidade, que parecia, aos poucos, resgatar a sua verdadeira imagem, de repente se transforma. O povo, faminto, arromba depósitos e armazéns, em busca de alimentos. Os saques começam pelos estabelecimentos mais afastados do perímetro urbano, onde não existe nenhum tipo de policiamento, como nos bairros da Mooca, Brás e Hipódromo. Mas a pilhagem se estende logo às casas do centro.

Um dos oficiais rebeldes, o tenente João Cabanas, da Força Pública, num gesto impensado, coordena pessoalmente o assalto ao Mercado Municipal. Como o administrador se recusara a abrir as portas, com medo de que o mercado fosse saqueado pela população, o tenente Cabanas determinou que elas fossem arrombadas e as mercadorias distribuídas entre as famílias mais pobres.[43] Ele mesmo já tomara outras providências, por conta própria, como advertir aos comerciantes das ruas por onde passava que não aumentassem, sob pena de morte, os preços dos gêneros de primeira necessidade.

Cabanas, destacado para garantir a ordem nas ruas, toma outra decisão pessoal, à revelia do Alto-Comando revolucionário: não usará de violência para restabelecer a segurança pública. Decide não empregar sabres e baionetas para conter os impulsos da multidão, mas apenas impedir os excessos, como incêndios, espancamentos e assassinatos. Imagina que agindo assim pode carrear para o levante o apoio e a simpatia de toda aquela população enlouquecida.

Os saques se multiplicam pela cidade. Nas imediações dos Campos Elíseos, o tenente Cabanas é abordado pelo cônsul da Itália e por um representante das Indústrias Matarazzo, que pedem proteção para os depósitos da empresa nos bairros do Brás, Lapa e Água Branca. O oficial manda um piquete de cavalaria proteger as instalações da Água Branca, mas é tarde demais para impedir a pilhagem nas fábricas e moinhos do Brás. Diante dos portões escancarados, por onde homens e mulheres arrastam o que podem, populares e operários se revezam, em discursos apaixonados, desfiando um rosário de críticas aos patrões. Oradores improvisados, de origem italiana e que mal conseguem falar português, destilam o seu ódio contra os Matarazzo:

— Não passam de usurários e exploradores do povo. Açambarcadores de gêneros alimentícios, cruéis e indiferentes aos sofrimentos dos seus operários. Especuladores sem consciência das classes proletárias.

Os operários acusam os Matarazzo de terem obrigado os trabalhadores a fazerem subscrições, em dinheiro, dentro das fábricas, para depois oferecerem presentes pessoais aos príncipes da Casa de Sabóia, às ordens religiosas, aos cardeais e ao papa, em troca de medalhas, condecorações e títulos nobiliárquicos da realeza italiana.[44]

Carroças, automóveis e caminhões circulam pelas ruas entupidos com a mais variada coleção de mercadorias: de pacotes de meias de seda francesa a caixotes de bacalhau. Quase todos os grandes depósitos, empórios e armazéns da cidade são assaltados, inclusive o da Cooperativa da Força Pública. De um dos trens da Central do Brasil, a multidão, em fúria, solta cerca de 300 bois, dos quais muitos são abatidos a tiros e, em seguida, esquartejados, nas ruas.[45]

O Alto-Comando revolucionário percebe que a situação está começando a ficar fora de controle e que é preciso agir com o máximo de energia para impedir que a anarquia e o caos se apossem da cidade. As tropas abandonam as trincheiras e passam a policiar as ruas. O Governo Provisório, chefiado pelo general Isidoro, distribui o seu primeiro boletim à população. A mensagem tem endereço certo: aplacar a ira das classes conservadoras, que exigem um basta para toda essa série de desmandos.

> *"Ao povo:*
> *O movimento revolucionário, em seu primeiro ato do Governo, com a absoluta preocupação de restabelecer a vida normal da cidade, tomou providências enérgicas no sentido de garantir à população a sua maior segurança, ordem e paz. Recomenda a todos que se recolham às suas residências e se mantenham em calma, evitando distúrbios, correrias, saques e mais depredações. Aguardem com inteira confiança a ação do Governo provisório já constituído, a fim de que as coisas voltem aos seus lugares no menor tempo possível. O policiamento de São Paulo será restabelecido imediatamente, sendo a guarda da cidade feita por soldados de cavalaria.*
> *Aquele que for apanhado em atitude desordeira, fazendo depredações, será incontinenti preso e punido. Os senhores negociantes estão obrigados a manter os preços comuns, caso contrário novas providências serão tomadas nesse sentido.*
> *O Governo provisório.*
> *São Paulo, 9 de julho de 1924."*[46]

É tarde demais. Os saques trincam o frágil diálogo que as classes produtoras tentavam estabelecer com os líderes da revolta. Os banqueiros, os fazendeiros, os industriais, os comerciantes e os grandes exportadores, que desde o início do levante se colocaram ao lado do Governo do estado, sentem-se vítimas de uma retaliação.

O cônsul britânico, Francis Patron, acompanha, apreensivo, através da janela do segundo andar do consulado, na rua Quintino Bocaiúva, o rastro de destruição deixado pela população ensandecida. Pensativo, com o polegar e o indicador da mão direita torcendo nervosamente os fios da barba, ele mal pode acreditar no que vê, com a ajuda do seu inseparável *pince-nez*: vitrinas estilhaçadas, portas de ferro retorcidas, garrafas de azeite quebradas, cacos de louça por todos os lados, barricas de breu dilaceradas, balanças destruídas, cereais e sacos de farinha derramados sobre as calçadas, ao lado de armários e balcões arrancados das lojas durante o quebra-quebra. A lei e a ordem foram subjugadas pela ditadura das ruas.

Francis Patron tem motivos muito especiais para se preocupar com os assaltos à propriedade privada. O que mais o angustia não são os prejuízos causados pela turba alucinada, que podem ser cobertos pelo seguro, mas a posição política dos rebeldes. Ele acha que São Paulo está no limiar de uma rebelião popular como a que derrubou o czar Nicolau II, da Rússia, em 1917. O que o preocupa, na verdade, são os grandes investimentos ingleses em São Paulo, que podem ser confiscados por um movimento inspirado na revolução bolchevique.

A França e os Estados Unidos têm também muitos interesses no Brasil, mas nada se compara ao volume de negócios controlados pelo capital inglês, do Amazonas ao Rio Grande do Sul, negócios que vêm do tempo do Império. Em São Paulo, os ingleses são donos de cerca de três milhões de pés de café, através das empresas The S. Paulo Coffee Ltd. Comp., Cafeeira Britânica e Água Santa Coffee Comp. São também os principais financiadores da maior riqueza do estado — o café, responsável por 80% das exportações de São Paulo. Além de controlar politicamente o Instituto do Café, são acionistas e os maiores credores do Banco do Estado. Têm ainda outro trunfo importante nas mãos: a hipoteca da maioria das fazendas de café do Vale do Paraíba. Pertence-lhes a mais importante estrada de ferro, a São Paulo Railway, principal via de acesso para Santos. Como se não fosse pouco, são ainda senhores da produção e exportação de frutas, por intermédio da Cia. Brasileira de Frutas, que possui imensas plantações de bananas, laranjas e abacaxis, em Campinas. A companhia de navegação Blue Star, também de capital inglês, é dona do porto de São Sebastião, em Santos. Através da Companhia Sudan Plantation, os ingleses controlam toda a produção de algodão, além de ter participação em quase todas as grandes empresas de fiação e tecelagem. São deles os maiores frigoríficos de São Paulo; são eles os principais credores do Governo do estado.[47] São Paulo parece uma colônia inglesa do século XIX.

Como garantia desses empréstimos, os capitais estrangeiros controlam praticamente as receitas do país. As alfândegas e quase todas as fontes geradoras de impostos estão sob a permanente vigilância e controle desses capitais, principalmente do inglês, como forma de assegurar o pagamento dos juros e a amortização da dívida, de acordo com os prazos estabelecidos nos contratos de financiamento.[48] Francis Patron tem motivos de sobra para colocar as barbas de molho.

Pela primeira vez, desde que se iniciaram os combates, São Paulo anoitece com as luzes acesas; algumas ruas estão ainda sombrias e mal-iluminadas porque muitos lampiões foram quebrados durante a pilhagem. A noite cai e encontra a cidade policiada pela cavalaria da Força Pública, enquanto soldados do Exército, armados com fuzis e baionetas, circulam de táxi, patrulhando as áreas onde estão localizados os bancos, as grandes empresas de exportação e as representações diplomáticas estrangeiras. O Governo revolucionário não vai mais permitir que a lei e a ordem sejam violentadas pela insensatez.

Mas a vitória da rebelião não é completa. Falta ainda remover dois obstáculos que oferecem resistência obstinada: o 4° BFP, na avenida Tiradentes, e o 5° BFP, na rua Vergueiro. Esses dois quartéis continuam cercados pelos rebeldes. Mas não se ouvem disparos desde o amanhecer, quando o Governo do estado abandonou o Palácio dos Campos Elíseos. Espera-se, para qualquer momento, a rendição incondicional dessas duas cidadelas legalistas. No 4° BPM, com a fachada esfacelada a tiros de canhão e o resto das instalações praticamente em ruínas, ainda continuam presos o tenente Castro Afilhado, os capitães Joaquim e Juarez Távora e a aviadora Anésia Pinheiro Machado.

Ao longe, pelos lados do Brás, vê-se um clarão avermelhado, em meio a gigantescas colunas de fumaça. O mercado municipal, de onde a população levara até as prateleiras, está sendo consumido por grande incêndio — as labaredas atingem quase vinte metros de altura. A cidade ainda está sob o impacto das seqüelas deixadas pela loucura das ruas. Nesta noite de quarta-feira, pela primeira vez desde que começou a revolta, a população vai dormir sem a companhia dos canhões.

Quinta-feira, 10 de julho

O Palácio do Catete, no Rio, amanhece com movimento incomum. Dezenas de deputados e senadores espremem-se no salão de despachos, para ter a honra de felicitar pessoalmente o presidente Artur Bernardes pela maneira enérgica e exemplar com que foi sufocada a rebelião militar de São Paulo. As demonstrações de júbilo pela vitória da legalidade chegam aos borbotões, através de cartas e telegramas, enviados de toda parte, com as mais calorosas manifestações de apoio ao Governo. Os deputados e senadores fazem fila para apertar a mão de Bernardes.

O Paiz, que apóia abertamente o Governo, também participa dessa farsa. Além de sonegar a notícia de que São Paulo está ocupada pelas forças revolucionárias, o jornal mente sem nenhum pudor ao informar no alto da primeira página que "o Palácio dos Campos Elíseos foi aberto ao público para visitação". Mais abaixo, esclarece que o general Carlos Arlindo, comandante das tropas legalistas, instalara ali o seu QG. Os outros jornais, amordaçados pela censura imposta pelo estado de sítio, estão proibidos pela polícia de publicar qualquer informação favorável aos rebeldes. As notícias sobre a revolta são manipuladas pelo Governo e distribuídas, depois, às redações, pela Secretaria da Presidência da República.

Bernardes, de pé, sorridente e agradecido, abraça e se deixa abraçar pelos parlamentares que, um a um, estão ali para lhe oferecer solidariedade. Nesse ambiente festivo, onde se comemora a vitória da opressão, Bernardes recebe ironicamente os cumprimentos ao lado de uma escultura de bronze, de autor desconhecido, representada por uma mulher com uma espécie de gorro, que desde a Grécia Antiga é identificada com a liberdade. Apesar do clima alegre e descontraído, o rosto do presidente exibe cansaço, que se reflete também no movimento quase mecânico dos braços e na própria postura, os ombros levemente arqueados pelo desgaste de uma noite marcada por atormentada vigília. Ele passara quase toda a madrugada em claro. O presidente atravessara bom pedaço da noite amparado pelas duas vigas que sustentam o seu despotismo: o general Setembrino de Carvalho, ministro da Guerra, e o marechal Carneiro da Fontoura, o temido chefe de Polícia do Distrito Federal.

Reunidos em seu gabinete, os dois militares não demonstravam muita preocupação com a retirada das tropas legalistas. O Governo Federal estava concentrando um exército formidável em Guaiaúna, subúrbio distante, a pouco mais de uma hora de carro do centro de São Paulo, com reforços do Rio, Minas e Espírito Santo. Eram esperados também a qualquer momento contingentes enviados pelo Paraná e Rio Grande do Sul. Esse exército, estimado em cerca de 15 mil homens, com canhões pesados e carros de assalto, seria invencível. Os rebeldes seriam esmagados de um golpe só, com mão de ferro.

O que tira o sono de Setembrino e Fontoura naquela noite não é a rebelião paulista, mas a fermentação política que já se observa no Rio de Janeiro. Uma série de providências de caráter preventivo havia sido sugerida pelo chefe de Polícia em relação aos estrangeiros que vivem na capital da República, particularmente os russos, "de toda proveniência, seja cristã ou israelita".

A medida, aprovada por Bernardes, prevê a violação de toda correspondência postal e telegráfica destinada a esses estrangeiros, a fim de investigar a sua possível ligação com o movimento bolchevista russo, já que sobre muitos imigrantes pesa a suspeita de serem os melhores disseminadores do comunismo. As revistas e os jornais que chegam da Rússia, América do Norte, Argentina e Uruguai devem ser cuidadosamente examinados antes de entregues aos destinatários. A polícia está encarregada de fazer também um levantamento de todos os estrangeiros suspeitos hospedados nos melhores hotéis da cidade.

Bernardes não só autoriza a escuta telefônica desses estrangeiros como determina, no prazo de um mês, a identificação obrigatória de todos os imigrantes residentes no Rio, que devem ser ainda submetidos a um "interrogatório especial", cujas respostas serão, depois, objeto de verificação secreta.[49]

O general Setembrino, por sua vez, já tomara também providências para manter a ordem na caserna. Determinou que todos os oficiais envolvidos no levante de 5 de julho de 1922 que se encontravam detidos na Escola de Estado-Maior fossem transferidos para navios da esquadra. A Vila Militar continuava de prontidão e todos os quartéis da capital estavam com a guarda reforçada. As unidades do Rio escaladas para reprimir a revolução continuavam embarcando de trem para São Paulo.

Carneiro da Fontoura esclarecera, por sua vez, que dezenas de suspeitos haviam sido detidos nas últimas horas, entre eles alguns anarquistas e "comunistas notórios", como Otávio Brandão, um dos fundadores do Partido Comunista do Brasil. Comunicou a Bernardes que um dos militares presos nas últimas horas teve o seu nome por ele especialmente incluído na lista de pessoas que deveriam ser encarceradas: o general Augusto Ximeno de Villeroy. O presidente recebeu a notícia com um sorriso. A prisão de Ximeno era uma espécie de mimo, um agradinho pessoal, do chefe de Polícia para com o presidente da República. O general estivera presente na famosa reunião do Clube Militar que reconhecera como de autoria de Bernardes as cartas falsas em que ele supostamente insultava o Exército e que haviam sido publicadas em 1921, pelo *Correio da Manhã*, como verdadeiras. O ajuste de contas entre Bernardes e seus desafetos apenas começava.

As celas estão entulhadas de inimigos reais e imaginários do Governo. Com os xadrezes da Polícia Central superlotados e a Casa de Correção, um pouco menor que a vizinha Casa de Detenção, sem vagas nos seus cubículos, Fontoura sugere que os presos, a partir de agora, sejam enviados para a Ilha Rasa, a pouco mais de duas horas de rebocador da praça XV. O navio *Campos*, uma sucata flutuante, embarcação sem condições de navegar, foi também transformado em prisão; de tão cheio, ameaçava adernar. Não há mais espaço para continuar empilhando, nos seus porões, os "profissionais da desordem", como são rotulados os operários anarquistas detidos pela polícia política. Aos olhos de Fontoura, os rochedos da ilha Rasa parecem o local mais indicado para se despejar esse tipo de gente.[50]

Bernardes se despede, triunfante, dos políticos que foram cumprimentá-lo no salão de despachos e se recolhe aos seus aposentos, no terceiro andar do Palácio do Catete. Antes de entrar no elevador, para descansar até a hora do almoço, comunica aos auxiliares imediatos que não quer ser incomodado. Seu descanso só deverá ser interrompido se houver alguma chamada telefônica de urgência do ministro da Guerra, do chefe de Polícia ou do presidente de São Paulo.

Um livro de presenças, para registrar as manifestações de apoio e solidariedade que continuam chegando, através de parlamentares e de políticos do interior que se dirigem ao Catete, é colocado, pela Secretaria da Presidência, junto ao portão de entrada do palácio. A mesinha com o livro de assinaturas está à direita de quem entra, no *hall* principal, ao lado de uma estátua de bronze alemã, datada de 1891. Assinada pela Fundição Gladenbeck, de Berlim, a alegoria tem significação simbólica: representa as virtudes e as fraquezas do ser humano. Mais uma ironia em todo esse contexto de violência e bajulação.

Com a inesperada retirada das forças legalistas do Palácio dos Campos Elíseos, o Governo do Estado de São Paulo termina num vagão de trem, parado desde que amanheceu, na estação de Vila Matilde, a um quilômetro de Guaiaúna, onde o Exército concentra reforços para reconquistar a cidade de São Paulo. O presidente Carlos de Campos e o secretário de Justiça Bento Bueno estão alojados em um vagão especial, classe A, utilizado pela administração da Estrada de Ferro Central do Brasil, servido com lampiões a gás, banheiro completo, salão com oito poltronas e seis dormitórios. O trem está em permanente movimento, parando por alguns minutos em outras estações, mas retorna sempre à Vila Matilde. Assim, não será surpreendido pelo fogo da artilharia rebelde ou pelo ataque de algum avião inimigo.[51]

O vagão está atrelado ao trem que trouxe de Juiz de Fora o general Eduardo Artur Sócrates, engenheiro militar, bacharel em ciências físicas e matemáticas, que se destacara durante "a guerra sertaneja do Contestado", episódio dramático em que o Exército usou de extrema violência para reprimir um bando de religiosos fanáticos em Santa Catarina e no interior do Paraná. Sócrates, que chefia a IV Região Militar, foi escolhido pessoalmente pelo presidente Bernardes para organizar o ataque das forças federais a São Paulo. Sua folha de serviços, na campanha do Contestado, qualificou-o para a missão.

O Governo Provisório, chefiado pelo general Isidoro, está empenhado em assegurar a ordem e restabelecer rapidamente o funcionamento dos serviços essenciais. Bondes, trens, Correios, telégrafo, telefones, bancos, o comércio, tudo está parado. Os integrantes da Guarda Cívica, que lutaram contra a revolução, são convocados oficialmente a reassumir suas funções no policiamento da cidade. O Governo Provisório convoca também os reservistas do Exército para que se apresentem imediatamente no QG revolucionário, na praça da Luz. Como as convocações não produzem o resultado esperado, os rebeldes decidem criar a Guarda Municipal. Ela será constituída por voluntários, de boa formação, e pelos vigilantes das fábricas. Os guardas, sem uniforme, serão identificados por uma faixa amarela no braço esquerdo, com o carimbo da Prefeitura.

A organização, o recrutamento e o comando da nova força policial ficarão por conta do prefeito Firmino Pinto. A fim de melhor assegurar a ordem pública e vigiar de perto os inimigos da revolução, o general Isidoro nomeia o major Raul Dowsley Cabral Velho chefe de Polícia de São Paulo. Cabral Velho se instala nas dependências da 2ª Delegacia Policial, na avenida Tiradentes, 16. Entre as suas muitas atribuições estão a emissão de salvo-condutos, autorização para o uso de automóveis e controle dos telefones, cuja censura passou a ser realizada na própria central telefônica.[52] A direção da Brazilian Telephone Company assume o compromisso de lhe enviar diariamente a lista das ligações efetuadas pelos poucos telefones que têm autorização para funcionar em toda a cidade.[53]

Ao amanhecer, os rebeldes festejam a primeira grande vitória desta quinta-feira. Um dos bastiões legalistas, o quartel do 4º BFP, acaba de se render e libertar os oficiais rebeldes que se encontravam presos desde a manhã do dia 5. Sobre os trilhos dos bondes, em frente aos portões do batalhão, podem ser vistos colchões queimados dentro de uma trincheira de paralelepípedos e alguns escombros ainda fumegantes na parte de trás do quartel. Os oficiais legalistas concordaram em se entregar sob a condição de permanecerem presos, sob palavra, em suas residências, o que foi imediatamente aceito pelo general Isidoro.

Os oficiais são levados de carro para casa, mas os soldados aderem à rebelião. As quatro metralhadoras pesadas e os oito fuzis-metralhadoras, que atiravam dia e noite contra os rebeldes, são agora colocados a serviço da revolução.[54]

Na rua Vergueiro, ilhado pelos amotinados, o 5º BFP ainda resiste heroicamente, numa inútil demonstração de bravura.

A cidade vai, aos poucos, restabelecendo a rotina. O melhor indicador de que as coisas parecem estar voltando ao normal é o movimento intenso que se observa ao anoitecer em determinadas ruas, onde o pecado voltou a iluminar algumas pensões elegantes, freqüentadas por mulheres sem sobrenome, como as localizadas na Xavier de Toledo e na Sete de Abril.[55]

O general Isidoro participa, à tarde, de uma reunião com os representantes da Associação Comercial de São Paulo para discutir o esquema de policiamento da cidade. O encontro, realizado na residência do presidente da entidade, José Carlos de Macedo Soares, reúne banqueiros, exportadores e comerciantes. A conversa começa num tom amistoso, com alguns dos participantes até elogiando a preocupação dos rebeldes em garantir a ordem e proteger a propriedade privada, e termina de forma áspera e inesperada. Um dos empresários presentes repele, como um insulto, o entendimento do prefeito com o general Isidoro para a formação da Guarda Municipal. Na sua opinião, qualquer tipo de acordo com os rebeldes deveria ser condenado. Apoiar, portanto, a criação dessa força policial devia ser considerado um crime de lesa-pátria.

— Por quê? — interrompe o general Isidoro.

— Por quê? O senhor ainda me pergunta por quê? Ora, com essa guarda, a força revolucionária que se acha sob o seu comando será dispensada do policiamento das ruas e utilizada nas trincheiras contra nossos irmãos e companheiros. Senhor general, eu sou um legalista rubro, como deveria ser também o senhor prefeito.

— Então deixarei de policiar a cidade.

— O senhor general é que tem a obrigação de zelar pela vida da população da cidade. Ao senhor e não a nós é que compete esse dever!

— Isso é um ponto de vista de inimigo. Eu não vim aqui para discutir... Os senhores resolvam o que bem entenderem e me comuniquem depois.

O general levanta-se e, ao se despedir dos presentes, dirige-se com ironia ao seu interlocutor:

— Até logo, meu jovem inimigo...

— Até a vista, general![56]

Os rebeldes fazem circular um panfleto entre a população. Explicam as razões da revolta, definem os seus objetivos e esclarecem que não se trata de uma ação isolada, mas de um movimento nacional de "caráter patriótico, de altíssimo significado social e político". O documento, que é também distribuído à imprensa, informa que a revolução pretende substituir o atual Governo da República por entenderem os seus chefes e orientadores que "esse Governo não está à altura dos destinos do país", além de ter "demonstrado praticamente ser a continuação dos governos eivados de vícios que têm dirigido o Brasil nestes últimos lustros".

Os rebeldes querem interromper esse ciclo de governos marcados pelo despotismo, pela advocacia administrativa e pela "incompetência técnica", na alta administração do país.[57]

O dia 11 de julho amanhece com a cidade empenhada em se desfazer rapidamente das cicatrizes deixadas pela multidão enfurecida. Alguns soldados rebeldes ajudam os comerciantes a remover o entulho das calçadas, enquanto outros estão envolvidos com a demolição das trincheiras e barricadas para restabelecer a circulação de veículos nas principais ruas do centro, que se encontra interrompida desde a madrugada do levante.

Os bondes elétricos circulam apenas em algumas ruas do centro. Apesar da grande confusão que ainda envolve a cidade, o serviço de bondes, indiferente à revolução, mantém o rigor de suas leis. Só os soldados, armados e uniformizados, é que estão desobrigados de cumprir o regulamento imposto aos demais passageiros. Na primeira classe, como de hábito, não há nenhum tipo de preconceito de cor, raça ou profissão, mas apenas uma exigência: os passageiros devem viajar limpos, calçados, engravatados e de paletó. Não é permitido conduzir embrulhos, trouxas ou pacotes de mão. Aos passageiros descalços, sem tamancos, gravata e paletó, continua reservada a segunda classe, a preço mais econômico. Embarca-se ali com pequenos caixotes e outros volumes.

4

A ESTRATÉGIA DO TERROR

Às dez horas da manhã, São Paulo é sacudida, de repente, por uma sucessão de explosões. O chão estremece com o impacto das granadas. A cidade está sendo bombardeada pelo Exército. Os canhões legalistas estão despejando sua carga contra áreas densamente povoadas, atingindo bairros industriais, longe do Centro. O ataque semeia o pânico entre a população e provoca grandes incêndios que podem ser vistos em toda a capital.

O Alto-Comando revolucionário presume que a artilharia do Governo cometeu um erro grave de pontaria. Não existem trincheiras, tropas nem fortificações nas áreas que estão sendo castigadas pelo canhoneio. Os líderes rebeldes não acreditam que as baterias do Exército estejam atirando deliberadamente contra alvos civis, espalhando a destruição e a morte entre os moradores desarmados dessas regiões afastadas, sem nenhum interesse militar.

As cargas concentradas dos canhões de 155 milímetros deixam o general Isidoro e seus oficiais perplexos. Esse armamento pesado, de acordo com as regras mais elementares do emprego da artilharia, só deve ser usado no ataque a fortificações bem-defendidas, depois de estabelecido um contato com o inimigo e definidas, com precisão, as posições por ele ocupadas. Os regulamentos franceses, adotados pelo Exército brasileiro desde 1920, são claros quanto ao verdadeiro papel desse tipo de canhão num combate: "O seu principal objetivo é o apoio direto à infantaria por tiros executados contra o pessoal e carros blindados", ensina o manual.

O tenente Eduardo Gomes, formado em artilharia pela Academia Militar de Realengo, desconhece também a existência de estudos ou tratados de guerra moderna que recomendem o emprego de canhões contra uma cidade aberta como São Paulo. Eles são efetuados, geralmente, a grande distância da retaguarda inimiga, para impedir ou dificultar a movimentação da tropa, além de interromper as linhas de abastecimento. Os disparos, com essa artilharia de longo alcance, devem ser endereçados preferencialmente contra pontes, estações e entroncamentos ferroviários, quartéis, depósitos e oficinas, alvos localizados entre vinte e trinta quilômetros de distância. Os tiros devem ser lentos e cadenciados, depois de meticulosamente observados os pontos de impacto, com a ajuda da aviação, a fim de que a artilharia possa cumprir sua missão de destruir e imobilizar o inimigo com o máximo de precisão.

Não há, portanto, recomendação técnica ou estratégica que justifique o bombardeio contra uma cidade populosa como São Paulo. Os disparos estão sendo feitos de forma aleatória, sem alvos definidos, desrespeitando as recomendações básicas para o emprego desse tipo de armamento. Não há, também, necessidade militar que legitime essa chuva de ferro e fogo que está provocando a dor, a morte e o luto entre os moradores de alguns bairros industriais. Os canhões Schneider Cannet, de 155 milímetros, atiram sem parar.[58] O massacre dos 700 mil habitantes de São Paulo está apenas começando.

O terror se apossa rapidamente desses bairros pobres e humildes, como a Mooca, onde vivem também milhares de imigrantes estrangeiros, na maioria italianos recém-chegados ao Brasil. O povo, enlouquecido pelas granadas que não param de cair sobre as casas, foge inicialmente para as ruas, sem saber como se defender. Muitas famílias refugiam-se nos porões para escapar das granadas lançadas também pelos canhões Saint Chamond, de fabricação francesa. O impacto dos obuses dissolve o casario baixo em grandes nuvens avermelhadas. Os telhados e as paredes desabam sob o peso do bombardeio. A artilharia do governo chega a fazer 130 disparos por hora.

Os rebeldes mobilizam também os seus canhões, cerca de vinte peças Krupp de 75 e de 105 milímetros, para responder ao fogo do inimigo. Mas a luta é desigual. As forças governistas dispõem de uma centena de canhões bem mais modernos, com maior calibre e poder de tiro, capazes de atingir alvos a onze quilômetros de distância. Os disparos da artilharia rebelde mal conseguem chegar a cinco quilômetros. Os Saint Chamond e os Shneider Cannet, além de estarem bem protegidos, em áreas distantes do centro, não conseguem ser alcançados também pelos modelos pesados e antiquados em poder dos amotinados.[59]

O Alto-Comando revolucionário é assaltado pelo desânimo. Não há como enfrentar a artilharia do governo. A única alternativa é cavar novas trincheiras para guarnecer a cidade e conter o avanço das tropas legalistas, que poderá ocorrer a qualquer momento. As ruas que deságuam no centro, onde está instalado o QG rebelde, são protegidas por um cinturão de barricadas de paralelepípedos que se estende também por toda a avenida Paulista. Algumas metralhadoras francesas, refrigeradas a água, estão sendo instaladas nos jardins, varandas e até mesmo no alto dos prédios. Espalhados pelos quarteirões, os rebeldes preparam-se para uma possível luta corpo-a-corpo, dispostos a repelir a infantaria do governo a golpes de baioneta.

Meio-dia. Começam a chegar os primeiros feridos ao Hospital da Santa Casa, transportados em ambulâncias, carroças e automóveis. O desespero dos médicos e enfermeiros revela a extensão da tragédia. Não há como atender a toda essa legião de sobreviventes, com o corpo coberto por uma pasta de sangue e entulho, que aumenta a cada tiro de canhão. O bombardeio não se apieda de suas vítimas. Os corredores do hospital estão alagados de homens, mulheres e crianças gravemente feridos, resgatados dos escombros pelos vizinhos. Alguns chegam em estado desesperador, mutilados pelos estilhaços das granadas. Os feridos em estado grave são levados imediatamente para as enfermarias, em padiolas improvisadas, a fim de receber os primeiros socorros, enquanto aguardam remoção para o centro cirúrgico. Muitos não suportam os ferimentos, nas enfermarias superlotadas, e são conduzidos logo para o necrotério. O hospital exibe também as suas chagas: faltam leitos, médicos, enfermeiros, remédios, ataduras, esparadrapo, linha de sutura. Algumas cirurgias de urgência são feitas até mesmo sem anestesia. O Hospital da Santa Casa não tem mais condições de continuar recebendo os feridos, que não param de chegar.

O general Isidoro reúne-se com os oficiais do seu Estado-Maior para examinar a gravidade da situação. Bernardes e o Exército haviam enlouquecido. O bombardeio contra uma cidade densamente povoada com o objetivo de provocar o maior número de vítimas civis viola também o direito da guerra. O chamado "bombardeio terrificante", defendido, no século passado, por generais alemães como forma de obrigar a população a acelerar o processo de capitulação sempre foi condenado pelo Direito Internacional. Há muito que esse tipo de bombardeio é também reprovado pelos tratados militares, que o consideram imoral, injusto, inútil e desumano, na doutrina de quase todos os mestres.

Em uma das salas acanhadas, no primeiro andar da estação da Luz, que os rebeldes transformaram em QG, o general Isidoro, afundado em uma poltrona de couro cru, é a imagem acabada de um homem que viu os melhores anos de sua vida se perderem a serviço de um Exército que agora renega suas tradições para satisfazer um capricho do presidente Artur Bernardes. Os lábios finos, que cortam o rosto corado, se contraem e deixam escapar um esgar de desencanto. Com a mão esquerda apoiada sobre uma mesinha encardida, o esmalte já descascando, Isidoro, num gesto nervoso, arranha a madeira com as unhas, para descarregar a tensão. A voz pausada acentua ainda mais o seu desapontamento.

— Além de imoral, esse bombardeio é também impiedoso e criminoso; uma demonstração de que o presidente Bernardes enlouqueceu. O Exército não pode desrespeitar a Convenção de Haia de 1917, da qual o Brasil é um dos signatários. O Governo desconhece que os direitos da sociedade, anteriores e superiores aos do Estado, organização meramente política, não caducam nem se extinguem quando os funcionários por qualquer motivo desertam do cumprimento de seus deveres. A autoridade do Estado decorre moralmente da legitimidade do seu mandato. O presidente Bernardes, com esse bombardeio, provou mais uma vez que não tem condições morais de continuar exercendo a Presidência da República. A sociedade deve retomar os seus direitos, dos quais ele é apenas o mandatário.[60]

As frases que ele recorta, com firmeza, elevando às vezes o tom de voz, perdem-se pelos corredores sombrios da estação, onde alguns soldados, anestesiados pelo cansaço, cochilam, amparados pelos fuzis, indiferentes ao bombardeio que se ouve ao longe. Os oficiais escutam o chefe da revolução em silêncio, em sinal de respeito e admiração. Isidoro sente-se humilhado e ofendido com a postura servil dos seus companheiros de farda.

Sábado, 12 de julho

Os círculos diplomáticos do Rio de Janeiro estão inquietos com as informações alarmantes sobre a rebelião de São Paulo que circulam na Europa, nos Estados Unidos e na América do Sul. As embaixadas, desde a manhã de 5 de julho, não conseguem estabelecer nenhum tipo de contato com os consulados de São Paulo. As únicas notícias de que o corpo diplomático dispõe sobre o levante são as que conseguem chegar, com muita dificuldade, através dos consulados de Santos e as que são divulgadas pela imprensa do Rio, que permanece sob censura. Notícias como as que *O Paiz* anuncia, em manchete, na edição de hoje: "Os rebeldes pedem armistício. O comando das forças legais recusa e impõe a rendição incondicional." E mais: "Os revoltosos estão sendo completamente dominados pelas forças legais."

As informações que as embaixadas recebem de seus países são bem diferentes das estampadas nos jornais. O Ministério das Relações Exteriores sustenta, por sua vez, que o Brasil está sendo vítima de uma campanha de difamação internacional e aponta a cidade de Buenos Aires como o centro irradiador das informações que tentam denegrir a imagem do país no exterior. As embaixadas são instruídas pelo Itamarati a repelirem com energia os "boatos alarmantes" que os correspondentes estrangeiros de Buenos Aires estão recebendo, pelo telefone, através do Rio Grande do Sul. Os rebeldes, durante a fase de conspiração, haviam estabelecido contato com jornalistas argentinos e uruguaios a fim de que fossem publicados reportagens e artigos sobre o levante com o objetivo de chamar a atenção da opinião pública internacional para os verdadeiros objetivos da revolução.[61]

O embaixador do Brasil na França, em entrevista ao jornal *Le Temps*, reduz a importância do movimento liderado por Isidoro a uma reles quartelada, inspirada por oficiais da reserva e conhecidos agitadores civis. Ele assegura que o levante não recebe nenhum tipo de apoio do Exército nem da população civil.[62]

Apesar das notícias tranqüilizadoras, manipuladas pela polícia, o ambiente permanece tenso no Rio de Janeiro. Há dois dias que o marechal Carneiro da Fontoura dorme em seu gabinete de trabalho, na sede da Polícia Central. Circulam rumores na área diplomática de que Bernardes pretende renunciar, na esperança de que seu gesto ajude a pacificar o país. A presença de uma pequena lancha na praia do Flamengo, atracada no ancoradouro existente nos fundos do Palácio do Catete, com a guarnição mantida em permanente prontidão, sugere que Bernardes pode deixar o governo a qualquer momento. Comenta-se, também, que estaria encontrando sérias dificuldades para se manter no poder.

As relações de Bernardes com o ministro Setembrino de Carvalho não são também das melhores. No final de 1923, o presidente designara Setembrino como mediador das facções políticas que se engalfinhavam, numa guerra fratricida, no Rio Grande do Sul. O nome do ministro fora indicado por Bernardes na expectativa de que fracassasse no cumprimento da missão. O verdadeiro objetivo era desgastá-lo e, com isso, facilitar a sua remoção do Ministério da Guerra, a fim de que o presidente pudesse escolher um oficial mais enérgico para o exercício dessa função. Mas o trabalho de apaziguamento foi bem-sucedido e Setembrino foi mantido no cargo.[63]

Bernardes e Setembrino optam pelo chamado "bombardeio terrificante" na tentativa de esmagar rapidamente a rebelião e impedir que ela contamine outros estados, onde é também muito grande a insatisfação contra o governo, particularmente entre as guarnições do Exército no Paraná, em Mato Grosso e no Rio Grande do Sul. O descontentamento militar é também muito expressivo em estados do Nordeste e até mesmo no Norte.

Setembrino e Bernardes sabem que o Exército não é uma corporação homogênea dos pontos de vista político e militar. Na verdade, existem vários exércitos num só, com idéias próprias não só sobre o papel que os militares devem exercer na sociedade como também sobre o tipo de governo que consideram o mais adequado para o país. A oficialidade divide-se entre *bacharéis fardados*, em sua maioria positivistas, formados pela Escola Militar da Praia Vermelha, e *tarimbeiros*, voltados exclusivamente para a profissionalização, que estudaram na Escola Militar de Realengo, sob a orientação da Missão Francesa.

A Escola da Praia Vermelha, de onde saiu a última fornada de oficiais do fim do Império e que forjou a oficialidade dos primeiros anos da República, lembra mais um centro de estudos do que uma escola militar. Os alunos consomem mais tempo debruçados sobre compêndios de Matemática, Geografia, História, Filosofia e Letras do que na leitura dos manuais que ensinam a arte da guerra. Os oficiais, talhados por esse tipo de formação humanística e sob a influência do positivismo, que é o pensamento dominante nessa Escola, não concordam em ser apenas espectadores silenciosos do processo político. Sentem-se também no dever de participar da vida pública por se considerarem, na maioria das vezes, mais bem-preparados intelectualmente para o exercício do poder do que a maioria dos civis. Partem do princípio de que o uso da farda não implica na abdicação da cidadania. O soldado, pelo simples fato de andar armado e fardado, não deixa de ter os mesmo direitos e deveres de um cidadão.[64]

A abertura da Escola Militar de Realengo, em 1919, procurou interromper esse tipo de formação e impôs um novo padrão de ensino, exclusivamente militar, com o objetivo de afastar os futuros oficiais de qualquer influência de natureza política. A principal preocupação passa a ser a "profissionalização", com uma escola para cada especialidade e uma educação mais técnica, mais profissional. É o tipo de ensino também defendido pelos oficiais da Missão Francesa, que haviam assumido o compromisso de modernizar o Exército brasileiro. O soldado-cidadão, que se dedica ao estudo das ciências humanas, precisava ser rapidamente substituído pelo soldado-profissional, com a sua área de interesses voltada exclusivamente para a vida militar.

Sustentavam os franceses que era preciso "afastar o Exército da política". Para que esse objetivo fosse logo alcançado, impunha-se desenvolver a disciplina militar e a consciência profissional. Uma das primeiras providências nesse sentido seria reestruturar a carreira militar, a fim de que "o interesse e as satisfações profissionais" se mostrassem efetivamente compensadores, numa atmosfera de segurança moral e de absoluta lealdade ao Governo.

As últimas promoções a general-de-brigada tinham sido realizadas, mais uma vez, sob a égide do apadrinhamento político. Havia no Ministério da Guerra um formulário próprio para registrar as indicações. Ao lado do nome dos candidatos, constava sempre o do *pistolão*, o patrono interessado na promoção.

Precisava o Exército, portanto, de um estatuto que acabasse com esse tipo de promoção e assegurasse rápida ascensão dos oficiais "mais merecedores" do ponto de vista estritamente profissional, a exemplo do que ocorria na França, onde não se admitia nenhum tipo de interferência.

Os militares também não poderiam mais se candidatar a cargos eletivos e retornar, depois, aos quartéis. Se quisessem participar de uma eleição, deveriam pedir a sua passagem para a reserva. A vida militar, segundo os franceses, era incompatível com o exercício de qualquer outra atividade profissional.[65]

O ministro do Exército sabia que a revolução de São Paulo fora instigada pela rebeldia espiritual dos *bacharéis fardados* ou *científicos*, como os oficiais formados na Praia Vermelha gostavam de ser chamados. Na academia militar, eles eram também conhecidos como *provocadores*, no doce sentido que essa expressão tem quando se refere à instigante inquietação intelectual, própria dos jovens, às vésperas da ascensão ao oficialato. Com as suas idéias, *os científicos* são capazes de incendiar o país. É preciso contê-los a qualquer preço, mesmo que isso custe o massacre da população civil.

O Rio de Janeiro e o resto do país desconhecem o que está acontecendo em São Paulo. Os jornais continuam garroteados pela censura. As informações sobre o levante são manipuladas ostensivamente pela Secretaria da Presidência da República, que despacha os boletins oficiais pelo resto do país, como a expressão da verdade. Mesmo com o rigor dos censores e a preocupação do Palácio do Catete em garantir que a situação está sob absoluto controle é possível perceber, nas entrelinhas dos jornais, que Bernardes, apesar de se manter firme no leme, navega perigosamente entre os escolhos de uma crise militar que pode espraiar-se por todo o país.

Os jornais revelam que a guarda do prédio da Polícia Central foi reforçada com uma nova leva de soldados da Polícia Militar e que o general Setembrino de Carvalho proibiu a entrada de civis no Ministério da Guerra, cuja proteção foi também aumentada com a chegada de novos contingentes da Vila Militar. Uma notícia perdida nas páginas internas de *O Paiz* fornece ao leitor uma pista igualmente importante: a formação, no Rio de Janeiro, de uma brigada de voluntários para defender o Governo. O Grêmio Político Artur Bernardes, que inspirara a criação do Batalhão de Caçadores Artur Bernardes, informava ao público que tanto as doações como o alistamento de voluntários deveriam ser realizados exclusivamente na sede da entidade, na rua da Constituição, número 12.[66]

Os boatos sobre a rebelião borbulham por toda parte. O centro da cidade fervilha com as notícias que brotam de todos os lados, em sua maioria trazidas por viajantes recém-chegados de Santos, ou espalhadas pelos simpatizantes da revolução. Mesmo com o risco de prisão, os "boateiros" entregam-se a essa missão com indisfarçada volúpia. As rodinhas que surgem nas esquinas engordam rapidamente e logo se derramam para fora das calçadas, chegando muitas vezes a engarrafar o trânsito, como era comum nos grupinhos que se formam nas imediações do Teatro Municipal. Todos os dias, boa parte da população, antes de voltar para casa de bonde, não deixa de dar uma esticada até à Cinelândia para garimpar, pelas confeitarias, restaurantes e cafés, as últimas novidades sobre a rebelião de São Paulo.

Nesta tarde de sábado, apesar do frio e da chuva miúda, muita gente tem outro bom motivo para ir ao centro. Centenas de pessoas se espicham, encasacadas, em filas intermináveis, para sofrer e chorar junto com Eva Novac e June Elvidge, em *Tentação*, em exibição no Cine Odeon, na Cinelândia. As letras imensas ameaçam saltar do cartaz e despencar sobre o público. Chamam a atenção de todos para a "encenação grandiosa, o ambiente sedutor e as *toilettes* riquíssimas desse tema empolgante". Um folheto, impresso sob os auspícios do sabão Aristolino, distribuído entre as pessoas que aguardam a entrada, na porta do cinema, excita a imaginação do público. Eva Novac aparece com os lábios pintados em forma de coração e o cabelo cortado à *la garçonne*, enquanto June Elvidge, em provocante maiô de lã que chega até os joelhos, encarna a própria tentação. Os homens, todos de chapéu, paletó e gravata, enfiados em ternos de casimira inglesa, que também são usados no verão, espelham-se no mito que tanto enlouquece as mulheres: o irresistível Rodolfo Valentino. Alguns chegam ao exagero de usar pó-de-arroz no rosto para ficar com a face pálida e mortiça que Rodolfo exibe no cinema.

As melhores famílias do Rio de Janeiro dedicam-se, como de hábito, a um compromisso mais elegante: o chá dançante nos salões Luís XVI do Copacabana Palace, animado pelas *jazz-bands* da Companhia Velasco e do maestro Romeu Silva. Um compromisso bem distante da Cinelândia e dos boatos que alimenta. O que mais preocupa a maioria dos convidados, que circulam pelos salões de mármore do Copa, não é a situação política, mas as farpas que lhes foram endereçadas pelo cronista Farfarello, de *O Paiz*. Muitas famílias sentiam-se ofendidas com o artigo de fundo em que ele comentara o aumento dos acidentes de carro no Rio de Janeiro. Farfarello atribuía os acidentes ao excesso de velocidade dos veículos, à desatenção dos pedestres e particularmente a uma determinada classe de motoristas irresponsáveis e endinheirados por ele alfinetados como "uma súcia de rapazolas de carapinha empoada e de cigarro no canto da boca". Com a sua pena, ele estoca as autoridades, denunciando a sua passividade diante dos abusos cometidos por esses jovens de boa origem que, por terem nascido em berço de ouro, jamais são alcançados pelo braço da lei: "Simplesmente vergonhoso", arrematava o cronista.

Há muito que a imprensa vem denunciando a impunidade dos crimes causados pelos maus motoristas. O Código Penal estabelece a pena de 30 anos para os casos de homicídio, mas as mortes provocadas pelo trânsito são sempre tratadas com benevolência. Os *chauffers*, mesmo quando culpados, são sempre classificados como "criminosos involuntários", por pertencerem a famílias abastadas e politicamente influentes.

As condenações dificilmente ultrapassam 15 dias de prisão, com direito a liberdade condicional, um benefício que a Justiça sempre concede aos réus de boa família.

A atmosfera mundana, fútil, voltada exclusivamente para a satisfação dos prazeres e indiferente à sorte dos desafortunados, que impregna o chá dançante do Copacabana Palace, parece também emoldurar o ambiente em que Bernardes se reúne, neste fim de tarde, com um grupo de fiéis colaboradores, no salão veneziano do Palácio do Catete. O salão funciona como uma espécie de sala de visitas, ligando o salão nobre ao de banquetes, no segundo andar; às vezes é também utilizado como sala de música, o que acrescenta uma nota de descontração à vida palaciana. Foi nesta sala que, em 1914, o maxixe *Corta-jaca*, da maestrina Chiquinha Gonzaga, interpretado por Nair de Teffé, esposa do presidente Hermes da Fonseca, tanto escandalizara a sociedade na época.[67]

Alegre e descontraído, Bernardes conversa com seus acompanhantes, sorvendo lentamente uma chávena de chá, enquanto seus comensais beliscam brioches e biscoitinhos de polvilho. Nada sugere que aquele homem de *pince-nez*, bem-falante, culto e de gestos educados, que estudou em um colégio de padres, no interior de Minas Gerais, seja o responsável pelo impiedoso massacre da população de São Paulo. Ele acabou de ler os últimos relatórios enviados pelo ministro da Guerra sobre o bombardeio e mal consegue dissimular o entusiasmo com os resultados alcançados. É preciso sufocar aquela rebelião ainda no berço, no mais curto período de tempo possível. Os canhões, de acordo com as suas instruções, só devem parar de atirar quando os rebeldes se entregarem. A previsão é de que os amotinados se rendam incondicionalmente nas próximas 48 horas. Não lhes é possível resistir por mais tempo.

Domingo, 13 de julho

As ruas dos bairros pobres do Brás, da Mooca, do Hipódromo e do Belenzinho amanhecem juncadas de cadáveres. Alguns corpos, há mais de 24 horas insepultos, são enterrados sem as formalidades legais, nos cemitérios mais próximos e até mesmo em terrenos descampados. Muitas famílias sepultam os seus mortos nos quintais. No Cemitério Municipal, onde centenas de pessoas vagam como zumbis à procura de desaparecidos, 64 corpos não-identificados aguardam os coveiros, para serem levados e enterrados em covas rasas. Cerca de 200 mortos anônimos se amontoam também numa baixada do Cemitério do Araçá, à espera de sepultamento.[68]

Hospitais provisórios são criados em toda a cidade, para atender às vítimas do bombardeio. Muitos são instalados com a ajuda de instituições religiosas, como a do Santuário da Congregação do Coração de Maria, para onde são removidos 224 feridos, a maioria da Santa Casa. No Colégio Sion, é improvisado um hospital para mulheres; outro, para homens, no Colégio São Luís. Duas grandes enfermarias, das quais uma para crianças, são montadas no Externato Santa Cecília, próximo à Santa Casa. O Hotel Terminus, que desde o início do levante se transformara em pronto-socorro, está entupido de feridos, quase todos atingidos por estilhaços de obuses.

O Governo revolucionário, com a ajuda dos escoteiros, monta grandes cozinhas públicas para atender às famílias que tiveram suas casas pulverizadas pelos canhões do Governo. O lixo acumula-se pelas ruas, e um cheiro pestilento torna ainda mais penoso o socorro às vítimas em áreas distantes, onde podem ser vistos cavalos mortos e abandonados, há vários dias, com o ventre sendo devorado pelos urubus.

Os rebeldes ainda não conseguiram se recuperar do impacto causado pelo bombardeio, que parece mais empenhado em atingir alvos civis do que em demolir a resistência militar das tropas que ocuparam a cidade. O QG revolucionário e os quartéis da Luz até agora não foram atingidos por uma única granada. Muitos prédios também ruíram no centro da cidade, longe do local onde estão concentradas as tropas rebeldes, provocando grande número de mortes nas ruas São Luís, Caio Prado, Boa Vista, Santa Efigênia, na avenida São João e no Largo do Paissandu.[69]

Na sala de paredes azulejadas do QG da Luz, transformada em sala de comando, o general Isidoro reage com uma expressão de incredulidade ao ler o telegrama que acaba de ser colocado sobre a sua mesa. Não acredita que o presidente de São Paulo seja o autor daquela mensagem que acaba de ser enviada ao Senado Federal, no Rio. A anotação rascunhada apressadamente pelo sargento telegrafista o faz derrapar na leitura como se as letras estivessem fugindo do papel. Há um acento de perplexidade em sua voz. Os oficiais, como de hábito, ouvem o chefe em silêncio.

> *"Em nome de São Paulo e no meu próprio, agradeço a esse ramo do Poder Legislativo as saudações que nos envia e o alento que elas nos trazem. Estou certo de que São Paulo prefere ver destruída sua formosa capital antes que destruída a legalidade no Brasil. Cordiais Saudações. (A) Carlos de Campos, presidente do estado de São Paulo."*[70]

O general Isidoro se ergue da cadeira rapidamente, apóia as mãos sobre a mesa e desabafa, com os olhos pregados no telegrama:

— O presidente Carlos de Campos enlouqueceu. Como é possível demonstrar tanta frieza de sentimentos diante de tamanho sofrimento? Ele acha que os canhões estão atirando com munição de festim? É preciso ser muito estúpido para não avaliar a dimensão de toda essa tragédia, depois de três dias de bombardeio. O Exército também deve ter enlouquecido. Meu Deus, estão todos loucos![71]

A voz do general é de repente abafada pelo barulho das botas de alguém que se aproxima, correndo, pela plataforma da estação. O chefe da revolução interrompe o seu protesto, volta-se para a porta de vidro e vê uma sombra crescer na parede do corredor. Os oficiais voltam-se também na direção dos passos, à espera de que o recém-chegado se identifique. Um sargento da força pública entra na sala, ofegante, e comunica que as forças do Governo, concentradas em Guaiaúna, estão recebendo munição, armas e reforços consideráveis de vários estados. Pela manhã, tinham chegado tropas da Bahia, do Espírito Santo, do Distrito Federal, do Paraná, de Santa Catarina e do Rio Grande do Sul. O Exército estava planejando invadir a cidade com cerca de 20 mil homens.

O cônsul dos Estados Unidos, Haeberle, e o cônsul da Inglaterra, Francis Patron, tinham acabado de percorrer, de carro, algumas áreas atingidas pelo bombardeio para fazer uma avaliação dos danos causados às empresas americanas e inglesas instaladas nos bairros da Mooca e do Brás. Visitaram também vários hospitais para saber se algum cidadão americano ou inglês estava entre os feridos.

Haeberle havia recolhido, nas últimas horas, material suficiente para enviar novo relatório ao Departamento de Estado sobre a situação política e militar da rebelião em São Paulo. As informações, depois de codificadas, seriam enviadas em cabograma para a Embaixada americana no Rio, através do Consulado de Santos.

A visão dramática que ele teve da cidade, durante a viagem de inspeção em companhia do cônsul inglês, o impressionara profundamente. A sensação é de que todas as regras de trânsito haviam sido suspensas desde que se iniciou o bombardeio. Por toda parte e em todas as direções podem ser vistos carros trombados ou atingidos pelo fogo da artilharia do Governo: veículos militares, táxis, automóveis particulares e ambulâncias da Cruz Vermelha amontoam-se pelas esquinas, depois de se terem chocado uns com os outros. Alguns motoristas haviam simplesmente perdido o controle dos veículos, assim que começaram a cair as primeiras granadas; subiram em calçadas, bateram em muros, árvores, postes; muitos enfiaram-se com os carros em lojas e residências.[72]

Nessa tarde, Haeberle tem ainda outra preocupação: ele não havia encontrado uma solução para retirar com segurança os cidadãos americanos que vivem em São Paulo. A primeira alternativa negociada com os rebeldes não fora satisfatória. O Governo revolucionário concordara em fornecer salvo-condutos para que pudessem viajar de carro para Santos, mas sob uma condição: só os homens receberiam a autorização. As mulheres e crianças não poderiam fazer essa viagem por causa dos perigos que a estrada oferecia. A Serra da Mantiqueira está ocupada pelas tropas legalistas, e os carros sob a proteção do Consulado americano podem ser atingidos, por engano, pelas forças do Governo. A outra alternativa, enviar os refugiados para lugares mais seguros no interior do estado, considerada a mais indicada, fora rejeitada pelos próprios americanos: eles não querem mais permanecer em São Paulo enquanto durar a rebelião.

Haeberle tinha discutido também outra possibilidade com o Alto-Comando revolucionário: mandar os americanos e suas famílias de trem para Santos. O general Isidoro, que foi pessoalmente consultado sobre essa proposta, mostrou-se favorável ao embarque dos refugiados, desde que fosse estabelecido um acordo de cavalheiros, sob a mediação do Governo americano, com as tropas federais: o Exército deveria autorizar o regresso do trem a São Paulo, com todos os seus maquinistas, depois de cumprida a sua missão humanitária.[73] O acordo é repelido como um insulto pelo general Eduardo Sócrates: os rebeldes, por se encontrarem à margem da lei, não podem impor condições nem exercer direitos sobre a São Paulo Railway, que é uma propriedade britânica. Se o trem descer a serra em direção a Santos, será apreendido e devolvido ao legítimo dono.

O resto do domingo é consumido por uma sucessão de reuniões dos representantes diplomáticos acreditados em São Paulo com o objetivo de discutir a melhor forma de protestarem oficialmente contra a violência da artilharia do Governo. A importância política, econômica e social da cidade está espelhada no número de países que participam do encontro: Itália, Portugal, Chile, Peru, Argentina, Uruguai, Suécia, Dinamarca, França, Bélgica, Estados Unidos, Japão, Espanha, Noruega, Suíça, Alemanha, Guatemala e Inglaterra.[74] O comendador J. B. Dolfini, cônsul-geral da Itália e decano do corpo consular, convida o cônsul de Portugal, que representa a maior colônia estrangeira em São Paulo, a fazer parte da comissão que pretende negociar a suspensão do bombardeio com o general Sócrates e o presidente Carlos de Campos, em Guaiaúna. A comissão dirige-se inicialmente ao QG revolucionário, na estação da Luz, a fim de propor um acordo ao general Isidoro: que os rebeldes deixem de usar os canhões para se defender dos ataques do Governo. O chefe da revolução mostra-se sensível à reivindicação, mas alega que não pode tomar a iniciativa de abrir mão da artilharia enquanto o Governo não silenciar também os seus canhões. Garante "sob a sua palavra de honra e de soldado" que deixará de usar a artilharia se as forças legalistas assumirem também o mesmo compromisso.

A comissão, reforçada com a presença do prefeito Firmino Pinto, segue para Guaiaúna para discutir o acordo com o comando-geral das tropas legalistas. O general Sócrates mostra interesse em ouvir as ponderações da comissão consular e faz, em seguida, uma contraproposta: os rebeldes devem fornecer um mapa da cidade de São Paulo, indicando a localização exata dos seus efetivos militares, a fim de que a população não continue a sofrer as conseqüências do bombardeio.[75] O general Isidoro, por sua vez, não concorda em fornecer ao inimigo as posições ocupadas por suas tropas. A tentativa de acordo fracassa. É reiniciado o bombardeio.

A cidade completamente às escuras, com a energia elétrica cortada para dificultar a artilharia do Governo, anoitece iluminada por grandes incêndios. O fogo devasta quarteirões inteiros. No centro, pesadas colunas de fumaça podem ser vistas, de longe, a se erguer dos telhados do Fórum Criminal. A fábrica de biscoitos Duchen, na Mooca, está sendo devorada por labaredas enormes, com mais de dez metros de altura, depois de atingida por vários obuses. Multiplicam-se os incêndios: três casas na rua Tabatinguera, a Companhia Duprat, os armazéns de Nazareth Teixeira e da Companhia de Comércio e Navegação, além de vagões ferroviários, estacionados nas imediações da estação da Luz.[76]

O bombardeio continua intenso ao longo de toda a segunda-feira, 14 de julho, com os rebeldes reforçando as defesas da cidade para conter o assalto das tropas do Governo, que pode ocorrer a qualquer momento.

De pé, no estribo de um dos táxis requisitados pelo Estado-Maior que circula pela cidade, o tenente Emigdio Miranda mal consegue acreditar no que vê. As granadas da artilharia do Governo foram lançadas indiscriminadamente sobre quase todos os bairros vizinhos ao centro.

Nos Campos Elíseos e em Vila Buarque, onde vivem famílias abastadas, gente de boa sociedade, mas que não podem ser consideradas ricas, os canhões tinham semeado a morte e a destruição durante toda a madrugada. As casas, de boa qualidade, reproduzem o estilo europeu, que se repete, com pequenas variações, pelo resto da cidade, de acordo com o padrão social dos moradores. As linhas arquitetônicas não mudam muito, só a decoração dos interiores e que varia, de bairro para bairro, em função da localização do imóvel no tecido urbano. O pé-direito das casas oscila de 4,50 a 5,50m de altura. As divisões internas são mais ou menos as mesmas: saguão, sala de visitas, de jantar, quartos, cozinha, quarto de empregada e banheiro, uma dependência recém-incorporada ao corpo principal da edificação. Nas habitações mais modestas, os banheiros com privadas ainda estão no fundo dos quintais, chamados *casinha*. Quase todos os cômodos são forrados com papel de parede importado da França. Na sala de jantar usam-se tons suaves, como o verde e o bege, com estampas de caçadas, onde se destacam as presas, patos e perdizes suspensos pelos pés. O estampado dos quartos é delicado, geralmente flores soltas ou guirlandas, aplicadas sobre o rosa, o azul e o verde-claro.[77] Casas que os canhões fazem desaparecer, de um momento para outro, no meio de uma nuvem de pó.

Nesta manhã de terça-feira, a artilharia do Exército parece empenhada em aumentar ainda mais o sofrimento, a morte e o luto entre as famílias pobres do Brás. Desde as primeiras horas do dia o bairro está sendo impiedosamente castigado por uma chuva de fogo e aço. As granadas de tempo, de percussão e de retardo reduzem prédios inteiros a montanhas de escombros.

O QG rebelde, instalado na estação da Luz, uma réplica em estilo vitoriano da estação de Sydney, na Austrália, é duramente atingido por uma informação que chegou de táxi: o Teatro Olympia, que servia de abrigo para dezenas de famílias que haviam perdido suas casas, acabara de ser alvejado pela artilharia do Governo. Isidoro deixa a sala de comando apressadamente, ordena que sejam enviados ambulâncias e o maior número possível de soldados para ajudar a socorrer as vítimas e embarca no mesmo táxi que trouxe a notícia da tragédia. O carro em que viaja, em companhia de quatro oficiais, com destino ao Brás, escapa duas vezes de ser também atingido pelos obuses que continuam sendo lançados desordenadamente sobre a cidade.

O cenário que o Olympia oferece, no começo da avenida Rangel Pestana, é desesperador. As colunas, o teto e as paredes parecem ter desabado ao mesmo tempo, oferecendo poucas chances de sobrevivência a seus ocupantes, em sua maioria velhos, mulheres e crianças. A confusão é muito grande, com dezenas de pessoas tirando o entulho com as mãos, na tentativa de retirar as vítimas soterradas pelo desabamento. Ouvem-se gemidos abafados que brotam dos escombros. As equipes de salvamento, formadas por médicos e militares, chegam em táxis, carroças e caminhões. Os sobreviventes em estado grave são colocados lado a lado, na calçada, à espera das ambulâncias.

Isidoro comanda pessoalmente a operação de resgate. A farda coberta de poeira parece abrigar um corpo ainda jovem e ágil para os seus 67 anos. Baixo, de aspecto frágil, ele se move entre as ferragens que sustentam o teto, orientando as equipes de socorro. A personalidade do general exibe resíduos de um comportamento, antigo e pouco eficaz, de contabilizar em sua conta corrente as desgraças que poderiam ter sido evitadas. Sente-se um pouco culpado por todo esse cenário de violência e horror.

Se a revolução não tivesse tropeçado em tantas vicissitudes, naquela manhã de 5 de julho, há muito que as tropas rebeldes já estariam no Rio e Bernardes deposto. Todo esse sofrimento poderia ter sido evitado se a rebelião não tivesse, desde o início, enfrentado tantas adversidades.

Os oficiais ainda se perguntam sobre os motivos que levaram o Governo a bombardear o teatro. Ele não está localizado perto de nenhuma trincheira, e a área mais próxima ocupada pelos rebeldes, a estação da Luz, fica a mais de um quilômetro dali.

O general Isidoro regressa, ao anoitecer, à estação da Luz com uma lista parcial das vítimas da tragédia: 30 mortos e cerca de 80 feridos. O bombardeio só conseguiu espalhar a morte e a destruição entre a população civil. Nenhum dos seus homens foi até agora atingido pela artilharia do Governo.

Ao chegar à sala de comando, no QG da revolução, Isidoro é informado pelo ex-cadete Emigdio Miranda que o ministro da Guerra acabara de enviar um telegrama ao prefeito Firmino Pinto. É a resposta do pedido ao presidente Artur Bernardes, em nome da população de São Paulo, para que o bombardeio seja suspenso. O general Setembrino de Carvalho assina o telegrama em nome do presidente:

> *"(...) Devo declarar, com verdadeiro pesar, que não é possível assumir nenhum compromisso nesse sentido. Não podemos fazer a guerra tolhidos do dever de não nos servirmos da artilharia contra o inimigo, que se aproveitaria dessa circunstância para prolongar sua resistência, causando-nos prejuízos incomparavelmente mais graves do que os danos do bombardeio.*
>
> *Os danos materiais dos bombardeios podem ser reparados, maiormente quando se trata de uma cidade servida por uma fecunda atividade de um povo laborioso. Mas os prejuízos morais, esses não são susceptíveis de reparação. Ao invés do apelo feito ao Governo da União para não bombardear a cidade que o inimigo ocupa, seria de melhor aviso fazer um apelo à sua bravura, convidando-o a não sacrificar a população e evacuar a cidade, indo aceitar combate em campo aberto."*

O telegrama termina com o ministro da Guerra assegurando que a artilharia não vai mais causar danos materiais à cidade e que, de agora em diante, ela será utilizada apenas de acordo com as necessidades militares.[78]

O general Isidoro sente-se, mais uma vez, atingido moralmente pela pusilanimidade dos seus companheiros de farda. Tenso, amassa o papel com a mão direita, volta-se para os oficiais e esbraveja, colérico:

— Não foi esse o Exército que me ensinou a amar e a defender a Pátria, acima de tudo. Bernardes conseguiu transformar as forças armadas num bando de jagunços!

Do outro lado da praça da Luz, o capitão Juarez Távora entra na Cadeia Pública e se dirige, em voz alta, aos 50 presos reunidos no pátio central. Comunica que, diante do risco de o prédio ser bombardeado pela artilharia do Governo, o QG revolucionário decidiu, num gesto de solidariedade humana, colocá-los em liberdade. O general Isidoro preferiu libertá-los a mantê-los encarcerados e expostos a mais uma tragédia. Antes que se dispersem, Juarez Távora exorta-os a pagarem aquele gesto de generosidade com a sua própria regeneração. Vários presos apresentam-se como voluntários, dispostos a lutar pela revolução. Juarez aceita o oferecimento mas salienta que só poderão ser incorporados às tropas rebeldes aqueles que não tenham praticado crimes hediondos.[79]

Isidoro termina o jantar com seus oficiais no restaurante Caetano Vagliengo, no andar térreo da estação da Luz, quando recebe mais uma notícia dolorosa: o capitão Joaquim Távora, irmão de Juarez, acabara de ser gravemente ferido quando comandava mais um assalto contra o 5º BFP, último bastião legalista que ainda resiste aos rebeldes, dentro da cidade.

Quarta-feira, 16 de julho

As tropas legalistas amanhecem entrincheiradas, com os seus canhões, nos pontos mais elevados da cidade, como o alto da Penha, o alto da Serra, Vila Mariana e Ipiranga. Ocupam áreas estratégicas ao longo de toda a periferia de São Paulo que se encontravam completamente desguarnecidas. Do alto dos morros o Exército pode agora dominar a cidade. Os rebeldes só percebem o erro que cometeram quando o Governo reinicia o bombardeio. A artilharia, mais bem localizada, espalha agora a morte e o terror de forma ainda mais devastadora.[80]

Há três dias que os trens deixam a estação da Luz e a Sorocabana apinhados de refugiados. A população vai, aos poucos, abandonando São Paulo, em busca de refúgio no interior. Famílias inteiras se amontoam nas plataformas das estações, na esperança de conseguir uma vaga nos vagões de carga e de transporte de animais que levam diariamente milhares de pessoas para Campinas. Todos querem escapar do bombardeio, que já dura quatro dias. Espremidas entre sacos e malas, muitas pessoas acabam também viajando penduradas nas grades, do lado de fora dos vagões. Por ordem do general Isidoro, os trens, desde domingo, estão fazendo diariamente duas viagens para o interior. Só a estação da Luz está vendendo mais de dez mil passagens por dia.

A estradinha de terra para Campinas e Jundiaí está coalhada de cerca de dois mil automóveis, entre táxis e carros particulares superlotados, uma fila irregular que se estende por todo o caminho, em meio a centenas de carroças, charretes e caminhões repletos de refugiados com suas trouxas, cestas e colchões. Milhares de pessoas que não conseguiram nenhum tipo de condução fogem a pé. A cidade não está sendo abandonada apenas pela população modesta dos bairros proletários do Brás e da Mooca, onde o Governo despeja o seu ódio com maior vigor. A presença de luxuosas e reluzentes limusines, com pára-brisa de cristal, que podem ser contadas às dezenas, indica que os moradores das áreas mais nobres também estão fugindo, com medo de que o bombardeio acabe alcançando as zonas mais *chics* da capital.[81]

O Alto-Comando revolucionário informa à população que estão abertas as inscrições para o voluntariado. Os interessados receberão quinze mil réis por dia de luta, um conto de réis no fim da guerra, além de terem ainda direito a um pedaço de terra em qualquer estado da União.[82]

A iniciativa de convocar voluntários foi tomada depois que os rebeldes realizam uma série de exaustivas reuniões para discutir a importância e as desvantagens de contar com a participação de civis no quadro de combatentes. Desde o início do levante eles não tinham uma visão clara e definida se a revolução deveria contar ou não com o apoio das organizações operárias. O próprio general Isidoro já havia estabelecido, um ano antes, no Rio de Janeiro, tímido contato com alguns dirigentes comunistas, com o objetivo de obter o apoio da classe operária para o levante. Os líderes do recém-criado Partido Comunista do Brasil, fundado em 1922, tinham se comprometido a cerrar fileiras contra o inimigo comum, o presidente Artur Bernardes, mas receavam as prisões e o fechamento dos sindicatos.

Isidoro também mantivera alguns entendimentos pessoais, no Rio, com o jornalista português e líder anarquista Everardo Dias, para que estabelecesse conversações com os dirigentes da influente Confederação Sindicalista Cooperativista Brasileira, que exercia o controle dos ferroviários e dos mineiros nos estados do Sul. Everardo realizou as consultas solicitadas por Isidoro mas regressou ao Rio atormentado com a falta de clareza política dos conspiradores. Ele se convenceu de que os insurgentes estavam preparando uma revolução interessados apenas em atingir objetivos de exclusivo interesse dos militares. Não haviam demonstrado qualquer preocupação especial com a "pobreza das classes pobres".[83]

Diante do cerco e do bombardeio das tropas federais, a revolução precisa corrigir o seu curso com a definição de algumas alianças políticas. Os anarquistas de São Paulo, mesmo reconhecendo que a rebelião não fora realizada pela classe trabalhadora, estão dispostos a marchar ao lado dos amotinados, já que não dispõem também de condições para promover a sua própria revolução. O jornal *A Plebe*, porta-voz do movimento anarquista, divulga um manifesto de apoio aos rebeldes: "Moção dos militantes operários ao Comitê das Forças Revolucionárias." No documento, propõem a fixação de um salário mínimo e de uma tabela de preços máximos, o direito de associação para todas as classes trabalhadoras e de fundarem também escolas, a liberdade de imprensa da classe operária, o limite em oito horas para a jornada de trabalho e a revogação da lei de expulsão de estrangeiros envolvidos em questões políticas e sociais.

Apesar do apoio, eles se confessam desencantados com o movimento liderado pelo general Isidoro. Os líderes mais radicais não querem ficar só limitados a reivindicações de natureza econômica e social ou a uma insólita adesão de caráter meramente político. Querem armas para promover a formação de batalhões "verdadeiramente populares", capazes de agitar e levantar a classe operária, na capital e no interior, além de criar grupos de guerrilha para atacar as tropas federais.[84]

Mesmo desiludidos com as limitações do levante, os anarquistas deixam de lado o pugilato verbal-ideológico que travam há dois anos com os comunistas, arregaçam as mangas e aderem à revolução.

As classes conservadoras assustam-se com o interesse dos trabalhadores pelo movimento revolucionário. Os danos econômicos produzidos pela greve dos tecelões da Fábrica Crespi, no início do ano, ainda não tinham sido completamente absorvidos pelo empresariado paulista. As seqüelas deixadas pela greve, que chegou a paralisar cerca de 120 mil operários, em várias fábricas da cidade, permanecem ainda bem vivas na lembrança da Associação Comercial de São Paulo. O movimento, liderado pelos anarquistas, por pouco não havia comprometido também o resto do tecido social, já esgarçado pelos baixos salários e pelo alto custo de vida.

Apesar de os trabalhadores terem declarado que não se tratava de uma greve política, "não temos chefes, não existe entre nós ninguém que não seja operário, não fomos incitados por fomentadores de revoltas operárias, que às vezes nos exploram mais do que os próprios industriais", a repressão policial fora extremamente violenta: prisões, espancamentos, fechamento de sindicatos e organizações operárias, além do empastelamento do jornal *A Plebe*. O Governo agira com mão de ferro, com medo de que a greve se transformasse numa insurreição popular.[85]

Também atormentado por essas lembranças e pressionado pela Associação Comercial, Isidoro resiste à tentação de armar a classe operária, dadas as exigências radicais que, nas conversações que mantiveram, Everardo Dias lhe expôs. Apesar de ter acenado com a possibilidade de os anarquistas serem contemplados, em caso de vitória, com um ministério, que poderia ser o da Agricultura, Instrução ou Saúde, não foi possível fechar nenhum acordo com eles. Os anarquistas consideravam "imprecisos" os objetivos do levante militar, reclamavam um programa mais definido que não se limitasse apenas ao afastamento de Artur Bernardes. Era preciso, também, promover um amplo debate sobre essa questão. "Os sindicatos não eram casernas, tinham uma organização amplamente democrática, embora centralizada, onde todos os assuntos deviam ser expostos e debatidos, em plenário, pelos quadros corporativos."

Os anarquistas não queriam só apoiar uma revolta, mas participar de uma revolução verdadeiramente popular que produzisse profundas modificações nas estruturas econômicas e sociais.

Assim que o movimento saiu vitorioso, vários dirigentes de organizações operárias de São Paulo tentaram, algumas vezes, avistar-se com Isidoro, mas ele recusou-se a recebê-los. Foram sempre atendidos por oficiais subalternos que os aconselhavam a se apresentarem nos postos de recrutamento para se alistar como voluntários.[86]

5

OS ESTRANGEIROS NA REVOLUÇÃO

Há vários dias Isidoro vem também refletindo sobre as vantagens e desvantagens de outro oferecimento que lhe fora feito, em seu gabinete, no QG, logo que a revolução ganhou as ruas. Um grupo de estrangeiros radicados em São Paulo tinha manifestado interesse em lutar ao lado dos rebeldes, mas Isidoro decide inicialmente incorporar às suas tropas só os imigrantes europeus veteranos da Primeira Guerra Mundial. Ele acha que não chegara a hora de a classe operária marchar ombro a ombro com as forças revolucionárias.

Os estrangeiros são selecionados de acordo com a língua e o grau de adestramento militar. São então criados grupos de combate com a participação de alemães, italianos, espanhóis, húngaros, russos, suecos, poloneses, austríacos, iugoslavos e dinamarqueses. De acordo também com as afinidades de idioma, eles são distribuídos por três batalhões: italiano, húngaro e alemão.

Cada unidade, com a sua própria cadeia de comando e estrutura interna, recebe uniformes, armas e munição. Os oficiais são escolhidos entre aqueles que apresentam fés de ofício ou qualquer outro documento que confirme o posto que alegam ter ocupado nos exércitos de seus países. O comando de cada batalhão é entregue à responsabilidade de um oficial estrangeiro diretamente subordinado ao Estado-Maior da revolução. As unidades, além de um intérprete, contam com a presença de um oficial rebelde exercendo as funções de elemento de ligação junto ao QG das forças revolucionárias.

O batalhão húngaro, comandado por Maximiliano Agid, é instalado na avenida Tiradentes, número 15. A maioria de seus homens, a exemplo dos imigrantes que se alistaram nos outros batalhões, também não fala português. São quase todos recém-chegados ao Brasil. Entre os soldados do comandante Agid podem ser encontrados garçons, veterinários, desempregados, técnicos em eletricidade, camponeses, um bailarino, Adalberto Kardos, e um ex-detetive da polícia de Budapeste, Paul Harmath, que exerce em São Paulo a profissão de jornalista, depois de ter sido correspondente de guerra, durante a Primeira Guerra Mundial. Uma das missões de Harmath será enviar, todas as semanas, reportagens sobre a revolução para os principais jornais europeus. Dos 122 combatentes alistados nesse batalhão, 13 são oficiais com alguma experiência em campos de batalha. Apesar da disposição da tropa, que manifesta o desejo de partir logo para o *front*, o aguerrido contingente é considerado inexpressivo diante da numerosa colônia húngara, cerca de seis mil pessoas, que vivem nos bairros da Lapa e Vila Pompéia. Mas Agid e seus homens não são logo lançados sobre o inimigo. Sua primeira missão é policiar a cidade a cavalo, para garantir o patrimônio público, impedir saques ao comércio e vigiar as casas abandonadas pelos seus moradores.[87]

Um pouco mais adiante do número 15 da avenida da Liberdade é instalado o Batalhão Patriótico da Colônia Alemã, como passam a ser conhecidas as unidades militares formadas por estrangeiros. Num velho sobrado, João Joaquim Tuchen assume, sob juramento, o comando do garboso batalhão. A estrutura é a mesma dos imigrantes húngaros. Tuchen e o capitão Arnaldo Kuhn, seu principal auxiliar, não se comunicam com a tropa em português. O número 88 da avenida da Liberdade parece um pedaço da Alemanha. Os boletins, as ordens de serviço, os relatórios, tudo é escrito em alemão. Ao contrário dos húngaros, eles são logo enviados para lutar nas trincheiras.[88] Alguns técnicos, em função de sua qualificação profissional, são deslocados para outras frentes de luta: as oficinas, onde estão sendo desenvolvidas algumas máquinas de guerra fantásticas. Ewald Bremesck, mecânico, assume a chefia da seção de consertos de metralhadoras, enquanto Gerhard Nagel, que havia servido na artilharia do exército alemão, passa a ser o responsável pela manutenção dos canhões.[89]

Os italianos, desde o início do levante, já simpatizavam com a causa revolucionária e colaboravam ativamente com os rebeldes. A criação do batalhão, que tem Lamberti Sorrentino como um de seus principais líderes, apenas formaliza oficialmente o apoio que se manifestara de forma espontânea entre os imigrantes italianos que vivem em São Paulo. Em sua grande maioria anarquistas, são todos velhos semeadores de idéias libertárias. De suíças enormes e vastos bigodes, vinham de Nápoles, Vêneto, Sicília, Calábria, falavam sempre com entusiasmo sobre as questões sociais e nunca deixavam de cantar hinos socialistas nas festinhas realizadas no Brás.[90]

Pressionado pelas circunstâncias, Isidoro decide finalmente autorizar também o alistamento de operários paulistas. Mas os trabalhadores, cujas lideranças se dividem entre comunistas e anarquistas, ainda não estão organizados politicamente e a grande maioria não tem sequer consciência de classe. O proletariado ainda exibe uma coleção de valores pequeno-burgueses, como a aversão pela palavra operário, que, para eles, tem caráter pejorativo e é considerada ultrajante. Por influência da mão-de-obra européia, eles não se consideram operários, mas "artistas", variação refinada de artesãos.[91]

O Alto-Comando rebelde está entusiasmado com o interesse demonstrado pelos voluntários estrangeiros, que aderem em massa à convocação. Muitos, recém-chegados da Europa, não sabem falar português, mas, com os seus conhecimentos e a sua experiência militar, adquiridos durante a Grande Guerra, poderão oferecer contribuições valiosas à rebelião. As classes dominantes, entretanto, não partilham da mesma opinião. A Associação Comercial de São Paulo acompanha com indisfarçado temor a criação desses batalhões e o envolvimento do operariado na luta armada. O empresariado teme que os trabalhadores, sob a influência de agitadores profissionais, possam, de repente, apontar os fuzis na direção dos patrões.[92]

A Embaixada americana, no Rio, reage com indignação diante da decisão do Governo de censurar também os telegramas que as agências internacionais estão enviando para o exterior sobre a revolução. Através de nota oficial, o encarregado de negócios Sheldon Leavith Crosby protesta junto ao Ministério da Justiça contra as restrições impostas ao trabalho dos correspondentes da United Press International e da Associated Press, proibidos de enviar qualquer tipo de notícia para a sede de suas empresas, nos Estados Unidos. Sheldon solicita esclarecimentos sobre as restrições impostas a essas agências, já que não há nenhuma acusação formal do Governo brasileiro contra os jornalistas Kinsolving, da UPI, e Nabor, da AP. A Embaixada quer saber também se a cassação das atividades da UPI e da AP será "definitiva ou temporária".

Os diplomatas americanos tinham considerado uma inominável violência a prisão, por algumas horas, do correspondente da UPI, sob suspeita de enganar a censura e enviar para o exterior notícias simpáticas à revolução.[93]

A resposta do Governo foi dura e malcriada, desatenta a elementares princípios da diplomacia. A carta assinada pelo ministro Félix Pacheco foi redigida em linguagem chula e insidiosa, como nos tempos em que ele era repórter de polícia no Rio de Janeiro. Félix Pacheco procurou legitimar a censura, esclarecendo que a UPI vinha divulgando notícias falsas sobre o que acontecia no país. A UPI, sustentava, sempre procurou apresentar o Brasil como uma nação armamentista com o objetivo de incompatibilizá-lo com os países vizinhos. Em relação à AP, disse o ministro que, por "motivos óbvios", se abstinha de fazer maiores comentários sobre a natureza do seu noticiário. Os escritórios da agência tinham o mesmo endereço do *Correio da Manhã* (largo da Carioca, 13, 1º andar), a quem acusava de ser "um jornal amarelo" e "o maior fomentador da desordem no Brasil".

Para justificar as medidas tomadas, Félix Pacheco anexou à carta dois telegramas, em código, que essas agências tinham despachado, pouco antes, para Nova York, via Buenos Aires. Depois de se queixar da campanha que os jornais americanos promoviam contra o Brasil, "com as mais inverossímeis notícias", concluía:

> *"O Governo seria, portanto, ingênuo, se não se defendesse desse noticiário malévolo e corrosivo que semeia a anarquia no País e abala o seu crédito no exterior."*[94]

Quinta-feira, 17 de julho

O QG revolucionário, na estação da Luz, está agitado, desde as primeiras horas da manhã, com a possibilidade de executar ainda hoje um ataque imaginoso que vem sendo mantido em segredo há vários dias. A idéia fora acolhida pelo Alto-Comando como um exemplo de criatividade. O plano é extremamente simples: despachar uma "locomotiva fantasma", sem maquinista e a todo vapor, em direção à estação de Vila Matilde, não muito longe dali, onde estão estacionados os vagões-dormitórios do presidente Carlos de Campos e do general Eduardo Sócrates. A locomotiva, carregada de dinamite, seria enviada a toda velocidade para explodir os trens e a estação por onde continuam chegando reforços do Rio e de Minas Gerais.

Na sala de comando, o general Isidoro está envolvido com outra frente de luta: as pressões políticas e a preocupação, cada vez maior, das classes dirigentes com a destruição da cidade de São Paulo. Na véspera, o presidente da Associação Comercial, José Carlos de Macedo Soares, enviara carta ao general Abílio de Noronha, ex-comandante da 2ª Região Militar, ainda preso à disposição dos rebeldes. Na mensagem, era solicitada a sua interferência junto ao presidente Artur Bernardes para que fosse suspenso o bombardeio e evitado "o aniquilamento econômico e financeiro do estado de São Paulo, a unidade mais próspera da Federação". Ao responder ao pedido de Macedo Soares, o general Abílio Noronha tinha também chamado a atenção para o risco de uma guerra civil, alertando para o "cortejo de desgraças, de miséria, de aniquilamento, de horrores que acompanharia incondicionalmente tão terrificante situação". O ex-comandante da 2ª Região Militar sustentou ainda que só poderia assumir o papel de negociador se o Governo revolucionário estivesse também disposto a fazer concessões a fim de que pudesse haver um armistício. E é justamente esse aspecto que o general Isidoro discute agora, em sua sala, reunido com as principais lideranças militares do levante. O chefe supremo da revolução lê as condições impostas pelos rebeldes para depor as armas:

"Entrega imediata do Governo da União a um Governo provisório composto de nomes nacionais de reconhecida probidade e da confiança dos revolucionários. Exemplo: Dr. Venceslau Brás.
O Governo provisório convocará, quando julgar oportuno, uma Constituinte que manterá obrigatoriamente:
1 — forma de Governo republicana federativa;
2 — as atuais fronteiras dos estados, em tudo o que disser respeito aos interesses regionais, com a possível diminuição do número de unidades na Federação, a fim de torná-las mais equilibradas;
3 — a separação da Igreja do Estado, firmados o princípio da liberdade religiosa e a defesa da maioria católica nos seus direitos constitucionais contra as intolerâncias da religiosidade;
4 — atribuição da Justiça de conhecer da constitucionalidade dos atos legislativos;

5 — a proibição dos impostos interestaduais;
6 — tudo o que se refere à declaração dos direitos aos brasileiros, não se admitindo modificação alguma, senão ampliativa;
7 — proibição da reeleição do presidente da República e dos presidentes dos estados. Do mesmo modo, proibida a reeleição de deputados federais e estaduais, senadores, salvo se alcançarem o sufrágio de dois terços do eleitorado comparecente;
O Governo provisório se obrigará, logo que possível:
1 — no que diz respeito às relações internacionais, será mantida a política tradicional do Brasil, de liquidar pacificamente os conflitos internacionais;
2 — a manter, rigorosamente, todos os compromissos atuais da União, dos Estados e dos Municípios;
3 — a decretar o voto secreto;
4 — a realizar a unificação da magistratura e do processo;
5 — a realizar as reformas tributária e aduaneira, sendo que será proibida a participação dos agentes fiscais e alfandegários no lucro das multas e das apreensões.
Em relação às classes armadas, será exigido um absoluto respeito da administração aos direitos legais dos militares e da legislatura aos seus direitos constitucionais."

Ao ler as condições impostas pelos rebeldes para depor as armas, o general Abílio de Noronha declara que não tem condições de continuar participando das negociações. Na qualidade de militar, ele não pode dirigir-se ao presidente da República, seu superior hierárquico, e pedir que renunciasse e entregasse o poder a um Governo provisório. Na sua opinião, a entrega do Governo da União, como desejam os rebeldes, representa um "golpe na soberania nacional pelo gume das baionetas". Em carta enviada ao presidente da Associação Comercial, Noronha justifica a recusa em permanecer como mediador com um argumento definitivo: "Eu, embora general, também sou do povo, e não aceitaria essa incumbência que entraria para a História de nossa Pátria como exemplo de inominável deslealdade.[95]"

O documento assinado pelo general Isidoro com as exigências impostas pelos revolucionários para a cessação das hostilidades transforma-se numa espécie de manifesto, onde são revelados, pela primeira vez, os principais pontos políticos defendidos pela revolução. O manifesto é rapidamente impresso e distribuído aos jornais e à população. A plataforma revolucionária, até então desconhecida em seus aspectos políticos, é bem recebida "pela classe mais esclarecida", que, apesar de algumas restrições, destaca como excelentes alguns pontos do programa, como o voto secreto e a reforma alfandegária.[96]

Na esquálida pista de barro do Campo de Marte, que faz um corte vermelho nas plantações próximas ao centro da cidade, a revolução ensaia uma nova estratégia, capaz de mudar o curso da guerra. Ao lado do hangar, os rebeldes aguardam com apreensão o retorno de um pequeno avião Oriole, com motor de 160 HP, que foi fazer um vôo de reconhecimento sobre as forças federais que cercam São Paulo. Pilotado por um aviador estrangeiro, o avião levava o tenente Eduardo Gomes como observador. O primeiro vôo experimental, realizado no dia 13, sobre os bairros da Penha, Ipiranga e Vila Mariana, fora um sucesso.[97] Além de observar as linhas inimigas, Eduardo Gomes pulverizara as tropas do Governo com milhares de panfletos, exortando os oficiais legalistas a aderirem à revolução. O general Sócrates, que não dispõe de artilharia antiaérea, limita-se apenas a amaldiçoar aquele pequeno e debochado avião, que atira manifestos e faz evoluções sobre o seu exército de 20 mil homens. Mas, ao regressar, o Oriole quase cai em conseqüência de uma pane no motor: mesmo defeito que apresentara em duas outras missões de reconhecimento, nas imediações de São Paulo.

Há pouco mais de cinco dias Eduardo Gomes está no comando do recém-criado Serviço de Aviação das Forças Revolucionárias, apoiado por dois minguados aviões civis, confiscados no Campo de Marte.

Um pouco abaixo das grandes formações de nuvens brancas surge, de repente, um ponto escuro que vai, aos poucos, adquirindo contornos mais definidos. O fogoso Oriole, com seu motor de 160 cavalos, está retornando de mais uma gloriosa missão. Os chefes rebeldes olham para o céu e acariciam agora um plano fantástico, idealizado pelo próprio Eduardo Gomes: voar com o Oriole até o Rio de Janeiro para bombardear, de surpresa, o Palácio do Catete.[98]

Segunda-feira, 21 de julho

Os últimos quatro dias foram consumidos na tarefa de consolidar a defesa da cidade diante do avanço das tropas legalistas, que formam agora um grande arco de fogo ao longo dos bairros do Cambuci, Aclimação, Liberdade e Vila Mariana. Um dos maiores erros até agora cometidos pelo Estado-Maior revolucionário foi não ter fincado trincheiras e barricadas nas áreas ocupadas, nas últimas horas, pelo Exército, para impedir o avanço das tropas do Governo.

Os oficiais rebeldes, com a ajuda de um engenheiro húngaro e de técnicos alemães, dão os últimos retoques na sua mais recente arma secreta: um trem blindado que acaba de ser construído nas oficinas da estação da Luz para atacar as posições inimigas, em Vila Matilde. O plano é utilizar inicialmente esse trem para fustigar as tropas do Governo e, depois, despachar pelos trilhos a "locomotiva fantasma", carregada de dinamite.

Além do trem blindado, os técnicos estrangeiros construíram também um carro de assalto montado sobre a carroceria de um caminhão Ford. A blindagem, de chapa, ficara perfeita, um modelo de acabamento artesanal, mas o invento não deu certo. O veículo parece um trambolho: mal consegue mover-se, por causa do excesso de peso.

Nas oficinas da São Paulo Railway, graças a essa mão-de-obra estrangeira especializada, estão sendo também fabricadas granadas e munição de artilharia. Agid, comandante do batalhão húngaro, supervisiona pessoalmente a confecção de bombas incendiárias. Num requerimento confidencial enviado ao general Isidoro, ele requisita 50 quilos de dinamite, 10 quilos de pólvora seca, 10 quilos de arame, 100 metros de estopim e 500 garrafas para a produção de "granadas de emergência". Num documento anexo ele pede 100 metros de tubos de ferro, de 60 milímetros, dinamite, pólvora e meia tonelada de arruelas, que serão usados na fabricação de granadas de fragmentação. As requisições são acompanhadas de croquis mostrando como deverão ser utilizados esses artefatos.[99]

Pela manhã, o general Isidoro recebe mais uma carta do presidente da Associação Comercial, desta vez para protestar contra a decisão dos rebeldes de requisitar 200 presos da penitenciária do estado, os quais seriam incorporados às forças rebeldes. O diretor da penitenciária recusara o pedido, e mais um impasse estava criado. Ele já tem cerca de 40 homens armados, entre funcionários, presos de bom comportamento e até alguns moradores vizinhos, para impedir a libertação dos condenados.[100]

"Só faltava à infeliz população de São Paulo, (...) que as forças revolucionárias retirassem da penitenciária os facínoras que lá cumprem pena.(...) Não faltam na cidade perigosíssimos elementos anarquistas — italianos, espanhóis, russos e de outras nacionalidades — esperando só o momento oportuno para subverterem a ordem pública e social", afirma o presidente da Associação Comercial, numa alusão aos imigrantes alistados nos batalhões estrangeiros.

Diante do protesto, o general Isidoro chama o chefe do seu Estado-Maior e ordena que seja cancelada a convocação dos presidiários.[101]

Os industriais, banqueiros e exportadores estão reunidos desde o início da tarde, na sede do Automóvel Clube, para examinar a situação política, econômica e social de São Paulo, que há dez dias sofre um bombardeio avassalador. A assembléia-geral acaba de referendar o pedido de moratória aprovado pela Associação dos Bancos, propondo que os prazos de pagamento sejam prorrogados para 90 e 120 dias. Uma cópia desse documento deverá ser agora enviada ao Ministério da Fazenda, no Rio, e outra encaminhada ao general Isidoro, que, previamente consultado, se manifestara favorável à iniciativa.

Os rebeldes dominam militarmente a cidade, mas o poder político e econômico continua com as classes dominantes e as autoridades municipais. A revolução manda nas ruas e nos quartéis, porém o mundo dos negócios continua sob o controle da oligarquia e dos seus parceiros comerciais. Através da Associação Comercial, as elites policiam o comportamento político do Alto-Comando revolucionário, procurando sempre dificultar a sua aproximacão com a classe trabalhadora. Alardeiam os perigos da agitação social, da subversão e da guerra civil, sempre que os rebeldes tentam atrair a massa operária para uma participação mais atuante na rebelião.

Apesar de defenderem os sentimentos e as aspirações ainda meio difusas das camadas médias urbanas, o general Isidoro e seus oficiais por mais de uma vez apoiaram, por ingenuidade política, posições do exclusivo interesse das classes dominantes. Ao aceitarem a decretação do feriado nacional até o dia 19, determinada pelo Governo federal, através do Ministério da Fazenda, assim que o Governo do estado abandonou a cidade, não só abriram mão de sua independência política, conquistada pela força das armas, como ainda reconheciam e se submetiam à autoridade que tanto combatiam. Essas contradições, além de outras limitações impostas pela rígida formação militar, impedem que a revolução exerça o poder em toda a sua plenitude.[102]

Os militares rebeldes são também vítimas de sua indigência política, ao desprezarem o apoio das outras cidades do estado de São Paulo. Não demonstraram nenhum interesse em empurrar o levante para o interior, como uma extensão da luta que se trava na capital. No dia 16, o Alto-Comando Revolucionário, através do jornal *O Estado de S. Paulo*, já havia transmitido um recado tranqüilizador para os prefeitos, ao informar que "diante do grande número de consultas de cidades do interior, solicitando instruções do Governo provisório para a organização local", o general Isidoro indicara o coronel Paulo de Oliveira para responder, em seu nome, a todas as questões de interesse da administração. As autoridades municipais, sem exceção, são mantidas em seus cargos, sem qualquer tipo de acordo político ou militar entre elas e o Governo provisório. Os prefeitos continuam exercendo as suas funções, sem subordinação ao comando da revolução, instalado na capital. Essa miopia política permite que o interior, dominado pelas oligarquias, se reorganize em torno das lideranças locais, que logo se mostraram hostis à revolução.

Apesar de alguns débeis sinais de solidariedade e apoio político, como os registrados em Avaré, onde os simpatizantes do movimento passaram a se reunir todas as tardes na Confeitaria O Ponto, à espera de instruções da capital, os militares rebeldes permanecem indiferentes às manifestações que pulsam no interior. Eles procuram manter-se fiéis apenas ao objetivo inicial do levante: a tomada do poder central, para depor o presidente Artur Bernardes.[103]

Terça-feira, 22 de julho

Os incêndios multiplicam-se pela cidade, que despertou mais cedo com uma sucessão de explosões, uma demonstração de violência ainda maior do que nos dias anteriores. São Paulo, que ainda dorme protegida pela escuridão para se defender da artilharia inimiga, está sendo agora iluminada pelo fogo que devora o Cotonifício Rodolfo Crespi, uma das maiores fábricas do Brasil e uma das indústrias têxteis mais modernas da América do Sul. As colunas de fumaça, que se enroscam no céu avermelhado, podem ser vistas a quilômetros de distância, aumentando ainda mais a indignação da população diante do bombardeio que a mantém como refém, nesta madrugada fria e úmida.

As granadas abrem crateras enormes nas ruas. Casas evaporam-se, prédios inteiros desaparecem com as explosões. Os bairros industriais são impiedosamente castigados pelos canhões do Exército, que disparam agora encarapitados nas partes altas da cidade. De onde estão, podem controlar todas as entradas e saídas de São Paulo e continuar espalhando o pânico, a morte e o luto entre os habitantes que ainda não conseguiram abandonar a capital.

Através dos jornais, as famílias enlouquecidas pelo bombardeio procuram parentes desaparecidos:

> *"D. Maria Isabel de Almeida, residente à rua Bela Cintra, 142, deseja saber notícias e o paradeiro de seus filhos Mário e Luiz Paiva, alunos do Asilo Colônia. Resposta para aquele endereço ou para a seção de informações do Estado."*
>
> *" A família de Marcos de Mattos Filho deseja saber notícias suas e do seu estado de saúde e pede resposta para a rua Marquês do Itu, 17."*
>
> *"Carlos Engber, residente à rua Luís Coelho, 8, pede a seu sogro Accio Winter, que reside na Penha, informar em que parte se encontra."*

O cônsul Francis Patron está perplexo com a extensão e a intensidade do bombardeio, mesmo para os padrões cruéis da guerra. Esta noite ele decidira dormir na sede do Consulado britânico, a fim de tentar resolver o problema dos refugiados ingleses e americanos, em companhia do cônsul dos Estados Unidos, assim que o dia amanhecesse. Patron levanta-se rapidamente do sofá e afasta a cortina da janela para observar melhor o fogo que lambe quarteirões inteiros, na região do Brás e em alguns bairros vizinhos. Apesar da distância, a claridade das labaredas é tão forte que alcança o prédio do Consulado e invade o seu escritório, no centro da cidade. Ele ainda não sabe que aquelas sombras avermelhadas, que se projetam sobre o seu rosto, estão sendo alimentadas pela imensa fogueira em que se transformou o Cotonifício Rodolfo Crespi, uma das muitas fábricas inglesas de São Paulo, de propriedade da The Crespi Textile Mills.

Patron volta para o sofá, mas é impossível tentar reconciliar o sono com todas essas explosões que estremecem o prédio e fazem as paredes balançar. Os vidros das quatro janelas da frente vibraram tão intensamente, logo que o bombardeio começou, que alguns trincaram e outros se espatifaram com o deslocamento de ar, lançando estilhaços sobre os tapetes de seu gabinete de trabalho. Patron consulta o relógio, são cinco horas da manhã, o céu escuro continua a ser tingido pelo clarão dos incêndios.

Depois de cuspirem uma hora sem parar, os canhões emudecem de repente, e segue-se, como de hábito, um silêncio dramaticamente sufocante à espera do reinício do bombardeio. Mas a artilharia não volta mais a atirar ao longo de toda a manhã.

O Governo revolucionário está agora diante de um flagelo que se avizinha tão angustiante quanto o fogo dos canhões: a fome. A Comissão de Abastecimento Público, criada para coordenar a distribuição de alimentos e impedir os abusos do comércio, reduzira substancialmente até alguns preços. A banha, que era vendida a 4 mil e 500 réis o quilo, pode ser comprada agora a 3 mil e 300 réis. Muitas companhias estão colaborando com a revolução vendendo produtos também pela tabela antiga. Mas os estoques agora se esgotam rapidamente. O representante da comissão que viajara a Santos para comprar alimentos voltara desolado e de mãos vazias. O almirante José Maria Penido, que assumira o comando militar da cidade, fora taxativo:

— Não deixarei subir um grão de arroz para São Paulo.[104]

O Comando revolucionário responde ao boicote de alimentos imposto pelo Governo federal com revigorada demonstração de força: despacha um trem blindado para atacar as tropas federais aquarteladas em Vila Matilde. A blindagem, na verdade, é apenas um disfarce. A locomotiva deixa as oficinas da São Paulo Railway escoltada por dois vagões de carga revestidos com paredes duplas de madeira recheadas de areia e pintadas de preto, para simular que são de ferro. O trem avança a todo vapor, com a locomotiva cuspindo fumaça, entre os dois vagões. Duas grandes chapas de aço guarnecem lateralmente a cabina da locomotiva, para dar maior proteção ao maquinista e ao foguista. O vagão da frente, além de equipado com um reforçado limpa-trilho, para remover obstáculos, exibe pequena e improvisada torre de ferro, instalada no teto, onde se vê o cano de uma metralhadora pesada. As janelas dos outros vagões estão guarnecidas por uma trincheira de sacos de areia, a fim de que os soldados possam também atirar, de joelhos, com seus fuzis.

O trem se arrasta, pesado, a pouco mais de 60 quilômetros por hora, através da várzea imensa que separa Vila Matilde da estação da Luz. A composição geme e se contorce nos trilhos porque os vagões se inclinam com perigo, nas curvas, em conseqüência da altura e do excesso de peso causado pela "blindagem" e pela quantidade de sacos de areia que carrega.

Pela vigia, o maquinista vê os trens legalistas ao longe, parados ao lado da estação, onde é grande a movimentação de tropas que continuam chegando do Rio e de Minas Gerais. A locomotiva aproxima-se lentamente, para não ser logo identificada. O maquinista reduz a pressão do vapor e puxa a alavanca do freio, diminuindo ainda mais a marcha. A composição roda tão devagar que parece estar quase parando. Vila Matilde está a pouco mais de um quilômetro de distância. Ele agora solta o vapor e acelera a máquina. O trem blindado surge, de repente, na curva, resfolegando a 60 quilômetros por hora.

Os soldados recém-chegados da Vila Militar ficam inicialmente paralisados, na plataforma da estação, ao lado das mochilas de campanha, sem entender o que está acontecendo. Nunca tinham visto nada parecido. Estão petrificados diante da máquina estranha, como ficaram os soldados alemães, durante a Primeira Grande Guerra, ao verem, pela primeira vez, um tanque inglês. A reação é também semelhante à dos antigos romanos diante dos elefantes cartagineses, vinte séculos atrás.

A perplexidade logo se transforma em pânico. O monstro de ferro cresce rapidamente, espirrando vapor e fumaça. Os soldados são sacudidos pelos gritos de um oficial:

— Inimigo à vista: às armas! Trem blindado!

Não há mais tempo para uma defesa organizada. A metralhadora da torre varre a estação, espalhando a morte entre as forças federais. As janelas dos vagões se abrem em forma de escotilha, e os rebeldes atiram também com os seus fuzis. Mas as tropas do Governo logo se recuperam do ataque de surpresa e recepcionam os rebeldes com uma barragem de fogo. O tiroteio é ensurdecedor. As metralhadoras pesadas do Exército não conseguem neutralizar o ímpeto dos atacantes nem causar danos ao trem: as balas se perdem entre as paredes de madeira maciça.

Espalhados por todos os lados, os soldados atiram contra o trem. Alguns, já recuperados do susto inicial, começam, aos poucos, a cercar a composição para tentar tomá-la de assalto. Dois funcionários da estação arrastam-se pelo chão na tentativa de alcançar um conjunto de chaves, ao lado dos trilhos, para desviar a linha e impedir a fuga do trem, encurralando-o num desvio sem saída. O maquinista percebe a manobra, libera o vapor, empurra a alavanca, os pistons revertem a marcha; a locomotiva, com o máximo de pressão na caldeira, recua com estrondo. As rodas rangem nos trilhos, o trem rompe o cerco a toda velocidade e sai bufando de marcha à ré.

Uma hora depois a admirável engenhoca é recepcionada com uma explosão de alegria na estação da Luz. Os soldados e os mecânicos que aguardavam a volta do trem jogam os bonés para o alto assim que ouvem o apito. A composição vai, aos poucos, crescendo na curva e entra na estação tocando a campainha de bronze da caldeira. Os engenheiros alemães Keslen e Nicolau Kotchetoff abraçam-se e se deixam abraçar pelos soldados, envaidecidos diante dos resultados alcançados pela formidável máquina que conceberam e construíram.[105]

Estimulado pelo sucesso do imaginoso ataque à estação de Vila Matilde, localizada a pouco mais de uma hora de distância de São Paulo, o Comando revolucionário decide agora ir mais longe: está tudo pronto para o bombardeio do Palácio do Catete, no Rio. O teste a que o avião Oriole fora submetido, no dia 19, durante o vôo realizado até Santos, fora qualificado como exuberante. Além de lançar milhares de folhetos exortando a população a aderir ao levante, o Oriole também atacara o encouraçado *Minas Gerais*, fundeado na baía, em frente ao porto. A bomba errou o alvo e o avião foi obrigado a retornar logo a São Paulo pelo fogo antiaéreo do *Minas*. O hidroavião legalista, que tentou decolar para lhe oferecer combate, não conseguiu alçar vôo: capotou dentro d'água. O piloto quase morreu afogado.

A censura impede que a notícia seja divulgada pelos jornais. Mas o cônsul americano em Santos, Herndon Goforth, registra o ataque em suas anotações. Seus filhos tinham sido, mais uma vez, testemunhas privilegiadas do acontecimento, porque o encouraçado se encontra ancorado quase em frente à sua casa. Ao tentar obter maiores detalhes da extensão do ataque rebelde, a fim de produzir mais um relatório confidencial sobre a rebelião para o Departamento de Estado, Goforth vê-se diante de uma avalanche de desmentidos oficiais. Ele só obtém a confirmação do ataque dias depois, através de uma informação que recebe de Buenos Aires.[106]

No hangar do Campo de Marte, o tenente Eduardo Gomes e o piloto tchecoeslovaco Carlos Herdler checam o motor de seis cilindros e os instrumentos do Oriole, um biplano de fabricação americana, equipado com um tanque de gasolina sobressalente para seis horas e meia de vôo. O Oriole fora confiscado da aviadora Teresa de Marzo, uma das glórias do feminismo paulista, conhecida em todo o país por ter sido a primeira mulher a pilotar um avião no Brasil. Tecnicamente, o Oriole tem condições de fazer uma viagem até o Rio de Janeiro. Sua estrutura, construída com treliça de madeira, é forrada com uma tela especial protegida por uma espécie de verniz que, além de esticar o tecido, aumenta a sua resistência e ainda o torna impermeável, permitindo-lhe voar na chuva. Além do piloto, o Oriole pode levar dois passageiros, em bancos separados, na parte da frente do avião, sob a proteção de pequeno pára-brisa. Sua velocidade, em vôo de cruzeiro, é de 124 quilômetros por hora.

O Oriole fora exaustivamente testado por dois experientes pilotos estrangeiros, veteranos da Primeira Guerra Mundial, incorporados ao

Serviço de Aviação das Forças Revolucionárias: o alemão Fritz Roesler e o italiano Lúcio Gordines. Os dois chegaram à mesma conclusão: o avião está em condições de cumprir a sua missão. Com o piloto e seu acompanhante, viajariam cerca de 30 mil panfletos, que seriam lançados sobre o Rio e Niterói com o objetivo de esclarecer a população sobre os verdadeiros motivos do levante.

Está tudo pronto para a partida. Os folhetos, amarrados com barbante, em bloquinhos de cem, repousam no chão de madeira do avião, empilhados ao lado de pequena caixa de papelão, protegida por pedaços de panos e coberta por um jornal. Dentro da caixa está uma bomba de dinamite de três quilos, que será jogada por Eduardo Gomes sobre o telhado do Palácio do Catete.[107]

Apesar de a autonomia de vôo de seis horas oferecer condições para que possam retornar a São Paulo em segurança, depois de cumprida a missão, o piloto e Eduardo Gomes estão convencidos de que aquela será uma viagem sem volta. Se por acaso surgir algum imprevisto durante o vôo, o avião terá que ser abandonado e eles serão obrigados a fugir e a se esconder, sozinhos, sem ajuda de ninguém.

Às dez e meia da manhã o Oriole, já com o motor aquecido, desliza ruidosamente pela pista do Campo de Marte. O piloto alemão testa o leme e os flapes, verifica os freios e acelera ainda mais o motor, até alcançar a sua potência máxima. O avião estremece, avança pela faixa de barro como um pássaro que corre para alçar vôo e decola, deixando para trás uma nuvem de poeira vermelha. Emocionados, mas todos em silêncio, os chefes rebeldes acompanham, com os olhos, o pequeno avião que se perde ao longe, no azul do céu. Os dois homens que viajam no ventre daquele pássaro de tela e madeira podem mudar o curso da guerra.

A vitoriosa incursão do trem blindado pelo arraial das forças federais e a partida do Oriole atenuam a depressão que se apossara do general Isidoro ao ser informado da morte do capitão Joaquim Távora, na tarde do dia 19, no Hospital da Santa Casa. Há três dias que Isidoro anda silencioso e pensativo, sempre recolhido à sala de comando, fala apenas o estritamente necessário durante as acaloradas reuniões do Alto-Comando revolucionário. Joaquim era uma das principais figuras da revolução; Isidoro, apesar de ser o chefe, não só respeitava a sua liderança, ao acatar sempre os seus pontos de vista, como tinha também por ele profunda admiração. Dava-lhe prazer partilhar suas idéias com aquele nordestino alto, magro, completamente calvo, que conservava sempre no rosto uma expressão de bondade e de inesgotável energia. Um tipo digno de ser talhado em bloco de pedra.

A morte de Joaquim Távora atinge o peito do velho soldado. Seu rosto miúdo, corado como o de um camponês, volta a ser intensamente iluminado por seus inquisidores olhos azuis. O general não costuma disfarçar ou embelezar as dificuldades que fustigam a revolução. Mas não pode deixar também de reconhecer que o ataque com o trem blindado foi de uma significação extraordinária. Serviu para mostrar o poder, a criatividade e a disposição dos rebeldes de continuarem combatendo em defesa dos seus ideais.

6

UMA CHUVA DE FERRO E FOGO

Às três da tarde, um oficial entra correndo na sala de comando e avisa que a sentinela de serviço na torre do relógio da estação da Luz viu alguns aviões se aproximando de São Paulo a baixa altura. Nenhum deles se parece com o Oriole. O general Isidoro caminha até ao pátio do QG e olha para o céu. Ninguém sabe explicar direito o que está acontecendo. Agora, com a ajuda de um binóculo, o sentinela se espicha pela janela da torre e informa que são três aviões.

Quinze minutos depois a cidade estremece, sacudida por uma sucessão de explosões até então desconhecida. São Paulo está sofrendo, pela primeira vez em sua história, um bombardeio aéreo. As bombas de 60 quilos, lançadas pelos aviões do Exército, abrem crateras gigantescas no centro da cidade. Casas, prédios, quarteirões inteiros são transformados em densas nuvens de pó. O Comando revolucionário não sabia que o governo federal criara um centro de aviação em Santo Ângelo, perto de Guaiaúna, de onde é possível atacar a cidade com pouco mais de meia hora de vôo.[108]

Os rebeldes assistem perplexos ao bombardeio aéreo. A população, que já se habituara a se proteger da artilharia refugiando-se nos porões, abandona as casas, enlouquecida com o impacto das explosões. Famílias inteiras, dominadas pela histeria, correm aos gritos pelas ruas, sem destino. As pessoas atropelam-se pelas calçadas sem saber para onde ir. Muitos ficam simplesmente paralisados no meio da rua, anestesiados pelo medo. Mulheres e crianças choram abraçadas nas esquinas, enquanto soldados se movimentam nervosamente, de um lado para o outro, tentando atingir os aviões com seus fuzis.

O ataque dura pouco mais de cinco minutos. Os prejuízos são rapidamente contabilizados e chega-se logo à conclusão de que são bem menores do que as desgraças causadas diariamente pelo fogo da artilharia. Não houve mortos nem feridos, apenas perdas materiais, como a destruição de dez casas abandonadas, de um prédio de dois pavimentos já parcialmente destruído pela artilharia e de uma fábrica de laticínios em ruínas.

Apesar de só terem sido jogadas seis bombas em pontos diferentes da cidade, o saldo do ataque aéreo, do ponto de vista psicológico, é desesperador. Até então a população contemplava curiosa aqueles aviões enormes sobrevoando a cidade a mais de mil metros de altitude. Desde o dia 19 sucediam-se as missões de observação e reconhecimento sobre a capital. Equipados com câmeras especiais, os aviões Breguet fizeram vários levantamentos aerofotogramétricos dos bairros onde havia trincheiras ou concentração de tropas. Ninguém poderia imaginar que pudessem ser utilizados num bombardeio contra a cidade.

Algumas horas depois do ataque aéreo, muitas famílias permanecem em estado de choque, enquanto milhares de pessoas vagam sem rumo pelas ruas, no mais completo desespero, o rosto transfigurado pelo pavor.

O presidente da Associação Comercial, José Carlos de Macedo Soares, procura logo o general Isidoro para lhe expor a situação dramática em que se encontram os habitantes da cidade, agora também submetidos ao martírio da aviação do Exército. O general ouve, em silêncio, o relato doloroso das cenas provocadas pelo bombardeio e faz uma promessa:

— Dentro de uma semana eu deixarei a cidade, vencedor ou vencido. Não seremos nós, revolucionários, os assassinos de São Paulo.[109]

São quase seis da tarde, anoitece rapidamente, e até agora o Oriole não voltou. Os rebeldes acendem pequenas fogueiras ao longo da pista, para facilitar a aterrissagem. O tenente Eduardo Gomes já deveria ter regressado há mais de uma hora. As luzes da cidade estão apagadas, e os oficiais começam a se preocupar agora com as fogueiras, que podem revelar a posição correta do Campo de Marte para a artilharia do Governo. Sem as fogueiras, com São Paulo completamente às escuras, o Oriole não vai conseguir localizar o aeroporto e pousar.

A angustiante vigília é encerrada às oito da noite. O avião, apesar do tanque de combustível sobressalente, só dispõe de seis horas e meia de autonomia de vôo. Como decolou às dez e meia, deveria estar de volta às cinco, no máximo às cinco e trinta, se estivesse voando a mil metros de altitude, para economizar gasolina. Agora, só resta esperar o dia amanhecer para saber o que aconteceu.

Quarta-feira, 23 de julho

São Paulo viveu mais uma madrugada de medo e horror. O ar está pesado e denso em toda a cidade, em conseqüência de dois grandes incêndios provocados, logo de manhãzinha, pela artilharia do Governo. O depósito de inflamáveis Mercansul e a Fábrica Antárctica alimentam duas grandes colunas de fumaça que podem ser vistas a quilômetros de distância. O êxodo da população continua, porém maior do que nos outros dias, em direção ao interior. Multidões acossadas pela tragédia podem ser vistas todas as manhãs, à procura de uma saída, a pé, entupindo as estradas da Lapa, Cantareira e Pinheiros, com trouxas de roupa, malas e colchões, para tentar escapar da fúria dos bombardeios. Pela estação da Luz estão passando, todos os dias, mais de 20 mil passageiros. Os embarques são facilitados pelos rebeldes, que, além de aumentar para

15 o número de trens diários para Campinas, determinaram substancial redução no preço das passagens. Um bilhete para Jundiaí, que custava 8 mil e 300 réis, passou a ser vendido a 3 mil.

Nesta manhã acinzentada pela fumaça dos incêndios, o arcebispo metropolitano, dom Duarte Lobo, e o prefeito, Firmino Pinto, escudados por salvo-condutos, deixam o Palácio São Luís, sede do Arcebispado, em direção ao QG das tropas legalistas, na condição de emissários do povo de São Paulo. Os dois partem num automóvel com bandeira branca em direção a Guaiaúna. No banco da frente, o jornalista Paulo Duarte, de *O Estado de S. Paulo*, agita sem parar outra bandeira branca para facilitar a identificação e a passagem do carro pelas barricadas rebeldes. Ao cruzar a última trincheira, na rua Bresser, e seguir em direção à Penha, a comitiva é recepcionada pelas tropas governistas com uma enxurrada de balas. O motorista manobra o carro rapidamente e volta para as trincheiras rebeldes, onde a comitiva se refugia. O tiroteio dura quinze minutos. Mas a fuzilaria arrasa o veículo: capota rasgada, pára-brisa estilhaçado, pneus furados, vários furos de bala na carroceria. O motor está milagrosamente intacto. Os pneus são trocados, o arcebispo e o prefeito retornam a São Paulo para tentar um outro caminho que ofereça segurança.

A comitiva chega à tarde ao QG das forças federais. Dom Duarte Lobo expõe o quadro de miséria e sofrimento da população diante dos bombardeios. O presidente Carlos de Campos declara que ninguém mais do que ele lamenta a situação, mas acrescenta que nem ele nem o general Sócrates têm poder para tomar qualquer decisão. Só o presidente da República é que tem competência para decidir sobre esse assunto. O prefeito de São Paulo resolve seguir de carro para o Rio de Janeiro com dupla missão: tentar o fim do bombardeio e negociar com os americanos o adiamento da prestação e dos juros de um empréstimo feito à municipalidade por um banco de Nova York.[110]

Entrincheiradas na Fábrica Antárctica, forças revolucionárias resistem como podem ao formidável ataque das tropas legalistas, nas imediações da Mooca. O Governo vai, aos poucos, apertando o garrote para asfixiar os rebeldes dentro das suas linhas de defesa. No Belenzinho, os revolucionários, depois de obstinada resistência, percebem que alguma coisa de anormal acontece do lado do inimigo. No meio do fogo e da fumaça surgem, de repente, vultos estranhos, imagens nebulosas que vão, aos poucos, ganhando contornos mais definidos. Seu aspecto é assustador. São máquinas até então desconhecidas, revestidas com uma espécie de carapaça de ferro, e que se movem ruidosamente. Os rebeldes espicham a cabeça por cima das barricadas para ver melhor aqueles monstros de ferro que parecem arrastar-se sobre os paralelepípedos, fazendo um ruído infernal com os seus motores. Não sabem que estão diante de uma arma extremamente poderosa: os modernos tanques Renault FT-17, de fabricação francesa, com motor refrigerado a água, equipados com canhão e metralhadora, que se deslocam a seis quilômetros por hora, com a ajuda de lagartas de ferro. Chegados há pouco mais de dois anos da França, os veículos têm blindagem extraordinária, com cerca de 22 milímetros de espessura, o que o torna imunes ao fogo de fuzis e metralhadoras. A tripulação é formada por dois homens: o motorista e o atirador.

Egresso da Escola Militar do Realengo, o ex-cadete Emigdio Miranda, que comanda as trincheiras no Belenzinho, conhece o perigo que essas máquinas representam. Quando ele vê, com espanto, os blindados surgirem no meio da fumaça, grita:

— Tanques ! Protejam-se!

Os revolucionários só tomam consciência do poder das máquinas barulhentas quando um dos canhões atira contra as barricadas. A *performance* do tanque mostra o abismo que separa o armamento rebelde do poderio militar do Exército. Apesar de lentos, eles avançam com eficiência sobre as trincheiras, atropelam as barricadas como se fossem obstáculos de papelão. Os rebeldes, em pânico, fogem em debandada.

O Alto-Comando revolucionário desloca rapidamente tropas mais experientes para a linha de frente no Belenzinho. É preciso barrar o avanço implacável das tropas legalistas, que ameaçam desmoronar as defesas rebeldes. Nada mais indicado para essa missão do que os batalhões estrangeiros. Formados por militares veteranos, que lutaram contra esse tipo de armamento durante a Primeira Grande Guerra, os imigrantes europeus sabiam como parar um tanque.

Os três batalhões são enviados para enfrentar as pesadas máquinas de guerra. O batalhão húngaro tem 122 soldados e 11 oficiais com larga experiência na guerra européia. Muitos são anarquistas, decidiram participar da revolução por motivos exclusivamente ideológicos, mas a grande maioria, recém-chegada ao Brasil, fora atraída pela remuneração. Um capitão recebe 30 mil réis por dia; um tenente, 25; um soldado, 10 mil réis. Para estimular o ânimo dos veteranos e despertar-lhes o entusiasmo pelo combate, o Alto-Comando revolucionário faz um outro agradinho: paga aos oficiais 20 dias adiantados.[111] Os tanques vão enfrentar o calibre de soldados amadurecidos no calor de ásperas batalhas.

Há mais de vinte e quatro horas que não se tem notícias do avião do tenente Eduardo Gomes. Tudo indica que ele não conseguiu bombardear o Palácio do Catete.

Sexta-feira, 25 de julho

Nesta manhã fria de sexta-feira, a população descobre por que não foi ainda enxotada da cama pelos canhões do Governo, como nas madrugadas anteriores: São Paulo amanhece coberta por denso nevoeiro. Na quinta-feira, a chuva miúda também dificultara a visibilidade da artilharia. Mesmo com mau tempo, alguns aviões do Exército chegaram a decolar, mas acabaram cumprindo apenas missões de observação e reconhecimento.

Apesar da hora adiantada, os soldados ainda dormem, exaustos, no interior das trincheiras, amparados pelos fuzis, protegendo-se do frio com capas e cobertores. Esses homens, quase todos de origem modesta, passam dias dentro dessas covas sem reclamar. Nunca foi preciso também mandar rancho para essas tropas. Elas sempre foram tratadas com muito carinho pelas famílias vizinhas, que se incumbem de lhes oferecer almoço, jantar e café, pela manhã e à noite.

Nas ruas, prossegue o comovente espetáculo dos retirantes. Os habitantes de São Paulo fogem aos milhares, todos os dias; abandonam casas, lojas, prédios; deixam tudo para trás. Algumas ruas ficam completamente desertas. Muitas famílias ainda perambulam sem rumo pelo centro, amontoando-se pelas esquinas, praças e jardins: não conseguiram escapar, impedidas de deixar a cidade pelo bloqueio das tropas federais. Com as principais estradas para o interior controladas pelo Exército, só restam as saídas de trem por Jundiaí e pela Sorocabana. Das 700 mil pessoas que vivem na capital, 300 mil abandonaram a cidade, nos últimos dias.[112]

O jornal *O Estado de S. Paulo* desta sexta-feira publica um boletim do Comando revolucionário alertando as famílias que abandonaram suas casas para o risco de se concentrarem em determinadas áreas da cidade. A advertência tem como objetivo evitar a repetição de tragédias como a da véspera, à noite, quando cerca de 40 pessoas morreram, vítimas dos estilhaços de duas granadas de fragmentação lançadas pelos canhões. Diz o comunicado:

> *"Convidamos a população a abster-se de aglomerações nas praças públicas e nas esquinas, mesmo durante o dia, pois é caindo sobre esses grupos de populares que as granadas têm produzido maior número de vítimas entre a população civil de São Paulo. Como é natural, esta recomendação não se refere aos pontos onde o ajuntamento é imprescindível, tais como as estações ferroviárias, armazéns de víveres e pontos de bondes."*

O presidente da Associação Comercial está novamente reunido com o general Isidoro para protestar contra a cobrança de uma espécie de "imposto de guerra" idealizado pelo Estado-Maior da revolução. O recolhimento compulsório da contribuição, diz ele, é duplamente desastroso: além de desaconselhável do ponto de vista político, pode produzir cenas de violência de toda natureza. José Carlos de Macedo Soares sustenta que a revolução dispõe apenas de um pequeno número de oficiais e que essa cobrança fatalmente seria entregue a inferiores. Não possuindo dinheiro, por causa do longo feriado bancário, os habitantes teriam que pagar o imposto com jóias, objetos de arte e com os bens de que dispusessem. Depois, não haveria também como transformar esses bens em dinheiro, por falta de compradores.

— Essa contribuição vai acarretar toda sorte de vexames, violências e sofrimentos para o povo de São Paulo, já tão sacrificado pela inclemência dos bombardeios.

Isidoro estica os braços sobre a mesa, com as mãos descansando uma sobre a outra, e aprecia em silêncio a exposição de motivos daquele homem de privilegiada formação intelectual. O porte de Macedo Soares é de um autêntico cavalheiro. Alto, elegante, bigode preto bem-aparado, olhos verdes, tez morena ligeiramente rosada, sempre agasalhado com um sobretudo europeu. Um homem imponente.

O chefe da revolução mal consegue dissimular o ar de cansaço que lhe invade o rosto. Os lábios finos se contraem, deixam escapar um sorriso acanhado; a expressão da voz é de desabafo:

— O senhor tem razão. Vou mandar suspender a contribuição de guerra. Não vamos impor mais um sacrifício a esse povo tão sofrido.

O presidente da Associação Comercial levanta-se agradecido, caminha até a chapeleira em estilo *art nouveau,* recolhe o chapéu e o sobretudo e se despede com o sentimento do dever cumprido.[113]

A espantosa energia que o general Isidoro sempre demonstrou, até mesmo nos momentos mais dramáticos, parece agora exibir os primeiros sinais de esgotamento, em meio a tanto horror e tanta vileza. Ele tem consciência de que a revolução também se exaure diante da tempestade de ódios que se abate sobre São Paulo. Mas Isidoro ainda tem esperanças de que o Exército não se deixará enxovalhar eternamente pelos desmandos do presidente Bernardes.

Assim que o presidente da Associacão Comercial sai da sala, Isidoro pergunta ao major Mendes Teixeira, chefe do seu Estado-Maior, se tem mais alguma notícia sobre o levante das tropas do Exército no estado de Sergipe. Desde 16 de julho circulavam rumores, cada vez mais intensos mas não-confirmados, sobre a existência de um movimento militar em Aracaju, com o objetivo de apoiar a rebelião de São Paulo. O presidente de Sergipe, contavam esses informes, teria sido deposto e a capital ocupada por tropas do Exército e da Polícia Militar. São Paulo está completamente ilhada do resto do país, sem telégrafo e sem telefone; as notícias que chegam do Rio e de outras capitais, com vários dias de atraso, são trazidas sempre por viajantes.

Mendes Teixeira não dispõe de informações sobre o que estaria acontecendo no Nordeste. A única notícia que ele teve sobre movimentação de tropas em outros estados estava na edição de *O Paiz* do dia 17. Havia rumores limitados apenas ao Amazonas, mas contestados pelo governador em telegrama enviado ao senador Aristides Rocha:

> *"Manaus, 16 (19h10m). Boatos alteração ordem sem fundamento algum. Cidade perfeita calma, meu governo continua prestigiado todas classes e amparado todas correntes políticas. Comércio Amazonas acaba oferecer-me um banquete em nome classes conservadoras, 100 talheres, onde reinou maior cordialidade. Abraços. Turiano Meira, Governador."*

Isidoro apega-se a uma nesga de esperança: a possibilidade de novos levantes que revertessem o destino da revolução. O Exército não pode continuar eternamente dócil e servil, renegando as suas tradições e se humilhando, assim, diante dos seus próprios soldados, para satisfazer apenas aos caprichos pessoais de Bernardes. Não foram poucas as vezes em que Isidoro se perguntara por que as guarnições do Exército comprometidas com a conspiração não tinham até agora se levantado contra o Governo. O que impedia esses oficiais honrados de aderirem à rebelião? Onde estariam os revolucionários de Santa Catarina, Paraná, Minas Gerais, Mato Grosso e Rio Grande do Sul?

São Paulo, que tomara a iniciativa de deflagrar a revolução, está irremediavelmente só, enfrentando um vendaval de ódios e rancores, cada vez mais impiedoso. Isidoro dispensa os seus auxiliares, abraça o maço de papéis depositados sobre a mesa de carvalho com tampo de vidro usada pelo chefe da estação e recolhe-se, pensativo, aos seus aposentos, ao lado da sala de comando.

Tanto Isidoro como o resto do país desconhecem que Sergipe já está nas mãos dos rebeldes. Desde o dia 13 de julho o 28º Batalhão de Caçadores do Exército, sediado em Aracaju, rebelara-se contra o Governo. O estado de sítio, porém, impôs absoluto silêncio sobre esse levante em apoio à revolução de São Paulo. A censura amordaça a imprensa e ainda controla o telégrafo e o telefone, impedindo que a notícia se alastre pelo País. O Ministério da Guerra trata a rebelião de Sergipe como segredo de Estado. Nem mesmo a classe política tem visão clara do que está acontecendo.

A Embaixada americana, no Rio, acompanha de perto os desdobramentos desse novo foco de insurreição. No dia 24, o embaixador recebera do cônsul dos Estados Unidos em Salvador um informe confidencial com detalhes dos primeiros passos do levante. A rebelião fora testemunhada por Leo B. Hallivel, cidadão americano que se encontrava, por acaso, de passagem por Aracaju. Ao chegar a Salvador, Hallivel procurou o cônsul Omer Brett para contar o que viu. O governador fora preso e a entrada do porto estava bloqueada por barcaças, afundadas pelos rebeldes, para impedir a aproximação dos navios da Marinha. O cais está protegido, em toda a sua extensão, por trincheiras armadas com metralhadoras pesadas. Ao lado das tropas amotinadas podem ser vistos também muitos jovens, com pouco mais de 15 anos, armados com fuzis. A população, de acordo com o depoimento de Hallivel, "estava entusiasmada com a revolução, embora o mesmo não se observasse com os soldados", que alegavam terem sido obrigados a participar do levante pelos oficiais.[114]

O denso nevoeiro que protegia São Paulo durante toda a manhã há muito se dissolveu. Por volta do meio-dia, o sol pode ser visto, espreguiçando-se entre as nuvens, aumentando ligeiramente a temperatura e animando alguns comerciantes a reabrirem as portas cerradas há dois dias. Bares, padarias e armazéns de comestíveis são os primeiros a funcionar, logo depois do almoço. As calçadas ficam cheias de gente; em sua maioria, operários à procura de notícias sobre os furiosos combates que continuam na periferia da cidade. Desde as onze da manhã o tráfego de bondes fora restabelecido, ainda que de forma precária, para quase todos os bairros, à exceção da Mooca e do Brás, onde os trilhos e a rede elétrica foram estraçalhados pelo bombardeio.

Às duas da tarde a população corre, mais uma vez, enlouquecida pelas ruas. O ataque aéreo ainda não começou, mas já se pode ouvir ao longe o rouquejar abafado dos aviões. A cidade fica novamente paralisada pelo medo, à espera do bombardeio. Passageiros saltam dos bondes e se refugiam embaixo de marquises, como se estas pudessem oferecer algum tipo de proteção. Motoristas, atormentados com a aproximação dos aviões, que estão cada vez mais perto, abandonam carros e caminhões no meio da rua e correm para o interior das lojas. O barulho dos motores é ensurdecedor. É possível ver, entre as nuvens escuras, dois grandes aviões do Exército tomando a direção do bairro da Mooca.

Tensa, com os olhos pregados no céu, a população acompanha angustiada o vôo pesado e arrastado dos bombardeiros. Como se obedecendo a um único comando, os aviões despejam, de uma só vez, a carga que levam aninhada sob as asas. A terra estremece e os prédios balançam com as explosões. Parece, porém, que as bombas não conseguiram acertar o alvo. Pela posição em que caíram, os objetivos escolhidos deviam ter sido a Fábrica Antárctica, ainda em poder dos rebeldes, e a estação da Luz, que vem sendo utilizada como quartel-general. As bombas, ao que tudo indica, foram lançadas sobre quarteirões completamente desertos. Mas o bombardeio, apesar de não provocar baixas entre a população civil e as forças revolucionárias, consegue produzir um grande incêndio. Uma das bombas de 20 quilos caiu sobre uma fábrica abandonada onde funcionava um velho depósito de carvão. Como nos dias anteriores, o ataque durou também pouco mais do que cinco minutos, mas o impacto psicológico sobre os habitantes é forte, trágico.

O Alto-Comando revolucionário está agora reunido para examinar as implicações políticas e militares do ultimato que o Governo federal deu aos rebeldes. Sobre a mesa do general Isidoro estão folhetos lançados sobre a cidade por um dos aviões legalistas, exortando a população a abandonar a capital diante da ameaça de um bombardeio ainda mais brutal:

"À população de São Paulo. As tropas legais precisam agir com liberdade contra os sediciosos, que se obstinam em combater sob a proteção moral da população civil, cujo doloroso sacrifício nos cumpre evitar. Faço à nobre e laboriosa população de São Paulo apelo para que abandone a cidade, deixando os rebeldes entregues à sua própria sorte. É esta uma dura necessidade que urge aceitar como imperiosa para pôr termo, de vez, ao estado de coisas criado por essa sedição que avilta os nossos créditos de povo culto. Espero que todos atendam esse apelo, como é preciso, para se pouparem aos efeitos das operações militares que, dentro de poucos dias, serão executadas.

Rio de Janeiro, 24 de julho.
General Setembrino de Carvalho, ministro da Guerra."[115]

Embora o comunicado não faça referência explícita a um ataque aéreo, os rebeldes sabem que o Governo federal se prepara para bombardear a cidade com uma tempestade de ferro e fogo. Uma das possibilidades é de que ataquem São Paulo com todos os aviões ao mesmo tempo. O Exército trouxera do Rio o que havia de mais moderno na aviação militar: seis fantásticos bombardeiros Breguet, de fabricação francesa, com motor Renault de 300 HP, com 12 cilindros, além de 2 caças Spad, americanos, capazes de desenvolver 200 quilômetros por hora. O poder de fogo desses aviões é assustador. O Breguet é equipado com uma metralhadora inglesa fixa, ponto 303, espetada na parte da frente, e duas metralhadoras móveis, geminadas, na parte de trás. Comandado por dois tripulantes, um piloto e um atirador, esse avião podia ainda carregar seis bombas de 20 quilos em cada asa. Os caças americanos, mais ágeis, dispõem de metralhadoras Vickers ponto 303, arma extremamente eficiente nas missões de ataque ao solo.[116] Com esses aviões, o Exército pode reduzir São Paulo a uma montanha de escombros.

No leito das trincheiras cercadas de arame farpado, os rebeldes ainda comentam um comunicado divulgado pelo Alto-Comando, através dos jornais, com o objetivo de elevar o moral da tropa. Muitos soldados, analfabetos, aproveitam-se da trégua momentânea imposta pelo entardecer para se inteirar melhor, junto aos que sabiam ler, das promessas publicadas pela imprensa:

> *"Terminada a revolução, cada um dos combatentes receberá como gratificação especial a quantia de um conto de réis e mais um lote de terras férteis, com 50 hectares, em núcleos coloniais ou à margem de estradas de ferro ou de rodagem, em qualquer ponto da União. (...) O Governo provisório, uma vez terminadas as operações militares, prestará todo auxílio para o transporte das famílias dos combatentes, quer deste ou de outros estados, para as localidades onde desejarem fixar residência (...). Terão direito às mesmas vantagens aqueles que, iludidos, se encontram nas fileiras governistas e que venham a se incorporar às fileiras revolucionárias."*

O nevoeiro forte que se espraia pela cidade assim que escurece traz consigo o frio e uma trégua que se impôs, naturalmente, ao longo de todas as frentes de combate, diante da impossibilidade de os dois lados se enxergarem, por causa da neblina. No QG revolucionário, os oficiais ainda não sabem como evitar o massacre que ameaça chegar pelo céu.

Sábado, 26 de julho

A madrugada é pontuada por disparos esparsos, pelos lados da Liberdade e do Cambuci, produzidos por sentinelas nervosas e sonolentas que se assustaram com as sombras do nevoeiro. Os rebeldes e as tropas legalistas dormem mais uma vez esparramados pelas trincheiras, protegendo-se do frio intenso embrulhados em jornais, trapos, capas e cobertores de lã.

Apesar de a névoa úmida ainda manter a cidade como refém, o movimento nas oficinas da São Paulo Railway é intenso desde as primeiras horas da manhã. Os rebeldes querem se aproveitar do nevoeiro para tentar surpreender o Exército com mais uma alucinante incursão do trem blindado até a estação de Vila Matilde. Os engenheiros alemães não entendem por que os ferroviários impedem que esse trem seja empurrado por uma locomotiva ainda mais possante e veloz, como a 340, fabricada pela American Locomotive Company, capaz de desenvolver até 80 quilômetros por hora. Como o intérprete ainda não chegou, os trabalhadores estão encontrando dificuldades em explicar que a 340 não é uma locomotiva qualquer. Além de ser a menina dos olhos dos funcionários da Estrada de Ferro Central do Brasil, é também a locomotiva mais famosa do Brasil. Bonita, fogosa e elegante, com os metais sempre impecavelmente polidos, é considerada a rainha das locomotivas brasileiras. Os próprios passageiros a chamam pelo apelido de *Zezé Leone*, em homenagem à Miss Brasil 1923. Por isso não permitem que *Zezé* corra o risco de sofrer qualquer arranhão.[117]

O impasse só é resolvido às oito da manhã, com a chegada do intérprete. Meia hora depois, o trem deixa a Estacão da Luz empurrado por uma modorrenta locomotiva inglesa custodiada por dois vagões blindados. Os rebeldes, sob o comando do coronel João Francisco, pretendem mais uma vez arrasar os contingentes do Exército acantonados em Vila Matilde com uma barragem de tiro, maior do que a do primeiro assalto. Além da metralhadora pesada, instalada na torre do vagão da frente, os soldados vão atirar pelas vigias com metralhadoras leves, em vez de usarem fuzis, como da primeira vez. O poder de fogo do trem é surpreendente.

Com os vagões estufados de munição, a composição deixa a Estação do Norte lentamente. Os cilindros soltam um jato de vapor, e o trem vai, aos poucos, se perdendo na neblina esgarçada pelos primeiros raios de sol.

O trem blindado avança a toda velocidade em direção a Vila Matilde. No primeiro cruzamento, ainda perto da estação, o maquinista vê, próximo dos trilhos, um carro de passeio com as lanternas acesas, e puxa o apito a vapor. O trem reduz a marcha ao passar pelo cruzamento; o automóvel está parado, com o capô aberto e as cortinas traseiras fechadas. Através dos aros da roda dianteira, o maquinista consegue ver que alguém se move embaixo do motor. Um homem de chapéu de feltro enfia a cabeça pela janela para ver o trem passar. A visão da massa de ferro que vai crescendo, aos poucos, dentro do nevoeiro, é assustadora.

Há duas horas o cônsul Haeberle e seu colega britânico estão ali, com o automóvel enguiçado, enquanto o motorista tenta desesperadamente consertar a embreagem do carro. A passagem do trem artilhado, com seis vagões blindados, aumenta ainda mais a preocupação de Haeberle. Ele e Patron estavam a caminho de Vila Matilde, a fim de negociar salvo-condutos para que um grupo de ingleses e americanos possa sair de São Paulo antes que a cidade volte a ser bombardeada pelo Governo. O plano é levar de uma só vez todos os refugiados de trem para Santos, através de São Bernardo, de onde seguiriam depois de navio para o Rio de Janeiro.

No dia 24, Haeberle acompanhara pessoalmente cerca de 20 americanos até ao QG do Exército, em Guaiaúna, para que pudessem viajar de carro para Santos, sob a proteção do Governo federal. Agora, cumpria instruções especiais do Departamento de Estado, através da Embaixada americana, para retirar todos os americanos de São Paulo, no mais curto período de tempo possível. As instruções lhe foram transmitidas, há dois dias, por intermédio do Consulado de Santos. O Governo americano está preocupado com as notícias sobre a preparação de um grande bombardeio aéreo para expulsar os rebeldes da cidade. Haeberle havia publicado um anúncio nos jornais solicitando que a colônia americana entrasse em contato com o Consulado com o máximo de urgência. Antes de receber a ordem para retirar os refugiados, ele organizara um plano de emergência com a ajuda de alguns industriais americanos. As fábricas da Armour e da Continental Products, por se encontrarem longe da cidade e, portanto, fora do alcance da artilharia do Exército, seriam utilizadas como uma espécie de abrigo provisório, tanto pelas famílias americanas como pelas inglesas, até que cessassem definitivamente as hostilidades.[118]

Haeberle desce do automóvel e pergunta ao motorista se vai levar ainda muito tempo para reparar o defeito. A resposta é desanimadora: ele acha que o carro não tem mais condições de continuar a viagem até Guaiaúna.

Em seu QG da Luz, o general Isidoro observa, ao lado de alguns oficiais, o embarque de milhares de retirantes para o interior. O prefeito de Campinas lhe telegrafara na noite anterior fazendo um apelo dramático: que não autorizasse a partida de trens para a cidade porque a prefeitura não dispunha de recursos para continuar abrigando refugiados, que já chegavam a mais de 100 mil.

Isidoro puxa do bolso seu relógio Walthanan, com uma pesada corrente de ouro, e aperta os olhos para ver melhor as horas. São nove e quinze. O trem blindado deve estar quase chegando à estação de Vila Matilde.

Ele se dirige para as oficinas, a fim de acompanhar a construção de alguns carros de assalto que estão sendo montados sobre a carroceria de caminhões. No caminho, é alcançado por Emigdio Miranda. O ex-cadete, nervoso, lhe exibe um exemplar de *O Paiz* do dia 25, que chegara do Rio pelas mãos de um caixeiro-viajante. A notícia estampada na primeira página põe o general visivelmente tenso:

> *"Um avião dos sediciosos levantando vôo de São Paulo seguiu rumo a Taubaté e, perseguido por aviões das tropas legalistas, aterrou em um brejo, a três léguas da cidade de Cunha, onde foi capturado."*

A missão de Eduardo Gomes, pelo visto, frustrara-se. O jornal não diz se fora preso ou se conseguira escapar. Isidoro franze a testa, levantando as sobrancelhas, corrige a posição dos óculos e corre os olhos pelo resto do noticiário. Na primeira página, do lado direito, encontra o texto do panfleto que os aviões atiraram sobre São Paulo, pedindo que a população abandone a cidade.

Isidoro lê, mais uma vez, o comunicado assinado pelo ministro da Guerra e se afasta em silêncio, levando o jornal dobrado embaixo do braço. Os oficiais, atordoados com o fracasso da missão Eduardo Gomes, seguem-no como uma sombra. O chefe da revolução vai convocar uma reunião urgente do Estado-Maior para examinar a situação. Há vinte e quatro horas que o comunicado do general Setembrino não lhe sai da cabeça.

Nas ruas do centro, operários de olhos fundos, rostos cansados e barba por fazer, esgotados por intermináveis discussões, distribuem volantes recém-impressos, ainda cheirando a tinta, exortando a classe trabalhadora a lutar também contra o Governo:

> *"Ao proletariado em geral!*
> *Convida-se o proletariado para uma reunião neste sábado, 26 do corrente, à rua Wenceslau Brás, 19, às 14 horas, onde ficará definitivamente assentado o seu concurso moral e material em favor da revolução que ora sacode este estado ao caminho de um amanhã de mais liberdade, justiça e bem-estar para as classes oprimidas.*
> *(ass.) O Comitê Operário."*[119]

O bombardeio de São Paulo, iniciado pela artilharia e agora realizado com o apoio da aviação, também provoca explosões de revolta e indignação contra o Governo entre a população civil. Em vez de se voltarem contra os rebeldes, como imaginara o Exército, os habitantes, a cada dia que passava, se engajavam ainda mais no movimento revolucionário. Os jornais estão cheios de cartas dos leitores apoiando a revolução. *O Estado de S. Paulo* publica, no dia 22:

> *"A contemplação, o oportunismo e a neutralidade, nesta fase da vida nacional, não é e nem pode ser compatível* [sic] *com a dignidade dos brasileiros. Seja pelas armas, os que puderem; seja pela palavra, seja pela*

pena, seja pelo auxílio pecuniário, uma definição de atitudes se impõe: ou pela ditadura ou pela liberdade republicana.
Eu sou pela liberdade!
(ass.) Christovão Correia de Sá (comerciante)."

"Nem sempre as leis do Governo exprimem e amparam os direitos e os legítimos interesses do povo governado. (...) Quando o governo é uma burla, quando a eleição é uma farsa, torna-se o Governo o que poderíamos chamar de um odioso símbolo de ilegalidade. (...) E é pela História que verificamos que não é sem sangue, sem sofrimentos e sem sacrifícios que se constrói uma grande nação. (...) Diante dos acontecimentos, a neutralidade dos nacionais é impatriótica e criminosa.
(ass.) Luiz Silveira Mello (advogado)."

Faltam cinco minutos para o meio-dia quando se ouve, ao longe, o lamento do apito a vapor, duas notas curtas e uma comprida, anunciando a passagem pela cancela onde ainda se encontra o automóvel do cônsul americano, com três homens debruçados sobre o motor.

O general Isidoro interrompe a reunião e sai da sala junto com os oficiais. O grupo caminha apreensivo até a plataforma para ver a chegada do trem. A locomotiva lança uma nuvem de fumaça escura, a pressão da caldeira diminui; a máquina vai reduzindo aos poucos a velocidade ao se aproximar da gare. O maquinista toca mais uma vez o apito: duas notas longas, uma curta, outra comprida.

Pode-se perceber, mesmo de longe, que aconteceu alguma coisa de errado com o trem. Quase não se vê a metralhadora, na altura do teto, por causa do rombo enorme na parede do lado direito. O vagão da frente ligeiramente inclinado para a direita, com a blindagem enrugada, como se o tivessem torcido com as mãos, não pertence ao trem do coronel João Francisco, mas à segunda composição blindada que partira, em seguida, como escolta.

O trem de João Francisco caíra numa emboscada preparada pelo Exército, a quinze minutos da estação da Luz. Na primeira parada, depois da Mooca, nas imediações dos armazéns da Estrada de Ferro

Central do Brasil, o maquinista da locomotiva percebeu que a chave do desvio estava aberta. Ao descer para fechá-la, João Francisco e seus homens viram-se diante de uma cilada. Incrustada no Morro da Penha, a artilharia do Governo com dois disparos certeiros explodiu o vagão blindado com paredes duplas de madeira; com o impacto, a locomotiva tombou. João Francisco é atingido por 54 estilhaços de granada.[120]

Os sobreviventes foram recolhidos pelo outro trem blindado que vinha atrás. Ao prestar socorro aos feridos, a composição foi também atingida pelos canhões. O vagão da frente, apanhado em cheio, quase foi arrancado dos trilhos. Com invejável perícia, o maquinista conseguiu escapar do fogo cruzado imprimindo marcha à ré. Apesar do sucesso da manobra, a composição ainda foi alvejada por mais duas granadas; um sargento e três soldados morreram, outros seis ficaram feridos, inclusive o foguista, alcançado no ombro de raspão por uma bala de fuzil.[121]

Descalço, com o dólmã aberto e sangrando muito, João Francisco é retirado do trem que o socorreu por dois enfermeiros da Força Pública. Por pouco ele também não morreu no ataque à composição que o conduzia ferido. Para sustar a hemorragia provocada por um corte profundo na perna direita, os soldados têm que improvisar um torniquete com um pedaço da própria calça do oficial. A maioria dos ferimentos está localizada no rosto e no peito. O estado do coronel é grave. Apesar do olhar embaçado e distante, ele está consciente, lúcido.

A ambulância da polícia deixa o QG da Luz, com os faróis acesos, em direção ao Hospital da Santa Casa. No carro de trás, seguem vários soldados e dois oficiais do Estado-Maior.

Ao ver um velho companheiro assim, tão gravemente ferido, o chefe da revolução não consegue dissimular a tristeza e a emoção diante de tanto horror e sofrimento. As virtudes que mais admirava em João Francisco eram a coragem e a ousadia. Isidoro ainda se recorda do bilhete que ele lhe enviara, na manhã do dia 22, relatando um dos ataques por ele realizados durante a madrugada com o trem blindado:

"Atravessei as linhas inimigas e eles fugiram espavoridos. Cessou o canhoneio e se eu tivesse forças suficientes teria me apoderado de quatro canhões que eles abandonaram."[122]

Depois que a ambulância parte, Isidoro se deixa ficar na plataforma, parado, sozinho, de olhos fechados, vendo desfilar entre as suas lembranças as decisões que ele e o coronel João Francisco tomavam sempre juntos, desde a época em que a revolução ainda era um desejo. Momentos que ainda permanecem vivos, como se o tempo não os tivesse levado consigo.

— General, temos notícias do Eduardo Gomes.

A voz de Emigdio Miranda explode na plataforma e devolve o general à realidade. Apesar da delicadeza da situação, Emigdio não esconde a alegria ao revelar que Eduardo Gomes e o piloto Carlos Herdler conseguiram fugir depois de realizar um pouso de emergência. Durante a viagem, o avião sofreu superaquecimento no motor, por problemas no radiador, e foi obrigado a descer num brejo.

— Os dois estão bem e deverão chegar dentro de um ou dois dias.

A informação chegara ao QG trazida por um lavrador que esteve pessoalmente com Eduardo Gomes e o piloto logo depois que abandonaram o avião. O homem contou que os dois só não foram presos porque o tenente Eduardo Gomes era dono de surpreendente presença de espírito. Além de convencer o delegado de que estava diante de um oficial legalista, ainda proibiu que qualquer pessoa se aproximasse do Oriole, porque havia o risco de explosão.

Emigdio imita a voz e o jeito tímido e distraído de Eduardo Gomes falar·

— O senhor deve manter esta área interditada até receber instruções superiores. O Exército vai mandar ainda hoje técnicos para retirar os explosivos que estão no avião.

— Sim senhor, meu comandante. Não vou deixar ninguém chegar perto dessa coisa...

Isidoro não consegue conter o riso diante da coreografia de gestos e expressões que Emigdio utiliza, com raro senso de humor, ao reproduzir a conversa do tenente rebelde com o delegado caipira. O general deixa escapar um riso largo quando ouve Emigdio contar que, enquanto o local era isolado por uma força policial, Eduardo Gomes se afastava tranqüilamente da cidade, montado num cavalo cedido pelo prefeito de Cunha.[123]

O episódio é duplamente salutar: além de contribuir para desanuviar o clima pesado causado pela trágica emboscada sofrida pelo coronel João Francisco, devolve, por alguns momentos, a presença querida de Eduardo Gomes, que muitos já acreditavam morto.

Nas oficinas da Luz, os engenheiros alemães, inconformados com o desastre do trem blindado, estão cerzindo as lições recolhidas com esse ataque para dar o troco na mesma moeda. Eles querem agora oferecer um brinde noturno ao general Sócrates, despachando uma *locomotiva maluca* em direção a Vila Matilde.

Do outro lado da cidade, pelas ruas do Belenzinho, os combates prosseguem preguiçosamente, com tiros esparsos e rajadas de metralhadora. Não ocorreu a ofensiva avassaladora planejada pelo Exército. O ataque surpresa com blindados, que prometia mudar o curso da batalha em questão de horas, por pouco não se transformou também num grande desastre. Logo após as primeiras vitórias, quando boa parte das tropas revolucionárias debandou, os tanques viram-se, de repente, diante de um inimigo experiente e não mais conseguiram prosperar. Desde a manhã de quinta-feira que eles estavam com o seu caráter ofensivo anulado. Os batalhões estrangeiros, além de cavarem fossos de dois metros de profundidade, para conter o avanço dos tanques, quase conseguem capturar dois blindados que se desgarraram do resto da tropa e se atreveram a penetrar sozinhos em território inimigo.

O Exército tinha repetido, em Belenzinho, o mesmo erro que os ingleses haviam cometido em 1916, durante a batalha do Somme, na França, ao lançarem os tanques sobre as tropas alemãs sem o apoio maciço da infantaria. Os batalhões estrangeiros, que haviam aprendido a enfrentá-los na Europa, cercaram rapidamente os blindados a fim de atacá-los por trás. Alguns alemães chegaram a trepar nos tanques para tentar abrir as escotilhas e matar os seus ocupantes, como ocorreu na Primeira Grande Guerra, quando centenas de blindados ingleses foram também lançados de surpresa na frente de batalha.

Além de não poderem disparar para os lados, porque a torre do canhão é fixa e só pode atirar numa única direção, os tanques franceses adquiridos pelo Exército são também extremamente lentos, desenvolvem pouco mais de dez quilômetros por hora. Para evitar que se transformassem em presa fácil no Belenzinho, os oficiais legalistas acharam melhor recuá-los para impedir que fossem destruídos ou aprisionados pelo batalhão alemão.[124]

A *locomotiva maluca* recebe os últimos ajustes antes de partir enlouquecida. A fornalha recebeu uma superalimentação de carvão e a caldeira está na pressão máxima. O maquinista empurra a alavanca, liberando o vapor, solta o freio e pula na plataforma, abandonando a locomotiva. A máquina vai deslizando sozinha, ganhando velocidade aos poucos, até se perder na escuridão. O tender, usado para o transporte de lenha ou carvão, está carregado: leva cerca de duzentos quilos de dinamite.[125]

Em sua residência, o presidente da Associação Comercial acolhe emissários dos rebeldes. Um deles, o capitão João Jesus, chefe do Serviço de Abastecimento das Forças Revolucionárias, comunica a José Carlos de Macedo Soares a decisão tomada, poucas horas antes, pelo general Isidoro e o seu Estado-Maior. Os rebeldes deporão as armas e abandonarão a cidade em uma semana se o Governo federal conceder anistia aos revolucionários que participaram desta rebelião e do levante do Forte de Copacabana, em 1922. Para se entregar, Isidoro e seus oficiais impõem outra condição: que o presidente da República também renuncie.

O capitão Jesus esclarece que os rebeldes dispõem de armas e munições para prolongar a ocupação da cidade por mais de um mês, mas o general Isidoro não quer a destruição de São Paulo. Os rebeldes pedem, por isso, uma trégua de 48 horas para que o general Abílio de Noronha, ex-comandante da 2ª Região Militar, possa ir a Guaiaúna ou ao Rio de Janeiro negociar a rendição em nome do general Isidoro.

Os oficiais retiram-se por volta da meia-noite. Macedo Soares dirige-se à biblioteca para escrever duas cartas com as exigências impostas pelos rebeldes: uma ao general Sócrates, outra ao presidente Carlos de Campos. Elas serão entregues, no dia seguinte, em Guaiaúna, por um portador de sua absoluta confiança, o jornalista Paulo Duarte, que deverá trazer em seguida a resposta do Governo.[126]

Domingo, 27 de julho

Os técnicos alemães estão desolados com a notícia que receberam, pela manhã, assim que chegaram ao QG instalado na Estação da Luz. A *locomotiva maluca* não conseguiu atingir o alvo. Os soldados do Exército aprenderam a lição: arrancaram os dormentes e a máquina descarrilou sem explodir a dinamite. Os oficiais do Estado-Maior e os técnicos estrangeiros reúnem-se em uma das plataformas da estação para discutir alternativas que possam, pelo menos, conter o avanço das tropas do Governo por mais alguns dias. Os alemães estão preocupados com a ameaça estampada na primeira página do *Jornal do Commércio* no qual o Consulado alemão lembra aos nacionais "que, de acordo, com a legislação da Alemanha, perdem a nacionalidade alemã todos aqueles que aceitarem emprego de um Governo estrangeiro ou entrarem a serviço militar de potência estrangeira". O Consulado já se manifestara contra o envolvimento cada vez maior de alemães com o movimento revolucionário. No início, fora uma advertência, uma condenação meramente formal, de natureza ética e sem ameaças, um convite aos alemães radicados em São Paulo a fazerem uma reflexão sobre a atitude que estavam tomando. Desta vez, o Consulado ameaçava castigar os integrantes do Batalhão Alemão com a perda da cidadania.

Às oito da manhã, o carro do jornalista Paulo Duarte, com duas bandeiras brancas espetadas no pára-lama dianteiro, já está a caminho do QG das forças legalistas, em Guaiaúna. Ele é portador das duas cartas do presidente da Associação Comercial. Paulo Duarte sabe que elas representam a última esperança dos rebeldes de conseguirem uma trégua honrosa.

Na carta ao general Sócrates, Macedo Soares chama a atenção para aspectos que considera extremamente graves: "Os operários agitam-se e as aspirações bolchevistas manifestam-se abertamente. Será mais tarde, pelos sem-trabalho, tentada a subversão da ordem pública. (...) A continuação da luta (...) acarretará por certo a falência do país, além da morte de muitas dezenas de milhares de civis inermes e de valorosos militares de parte a parte."

Na carta a Carlos de Campos, Macedo Soares, além de anexar cópia da mensagem enviada ao general Sócrates, pede a intervenção do presidente de São Paulo para que as negociações cheguem a bom termo: "Como patriota desinteressado, e como paulista, faço um apelo à sua esclarecida inteligência para que interponha a sua prestigiosa atuação, no sentido de ser logo encerrada a página mais negra e mais cruciante de nossa terra."[127]

Depois de peregrinar durante várias horas pela periferia de São Paulo, o jornalista consegue atravessar as linhas legalistas e alcançar, em segurança, a vila de São Bernardo. Ao longo da estradinha de terra que desemboca em Guaiaúna, Paulo Duarte vai encontrando levas de refugiados, em sua maioria habitantes do bairro da Penha, que dois dias antes foram escorraçados de São Paulo pela artilharia do Governo. Nas duas margens do caminho podem ser vistas, ao longe, imensas barracas de lona que abrigam centenas de famílias, na maioria italianas, enxotadas do Brás pelos canhões do Exército. A multidão de crianças e mulheres a circular entre as barracas à procura de água e comida exprime a dimensão da crueza e a impiedade do bombardeio que há quinze dias castiga a população de São Paulo.

Acarpetado de poeira, Paulo Duarte alcança o QG legalista, em Guaiaúna. As duas bandeiras brancas que tremulam nos pára-lamas dianteiros mudaram de cor: estão ligeiramente avermelhadas por causa da nuvem de barro que o acompanhou durante toda a viagem. Paulo Duarte desce do carro, dá alguns tapinhas no paletó para espantar a poeira e caminha em direção à estação ferroviária. Na plataforma, com a locomotiva ainda resfolegante, está o trem especial que o Governo de São Paulo utiliza desde o dia 9 como sede provisória.

Sentado em uma cadeira de palhinha, em frente ao vagão-dormitório, o presidente Carlos de Campos lê a edição de sábado de *O Paiz*. Nela, o Governo federal admite, pela primeira vez, que estão sendo empregados aviões militares contra as forças revolucionárias. A informação figura em uma notinha curta, num canto de página, e omite a extensão e os danos que os ataques vêm causando à cidade e a seus habitantes: "Os nossos aviões bombardearam, com excelentes resultados, as posições dos rebeldes. As tropas legais avançaram consideravelmente, em todas as frentes, tomaram metralhadoras, fuzis, muita munição e fizeram cerca de 60 prisioneiros."

Carlos de Campos vê o jornalista aproximar-se, dobra o jornal e o cumprimenta friamente, com um aceno de cabeça, sem lhe estender a mão. Depois, ergue o corpo pesado com uma expressão de enfado e o convida a acompanhá-lo até o vagão que utiliza como escritório. Campos se deixa afundar num sofá, ajeita melhor o corpo entre as almofadas e começa a abrir o primeiro envelope. A ponta da espátula de prata rompe lentamente o lacre vistoso da Associação Comercial que garantia o sigilo da correspondência. Ao ler as primeiras linhas da cópia da carta endereçada ao general Eduardo Sócrates, explode, enraivecido:

— Absolutamente. Aos revoltosos, nada!

Com expressão debochada, volta-se para o secretário de Justiça, que acaba de entrar no vagão:

— Leia isso, Bento, é uma carta do José Carlos pedindo um armistício e anistia para os revoltosos... Eu nem respondo a essa carta!

Paulo Duarte intervém:

— Mas, doutor Carlos, Vossa Excelência está interpretando mal o procedimento do doutor José Carlos. Ele tem se sacrificado muito em defesa da população pobre de São Paulo...

— Pois então diga a ele que a resposta é essa: vou mandar intensificar o bombardeio...

De pé, exaltado, a gesticular com a carta na mão, o presidente de São Paulo dá por encerrada a conversa.

— Bento, vamos almoçar que já é tarde.[128]

Surpreso com a reação de Carlos de Campos, Paulo Duarte, embaraçado com o inesperado desfecho, despede-se rapidamente; inclina o corpo em sinal de respeito e sai do vagão. Atordoado com o episódio, Duarte afasta-se da estação a passos largos, em direção ao seu automóvel. No meio do caminho, por desencargo de consciência, pede que um oficial entregue ao general Eduardo Sócrates a mensagem a que o presidente de São Paulo fez questão de responder antes que seu destinatário a recebesse.

Às cinco e meia da tarde Paulo Duarte chega a São Paulo com a resposta do Governo. Só há para o caso uma solução: a militar. Nenhuma voz, a partir de agora, pode fazer-se ouvir. Falarão apenas os canhões, já que se esgotaram todas as chances de um acordo negociado.

O presidente da Associação Comercial esperava ansioso o regresso de Paulo Duarte a fim de comunicar o resultado da proposta de anistia ao general Isidoro. Durante a viagem de carro para o QG da estação da Luz, Macedo Soares vai ouvindo o relato da conversa do jornalista com o presidente do estado e imagina a cidade sob o impacto do bombardeio aéreo prometido pelo ministro da Guerra. A antevisão de São Paulo consumida pelas chamas do ódio e da intransigência estimula-o a não desistir de encontrar uma alternativa que evite a destruição da cidade.

A conversa com o chefe da revolução é rápida e objetiva. Isidoro revela que não esperava outro tipo de decisão do Governo. Amável e com a expressão do rosto denunciando cansaço, diz que pretende evitar de todas as maneiras que a população seja sacrificada por um bombardeio ainda mais inclemente. Observa que justamente naquele momento, quando os rebeldes tentavam negociar a paz, os ódios e as vinganças parecem cada vez mais acesos.

A voz que raramente mudava de tom enche a sala do gabinete, mas é logo abafada pelo barulho surdo que chega da estação, onde a movimentação intensa da tropa é iluminada pelo clarão de pequenas lanternas de azeite espalhadas pela plataforma. Isidoro aperta a testa, levantando as sobrancelhas, e comete uma inconfidência:

— Permitir a destruição de São Paulo seria uma das maiores ingratidões com um povo que soube compreender a nobreza dos nossos ideais. Entre permanecer e ver aumentar ainda mais o sofrimento da populacão, preferimos partir.[129]

Macedo Soares e Paulo Duarte deixam o QG apreensivos. Ao descerem a escadaria de mármore em direção ao imponente *hall* de entrada da estação, são alcançados por um soldado, que se aproxima do jornalista e lhe transmite um recado de Isidoro pedindo que volte mais tarde:

— Diga ao general que às oito horas estarei aqui.

7

PILHAGEM EM SÃO PAULO

Duas horas depois Paulo Duarte retorna ao QG, instalado num grande salão no primeiro andar da estação. Vários trens estacionados ao longo da gare, com dezenas de vagões, são carregados, um a um, pelos soldados. Metralhadoras, canhões, automóveis, está tudo sendo embarcado. Do lado de fora da estação, continuam chegando caminhões de bairros distantes com mais soldados, armas e munições recolhidas nos quartéis da Luz e em outros locais. A retirada está começando.

Um soldado conduz o jornalista à sala onde Isidoro está reunido com os oficiais do seu Estado-Maior. O general toma-o pelo braço, os dois caminham juntos até um canto da sala, de onde podem observar, pela janela, os soldados a carregar os vagões. Isidoro está comovido:

— Quero dizer-lhe o seguinte: retiro-me de São Paulo hoje, com toda a tropa. Jamais sacrificaríamos uma cidade como esta por uma causa injusta. O nosso ideal é o de todo aquele que seja um bom brasileiro: queremos ver o país nas mãos de administradores honestos e com sentimentos de justiça.

Isidoro interrompe a conversa e se aproxima da janela. Através dos vidros acompanha, por alguns momentos, em silêncio, o esforço de um grupo de soldados em arrastar um canhão de 105 milímetros para o interior de um dos vagões. A luz trêmula das lanternas dá um tom melancólico e triste à cena, que também é acompanhada, em silêncio, pelos outros oficiais que estão na sala. O general pousa a mão direita no ombro do jornalista e retoma o fio da conversa:

— Você assistiu a tudo quanto fizemos e sabe que, se se registraram fatos reprováveis e mesmo crimes, foram praticados sem a nossa cumplicidade e a nossa sanção, por elementos que surgiram durante a guerra. Podemos ter errado, mas de boa-fé, ao passo que os salteadores da pátria são reincidentes nos crimes que vêm degradando este arremedo de República.

Isidoro caminha até a mesa de trabalho, onde o tinteiro aberto abriga a pena da caneta ainda levemente umedecida, ao lado do mata-borrão. Abre uma gaveta e entrega a Duarte a proclamação que acabara de redigir ao povo de São Paulo. Pede que o documento manuscrito seja publicado nos jornais da manhã seguinte:

"Aos paulistas. A gratidão que devemos à população de S. Paulo obriga-nos a descobrir as baterias. Nosso objetivo fundamental era e é a revolução no Brasil que elevasse os corações, que sacudisse os nervos, que estimulasse o sangue da raça enfraquecida, explorada, ludibriada e escravizada. Para isso era necessário um fato empolgante como o da ocupação da capital paulista.(...) Tudo isso está feito, e nós vamos continuar o movimento libertador no Brasil, tal qual o fizeram os libertadores da América do Sul e Central. A semente está plantada (...) e já antevemos que conseguimos matar o marasmo político que avassalou o Brasil. Assim abandonaremos, com saudades, São Paulo, (...) a cidade do catolicismo, e continuamos nossa missão já agora completamente conhecida, perlustrando todos os pontos do Brasil, com os intentos manifestados na nossa proclamação.
E não haverá bombardeio da cidade.
Pela República republicana— todos os nossos esforços.
(ass.) General Isidoro Dias Lopes."

Ao deixar a sala, depois de se despedir do chefe da revolução e dos outros oficiais, Paulo Duarte é abordado na porta do gabinete pelo tenente Simas Enéas, que lhe entrega um pequeno embrulho com a recomendação de que seja entregue ao cônsul italiano.

— É uma caixa de jóias recolhida de uma família que morreu, na rua Itapira número um, quando a casa foi bombardeada no Brás. Tínhamos em nosso poder vários valores assim obtidos, mas que já foram entregues a quem de direito. Estas, porém, não foram reclamadas, e, por isso, peço entregá-las ao cônsul. No interior da caixa existem ainda alguns documentos que foram encontrados nessa mesma casa.[130]

Na estação da Luz, as tropas não param de chegar. Muitos soldados feridos, retirados dos hospitais, estão sendo agora embarcados de padiola, em vagões fechados, para transporte de carga, transformados em enfermaria. Entre as centenas de feridos está o coronel João Francisco. Os combatentes que descem dos táxis e caminhões exibem aspecto desolador, uniformes sujos e esfarrapados, por causa das semanas seguidas em que permaneceram lutando, dentro das trincheiras. O embarque é lento e disciplinado, sem atropelos. Há visível zelo com a arrumação da tropa pelos vagões.

Segunda-feira, 28 de julho

O dia ainda não amanheceu, mas as tropas legalistas, protegidas pela neblina, avançam rapidamente, esgueirando-se pelas calçadas, para surpreender os rebeldes com uma carga de baionetas e iniciar a invasão da cidade. As trincheiras revolucionárias, vistas de longe, parecem defendidas por soldados cansados e sonolentos, que descansam sobre os fuzis, sem terem ainda percebido a aproximação das forças do Governo. O ataque é rápido e fulminante. A lâmina das baionetas afunda uma, duas, três vezes, atravessa impiedosamente os uniformes rasgados e enlameados, mas os rebeldes não reagem. Os soldados do Exército estão golpeando manequins, retirados das vitrinas, e degolando bonecos de palha vestidos com uniformes militares.[131]

Há muito que as forças revolucionárias tinham deixado a capital. Às três da manhã, uma tripa interminável de vagões, formada por 16 trens atulhados de homens, cavalos, automóveis, forragens, caminhões, armas e munições, partira da gare da Luz em direção a Campinas e Bauru. Isidoro pretende concentrar o seu pequeno exército longe de São Paulo e reiniciar a luta contra Bernardes a partir das barrancas do rio Paraná.

A cidade é de repente despertada com o repique de sinos e o apito agudo das fábricas. É o anúncio do fim da revolução. Sonolenta, a população espia através das persianas a passagem triunfante dos primeiros contingentes do Governo. São Paulo, que sofrera tanto com os bombardeios, vai conhecer agora outro tipo de violência: o saque das tropas legalistas. Das janelas, as famílias assistem, com horror, ao arrombamento das lojas comerciais. Os depósitos da Casa Duchen, na rua Borges de Figueiredo, são invadidos pelos soldados. As grandes latas de biscoitos e cestas de champanhe são abertas a ponta de baioneta, seu conteúdo espalha-se pelo chão. A turba fardada carrega latas de conserva, garrafas de bebida, depreda o escritório da empresa, queima documentos e livros de contabilidade.

A pilhagem estende-se por toda a cidade, e cada um leva o que pode. Numa carroça, um grupo de soldados empilha caixas de bebidas junto com a máquina de escrever do gerente da loja. As residências, abandonadas por causa do bombardeio, são saqueadas com fúria. Os soldados das Polícias Militares do Rio e de Minas Gerais roubam tudo que pode ser transformado em dinheiro.

Poucas horas após a ocupação da cidade, a Polícia Política invade o sobrado da avenida Vauthier, 27, onde se reuniam clandestinamente as principais lideranças da revolução. Na *República*, situada sobre um café, são encontrados cartas e documentos confidenciais escondidos dentro de uma mala de couro e de uma trouxa de roupa suja. A Polícia descobre também que o sobrado, alugado por um fotógrafo ao tenente Custódio de Oliveira, fora utilizado como ponto de encontro dos conspiradores desde janeiro de 1923.

Os agentes fazem outra descoberta importante: um mapa do estado do Rio de Janeiro com a indicação detalhada das "forças amigas, duvidosas e inimigas". A existência do mapa, além de comprovar a estreita ligação dos rebeldes com unidades do Exército localizadas no Distrito Federal e no estado do Rio, permitirá a identificacão e a prisão dos conspiradores que agem na capital da República.[132]

Ao abrirem um baú, num dos quartos do sobrado, os investigadores encontram papéis com anotações pessoais e uma caderneta de capa marrom do tenente Eduardo Gomes. Além da relação de parentes e amigos, constam da agenda nomes e endereços de conspiradores que vivem no Rio, São Paulo e Buenos Aires. Nas últimas folhas da caderneta, há desenhos a lápis de circuitos elétricos de baixa freqüência que os policiais acham melhor submeter ao exame dos peritos. Uma carta cifrada, datada de 30 de junho de 1924, chama a atenção dos policiais:

> *"Prezado Joá. É portador desta o KZFOL ILHZ (Paulo Rosa) que vai YLMXFAMXL Z GFINZ XV ZOFONMLH (conduzindo a turma de alunos). Segue com esta a ORHGZ XLH LUURYRZVH YLN JFV YLMGZH ZSR (lista dos oficiais com quem podemos contar aí). Abraços do QLZJFRN (Joaquim)."*

A carta fora enviada por Joaquim Távora, do Rio, a seu irmão Juarez, o Joá.[133]

Na travessa da Fábrica número 6, residência do tenente Henrique Ricardo Hall, conhecido como *Dr. Ricardo Fisher*, são encontradas duas malas abarrotadas de documentos. A Polícia fica sabendo que os rebeldes se correspondiam com os companheiros presos no Rio, onde gozavam de tanta liberdade que podiam sair dos quartéis até para conspirar fora da capital.[134]

A papelada oferece outra surpresa: os conspiradores agiam com tanta segurança que muitos planos eram enviados, sigilosamente, ao Rio de Janeiro para serem submetidos à aprovação do general Isidoro, como o croquis com a localização dos quartéis da Força Pública na região da Luz. O mapa, extremamente minucioso, indica não só as pequenas distâncias entre uma unidade e outra como a hora em que deveriam ser atacadas.

Ao examiná-lo, no Rio, junto com as informações adicionais que lhe foram encaminhadas, o chefe da revolução deu seu parecer, escrevendo de próprio punho, no alto do croquis:

> *"Aprovo o plano organizado de acordo com a disposição das forças neste mapa.*
>
> *(ass.) General Dias Lopes. 12/ 4/ 24."*[135]

Dentro de uma da malas do *Dr. Fisher* é encontrado um rascunho, manuscrito, a bico-de-pena, sem assinatura, que a Polícia qualifica como o esboço da "Constituição" que os rebeldes pretendiam impor ao país:

> *"1) — O movimento revolucionário visa à implantação, no Brasil, do regime republicano democrático, à moralização da administração e da justiça, à difusão do ensino e ao saneamento das finanças nacionais.*
> *2) — A direção suprema do país será confiada, provisoriamente, a uma "Ditadura", cujo governo se prolongará até que 60% dos cidadãos maiores de 21 anos sejam alfabetizados.*
> *# 1) — Uma vez conseguida essa percentagem, será convocada a "Constituinte", que resolverá definitivamente sobre os destinos do país.*
> *# 2) — Na vigência da "Ditadura" será mantida a Constituição atual, revogando-se, entretanto, os seguintes artigos...*
> *# 3) — Em qualquer hipótese, serão mantidos, em toda a sua plenitude, os direitos dos cidadãos."*[136]

Do outro lado da cidade, no quartel do 1º BFP e na estação da Luz, onde funcionara o QG revolucionário, são encontradas pilhas de boletins, mapas, relatórios confidenciais, ordens de comando, mensagens cifradas e códigos secretos utilizados nas comunicações telegráficas, além de copiosa correspondência particular endereçada ao general Isidoro, que, durante o período de conspiração, se identificava como *Severo*.

O volume de documentação encontrado em poucas horas é suficiente para incriminar centenas de oficiais envolvidos com a rebelião em São Paulo e em outros estados.

O general Isidoro deixa São Paulo sem maiores informações sobre o levante do 28º Batalhão de Caçadores do Exército, em Aracaju, ocorrido na madrugada de 13 de julho. O acontecimento fora recebido com certa surpresa, já que os rebeldes não estavam comprometidos com nenhuma guarnição do Exército no Nordeste, por problemas de logística. Só alguns dias depois do levante Isidoro recebeu uma rápida mensagem do tenente Augusto Maynard Gomes, um dos líderes do movimento, confirmando o início da rebelião, em apoio ao movimento de 5 de julho. A sucessão de episódios dramáticos que logo em seguida envolveram a revolução em São Paulo colocou o levante de Aracaju em plano secundário e acabou concentrando as atenções do Estado-Maior revolucionário exclusivamente na defesa da cidade.

Nos últimos 15 dias, a rebelião em Sergipe só vinha sendo objeto de discussão, preocupação e interesse por parte do tenente-coronel Bernardo de Araújo Lima, comandante do 5º BC de Rio Claro e um dos principais auxiliares de Isidoro. Mesmo absorvido com a missão de organizar e coordenar a retirada de São Paulo, que se transformou numa gigantesca operação estratégica, Araújo Lima jamais deixou de estar com o pensamento voltado para o levante em Aracaju. Além de torcer, como revolucionário, pela vitória do movimento, ele tinha ainda outros motivos para se interessar de perto por rebelião tão distante. Um ano antes, Araújo Lima comandava o 28º BC, no qual desenvolvera intenso trabalho de pregação revolucionária entre a oficialidade. Como o quartel ficava na zona central de Aracaju, os oficiais viviam praticamente integrados no ambiente das ruas, participando de conversas nas esquinas e se envolvendo com os problemas e aspirações populares, particularmente da classe média. A maioria era antigovernista; com a transferência do tenente Maynard Gomes do Rio para o 28º BC, esse sentimento se consolidou.

Formada na Escola Militar do Realengo, no Rio, a oficialidade recusava-se a se dobrar ao poder e à influência dos *coronéis*, os chefes sertanejos que circulavam publicamente com uma guarda pessoal armada e que desfrutavam de grande prestígio político não só em Sergipe como em todo o Nordeste e até na capital da República. Os primeiros *coronéis* tinham ocupado um posto e uma função realmente militar como chefes das milícias coloniais do fim do século XVIII. Mais tarde, com a criação da Guarda Nacional, os títulos passaram a ser distribuídos entre a aristocracia rural do sertão, prática política que se manteve intocada mesmo durante a República, quando a instituição foi transferida para a reserva, em 1917. A Guarda Nacional passou então a desempenhar o papel de uma espécie de exército de segunda linha.

Apesar da mudança de *status* militar, os *coronéis* continuaram, entretanto, com o seu prestígio político intocado. A estabilidade da Velha República, como no Império, também repousava sobre a estrutura política das oligarquias rurais. As elites industriais e as elites comerciais urbanas que começaram a brotar depois da Primeira Grande Guerra estavam umbilicalmente ligadas a esses velhos proprietários rurais. Muitas vezes a vinculação se consolidava através de casamentos, laços de parentesco ou por interesses econômicos comuns. Todos faziam parte do mesmo sistema político que dava sustentação à Velha República.

Truculentos e quase sempre analfabetos, os *coronéis* representavam as oligarquias tradicionais e desempenhavam outro importante papel: eram eles que faziam o *jogo sujo* das eleições. Falsificavam os registros de eleitores, adulteravam as atas eleitorais e só proclamavam a vitória, nas urnas, dos candidatos que apoiavam — a oposição, quando existia, nunca tinha vez.

Esses grandes *eleitores* do interior eram odiados pelos jovens tenentes. Se a revolução de Sergipe fosse bem-sucedida, poderia alastrar-se por todo o Nordeste e liquidar também, de uma vez por todas, com a República dos *coronéis*. Era nisso que Araújo Lima pensava enquanto montava a retirada da revolução em refluxo.

O Palácio do Catete amanhece em festa. Desde as primeiras horas circulavam pelos corredores boatos de que as tropas do general Isidoro estavam sendo esmagadas pelo Exército. Na véspera, o presidente da República havia recebido um informe confidencial sobre a situação em que se encontravam as forças revolucionárias, alertando-o de que poderiam abandonar a cidade a qualquer momento. A confirmação de que os rebeldes bateram em retirada é recebida por Bernardes, esta manhã, às 8h45m, através de ligação interna do ministro Setembrino de Carvalho, quando o presidente ainda se encontrava em seus aposentos. O general Setembrino e o resto do Ministério aguardavam o presidente no salão de despachos, no andar térreo, para mais uma reunião de rotina. Quase todas as manhãs Bernardes reunia-se com o seu ministério no Palácio; depois, despachava burocraticamente com cada ministro, como se nada de anormal estivesse acontecendo.

Os auxiliares do presidente já se haviam acostumado com o seu temperamento difícil e algumas manias, como a de só se apresentar em público com as calças impecavelmente vincadas. Bernardes era homem de hábitos austeros, aspecto severo, sempre sisudo; raramente sorria. Sua personalidade denunciava rígida formação religiosa, recebida no famoso Seminário do Caraça, no interior de Minas Gerais, onde estudou Humanidades, em 1897. Apesar da aparente timidez, expressava-se com facilidade, embora durante as reuniões do Ministério preferisse ouvir do que falar. Latinista e profundo conhecedor da língua portuguesa, escrevia com facilidade e correção; lecionara Português e Latim como professor contratado do Instituto de Ciências e Letras de São Paulo.

Bernardes era tão religioso que podia ser visto todas as tardes caminhando sozinho, a rezar o terço, contrito, no terraço do Catete.[137] Mas esse homem extremamente piedoso autorizou o bombardeio de uma cidade como São Paulo e em nenhum momento se deixou comover com os apelos para interromper o massacre da população civil.

Com as calças irrepreensivelmente vincadas, Bernardes chega para ser aplaudido, de pé, por todo o Ministério, no salão de despachos. No teto, as figuras de Baco e Bacante, emolduradas por florões de estuque, assistem indiferentes ao festim em que se comemora a vitória do bem sobre o mal. Os números oficiais, produzidos pelos 15 dias de bombardeio, também não perturbam os auxiliares imediatos do presidente: 1.800 prédios danificados ou destruídos pela artilharia do Governo e pelo bombardeio aéreo; 4.846 feridos; 503 mortos, na maioria pessoas atingidas por estilhaços das granadas lançadas pelos canhões do Exército. De passagem por São Paulo, o poeta Blaise Cendrars contabilizou números diferentes; registrou a destruição de 11 mil casas em toda a cidade.[138]

Os ministros fazem fila para cumprimentar o presidente.

Capitaneando uma tropa de 21 senadores, o senador Antônio Azeredo saúda Bernardes pela firmeza serena com que conseguiu manter o princípio da autoridade e defender a República. O senador entusiasma-se:

— A revolução de São Paulo, visando à destruição das instituições, repercutiu em todo o país, despertando-lhe as energias cívicas na sustentação da legalidade. Glória ao Exército e à Marinha! A República jamais esquecerá o devotamento das classes armadas da Nação![139]

As homenagens prosseguem com um desfile militar. O Batalhão Naval, em uniforme de gala, marcha diante do Catete. Bernardes aparece rapidamente na sacada do salão nobre, feericamente iluminado, e desce para receber as manifestações de solidariedade, alegria e apreço dos correligionários, que o aguardam no andar térreo, espalhando-se pelos jardins.

Ao descer no elevador privativo, apenas em companhia do marechal :hefe de Polícia Carneiro da Fontoura, Bernardes pergunta em voz baixa se chegou algum novo telegrama sobre a revolta do Exército em Manaus e Belém e se ela conta com o apoio da flotilha do Amazonas.

O país até agora não sabe que o Governo enfrenta mais dois novos levantes, além da rebelião de Aracaju. Com os jornais e os serviços telegráficos controlados pela censura, nem mesmo a classe política tem consciência das dimensões do incêndio que se alastra pelo Norte e Nordeste.

Em Manaus, desde a madrugada do dia 23 o 27º Batalhão de Caçadores, sediado na capital, ocupa a cidade. Os oficiais depuseram o governador em exercício e estão promovendo uma devassa na administração, para apurar os crimes praticados pela oligarquia Rego Monteiro, que dominava o Amazonas há várias gerações.

Bernardes dedica o resto do dia às homenagens que lhe são prestadas, em Palácio, pela classe política. Procura transmitir a impressão de que a situação está sob controle. As forças revolucionárias que batem em retirada, pelo interior de São Paulo, serão logo esmagadas pelo Exército. Em nenhum momento deixa transparecer a existência do vulcão que ferve sob seus pés.

Após a exibição diante do Palácio, o Batalhão Naval desfila pela avenida Rio Branco. Os corretores da Bolsa de Valores interrompem o pregão e saem à rua para festejar a vitória do Governo. Ao passarem diante de *O Paiz*, a tropa é coberta por uma chuva de flores, atiradas das sacadas do prédio pelos redatores do jornal.

Quinta-feira, 1º de agosto

As tropas governistas ocupam a cidade de São Paulo há pouco mais de 48 horas. O Governo persegue os seus inimigos, instaurando inquéritos e castigando-os com o sofrimento e a humilhação das prisões. A Polícia faz da revolução um bom negócio. Advogados movimentam-se para libertar os dissidentes políticos encarcerados. O escritório do advogado Américo de Campos, irmão do presidente do estado, é dos mais procurados. Seus honorários são elevados, mas os que a ele recorrem obtêm liberdade rapidamente.

O retorno triunfal do presidente Carlos de Campos fora festejado com pompa. Primeiro, desfilaram pelas ruas do centro os garbosos marinheiros do encouraçado *Minas Gerais*; depois, o contingente do encouraçado *São Paulo*. Carlos de Campos estava acompanhado do general Eduardo Sócrates, comandante das tropas do Governo; do almirante João Penido, governador militar de Santos; e de uma comitiva de deputados e senadores que havia chegado de trem do Rio de Janeiro. O advogado Washington Luís, emocionado com a vitória da legalidade, aproxima-se da balaustrada da Secretaria de Justiça e ergue os braços, dirigindo-se à multidão que assistia ao desfile militar:

— Viva a República!

Carlos de Campos, sorridente, faz um gesto com as mãos em sinal de agradecimento. Volta-se, depois, para o povo e grita:

— Viva o presidente Artur Bernardes! Viva a Marinha Brasileira! Viva o Exército Nacional! Viva São Paulo! Viva o Brasil!

8

O INTRÉPIDO JOÃO CABANAS

As forças revolucionárias estão agora concentradas em Bauru. Ao abandonar a capital, na madrugada de 28 de julho, elas foram recebendo pelo caminho as últimas manifestações de simpatia do povo paulista. Acenando lenços brancos, a população acorria às estações para ver os trens passarem em direção ao interior. Das janelas dos vagões, os soldados gritavam, agitando os seus bonés:

— Viva o general Isidoro! Viva a revolução!

Com a retirada, a defesa da retaguarda das tropas rebeldes ficou sob o comando do tenente da Força Pública João Cabanas, que espalha o medo e o terror entre os contingentes legalistas, a bordo de um trem fortemente armado. Intrépido e imaginoso, há vários dias que Cabanas, com golpes de astúcia, conseguia manter as forças do Governo a distância.

Ausente de São Paulo desde o dia 19, quando foi destacado para enfrentar as tropas de Minas, comandadas pelo general Martins Pereira, Cabanas, com apenas 200 homens, conseguira desestabilizar uma força cinco vezes maior que ameaçava invadir Campinas e bloquear a retirada de São Paulo. Suas rápidas aparições, envolto por uma grande capa negra que batia nos calcanhares, contribuíram para que logo se esculpisse em torno dele a imagem de que comandava uma coluna maldita. Alto, magro, sempre inquieto, espigado, Cabanas usava imenso quepe enterrado até as orelhas, o que emprestava a seu rosto anguloso aspecto assustador.

Durante quase uma semana, Cabanas e seus homens infernizaram as pequenas cidades do interior paulista, acrescentando à fama de violentos e corajosos a lenda de que nunca haviam perdido uma batalha. Assim que seu trem se aproximava das estações, ele e os soldados atiravam, em todas as direções, contra inimigos imaginários. Espatifavam as lâmpadas das plataformas, quebravam os vidros das janelas, destruíam a tiros a sala do chefe da estação, deixavam todas as paredes picotadas por balas de fuzil. Não foi preciso muito tempo para que o grupo de rebeldes fosse batizado com uma expressão que simbolizava o pavor: *A Coluna da Morte*. Bastava ouvir o apito de um trem para que os soldados do Governo corressem esbaforidos. No imaginário popular, o tenente Cabanas, comandante dessa coluna, era um combatente que nunca saía ferido porque tinha o *corpo fechado*. Muitos atribuíam essa extraordinária proteção a um pacto com o demônio.

Não havia também limites para a sua astúcia. Esperto e extremamente inteligente, Cabanas conseguira desidratar as forças do general Martins Pereira sem disparar um tiro. Num rompante de criatividade, passou telegramas para os chefes das estações com a seguinte recomendação: "Seguimos madrugada 2 mil homens, vinte canhões, oitenta metralhadoras. Providencie urgência instalação tropa. Pelo trem duas horas tarde seguirão mais quinhentos homens, dez peças artilharia pesada. Situação capital inteiramente nossa. Forças legalistas fugindo dominadas pânico. Povo confraternizando nossas forças. Tudo pelo nosso grande chefe e pelos ideais nova República."

Assim que transmitia a mensagem, inutilizava os aparelhos transmissores. Os telegramas provocavam efeito devastador. Os chefes das estações, trêmulos, com o rosto crispado de terror, entregavam as mensagens imediatamente aos oficiais legalistas. Estes, desconhecendo a extensão da revolta e o verdadeiro poder de fogo dos rebeldes, achavam sempre mais prudente bater em retirada do que participar de um confronto desigual.[140]

Em cada estação que passavam, os soldados da *Coluna da Morte* faziam gritaria ensurdecedora, cantando marchas militares e dando vivas aos general Isidoro. O poderoso armamento exibido pelos dois trens que integravam o comboio era uma ficção, um arranjo cenográfico. O terrível e ameaçador canhão de 105 milímetros que se erguia no vagão da frente não passava de um tronco de peroba bem-torneado, pintado de preto, amparado por duas velhas rodas de carroça. Pequenas "peças de artilharia", trabalhadas em madeira, podiam ser vistas em todos os vagões. Cabanas fingia dispor de copiosa munição. Espalhou pilhas de bambus cobertas por lonas pelos vagões desse fantástico trem de guerra para dar a impressão de que possuía abundância de petardos para os seus canhões.[141]

A *Coluna da Morte* deixava um rastro de destruição por onde passava. Pontes, vagões, caixas d'água para abastecimento das locomotivas a vapor, trilhos, postes telegráficos, chaves, telégrafos, tudo era explodido a dinamite. No início foi difícil tomar essa decisão. O Estado-Maior revolucionário relutara em aprovar o plano, para não aumentar o sofrimento da população civil. Foi o próprio general Isidoro, com visível constrangimento, quem acabou aprovando a sua execução. Ele só não havia concordado com uma coisa: que se dinamitasse o túnel que liga São Paulo a Jundiaí. A destruição do túnel permitiria que os rebeldes estabelecessem sua defesa em Campinas. Bastaria espetar alguns canhões no alto da Serra dos Cristais para dominar a estrada de rodagem e barrar qualquer possibilidade de avanço das tropas legalistas. Para combater os rebeldes, o Governo teria que deslocar as suas tropas através dos estados de Minas ou Paraná, o que retardaria em mais de uma semana o ataque às forças revolucionárias.

Campinas oferecia vantagens excepcionais para abrigar o QG da revolução. Estava a pouco mais de duas horas de trem de São Paulo, tinha cerca de 120 mil habitantes e possuía o maior entroncamento ferroviário do estado. A cidade oferecia outro atrativo: era uma das mais prósperas regiões de São Paulo, com numerosas estradas de rodagem e cerca de 800 fazendas de café, que produziam anualmente 360 mil sacas. O que se recolhia em tributos era uma fortuna: mais de 6 mil contos anuais. Sua situação topográfica era igualmente privilegiada. Não se podia viajar para o interior sem passar por Campinas. Apesar de todas essas vantagens, o general Isidoro, contrariando a opinião dos mais íntimos colaboradores, achou por bem continuar avançando. Temia que o Exército ocupasse as fronteiras do Estado, fechasse a única saída e fosse, depois, lentamente apertando o cerco sobre os rebeldes.[142]

O tenente Cabanas tinha idéias próprias de como conduzir a guerra contra Bernardes. Impulsivo e com extraordinária capacidade de liderança, era venerado como um deus pelos soldados. Tinha quase tudo pronto para iniciar uma marcha enlouquecida sobre Belo Horizonte quando foi alcançado por um telefonema, em Mogi-Mirim, para que se deslocasse com urgência para Campinas. No momento em que estava mais entusiasmado com os destinos da revolução, recebeu a notícia de que os rebeldes tinham abandonado São Paulo e que precisavam de sua ajuda para que a retirada fosse conduzida com o máximo de segurança.

Há dias Cabanas vinha pavimentando um acordo com um grupo de políticos mineiros para invadir a capital, à frente de uma coluna de 3 mil homens, e depor o Governo do estado. A ajuda, em homens e armas, viria de Uberaba, de onde sairia também o dinheiro para o pagamento da tropa. Assim que Belo Horizonte fosse ocupada, Cabanas e sua *Coluna da Morte* seguiriam para Barra do Piraí, no estado do Rio, a fim de interromper as comunicações e o envio de reforços para São Paulo. Em troca desse apoio, seria proclamada a independência política do Triângulo Mineiro, com a criação de mais um estado federativo. Cabanas ainda não havia submetido seu plano ao Estado-Maior revolucionário. Na sua opinião, era valiosa a aliança com os mineiros, já que traria excepcionais vantagens para a revolução. Mas aquele telefonema mudara o curso da história, reservava-lhe outro destino.[143]

Domingo, 4 de agosto

A situação em Bauru permanece inalterada. A monotonia dos últimos dias afetou o moral da tropa. Habituados ao fogo das trincheiras, os soldados vagam pelas ruas da cidade, inquietos, à procura de emoções. Muitos não escondem o desânimo com o fim dos combates. Para evitar desordens e arruaças, a venda de qualquer tipo de bebida alcoólica fora proibida pelo comando revolucionário em toda a região. A soldadesca, numa cidade pacata e sem atrativos como Bauru, torce para que a luta seja logo reiniciada.

Isidoro e seu Estado-Maior não sabem que a revolução em Sergipe também naufragara. Como os amotinados haviam apagado o farol, minado a barra de Aracaju com latas de dinamite e retirado as bóias de sinalização, o general Marçal Faria, que chefiava as tropas do Governo, resolveu atacá-los pela retaguarda, à frente de um exército formado de soldados e jagunços.

Anunciada como de solidariedade com os irmãos paulistas que lutavam pelo soerguimento moral e material do Brasil, a revolta conseguiu sobreviver 19 dias, mas não estabeleceu nenhum tipo de ligação com a política local.[144] Tudo indicava, como imaginavam os tenentes, que eles tinham condições de se manter no poder apenas com o apoio do estamento militar, sem necessidade de alianças com os políticos da terra. Com a prisão e deposição do governador Graco Cardoso, que se recusara a permanecer detido, sob palavra, no Palácio, os chefes rebeldes dividiram entre si as responsabilidades da situação e criaram uma Junta Governativa Militar formada por quatro oficiais, que prometiam respeitar os direitos de todos os cidadãos.

A exemplo do que ocorrera em São Paulo, a Junta Governativa

Militar de Sergipe preservou a estrutura político-administrativa do estado, mantendo prefeitos e demais autoridades no exercício de suas funções, e não fez nenhuma alteração na ordem econômica. Durante o período em que os tenentes controlaram Aracaju, não se registraram atentados contra a propriedade privada. As repartições, o comércio e a indústria funcionaram tranqüilamente até o dia 25 de julho. O único indicador de anormalidade era a presença de soldados do Exército ocupando o Palácio, o Telégrafo, o Quartel de Polícia e a Cadeia Pública.

Diariamente a população da capital era tranqüilizada pelos jornais, que garantiam estar a situação sob absoluto controle dos rebeldes. Não só em Aracaju como também no interior do estado, o clima era de paz. No dia 25, com o agravamento da situação militar, os chefes rebeldes resolveram decretar feriado até o dia 5 de agosto, suspendendo as atividades no comércio e nas repartições públicas, em atendimento aos "insistentes pedidos das classes conservadoras".[145]

Os rebeldes tinham chegado a uma conclusão: não era mais possível enfrentar militarmente as forças que estavam sendo agrupadas no interior, com a ajuda dos *coronéis*. Centenas de jagunços fortemente armados estavam sendo colocados sob o comando do general Marçal de Faria, comandante da 6ª Região Militar, homem de hábitos severos e extremamente rigoroso com a disciplina. O general tinha motivos pessoais para querer dar boa lição aos rebeldes: nos primeiros dias do levante, eles tentaram fazê-lo de bobo. Assim que ocuparam o Palácio, enviaram um telegrama para o QG da 6ª RM, em Salvador, com a assinatura falsificada do governador Graco Cardoso, solicitando armas e munições para o 28° BC.[146]

No dia 2 de agosto, um emissário do general Marçal entregou um ofício ao tenente Maynard Gomes informando que as tropas do general Isidoro tinham se rendido. O comandante da 6ª RM pedia que os rebeldes tomassem a mesma atitude. Para que não houvesse dúvidas, o ofício estava acompanhado de telegramas oficiais e exemplares de jornais paulistas que confirmavam a retomada da capital. Diante dessa informação, completamente desconhecida pelos rebeldes, em Aracaju, Maynard pediu uma trégua para que pudesse se reunir com os outros oficiais, a fim de discutir a situação. No dia seguinte, pela manhã, os tenentes tiveram uma surpresa: as forças do Governo surgiram em Itaporanga agitando bandeiras brancas. Como os rebeldes sabiam da existência de simpatizantes entre os oficiais do Exército comandados pelo general Marçal, imaginaram que o grosso da tropa, vindo de Alagoas, Bahia, Pernambuco e Paraíba, aderira ao levante. Esperaram que os pelotões se aproximassem para dar então, todos juntos, vivas à revolução de Isidoro. Só perceberam que era uma cilada quando foram cercados e presos. Apesar da traição, Maynard e alguns companheiros conseguiram escapar, embrenhando-se pelo interior.[147]

A revolta do 26º Batalhão de Caçadores do Exército, sediado em Belém, ocorrida no dia 26 de julho, também fora dominada pelo governador do Pará, com o apoio da Polícia Militar. Muitos soldados e oficiais, entretanto, conseguiram fugir pelo rio Amazonas para se juntar às tropas do 27º Batalhão de Caçadores, em Manaus, que se haviam revoltado e ocupado a cidade.

Nessa manhã de domingo, a situação permanece também sem novidades na frente de Manaus. Os oficiais do Exército que se rebelaram no dia 23 de julho ocupam a cidade e o poderoso Forte de Óbidos, que conta com os canhões do antigo encouraçado *Tamandaré*, depois que este foi desmontado e transformado em sucata. Encravado no alto de pequena elevação, no trecho em que o rio Amazonas passa por uma espécie de garganta, o forte tem absoluto domínio sobre o acesso fluvial à capital. A flotilha do Amazonas, formada pelas canhoneiras *Amapá*, *Missões*, *Tefé* e pelo aviso *Ajuricaba*, faz o bloqueio naval de toda a região.

Há muito que circulavam boatos sobre um possível levante das guarnições do Exército e da Marinha na Amazônia. O presidente Artur Bernardes, alertado por esses rumores, já advertira o governador do estado para que tomasse providências imediatas e agisse com mão de ferro contra os conspiradores. O chefe de Polícia chegou a se reunir com os principais chefes militares da região, mas não se chegou a nenhuma conclusão. Eram, como de hábito, boatos, coisa sem consistência. Alguns meses depois os quartéis se rebelavam.

9

UMA OLIGARQUIA DESTRONADA

Foi tudo muito rápido naquela noite de quarta-feira, 23 de julho. A revolta fora um exemplo de eficiência, coragem e disciplina. Em poucas horas, com um punhado de tiros, Manaus passou ao poder dos rebeldes. A tropa do 27º BC, em marcha acelerada, atacou o quartel de polícia, ocupou as estações do telégrafo e do telefone, invadiu o Palácio do Governo e mandou para o xadrez uma penca de políticos e autoridades acusados de corrupção.

O Amazonas era o retrato do Brasil. A oligarquia Rego Monteiro, capitaneada pelo desembargador César Rego Monteiro, dirigia o estado como um negócio de família. Além de se envolver em todo tipo de negociatas, o Governo ainda se dedicava à prática do nepotismo sem nenhum constrangimento. Cinco parentes ocupavam cargos importantes na administração de Rego Monteiro: o filho Mário acumulava as funções de juiz de Direito e de chefe de Polícia do estado; o filho Cláudio era o secretário-geral do Governo; o filho Sila era oficial-de-gabinete do pai; e o filho Edgard, superintendente de Manaus. Seu genro, o médico

Turiano Meira, era o presidente da Assembléia Legislativa e governador em exercício quando os tenentes se rebelaram.[148]

Na noite em que seu Governo foi derrubado pelo furor das baionetas, César Rego Monteiro estava muito longe. Licenciado, mas controlando os negócios mesmo a distância, ele fazia uma viagem milionária com a mulher pela Europa, na esperança de que novos ares lhe restaurassem a saúde debilitada. Ele estava praticamente no fim de sua gestão e se entregava a maquinações políticas para eleger o sucessor. Ele próprio tinha chegado ao poder através de uma conspiração palaciana. Candidato situacionista derrotado nas eleições para o Governo do estado em 1920, acabou empossado no cargo por obra e graça de um capricho político do presidente Epitácio Pessoa, que não reconheceu a vitória de seu oponente.

Desde a posse, o governo dos Rego Monteiro vinha sendo marcado pela violência e pela corrupção. A Polícia, nas mãos do filho Mário, era usada exclusivamente contra os inimigos do pai. Com os desmandos políticos e administrativos dos Rego Monteiro, a situação ficou ainda mais caótica em todo o estado. O Amazonas definhava com a crise econômica e financeira que se instalara em toda a região a partir de 1913, quando a produção da borracha nativa começou a murchar. Nesse ano, os seringais cultivados da Malásia esticaram surpreendentemente a sua produção: atingiram 47.618 toneladas, contra 39 mil toneladas de toda a região amazônica. Em 1900, a Malásia só havia conseguido produzir quatro toneladas, volume ridículo diante das 27 mil toneladas que o Amazonas exportara para a Europa e Estados Unidos. Treze anos foram suficientes para que o Brasil fosse nocauteado pela Malásia e perdesse a hegemonia como principal exportador mundial de borracha.[149]

A crise econômica alimentava a corrupção. Dos 28 municípios, apenas seis tinham administração idônea. O atraso no pagamento dos salários do funcionalismo, que às vezes chegava a dez meses, transformara-se num bom negócio para os Rego Monteiro. Acossados pela miséria e pela pobreza e ainda atormentados pelo espectro do desemprego, os funcionários eram compelidos a negociar o recebimento dos salários atrasados com o filho chefe de Polícia. Marcos e o irmão Cláudio submetiam então os servidores a uma extorsão. Se quisessem receber os salários, tinham que assinar recibos com o valor do vencimento integral, mas Cláudio só liberava dez por cento do que tinham direito. A diferença de 90 por cento ia para o bolso dos Rego Monteiro.

Por mais de uma vez o governador mantivera negociações para contrair empréstimos externos, oferecendo como garantia vastas extensões de terras na Amazônia. Pela primeira vez se tentava a alienação de fatia apreciável do território brasileiro a grupos estrangeiros. Cláudio, o filho indicado para obter esse empréstimo, recebera procuração do pai, firmada em cartório, para conseguir o financiamento em nome do Governo. Ele e um sócio, o conde de Paniguai, já estavam com os entendimentos bem avançados com bancos americanos e europeus quando a negociata foi denunciada e sustada por interferência da Procuradoria-Geral da República.[150]

Os Rego Monteiro também sugavam o Tesouro do estado sem qualquer escrúpulo. Determinados pagamentos eram efetuados mediante simples autorização verbal do governador. Sua mulher, sempre que precisava, retirava dinheiro dos cofres públicos para despesas domésticas, incluídas as dos serviços de decoração e compra de mobiliário para a residência particular do casal. As obras realizadas na fazenda do filho Cláudio, em Campos Sales, foram financiadas pelo erário.

As denúncias de corrupção eram sempre respondidas com violência. A imprensa era perseguida, amordaçada, e os jornalistas sofriam agressões e espancamentos nas ruas. Alguns jornais, para não fechar, acabaram sendo vendidos a comparsas dos Rego Monteiro, como a *Gazeta da Tarde*, cujo proprietário achou melhor desfazer-se da publicação depois de surrado pela Polícia, em plena via pública, numa rua central de Manaus.[151] Num estado corrupto e autoritário como o Amazonas, onde a administração pública estava a serviço das oligarquias, a Polícia, por sua vez, não podia deixar de manter negócios. Nas horas vagas, delegados, investigadores, oficiais e soldados da Polícia Militar dedicavam-se ao contrabando e à exploracão de casas de jogo e de prostituição.

Uma das práticas mais comuns dos Rego Monteiro era a concessão, para cúmplices e apaniguados, de grandes extensões de terras nas regiões mais ricas da Amazônia. Cedidas por períodos de até 30 anos, livres de impostos "criados ou por se criar", áreas gigantescas eram liberadas para testas-de-ferro da família do governador, como o empreiteiro Manuel Emídio Braga, que recebeu cerca de 50 quilômetros quadrados de terras, no município de Itacoatiara, como preposto de um dos filhos do governador.

Uma das primeiras iniciativas dos rebeldes foi acabar com a Polícia e despachar um monte de figurões para o xadrez. Através de decreto assinado pelo tenente Alfredo Augusto Ribeiro Júnior, empossado como governador militar, foi criado o "tributo de redenção". A família Rego Monteiro teve os seus bens confiscados e leiloados em favor do estado. Com esse dinheiro, os salários do funcionalismo foram colocados em dia e tomada uma série de outras providências em benefício da população. O matadouro e o mercado da capital, explorados pela Manaus Markets, foram expropriados pelo governo rebelde, porque não recolhiam nenhum tipo de imposto nem pagavam a água que consumiam.

As expropriações sumárias foram o instrumento utilizado pelos rebeldes para atenuar os anos de sofrimento e exploração a que o povo amazonense fora submetido pela quadrilha que funcionava no Governo do estado. Foi como se estivesse diante de um bandido que o tenente Cardoso Barata acaba de se dirigir ao chefe de Polícia, filho do governador, no momento em que este foi preso em nome da revolução:

— Tu não passas de um ladrão! Se o telégrafo estivesse em teu poder, dirias para o Rio: um bando de aventureiros, levado pela sua desmedida ambição, tentou uma mazorca com o fim de saquear o erário...

Depois de observar em silêncio o rosto empalidecido do juiz Mário Rego Monteiro, o tenente completa, com expressão de nojo:

— Canalhas!

Segurando o chefe de Polícia pelo braço, obriga-o a entrar no banco traseiro do carro que o levará para o quartel:

— Entre, não sei se é tão macio quanto os seus, que nada te custaram.[152]

Dos quatro filhos do governador, só dois foram presos: Mário e Edgar, o superintendente da capital. Cláudio encontrava-se no Rio, a passeio, e Sila não foi encontrado. O governador em exercício, o médico Turiano Meira, genro do patriarca e presidente da Assembléia Legislativa, foi recolhido ao quartel do 27º BC, à disposição dos chefes revolucionários.

Confinados em Manaus, os rebeldes não sabem que as tropas de Isidoro abandonaram São Paulo e desconhecem igualmente o destino dos companheiros de Sergipe. As comunicações com o resto do país estão cortadas desde o dia 23 de julho. O Amazonas ainda não tem telefone, e o único meio de comunicação com o Sul é o telégrafo ou o correio, feito geralmente através de navios mercantes do Lóide Brasileiro. As únicas informações recebidas em Manaus nos últimos dias chegaram pelo rio, através de barqueiros e viajantes que embarcaram em Belém. Os rebeldes estão preocupados com os boatos, recém-chegados da capital do Pará, de que a revolução de São Paulo acabou de forma inglória: o general Isidoro e seus homens teriam deposto as armas e se rendido incondicionalmente ao Exército.

Quinta-feira, 8 de agosto

A cidade de São Paulo se ergue dos escombros e vai, aos poucos, apagando as marcas deixadas pelo vendaval de violências e paixões que durante 22 dias fustigou a capital e seus 700 mil habitantes. As fachadas dos prédios atingidos pela artilharia do governo começaram a ser reconstruídas, os bancos, o comércio e as repartições públicas estão funcionando normalmente há quase uma semana, mas algumas feridas estão bem visíveis, na Mooca e no Brás, onde quarteirões inteiros foram arrasados pelos canhões do Exército.

Assim que São Paulo foi reconquistada pelas tropas legalistas, o ministro da Justiça fez uma visita de trem por esses bairros proletários para avaliar melhor a extensão dos bombardeios, que chocaram o embaixador italiano. A população da Mooca e do Brás era constituída de imigrantes europeus recém-chegados ao Brasil, em sua maioria italianos, que trabalhavam como operários nas fábricas instaladas ao longo da Estrada de Ferro Central do Brasil.

Os jornais do dia reproduzem, com destaque, a carta cravejada de ironia que o embaixador italiano, general Pietro Badoglio, endereçou ao cônsul-geral de São Paulo:

> *"(...) o que vi e ouvi em São Paulo se me contrictou o coração italiano, por tudo quanto sofreram os meus irmãos, e me encheu de orgulho (...) porque pude mais uma vez admirar toda a altivez e toda a virtude da nossa raça (...). Sofrimentos e danos gravíssimos foram suportados com força de ânimo digno da antiga Roma.(...). Das vítimas inocentes e dos que mais diretamente as choraram, como de todo os que perderam alguma coisa, se lembrará para sempre o Brasil".*

Em algumas ruas do centro, as trincheiras abandonadas pelos rebeldes ainda atraem a curiosidade de populares e principalmente de famílias do interior, que vão à capital só para ver o que sobrou da revolução. Aproveitam a visita para tirar também fotografias ao lado dos escombros.

Patrulhas de escoteiros podem ser vistas circulando pelas áreas mais atingidas à procura de cadáveres enterrados em quintais, praças e jardins. Há três dias eles encontraram quatro corpos, em uma cova rasa, no Instituto Aché. Poucos dias antes tinham sido também localizados e retirados cinco cadáveres do pátio interno da Igreja de Nossa Senhora da Glória, no Cambuci, que fora transformado em cemitério pelos rebeldes.

A Prefeitura mobiliza um exército de operários para promover a limpeza geral da cidade. Os telefones voltaram a funcionar e o serviço de bondes está restabelecido em quase todos os bairros. As fábricas passaram a trabalhar a todo vapor para compensar os dias parados e atingir os níveis de produção registrados nos meses anteriores à revolução. Algumas indústrias gravemente atingidas pelo bombardeio, como a Galvão & Companhia, fabricante de "preparados" como o Elixir 914, Sanguinol e Vigogênio, informam aos clientes e amigos, através dos jornais, que pretendem reiniciar em breve as suas atividades para continuar atendendo à sua distinta freguesia.

Há 24 horas as populações do Rio e de São Paulo ficaram sabendo, através da imprensa, que em Manaus ocorrera um levante. A manchete de *O Paiz*, como de hábito, distorce o noticiário em favor do Governo: "Fiéis ao exemplo dos seus comparsas de São Paulo, os rebeldes do Amazonas também fugiram." Tudo mentira: o governo ainda não disparara um tiro sequer contra os amotinados. A grande força naval organizada para atacar Manaus ainda está a dez dias de viagem da capital do Amazonas. Formada pelo cruzador *Barroso*, os contratorpedeiros *Sergipe* e *Mato Grosso* e dois hidroaviões, sua missão é recolher as tropas do Exército que estão sendo concentradas em Belém, bombardear as posições revolucionárias na capital e afundar os navios que não se renderem.

O Governo dos Estados Unidos está mais bem-informado sobre o que acontece do que o povo brasileiro. Desde o dia 24 de julho o Departamento de Estado, em Washington, vem recebendo telegramas cifrados do Consulado americano em Belém sobre o desdobramento do levante em Manaus. O último despacho confidencial, datado de 6 de agosto, informava que o Pará estava sob lei marcial. Esclarecia também que as tropas rebeladas no dia 26, em Belém, e esmagadas dois dias depois pelo Governo, não tinham praticado desordens, pilhagens ou qualquer tipo de atentado contra a propriedade particular.

O cônsul Pots revelava ainda que os rebeldes de Manaus controlavam praticamente todo o vale da região amazônica, à exceção da capital do Pará. O governador do estado, em conversa reservada com o cônsul, lhe havia assegurado que Belém estava bem protegida e que os rebeldes não tinham condições de atacar e ocupar a cidade.[153]

A tempestade de ódios aumenta a cada dia em São Paulo. Por tibieza, os delegados de polícia, sem qualquer garantia legal no exercício de suas funções, submetem-se a interferências de toda a natureza para não serem demitidos do cargo. As prisões comuns estão apinhadas de prisioneiros políticos, em sua maioria colaboradores ou simples simpatizantes da revolução. Muitos, porém, sem qualquer tipo de envolvimento com os rebeldes, são denunciados e arrastados para as prisões por vinganças pessoais.

Uma dessas vítimas é o senador Raul Cardoso, detido, posto incomunicável e depois ameaçado de morte por um capitão legalista. Ele foi preso numa estação de trem, no interior do Paraná, quando tentava levar para fora de São Paulo um dos filhos, que assinara um manifesto a favor da revolução. Em nenhum momento foram respeitadas as suas imunidades parlamentares. Apesar de ter-se identificado, o senador foi humilhado e interrogado com violência pelos seus captores. Ele jamais esquecerá os momentos de pavor que viveu naquela estação. Do lado de fora do compartimento de bagagens, onde se encontrava preso, ouviu uma voz gritar para os soldados:

— Calar baionetas, formar quadrado. Tragam os presos!

O senador e seus acompanhantes foram, em seguida, empurrados a ponta de baioneta, para fora da estação. O capitão da Polícia Militar do Paraná virou-se então para um tenente e ordenou:

— Leve estes homens e os fuzile!

A mesma ameaça, como forma de intimidação, foi repetida no dia seguinte, às cinco da manhã, desta vez com os prisioneiros com as mãos amarradas para trás. Embarcado, dias depois, no vapor *Itapui*, no porto de Paranaguá, o senador foi conduzido, preso, para o Rio de Janeiro, onde foi ouvido pelo procurador da República e finalmente libertado.

Sentado em um dos bancos do corredor da 4ª Delegacia, um homem elegante e bem-vestido, com agasalhos europeus, vem chamando a atenção dos funcionários da Polícia Central desde as primeiras horas da manhã dessa quarta-feira exageradamente fria, enquanto espera o momento de ser interrogado pelo encarregado do Inquérito Policial Militar.

Macedo Soares, presidente da Associação Comercial de São Paulo, não esconde o desconforto de ter sido preso, durante a madrugada, sob a acusação de ser um dos líderes da revolução. Entre as muitas provas arroladas contra ele, uma tinha sido considerada definitiva para incriminá-lo: seu nome e número de telefone aparecem num caderninho de endereços recolhido pela Polícia, entre dezenas de outros documentos, no sobrado da avenida Vauthier, um dos pontos de reunião dos conspiradores. Outras acusações: ele foi um dos poucos civis que não tiveram o telefone censurado durante a rebelião e possuía uma credencial especial dos rebeldes para circular de carro livremente pela cidade.[154] Depois de interrogado em cartório, ele será transferido para o Rio de Janeiro, onde permanecerá preso à disposição da Justiça Federal.

Os delegados responsáveis pelos IPMs intimam milhares de pessoas a depor. A convocação em massa aumenta a indignação da população contra o Governo. Entre os suspeitos, estão quatro foguistas e maquinistas da Estrada de Ferro Central do Brasil, acusados de terem ajudado os rebeldes a prepararem as *locomotivas malucas* lançadas contra as tropas do Governo em Vila Matilde. Os funcionários alegam, em sua defesa, que apenas tinham cumprido ordens do engenheiro da EFCB Manuel Garcia Senra e do coronel João Francisco, o chefe rebelde que assumira o controle da Estação Norte.[155]

10

TRAGÉDIA EM CAMPO JAPONÊS

As forças revolucionárias, acantonadas em Bauru, acabam de ser reestruturadas e divididas pelo general Isidoro em três brigadas de infantaria, um regimento de artilharia misto e outro de artilharia. Logo que chegou à cidade, o chefe da revolução fez circular um manifesto entre a população para denunciar a campanha de difamação que o Governo federal vem promovendo, no Brasil e no exterior, contra os rebeldes.

> *"O sr. Bernardes, que não tolera o uniforme do Exército, pelo rádio, espalhou pelo mundo a informação de que nosso movimento não foi mais do que um pequeno levante de soldados indisciplinados (...) que somos saqueadores, incendiários e violadores de criaturas desafortunadas (...) Felizmente a população sadia de São Paulo conheceu todos esses fatos e nos rende justiça pelo que merecemos (...) Entretanto é repugnante para nós ouvir que somos acusados de bandidos criminosos e saqueadores, quando nosso único crime foi o de sustentar um nobre ideal pela força, porque pelo direito era impossível alcançá-lo."*[156]

Ao entardecer, os rebeldes deixam Bauru. Por um ramal da Estrada de Ferro Sorocabana, seguem com destino a Porto Tibiriçá e Presidente Epitácio, às margens do rio Paraná, na divisa com o estado de Mato Grosso.

Através dessa longa travessia pelo interior de São Paulo, os chefes revolucionários vão percebendo a dimensão do entusiasmo das populações pelos ideais que inspiraram o movimento de 5 de julho. Além das demonstrações de simpatia e carinho, durante a passagem dos trens o povo exige sempre a presença do general Isidoro na plataforma do seu vagão, para lhe gritar o nome e dar vivas à revolução. Avaré, Cerqueira César, Ourinhos, Salto Grande, Rancharia, por todas essas cidades a simples passagem dos trens já semeia esperanças.

A perseguição aos rebeldes é feita pelas tropas legalistas de forma penosa. O Exército tem de reconstruir pontes e refazer a via férrea nos trechos em que ela foi danificada por cargas de dinamite, a fim de que os trens do Governo possam avançar, seguindo o rastro de destruição deixado pelos rebeldes. A marcha das forças federais faz-se de forma desorganizada. Enfiam-se batalhões inteiros em automóveis e caminhões, através de picadas e péssimas estradas de rodagem, na tentativa de recuperar o tempo perdido com os demorados trabalhos de recuperação da via férrea. Como essas estradas, quase sempre paralelas à linha do trem, costumam afastar-se muito dos trilhos e se bifurcar em várias direções, as tropas acabam se perdendo. Além de se mover com muita lentidão, os trens do Exército são obrigados a parar em quase todos os povoados e estações, para que patrulhas desçam à procura dos extraviados.

A vanguarda de perseguição, fortemente armada, é formada, em sua maioria, por soldados da Brigada Militar do Rio Grande do Sul. Para eles, a perseguição tornou-se uma farra. A bordo dos trens rola uma verdadeira festa. Correm vinho, sexo e champanhe à vontade. Os gaúchos viajam em companhia de uma multidão de prostitutas recrutadas a cem mil-réis diários, por cabeça, nos bordéis da Sorocabana e de Botucatu. A quantidade de mulheres é tão grande que, sozinhas, bastam para encher três vagões. Por onde passam é um escândalo. Sempre que os trens param em alguma cidade para se reabastecer, as famílias se recolhem, trancando-se dentro de casa, horrorizadas, fechando logo as janelas para que as crianças não vejam aquelas cenas de *cabaret*. Durante o caminho, os soldados gaúchos saqueiam depósitos e casas de comércio à procura de bebidas, fardos de seda e objetos de adorno e toucador para mimosear o contingente feminino que transforma a antes enfadonha e cansativa incursão numa viagem memorável. A tropa torce para que o inimigo esteja cada vez mais distante.[157]

A defesa da retaguarda revolucionária continua entregue à *Coluna da Morte* chefiada pelo tenente Cabanas, que, além de impedir a aproximação do inimigo, está agora empenhado em cumprir outra missão: fornecer água e lenha para as unidades que estejam mais próximas do seu trem. A água é tão escassa para alimentar as caldeiras que ele se vê obrigado a impor um racionamento entre seus homens, proibindo-os de tomarem banho até que a situação se normalize. Os trens que seguem na frente estão agora enfrentando dificuldade ainda maior: o fogo que bandos de jagunços, a serviço do Governo, estão colocando na mata que margeia a via férrea. Com a seca, o incêndio alastra-se rapidamente pela vegetação, ao longo de vários quilômetros. Com o calor insuportável e a fumaça escura e densa que invade os trens, a respiração torna-se cada vez mais difícil no interior dos vagões. Com o fogo, os rebeldes enfrentam outro perigo: as fagulhas e brasas, trazidas pelo vento, podem explodir as munições. Muitas vezes, os soldados descem do trem para impedir que focos de incêndio continuem destruindo os dormentes. Em determinados trechos, os trens são compelidos a parar por causa das ondas de fumaça que turvam o horizonte. Sem uma visão clara do caminho, há sempre o risco de uma emboscada.

Sábado, 17 de agosto

As forças revolucionárias estão acampadas há vários dias em Presidente Epitácio, na divisa com Mato Grosso. A inatividade deprimente, além de corroer o entusiasmo da tropa, vai aos poucos desidratando o espírito combativo dos batalhões, que já exibem uma certa inquietação com o repouso compulsório.

Dois planos dividem as opiniões do Estado-Maior: o do general Isidoro, que defende a invasão de Mato Grosso até Três Lagoas, e o do coronel João Francisco, que acha melhor descerem o rio Paraná para estabelecer uma ligação com elementos comprometidos com a revolução no Rio Grande do Sul. Mesmo recuperando-se dos ferimentos sofridos em São Paulo, o coronel João Francisco, que caminha com certa dificuldade, jamais deixa de participar das reuniões do Estado-Maior.

O plano de invadir Mato Grosso é aprovado pela oficialidade. Na opinião do general Isidoro, ele oferece resultados mais objetivos e imediatos, já que as informações disponíveis asseguram que a guarnição de Três Lagoas é militarmente inexpressiva. A invasão oferece outra vantagem: as unidades do Exército sediadas em Campo Grande estão comprometidas com a causa revolucionária e podem juntar-se a eles, na divisa com o rio Paraná. Campo Grande, Aquidauana, Miranda e Porto Murtinho darão aos rebeldes os recursos de que venham necessitar. O objetivo era dominar um importante estado da União, como Mato Grosso, e se manter ali o tempo que se fizesse necessário, já que a revolução poderá sobreviver só com os impostos de exportação da erva-mate. A população sairia ganhando com a redução dos preços, já que os principais gêneros alimentícios seriam importados, livres de impostos, dos países vizinhos. Seis meses depois seriam realizadas eleições para a escolha dos governantes do estado, que seria declarado independente do resto da Federação. Até o nome já fora escolhido: Brasilândia. Com a declaração de independência e usufruindo de posição geográfica privilegiada, só restaria a Bernardes negociar um acordo com os rebeldes, comprometendo-se a acatar os pontos principais do programa defendido pela revolução. O plano, na visão do Estado-Maior, é militarmente perfeito, além de representar um belo trabalho de engenharia política. Tem tudo para dar certo.[158]

Um batalhão de infantaria com cerca de 800 homens é formado e entregue ao comando de Juarez Távora, promovido a coronel em reconhecimento aos serviços prestados à revolução. Embarcado em dois vapores, o batalhão sobe o rio Paraná até Porto Independência. Já em terras de Mato Grosso, a tropa desce dos navios e inicia a marcha em direção a Três Lagoas. Cada soldado está equipado com fuzil, cartucheira bem abastecida e um cobertor. Não carregam víveres para avançar mais depressa. As cozinhas, de acordo com as instruções do Estado-Maior, vêm mais atrás. Os carregadores, recrutados entre a população civil, caminham lentamente, na retaguarda, curvados sob o peso das armas automáticas e dos cunhetes de munição. A tropa tem como guia um vaqueano da região.

O sol inclemente e a caminhada de várias horas, por um areal sem fim, arrefecem o espírito de combatividade dos soldados, que reclamam da sede e do excesso de calor. A imprevidência estraçalhou o moral da tropa: haviam partido de Presidente Epitácio sem provisões de água. E mais: com a pressa em reiniciar logo os combates, tinham também esquecido de embarcar as cozinhas. Além da sede, os soldados, esfalfados pela marcha causticante, não têm o que comer. Juarez e seus homens, que se haviam habituado aos dias frios de São Paulo, são agora martirizados pelo clima sufocante e abrasador do planalto mato-grossense.

A tropa arrasta-se exausta, uniformes desabotoados, o rosto banhado de suor; muitos soldados marcham descalços, com as botinas penduradas nos fuzis. Entre eles estão combatentes húngaros, italianos e alemães que lutaram nos batalhões estrangeiros criados em São Paulo e dissolvidos com a reestruturação das tropas, em Bauru. Desde a retirada de São Paulo o general Isidoro se debatia, intimamente, com uma questão delicada: o que fazer com os estrangeiros contratados? Dispensá-los seria o mesmo que abandoná-los, deixando-os entregues ao ódio do Governo. Conduzir esses estrangeiros através de uma marcha pelo interior seria submetê-los às provações e sofrimentos que esperavam a tropa. O Estado-Maior decide que eles devem acompanhá-los e se desligar, quando quiserem, nos lugares que lhes ofereçam as melhores condições de segurança e os meios de iniciar uma vida nova.[159]

Caminhando juntos, lado a lado, brasileiros e estrangeiros só têm uma idéia fixa: alcançar o mais rapidamente possível Três Lagoas e, de lá, avançar em direção a Campo Grande. A previsão é de que as duas cidades sejam conquistadas em dois ou três dias. Ao entardecer, o primeiro sinal de que a luta está próxima: os rebeldes trocam tiros com um piquete de cavalaria que se aproximara da coluna revolucionária, em missão de reconhecimento. Na confusão, o vaqueano desaparece. O coronel Juarez Távora fica sem o seu guia.

Oito da noite. O batalhão está acampado nas imediações de um banhado, na região conhecida como Campo Japonês, próximo a Três Lagoas. Os soldados matam a sede chupando a terra úmida. Muitos estão com os pés esfolados, em carne viva, por causa da longa caminhada a pé. Dormem por algumas horas, embrulhados nos cobertores, mas às primeiras horas da manhã já estão todos a postos para reiniciar a marcha.

Horas depois, ouvem-se tiros de fuzis e metralhadoras: o tão esperado combate começou. O espírito de luta, adormecido pela impiedosa caminhada, reanima a soldadesca, que se lança com intrepidez sobre o inimigo. A coragem, a audácia e a experiência militar dos rebeldes, forjadas nos 23 dias de lutas nas trincheiras de São Paulo, rapidamente se impõem sobre as forças do Governo, que, apesar de serem três ou quatro vezes superiores, abandonam a luta em debandada. Ao atropelar, com uma carga de infantaria, a terceira linha de defesa do inimigo, os rebeldes são contemplados com inesperada recompensa: surpreendem os cozinheiros das tropas legalistas na hora do rancho, com as marmitas ainda cheias de comida. O coronel Juarez Távora quase enlouquece com o que vê. Os soldados, famintos, abandonam seus fuzis e se lançam com volúpia sobre a comida, expondo-se, perigosamente, ao fogo das tropas legalistas. Não é fácil restabelecer a disciplina. Juarez arregaça as mangas para arrancá-los pessoalmente da cozinha e obrigá-los, aos gritos, a reiniciar o combate.

A batalha recomeça, mas não se enxerga onde está o inimigo, escondido e protegido no meio da mata. A fuzilaria é intensa, os rebeldes disparam sem parar, em todas as direções, mas não sabem se os tiros estão atingindo o alvo. Sem saber direito onde estão, as forças revolucionárias transformam-se, de repente, numa presa indefesa. Os soldados estão sendo alvejados com facilidade; o número de mortos e feridos é surpreendente. Os rebeldes estão sendo vítimas de uma chacina.

— Avante, cavar trincheiras!

A confusão se instala. Os oficiais são obrigados a gritar as ordens em várias línguas para serem compreendidos pelos soldados estrangeiros. Os diferentes idiomas dificultam o entendimento das instruções transmitidas no calor dos combates. Surpreendido e atordoado com o poder de fogo das tropas do Governo, Juarez hesita em tomar logo uma decisão: resistir, mantendo as posições que ocupara, ou determinar, num gesto de desespero, que seus homens avancem enlouquecidamente contra as linhas inimigas, para tentar escapar do massacre. Imobilizados, à espera de uma orientação do seu comandante, os rebeldes defendem-se como podem.

Quando menos se espera, o fogo diminui sem explicação aparente. Juarez percebe que estão próximos de uma linha de trem, por causa do barulho das composições que ouve passar. Não sabe se trazem reforços ou se estão levando as tropas em retirada. Alguma coisa de estranho deve estar acontecendo do lado do inimigo, porque, inesperadamente, as armas deixam também de atirar. Um silêncio pesado cai sobre o campo. A única coisa que se ouve, ao longe, é o barulho dos trens que se afastam lentamente para o norte, de volta a Três Lagoas.

Nuvens escuras surgem, de repente, no meio do mato ressecado pela estiagem. Empurradas pelo vento, as labaredas crescem, o fogo avança ameaçador em direção aos rebeldes. As chamas aumentam e formam rapidamente um grande anel de fogo que ameaça fechar-se em torno dos sobreviventes. Ouve-se um grito de alarme:

— Fogo no mato!

Os revolucionários entram em pânico. As tropas legalistas haviam incendiado o campo. Com o carisma e o poder de sua liderança, Juarez consegue conter os mais exaltados e restabelecer a calma. Para tentar escapar daquele incêndio de proporções gigantescas é necessário que a retirada seja realizada de forma ordenada e com o máximo de disciplina. A preocupação maior do comando é com o grande número de feridos que não consegue caminhar. Não há tempo para improvisar padiolas por causa do fogaréu que devora o mato, em todas as direções. Não há tempo também para enterrar os mortos, que são deixados para trás, abandonados, no campo de luta. Só os feridos graves é que estão sendo carregados nas costas; os demais caminham a pé, arrastando-se. A retirada é lenta, penosa, extremamente perigosa. Um grupo de soldados segue na frente, tentanto apagar o fogo, abrindo uma tosca picada no meio do incêndio para permitir a passagem da tropa, com sua legião de feridos.

O estado que a coluna de sobreviventes oferece, horas depois, indica o que foi aquela tragédia. Os remanescentes do ardente batalhão de 800 homens, que partira cheio de sonhos e esperanças, tinham se reduzido a um amontoado de soldados cambaleantes, desfigurados pela derrota. Eles chegam silenciosos e em grupos, esfarrapados, famintos, enegrecidos pela fumaça, martirizados pela sede e pela ingratidão do terreno arenoso, durante a longa caminhada, de volta às margens do rio Paraná. O número de baixas dá idéia do que foi aquela sangrenta batalha: 400 mortos e feridos, em sua maioria estrangeiros; 15 prisioneiros; 40 desaparecidos.[160]

Os sobreviventes, exaustos e moralmente abatidos, regressam nos mesmos barcos a Porto Independência. De pé, no convés de uma das embarcações, ao lado da porta que dá acesso à cabine de comando, a farda cáqui toda chamuscada, Juarez vai aos poucos se recuperando do impacto que o batalhão sofrera.

Na Escola Militar de Realengo ele tinha aprendido que o fogo não é uma arma nova. Desde a antiguidade clássica vinha sendo usado em quase todas as guerras com os mais diferentes objetivos. Até mesmo os rebeldes, em São Paulo, viram-se obrigados a incendiar as suas próprias trincheiras, construídas com fardos de alfafa, para conter o avanço das tropas legalistas no bairro do Hipódromo. Como último recurso, tiveram que espalhar o fogo pelas casas vizinhas, para impedir que as tropas do Governo continuassem prosperando através dos telhados e dos quintais.[161] Juarez imagina o que não deve ter sido o pânico e o sofrimento das tropas francesas, em fevereiro de 1915, ao serem surpreendidas pelos alemães, na batalha de Malancourt, com o emprego de lança-chamas, usados pela primeira vez na Grande Guerra. Sua eficiência contra trincheiras, ninhos de metralhadora e fortificações de pequeno porte era notável. As línguas de fogo chegavam a quase 20 metros de distância. O contato com o líquido inflamável, geralmente nafta ou gasolina, expelido sob pressão de um gás, o nitrogênio comprimido, era mortal.

Mas o incêndio da mata foi muito mais brutal. Além do fogo, que torrava tudo, a fumaça sufocava os pulmões, queimava a garganta e os olhos. Nuvens escuras e densas se enroscavam nos soldados, roubando-lhes o ar e a visão, deixando-os perdidos, sem rumo, no meio do fogaréu. Os que não conseguiram escapar morreram queimados ou asfixiados.

Os pensamentos de Juarez são interrompidos, de repente, pelos passos do mestre da embarcação. Ele avisa que estão quase chegando a Presidente Epitácio, que os rebeldes rebatizaram com o nome de Joaquim Távora, em homenagem ao irmão de Juarez, líder do movimento, morto durante os combates de São Paulo. Com voz pausada e olhos distantes, emocionado, Juarez ordena que o desembarque dos sobreviventes seja realizado na outra margem do rio Paraná. Assim evitará o contágio do restante da tropa pelo moral dos derrotados.[162]

Domingo, 28 de agosto

A situação dos rebeldes que ocupam Manaus é desesperadora. Isolados, no meio da Amazônia, eles não conseguiram estabelecer nenhum tipo de contato com o resto do país desde que tomaram o poder, a 23 de julho. Acreditam que as notícias sobre a retirada das forças revolucionárias de São Paulo não passam de boatos e que a cidade ainda continua em poder do general Isidoro.

O Forte de Óbidos, o principal trunfo para a defesa da cidade, fora subjugado, no dia 26, por um ataque simultâneo do cruzador *Barroso*, do destróier *Sergipe* e de dois hidroaviões. As forças do Governo foram depois avançando e ocupando lentamente as populações ribeirinhas entre Manaus e Belém. O QG revolucionário está convencido de que o assalto final será realizado nas próximas horas.

No Palácio do Governo, em Manaus, o tenente do Exército Alfredo Ribeiro Júnior, designado governador militar pelos rebeldes, participa de uma reunião dramática com as principais lideranças do movimento e com um grupo de oficiais da Flotilha do Amazonas. A possibilidade de uma vitória sobre o Governo é extremamente remota. Com a queda do Forte de Óbidos, está aberto o caminho para a invasão do chamado Destacamento do Norte, nome dado ao conjunto de forças da Marinha e do Exército sob o comando do general Mena Barreto, que partira do Rio de Janeiro com a missão de sufocar o levante. O Governo amargava o equívoco de ter transferido militares envolvidos com a revolta do Forte de Copacabana para pontos distantes do país. Imaginava o Exército que a melhor forma de esterilizá-los politicamente seria enviá-los para bem longe do Rio, onde estava enraizado o principal foco de contestação militar ao presidente Artur Bernardes.

Os tenentes Joaquim de Magalhães Barata e José Bacher Azamor foram acusados de envolvimento com o levante do Forte, em 1922, mas o Governo não conseguiu provas para condená-los. Achou prudente transferi-los para Manaus, enquanto outro companheiro de conspiração, o tenente Maynard Gomes, acusado do mesmo crime, foi deslocado para Aracaju.

A rebelião de Maynard em Sergipe havia fracassado. O levante liderado por Magalhães Barata, Bacher Azamor e Ribeiro Júnior agonizava, mesmo com o apoio que recebia da população. Ribeiro Júnior, em pouco menos de um mês, tinha se transformado num governante popular. A coragem e a firmeza com que enfrentara a oligarquia dos Rego Monteiro o tornaram uma figura querida entre os amazonenses. Mas isso não bastava. Com a rendição do Forte de Óbidos, Manaus não tem como resistir aos canhões da Marinha e aos 2.700 homens que se encontram a bordo do cargueiro *Poconé*.[163]

11

A REVOLUÇÃO CHEGA AO PARANÁ

O desastre de Três Lagoas não foi absorvido pelo Alto-Comando revolucionário. O plano defendido pelo general Isidoro e apoiado pelo Estado-Maior naufragara de forma trágica, apesar das advertências do coronel João Francisco. As divergências aparentemente episódicas entre os dois chefes, em relação à invasão de Mato Grosso, escondiam, na verdade, crise mais profunda: Isidoro e João Francisco tinham concepções inteiramente diferentes de conduzir a guerra contra o Governo. Por disciplina e obediência à hierarquia, João Francisco, veterano de muitas campanhas no Sul, acatava sempre as decisões tomadas por Isidoro, embora delas discordasse na maioria das vezes.[164]

João Francisco sabe que um exército parado é um exército irremediavelmente perdido. Na sua experimentada visão de combatente gaúcho, a ação e o movimento são prelúdios de vitória. É preciso devolver logo os soldados ao campo de batalha. A quietude daquelas noites, iluminadas pelas fogueiras, estimula o sentimentalismo dos jovens soldados. Agrupados em volta do fogo, acompanhados pelo picar dos violões, eles se entregam a antigas canções impregnadas de tristeza e saudade.

Os remanescentes do batalhão italiano reúnem-se em torno do calabrês Cinquini, que toca sanfona e canta velhas canções ítalo-brasileiras. Todos os combatentes estrangeiros lutam de uniforme, quase todos envergando a farda da Força Pública, mas são os italianos que primam pelo esmero e elegância. Usam capotes, borzeguins, túnicas, perneiras, gorros, bornais, cinturões.

Nessas noites, os oficiais caminham, em grupos, pelas margens do rio Paraná, conversam sobre o Paraguai e a Argentina, fazem planos e discutem a melhor forma de sustentar a luta contra Bernardes. Na barraca dos oficiais italianos consome-se o tempo com outros temas: a nostalgia que todos sentem da Europa e das famílias que deixaram em São Paulo. O tenente Nero Lamberti Sorrentino, que havia trabalhado como redator no jornal *Il Picolo*, de circulação entre a colônia italiana de São Paulo, faz anotações num caderno para depois escrever artigos e reportagens para os principais jornais da Europa.

Na sua barraca solitária, abrigada por árvores generosas, próxima à barranca do rio, João Francisco tece pacientemente um plano capaz de reverter a situação em que se encontram e acabar com a apatia que tanto corrói o moral da tropa. Com o fracasso da expedição de Juarez a Três Lagoas, ele retoma o plano de descer o rio Paraná a fim de estabelecer entendimentos com os revolucionários do Rio Grande do Sul. Entre Porto Tibiriçá, onde estão acampados, e Foz do Iguaçu, são mais de 300 quilômetros de rio, navegável em quase toda a sua extensão, pontilhados por ilhas cobertas de vegetação densa. As margens do Paraná são praticamente desabitadas em quase toda a sua extensão. Suas águas são navegadas apenas por pequenos vapores da Companhia Fluvial São Paulo—Mato Grosso ou da Companhia Mate Laranjeira, que se dedica à exploração da erva-mate no estado do Paraná.

João Francisco não só organiza como decide assumir pessoalmente o comando do batalhão de 500 homens bem armados e por ele escolhidos a dedo que embarcam nos vapores *Paulo de Frontin* e *Paraná*. Ao anoitecer de 23 de agosto, eles partem com destino a Foz do Iguaçu. Além do armamento individual, o batalhão dispõe de dois canhões de 105mm, metralhadoras pesadas de campanha, fuzis-metralhadoras e farta munição. Os navios estão camuflados com ramagens e troncos de árvores.

Lento e pesadão, o *Paulo de Frontin* arranha o fundo do casco no leito do rio. Por mais de uma vez os soldados são obrigados a entrar na água, durante a madrugada, para libertá-lo dos bancos de areia. Ele se move lentamente não só por excesso de peso — os soldados ocupam até os espaços livres entre as máquinas — como pela carga adicional que abriga: um pranchão com 125 cavalos, na maioria arrebatados à Força Pública de São Paulo, facilmente identificados pelos números que exibem nas patas dianteiras. O QG do coronel João Francisco instala-se no *Paraná*, que navega logo atrás do *Paulo de Frontin*, os dois escoltados por uma lancha que segue na frente, armada com uma metralhadora pesada e equipada com um motor de carro Hudson adaptado por técnicos alemães.

Com duas horas de viagem, metade da tropa é desembarcada e continua o caminho a pé, pelo meio do mato, através de picadas, para tentar surpreender o inimigo pela retaguarda. Não muito longe, um contingente do Exército, entrincheirado em uma das margens, aguarda a passagem dos rebeldes para atacá-los de tocaia.

A coluna revolucionária caminha no escuro, em fila indiana, pela mata fechada, para evitar emboscadas. Dessa coluna fazem parte alemães e italianos, entre eles o tenente artilheiro Ítalo Landucci. Como Lamberti Sorrentino, Landucci também faz anotações em um caderno, na esperança de mais tarde escrever um livro sobre a revolução de Isidoro.

De repente, ouvem-se tiros. O *Paulo de Frontin*, com as luzes apagadas, reduz sua baixa velocidade. O navio estremece, com as máquinas tentando dar marcha à ré. No convés, a tropa, protegida pela escuridão, toma posição com os seus fuzis. Os homens estão deitados atrás de sacos de areia, aguardando a ordem de atirar. Mas não é preciso usar os fuzis. A vanguarda, que seguira por terra, conseguiu bater o inimigo em minutos. Com um punhado de tiros, os rebeldes conquistam Porto São João, arraial sem expressão estratégica — é um curral e algumas taperas desabitadas. Essa primeira vitória nada representa do ponto de vista militar, mas a simples ocupação do lugarejo, que nem existe no mapa, produz efeito extraordinário sobre o moral da tropa. Porto São João serve pelo menos para atenuar a fome do batalhão; existem boas plantações à sua volta.

Os soldados partiram sem víveres; agora podem alimentar-se de laranjas e frutas silvestres, além de terem caça em abundância. As terras do Paraná são mais generosas que o areal de Mato Grosso. Famintos, os rebeldes comem todo tipo de animais. Nem os macacos escapam: são abatidos a tiros de fuzil, depois de perseguidos pela mata.

A segunda vitória ocorre dias depois: Porto São José, localidade também sem muita importância, apesar de ponto avançado da fortaleza de Guaíra, na divisa com o Paraguai. A conquista de São José reconforta a oficialidade, fortalece o ânimo da tropa.

A estratégia engendrada pelo coronel João Francisco mantém-se inalterada. Parte dos seus homens continua avançando pela mata, farejando a presença do inimigo, enquanto o *Paulo de Frontin* segue mais atrás. A vanguarda avança pelas margens para impedir que a embarcação caia numa emboscada. Ciladas, bastam as do rio Paraná, que obrigam o vapor a se contorcer, a todo momento, pelo seu leito, para não encalhar nos bancos de areia que só os olhos do prático conseguem enxergar.

A noite chega com os soldados acampados no meio da mata. Os rebeldes haviam permanecido dois dias em São José, antes de avançar em direção a Guaíra, onde o Paraná despenca de uma altura de 20 metros, para ajudar a esculpir o salto das Sete Quedas. Antes de alcançar Guaíra, o leito é raso e bastante acidentado, só permite a passagem de embarcações de fundo chato. Nesse trecho, a largura oscila entre duzentos e mil metros. João Francisco sabia que o prático do *Paulo de Frontin*, navio de grande calado, terá que ficar dia e noite pendurado no leme, com os olhos colados nas águas turvas, para que o barco não seja atraiçoado pelos bancos de areia que só ele sabe onde estão.

Quarta-feira, 14 de setembro

Guaíra cai ao amanhecer, após rápido tiroteio. Seus defensores fugiram, assustados, ao perceber que os rebeldes avançavam, a pé, pelas margens do rio. A armadilha montada nas imediações da Ilha Pacu não tinha funcionado. O Exército minara o rio com uma barrica de madeira recheada de 30 quilos de pólvora, 5 quilos de chumbo e 24 cartuchos de dinamite. A mina seria detonada manualmente assim que os navios se aproximassem do canal de navegação. Através de um processo mecânico, um pequeno vidro de ácido sulfúrico se derramaria sobre determinada quantidade de clorato de potássio, misturado com açúcar comum, produzindo a explosão. Nesse momento, seis tambores de gasolina, interligados por tubos, despejariam a sua carga no rio, que seria incendiada com a aproximação das embarcações rebeldes. O fogo se alastraria rapidamente em direção aos navios, empurrado pela correnteza. Duas linhas de trincheiras, fortemente protegidas, nas duas margens, dariam conta do resto. O plano era bom demais para dar certo.

As forças revolucionárias tinham levado quase vinte dias para chegar a Guaíra. Foi uma marcha forçada e sofrida, através de picadas abertas na mata entrelaçada de cipós, forrada por uma vegetação de espinhos. Além do fuzil, os combatentes carregavam sabres, cartuchos, facões de mato, machados, cunhetes de munição, metralhadoras, e mais os feridos levados nas costas ou em padiolas improvisadas. A maior dificuldade eram os pesados canhões de 105mm, arrastados com a ajuda de cabos amarrados na cintura.

Foz do Iguaçu é finalmente ocupada a 24 de setembro. O coronel João Francisco e seus homens encontram a cidade desguarnecida e deserta. Seus habitantes, aterrorizados com os boatos que o Governo espalhava sobre os rebeldes, tinham se refugiado em Puerto Aguirre, situada bem em frente, do outro lado do rio, em território argentino.

Com uma forma triangular, o pedaço do Paraná em poder dos rebeldes, com a capitulação de Guaíra, oferecia, do ponto de vista estratégico excelentes condições para uma resistência prolongada. Dois lados desse triângulo fazem fronteiras com a Argentina e o Paraguai; o terceiro, com a Serra do Medeiros e outros acidentes naturais utilizados como linhas de defesa. Sob controle rebelde, a região apresenta vantagens também do ponto de vista tático: a retaguarda está protegida pela fronteira com dois países e permite saída livre para o exterior. E mais: através de providencial estação de rádio, espetada no alto de uma pequena elevação de Puerto Aguirre, podem ser estabelecidos contatos diretos com os chefes revolucionários no Rio Grande do Sul.

Foz do Iguaçu reúne, portanto, as condições ideais para o reinício da luta contra o Governo. Com o caminho aberto pelo coronel João Francisco, os rebeldes abandonam São Paulo e escoam o grosso da tropa pelo rio Paraná até alcançar Foz do Iguaçu. Com a chegada de Isidoro, do seu QG e do restante das forças revolucionárias, a cidade transforma-se numa praça de guerra. A revolução sentia novo hálito de vida. Solidamente entrincheirados na Serra do Medeiros, basta esperar que se levantem as guarnições do Exército sediadas no Rio Grande do Sul. João Francisco, festejado pelo seu Estado-Maior, exulta com a vitória de sua estratégia:

— De um só golpe, conquistamos um território maior que a Suíça.[165]

12

O TERROR OFICIAL

No auge do poder, a revolução de São Paulo, como se fora protagonista de uma tragédia clássica, no quinto e último ato havia tropeçado e caído. O chão em que se apoiava também desmoronara com a queda. A Polícia agora revolve os escombros à procura de sobreviventes para deixar cair sobre as suas cabeças o guante da lei. A repressão política contra os inimigos do Governo intensifica-se no Rio, São Paulo e Rio Grande do Sul. A crosta de interesses que manipula os inquéritos produz um sentimento generalizado de revolta e indignação. Bernardes castiga os adversários sem compaixão. Os amotinados de Sergipe foram empilhados na cadeia pública de Aracaju. As celas superlotadas são alagadas para que os presos fiquem dia e noite de pé.[166]

Com o terror oficial, entidades abstratas como a Razão, a Justiça e a Verdade cedem lugar às mais violentas paixões pessoais. O ciclo de perseguições atinge milhares de inocentes em todo o país. A advocacia de porta de xadrez desenvolve-se de forma prodigiosa, sem contenção. As prisões, especialmente de pessoas abastadas do interior, detidas muitas vezes apenas por suspeição, transformam-se em inesgotável fonte de renda. As cadeias de São Paulo estão cheias também de imigrantes que lutaram, colaboraram ou cometeram a imprudência de externar simpatia pelo movimento revolucionário. Qualquer denúncia de colaboração com os rebeldes, por mais inconsistente ou pífia que seja, acaba em prisão do acusado.

Com base na montanha de documentos que os rebeldes abandonaram ao deixar a cidade, a Polícia instaura dezenas de inquéritos. O Governo se aproveita da situação para mais uma vez denunciar o envolvimento de imigrantes com o movimento revolucionário. Com base nas provas recolhidas em vários endereços da capital paulista, são reativadas as denúncias de que os rebeldes haviam contratado mercenários estrangeiros para matar soldados brasileiros. A mesma acusação fora feita ainda durante a ocupação de São Paulo. O general Isidoro viu-se moralmente obrigado a esclarecer, através dos jornais, que não estava utilizando a experiência de artilheiros estrangeiros para atirar contra as tropas do Exército. As guarnições dos canhões rebeldes, de acordo com a nota oficial assinada por ele, era formada exclusivamente por brasileiros, em sua maioria oficiais do próprio Exército que haviam aderido à revolução.[167]

A Polícia acusa também os revolucionários de terem contratado pilotos mercenários, como Alberto Comeli e Lúcio Gordines, italianos, Fritz Roesler, alemão, e Carlos Herdler, tchecoeslovaco, para prestar serviços à aviação rebelde. Eles teriam pilotado os aviões que sobrevoaram as tropas legalistas em missão de observação e reconhecimento durante a ocupação de São Paulo.[168]

A morte dos oficiais alemães Ende, Kannegiesser e João Mentzel em Campo Japonês, durante a batalha de Três Lagoas, em Mato Grosso, é também explorada pelo Governo para provar que os rebeldes não têm escrúpulos ao continuar pagando estrangeiros para matar brasileiros.[169]

As acusações se escudavam na documentação apreendida pela Polícia. Uma carta do engenheiro alemão Henrique Hacker ao general Isidoro mostrava, por exemplo, o nível de envolvimento de alguns prósperos representantes da colônia alemã com o movimento revolucionário. Hacker, estabelecido com um escritório de importação de máquinas e produtos químicos à rua Dr. Falcão, 29, aconselhava Isidoro a criar uma "comissão de publicidade e propaganda" para melhor divulgar o programa da revolução. Recomendava ainda a convocação dos moços e de todos os imigrantes que viviam em São Paulo, além de recomendar a intensificação da panfletagem entre as tropas legalistas. Criticava também a imprensa, por se manter distante, adotando "uma reserva prejudicial que não devia continuar". A carta fora esquecida em uma das gavetas da mesa de Isidoro, no QG da Estação da Luz. Hacker foi preso sob a acusação de tentar depor o Governo e mudar a Constituição mediante o uso da força.[170]

O volume de documentos sobre a participacão de imigrantes é tão grande que o Governo decide instaurar um IPM só para investigar a participação de estrangeiros na revolução. Tradutores juramentados são contratados para classificar e traduzir a papelada recolhida nos quartéis dos batalhões rebeldes.

Os primeiros interrogados são os imigrantes presos ainda em São Paulo e os que caíram prisioneiros em Campo Japonês. A Polícia descobre que a maioria dos combatentes não é formada por soldados profissionais, mas por um exército de desempregados, muitos extremamente jovens, como o doceiro Wilhelm Stuff, de 18 anos, de nacionalidade alemã, ferido por um estilhaço de granada, e o iugoslavo Jacob Tescho, também de 18 anos, camponês, há pouco mais de seis meses no Brasil. Muitos tinham sido empurrados para as fileiras rebeldes não só por suas idéias anarquistas, mas pela fome e o desespero. O ex-garçom austríaco João Dugaesek, 37 anos, desempregado e com a mulher doente, foi um dos 24 estrangeiros que cavaram trincheiras e lutaram contra o Governo em troca de comida. Alguns eram apenas descendentes de imigrantes, como Reinaldo Husemann, 18 anos, brasileiro filho de alemão, que se alistou como voluntário para combater nas trincheiras da avenida Paulista com a rua da Consolação. Apesar de muitos estarem desempregados, todos os combatentes estrangeiros tinham uma profissão: eram carpinteiros, sapateiros, eletricistas, mecânicos, motoristas, engenheiros de máquinas, metalúrgicos. Só uns poucos tinham sido militares e lutado por seus países durante a Primeira Guerra Mundial.[171]

Cada unidade é investigada separadamente por um delegado especial com a ajuda de um tradutor juramentado. Ao se debruçar sobre as vísceras da contabilidade do Batalhão Húngaro, encontrada no número 15 da avenida Tiradentes, o tradutor arregala os olhos, com ar de espanto, e começa a falar sozinho, em voz alta. A expressão do rosto é de perplexidade.

— Mas o que é isto? Gyla Hegedues é um dos maiores atores da Hungria, membro do Grande Teatro Vigszinhaz, de Budapeste! Anatole Holub é um campeão de luta romana! Alajos Herceg é o nome de um conhecido meu, comerciante em Budapeste! Gabor Korponli e Gedeon Radai são homens públicos do meu país!

O delegado Alfredo de Assis, que preside o inquérito, não acredita no que acaba de ouvir. A lista de pagamento de soldos do Batalhão Húngaro é um deboche. O comandante Maximiniano Agid não passa de um aventureiro internacional, espertalhão sem escrúpulos que enganara os rebeldes com uma lista de falsos combatentes. Agid havia superfaturado as despesas com os seus homens plantando 33 "*soldados-fantasmas*" na folha de pagamento do batalhão, para ficar com a diferença. A patifaria fora descoberta por acaso pelo intérprete, ao examinar a lista de estrangeiros alistados entre os combatentes húngaros. Num achincalhe, Agid chegou a incluir na relação de soldados sob o seu comando romancistas, um rei do século XV, Matyas Kiraly, bailarinos, foragidos da justiça e nomes de lojas comerciais, repartições públicas e cidades de veraneio da Hungria. A lista de combatentes transforma-se em mote de piadas contra os rebeldes.[172]

Bernardes usa o escândalo para tentar, mais uma vez, desmoralizar a revolução. Além de ridicularizar o general Isidoro, ao divulgar que este fora ludibriado por um vigarista, o Governo aproveita a oportunidade para denunciar que a revolução está cercada por uma "*gang*" de mercenários e aventureiros internacionais.

A marcha rebelde através do alto sertão do Paraná impressionou os jovens oficiais do Exército, pelo abandono em que vive a população do interior do país. A maior surpresa deu-se em Guaíra, pequeno povoado encravado na margem esquerda do Paraná, nas imediações das Sete Quedas. Seus 3 mil habitantes só falam espanhol e guarani. Na cidade podem-se contar nos dedos as pessoas que entendem português. A população, em sua grande maioria, é de argentinos e paraguaios. Os Governos federal e estadual não têm ali nenhum tipo de representação política ou administrativa, salvo uma pequena guarnição do Exército, que exerce apenas função ornamental, contemplativa, desempenhando só o papel de posto militar, sem ingerência na vida da região.

Os oficiais rebeldes custaram a acreditar no que viram. Em Guaíra ninguém conhece o padrão monetário brasileiro: a moeda corrente é o peso argentino. Quem manda na cidade, estendendo os seus domínios por vasta extensão do Alto Paraná, é uma empresa estrangeira: a Companhia Mate Laranjeira. Além de não pagar nenhum tipo de imposto, a empresa, que se dedica ao plantio da erva-mate, exporta toda a sua produção através da Argentina. A Mate Laranjeira é um país dentro do Brasil, a ponto de cunhar e adotar moeda própria para o pagamento dos milhares de trabalhadores que explora. A moeda, entretanto, só é aceita e reconhecida nos armazéns da empresa, onde os empregados são obrigados a fazer suas compras a preços exorbitantes.[173]

Bernardes corre os olhos, com a expressão fechada, pela carta com o timbre do gabinete do governador do estado do Amazonas, a letra miúda e bem-desenhada, com talhe levemente feminino; parece a caligrafia de uma criança. Do outro lado da mesa, o marechal Carneiro da Fontoura delicia-se intimamente com o mimo que acabara de oferecer ao presidente. Fontoura tenta decifrar os pensamentos de Bernardes ao ler aquela carta amorosa, cheia de dengos, que parece escrita por um adolescente apaixonado. A carta é datada de 25 de agosto:

"Minha idolatrada Bizinha.
Após 32 dias de forçado silêncio — vá lá, meu amorzinho, quando eu podia pensar que isso aconteceria! — posso enfim escrever-te um pouco minha Riquezinha. Escrevo-te às duas da manhã do meu gabinete de trabalho. (...) Saio daqui para dormir quando o dia amanhecer. É que tenho procurado corresponder à dignificante confiança com que me distinguiram os meus companheiros! (...) Bem deves adivinhar, minha formosinha e riquinha mulherzinha, o quanto de amargas apreensões vivem no meu atribulado espírito, pela tua situação aí e dos nossos queridinhos filhinhos! O que terá se passado contigo e com eles, durante todo esse tempo, minha formosinha e meiga Bizinha? Que Deus se apiede de nós, meu amorzinho!"

Ingênua, quase infantil, a carta revela uma delicadeza de sentimentos que jamais se poderia suspeitar no autor. O tom extremamente carinhoso perpassa as 12 páginas que Bernardes lê com imensa curiosidade. Estão ali o caráter romântico e a pureza de ideais daquele homem de 27 anos que, sufocado pelos acontecimentos e pela distância da família, empunhou a pena e se dirigiu à mulher.

" A nossa derrota é inevitável (...) Temos poucos oficiais cá que mereçam esse nome. A maioria tem procedido indignissimamente!!! Se algum dia tiver a ventura de tornar a ver-te, minha formosinha e riquinha Bizinha, queridinha do coração, contar-te-ei pormenorizadamente tudo o que se passou naquele sentido. Imagina só que há oficiais que se fizeram revolucionários para avançar em dinheiro!!! Imundos!!!... Vários deles pretendiam mesmo aproveitar-se de minha situação de governador para conseguir negociatas!"

Bizinha é o apelido de Belisa Ramos, mulher do tenente Alfredo Augusto Ribeiro Júnior, governador militar do Amazonas. A carta fora interceptada pelos agentes de Fontoura ao chegar à Agência dos Correios de Barra do Piraí, no interior do estado do Rio de Janeiro, onde Bizinha morava com os filhos do casal. Ao escrever para a mulher, dois dias antes de o movimento revolucionário ser esmagado pelas tropas do Governo, o próprio Ribeiro reconhece que a revolta vive a antevéspera da derrota:

> *"Dentro de 48 horas, no máximo, estará tudo resolvido.(...) Serei, provavelmente, prisioneiro dos 'dragões', a quem não ofereceremos resistência aqui, por ser ela impossível. E o regime dessa gente — já o sabes — é inquisitorial! (...) Pede a Deus por mim, sim? E tem, principalmente, muita resignação para sofrer o martírio que nos advirá de tudo isto. As bênçãos fervorosas de milhares de almas que bendizem os benefícios que lhes fiz, como devia, hão de confortar-te o coração e a alma! (...) Podes te orgulhar de ser esposa de um cidadão e soldado que joga a sua liberdade, o seu bem-estar, o aconchego do lar queridíssimo e a meiga companhia de nossos queridinhos filhinhos, em holocausto à redenção de milhares de compatrícios que tinham fome! Até quando Deus quiser, meu riquinho benzinho. Beija muito e muito nossos riquinhos filhinhos, sim, minha formosinha e meiguinha mulherzinha. E receba outros abraços bem apertados, milhões de apaixonadas beijoquinhas que te envia o teu saudosíssimo e extremado. (A..) Ribeiro."*

Presos em Manaus pelas forças do Governo o tenente Ribeiro e os principais líderes rebeldes estão agora a caminho do Rio de Janeiro, onde serão interrogados pela Polícia Política e, depois, submetidos a julgamento.[174]

Ao chegar a Foz do Iguaçu, as tropas de João Francisco, que fora promovido a general por Isidoro, encontram à sua espera um grupo de oficiais revolucionários do Rio Grande do Sul: os majores Alfredo Canabarro e Anacleto Firpo e o tenente Antônio de Siqueira Campos, um dos líderes do levante do Forte de Copacabana, em 1922. Há um ano Siqueira Campos se encontra asilado na Argentina. O grupo representa não só as guarnições do Exército que simpatizam com a revolução como também os chefes civis gaúchos Assis Brasil, Honório de Lemos e Zeca Neto.

João Francisco, que fora promovido a general, reúne-se com os oficiais para discutir a melhor forma de sublevarem os quartéis do Sul. Depois de várias reuniões, João Francisco decide enviar Juarez Távora com os oficiais gaúchos para ajudar a articular o levante no Rio Grande. O restante das tropas sob o comando de Isidoro ainda se encontra nas imediações de Guaíra e levará alguns dias para chegar.[175]

A descida pelo rio Paraná, iniciada a 8 de setembro, contemplara a retaguarda das forças rebeldes com uma série de surpresas. Além de, nas imediações de Porto Mendes, lutar contra as águas traiçoeiras, que ameaçavam tragar as embarcações com excesso de peso, ainda enfrentaram fortes contingentes do Governo, que haviam retomado as posições conquistadas por João Francisco.

Apesar de dispor de grande quantidade de homens, armas e munição, há vários dias Isidoro tenta livrar-se das emboscadas plantadas pelo Governo. Ele já havia perdido um dos seus melhores oficiais, o major Arlindo de Oliveira, genro de João Francisco; depois de resistir, durante cinco dias, a um ataque de surpresa das tropas legalistas, entrincheiradas nas margens do Paraná, Arlindo fora obrigado a se render, nas imediações de Porto Jacaré.[176]

O velho caudilho gaúcho deixa Foz do Iguaçu e sobe o rio à procura de Isidoro. Os dois chefes militares se encontram finalmente, a 20 de outubro, em Porto Mendes. Isidoro é informado das decisões que João Francisco tomara juntamente com os generais Padilha e Mesquita. Os três tinham criado um *conselho de generais* para resolver em conjunto uma série de problemas até a chegada do chefe com o grosso das tropas procedentes de São Paulo.

A reunião entre Isidoro e João Francisco é tensa. Os dois discutem asperamente sobre as decisões que o *conselho de generais* tomara em nome da revolução. Isidoro mal consegue conter a indignação ao ser informado de que o general Mesquita havia também partido para o Rio Grande em companhia de Juarez. O velho general sente-se gravemente atingido em sua autoridade. O comando revolucionário vive um momento dramático:

— Diante de todos esses fatos, general João Francisco, o senhor desligou-se desta coluna ou demitiu-me e assumiu a chefia de todo o movimento?

Os meigos olhos azuis e o rosto miúdo, que lembram um avô caridoso, foram substituídos por uma expressão amarga de desencanto. De pé, dominado por forte sentimento de indignação, Isidoro não lembra em nada aquele homem baixo, de ombros sugados e aspecto cansado, que se dirige sempre aos seus comandados sem jamais altear a voz. Ele parece fisicamente maior e muito mais imponente ao expor as suas mágoas com franqueza diante daquele homenzarrão de quase dois metros de altura que o ouve em silêncio. A discussão, em caráter reservado, tem como testemunha apenas o general Miguel Costa, principal assessor de Isidoro e o segundo homem no comando da revolução.

João Francisco tenta justificar as atitudes tomadas pelo *conselho de generais*. Explica que foram decorrentes da situação extremamente delicada em que se encontrava o movimento no Sul. Os oficiais que estavam em Foz do Iguaçu precisavam receber instruções urgentes para transmitir aos demais companheiros, que só aguardam uma ordem para deflagrar a revolução no Rio Grande. Não podiam mais esperar a chegada do Alto-Comando para marcar a data do levante. A decisão tinha que ser tomada naquele momento, sob o risco de comprometer toda a conspiração.

Isidoro não aceita as explicações. Sustenta que o *conselho de generais* agiu com açodamento. Não podiam ser tomadas decisões tão importantes, como as que haviam sido aprovadas, apenas sob o calor da emoção. O apelo dramático de alguns oficiais do Rio Grande não era suficiente para que fossem, por exemplo, liberados todos os recursos financeiros pleiteados pelos companheiros do Sul para a compra de armas e munições. A revolução não podia se deixar arrastar por paixões de caráter pessoal. O *conselho de generais* deveria ter outro comportamento, esperar que o Alto-Comando avaliasse a situação com a serenidade que o momento exigia.

Derrotado nos seus argumentos, João Francisco retira-se de Porto Mendes e retorna a Foz do Iguaçu. Não é a primeira vez que Isidoro e João divergem quanto ao rumo que deve ser tomado pela revolução. Os desentendimentos que os separam não são apenas de natureza militar, mas também de princípios.

Isidoro admira a coragem, a determinação, a combatividade e o espírito revolucionário de João Francisco, sempre pronto a se submeter a qualquer tipo de sacrifício, mas faz severas restrições aos métodos "selvagens" que ele e seus homens costumam usar em combate. João Francisco não tem o hábito civilizado de fazer prisioneiros; os homens que apresa são quase sempre degolados. Isidoro sente-se incomodado com a faca longa, de cabo trabalhado em ouro, que João Francisco se orgulha de exibir à cintura, enfiada entre o uniforme e o cinturão de couro.

A degola e o fuzilamento de prisioneiros são expressamente proibidos por Isidoro, mas ele sabe que João Francisco não costuma acatar as determinações do Alto-Comando, muitas vezes promovendo execuções por conta própria.

A rígida formação de Isidoro, adquirida durante o Império, na antiga Escola Militar da Praia Vermelha, impede que ele aceite a degola, no fragor de uma batalha, até como recurso extremo, mesmo que o inimigo esteja levando vantagem. Se o seu emprego em combate lhe causa repugnância, o degolamento de prisioneiros indefesos é para ele uma brutalidade inaceitável, mesmo numa guerra impiedosa como a que o Governo lhes impõe. Aprendera que a vida dos prisioneiros deve sempre ser preservada, não só por razões humanitárias mas também em respeito aos direitos da guerra, estabelecidos pelas convenções internacionais.

Antes de ser informado sobre as medidas que o *conselho de generais* aprovara em Foz do Iguaçu, Isidoro já estava profundamente magoado com João Francisco. Chegara ao seu conhecimento, em Porto Mendes, que o chefe gaúcho obrigara um grupo de prisioneiros, em sua maioria soldados do Exército, a assinar um documento em que declaravam que não houve fuzilamentos ou degolamentos durante a ocupação de Guaíra. Mas ele mesmo, Isidoro, impedira que os homens de João Francisco executassem três prisioneiros que ficaram nove dias amarrados embaixo de uma árvore.[177]

Depois de longa reflexão, Isidoro, como é do seu estilo, resolve enviar uma carta dura e franca a João Francisco. Censura-o por haver utilizado três quartas partes dos recursos financeiros da revolução sem estar autorizado a fazê-lo. Jamais poderia ter mandado também todo esse dinheiro pelo general Mesquita, quando sabia que o Alto-Comando estava a pouco mais de seis dias de distância de Foz do Iguaçu. Pelas críticas que fizera anteriormente ao general Mesquita, João Francisco jamais poderia escolhê-lo para o cumprimento dessa missão. E mais: as tropas que acabam de chegar dispõem de 2 mil fuzis e de 2 milhões de cartuchos, não se justificando, portanto, o comprometimento de tanto dinheiro na compra de armas e munições para a formação de um exército ainda problemático. São esses os únicos recursos com os quais a revolução contava para se manter no interior do Paraná até que se decidisse a abertura de novas frentes de luta contra Bernardes. Isidoro diz ainda mais:

> *"O senhor resolveu ainda nomear um conselho diplomático e já dispõe de dois nomes. Resolveu também criar um Conselho de Guerra para dirigir as operações, o que é uma novidade e uma extravagância, pois acaba com o comando único, postulado de todos os exércitos. (...) Se o senhor não tivesse se ausentado o problema estaria resolvido porque, de bom grado e com grande prazer, lhe passaria o comando que, reconheço, está muito acima da minha aptidão. Mas como o senhor se retira e os outros chefes não querem o comando em chefe, vou agir e deliberar de acordo com o meu modo de ver e vou também entender-me diretamente com os amigos do Paraná, Santa Catarina e Rio Grande a fim de combinarmos uma ação conjunta. (...) Não creio nos três ou quatro mil homens que o senhor ficou de nos mandar para voltarmos pelo Paraná a São Paulo."*

13

O PACOTE INGLÊS

A luz embaçada que tem vazado, até altas horas da madrugada, através das cortinas de *voil* das janelas do terceiro andar do Palácio do Catete, nas últimas semanas, dá a dimensão das preocupações que assaltam o presidente Bernardes com os desdobramentos da crise política e militar. Nesta noite de sexta-feira, 21 de outubro, a situação é particularmente crítica na Capital Federal e no Rio Grande do Sul.

Pela manhã, o embaixador Edwin Morgan, dos Estados Unidos, despachou um telegrama confidencial para o Departamento de Estado informando que o Governo acabara de abortar um levante no Rio de Janeiro e que os principais líderes da revolta haviam sido presos. As comunicações telefônicas com São Paulo estão interrompidas desde as 6 horas da manhã, e o Governo mostra-se apreensivo também com os rumores de uma conspiração em marcha no Rio Grande do Sul.[178]

Desde setembro o Rio de Janeiro vinha sendo sacudido por uma série de atentados. Várias bombas de fabricação caseira tinham explodido em pontos diferentes da cidade. Algumas haviam sido colocadas na porta da casa de altos funcionários do Governo e de políticos que apoiavam

Bernardes; outras foram usadas só como instrumento de intimidação e não chegaram a ser detonadas. O objetivo dos atentados não é espalhar o pânico entre a população, mas abalar a credibilidade de Bernardes e mostrar à opinião pública que ele, na verdade, não conseguiu esmagar a revolução. Dois episódios até então inéditos na história política do Distrito Federal tinham produzido um rombo considerável na imagem do Governo: a explosão de uma bomba no portão da Embaixada da Argentina, na Praia de Botafogo, e o atentado contra o general Tertuliano Potiguara, um dos oficiais que mais se havia esmerado na repressão aos rebeldes, durante a revolução de São Paulo, e um dos comandantes que sufocou o levante do Forte de Copacabana, em 1922. A explosão ocorreu em seu gabinete, na Vila Militar, quando ele abriu um pacote de jornais enviado pelo Correio. Potiguara foi internado em estado grave no Hospital Central do Exército. Perdeu inicialmente dois dedos e, mais tarde, teve o braço amputado em conseqüência dos ferimentos recebidos.[179]

O empenho pessoal de Bernardes para que as investigações fossem realizadas com o máximo rigor apresentou resultados imediatos. A polícia identificou o mentor intelectual do atentado, um coronel reformado, inimigo pessoal de Potiguara. O homem que entregou o pacote, vestido com o uniforme de funcionário do Correio, fora contratado por ele.[180]

Os atentados enfurecem Bernardes e açulam a polícia política. Carneiro da Fontoura e seus agentes aproveitam-se mais uma vez do estado de sítio para alargar o arbítrio e aumentar a violência contra os adversários do Governo. As liberdades e garantias individuais, asseguradas pela Constituição de 1891, são atropeladas pela truculência, que se legitima com base na legislação de exceção. É desencadeada uma perseguição implacável aos suspeitos de sempre: jornalistas, jovens oficiais do Exército e da Marinha, anarquistas e líderes sindicais. A Polícia fecha as poucas associações de classe que ainda têm autorização para funcionar.

A fúria da repressão se abate impiedosa sobre os inimigos de Bernardes. Na madrugada de 20 de outubro, depois de rastrear um punhado de pistas inconsistentes para tentar localizar um novo foco de conspiração contra o Governo, a polícia política consegue, finalmente, ser bem-sucedida. Os agentes cercam um velho sobrado na rua do Acre, perto da praça Mauá, e esmurram a porta de um bar:

— Capitão-de-mar-e-guerra Protógenes Guimarães, o senhor está preso!

O oficial, que comia um frango assado, entrega-se sem reagir.

O comandante Protógenes é o líder de um movimento revolucionário na esquadra que estava previsto para ser deflagrado na manhã seguinte. A conspiração naufraga naquela mesma noite. Vários oficiais e dezenas de civis são detidos em casa ou a caminho do cais do Arsenal de Marinha.

O movimento crescera demais, conta com a participação de comerciários, estudantes, operários, políticos. O entusiasmo popular com a rebelião é tão grande que ela já deixou de ser propriamente uma conspiração. Com tanta gente envolvida, é quase impossível manter em segredo as articulações para sublevar a esquadra. De acordo com o plano descoberto pela polícia, Protógenes assumiria o comando do encouraçado *São Paulo*, dando início à rebelião, que se alastraria pelos outros navios de guerra fundeados na baía de Guanabara. A revolta seria anunciada com salvas de artilharia para mobilizar os revolucionários civis comprometidos com o levante, que se encontram espalhados pela cidade. Em seguida, seriam dinamitados os prédios da Polícia Central e da Polícia Militar e dos Ministérios da Guerra e da Marinha. O Catete seria bombardeado pelo encouraçado *São Paulo*.[181]

O Governo não tem uma avaliação da extensão da conspiração, mas como o ministro da Marinha, almirante Alexandrino Alencar, assumiu pessoalmente o comando da esquadra, Bernardes confia na sua autoridade e inegável capacidade de liderança para sufocar a revolta. É só o almirante Alexandrino cuidar dos seus oficiais e marinheiros que o general Carneiro da Fontoura e seus homens, com a competência habitual, cuidam do resto.

O que mais preocupa o presidente, nesta noite chuvosa de sexta-feira, não é o Rio de Janeiro, mas o Sul. Há dias Bernardes vem recebendo telegramas do Rio Grande alertando-o para a existência de um movimento de contestação ao Governo que prospera entre as guarnições do Exército ao longo da divisa com o Uruguai.

Um manifesto do general João Francisco, que havia circulado em algumas cidades gaúchas, endereçado "ao povo da fronteira do Sul", confirma as informações recebidas por Bernardes. A Embaixada dos Estados Unidos no Paraguai percebeu a importância do documento, reproduzido, na íntegra, pelo jornal *Pátria*, de Assunção. A representação americana chamava a atenção do Departamento de Estado para determinados tópicos do manifesto, em que João Francisco declara que o objetivo da revolução é "livrar a nação do abismo da corrupção, do vício e da desordem", citando entre vários exemplos o recente e escandaloso aumento de salários dos membros do Congresso, por eles mesmos aprovado, "enquanto os oficiais do Exército e da Marinha passam fome".

O substancial aumento recebido pelos deputados e senadores, com a anuência de Bernardes, era considerado acintoso pelo Exército. Enquanto os representantes do Congresso nadam em dinheiro, o ministro Setembrino de Carvalho vive contando tostões, em conseqüência das verbas minguadas que os políticos destinaram ao ministério, no orçamento da União. No final de junho, Setembrino havia se submetido à suprema humilhação de expedir uma ordem de serviço com drásticos cortes de despesas, recomendando, entre outros absurdos, que praças e oficiais "passem a usar cuecas, em vez de ceroulas, como medida de economia", além de sustar a entrega de colarinhos aos soldados e reduzir à metade "o fornecimento de meias e lenços" aos oficiais.

O vigoroso manifesto de João Francisco denuncia também a vergonhosa intervenção inglesa nos negócios internos do país, ao promover um balanço contábil das nossas disponibilidades financeiras, para saber se o Brasil está em condições de contrair novos créditos no exterior. A avaliação das contas oficiais do Governo fora uma exigência dos banqueiros ingleses. Para renegociar a dívida e conceder novos empréstimos, lembra João Francisco, eles haviam obrigado o Governo a ficar de joelhos. O Brasil tinha que promover uma série de mudanças na ordem econômica e na estrutura administrativa para merecer a confiança do capital inglês.[182]

A visita da missão econômica, iniciada em dezembro de 1923, a convite de Bernardes, fora considerada pela oposição um ultraje. Para os rebeldes, a interferência de uma missão estrangeira nos negócios financeiros da nação era um insulto à independência do país. A oficialidade acusa Bernardes de violar a soberania nacional para se submeter aos caprichos do capital inglês.

Durante meses, os técnicos de Sua Majestade Jorge V se debruçaram sobre as vísceras do Governo com o objetivo de identificar os males que minam a saúde financeira do país. Examinaram os processos orçamentários, a circulação monetária, as tarifas, o funcionamento do Banco do Brasil, além de promover um estudo detalhado sobre os recursos minerais do país. A missão era formada por um grupo de notáveis: sir Charles Addis, jurista e diretor do Banco de Londres; lorde Novat, autor de festejadas publicações econômicas; Harltley Withers, jornalista, ex-diretor do *Economist* e atual redator do *Times*, com várias obras publicadas sobre administração pública; E. S. Montagu, secretário parlamentar do Tesouro inglês; e Willian McLintock, contador público.

No dia 29 de junho, um domingo, o *Diário Oficial* publicara o relatório da missão com as suas principais recomendações. O diagnóstico foi considerado uma ingerência descabida na vida interna de uma nação independente. O Brasil estava, mais uma vez, recebendo o mesmo tratamento que a Inglaterra dispensava às suas colônias.

Os ingleses aconselhavam Bernardes a combater o déficit fiscal com firmeza e a resistir a toda e qualquer tentação de emitir dinheiro, para tentar equilibrar as contas públicas. Pregavam também a reformulação dos processos adotados para elaborar o orçamento da União, por considerá-los confusos e sem contato com a realidade. E mais: recomendavam que o Governo enxugasse, drasticamente, o quadro de funcionários públicos, com o maior número possível de demissões, a fim de tornar a máquina administrativa menos onerosa e mais eficiente. Os ingleses confessavam-se impressionados com "grande número de funcionários públicos existente no país", um sorvedouro das finanças públicas. A comissão atacava também as despesas consideráveis que o Governo fazia com o pagamento de pensões; o país gastava dinheiro demais com aposentadorias.

O relatório indicava o que os ingleses consideravam o melhor caminho para o Brasil reduzir a sua dívida externa: a venda ou o arrendamento de bens de propriedade do Estado, medida que deveria ser adotada juntamente com um pacote de facilidades para estimular a entrada de investimentos externos. "O Brasil não possui atualmente os recursos necessários para prestar eficiente auxílio à exploração de seu vasto território. O capital estrangeiro é essencial ao país. (...) O Brasil oferece, sem dúvida, um vasto campo a esses capitais, mas deve estudar os meios de atraí-los", observava o documento.[183]

Os membros da comissão defendiam a privatização das principais empresas estatais, como o Lloyd Brasileiro e a Estrada de Ferro Central do Brasil, por entenderem que era a única forma de o Brasil acabar, de uma vez por todas, com o déficit crônico, além de fazer caixa para honrar compromissos assumidos com os credores internacionais. Os técnicos ingleses aconselhavam Bernardes a mudar a Constituição, não só para se livrar mais rapidamente das estatais como para que o Governo pudesse vender ações do Banco do Brasil aos bancos estrangeiros que operavam em território nacional.

O que os ingleses propõem, na verdade, é a transferência de significativa parcela do patrimônio público para o bolso dos investidores estrangeiros. Segundo eles, o Governo deveria deixar também de intervir abertamente na economia, como vinha fazendo, ao criar empresas e explorar serviços que são da competência da iniciativa privada.

A criação de uma indústria siderúrgica, pelo Estado, um velho sonho de Bernardes, era condenada pelos ingleses. Para ser bem-sucedido, o empreendimento deveria ser realizado com capital privado nacional e recursos externos. A comissão defendia uma economia de livre mercado, sem qualquer tipo de ingerência do Estado, única alternativa para o desenvolvimento econômico e social. Para crescer e ser uma grande nação, o Brasil precisaria abrir, definitivamente, as suas portas ao capital estrangeiro sem qualquer tipo de restrição.

O programa econômico e financeiro proposto pela comissão era apresentado ao Governo como a quintessência da modernidade e do progresso, apesar de ancorado em velhos postulados do liberalismo inglês do século XVIII.

O único ponto de comunhão entre os membros da comissão e a oposição era quanto à condenação do privilégio de que gozavam os produtores rurais, ao serem isentos, pelo Congresso, do recém-criado imposto de renda. Como é grande o número de senadores e deputados fazendeiros, nada mais natural que tivessem aprovado uma lei em seu próprio benefício, colocando-se fora do alcance do fisco.

Apesar da violenta reação interna ao relatório da missão inglesa, a avaliação recebeu calorosos elogios dos jornais *La Nación*, de Buenos Aires, e *El Mercurio*, de Santiago do Chile. Em editoriais, esses jornais saudavam o impacto positivo que o relatório produzira na negociação dos títulos brasileiros nas Bolsas de Londres e Nova York. Derramando-se em elogios a Bernardes, eles elogiavam a decisão do Governo brasileiro de colocar de lado "escrúpulos e preconceitos inveterados da América Latina" ao permitir que técnicos ingleses identificassem os males financeiros do país, a exemplo do que já havia ocorrido com a Colômbia e o Peru.[184]

Os rebeldes, sempre que podem, exploram politicamente, como agora, as conclusões da comissão para mostrar que o Governo está a serviço dos interesses estrangeiros. Bernardes porta-se como um fantoche. Para a oposição e a jovem oficialidade do Exército, toda aquela lenga-lenga de modernidade contida no receituário econômico da missão britânica não passa de artifício para enganar os tolos e mais uma vez colocar o Brasil sob o domínio colonial inglês.

Juarez Távora, Siqueira Campos e o grupo de oficiais que se reunira com o *conselho de generais*, em Foz do Iguaçu, há muito estavam no Rio Grande semeando a revolução pelos quartéis. Eles tinham conseguido cruzar a fronteira com a Argentina sem dificuldades. Todos usavam documentos falsos: Juarez era *Fernando Suarez*; Siqueira Campos, *João Walter*.[185]

Antes de entrar no Rio Grande, eles mantiveram um encontro no Uruguai com Honório de Lemos, um dos chefes gaúchos que se encontrava asilado ali desde 1923. Depois, participaram de uma reunião em Artigas com Assis Brasil e Zeca Neto, para acertar o tipo de cooperação que os civis maragatos dariam ao levante. Foram também discutidos e aprovados os códigos que seriam usados durante a troca de correspondência entre os conspiradores civis e militares.

Após uma série de providências, Juarez e Siqueira Campos retornaram a Montevidéu, de onde seguiram, via Buenos Aires, com destino ao Rio Grande, a fim de estabelecer contatos com as unidades do Exército localizadas na fronteira com a Argentina.

Nessa sexta-feira, 21 de outubro, os dois chegam à cidade argentina de Alvear, bem em frente a Itaqui, do lado brasileiro, entre as cidades gaúchas de São Borja e Uruguaiana. Após cruzar a fronteira, a situação que encontram no Grupo de Artilharia de Itaqui, um dos mais importantes da região, não é encorajadora. A oficialidade que simpatiza com a revolução fora transferida para outros quartéis. Mesmo com esse quadro adverso, *Fernando Suarez* e *João Walter* decidem continuar a peregrinação pelo Sul, costurando o levante com as guarnições da fronteira.

Alguns quartéis já haviam sido visitados por Juarez em janeiro. Disfarçado, com vastas costeletas e óculos escuros, ele estabelecera os primeiros contatos com os revolucionários do Rio Grande. Avista-se com o capitão Luís Carlos Prestes e Paulo Krueger, que serviam no batalhão ferroviário de Santo Ângelo, e com Oswaldo Cordeiro de Farias, destacado numa unidade de artilharia, em Santa Maria. Mas os sucessivos adiamentos do levante e os equívocos que se acumularam durante a preparação da revolta acabaram levando os conspiradores gaúchos a só tomar conhecimento da revolução de São Paulo quando ela já estava dentro das trincheiras.

Agora, ao rever Cordeiro de Farias, tantos meses depois, os dois recordam o susto que Juarez passara durante um jantar, num restaurante de Santa Maria, quando um grupo de civis passou a observá-lo com interesse incomum. O próprio Cordeiro, que não fizera nenhum comentário na ocasião, esclarece o que tinha acontecido naquela noite. Rindo muito, conta que no dia seguinte lhe perguntaram:

— Quem é aquele sujeito com cara de toureiro que jantou ontem com você?

— É um esquisitão lá do interior de Santa Catarina, grandote, feioso, mas inofensivo...[186]

Juarez prende o riso e, por alguns momentos, revê diante dos olhos o disfarce ingênuo e grotesco, que, em vez de mantê-lo no anonimato, chamava ainda mais a atenção para a sua presença. Os dois voltam a dar gargalhadas, deliciando-se com o episódio que tanto preocupara Juarez, quase dez meses atrás.

14

PRESTES LEVANTA O RIO GRANDE

A revolução no Sul está muito mais adiantada do que Bernardes pode supor. Os conspiradores marcaram até a data do levante: 29 de outubro, um sábado. O plano conta com a aprovação dos chefes civis que fornecerão homens e armas à rebelião. Juarez será o responsável pela sublevação da guarnição de Uruguaiana; Siqueira Campos, de São Borja; e João Pedro Gay, de São Luís. O capitão Luís Carlos Prestes levantará o Batalhão Ferroviário de Santo Ângelo. Os conspiradores esperam contar com a adesão das unidades de Alegrete, Dom Pedrito, Santana, Santiago e Palmeira, que se comprometeram também com a revolução.

Desde o início de outubro os conspiradores vêm recebendo armas e munição através da fronteira com a Argentina. As armas compradas por Assis Brasil em Buenos Aires são levadas para Paso de Los Libres e, dali, transportadas para o Rio Grande, camufladas em caixas de frutas argentinas.

Na véspera da data marcada para a deflagração do movimento, Siqueira Campos decide antecipar-se aos companheiros para melhor cumprir sua missão. Às 8 horas da noite do dia 28, um grupo de sargentos, sob o pretexto de que São Borja estava na iminência de sofrer um ataque inimigo, arromba o paiol e arma a tropa. Os soldados são colocados em posição de sentido, no pátio do quartel, à espera do oficial que assumirá o comando. Os tenentes Aníbal Benévolo e Sandoval Cavalcanti surgem no portão acompanhados de um homem de estatura mediana, vestido com uma capa imensa, o rosto encoberto por um grande chapéu enfiado até as orelhas.

Aníbal Benévolo é um dos principais organizadores e coordenadores do movimento revolucionário no Rio Grande. Ele anuncia à tropa com sua voz forte:

— Soldados! Eis o vosso comandante!

Volta-se para o homem com o chapéu enterrado até as orelhas e revela:

— Este é o capitão Antônio de Siqueira Campos!

O regimento é varrido por um frêmito de emoção. Centenas de braços levantam os seus fuzis. A primeira reação, depois do impacto da revelação, é de incredulidade. Os soldados não acreditam que estão realmente diante do herói do Forte de Copacabana. Siqueira Campos tira o chapéu, corre os dedos pelos cabelos negros e crespos, livra-se da capa que usa como disfarce e caminha na direção da tropa. Seus olhos azuis estão banhados de entusiasmo. Os homens o contemplam com encantamento.

De repente, o quartel todo explode a uma só voz:

— Viva Siqueira Campos! Nós estamos a seu lado!

Siqueira Campos faz um gesto largo com a mão direita, e as aclamações silenciam. Começa então a falar com entusiasmo sobre os objetivos da revolução. Não seria preciso. Seu prestígio e a presença eram suficientes para legitimar a revolta e dispensar qualquer tipo de pregação. Os soldados o acompanhariam para onde fosse. Atraídos pela inesperada movimentação da tropa, os oficiais que vão chegando ao quartel também aderem ao levante. Patrulhas são enviadas para ocupar a cidade, a estação ferroviária, e para controlar todos os acessos a São Borja. O tenente-coronel Eulálio Franco Ribeiro, comandante da 1ª Brigada de Cavalaria, é preso em casa, mas Siqueira Campos permite que ele atravesse a fronteira e se refugie na Argentina.[187]

Ainda de madrugada cai também em poder dos rebeldes o 1º Batalhão Ferroviário de Santo Ângelo, a 300 quilômetros de Porto Alegre. Às dez da noite, o oficial de serviço que responde pelo batalhão recebeu um telegrama do general-comandante da região ordenando-lhe que entrasse em contato com o capitão Luís Carlos Prestes e lhe passasse imediatamente o comando da unidade. Um dos mais prestigiados oficiais do batalhão, Prestes é localizado em casa, onde o tenente lhe exibe o telegrama. Os dois seguem de carro para o quartel. Só uma hora e meia depois o tenente percebeu que fora vítima de um engodo: o telegrama era falso, fora utilizado como artifício para a entrega do quartel aos rebeldes. O major comandante do batalhão também fora ludibriado. Algumas horas antes, com o objetivo de afastá-lo da cidade, um grupo de oficiais convidou-o a fazer um passeio de automóvel pelo campo.[188]

Ao amanhecer, soldados e civis, armados com espingardas e fuzis, patrulham Santo Ângelo com lenços vermelhos no pescoço, um velho hábito dos revolucionários maragatos, adversários de Borges de Medeiros, fiel aliado de Bernardes, que ocupa a presidência do Rio Grande do Sul pela quinta vez consecutiva.

Hasteada ainda durante a madrugada, a bandeira do movimento de 5 de julho tremula, nessa manhã de sábado, sobre as guarnições do Exército em São Borja, Uruguaiana, São Luís das Missões e Santo Ângelo. O próximo passo é alastrar a rebelião pelo resto do Rio Grande e marchar, depois, em direção a Foz do Iguaçu, para a junção com as tropas do general Isidoro. O plano é reestruturar as forças revolucionárias, com cerca de 5 mil homens vindos do Sul, e fazer o caminho de volta para reconquistar a cidade de São Paulo; a segunda etapa é atacar o Rio de Janeiro.[189]

O Palácio do Catete recebe a notícia da revolta no Rio Grande como uma embarcação acossada por uma tormenta. Atordoados com o levante, Bernardes e os ministros militares deixam-se arrastar, por alguns momentos, pela borrasca. A sensação que se tem é a de que o Governo está prestes a adernar. Mas é só impressão. Com a experiência de outras tempestades, Bernardes, como habilidoso timoneiro, segura o leme com firmeza e tenta restabelecer o controle da situação com mão de ferro. O Catete navega, outra vez, num mar encapelado, pontilhado de arrecifes, sem uma visão clara da rebelião.

A Polícia Política do Rio não conseguira ainda avaliar a verdadeira extensão do rombo provocado no casco do Governo pelo levante da Marinha e já está diante de uma nova rebelião.

Desde cedo os agentes de Carneiro da Fontoura estão nas ruas, seguindo o rastro de dezenas de suspeitos. O *General Escuridão* está convencido de que a sublevação dos quartéis ao longo da fronteira tem ligações com a conspiração liderada no Rio de Janeiro pelo capitão Protógenes Guimarães, ex-comandante do Corpo de Fuzileiros Navais; faltam só algumas pedras para o tabuleiro de xadrez ficar completo.

Para evitar surpresas, o ministro da Guerra cancela todas as licenças para esse final de semana e coloca as tropas da Vila Militar em regime de prontidão. Fortes contingentes da Polícia Militar são deslocados para proteger a Casa de Correção, na rua Frei Caneca, e o prédio da Polícia Central, que começa a ser isolado com rolos de arame farpado.

O ministro da Marinha também toma as suas precauções. Desde a prisão de Protógenes, na noite do dia 20, ele pôs sob suspeição a tripulação do encouraçado *São Paulo*. Para impedir que o navio venha a ser ocupado pelos rebeldes, o almirante Alexandrino determina a retirada de grande parte do seu armamento e autoriza ampla reforma em suas caldeiras. Um contingente de fuzileiros navais, da mais absoluta confiança do ministro, permanece sempre a bordo, vigiando o movimento dos oficiais considerados suspeitos. O encouraçado está com pouca água e quase sem munição. Com as máquinas em manutenção e apenas cinco caldeiras capazes de funcionar, o *São Paulo* não dispõe de condições técnicas para capitanear o levante da armada. Seu poder de fogo encontra-se completamente anulado. Pequenas embarcações podem ser vistas circulando em torno do encouraçado, para impedir a aproximação de lanchas, botes e veleiros. O *São Paulo* é alimentado com pequeno suprimento de carvão, o suficiente para deixar o Rio, nos próximos dias, e concluir os reparos num estaleiro das docas de Santos.

15

O *SÃO PAULO* SE REBELA

Terça-feira, 4 de novembro

Duas horas da manhã. Faz calor, o ar está pesado e denso no Rio. Não há sequer uma brisa. A maioria da população agita-se nas camas amaldiçoando a chegada do verão e o novo aumento do litro de leite, que passará a custar 600 réis. Os moradores das áreas mais nobres da cidade, como Botafogo, Santa Teresa, Laranjeiras, Jardim Botânico e Alto da Boa Vista, têm outro bom motivo para não pegar no sono: a entrada em vigor do recém-criado Imposto de Renda, um pesadelo para as pessoas com rendimentos anuais acima de 10 contos de réis.

O centro da cidade está quase deserto. Um punhado de ruas tortas despeja, de repente, nas imediações do cais do Arsenal de Marinha, um grupo de vultos apressados que se perde rapidamente entre os desvãos da madrugada. O sargento Brasil Gonçalves da Silva passa correndo pela calçada do Cine Pallais sem olhar o letreiro que anuncia, com letras rebuscadas, a estréia por ele tão esperada de *Os Quatro Cavaleiros do Apocalipse*, uma produção da Metro com Rodolfo Valentino e Alice Terry. Como está de uniforme, Brasil evita os becos e atalhos que deságuam no cais do Arsenal e desaparece numa das esquinas da praça XV.

As poucas lâmpadas acesas no *São Paulo* impedem que os fuzileiros percebam a presença de alguns oficiais, extremamente jovens, que deslizam como sombras pelo convés do encouraçado. O motim para assumir o controle do encouraçado, em nome da revolução de 5 de julho, progride lentamente, pela falta de liderança. O comandante Protógenes, chefe da rebelião, preso há dias na rua do Acre, é quem deveria estar ali para assumir o comando do navio e sublevar o resto da esquadra. De acordo com o plano inicial, ele deveria chegar a bordo em um dos três submarinos Fiat adquiridos pela Marinha quase no início do século.

Os oficiais rebeldes continuam prosperando pelo resto do navio sem despertar suspeitas. O encouraçado encontra-se em regime de semiprontidão: metade da tripulação permanece a bordo; a outra está em terra, licenciada, por determinação ministerial. A guarnição do *São Paulo* é de 160 oficiais e 1.100 praças, mas apenas sete tenentes participam da revolta: Hercolino Cascardo, Ademar Siqueira, Arnaldo Pinheiro de Andrade, Paulo Alcanforado da Natividade, Mário de Freitas, Benjamim Xavier e Augusto do Amaral Peixoto.

Os rebeldes aguardam apenas a chegada dos praças e oficiais licenciados, comprometidos com a revolta, que seriam apanhados por um rebocador no cais do Arsenal, para dar início à rebelião. Ninguém consegue, entretanto, explicar a razão de tanta demora: a embarcação está quase uma hora atrasada. No lugar do rebocador aparece, de repente, uma canoa com a notícia de que a revolta fora descoberta. O sargento Brasil fora alertado de que os praças e oficiais licenciados do *São Paulo* que se dirigiam ao cais do Arsenal estão sendo presos pelos fuzileiros navais. Foi então à praça XV, alugou uma canoa e remou até o encouraçado para avisar que haviam sido traídos. Só um oficial consegue chegar ao *São Paulo*, o capitão-tenente Waldemar Araújo Motta; ele apanhara carona na *vedeta* de bordo, a pequena lancha a vapor do encouraçado, que regressava da praça XV, após desembarcar dois oficiais rebeldes que desistiram de participar da revolta. Eles acham que o levante liderado pelo *São Paulo* tem poucas chances de êxito.

Não há tempo a perder. São três horas da manhã. O tenente

Cascardo, oficial-de-dia, assume o comando da rebelião, por ser o mais velho dos oficiais rebeldes. Estes ainda não sabem com quantos homens poderão contar entre os 500 marinheiros, sargentos e oficiais que dormem a bordo. Uma bandeira vermelha, símbolo da revolução de 5 de julho, é içada discretamente na adriça do mastro central. O segundo passo é tentar colocar o navio em funcionamento. A pressa dispensa a remoção das carapuças que vestem as duas chaminés; a retirada chamaria a atenção das outras embarcações que vigiam o *São Paulo*.[190]

Na véspera, o tenente Benjamim Xavier havia recolocado as peças retiradas das caldeiras e da máquina de bombordo. O ministro da Marinha desconhecia a existência de peças sobressalentes no almoxarifado do encouraçado. Também os instrumentos de precisão removidos dos canhões estão sendo instalados nas torres de tiro. Com as prerrogativas que o cargo de oficial-de-dia lhe confere, o tenente Cascardo, num golpe de astúcia, enviara uma lancha à Diretoria de Armamento para buscar o resto do material de que precisam para iniciar o levante.

A maioria da oficialidade, que havia assumido um compromisso de lealdade com o Governo, dorme em seus camarotes. Os rebeldes resolvem colocar em prática um plano original. Como não pretendem cometer violências contra os oficiais legalistas, imaginaram imobilizá-los de forma indolor, com injeções de sonífero. Semanas antes do levante, o tenente Augusto do Amaral Peixoto, recém-saído da Escola Naval, havia recebido lições de como aplicar injeções de Sonorol com o médico Pedro Ernesto Batista, um dos líderes civis da revolta. Na opinião de todos, a melhor forma de se evitar um encarniçado confronto com derramamento de sangue é anestesiar a oficialidade enquanto dorme.

Augusto do Amaral Peixoto, empunhando a seringa com Sonorol, entra silenciosamente no camarote do oficial escolhido para primeira vítima: o capitão-de-corveta Motta Ferraz. No corredor, um grupo de marinheiros engajado no levante espia a execução do plano pela porta do camarote. Ao sentir a picada da agulha, Motta Ferraz levanta-se aos gritos e faz um escândalo. Com a ajuda dos marinheiros, Amaral Peixoto imobiliza-o, tapando-lhe a boca com um travesseiro, até que o medicamento comece a fazer efeito. Mas a barulheira infernal desperta o imediato Guimarães Bastos e o capitão Haroldo Cox, que saltam dos beliches e sobem armados para o convés. Ali encontram o tenente Cascardo, que mal consegue dissimular o espanto com o desastre do plano. O capitão pergunta o que está acontecendo:

— Ouvi alguém pedir socorro...

Cascardo, como oficial-de-dia, tenta contornar a situação com habilidade. Garante não ter ouvido gritos nem percebido qualquer anormalidade a bordo:

— Deve ter sido algum oficial sonhando. Não é a primeira vez que isso acontece. Muita gente tem pesadelos terríveis quando o navio está prestes a partir.

Desconfiado, Cox resolve fazer uma inspeção nos andares inferiores, em companhia do imediato. Ao entrar na praça de armas, os dois são presos pelos rebeldes.

Com a seringa na mão, atordoado por toda aquela confusão, Amaral Peixoto observa a agulha entortada pela inesperada reação do capitão Mota Ferraz e toma uma decisão: desiste das injeções de Sonorol. Os oficiais legalistas vão ser agora imobilizados à força.[191]

Um a um eles vão sendo acordados e recolhidos, sob escolta, à segunda cobertura do encouraçado. Amaral Peixoto tenta convencê-los a aderirem à revolução. Os marinheiros são também despertados e recebem instruções para assumir imediatamente suas funções. Os rebeldes ainda não sabem como os sargentos e a marujada vão reagir ao levante. A oficialidade que se mantém fiel ao Governo recusa-se a permanecer no navio, pede para desembarcar e é atendida.

Na casa de máquinas a movimentação é intensa. As caldeiras já estão acesas, com o fogo esperto, mas o *São Paulo*, pesadão, continua imóvel. O aquecimento levará cerca de duas horas e só então o navio estará em condições de partir. Os rebeldes colocam em ação a segunda parte do plano: conquistar a adesão do encouraçado *Minas Gerais* e das demais unidades fundeadas na baía de Guanabara. Como os amotinados contam com o apoio das fortalezas que guarnecem a entrada da barra, o sucesso da revolta está praticamente assegurado. Os rebeldes enviam uma lancha à Fortaleza de Santa Cruz, em Niterói, para recolher os oficiais que ali se encontram prisioneiros.

Ainda sem conseguir o controle do encouraçado, os rebeldes são surpreendidos com uma reação inesperada de parte da tripulação. Alguns sargentos iludem a vigilância dos praças que se engajaram com o levante e se refugiam nos alojamentos da proa para organizar a contra-revolta. A situação é grave. Comandada pelo sargento Manuel Sequiz Tavares, mestre do navio, a reação começa a estender linhas de defesa para enfrentar a rebelião. Barricadas são improvisadas no convés e nos corredores que dão acesso à casa de máquinas. Não se sabe quantos homens passaram para o lado do Governo.

Augusto do Amaral Peixoto tenta enquadrar o líder da contra-revolta:

— Seu mestre!

— Pronto!

— Suba!

— Não cumpro ordens de oficial revoltado!

Começa o tiroteio. O suboficial legalista Ricardo Dollores Calado é atingido na barriga e cai.[192]

Os tiros são ouvidos no encouraçado *Minas Gerais*, ancorado ao lado, com toda a tripulação a bordo. Três oficiais que fazem parte da conspiração aguardam apenas o sinal combinado para sublevar a guarnição.

O tenente Cascardo envia um ultimato ao *Minas*. O telegrama exige uma definição de sua tripulação em dez minutos. A mensagem termina com uma ameaça: "O *São Paulo* acha-se de fogos acesos e pronto para o combate." Puro blefe. O navio não está em condições de sustentar um duelo com o *Minas*, além de enfrentar forte resistência interna, de desfecho ainda imprevisível.

As luzes do *São Paulo* apagam-se de repente, aumentando ainda mais a confusão. O tenente Benjamin Xavier desce rapidamente à casa de máquinas para saber o que está acontecendo. Em questão de minutos se descobre a origem da pane: sabotagem. As válvulas de segurança denunciam excesso de pressão nas caldeiras. Alguém fechara os registros para impedir que o navio se movimentasse. Benjamin Xavier reduz a pressão mas não retorna ao convés. Fica escondido na casa de máquinas, para tentar identificar o sabotador. Dez minutos depois, as luzes apagam-se outra vez. O tenente prende o sargento Colombo ao lado das válvulas de segurança. Alivia novamente a pressão das caldeiras e a energia se restabelece.[193]

O ultimato do *São Paulo* é ainda uma incógnita. O oficial de serviço no *Minas*, tenente Sílvio de Camargo, que faz parte da conspiração, acaba de ordenar ao corneteiro o toque para que a tripulação se concentre à ré, em sinal de adesão. O comandante do navio, capitão-de-mar-e-guerra Carlos de Noronha Carvalho, que dorme a bordo, ouve o toque de concentração e corre para o convés. Sílvio de Camargo entrega-lhe o ultimato e comunica, em tom solene, que a guarnição do *Minas* acaba de aderir ao levante. O comandante desconfia da mensagem. Prende o tenente, convoca os oficiais e ordena que se preparem para resistir ao ataque do *São Paulo*. Os tenentes Amorim do Vale e Castilho França, igualmente comprometidos com a rebelião, passam a dar instruções contrárias, confundindo ainda mais a tripulação. Amorim é preso imediatamente. Num gesto de desespero, ao ver fracassar uma das partes mais importantes do levante, Castilho França declara-se "revoltado" e tranca-se na sala de controle, para tentar ganhar tempo. Meia hora depois ele se entrega ao ser informado de que toda a Marinha entrara de prontidão.

No *São Paulo*, a situação continua indefinida, com os sargentos legalistas ilhados na proa. Estão todos em posição de tiro, protegidos por trincheiras construídas com móveis, cordas, correntes e algumas peças do navio. Os rebeldes estão preocupados com a demora da lancha enviada à Fortaleza de Santa Cruz, que não voltou. O encouraçado estremece de repente e começa a se arrastar lentamente; o excesso de pressão nas caldeiras não permite que a velocidade ultrapasse cinco nós. A tensão a bordo é muito grande, porque ainda não se sabe qual será a reação do *Minas Gerais* e do resto da esquadra.

O *Minas* e o *São Paulo*, construídos na mesma época, no começo do século, estão entre os mais extraordinários vasos de guerra do mundo. Os dois têm blindagem especial e casco com fundo duplo. Cada um conta com 36 carvoeiras com capacidade para transportar 2.573 toneladas de carvão, o que assegura excepcional autonomia de navegação. Dois grupos de motores, com 21.000 hp cada um, proporcionam mobilidade pouco comum para navios desse porte.

O poder de fogo do *Minas* e do *São Paulo* é surpreendente. Juntos, podem pulverizar o Governo com o peso dos seus canhões em questão de minutos. A bateria principal é formada por 12 canhões de grosso calibre, de 305mm, dispostos em seis torres couraçadas com 14 metros de comprimento. As baterias secundárias são armadas com 12 canhões Armstrong de 120mm e por duas baterias aéreas de 66mm. A munição é também especial. Os canhões são alimentados por elevadores elétricos ou mecânicos que trazem a munição diretamente dos paióis. São encouraçados equipados com o que há de mais sofisticado em tecnologia naval. Dispõem de inovações recentes, como uma moderna central telefônica, luxo que só as grandes cidades brasileiras possuem. Pode-se falar da cabina de comando com qualquer compartimento do navio.[194]

16

UMA LUFADA DE ESPERANÇA

O dia está clareando, mas as luzes do Palácio do Catete estão acesas, nessa terça-feira, desde as quatro da manhã. Bernardes mantém-se reunido com o ministério desde as seis, para avaliar a extensão da revolta. No salão de despachos, o clima é de desconforto com uma notícia alarmante que acaba de chegar. Alguns auxiliares chegam a se levantar, com expressão de pânico, mas Bernardes permanece calmo, sentado à cabeceira da mesa, indiferente ao perigo que nunca o ameaçou tão de perto como agora. O *São Paulo* está bem em frente, em posição de ataque, com os canhões voltados para o Palácio do Catete. Os ministros fazem um apelo dramático para que o presidente abandone o prédio e se refugie no Palácio Guanabara, local bem mais seguro, protegido por imenso penhasco e fora da linha de tiro dos rebeldes. Bernardes levanta-se, apoiando as mãos sobre os braços da cadeira, e observa os ministros; alguns estão dominados pelo medo. Seus olhos, atrás dos óculos redondos, refletem segurança e determinação surpreendentes, apesar do olhar triste e cansado. O salão de despachos fica tão silencioso que se pode ouvir o barulho das ondas, na praia do Flamengo. O presidente fulmina o ministério com uma declaração de confiança em seu Governo:

— Todos podem sair, se quiserem, inclusive minha família. Eu, porém, aqui permanecerei em defesa do regime do qual sou representante.[195]

Uma lancha avança a toda velocidade na direção do *São Paulo*. Os rebeldes custam a acreditar no que vêem. Na proa, de pé, perfilado numa postura impecável, está quem eles mais temem encontrar pela frente: o almirante Alexandrino Alencar, ministro da Marinha. Ele pretende afundar o levante com a autoridade do cargo e o prestígio militar conquistado, com atos de bravura, durante a revolução de 1893. Aos 78 anos, mas rijo e espigado, com porte vigoroso, o almirante Alexandrino representa a figura do herói. Para os jovens rebeldes, saídos há pouco menos de um ano da Escola Naval, ele tem a força, a magia e a aura de um mito.

Perturbados com a presença do ministro, os amotinados atiram com um pequeno canhão, mas são apenas disparos de advertência. Eles não querem alvejar o ministro, mas intimidá-lo, impedindo que se aproxime do *Minas*. Ouve-se novo canhonaço, uma coluna de água se eleva nas imediações da proa, salpica o uniforme do almirante, mas a lancha não se afasta do rumo.

No *São Paulo*, a situação continua confusa, sem que os rebeldes tenham conseguido controlar completamente o navio. O tenente Augusto do Amaral Peixoto exige a rendição dos sargentos que participam da contra-revolta. Ameaça lançar sobre eles o pelotão de fuzileiros que se passara para o lado dos rebeldes.

A inesperada aparição do ministro dá novo alento aos legalistas, fincados na proa e nos corredores de acesso à casa de máquinas. A presença mítica do almirante Alexandrino deverá também inibir o apoio dos demais navios da esquadra. A revolta começa a adernar. A depressão que invade o espírito dos rebeldes agrava-se ainda mais com a sensação de abandono e isolamento. A rebelião parece encalhada num manguezal. O *São Paulo* está sozinho.

Mas uma ajuda cai do céu. Um hidroavião sobrevoa o encouraçado, em vôo rasante, balança as asas, em sinal de adesão, e amerissa a 20 metros da popa. O contratorpedeiro *Goiás* revolta-se em seguida. Os rebeldes recebem uma lufada de esperança. A revolução não está perdida.

O sargento Bráulio Gouveia, que pilotava o hidroavião, é içado para bordo sob aplausos dos rebeldes. É como se toda a Marinha tivesse aderido ao levante. Ouvem-se, de repente, um estrondo e o ranger de ferros retorcidos. O corpo do sargento Bráulio é jogado longe, os marinheiros atiram-se no convés para escapar dos estilhaços. A Fortaleza de Santa Cruz acaba de atingir o encouraçado com seus canhões de 150mm. O disparo provoca avarias no mastro central, rompe uma das chaminés e destrói o *fire-control*, um equipamento fundamental para se calcular a precisão dos disparos. Um dos estilhaços atinge o piloto Bráulio Gouveia no pescoço e fere dois marinheiros, que são levados em estado grave para a enfermaria do navio. O Exército havia rompido com a revolução.

O Forte de Copacabana também começa a atirar com seus canhões de 305mm. O hidroavião e as duas lanchas que estavam sendo rebocadas são atingidos e afundam. O Palácio do Catete ordena que a flotilha de submarinos ataque o encouraçado. A Escola de Aviação recebe também instruções para bombardear os rebeldes. O contratorpedeiro *Goiás*, comandado por um cabo, rende-se ao *Minas*. Com a bandeira vermelha içada no mastro principal, o *São Paulo* permanece sozinho na luta.

A torre número dois do encouraçado concentra seu poder de fogo na direção da Fortaleza de Santa Cruz. O cabo Sebastião Dantas, um dos melhores artilheiros do navio, calcula a olho a distância e a direção e faz um único disparo. Uma tempestade de ferro cai sobre as baterias da Fortaleza. O *São Paulo* volta-se com seus canhões de 305mm apontados para o Forte de Copacabana. A guarnição do Forte, para evitar um confronto direto com o encouraçado, silencia os canhões: a batalha poderia trazer também graves conseqüências para a população civil. O *Minas*, ainda sem pressão nas caldeiras, apenas assiste aos combates.

A praia do Flamengo e a enseada de Botafogo estão cheias de gente. Ninguém sabe direito o que está acontecendo. Entre a multidão de curiosos um se destaca, particularmente, pelo sotaque estrangeiro e pela preocupação em anotar em um caderninho tudo o que está acontecendo. James Ackerson, um americano meio esquisito e de hábitos excêntricos, que mora perto, também fora arrancado mais cedo da cama pelo bombardeio. Amigo particular de John MacMurray, funcionário do Departamento de Estado que visitara recentente o Rio de Janeiro, a primeira coisa que passou pela cabeça de Ackerson, ao assistir ao duelo, perto de sua casa, foi enviar-lhe minucioso relatório sobre o levante. Ackerson não só cronometra o bombardeio, que dura quase uma hora, como conta o número de disparos efetuados pelos canhões do Forte de Copacabana. Pelos seus cálculos, foram 25 tiros, mas apenas um conseguiu atingir o navio rebelde.[196]

O *São Paulo* navega, vitorioso, pela entrada da barra. Os rebeldes reúnem-se no passadiço para fazer rápido inventário dos danos sofridos e decidir que rumo tomar. As avarias não lhe reduziram o poder de fogo, mas comprometeram gravemente a precisão dos disparos com a destruição do *fire-control*. A partir de agora os disparos só podem ser calculados a olho. Há, pelo menos, uma compensação: o navio está bem fornido de víveres e munição.

Depois de algumas horas de escaramuças, os rebeldes conseguem, finalmente, prender a parte da tripulação que participava da contra-revolta. Os presos são separados de acordo com a hierarquia e trancafiados em alojamentos logo abaixo do convés. Os sargentos são levados para o paiol, transformado em xadrez coletivo, e os oficiais conduzidos para seus camarotes. O líder da resistência, o mestre Sequiz Tavares, exímio nadador, atirou-se ao mar e conseguiu escapar.

Outro problema aflige os tenentes nesse momento particularmente delicado: não sabem como reagirá a tripulação ao ser informada, oficialmente, de que está participando de uma revolução. A maioria dos sargentos e marinheiros limitara-se a cumprir as ordens recebidas, sem saber que participam de uma rebelião para derrubar o Governo. Augusto do Amaral Peixoto dirige-se à marujada em nome da oficialidade rebelde.

— A Marinha não pode continuar sendo cúmplice dos desmandos praticados pelo presidente da República. A Marinha não pode permanecer indiferente diante da luta que está sendo travada, no interior do Paraná, pelos nossos irmãos do Exército, com o objetivo de construir uma nação livre dos vícios que tanto denigrem o atual Governo. A nossa gloriosa Marinha...[197]

Não consegue terminar a frase. Nem era preciso. Os marinheiros, em delírio, atiram as boinas para o alto, em sinal de adesão ao levante. Gritam a uma voz:

— Viva a Marinha! Viva a revolução!

O *São Paulo* cruza a barra e desaparece atrás do Pão de Açúcar. O *Minas* começa a receber combustível, víveres e munição para se lançar em sua perseguição. A caçada contará com o apoio dos destróieres *Mato Grosso*, *Alagoas* e *Rio Grande do Norte*, do caça-minas *Heitor Perdigão* e do submarino F-1. Os rebeldes levam pelo menos três horas de vantagem sobre o *Minas*, que permanece com as caldeiras apagadas. Esse é o tempo mínimo de que necessitam para alcançar a pressão máxima e movimentar o navio.

Fracassada a revolta da Armada, os oficiais amotinados, reunidos no passadiço, não sabem o que fazer com o encouraçado. Eles abandonaram a idéia de lutar contra a esquadra, o que seria uma loucura diante da impossibilidade de usarem os canhões com precisão de tiro. Discutem agora que rumo tomar: seguir em direção ao Norte ou navegar para o Rio Grande, onde, segundo rumores, alguns quartéis do Exército se rebelaram contra o Governo.

À tarde, o Palácio do Catete distribui um comunicado oficial sobre a revolta:

> " A cidade amanheceu sob a impressão de boatos terroristas que precisam ser reduzidos imediatamente à simples exposição da verdade. Houve, hoje, de fato, um levante da guarnição do navio *São Paulo*, cuja situação interna não é de harmonia entre seus tripulantes. O Governo conta com a quase unanimidade da Marinha e com todas as forças de terra. Acha-se a bordo do *Minas* o sr. almirante Alexandrino de Alencar, ministro da Marinha, tomando as necessárias providências. A população pode manter-se calma na certeza de que os encarregados da ordem hão de restabelecê-la dentro em pouco, energicamente, ainda que com o emprego de medidas extremas. As fortalezas estão bombardeando o *São Paulo* que saiu barra afora. Os tiros que a população tem ouvido são das fortalezas contra aquele navio, que não tem respondido." [198]

O encouraçado dirige-se para a Ilha Grande, no litoral do estado do Rio, onde está ancorado o navio-prisão *Cuiabá*. O objetivo é libertar os companheiros do Exército que ali estão detidos à disposição da Justiça. A maioria dos prisioneiros participara da revolução de São Paulo e da revolta do Forte de Copacabana, dois anos atrás. Antes de deixar a baía de Guanabara, os rebeldes tentaram soltar os presos recolhidos ao navio-aviso *Jaceguay*, mas eles tinham sido transferidos para a Casa de Correção, assim que o levante começou.

A maior preocupação dos rebeldes agora é como cuidar dos feridos deitados em colchões espalhados pela enfermaria de combate. Não há médicos a bordo; apenas um enfermeiro. O sargento Bráulio, atingido por um estilhaço de granada, teve uma das artérias do pescoço seccionada e está sendo atendido com a ajuda de dois marinheiros. Com duas pinças, o enfermeiro consegue estancar a hemorragia, mas o estado de Bráulio é considerado grave. A situação do suboficial Calado, entretanto, é desesperadora. Ferido no ventre, com as vísceras expostas, pouco se pode fazer sem a presença de um cirurgião. Os médicos do navio, que estavam em terra, tinham sido impedidos de embarcar.

Ao se aproximar da Ilha Grande, os rebeldes são surpreendidos com uma rápida manobra do Governo: o encouraçado capta um rádio da Marinha informando que os 200 presos do *Cuiabá* tinham sido desembarcados às pressas em Itacuruçá, no estado do Rio, e removidos para o Distrito Federal num trem especial da Central do Brasil. O plano de desembarcar com os oficiais do Exército detidos em um ponto qualquer do litoral e marchar, depois, com eles em direção ao Rio Grande acaba de soçobrar.

A noite chega com o encouraçado navegando às escuras para não ser localizado. O *São Paulo* evita também estabelecer contato com navios mercantes que possam, depois, fornecer a sua posição e facilitar a perseguição. Com a noite chega também o cansaço. Os oficiais que comandam o levante exercem várias funções ao mesmo tempo. A tripulação, reduzida a 600 homens, desdobra-se, exausta, para manter o navio em funcionamento.

Os marinheiros, como de hábito, dormem no chão, espalhados pelo navio. Alguns estão deitados nos desvãos das escadas, na coberta, no passadiço e nas áreas livres da popa e da proa. Como os demais navios de guerra, o *São Paulo* não dispõe de alojamentos para marinheiros. Cada um dorme como melhor lhe aprouver, desde que seja no convés.

Construído em 1909 pelos estaleiros Vickers, da Inglaterra, o encouraçado reproduz fisicamente as mesmas divisões impostas pela hierarquia militar. A estratificação social da tripulação é bem definida dentro do navio. No encouraçado, como na sociedade, não há lugar para marinheiros. Só os sargentos e oficiais têm espaços definidos dentro do navio. Os oficiais dispõem de camarotes confortáveis, ampla sala de lazer, biblioteca e salões de refeição.[199]

Mas a vida dos marinheiros a bordo já foi muito pior. Até menos de duas décadas antes, eles eram tratados qual escravos. Os marujos que chegavam aos navios embriagados ou que cometiam atos de indisciplina eram amarrados nos mastros e açoitados publicamente, para servir de exemplo para o resto da tripulação. O castigo só foi abolido depois da

Revolta da Chibata, em 1910, quando os marinheiros, liderados por João Cândido, se rebelaram no Rio de Janeiro e ocuparam os navios da esquadra para protestar contra esse tipo de punição. No *São Paulo*, a marujada dorme, agora, como sempre dormiu.

A revolução no Rio Grande do Sul enfrenta dificuldades cada vez maiores. As guarnições que o Exército mantinha ao longo da fronteira, além de possuírem fuzis obsoletos e não disporem de munição para treinamento, estavam instaladas em frágeis quartéis de madeira, que parecem desempenhar uma função apenas ornamental. Os militares rebeldes recém-chegados para articular o levante ficam impressionados com o nível de organização das forças estaduais. Elas têm tudo: armas modernas, bons cavalos, fardamento impecável. O Exército nada tem. A Brigada Militar do estado havia, inclusive, comprado recentemente armamento novo na Bélgica. Seus homens estão equipados com o que há de melhor.

O cônsul americano em Montevidéu, Hoffman Philips, informa a Washington que, apesar de alguns tropeços, o levante "está assumindo uma importância considerável". No despacho número 325 que redige nesta noite de terça-feira, 4 de novembro, ele adverte que o movimento revolucionário poderá afetar os interesses americanos no sul do país, principalmente as indústrias de embalagens de carne localizadas na região. As informações confidenciais que tem trocado com representantes diplomáticos brasileiros no Uruguai adiantaram que os rebeldes estão militarmente isolados e próximos de fragorosa derrota, apesar do apoio da população gaúcha. O adido militar brasileiro em Montevidéu definiu os revolucionários como um bando de ladrões na iminência de fugir, a qualquer momento, através da fronteira.

Apesar do tom tranqüilizador desses relatos, Hoffman faz questão de observar que a imprensa tem oferecido uma visão diametralmente oposta, ao registrar a falta de empenho de algumas unidades do Exército em sufocar a revolta. Ele revela que a cidade de Uruguaiana se transformou numa espécie de fortaleza dos rebeldes no Rio Grande do Sul.[200]

Desde 30 de outubro o caudilho maragato Honório de Lemos é senhor absoluto de Uruguaiana. Ele chegou da Argentina, onde estava asilado, à frente de uma tropa de gaúchos, para se juntar aos rebeldes militares. Todos estão vestidos a caráter: bombachas de lã cinza ou de casimira riscada, botas pretas que alcançam a altura dos joelhos com dobras sanfonadas acima dos tornozelos, camisas xadrez de algodão e chapéus de copa alta e abas largas, como se usa na região. Muitos calçam botas de garrão, manchadas, longas e de couro peludo; às vezes era preciso matar mais de um boi para se obter um par de botas com desenhos iguais.

Honório de Lemos tem 60 anos, mas aparenta muito menos, principalmente quando monta seu animal preferido e galopa pelos campos, com o cinturão largo, de onde pende sempre uma espada com o cabo trabalhado em marfim. Ninguém conhece os pampas com tanta intimidade como ele, um velho tropeiro que lutou na revolução de 1893 e na guerra civil de 1923. Não são apenas a espada longa e os dois imensos revólveres, tipo *cowboy*, que indicam ser ele o chefe. Honório ostenta outra espécie de distintivo: uma larga fita vermelha em volta da copa do chapéu, com as pontas caindo das abas sobre os ombros, em forma de galhardetes, como costumam usar os rebeldes gaúchos. Para homens como Honório de Lemos, habituado a lutar sempre montado, os cavalos são mais importantes do que a munição. Os ataques, realizados sempre a galope, são acompanhados por gritos de guerra que se misturam com os disparos de revólveres e carabinas. Nessas cargas de cavalaria não faltam combates com lanças e espadas, na base do corpo-a-corpo, uma das muitas tradições das lutas do Sul. É com a ajuda dessa gente, que se veste e luta com riqueza de ritual, que Juarez Távora, Siqueira Campos e Luís Carlos Prestes pretendem sublevar os quartéis do Exército na fronteira e ocupar o Rio Grande.[201]

Nos últimos dias, as forças revolucionárias sofreram derrotas significativas. Juarez, ao partir com 60 homens para ajudar a conquistar Alegrete, foi surpreendido por uma extraordinária barragem de fogo: a cidade tinha recebido um reforço de mil homens bem armados que repeliram os invasores com relativa facilidade. O contra-ataque legalista foi tão violento que os rebeldes debandaram de forma desordenada, abandonando os canhões pela estrada. Só dois dias depois Juarez conseguiu retornar a Uruguaiana.

A melhor notícia que os rebeldes receberam, desde o início da revolução no Rio Grande, chegara há poucas horas pelo telégrafo: o *São Paulo* se rebelara, no Rio de Janeiro, e tentava agora levantar o resto da esquadra. A informação chegou atrasada e, como de hábito, truncada pela censura. Os rebeldes não sabem que o levante da Armada fracassou. O encouraçado já está longe do Rio, navegando em direção ao Sul; outro fato que também ignoram.

Quinta-feira, 5 de novembro

O encouraçado desloca-se lentamente, a uma velocidade de 8 nós, e não aos 21 nós de sua capacidade, para poupar suas limitadas reservas de carvão. Suas 18 caldeiras, com a pressão máxima de 185 libras, devoram uma tonelada de carvão por hora. Ademais, também dispõe de pouca água para alimentar as caldeiras. Há a possibilidade de se usar água do mar, mas esse recurso extremo só deverá ser utilizado em caso de emergência, porque a salinidade poderá comprometer as caldeiras.

O dia começa com uma solenidade fúnebre. Ricardo Calado, ferido no fígado e no baço, morreu de hemorragia interna durante a madrugada. Toda a guarnição está reunida no convés, para prestar homenagens ao suboficial legalista. O corpo uniformizado está deitado numa prancha, coberto com a bandeira nacional. Um marinheiro lhe amarrara nos pés um projétil de canhão. A oração de despedida é feita por um sargento, amigo do morto, que reza com a Bíblia na mão. As máquinas do encouraçado param; ouvem-se as salvas de estilo. O corpo desliza na prancha e, depois de um baque surdo, desaparece no mar. A cerimônia é comovente.[202]

O céu amanhecera encoberto nessa quarta-feira. Sem poder conferir sua posição na carta de navegação, com a ajuda do sol, os rebeldes estão preocupados com o rumo do encouraçado. Não confiavam na tabela de desvios da agulha magnética, que há muito não era corrigida por causa do longo período de reparos imposto ao encouraçado. Alguns timoneiros foram improvisados, o que aumenta a insegurança quanto à justeza do rumo traçado com base apenas nas posições fornecidas por duas marcações do farol dos Castelhanos, tomadas a grande distância. O *São Paulo* navega em direção ao Rio Grande do Sul.

O estado de saúde do sargento Bráulio continua bastante precário. Ele permanece internado na enfermaria com duas pinças presas no pescoço coberto por gazes e esparadrapo. Só agora o enfermeiro descobriu que ele está também com a mandíbula quebrada. Os outros marinheiros feridos não inspiram maiores cuidados e estão em plena recuperação. Os estilhaços que os atingiram nos braços e nas pernas foram retirados pelo enfermeiro com os instrumentos da sala de cirurgia do navio.

Os rebeldes passam o resto do dia tentando decifrar as mensagens em código da Marinha captadas pelo serviço de escuta do encouraçado. Os rádios do gabinete do almirante Alexandrino são endereçados ao *Minas Gerais*, que já está no rastro do *São Paulo*. Os códigos estão sendo decifrados com habilidade e paciência pelos oficiais Ademar Siqueira e Pinheiro de Andrade. Todas as instruções sigilosas transmitidas aos navios da Armada são acompanhadas pelos rebeldes.

O dia chega ao fim sem maiores novidades. O *São Paulo* navega longe da costa para não ser identificado.

Quinta-feira, 6 de novembro

As ruas que desembocam no Palácio do Catete amanhecem bloqueadas por tropas do Exército. Os terraços do palácio estão protegidos, desde a véspera, por soldados armados com metralhadoras, em vista dos boatos de que a Escola de Aviação Militar está prestes a se rebelar. A presença de tropas em posição de combate, na sede do Governo, espalha o pânico entre os moradores da vizinhança. Muitos abandonam suas casas com medo de serem atingidos pelos aviões.[203]

O fechamento das ruas provoca um engarrafamento imenso de automóveis, carroças e caminhões. A decisão de bloquear esses acessos tinha sido tomada apenas por precaução, ao se constatar a vulnerabilidade do sistema de segurança que protege o presidente da República. O levante do *São Paulo* mostrou como Bernardes ficara exposto à sanha dos rebeldes, que por pouco não haviam bombardeado o Palácio com seus canhões.

Dois dias depois do levante, a vida no Rio já voltara à rotina. A população aproveita o fim de semana para rever no cinema o que imaginavam ter acontecido na vida real. Um cartaz gigantesco anunciava, em letras grandes: "Assistam à vida agitada e amotinada do pessoal de bordo." Milhares de pessoas que haviam atendido ao convite se comprimem em filas intermináveis diante do Cine Pathé, na Cinelândia, para assistir ao emocionante "drama náutico", *O Navio Maldito*, estrelado por Victor S. Jostron.

17

UM SONHO QUE NAUFRAGA

Desde as nove da manhã os chefes rebeldes estão reunidos na enfermaria do encouraçado. Foram convocados pelo enfermeiro, preocupado com o estado de saúde do sargento Bráulio. Há 48 horas o sargento está com as duas pinças penduradas no pescoço, e elas precisavam ser retiradas, sob pena de provocarem gangrena. O enfermeiro teme nova hemorragia com a remoção das pinças e quer a opinião dos seis oficiais. Eles olham em silêncio para o ferido e para o enfermeiro, não sabem o que dizer. A decisão é tomada pelo próprio sargento Bráulio, que acompanha a conversa. Com um gesto, ele pede que as pinças sejam retiradas.

O momento é de tensão. Nova hemorragia, na situação em que Bráulio se encontra, será fatal. Algodão, gazes, iodo. A assepsia é extremamente precária. Com as mãos desinfetadas com álcool, o enfermeiro vai removendo com cuidado as ataduras que envolvem o pescoço. Lentamente, uma de cada vez, as pinças começam a ser abertas; estão enterradas na carne, um ferimento enorme que vai do queixo até a clavícula. Todos esperam um jorro de sangue, mas o milagre acontece. O sargento Bráulio Gouveia está salvo. Agora é só controlar a infecção, mais um problema para o enfermeiro resolver com iodo e compressas de água quente.[204]

O encouraçado intercepta uma mensagem que assusta a oficialidade. O ministro da Marinha acaba de determinar que a esquadrilha de hidroaviões, baseada em Florianópolis, ataque o navio assim que for avistado. Os rebeldes temem ser atacados pelo ar e, ao mesmo tempo, pelo mar, já que uma parte da esquadra, liderada pelo *Minas*, continua em seu encalço.

Domingo, 9 de novembro

O encouraçado enfrenta uma tempestade nas imediações do litoral do Rio Grande. O mar está bastante agitado. Os vagalhões se despedaçam contra o casco; a crista das ondas lambe o convés e encharca o passadiço. O minuano sopra forte e a temperatura cai rapidamente. Toda a tripulação é obrigada a recorrer a agasalhos de lã para se proteger do frio.

O *São Paulo* alcança a barra do Rio Grande. Os rebeldes acreditam que a cidade está em poder das forças revolucionárias que se levantaram contra o Governo na madrugada de 28 de outubro. Pedem, pelo rádio, o envio de um prático para ajudar o navio a entrar no porto. O pedido fica sem resposta. Como o mar continua agitado, decidem navegar até o paralelo do Chuí, na esperança de que o tempo melhore. A bordo, outra tormenta: as reservas de carvão estão praticamente chegando ao fim. As carvoeiras de ré já se esgotaram, e as caldeiras são agora alimentadas pelas carvoeiras laterais. O carvão é transportado pelos marinheiros em carrinhos de mão, um trabalho extenuante que consome rapidamente as energias da tripulação.

O navio retorna, mas o tempo continua adverso, hostil aos rebeldes. O mar grosso impede, mais uma vez, que o encouraçado se aproxime da barra. O calado do *São Paulo* é de 27 pés e pela carta do porto há posições que permitem a entrada de embarcações com 29 pés. Com vagalhões altos, o casco por mais de uma vez bateu no fundo, assustando a tripulação, principalmente os homens que trabalham nas máquinas e nas caldeiras. Já tinha havido antes outro momento de pânico, quando uma das máquinas parou, deixando o encouraçado ser empurrado para o lado. O perigo, entretanto, foi rapidamente superado com uma série de manobras comandadas pelo tenente Cascardo.

Ao avistar o farol de Atalaia, os rebeldes içam novamente a bandeira com o pedido de prático. Mais uma vez ficam sem resposta. Alguma coisa de errado deve estar acontecendo. Eles desconhecem o desenlace do levante de 28 de outubro.

Ao cair da tarde, os chefes da rebelião reúnem-se na praça de armas para estudar a situação. Se racionarem o carvão e a água, podem chegar a Montevidéu e comprar combustível para retornar ao Brasil. Caso contrário, em pouco mais de 48 horas estarão com as reservas completamente esgotadas. Não há melhor alternativa.

Os rebeldes ainda examinam outras possibilidades. Pesadão, com o *fire-control* avariado, o que reduz seu poder de fogo, e só podendo desenvolver de dez a doze milhas horárias, o *São Paulo* não dispõe da mobilidade necessária para participar de uma guerra de corso. Com a tripulação reduzida à metade e sem embarcações para desembarque, o encouraçado não pode envolver-se nesse tipo de luta.

O tenente Augusto do Amaral Peixoto convence os companheiros com um argumento definitivo:

— Se ele fosse um *Tamandaré*, um cruzador poderoso, veloz, apto a correr pela costa nordestina levantando as populações revoltadas, então, sim, a coisa seria diferente. Mas com o *São Paulo* ainda nesse estado, insistir nesse tipo de guerra será uma loucura.[205]

O "general" Honório de Lemos está muito mal-impressionado com o desempenho dos jovens oficiais do Exército que saíram do Rio de

Janeiro para comandar a revolução no Rio Grande. Juarez Távora é o chefe inquestionável dos soldados profissionais acantonados em Uruguaiana. Ainda que o trate com cortesia, Honório de Lemos não tem por ele o menor respeito.

A derrota que Juarez sofreu em Alegrete, aliada ao fato de se ter perdido, durante dois dias, com 200 homens, à procura das tropas de São Borja, depõe contra sua imagem de líder revolucionário. Entretanto, o que mais esgarça sua imagem, no conceito de Honório, é quando Juarez monta a cavalo. Sua péssima atuação como cavaleiro é ridicularizada até pelos colegas de farda. Desengonçado, curvado sobre o animal, as pernas longas, esporeando cavalos que nunca lhe obedecem, Juarez a galopar é uma figura caricata, a antítese do combatente dos pampas.

A parceria com Honório de Lemos não é também muito do agrado de Juarez e de seus companheiros, que consideram os gaúchos maus atiradores. Durante os combates, em vez de continuarem perseguindo o inimigo em fuga, eles se entregam, de faca em punho, a um ritual macabro que horroriza os militares rebeldes: saqueiam os cadáveres e degolam com frieza os adversários que ainda se debatem, feridos, no campo de batalha.[206]

Na madrugada de 9 de novembro, Honório de Lemos conduz uma força de 3 mil homens, dos quais apenas 200 eram militares profissionais, estes sob o comando de Juarez. Da tropa de Honório, só mil homens estão bem armados; o resto carrega garruchas, espingardas, fuzis obsoletos, como os antiquados Comblain e Chassepot, lanças e outras peças de museu. A tropa, acompanhada de 5 mil cavalos, marcha em direção às altas planícies de Guaçu-boi, entre os rios Ibirocaí e Inhanduí. Eles devolveram Uruguaiana às autoridades; têm como objetivo agora alcançar Santana do Livramento, na esperança de levantar o quartel da cidade, que tem um efetivo reduzido, mas possui cerca de 200 mil tiros e mais de 600 armas em seus depósitos — provimento raro em se tratando de uma unidade de fronteira.

Para evitar maiores atritos com Honório de Lemos, Juarez, a conselho dos companheiros de Exército, concorda em assumir a função de chefe do Estado-Maior do líder maragato, posto subalterno imposto pelas contingências do momento. Dias antes, ao tentar mais uma vez cavalgar, ele levara um tombo e caíra junto com o animal. Honório de Lemos não perdeu tempo em novamente espetá-lo com seu desprezo:

— Baiano desastrado, inutilizou o meu cavalo! [207]

Ao amanhecer de 9 de novembro, a tropa rebelde é atacada de surpresa por uma legião de chimangos fortemente armada. Os governistas seguiram as pistas deixadas pelos homens de Honório, que avançaram de carro, durante toda a madrugada, na maior algazarra, com os faróis acesos, ao som de cornetas, tambores e acordeões, acompanhados por carroças barulhentas entupidas com chaleiras para fazer chimarrão.

Indiferente ao tiroteio, o velho caudilho galopa de um lado para o outro, empinando o cavalo e investindo, de lança em punho, contra o inimigo. Aos berros, tenta organizar o contra-ataque; mas não é ouvido por ninguém:

— Formar em linha! Formar em linha!

Os gaúchos que estão a pé fogem em direções opostas. É impossível conter a debandada. Da tropa garbosa que deixara Uruguaiana, dentro de vistosas bombachas, só restam pouco mais de 200 homens amarfanhados e de rosto cansado.[208]

Terça-feira, 11 de novembro

Os rebeldes do *São Paulo* resolvem seguir para o Uruguai. Eles haviam decidido pedir asilo político às autoridades de Montevidéu e retornar ao Brasil através da fronteira, para se juntar depois às forças revolucionárias que devem estar lutando em um ponto qualquer do sul do país.

Às cinco da manhã, um rebocador uruguaio traz um prático para conduzir o navio até o porto de Montevidéu. Sobe a bordo do encouraçado o comandante Taylor, prático-mor da Marinha de Guerra do Uruguai, acompanhado de um prático bastante idoso, com o corpo levemente curvado, que cumprimenta os rebeldes de forma muito carinhosa. Faz questão de apertar a mão de cada um dos chefes da rebelião. Ele mesmo explica a razão de seu entusiasmo: trinta e um anos atrás, fora ele o prático que conduzira o navio brasileiro *República* ao porto de Montevidéu, durante a revolta de 1893. Agora voltava a receber nova leva de refugiados. Entre os oficiais que na época haviam pedido asilo ao Governo uruguaio estava o então tenente Alexandrino de Alencar.

Duas da tarde. Faz uma hora que o *São Paulo* está fundeado, com toda a tripulação a bordo, nas imediações do porto de Montevidéu. O capitão Eduardo Muró, inspetor geral de Portos e Costas, participa de uma reunião com os líderes rebeldes, em nome do presidente da República do Uruguai. O tenente Cascardo, que comanda o encouraçado, faz um relato da situação em que se encontram, sem água e sem carvão, e solicita autorização para a tropa desembarcar, de acordo com as normas do Direito Internacional. O capitão Muró promete transmitir o pedido ao Governo.

Cascardo reúne a tripulação no convés e comunica que a revolução vai continuar. Os rebeldes pretendem juntar-se às forças revolucionárias que lutam no interior do Rio Grande do Sul. Aqueles que estiverem dispostos a prosseguir, enfrentando o desconforto e as dificuldades que os esperam pelo caminho, devem dar um passo à frente. Os que ficarem receberão um documento, firmado pelos líderes do levante, isentando-os de qualquer responsabilidade pela participação na revolta. Duzentos e sessenta marinheiros dão um passo à frente e apresentam-se como voluntários. Jogam as boinas para o alto e gritam:

— Viva a revolução! Viva a Marinha brasileira!

— Viva!

Cascardo faz uma recomendação especial: que tenham em terra o melhor comportamento possível, a fim de corresponderem à confiança e à hospitalidade que lhes está sendo proporcionada pelo Governo uruguaio. Após essa rápida preleção, ordena, comovido:

— Fora de forma!

Os marinheiros e sargentos espalham-se pelo convés à espera da autorização para o desembarque.

Os rebeldes reúnem-se sozinhos para examinar a delicada situação em que se encontram. Não têm a menor idéia do tipo de apoio que receberão em Montevidéu e necessitam de dinheiro para transportar os marinheiros até a fronteira com o Rio Grande. Para resolver esse problema, os oficiais decidem arrombar o cofre do encouraçado, com a ajuda de um maçarico, de onde recolhem a importância de onze contos, quarenta e oito mil, trezentos e quarenta réis (Rs. 11:048$ 340). Não é muito, mas ajudará a pagar algumas despesas. Outra providência aprovada: atirar ao mar toda a munição que se encontra a bordo.[209]

Seis da tarde. O capitão Eduardo Muró, acompanhado de outros oficiais, retorna ao navio com a decisão do Governo uruguaio: o presidente da República concedeu asilo político aos rebeldes. Eles arriam a bandeira vermelha e hasteiam o pavilhão nacional. O encouraçado se dirige para o cais; no caminho, cumpre o cerimonial marítimo: ouve-se uma salva de 21 tiros, enquanto é içada a bandeira uruguaia; a brasileira permanece tremulando no mastro de combate.

Ao chegar ao porto, os rebeldes conhecem o carinho do povo uruguaio. Várias embarcações saúdam o encouraçado com uma sinfonia de apitos. No cais, uma multidão ovaciona a tripulação. São recebidos pela população como heróis. Muitos sargentos e marinheiros, que não esperavam por esse tipo de manifestação, começam a chorar. Os líderes estão com os olhos banhados de emoção.

O capitão Muró comunica que as autoridades brasileiras haviam solicitado a intervenção do Governo uruguaio para que fossem colocados em liberdade os oficiais legalistas que se encontravam detidos no encouraçado. E mais: que fosse feita a apreensão, em nome do Governo brasileiro, de 200 contos de réis depositados no cofre do navio.

O tenente Augusto do Amaral Peixoto percebe que estão diante de uma cilada armada pelo Palácio do Catete. Não havia essa quantia no cofre. Ele mesmo tinha assistido à sua abertura e recolhido o dinheiro nele existente. O plano é diabólico: se não devolverem os 200 contos de réis que pertencem ao Governo é porque roubaram o dinheiro. As autoridades brasileiras poderiam então acusá-los de ladrões e exigir a extradição de toda a tripulação. Por serem acusados de crime comum, não teriam direito ao asilo político.

Amaral Peixoto, que fala bem o espanhol, conduz as negociações com o capitão Muró, em nome dos rebeldes. Ele dá um golpe de mestre: convida Muró a acompanhá-lo até o camarote onde se encontra detido o capitão Guimarães Bastos, imediato do navio, o único que pode esclarecer, com precisão, a quantia existente no cofre. O oficial legalista, apesar de perceber a intenção do Governo brasileiro, porta-se com dignidade e toma a defesa dos rebeldes. Nega a existência de todo aquele dinheiro a bordo. De acordo com os seus cálculos, no cofre só deveriam existir cerca de 10 contos de réis. Para evitar complicações, os oficiais resolvem entregar o dinheiro ao capitão Muró.

Às dez da noite, o tenente Cascardo faz a entrega simbólica do *São Paulo* ao oficial uruguaio. Muró dirige-se então à tripulação e esclarece que a partir daquele momento estão todos sob a proteção do Governo e do povo uruguaios.

No cais, a multidão espera desde as seis da tarde para ovacionar os rebeldes. Os marinheiros são encaminhados a quartéis do exército e os oficiais ao Hotel Colón, onde os tenentes são recebidos por uma legião de repórteres argentinos e uruguaios, ávidos de notícias sobre o levante. Os jornalistas estão impressionados com a pouca idade dos líderes do movimento — pouco mais de 20 anos. O mais velho, o tenente Cascardo, tem 24. Por ser o mais velho e o comandante do navio, Cascardo fala em nome dos rebeldes, em entrevista coletiva realizada no *hall* do hotel. Um repórter do jornal *El Día*, de Montevidéu, pergunta se ele ainda acredita no sucesso da revolução:

— *¿Confia usted en el triunfo del movimiento revolucionario?*

Cascardo responde e Amaral Peixoto vai traduzindo:

— *Todo el pueblo brasileño siente verdadera simpatia por la causa da la revolución. En cuanto a mi situación personal, bien quisera yo unirme a los compañeros que luchan en el Sur del Brasil por el progresso de mi patria.*[210]

A entrevista dos rebeldes, publicada no dia seguinte por *El Día*, anunciando a intenção de se juntarem às tropas revolucionárias no Rio Grande do Sul, chama a atenção do cônsul dos Estados Unidos, Hoffman Philip. Há muito ele vinha acompanhando, de Montevidéu, os desdobramentos da revolução iniciada em São Paulo, principalmente as ligações mantidas entre os chefes militares e algumas lideranças civis que também conspiravam contra Bernardes no Rio Grande do Sul.

Hoffmann Philip fica tão impressionado com a revelação de Cascardo de que pretendem continuar a luta que se avistou com o ministro de Assuntos Estrangeiros para saber o que o Governo do Uruguai pretendia fazer para impedir que isso acontecesse. O ministro garante que os asilados serão proibidos de fazer propaganda política e que ficarão abrigados e amparados pelo Governo até conseguirem emprego ou partirem para outro país. Num relatório confidencial ao Departamento de Estado, Philip se queixa de que o ministro não lhe respondeu se o Uruguai usaria de força para impedir que os rebeldes atravessassem a fronteira e se juntassem às tropas que se sublevaram no Rio Grande.[211]

A revolta da Marinha reanimou o espírito de luta dos revolucionários do Exército que ainda tentavam controlar algumas cidades gaúchas, apesar da violenta resistência das tropas legalistas. Juarez, Prestes, Siqueira Campos e outro tenente, João Alberto Lins e Barros, já estavam informados de que o levante fracassara, mas desconheciam o paradeiro do *São Paulo*. Eles imaginam o encouraçado ainda navegando pelo litoral de São Paulo ou de Santa Catarina; chegam até a sonhar com a possibilidade de que esteja viajando para o Rio Grande. Mesmo sem a adesão do resto da esquadra, o levante do *São Paulo*, para eles, tinha significação extraordinária. Embalados por essa vitória, decidem atacar o quartel de Itaqui e ocupar a cidade, um ponto estrategicamente importante para os rebeldes.

Há dias Itaqui fora preparada para enfrentar as forças revolucionárias. Trincheiras foram instaladas nos principais acessos e ninhos de metralhadoras montados nos telhados mais altos, inclusive na torre da igreja, de onde se poderia controlar melhor a aproximação do inimigo. Uma rede eletrificada de arame farpado envolvia toda a cidade. Ao ser informado da existência da cerca, Prestes sugere que se lance sobre ela uma manada de bois.

O QG revolucionário chegara à conclusão de que não era mais possível adiar indefinidamente esse ataque, sob o risco de as tropas legalistas consolidarem suas posições. A ação tinha que ser rápida e fulminante. Deflagrado o ataque, as forças rebeldes nem chegam a atirar: só têm tempo de se jogar no chão para escapar do bombardeio da artilharia de campo sediada em Itaqui. A cidade está protegida por um cinturão de ferro e fogo. A história da cerca eletrificada não passava, na verdade, de um boato inventado e mandado espalhar por um político brilhante, o advogado Osvaldo Aranha, que chefia a defesa da cidade, com o apoio do presidente Borges de Medeiros.

Siqueira Campos e Aníbal Benévolo, que comandam o assalto, sustentam o fogo enquanto esperam por reforços. Mas é tarde demais para qualquer tipo de ajuda. Uma força inimiga de 500 homens avança rapidamente para tentar surpreender os rebeldes pela retaguarda, defendida pelo tenente Benévolo. Depois de resistir durante três horas, sua metralhadora enguiça, com o cano incandescido; ele cai ferido e morre nos braços de seus últimos soldados.

A situação dos rebeldes é desesperadora. Siqueira Campos é avisado tarde demais de que Benévolo morreu. Estão agora completamente cercados pelo inimigo. Resistir, entrincheirados, até o último homem será um sacrifício inútil e desumano. Um dos oficiais propõe a dissolução da tropa e a imigração temporária para a Argentina. Siqueira Campos sente-se mais uma vez acuado. É a repetição da tragédia do levante do Forte de Copacabana, onde os rebeldes se viram também isolados e cercados pelo inimigo. O oficial pondera que aqueles 200 homens, quase desconhecidos, têm por ele profunda admiração. Não há também entre Siqueira e seus comandados uma convivência tão profunda que justifique tamanho sacrifício.

Diante das ponderações, Siqueira resolve consultar os soldados. A tropa coloca o destino de todos nas mãos dele: lutariam até a morte se fosse preciso. Ele decide dissolver o grupo e aguardar o momento oportuno para reiniciar a luta contra o Governo. Ordena que o armamento seja enterrado ou escondido no mato para não ser apreendido pelo inimigo; depois, divide o dinheiro que carrega em partes iguais: cada homem recebe 100 mil réis. Os soldados espalham-se rapidamente pelas coxilhas para tentar regressar a São Borja; apenas 54 resolvem ficar ao lado dos oficiais, para a vitória ou a desgraça.

Ao chegar à margem brasileira do rio Uruguai, Siqueira Campos é colhido por uma desagradável surpresa: não encontra qualquer embarcação que possa atravessá-los para o outro lado. O rio, nesse trecho, tem alguns quilômetros de largura, além de ser infestado por piranhas e jacarés.

Para espanto geral, Siqueira Campos amarra uma câmera pneumática na cintura e se atira nas águas frias do Uruguai, disposto a nadar até o lado argentino, à procura de uma embarcação. Os soldados ficam paralisados diante de tamanha demonstração de desprendimento. Não é a coragem, a valentia que eles admiram, mas o gesto. Nessa travessia, ele se expõe a toda sorte de perigos para salvar um grupo de homens que mal conhece.

Siqueira Campos nada duas horas e meia até alcançar a outra margem. Quando já o imaginavam tragado pela correnteza ou devorado pelas piranhas, ele surge, inesperadamente, pilotando uma tosca canoa.

Só podia ser um milagre. Na mesma noite, a embarcação faz várias viagens até levar o último homem para o exílio.[212]

Há vários dias o levante do *São Paulo* ocupa a primeira página dos principais jornais da Argentina e do Uruguai. A população e a imprensa acolheram os rebeldes com simpatia, mas o tom dos comentários nos círculos oficiais e diplomáticos de Montevidéu é bem diferente. O desfecho da revolta e a postura do Governo brasileiro diante do levante são considerados ridículos. As críticas mais ácidas ao desempenho do ministro da Marinha são destiladas pelos representantes estrangeiros acreditados no Rio de Janeiro.

O mais indignado com a revolta é o embaixador americano, Edwin Morgan. Ninguém melhor do que ele vinha acompanhando de perto a crise política e militar em que o Governo se debatia. No dia 4 de novembro, Morgan fora também expulso mais cedo da cama por causa do bombardeio. No relatório que envia a Washington, no dia 12, o embaixador abandona a forma polida com que habitualmente redige seus despachos para mostrar-se impiedoso com o almirante Alexandrino de Alencar:

"A incapacidade com que o ministro da Marinha conduziu a situação foi lamentável", observa Morgan, chamando a atenção para o risco que Bernardes correra se o *Minas* tivesse aderido ao *São Paulo*. Lembra ainda que os rebeldes permaneceram por mais de duas horas ao lado do *Minas*, "sem que este nada fizesse para impedir que o navio rebelado deixasse a baía de Guanabara". Embora o *São Paulo* viajasse a baixa velocidade — acentuou —, nenhuma tentativa foi feita para segui-lo até o dia seguinte, quando o ministro era um passageiro do *Minas*.

No documento, Morgan estranhou também o comportamento do Exército. Se o Forte de Copacabana e as Fortalezas de Lages e de Santa Cruz estivessem realmente empenhadas em reprimir a revolta e impedir que o navio saísse mar adentro, poderiam ter afundado o *São Paulo* com os seus canhões.

Às impressões pessoais sobre o seu "profundo sentimento de desânimo para com o almirantado brasileiro" Morgan anexou cópia de outro relatório sobre a revolta, especialmente confeccionado pelo adido naval Glenn F. Howell, para ser encaminhado ao Serviço de Inteligência Naval.[213] Howell, que tinha excelentes relações com o almirantado brasileiro, foi mais condescendente do que Morgan em suas observações sobre a revolta. Ele também admitiu a falta de firmeza do ministro Alexandrino e do almirante José Maria Penido, comandante da esquadra, ao permitirem, por exemplo, que o indefeso *Goiás* circulasse impunemente pela baía de Guanabara ostentando a bandeira rebelde, mas reconheceu que afundar o encouraçado rebelde era decisão extremamente difícil de ser tomada, naquele momento. "É claro que devemos ter em mente que o *Minas Gerais* e o *São Paulo* significam mais para o povo brasileiro do que dois navios de guerra, em casa, significariam para nós. Eles representam um símbolo do poder e da soberania brasileira e é certo que deliberar o afundamento de um deles resultaria numa grande onda de indignação popular", salientou o adido naval.

Howell atribuiu a decisão do *São Paulo* de não atirar sobre o Catete a sentimentos de caráter humanitário dos rebeldes, preocupados em não impor sofrimento à população civil com os danos imprevisíveis que o bombardeio certamente provocaria sobre o bairro da Glória. Para ele, a aventura do *São Paulo* era "uma loucura inocente de jovens oficiais", da qual não parecem ter sentido nenhuma vergonha em participar.

A oficialidade da Marinha brasileira, treinada pela Missão Naval americana dentro das mais rígidas tradições herdadas da Armada inglesa, estava igualmente chocada com a quebra de hierarquia e a promiscuidade que se instalara a bordo do *São Paulo*.

O capitão-tenente Carlos Pena Botto, que chegou ao Uruguai no dia 12, a bordo do *Minas*, para trazer de volta o navio rebelado, mal pôde conter a sua perplexidade diante do comportamento dos oficiais rebeldes.

O encouraçado, na mais completa desordem, estava irreconhecível. Não era mais o *São Paulo*, mas o que restou dele. "Pela primeira vez verificou-se o conluio degradante do oficial com a praça, a união do galão com a gola marinheira",[214] observou o oficial em suas anotações.

O *São Paulo* tinha sido vítima de uma profanação. Pena Botto fora informado de que parte da tripulação constantemente se embriagava e por mais de uma vez os marinheiros cometeram a suprema heresia de tomar café junto com os oficiais, na praça de armas. Nada atingira tanto o almirantado como a quebra da hierarquia a bordo, por iniciativa da própria oficialidade rebelde. O ministro Alexandrino de Alencar estava indignado com o comportamento permissivo dos jovens tenentes: "Em nenhuma revolta o oficial desprezou os galões, o prestígio da sua posição hierárquica e a dignidade das suas funções, para transpor de um salto a distância que o separa da praça de 'pret', a ponto de fazê-la comparsa em crime premeditado. Agora, nos cabarés de Montevidéu, esses heróis de fancaria passam as noites bebericando 'whiskys' e quebrando tangos langorosos", denunciou o perplexo Pena Botto em seu relatório.[215]

As notícias chegadas do interior do Rio Grande não são animadoras. A revolução sofreu derrotas amargas: Juarez e Honório de Lemos foram batidos em Guaçu-boi, enquanto Siqueira Campos por pouco não foi massacrado em Itaqui. Mesmo assim, Prestes e seus homens preparam-se para iniciar a marcha para o Norte, através da mata fechada, com o objetivo de se reunirem a Isidoro em Foz do Iguaçu.

O bravo Honório de Lemos também se recuperou da derrocada em Guaçu-boi. Com suas forças reidratadas pela chegada de reforços, o caudilho parte em companhia de Juarez Távora para Saíca, onde imaginam encontrar o que os gaúchos desejavam acima de tudo: cavalos de raça. Em Saíca está instalada a Estação de Remonta da Cavalaria do Exército. Honório e seus homens pilham a cavalhada, liquidam uma brigada da Força Pública estadual que encontram pelo caminho e avançam em direção a outra remonta do Exército, em São Simão, onde incorporam alguns dos seus melhores exemplares à sua coleção particular de animais.

Os homens de Honório, veteranos de outras batalhas, conhecem aquele chão com intimidade e estão em constante movimento, semeando o medo e o terror entre as forças legalistas. Eles arrancam os trilhos das ferrovias, cortam os fios do telégrafo e enlouquecem o inimigo com fantásticas cargas de cavalaria. Durante os combates, os gaúchos continuavam fazendo o que mais apreciam: saqueiam os mortos, roubam cavalos e degolam suas vítimas.

Juarez não suporta mais esse tipo de luta. Os homens de Honório de Lemos não combatem em nome de um ideal, como os militares rebeldes. Não têm um programa, não estão empenhados em promover qualquer tipo de reforma política. Civismo, amor à pátria, soberania nacional, valores tão caros para os militares, não passam para eles de palavras abstratas, sem qualquer significação especial. Não têm também qualquer interesse pelas grandes questões nacionais. Seu horizonte político esgota-se nas coxilhas do Rio Grande. O objetivo da luta é um só: derrubar o presidente Borges de Medeiros, de que se consideram adversários, para colocar no poder alguém que não lhes seja hostil.

Desencantado com a visão estreita de Honório de Lemos, Juarez, em companhia de outros soldados e oficiais, abandona o exército particular do caudilho e atravessa a fronteira com o Uruguai. Seu plano é retornar a Foz do Iguaçu, através do rio Paraná, para se juntar às tropas paulistas sob o comando do general Isidoro Dias Lopes. As únicas forças revolucionárias de expressão que ainda permanecem no Rio Grande estão concentradas em São Luís Gonzaga, sob o comando do capitão Luís Carlos Prestes.[216]

18

O BRAÇO LONGO DA REPRESSÃO

Sábado, 15 de novembro

O Palácio do Catete está em festa. O trânsito continua bloqueado nas ruas vizinhas, por medida de segurança, e todas as pessoas, mesmo as que passam de bonde em frente ao Catete, são revistadas. Os automóveis dos convidados especiais são os únicos autorizados a se aproximar do Palácio, mas só para deixar os passageiros na porta. Apenas os ministros e as altas personalidades podem estacionar os carros nas alamedas do jardim; os outros veículos fazem uma fila enorme, do lado de fora, na parte de trás do Catete, ao longo da Praia do Flamengo.

As severas medidas de segurança foram implantadas por inspiração do marechal Carneiro da Fontoura diante dos últimos acontecimentos na Capital Federal. O Governo continua preocupado com os atentados a bomba, apesar dos excelentes resultados alcançados, dias antes, por uma bem-sucedida investigação policial no subúrbio do Engenho Novo.

No saguão, os convidados são conduzidos, através da escadaria, por um imenso tapete de veludo vermelho que os leva até o salão nobre, no segundo andar, onde estão sendo festejadas duas datas importantes: o segundo ano de Governo de Bernardes e o 35° aniversário da proclamação da República. Completar o segundo ano de mandato, mais do que uma questão de honra, fora fundamental para a própria sobrevivência do Governo. Se Bernardes renunciasse ou fosse deposto antes de completar dois anos na Presidência da República, o cargo, de acordo com a Constituição, seria declarado vago, e se realizaria nova eleição.

A festa não passa de um oásis artificial plantado pelo próprio Bernardes para oferecer um pouco de sombra ao seu Governo, combalido e entorpecido por uma série de golpes, mas ainda de pé. Ele está convencido de que merece uma festa como aquela. Desde julho enfrenta a mais tórrida crise política de toda a história republicana. Só nos últimos cinco meses, havia reprimido levantes militares em seis estados: São Paulo, Sergipe, Pará, Amazonas, Mato Grosso e Rio Grande do Sul. Isso sem contar a penca de conspirações abortadas pela polícia política.

O dia, portanto, será uma demonstração pública e vigorosa de que o poder continuava enfeixado em suas mãos. No plano pessoal, Bernardes não se sente agredido, ofendido, nem mesmo deprimido, embora reconheça difícil separar o homem severo e de hábitos beneditinos que estudou Humanidades no seminário do Caraça da figura do governante enxovalhada todos os dias por uma minoria política e militar. Fora realmente difícil separar o homem do estadista. Mas hoje ele se sente particularmente forte para suportar os ataques costumeiros. Às vezes, nem ele mesmo sabe explicar como os seus nervos conseguem suportar tantas agressões. Nas grandes decisões, costuma estar sempre sozinho. A solidão, aliás, tem sido sua mais fiel companheira, desde que decidiu punir os rebeldes de forma exemplar. Nos últimos dois anos ele também aprendeu a perceber as intenções ocultas e os interesses, muitas vezes mesquinhos, que movem os homens à sua volta. Não se sente propriamente traído, mas apenas só. Por isso algumas pessoas, às vezes, confundem com resignação o seu ar de enfado.

Às duas da tarde Bernardes surge no salão de honra acompanhado do seu Ministério. O cenário é deslumbrante: não há, no Rio, ambiente mais suntuoso do que o salão nobre do Palácio do Catete. As 192 lâmpadas que brotam, como flores, de cada um dos quatro lustres realçam ainda mais as figuras mitológicas que povoam as pinturas do teto, algumas dedicadas a Apolo, o deus da música e da poesia. O piso, todo de *parquet*, reproduz desenhos de liras gregas, o que denuncia a antiga função daquele ambiente como salão de baile. Sofás, banquetas e jardineiras francesas, com pés de metal, dão o toque de distinção a esse cenário que reflete não só a importância da festa, mas também o que ela representa para o anfitrião.

De acordo com o cerimonial adotado e o protocolo em vigor, o presidente da República, numa deferência especial, deve receber inicialmente os cumprimentos dos representantes do corpo diplomático da Argentina e do Uruguai, países com os quais o Brasil vem mantendo, ultimamente, um estreito intercâmbio de informações, em conseqüência da revolta das guarnições do Exército no Rio Grande. Os dois embaixadores estão acompanhados de oficiais do navio-escola *Presidente Sarmiento*, da Argentina, e do cruzador *Montevidéo*, do Uruguai, que vieram ao Rio participar das cerimônias.[217]

Após os cumprimentos das delegações estrangeiras, tem início a recepção às autoridades brasileiras. Há muito não se vê tanta gente no Catete. As filas estendem-se pelos cômodos vizinhos ao salão nobre, prolongam-se pelos corredores, em volta da escada, e chegam à varanda que dá fundos para o Palácio.

As solenidades oficiais começaram pela manhã, com missa solene na Igreja da Candelária, onde foi muito elogiada a participação do coro e da orquestra sob a regência do maestro Américo Braga. Durante a cerimônia religiosa, a soprano Edméa Regazzi cantou com grande sentimento a *Ave Maria*, de Vito Fideli, e *Veritas Mea*, de Bertignoli, entre outras peças sacras igualmente apreciadas pela multidão de convidados que lotou a Candelária.

Bernardes não foi à igreja, por medida de segurança, mas indicou o filho Arturzinho para representá-lo, o que foi bom. Assim, pelo menos, ele conseguiu livrar-se da gongórica oração proferida em sua homenagem, durante a missa. Não que fosse refratário a esse tipo de homenagem, muito pelo contrário, mas, levando-se em conta a movimentada agenda de compromissos que teria ao longo do dia, talvez tenha sido melhor permanecer em Palácio.

Quatro da tarde. Bernardes livrou-se do modorrento discurso da missa, mas não consegue agora escapar da ladainha que é obrigado a ouvir no salão de despachos. O presidente está sendo homenageado por um dos diretores do Grêmio Político e Beneficente Dr. Artur Bernardes. A cerimônia conta com a presença dos comandantes de vários batalhões patrióticos criados para combater a revolução de 5 de julho. Emocionado, o orador fala de improviso, caprichando na retórica; exalta o patriotismo e a fé republicana do homenageado:

— Na vossa pessoa, senhor presidente, vimos saudar, no dia que passa, a figura inquebrantável da República, porque na hora presente, de tão sombrias perspectivas para a pátria, quando os inimigos da lei, do direito e da justiça tentam conspurcar os belíssimos princípios cimentados por Deodoro...[218]

Haja paciência. Ele tem ainda mais dois compromissos oficiais, agendados pelo cerimonial, antes de se recolher, na ala íntima, para jantar com a família em companhia de alguns auxiliares mais próximos.

— Presidente! Aceitai as felicitações que vos trazemos pelo dia de hoje, que assinala a aurora radiosa de uma nova fase brilhante e promissora para a vida política de nossa pátria...

Bernardes, com a mão ainda dolorida pelos cumprimentos recebidos no salão nobre, está com o pensamento distante, os olhos fixos num ponto que só ele vê.

O presidente passara a manhã em seu gabinete lendo os jornais e se informando sobre o deslocamento dos rebeldes através do relatório confidencial que lhe é enviado religiosamente, antes do café, pelo Ministério da Guerra. Sempre que há um fato novo importante o próprio general Setembrino telefona ou lhe transmite a informação pessoalmente, a fim de que, juntos, examinem a melhor decisão a ser tomada.

Esse sábado foi extremamente gratificante para ele. Quem o visse, pela manhã, de jaquetão, na intimidade do seu gabinete particular, o imaginaria pronto para participar de uma cerimônia oficial. Mesmo dentro de casa, longe dos compromissos de governante, ele anda sempre socialmente trajado, de gravata e paletó. Nem os empregados mais íntimos o vêem de pijama. Até mesmo quando fica doente e acamado, costuma receber o médico e seus auxiliares mais próximos vestido de jaquetão.[219]

Bernardes passara toda a manhã a afagar o próprio ego, deliciando-se com o impacto de algumas decisões que tomara sozinho, como de hábito. A idéia de distribuir o manifesto por ele assinado e dirigido à população foi realmente brilhante. O que mais o encanta, na verdade, não é o panfleto que repousa sobre a sua mesa de trabalho, mas o texto impresso em imensos cartazes espalhados por toda a capital, como o exemplar que está agora diante de seus olhos, ainda cheirando a tinta. As letras grandes, bem no alto, "À Nação", chamam a atenção.

O documento fora reproduzido também com destaque pelos jornais. Não é só a prestação de contas de um presidente que completa o segundo ano de mandato, mas a reafirmação de um compromisso assumido consigo mesmo: não ceder a nenhum tipo de pressão, política ou militar. O manifesto, antes de tudo, é um desabafo pessoal, num momento em que acredita estar a Nação solidária com o seu presidente e traumatizada com os inimigos da ordem e da lei. Os trechos que mais o agradam estão sublinhados a bico-de-pena.

> *"Revoltam-se para obter anistia... E antes, por que se revoltaram? Rebelam-se para obter o perdão do crime, e, no entanto, o repetem, o agravam e o proclamam!"*

Bernardes tinha aproveitado a oportunidade para falar sobre um tema extremamente delicado que fermentava as paixões na caserna e nos meios políticos: a anistia aos rebeldes. Foi a parte do documento que mais tempo o consumiu, na hora da redação, em companhia de seu secretário particular. Além de algumas expressões fortes e inadequadas, cunhadas pelo calor dos sentimentos, ele retirou ora uma vírgula, acrescentou outra, trocou uma ou duas palavras, uma frase, para logo em seguida riscar, de um golpe só, parágrafos inteiros.

A questão da anistia foi tratada, nesse documento, com o máximo rigor, para neutralizar a campanha política que se promovia em todo o país em favor do perdão aos rebeldes.

> *"A anistia é um ato de generosa clemência da Nação para com os seus filhos que, transviados do dever por um impulso errado, mas nobre, se mostram arrependidos e penitentes do mal causado; é um esquecimento do passado, para a restauração da paz nos espíritos. Não é, porém, um meio de facilitar a impenitentes e obstinados a continuação dos mesmos atentados contra a pátria! É um gesto de clemência para com os erros políticos, filhos de falsa, mas digna aspiração de ideais; e não manto protetor de assassinatos, de incêndios e de roubos!*
> *A anistia é medida política que a nação outorga espontânea e livremente em seu próprio benefício, mas não é e nem pode ser um favor que se exija de armas na mão contra ela mesma e contra os seus representantes. Providência salutar em casos excepcionais, como processo sedativo de simples paixões políticas, a anistia não é meio de colocar em pé de igualdade no seio das classes armadas os que abnegadamente expõem a vida na defesa da Constituição e da ordem e os que, por hediondos processos, contra elas voltam armas homicidas."*

O maniqueísmo político que cega o governo impede Bernardes de enxergar os fatos com clareza: ele representa o bem, o progresso, a virtude, enquanto os rebeldes são a encarnação de todos os males.

> *"Não! A gravidade que esse estado de coisas cria para o País há de ter um ponto final, quaisquer que sejam os meios necessários para consegui-lo (...)*
> *A psicologia dos acontecimentos é uma só: de um lado o ódio de alguns vencidos em um pleito eleitoral livre e memorável, que não querem subordinar-se à expressão da vontade da maioria do povo, oportunamente manifestada nas urnas; de outro lado, o presidente eleito, representante*

dessa maioria, que é a única pessoa que governa o regime republicano, velando pelos interesses desta, na defesa da ordem, na estabilidade do regime e no prestígio do poder público (...).
Viva a Pátria!
Viva a ordem!
Viva a República!
Rio de Janeiro, 15 de novembro de 1924.
(ass.) Artur da Silva Bernardes." [220]

A louvação parece não ter fim. O orador, com seu palavreado gongórico, interrompe os pensamentos do presidente, arrasta-o de volta ao salão de despachos. O representante do Grêmio Artur Bernardes, como um bailarino bem-ensaiado, prepara-se para encerrar a sua coreografia verbal com *grand finale*:

— Presidente! Aceitai, no dia de hoje, tão caro ao coração brasileiro, as felicitações que vos trazemos em nome do vosso governo (...) Permita que me seja dado também concluir com uma frase que sinto partir uníssona dos nossos corações e que bem sintetiza todo um símbolo de combate e de fé.

Vira-se teatral para o presidente, prende a respiração, corre os olhos pela seleta platéia e solta o verbo:

— Tudo por Artur Bernardes! [221]

Tudo.

A gincana de festejos, entretanto, ainda não terminou. Antes de subir para jantar, o presidente deve dirigir-se à nação através do aparelho de radiotelefonia instalado no Catete. Sua breve alocução é endereçada ao futuro e à história:

"Aproveito a oportunidade para fazer um apelo aos meus compatriotas, no sentido de consagrarem um pouco mais de atenção à formação espiritual dos nossos jovens patrícios, incutindo-lhes no coração um sentimento de arraigado amor e grande interesse pelo Brasil. (...) Sendo eles os cidadãos de amanhã, velar cuidadosamente por sua educação moral e

cívica é velar pelo futuro de nossa pátria (...). Ensinar a juventude a conformar-se com a sua sorte e condição; a condenar a vaidade, o orgulho, a ostentação e o luxo; influir na formação do seu caráter, incutindo-lhe coragem moral para o cumprimento dos seus deveres (...) Com a educação nesses moldes, pouparemos a ela e à pátria grandes males futuros, como sejam a corrupção, a desonestidade e o aviltamento do caráter." [222]

Nesta noite de 15 de novembro, Bernardes está radiante não só pelas calorosas homenagens recebidas durante o dia mas também pelas notícias alvissareiras que lhe foram passadas, pelo telefone, ainda de manhãzinha, pelo general Carneiro da Fontoura. O chefe de Polícia lhe informara que seus homens haviam descoberto mais uma conspiração contra o Governo. A data para a deflagração do movimento estava até marcada: 24 de novembro. O plano envolvia o bombardeio aéreo do Palácio do Catete, da Vila Militar e de vários quartéis espalhados pela cidade.

Os chefes da rebelião tinham sido presos na casa número 58 da rua Cabuçu, no bairro do Lins de Vasconcelos, residência do major Martim Gouveia Feijó, onde se reuniam os principais conspiradores. Em um dos cômodos da casa, a Polícia encontrou 17 bombas de dinamite, a maior com 15 quilos e outras seis com 10 quilos; as restantes eram bem menores, com pesos e tamanhos diferentes. Foram também apreendidos 150 refletores, um automóvel, um boné de oficial aviador e o talabarte de outro conspirador, o tenente Adalberto Lima.

A casa, vigiada vários dias, a partir de uma denúncia anônima, foi cercada e invadida durante a madrugada. Seus ocupantes tentaram esboçar uma reação, mas foram logo dominados pela Polícia. Além do major Martim Gouveia, foram detidos na casa o capitão Carlos da Costa Leite e o farmacêutico João Ferreira Chaves. Os policiais permaneceram encondidos em seu interior para efetuar outras prisões. As pessoas que batiam à porta, durante a madrugada, eram imediatamente detidas. Até o amanhecer, haviam sido presos o tenente Adalberto Araripe da Rocha Lima, o estudante de medicina João Celso Uchoa Cavalcante e outros cinco civis, entre eles um comerciário e dois motoristas. Seis pessoas que haviam percebido a presença da polícia tinham conseguido fugir sem serem identificadas.

Os planos detalhados da conspiração estavam escondidos dentro das ceroulas do major Martim Gouveia. De acordo com essas anotações, os subversivos contavam com o apoio de alunos da Escola Militar de Realengo, do 15º Regimento de Cavalaria e da Companhia de Carros de Assalto. As primeiras operações seriam desencadeadas pelo comitê revolucionário da Escola Militar. Os alunos deveriam prender inicialmente os oficiais e os colegas reconhecidamente legalistas. O plano pedia atenção para a coragem e o prestígio de determinados oficiais que poderiam, a qualquer momento, liderar uma contra-revolta. O diretor da Escola Militar, por exemplo, em hipótese alguma deveria ser conduzido preso para a instituição que comandava. Os amotinados, divididos em esquadrões, assaltariam em seguida os depósitos de munição e de combustíveis, em Realengo e Deodoro. Os alunos marchariam então pela Estrada Real até o Campo dos Afonsos, sede da Escola de Aviação Militar. O plano previa ainda o levante do 1º Batalhão de Engenharia e do 1º Regimento de Artilharia de Montanha, com a respectiva prisão dos comandantes e oficiais que não estivessem comprometidos com o levante.

Dezenas de pessoas, entre civis e militares, tinham sido levadas naquela mesma noite para o xadrez da Polícia Central, a fim de serem interrogadas pelo delegado Aloísio Neiva, responsável pelas investigações.[223]

Bernardes também está orgulhoso com o trabalho realizado pela Seção de Ordem Social da 4ª Delegacia, que vinha desenvolvendo extraordinário serviço de investigação sobre os inimigos do Governo. A polícia política lhe enviava diariamente informes confidenciais sobre os movimentos dos seus principais desafetos, como os que se encontram, agora, sobre a sua mesa:

> *"O deputado Batista Luzardo, residente à rua Paraíba nº 36, saiu às 11 horas e 30 minutos, de bonde, para a cidade. Desembarcou na avenida Rio Branco e depois de permanecer por alguns minutos na Galeria Cruzeiro seguiu para a Câmara dos Deputados. Retirou-se da Câmara às 18:20, em companhia do deputado Bergamini, sr. Raphael Pinheiro e outros cavalheiros, formando um grupo em frente ao Cinema Parisiense, juntando-se depois a esse grupo o senador Sampaio Correia. Às 18:50 seguiu para a rua Sete de Setembro e embarcou num bonde da linha Andaraí-Leopoldo, com destino à sua residência (...) Na Praça da Bandeira, no mesmo bonde em que viajava o deputado Lusardo embarcaram quatro sargentos do Exército, um dos quais falou ao deputado, a quem disse : 'Estamos firmes', tendo o deputado dito: 'Rua Paraíba nº 36'. O sargento que falou ao deputado é alto, moreno, de bigodes pretos, e trazia na gola de sua farda o número 2 ou 21."*

Os *secretas* do marechal Carneiro da Fontoura vigiavam também dia e noite parentes dos chefes rebeldes. Nada escapava aos agentes da 4ª Delegacia, que também controlavam a vida dos suspeitos através de escuta telefônica.

> *" A senhora Isidoro Dias Lopes, residente à rua Moraes e Silva número 9, saiu às 8:15, dirigindo-se, de bonde, para a igreja da Lapa, onde tomou o auto número 6943. Desembarcou na rua do Catete e entrou na avenida (vila) número 92, casa 17, residência da família do tenente revoltoso Eduardo Gomes. Retirou-se dessa casa às 13:30 e seguiu para a rua das Laranjeiras número 34, residência do general José Ribeiro Pereira. Saiu daí às 17 horas, em companhia da senhora José Ribeiro, e embarcou em um bonde para a cidade. Desembarcou na Galeria Cruzeiro, onde encontrou-se com o general José Ribeiro, seguindo este com a sua senhora e uma filha, junto com a senhora Isidoro, para o consultório dentário da Dra. Nicole Baltz. As pessoas em questão demoraram-se poucos minutos no consultório, tendo o general e sua família se despedido da senhora Isidoro, que, na Sete de Setembro, tomou um bonde com destino à sua residência. Chegou em casa às 18 horas e 40 minutos."*

Os militares suspeitos eram também investigados pelos tiras ou por um grupo selecionado de sargentos do Exército, escolhidos a dedo pelo general Carneiro da Fontoura, e por ele agregados à 4ª Delegacia para agirem clandestinamente como se fossem agentes civis.

> *"O coronel Waldomiro de Castilho Lima, residente no Esplêndido Hotel, saiu às 9:50 em companhia de dois senhores, com os quais embarcou no automóvel número 6829, deixando de ser acompanhado pelo nosso investigador de serviço, por falta de condução no local."*[224]

Bernardes mantinha canal direto de comunicação com Carneiro da Fontoura, com quem despachava todos os dias no Catete, mantendo-se rigorosamente informado sobre as detenções efetuadas pela polícia política, com os respectivos motivos de cada prisão. Muitos foram levados ao xadrez por terem apenas externado publicamente opiniões contra o Governo, em bares e botequins, como Pinto de Andrade, Hélio Cunha e Riograndino da Costa e Silva, detidos sob acusação de "derrotistas". Outros foram recolhidos à Polícia Central sem nenhum tipo de acusação, como Felipe Lima, preso só porque trabalhava no *Correio da Manhã*. A maioria, porém, fora apanhada distribuindo folhetos de propaganda do movimento revolucionário. As prisões não eram logo comunicadas à Justiça, e muitos dos detidos eram mantidos clandestinamente no xadrez durante vários meses, à disposição do chefe de Polícia. Era comum as pessoas serem presas também por ordem de Arturzinho, filho de Bernardes, que exercia a função de chefe-de-gabinete do pai. Foi o caso de Celso Munhoz do Carmo, cuja família contratou os serviços do advogado Sobral Pinto, na esperança de tentar quebrar a sua incomunicabilidade.[225]

Antes mesmo que o Governo brasileiro descobrisse o paradeiro dos oficiais e marinheiros asilados no Uruguai, cujo governo os autorizara a circular livremente pelo país, Washington recebeu um informe confidencial do cônsul de Montevidéu revelando que eles estavam se reunindo clandestinamente em Rivera, em frente à cidade gaúcha de Santana do

Livramento. O documento denunciava também a presença, na Argentina, de um importante chefe militar revolucionário que Bernardes imaginava em Foz do Iguaçu: o general João Francisco. Ele tinha viajado através da Argentina, com documentação falsa, para observar pessoalmente como estava se desenvolvendo a revolução no Rio Grande.

Hoffman Philip acha um absurdo o entra-e-sai de revolucionários brasileiros pela fronteira e alerta o Departamento de Estado para a facilidade com que os rebeldes utilizam o Uruguai e a Argentina nos seus deslocamentos pelo Sul do país.[226]

João Francisco tinha deixado Foz do Iguaçu em companhia de Ítalo Landucci, um dos oficiais do extinto Batalhão Italiano, e de Emigdio Miranda. Os três atravessaram a Argentina sob permanente vigilância da Polícia, apesar do disfarce de modestos e inofensivos comerciantes de gado. Os policiais, que não tinham ordens para prendê-los, pois eles estavam só de passagem, limitavam-se a observá-los a distância. Os três receberam essa atitude como uma bênção, já que tal vigilância acabava funcionando como uma espécie de guarda-costas do grupo, impedindo que fossem vítimas de eventual atentado de agentes do Governo brasileiro no exterior.[227]

Assim que chegou a São Tomé, ainda do lado argentino, João Francisco mandou um aviso para o capitão Luís Carlos Prestes. Os dois deveriam encontrar-se em São Borja para discutir os rumos da revolução no Rio Grande. Preocupado com a segurança de João Francisco, diante da ameaça de um ataque das tropas do Governo à cidade, que ficava em frente a São Tomé, Prestes tenta convencê-lo a permanecer na Argentina. Mas foi demasiado tarde; João Francisco já havia cruzado o rio Uruguai.

No encontro, os dois discutem os rumos da revolução no Rio Grande. João Francisco é informado sobre o desencanto da oficialidade com o desempenho dos chefes maragatos e se convence de que não se pode mais contar com eles. Revela que a situação no Paraná também não é boa. As forças de Isidoro estavam lutando contra fortes contingentes do Exército na região de Catanduvas. Mesmo assim, Prestes deve receber armas e munições, através da fronteira com a Argentina, e marchar em seguida em direção a Foz do Iguaçu. João Francisco explica que os guardas aduaneiros foram subornados para não criar dificuldades à passagem do armamento pelo território argentino. Antes de retornar, João Francisco, em nome do general Isidoro, promove Prestes a coronel e o nomeia chefe do movimento militar no Rio Grande, em reconhecimento ao importante trabalho revolucionário que realizara no Sul do país.

19

MASSACRE EM LOS GALPONES

Após três dias de hospedagem oficial, os marinheiros do *São Paulo* começam a se articular clandestinamente para deixar o Uruguai. O comitê revolucionário de Montevidéu, formado em sua maioria por brasileiros residentes no país, já conseguira obter recursos para pagar as passagens no navio *México*, que os levará a Foz do Iguaçu, onde estão as tropas comandadas pelo general Isidoro. Eles não dispõem de muitas informações sobre o que está acontecendo no Paraná, mas estão prontos a se colocar sob o comando do chefe supremo da revolução.

No dia 19 de novembro, ao chegar ao cais, os marinheiros são impedidos de subir no navio. O Governo argentino, a pedido das autoridades brasileiras, proibira a entrada dos rebeldes em seu território. Só resta ao grupo uma alternativa: cruzar a fronteira e se juntar às tropas comandadas por Luís Carlos Prestes, que estão concentradas em São Luís Gonzaga.

Como as informações sobre as forças revolucionárias no Rio Grande são muito difusas — fala-se, inclusive, que elas estão sitiadas em São Luís Gonzaga, com poucas chances de resistir ao cerco do Governo —, os marinheiros decidem permanecer em Montevidéu até que possam ter uma visão mais clara do que está realmente acontecendo com as tropas sob o comando de Luís Carlos Prestes. Durante quase dez dias eles permanecem em Montevidéu, à espera de instruções dos oficiais, que tentam desesperadamente estabelecer algum contato com os rebeldes do Rio Grande. No final de novembro, 25 marinheiros são enviados clandestinamente para Rivera. Entre eles está um civil, o jovem Amaro, sobrinho de Assis Brasil, que viera do Rio de Janeiro especialmente para participar da revolução. De acordo com as ordens recebidas, o grupo deve aguardar ali a chegada dos demais companheiros que ainda se encontram em Montevidéu. Juntos, eles decidirão a melhor forma de se juntar às forças revolucionárias, na região de São Luís Gonzaga.

Alguns chefes maragatos, que ainda lutam sozinhos contra o Governo, resolvem convocar esses marinheiros, sem autorização dos tenentes, para ajudar o caudilho Júlio de Barros a atacar Santana do Livramento. A maioria dos marinheiros nunca tinha montado a cavalo, mas mesmo assim os animais são distribuídos entre eles, que partem ao lado dos homens de Júlio de Barros para invadir e ocupar a cidade em nome da revolução. O ataque é um desastre. São repelidos com violência por um Batalhão de Provisórios, voluntários que lutam ao lado das tropas estaduais. Júlio de Barros e seus homens fogem, como de hábito, para o Uruguai: atravessam a fronteira e refugiam-se na região conhecida como Los Galpones, onde sempre se escondiam quando eram perseguidos pelos chimangos de Borges de Medeiros. Os *provisórios* não se dão também por vencidos: invadem o território uruguaio. Os rebeldes gaúchos, exímios cavaleiros e profundos conhecedores da região, conseguem escapar com facilidade; os marinheiros, que não sabem montar em pêlo e muito menos cavalgar, são abandonados por Júlio de Barros. Sete marujos são degolados impiedosamente pelos chimangos a serviço do Governo. Entre os mortos está o jovem Amaro de Assis Brasil, de 28 anos.

A imprensa uruguaia denuncia a chacina em grandes manchetes. A primeira página dos jornais estampa fotos dramáticas dos marinheiros assassinados em Galpones; alguns foram arrancados de dentro das casas de colonos, onde se haviam refugiado, para serem executados diante de mulheres e crianças. A invasão do Uruguai por forças legalistas brasileiras é um escândalo. O massacre transforma-se também em grave incidente diplomático.

A edição de 13 de dezembro de *El Diario* revela que os ferimentos encontrados nos corpos das vítimas mostram que elas foram executadas de forma selvagem. Os 17 mortos tinham sido baleados à queima-roupa, com tiros na cabeça, e em seguida degolados. Muitos, além de degolados, foram ainda esquartejados, como Amaro Assis Brasil, que teve a cabeça arrancada do corpo.

Uma das testemunhas, o colono Enrique Álvarez, conta que alguns rebeldes feridos tinham sido arrastados ainda com vida para uma gruta localizada nas imediações de sua fazenda, onde foram degolados pelos soldados brasileiros. Entre os rebeldes havia uma mulher vestida de homem, que não chegou a ser executada.[228]

O general Isidoro, que se encontra de passagem por Buenos Aires, em companhia do general Olinto Mesquita, é surpreendido com a notícia da chacina. Em entrevista ao correspondente de *El Diario*, os dois protestam com indignação contra mais esse atentado vil contra as forças revolucionárias que lutam contra o presidente Bernardes. Mesquita sustenta que a degola de prisioneiros indefesos merece a repulsa de todos os homens honrados, por se tratar de um crime de lesa-humanidade, além de representar um desrespeito às mais elementares leis da guerra.

Consternados com a violência das execuções, Isidoro e Mesquita decidem retornar a Foz do Iguaçu, por se sentirem também ameaçados com a presença inesperada de agentes brasileiros, que vigiam seus movimentos em território argentino. Eles tinham viajado a Buenos Aires para se avistar ali com o líder gaúcho Assis Brasil, que se encontrava asilado no Uruguai. O objetivo da reunião é discutir como podem ser fornecidas armas e munições às tropas comandadas por Luís Carlos Prestes. O encontro é secreto, cercado do maior sigilo, mas três dias depois é relatado ao Departamento de Estado, através de um informe reservado do cônsul americano em Montevidéu. Nesse despacho, Hoffman acrescenta que o efetivo das tropas federais concentradas no Rio Grande para reprimir o levante chega a cerca de 15.000 homens, mas elas não foram utilizadas nos combates "mais sérios" por causa da simpatia que nutriam pelos rebeldes. De acordo com seus informantes, não é o Exército que conduz a campanha contra as tropas revolucionárias, mas as forças estaduais organizadas sob o comando de Borges de Medeiros.

Em outro informe, Hoffman já tinha chamado a atenção de Washington para a chegada a Porto Alegre de 1.900 homens das Polícias de São Paulo, Bahia e Minas Gerais. O Governo federal, em vez de mandar tropas do Exército para sufocar a rebelião, envia contingentes das Polícias estaduais para lutarem ao lado da Brigada Militar.[229]

Um imenso anúncio fúnebre, publicado com destaque no alto da primeira página de *El Diario* de 13 de novembro, convida a população de Rivera para o sepultamento, no cemitério daquela cidade, de duas vítimas do massacre de Los Galpones: os jovens Amaro de Assis Brasil e Luiz Barbosa da Silva, "barbaramente trucidados por forças legais brasileiras em pleno território da hospitaleira República Oriental do Uruguai". Em Montevidéu, os oficiais e a marujada do *São Paulo* estão em estado de choque com a morte dos sete marinheiros. Eles não se conformam com a execução dos companheiros, relatada, com riqueza de detalhes, pelos principais jornais do Uruguai e da Argentina. O tenente Hercolino Cascardo, que lidera o grupo, está também preocupado com a falta de notícias de 18 marujos que se acredita estarem ainda perdidos pela fronteira. Com a ajuda da colônia brasileira, ele decide internar o resto da tropa em fazendas de propriedade dos irmãos Bernardino, Salvador e Domingos Mattos, até encontrarem um caminho seguro para se juntarem às forças de Isidoro em Foz do Iguaçu.

As tropas revolucionárias concentradas em São Luís Gonzaga estão, na verdade, espalhadas por vários acampamentos, num raio de 90 quilômetros, entre a fronteira da Argentina e a cidade de Santo Ângelo. As outras frentes tinham-se fragmentado em conseqüência da reação do Governo ou se dissolvido naturalmente depois que os oficiais rebeldes e os líderes maragatos se convenceram de que a revolução estava perdida e decidiram cruzar a fronteira para se refugiar no exterior.

O contingente que gravita em torno de São Luís tem conseguido manter-se unido, sem grandes perdas, graças a dois fatores: a inexistência de vias férreas na região, o que dificulta a aproximação das forças legalistas, e o talento militar revelado por Luís Carlos Prestes, ao reestruturar as unidades sob o seu comando. Além do Batalhão Ferroviário de Santo Ângelo, ele conta com grupos esparsos de civis e cerca de 500 homens do 3° RCI de São Luís, a guarnição mais bem armada, na qual cada soldado tinha o seu fuzil. Ao todo, não passam de 1.500 combatentes, uma tropa heterogênea, mal-estruturada e sem nenhuma disciplina; pouco mais da metade está armada. A grande maioria só tem mesmo um revólver e a munição que traz nos cinturões. A munição escassa faz minguarem ainda mais as chances de conseguirem sobreviver a um ataque do Governo. Do que eles realmente dispõem com relativa abundância, em São Luís, é de montarias: há dois cavalos para cada homem.[230] Só com muito espírito de luta, capacidade de liderança e criatividade é que se poderá manter coesa e eficaz uma força revolucionária tão definhada de recursos.

Além de não contar também com qualquer tipo de apoio logístico, Prestes ainda enfrenta outra situação extremamente delicada: não tem dinheiro para pagar o soldo da tropa. Apesar de não receberem pagamento de qualquer espécie e de não usufruírem também de nenhum outro tipo de vantagem, os homens mantêm-se fiéis ao comando. Para eles, o que realmente importa é ter o capitão engenheiro Luís Carlos Prestes como comandante.[231]

A espinha dorsal da tropa é o Batalhão Ferroviário de Santo Ângelo, de disciplina excepcional e que se destaca das demais guarnições do Exército. Durante o tempo em que exerceu o comando da Seção de Construção do Batalhão, escavando o leito da ferrovia entre Santo Ângelo e Comandaí, Prestes se aproximara dos soldados, estreitando determinados vínculos com a tropa, mas sem abrir mão da hierarquia. Sua maior preocupação era com as péssimas condições em que vivia a soldadesca. Além de se alimentar mal, os soldados dormiam em alojamentos de chão de terra batida, cobertos de palha. Não havia instrução militar e a disciplina era quase sempre imposta através da violência, com a aplicação de castigos corporais. Para amenizar essa situação, Prestes tomou uma série de providências. A primeira foi melhorar a qualidade do rancho. Ao contrário da maioria dos quartéis, onde um soldado era escalado para a cozinha, ele decidiu contratar um cozinheiro e um padeiro. O café da manhã passou a ser um luxo: leite, pão fresco, manteiga e um pedaço de carne com batatas cozidas. Depois, Prestes fez construir um campo de esportes, restabeleceu o adestramento militar e adotou a prática de exercícios físicos. Por último, criou um curso de alfabetização, em que ele próprio dava aula aos soldados. A fim de estimular a camaradagem e a criatividade entre seus homens, que só sabiam cumprir ordens, a cada alfabetizado ele entregava, depois, um analfabeto. Em três meses estavam todos sabendo ler e escrever o nome.[232]

A excepcional localizacão geográfica de São Luís permitiu que Prestes esperasse durante quase três semanas pelo armamento prometido pelo general João Francisco. Mas as armas e a munição nunca chegavam. Um dia, Prestes recebe um emissário de Isidoro com uma notícia desestimulante: não tinha sido possível honrar esse compromisso por causa da posição de intransigência assumida, inesperadamente, pelas autoridades argentinas. As pressões diplomáticas do Governo brasileiro tinham obrigado a Argentina a redobrar a vigilância ao longo de toda a fronteira, para impedir a passagem do carregamento. Diante dessa situação, Isidoro aconselha Prestes a deixar o Rio Grande e a marchar com seus homens para Foz do Iguaçu.

A conversa que Prestes manteve em Santo Ângelo com o general João Francisco impressionou-o profundamente. João Francisco, como todo bom combatente gaúcho, achava que a luta contra o Governo tinha que ser através de golpes rápidos e fulminantes, com as tropas se deslocando sempre a cavalo, para surpreender e envolver o adversário, antes que tivesse tempo de mobilizar suas forças para reagir. A guerra contra Bernardes deveria ser conduzida como eram as lutas no sul: ataques-relâmpagos e cada vez mais envolventes para desgastar a resistência do inimigo, acuando-o, lentamente, até colocá-lo de joelhos e exigir a sua rendição. Para esse tipo de estratégia, o cavalo e o elemento surpresa eram as melhores armas de que os rebeldes poderiam dispor.[233]

O general João Francisco confidenciara a Prestes as suas divergências com o general Isidoro, que insistia em conduzir a guerra dentro dos padrões tradicionais. Não só do ponto de vista estratégico como também em relação à hierarquia, Isidoro é extremamente ortodoxo e não faz qualquer tipo de concessão, esquecendo-se de que não comanda uma tropa profissional, mas um exército revolucionário. Em outubro, depois que os dois tiveram, em Porto Mendes, uma discussão destemperada, João Francisco enviou-lhe uma carta em que contestava a afirmação de Isidoro de que todos os exércitos do mundo obedeciam a um chefe supremo. Na carta ele advertiu:

> *"Desconhece, portanto, V. Ex. que povo armado não é exército regular e que chefes supremos não se impõem a tropas revolucionárias. Estas, sim, é que criam, de acordo com as circunstâncias momentâneas, as direções que melhor lhes parecem."* [234]

Prestes também aprendera muito com os gaúchos. A "guerra de movimento" há muito lhe chamava a atenção. Ele já tinha imaginado recorrer a essa estratégia se viesse a ocorrer uma guerra com a Argentina. Tropas de cavalaria do Exército poderiam penetrar em território argentino, atacar de surpresa a retaguarda do inimigo e retornar, depois, rapidamente, ao Brasil. Na sua opinião, esses reides de cavalaria poderiam devastar as tropas argentinas, habituadas, como o Brasil, à chamada "guerra de posição", que se caracterizava por encurralar o inimigo até a sua destruição.[235]

A coluna rebelde começa a se movimentar lentamente em direção ao norte, para atravessar a fronteira com Santa Catarina e tentar, depois, alcançar o Paraná. Antes de abandonar o Rio Grande, Prestes resolveu investir contra um contingente do Exército que acabara de chegar a Tupaceretã. Ao atacar a cidade, no começo de dezembro, para se reabastecer com armas e munições, os 400 homens sob o comando de João Alberto Lins e Barros foram surpreendidos com uma reação maior do que previram. As forças do Governo, além de superiores em número, estavam armadas com o que havia de melhor: metralhadoras automáticas Hotkis e canhões de 75mm. O ataque acabou se realizando de forma caótica; por pouco não se transformou numa derrota militar de conseqüências graves. A única alternativa foi abandonar rapidamente Tupaceretã e voltar para São Luís.

Não era mais possível, entretanto, permanecer em São Luís por muito tempo. O governo havia despachado cerca de 14.000 soldados, distribuídos por sete batalhões, que avançavam de sete posições diferentes para encurralar e pulverizar as forças revolucionárias. A tropa mais bem armada, com 2.300 homens, havia partido de Tupaceretã, sob as ordens do próprio comandante da Brigada Militar do Rio Grande, o coronel Claudino Nunes Pereira. Faziam parte também dessa força contingentes das polícias militares da Bahia, São Paulo e Minas Gerais, além de corpos auxiliares, como os batalhões de *provisórios*, voluntários arregimentados pelos caudilhos e armados por Borges de Medeiros, que ficavam à disposição do Governo do estado.

Ao perceber a tática do Governo, Prestes resolve utilizar pela primeira vez os conhecimentos que havia obtido com os gaúchos. Divide também suas tropas em sete posições diferentes, com a recomendação de que procurassem manter contato com o inimigo, mas que evitassem o confronto direto. O objetivo era atrair as forças do Governo, afastando-as, cada vez mais, de suas linhas de abastecimento. Pela primeira vez, oficiais do Exército no comando de tropas militares recorriam à tática de guerrilhas para enfrentar uma força treinada dentro dos métodos tradicionais. O plano estava dando certo. Movidos pela compulsão de conquistarem rapidamente o "objetivo geográfico", representado por São Luís, onde imaginavam encontrar os rebeldes concentrados, para iniciarem logo a "guerra de posição", as tropas legalistas se descuidaram dos flancos e não perceberam o que se passava a seu lado. Durante a madrugada, Prestes conseguiu escoar seus homens entre os soldados do Governo, sem ser percebido. Os legalistas tinham passado a noite inteira fustigando o pequeno contingente de João Alberto, que recuava sempre em direção à cidade. A Brigada Militar imaginava estar combatendo a vanguarda das forças revolucionárias concentradas em São Luís. Ao invadir a cidade, ao amanhecer, o coronel Claudino Pereira não encontrou ninguém. São Luís estava deserta.[236]

Na manhã de 30 de dezembro, os rebeldes retomam sua marcha em direção a Foz do Iguaçu. Ao lado de Prestes seguem João Alberto, Cordeiro de Farias e o bravo Siqueira Campos, que se reincorporara, há poucos dias, às forças revolucionárias, depois do desastrado ataque a Itaqui

1925

20

ANO-NOVO AGOURENTO

Quinta-feira, 1º de janeiro de 925

Uma da tarde. O corpo diplomático do Rio de Janeiro circula regurgitante entre as alamedas do Palácio do Catete, enquanto aguarda o momento de ser oficialmente entronizado no salão nobre, para desejar votos de próspero e feliz ano-novo ao presidente Artur Bernades. A cerimônia será aberta pelo núncio apostólico, monsenhor Enrico Gaspari, que, além de decano do corpo diplomático, é também portador de uma mensagem especial de boas-festas de Sua Santidade o Papa Pio XI. O ato, marcado para as duas da tarde, contará com a presença do Ministério, de membros do Congresso, do Poder Judiciário e de representantes das Forças Armadas.[237]

O embaixador Edwin Morgan, dos Estados Unidos, está acompanhado do secretário da Embaixada, Thomas Leonards Daniels, e dos adidos militares. O representante de Sua Majestade o Rei da Inglaterra, sir John Tilley, faz-se também acompanhar pelos adidos militares, pelo secretário da Embaixada e por Ernest Hamblock, o poderoso e devotado secretário comercial, sempre vigilante na defesa dos interesses ingleses no país.

Em uma das aléias que conduz ao salão de despachos, o embaixador da Itália, marechal Pietro Badoglio, se esforça para convencer o embaixador de Portugal, Duarte Leite, de que a situação em Roma está sob absoluto controle. Pietro Badoglio, genro do primeiro-ministro italiano Benito Mussolini, procura atenuar a dimensão do grande incêndio político que ameaça devorar o governo do sogro.

Há alguns dias, a Itália vem acompanhando com vergonha e horror a onda de escândalos que envolve a administração fascista de Mussolini. Além de denunciar a corrupção do regime, a oposição chama agora a atenção da opinião pública para os crimes praticados contra os inimigos do Governo. O próprio Mussolini está sendo acusado de ter mandado assassinar o deputado Matteoti, um dos mais combativos adversários do primeiro-ministro italiano. As principais cidades da Itália foram ocupadas por bandos de *camisas-pretas*, armados de cassetetes, que saíram às ruas, ao som de marchas militares, para defender o fascismo e intimidar a oposição. Além de empastelados, os jornais *La Stampa*, *Corriere della Sera*, *La Unitá*, *La Gustiglia*, *L'avanti* e *Il Mondo* ainda foram vítimas de toda sorte de violências por parte dos seguidores de Mussolini.[238]

Faltam apenas quinze minutos para a recepção começar. Edwin Morgan, Tilley, Duarte Leite e o próprio Badoglio se deliciam com frivolidades. Reunidos no Salão Veneziano, espécie de sala de visitas do Palácio do Catete, aguardam a chegada do dono da festa. O embaixador de Portugal, estudioso da música popular brasileira, lembra que em 1914 Nair de Teffé, mulher do então presidente, marechal Hermes da Fonseca, havia escandalizado a sociedade da época ao interpretar, na mesma sala onde se encontram, o maxixe *Corta-jaca*, de Chiquinha Gonzaga. Aquele sarau deu o que falar na boca da oposição.

Os embaixadores da Inglaterra, Estados Unidos, Itália e Portugual decidiram comparecer à cerimônia apenas para cumprir uma formalidade meramente protocolar: não tinham nenhum interesse político ou pessoal em participar daquele beija-mão. Há muito os quatro estavam agastados com o presidente da República, tinham queixas amargas de Bernardes, pela forma extremamente autoritária como costumava tratá-los, sempre que protestavam, oficialmente, em nome dos seus países, contra os métodos que o Governo utilizava para silenciar seus inimigos.

Edwin Morgan envolvera-se em várias escaramuças diplomáticas com o Governo por causa do levante de 5 de julho. O cônsul americano de São Paulo foi proibido de enviar telegramas para o Departamento de Estado, em Washington, além de ser impedido de se comunicar, por telefone, com a Embaixada no Rio de Janeiro. A censura aos jornais e as restrições de trabalho impostas às agências de notícias estrangeiras haviam sido mais duras e discriminatórias para com os correspondentes da Associated Press e da United Press Association. Além de não poderem mandar notícias para os Estados Unidos, acusados de mandarem informações falsas e alarmistas sobre a rebelião, eles foram também proibidos de receber qualquer tipo de telegrama do exterior. Edwin Morgan entendeu que Bernardes fora longe demais e resolveu enviar uma enérgica nota de protesto ao Itamaraty, em nome do Governo americano, exigindo que fosse restabelecida a liberdade de imprensa para os correspondentes estrangeiros. A partir desse dia, as relações entre o Catete e a Embaixada nunca mais foram as mesmas.

O embaixador Badoglio também tem os seus queixumes, a começar pelo número de patrícios vítimas dos bombardeios do Exército contra a cidade de São Paulo: 21 mortos e 90 feridos.[239] A colônia italiana, a mais numerosa da capital paulista, que se concentrava na Mooca e no Brás, foi das mais atingidas pela artilharia do Governo assim que os canhões começaram a atirar contra os bairros proletários da cidade.

O protegido de Mussolini alinha outro bom motivo para não gostar de Bernardes: a forma como o Governo brasileiro recebera Sua Alteza o Príncipe Umberto de Savoya, herdeiro da Coroa italiana. A visita oficial, inicialmente prevista para os festejos do aniversário da Independência, a 7 de setembro, fora desaconselhada por Bernardes. Por motivo de segurança, o Governo recomendava que ela fosse realizada em outra data. Como o navio já havia partido de Roma, a solução foi transferir a visita do príncipe para a Bahia, já que São Paulo, a cidade que ele tanto sonhava conhecer, não oferecia as condições de segurança necessárias para hospedá-lo junto com sua numerosa comitiva. Para continuar viagem até Salvador, o navio de Sua Alteza teve que ser abastecido, às pressas, de água e carvão, quando se aproximava do litoral brasileiro. O vexame só não foi completo porque Bernardes tomou a iniciativa de escalar o ministro das Relações Exteriores para representá-lo durante a visita do príncipe Umberto à Bahia.[240]

Dos quatro embaixadores, talvez o mais desencantado com Bernardes seja o representante inglês. Tilley também não morre de amores pelo presidente da República. Os grandes prejuízos que os canhões do Exército causaram às propriedades inglesas em São Paulo, durante os bombardeios de julho, ainda continuam fumegantes em sua lembrança. Ele nunca mais esquecerá a visita que fez à cidade, logo depois de sua ocupação pelas tropas legalistas. Apesar de o ritmo da atividade industrial ter sido restabelecido, nas áreas mais atingidas muitas fábricas ainda não tinham conseguido voltar a funcionar.[241]

O *frisson* que se observa agora do outro lado do salão, com os convidados se perfilando com apuro, indica que o presidente acabou de chegar, exatamente às duas da tarde, como estava previsto pelo protocolo. Uma das características de Bernardes é o seu apego à pontualidade, um dos muitos hábitos severos adquiridos no Seminário do Caraça.

Os embaixadores que se encontram espalhados por outras dependências do Palácio, como a galeria dos cristais e a sala da capela, antigo local de recolhimento e oração, apressam-se, a fim de serem entronizados, no salão nobre, pelo ministro das Relações Exteriores.

No meio do salão, os representantes estrangeiros formam agora grande semicírculo diante de Bernardes, enquanto o núncio apostólico, na qualidade de decano do corpo diplomático, discursa em nome dos colegas. No final de sua oração, monsenhor Enrico Gaspari lê a mensagem de Sua Santidade o Papa Pio XI:

— Que este Ano-Novo, correspondendo aos desígnios da Providência Divina, restitua ao mundo a paz e a tranqüilidade tão ardentemente desejadas; que ele seja a base do equilíbrio social fundado sobre a união sincera e fraternal de todas as nações, ideal supremo da humanidade; que este ano seja ainda uma fonte inesgotável de felicidade, de prosperidade e de grandeza para a nobre nação brasileira.

A festa continua pelo resto da tarde, com o presidente recebendo os votos de Feliz Ano-Novo dos ministros, dos membros do Congresso, das Forças Armadas e demais autoridades presentes à recepção. No vestíbulo do Palácio, as bandas do Batalhão Naval e da Polícia Militar revezam-se na execução de seleto repertório de maxixes, polcas e marchinhas. Nem parece que o país está em guerra.[242]

Mil novecentos e vinte e cinco chega sem muitas esperanças para os rebeldes paulistas chefiados por Isidoro. As tropas atravessaram o Ano-Novo sitiadas em Catanduvas, no Paraná, onde resistem, desesperadamente, ao cerco do general legalista Cândido Mariano Rondon, o mesmo que no posto de major havia estendido linhas telegráficas em Mato Grosso, levando-as até Santo Antônio do Madeira, no interior do Pará. Os combates, cada vez mais cruéis, prolongam-se desde 15 de novembro, sem qualquer perspectiva de vitória a curto prazo, para ambas as partes. As forças revolucionárias lutam por Catanduvas, um arraial miserável, encarapitado no alto de uma serra, no oeste do Paraná, por causa do seu valor estratégico. Desse ponto privilegiado, os rebeldes podem controlar a única passagem do planalto de Guarapuava para o *canyon* do Médio Paraná, além de dominar o importante entroncamento telegráfico que liga Foz do Iguaçu a Porto Mendes. Com o telégrafo nas mãos, os rebeldes podem comunicar-se com o resto do país e, principalmente, com o exterior.

A frente de luta espalha-se por quase 300 quilômetros. Rondon comanda cerca de 12.000 soldados, boa parte formada por contingentes das polícias estaduais do Paraná, Minas, São Paulo e Bahia. O Governo quer apressar a queda de Catanduvas para impedir que seus defensores se juntem às tropas gaúchas que marcham em direção ao Paraná.

Os rebeldes estão enfiados em trincheiras improvisadas, cavadas às pressas na Serra de Medeiros, para conter o avanço das tropas legalistas. Os combates intensos, as noites frias e o calor sufocante, durante o dia, corroem lentamente o moral das tropas revolucionárias, que lutam contra um inimigo mais numeroso e armado com o que há de melhor. Famintos, com pouca munição e completamente sitiados, os homens passam semanas seguidas dentro das valas, que se estendem irregularmente pela encosta, obedecendo à acidentada topografia do terreno.

Imobilizados, sem poder cuidar da higiene pessoal, à espera de um assalto das tropas do Governo que pode ocorrer a qualquer momento, os rebeldes estão sendo devastados por um flagelo comum à guerra de trincheiras. Há várias semanas sem tomar banho e sem trocar de roupa, com os uniformes sujos de barro e engordurados pelo suor, eles são esfolados por um inimigo pior que Rondon: a sarna. As forças revolucionárias enfrentam há 15 dias uma epidemia de sarna para a qual não encontram alívio. A doença, provocada pela falta de higiene, espalha-se por quase todo o corpo. A maioria dos soldados apresenta graves lesões entre os dedos das mãos e dos pés, embaixo dos braços, na virilha e nas nádegas. A sarna mina a resistência dos rebeldes, mas não seu ânimo. Mesmo coçando-se dia e noite sem parar, com a pele do corpo toda avermelhada, eles enfrentam o inimigo. Muitos soldados lutam descalços e sem camisa para melhor se coçar, o que agrava ainda mais as lesões. A epidemia é combatida com remédios caseiros, mas com resultado praticamente nulo, porque eles continuam imundos, usando o mesmo uniforme impregnado de parasitas imperceptíveis a olho nu. O correto seria; primeiro, tomar um bom banho; cobrir, depois, o corpo todo com polvilho, e vestir roupas limpas. É um luxo que não se permitem há meses.[243]

A distância entre as trincheiras é tão pequena que, às vezes, durante os longos períodos de trégua, pode-se ouvir até o inimigo conversando. Sempre que o fogo é suspenso, os rebeldes convidam os soldados legalistas a desertar; estes, por sua vez, retribuem o convite, aconselhando os revolucionários a se entregar, antes que seja tarde demais. Os dois lados muitas vezes passam horas a se insultar, sem disparar um único tiro, metralhando-se mutuamente com piadas e provocações de toda natureza.[244]

Prestes e seus homens também passaram o Ano Novo sob forte tensão. A coluna rebelde, formada por 1.500 combatentes e cerca de 3 mil animais, apresenta sinais de exaustão e desencanto com o plano de abandonarem o Rio Grande para lutar em outras terras. A tropa anda cabisbaixa, muitos soldados só pensavam em desertar. Os revolucionários gaúchos, principalmente os civis, ainda não estão muito convencidos do talento militar de Luís Carlos Prestes. Sua liderança é questionada não só por causa do seu tipo físico, esmirrado e atarracado para os padrões do sul, mas principalmente pelo modo desajeitado de conduzir um animal. Sua imagem em cima de um cavalo choca os gaúchos, habituados a terem, como chefes, cavaleiros exuberantes. A roupa de montaria também não ajuda muito. Nada lhe cai bem. O culote da calça, por exemplo, sempre amarfanhado, dobrando-se sobre os joelhos, denuncia logo a sua condição de falso montador. Como se isso não bastasse, além da forma atabalhoada de cavalgar, Prestes parece diminuir ainda mais de tamanho, montado naqueles animais enormes, com selas gigantescas, de onde pendem bolsas de couro cheias de mapas e papéis. Como chefe e cavaleiro, Prestes não convence. Projetava uma imagem grotesca que não condizia com a bravura e o perfil corpulento de um líder tipicamente gaúcho.[245]

Prestes tem absoluta consciência de suas dificuldades explícitas em conduzir uma montaria, mas pouco se importa com os comentários maledicentes que os caudilhos semeiam à sua volta. O importante é alcançar Santa Catarina e marchar com seus homens em direção ao

Paraná. Essa marcha é o que realmente o preocupa. Além do apreciável rebanho, os rebeldes ainda dispõem de alguns automóveis e caminhões. Precisam cruzar a fronteira com Santa Catarina antes de serem localizados pelas tropas legalistas.

As divergências com os chefes civis se aprofundam quando estes se convencem de que a decisão de seguir para o oeste do Paraná é irreversível. A perspectiva de ter que abrir caminho a facão pela mata, comer mal e abandonar as correrias pelos pampas, que tanto os apaixonam, provoca profundo mal-estar nas fileiras revolucionárias. Só em pensar também que teriam que caminhar muitas vezes a pé e lutar desmontados é suficiente para que desistam de seguir com os rebeldes. A maioria dos chefes civis só quer mesmo é lutar no Rio Grande. Por não concordarem em viajar para o norte, por entenderem que a guerra, a partir de agora, não é mais deles, vários líderes maragatos manifestam o desejo de emigrar com seus homens para o Uruguai.[246]

A vontade expressa de abandonar a luta abate o moral dos jovens oficiais do Exército. Os gaúchos só desejam guerrear nos pampas. Seus ideais revolucionários não vão além das fronteiras do Rio Grande. Só um objetivo os movia com entusiasmo: derrubar o presidente Borges de Medeiros.

A repressão política em São Paulo começou o ano com o pé direito. Além de o recém-criado Departamento de Ordem Política e Social ter conseguido implodir uma nova conspiração marcada para os primeiros dias de janeiro, o rumoroso inquérito policial militar sobre a revolução de 5 de julho de 1924 na capital paulista chegou ao fim. Em rara demonstração de eficiência e de acatamento dos prazos legais, tinham sido tomados 1.163 depoimentos e recolhidas 2.217 declarações, tudo em pouco menos de cinco meses. Dos 107 volumes do IPM constam ainda 170 fotografias, 400 autos de natureza diversa e 5.676 documentos apreendidos pela Polícia no QG dos revolucionários e nos esconderijos onde se reuniam os líderes da conspiração. Entre os documentos há correspondência particular dos rebeldes, mapas, desenhos, ordens de serviço, plantas de quartéis, de residências dos mais importante oficiais do Exército e da Força Pública, e dos principais edifícios públicos da cidade. A denúncia, oferecida à Justiça pelo procurador criminal da República Carlos da Silva Costa, acusa 569 pessoas de terem participado ativamente da rebelião.[247]

O principal motivo de orgulho do aparelho policial de São Paulo, neste começo de ano, não é a forma impecável como havia sido conduzido e concluído inquérito tão complexo, mas a descoberta de que nova conspiração seria deflagrada nos primeiros dias de janeiro. A descoberta devia-se à dedicação de um grupo de agentes transferidos, há poucos dias, para uma repartição policial voltada exclusivamente para a repressão política, a Delegacia de Ordem Política e Social (DOPS), criada em dezembro, juntamente com o Gabinete Geral de Investigações, ao qual está subordinada.[248]

O plano dos conspiradores era atacar a Hospedaria dos Imigrantes para libertar o general Ximenes Vilella, o capitão Arlindo de Oliveira, genro do general João Francisco, que fora detido no Paraná, e o tenente Eduardo Gomes, preso em Santa Catarina. Depois do pouso forçado em Guaratinguetá, Eduardo Gomes conseguiu regressar ao Rio, mas ao embarcar, meses depois, em um navio da Companhia Nacional de Navegação Costeira, disfarçado e com nome falso, para se juntar aos rebeldes no Rio Grande, foi reconhecido por um sargento e detido pela polícia no porto de Florianópolis.[249]

Assim que fossem libertados do xadrez da imigração, esses oficiais tentariam sublevar vários quartéis, com a ajuda de civis, e ocupar as principais áreas da cidade de São Paulo. Os conspiradores tinham marcado como ponto de encontro o Largo de São Bento. Na madrugada de 4 de janeiro, eles deveriam deixar o local combinado, em vários automóveis, para invadir o prédio da imigração; estavam armados com um fuzil-metralhadora, armas curtas e 59 quilos de dinamite. Acreditavam que o edifício se encontrava desguarnecido, mas o Governo, alertado sobre a conspiração, reforçou a defesa do prédio e concentrou tropas de cavalaria pela vizinhança.

O movimento, que reunia cerca de 50 civis, chegou a ser detonado, mas os cabeças do levante, ao perceberem a presença do forte contingente policial, resolveram suspender o ataque. Os investigadores do DOPS acabaram também fazendo outra descoberta por acaso: a conspiração contava com a conivência de funcionários da própria imigração. Durante a noite, várias vezes as luzes do prédio se acenderam e se apagaram, na tentativa de avisar aos companheiros do lado de fora que a polícia descobrira o plano.

A primeira prisão dos agentes do DOPS foi no cabaré Scala, onde se refugiara o ex-aluno da Escola Militar João Batista Monteiro, que participara da revolução de julho como tenente. Através de João Batista, os policiais chegaram aos outros conspiradores, apanhados em casa, ainda durante a madrugada. Três oficiais do 4º Regimento de Artilharia Montada de Itu, o capitão Jaime de Almeida e dois tenentes foram localizados e presos, pela manhã, hospedados em uma pensão familiar na rua São Joaquim, 88. Os três tinham se hospedado com os nomes falsos de Nei, Ricardo e Eduardo. Com os conspiradores a Polícia encontrou vasta correspondência, mapas da cidade e croquis de várias unidades militares. Na pensão foi feita outra importante descoberta: o levante seria comandado pelo capitão Arlindo de Oliveira e deflagrado, simultaneamente, com movimento semelhante na capital federal. A informação foi passada imediatamente, pelo telefone, ao marechal Carneiro da Fontoura, no Rio de Janeiro.[250]

Com a descoberta da conspiração, o capitão Arlindo de Oliveira foi removido da Hospedaria dos Imigrantes para uma insalubre solitária da Cadeia Pública, onde permaneceu incomunicável, à disposição do secretário de Justiça Bento Bueno. Durante alguns dias os advogados tentaram inutilmente transferir o oficial para o xadrez da imigração, que funcionava como presídio político. Ao ser autorizada a transferência, através de uma decisão da Justiça, descobriu-se por que a Polícia recusava-se terminantemente a atender a esse pedido. Ele fora seviciado, na Cadeia Pública, por um aspirante da Força Pública, durante o interrogatório conduzido pelo coronel Pedro Dias de Campos, comandante da corporação.

Ao ser retirado da cela úmida, onde dormia sobre o cimento molhado, o aspecto de Oliveira era desolador. Magérrimo, rosto encovado, sujo, coberto de piolhos, mal conseguia manter-se de pé. Teve que ser removido de ambulância para a imigração.[251]

Muitos militares e quase todos os civis envolvidos com a conspiração tinham conseguido escapar, apesar do desvelo dos agentes especialmente escalados para desbaratar a conspiração.

Com a criação do DOPS, uma repartição voltada exclusivamente para a repressão política, com policiais e informantes infiltrados em todas as classes sociais, as chances de um movimento revolucionário vingar em São Paulo passaram a ficar cada vez mais remotas. Além de aumentar a vigilância sobre os inimigos do Governo, o DOPS permitiu também um controle mais eficiente do movimento operário, ao assumir a responsabilidade legal de identificar e fichar os principais ativistas sindicais, tarefa antes exercida pelo próprio empresariado. Esse serviço de espionagem particular não era só financiado como também coordenado pela iniciativa privada. O poderoso secretário-geral do Centro da Indústria de Fiação e Tecelagem de São Paulo (CIFTSP), Pupo Nogueira, era então o guardião do único fichário existente com a relação completa de todos os trabalhadores que haviam participado de greves ou de movimentos reivindicatórios de qualquer natureza. Ele criara a lista com o objetivo de sanear a força de trabalho dos chamados agitadores profissionais, "elementos indesejáveis que operam dentro dela, em certas ocasiões, como fermento de indisciplina".

Aos sócios da entidade que desejavam livrar-se de operários incômodos Pupo Nogueira aconselhava entrar em contato imediato com o

Centro. Os elementos considerados perigosos seriam logo fichados e afastados do emprego, e o seu cartão enviado às outras fábricas, "exatamente como se faz com os ladrões".[252]

Com a criação do DOPS, os empresários não precisariam mais colecionar fichas ou confeccionar dossiês sobre os seus empregados. Não precisavam também se angustiar mais com as ameaças dos anarquistas e seus planos de promover uma revolução social no Brasil. A delicadeza do momento não permitia que o serviço continuasse a ser realizado por amadores; era um trabalho para profissionais.

Alertada pelo DOPS de São Paulo, a Polícia do Rio invade de madrugada o número 54 da rua do Beco e prende o cabeça do levante, ainda na cama. A operação é comandada pessoalmente pelo coronel Carlos Reis, titular da 4ª Delegacia Policial, responsável pela investigação dos crimes políticos na capital federal. O capitão do Exército Leopoldo Nery da Fonseca, engenheiro militar, entrega-se sem reagir. Em novembro ele fugira do Hospital Central do Exército, onde se encontrava detido por estar envolvido no levante do Forte de Copacabana, em 1922. Durante o pouco tempo em que viveu na clandestinidade, conspirando contra Bernardes, Leopoldo Nery conseguiu despistar a Polícia, escondendo-se atrás de um rosto que exibia vasto bigode, costeletas e óculos escuros.

Em um dos quartos da casa, que alugara com o nome falso de Dr. Clóvis Garcez, é apreendida grande quantidade de dinamite, enxofre, salitre, bombas automáticas e material para confecção de explosivos. Na mesma noite são presos vários oficiais, entre eles o tenente Lourival Seroa da Motta, foragido da Casa de Detenção, que se ocultava sob o nome de Heitor Leite. Além de documentos importantes sobre a organização do levante, a Polícia encontra na residência do tenente alguns revólveres calibre 38 e copiosa munição pesada: duas caixas de balas para metralhadoras e milhares de cartuchos para fuzil Mauser.

O plano de operações, recolhido pelos agentes em poder do capitão Nery da Fonseca, revelou que não se tratava de mais uma quartelada, como o Governo anunciara, para minimizar a extensão do levante. Os conspiradores pretendiam atacar de surpresa o Ministério da Guerra, o Comando Geral da Polícia Militar, a Polícia Central e o QG dos bombeiros, além de vários quartéis localizados no Centro. Para neutralizar a chegada de reforços, os rebeldes imaginaram criar uma espécie de cordão sanitário em torno das guarnições da Vila Militar. Um dos pontos de estrangulamento das forças legalistas seria a "garganta do Méier", um bairro de passagem obrigatória das tropas da Vila em direção à cidade. Os Morros do Telégrafo e da Caixa d'Água, no Engenho Novo, seriam ocupados pelo 3º Batalhão da PM, para impedir que os efetivos do Exército cruzassem a "garganta".

As instruções recomendavam que os quartéis deveriam ser atacados, de surpresa, com o máximo de violência. Os ataques, realizados com a ajuda de automóveis armados de metralhadoras, contariam ainda com a participação de populares comprometidos com a conspiração. A segunda etapa do plano seria a prisão de vasto número de autoridades, civis e militares, rotuladas genericamente pelos rebeldes, nos papéis encontrados pela Polícia, como "figurões".

Caso surgissem imprevistos durante o ataque ao Arsenal de Marinha, onde seriam recolhidas armas e munições, deveriam ser imediatamente cavadas trincheiras na avenida Rio Branco e na rua Visconde de Inhaúma, para conter uma possível reação do Batalhão Naval.

Os conspiradores mantinham ligações com o comandante Protógenes Guimarães, preso em outubro, e com o capitão Costa Leite, detido com farta quantidade de dinamite, no subúrbio do Engenho Novo.[253]

Carneiro da Fontoura exulta com mais essa vitória sobre os inimigos do Governo. Ele discutiu pessoalmente com seus auxiliares como seria executado o plano para prender as principais figuras do levante. Fontoura passara a madrugada em vigília, em seu gabinete, à espera de informações que só chegaram ao amanhecer. Mas a vigília fora recompensada. Seus homens tinham agido, novamente, com eficiência e rapidez. Os líderes foram presos e estavam sendo interrogados por funcionários especializados da 4ª Delegacia, que ficava um andar acima do seu gabinete.

O *General Escuridão* enfia numa pasta de couro os documentos mais importantes encontrados em poder dos conspiradores, fecha as gavetas da mesa de trabalho, guarda os óculos e consulta o relógio: são 10:15. Às onze ele tem audiência com o presidente da República, no Palácio do Catete. Bernardes está ansioso por conhecer detalhes da conspiração que agoniza nas mãos da Polícia Política.

21

UM ANIVERSÁRIO DE CHUMBO

Sábado, 3 de janeiro

Nesta manhã, os oficiais rebeldes do sul conseguem reunir-se, pela primeira vez, em torno da mesma fogueira. Desde a retirada de São Luís eles praticamente não se viam, já que nunca caminhavam juntos. Siqueira Campos e João Alberto tinham uma razão especial para estar ali, em volta do fogo, comendo churrasco frito, como fazem os gaúchos: é o dia do aniversário de Luís Carlos Prestes. Ele está fazendo 27 anos. O único ausente é o tenente Mário Portela Fagundes, que servira com Prestes no Batalhão Ferroviário de Santo Ângelo. Ele fora chamado, durante a madrugada, pelos seus homens e ainda não havia retornado. Alguns chefes civis também estão ali, comendo churrasco, mas reunidos em fogueiras diferentes, para conversarem mais à vontade.

De repente, ouve-se um tiroteio. A primeira reação do Alto-Comando revolucionário é de perplexidade. Não se imaginava a presença de forças do Governo tão próximas do Boqueirão da Ramada, uma encruzilhada que desde a véspera se encontra em poder dos rebeldes por se tratar de uma passagem obrigatória para o Paraná. Seu controle, portanto, é vital para o escoamento das tropas rebeldes. Mas não há motivos para maiores preocupações. A região está bem protegida pelo 1º Destacamento, que dispõe de boa quantidade de homens, cavalos, armas e farta munição.

As primeiras rajadas das metralhadoras Hotckiss dão logo o tom do combate: os rebeldes estão diante de uma tropa equipada com armamento moderno. Surpreso com o ataque, Prestes abre rapidamente o mapa de campanha à procura das posições ocupadas pelas forças revolucionárias. Ele e João Alberto improvisam, às pressas, um plano de defesa para assegurar o controle da passagem. Mas Prestes não tem a quem transmitir suas ordens. Os chefes gaúchos haviam partido em busca dos seus homens assim que ouviram os primeiros tiros. Independentes e pouco habituados a obedecer a pessoas que mal conheciam, os "coronéis" maragatos tinham resolvido, mais uma vez, enfrentar o inimigo como sempre fizeram: com seus reides de cavalaria. Não se deram ao trabalho de perguntar quais eram os planos de Prestes.

Guiados mais pela fuzilaria do que pelas indicações do mapa, os rebeldes sob o comando de João Alberto são os primeiros a chegar ao local do combate, onde um grupo de soldados do 1º Destacamento resiste bravamente ao ataque de um contingente do Exército. Ao perceber que o inimigo começa a apontar uma peça de artilharia na direção de seus homens, João Alberto reage com presença de espírito: em vez de mandar recuar, ordena que eles avancem rapidamente, atirando sem parar, para impedir que os artilheiros tenham tempo de corrigir a alça de mira. O Exército faz uma barragem de fogo para tentar estancar a carga dos rebeldes, mas estes continuam avançando, aos gritos, indiferentes ao tiroteio. As linhas de defesa do inimigo são ultrapassadas e os combates passam a ser travados corpo a corpo. A luta é sangrenta, selvagem, os homens matam-se com tiros de fuzil, revólveres e golpes de espada e facão. Até os gaúchos, habituados a esse tipo de enfrentamento, impressionam-se com o grande número de baixas, em tão pouco tempo. O campo de batalha está forrado de cadáveres. A legião de feridos amontoa-se de ambos os lados, com os soldados arrastando-se entre os corpos dos companheiros mortos e de animais que agonizam com a barriga rasgada, vísceras expostas, à espera de um tiro de misericórdia. A violência dos combates provoca perdas cada vez mais brutais. As baterias do Exército são finalmente alcançadas e dominadas pelos rebeldes, que estão quase sem fôlego, esgarçados demais para sustentar as posições conquistadas. Exaustos, banhados de sangue e quase sem munição, sem que tivessem recebido os reforços prometidos, são obrigados a abandonar a luta. A retirada é penosa, com os feridos transportados nas costas ou em macas improvisadas com cobertores e galhos de árvores. Também em estado deplorável, o inimigo afasta-se em direção à cidade de Palmeira.

O balanço do combate é trágico para os rebeldes: 50 mortos e cerca de 100 feridos, a maior parte em estado desesperador. Entre os mortos estão três capitães e cinco suboficiais. Mais de 200 sobreviventes ficam envolvidos só com o trabalho de remoção dos feridos. Os rebeldes não dispõem de um corpo de saúde. Não possuem ambulâncias, instrumentos cirúrgicos ou medicamentos, como se fosse possível participar de uma guerra sem sofrer baixas. Entre eles só há um veterinário, o tenente Aristides Leal, que muito pouco pode fazer diante da gravidade de alguns ferimentos. Durante a lenta retirada, muitos são dolorosamente abandonados pelo caminho, por causa do desconforto das padiolas improvisadas. Os soldados feridos são então deixados nas fazendas que concordam em recebê-los. Nunca mais serão vistos.[254]

A madrugada de 4 de janeiro chega, nesse primeiro domingo do ano, com os rebeldes acampados ao longo da picada que leva a Barracão. A chuva transformou os caminhos toscos em traiçoeiros lamaçais. As poucas carroças que sobraram atolam a todo momento, retardando ainda mais a marcha para o Paraná. Não há barracas de campanha suficientes para protegê-los da chuva, e as poucas casas de colonos ao longo das estradas mal conseguem abrigar os feridos que puderam ser transportados. Até com a comida, a partir de agora, os rebeldes têm que ser parcimoniosos. O pouco gado que encontram não permite mais os habituais desperdícios. Em vez da fartura de um boi para cada 30 pessoas, como é comum na fronteira, onde se comem apenas as partes nobres da carne, um animal tem agora que alimentar 120 soldados. Não é só a dieta reforçada com carne de porco e galinha que exaspera a gauchada. O que realmente os enlouquece é ter que caminhar a pé através das picadas, puxando os animais pelos arreios. Acostumados a descer dos cavalos só para comer e dormir, muitos se davam o luxo de pescar e até mesmo beber água, nos rios, do alto da montaria. A própria roupa de que tanto se orgulham é inadequada para essas marchas forçadas, a começar pelas bombachas e botas sanfonadas, pesadonas, incômodas no meio do lamaçal.

Ao chegar a Barracão, na margem esquerda do rio Uruguai, na divisa com a Argentina, depois de longa caminhada através da mata densa e hostil, os rebeldes sofrem o maior de todos os golpes: quase mil gaúchos resolvem desertar com armas e animais. Com a alma dilacerada, mas sem mágoas, Prestes, Siqueira Campos e João Alberto assistem à debandada em silêncio. As tropas maragatas atravessam o rio em balsas para se refugiar em território argentino. Apesar de traumático para os jovens revolucionários, o gesto de cruzar a fronteira não causa constrangimento aos gaúchos. Alguns chegam até a se despedir cordialmente, antes de desaparecer para sempre.

Ao ver a cena, João Alberto lembrou-se de que já assistira a episódio semelhante, durante o combate de Guaçu-boi, quando os gaúchos, inesperadamente, resolveram abandonar a luta. Ele ameaçara atirar com seu revólver nos que fugiam, mas poucos se intimidaram. Não lhe deviam obediência, porque não se consideravam seus comandados. A situação só adquiriu contornos mais definidos na sua mente quando um dos combatentes, com cara de índio, gritou para ele, com aspereza:

— Senhor oficial, cada qual tem aqui o seu chefe.

Os gaúchos só recebiam ordens dos seus "coronéis".[255]

No isolamento moral em que se encontram, caminhando em direção ao desconhecido, Prestes, João Alberto e Siqueira Campos são acossados por sentimentos contraditórios: à frustração da partida se alia o consolo de que não serão mais abandonados pelos que ficaram. Estes, acreditam, permanecerão ao lado da revolução até o fim.

A chuva torrencial de vários dias sobre o sertão do Paraná inundou as trincheiras de Catanduvas e protelou o ataque planejado pelo general Cândido Mariano Rondon. Mesmo com o aguaceiro, depois de longa e dramática estiagem, os rebeldes e os soldados do Exército continuam firmes em suas posições.

Desde 25 de setembro o general Rondon fora nomeado comandante-em-chefe das tropas legalistas acantonadas em Santa Catarina e no Paraná. É a primeira vez, desde que se alistou no Exército imperial, em 1881, que ele participa de uma operação militar. Rondon, um mestiço com cara de índio, nascido no pantanal mato-grossense, adquirira renome internacional como pacificador de silvícolas, ao conquistar a amizade, o respeito e a cooperação voluntária das tribos por onde passava com seus soldados, estendendo linhas telegráficas pela região amazônica. Uma atividade a que se dedicara com devoção missionária durante vários anos, e que o tornaria respeitado não só entre seus pares mas também no exterior. Avesso às questões políticas, pelas quais tinha certo desprezo, servindo quase sempre no interior, Rondon, ao manter-se distante dos movimentos militares de sua geração, acabou reunindo as virtudes do oficial que o Governo procurava para enfrentar os rebeldes. Bernardes não poderia ter feito melhor escolha. Disciplinado, positivista e fiel seguidor dos postulados de Augusto Comte, o general Cândido Rondon tinha o perfil ideal para o cumprimento dessa missão.[256]

Instalado em seu quartel-general, em Ponta Grossa, Rondon tem cerca de 12.000 homens sob o seu comando, enquanto os rebeldes, no Paraná, não chegavam a 3.000. Em vez de se apoiar exclusivamente nas forças do Exército, a linha de frente de Rondon é formada apenas por contingentes da milícia estadual gaúcha, na qual ele deposita a mais absoluta confiança. Mas algumas coisas não tinham dado certo, como o estratégico aeroporto que tinha mandado construir em Laranjeiras, de onde os aviões deveriam bombardear as tropas revolucionárias, na Serra de Medeiros. Além de terem sido logo colocados fora de combate, vitimados por panes diversas, os aviões não poderiam também decolar por causa das chuvas. A pista improvisada, a exemplo das estradas de barro, virou um lamaçal.

O plano de Rondon é extremamente simples: acumular o maior número possível de tropas e armamento pesado para ir empurrando, lentamente, os rebeldes para as fronteiras da Argentina e do Paraguai, em Foz do Iguaçu. Ao se sentirem encurralados nas barrancas do rio Paraná, exaustos, sem víveres e sem munição, só restaria aos rebeldes uma saída: a rendição incondicional.

Quarta-feira, 21 de janeiro

Cinco da manhã. As sentinelas do acampamento das tropas legalistas, em Formigas, dormem de pé, com os fuzis entre as pernas, o corpo apoiado nos troncos que protegem as trincheiras. Choveu muito durante toda a madrugada. Numa demonstração de extrema ousadia, os rebeldes conseguiram infiltrar-se através da retaguarda das tropas do Governo e chegar até Formigas para tentar surpreender o general Cândido Rondon, que inspeciona os seus comandados na região, em companhia do seu Estado-Maior.

Os vultos que rastejam na lama, em volta do acampamento, parecem bonecos de barro. Eles se movem no atoleiro sob a inspiração de um mito: o tenente João Cabanas. Divididos em quatro grupos de 50 homens, os rebeldes fazem parte da famosa e temida *Coluna da Morte*. Eles receberam instruções de atirarem todos ao mesmo tempo. As linhas telefônicas e telegráficas que ligam o povoado a Guarapuava já foram cortadas. Cabanas se esgueira, irreconhecível, pelo lamaçal, para melhor observar a posição do inimigo e escolher o momento mais adequado para deflagrar o ataque.

As barracas de lona do Exército, protegidas por quatro ninhos de metralhadoras abandonados, estão espalhadas num raio de 200 metros. Os canhões negros, enfileirados ao lado de enorme casa de madeira, onde tremula a bandeira nacional, indicam que ali estão instalados o comandante-em-chefe e seu Estado-Maior. O general Cândido Mariano da Silva Rondon e seus oficiais estão cercados. Os rebeldes aguardam apenas um sinal para varrer o acampamento com o fogo das metralhadoras e fuzis.

O grito de guerra da *Coluna da Morte* é sempre anunciado por uma espécie de prefixo musical: a marchinha *Pé Espalhado*, que o corneteiro toca de forma alegre e irreverente. O *Pé Espalhado* não passa de um chiste inventado pelos próprios soldados para ridicularizar os sisudos toques de marcha herdados do exército francês.[257]

Ao receber o sinal de atacar, os rebeldes erguem-se do chão, cobertos de lama, e começam a atirar. O corneteiro, como de hábito, enche os pulmões e faz o melhor que pode. Os homens, embriagados pelo tiroteio, avançam aos berros:

— Cabanas chegou!

Os soldados do Exército, despertados pela gritaria e surpreendidos com o tiroteio, abandonam as casas e as barracas em pânico. Muitos, descalços e seminus, refugiam-se no mato. Mas a reação não se faz esperar: recuperados do susto inicial, os artilheiros, a peito descoberto, assumem o controle das baterias e respondem ao fogo com destemor. Os acordes enrouquecidos do *Pé Espalhado* são logo abafados pelo matraquear das metralhadoras pesadas.

Cabanas volta-se para seus homens e ordena:

— Preparar para a carga! Desembainhar facões!

Os soldados do Exército, pouco afeitos ao corpo a corpo com armas brancas, não sabem como se defender dos facões. O pânico instala-se mais uma vez entre as fileiras legalistas, que debandam em desordem, deixando para trás armas, bagagens e muita munição.

Depois de guarnecer as entradas do povoado, para evitar um contra-ataque, Cabanas dirige-se, em companhia de alguns homens, para a enorme casa de madeira a fim de prender o general Cândido Rondon. A casa é cercada e, em seguida, invadida, mas os rebeldes não encontram ninguém. Na sala, muitas flores; nos quartos, camas limpas e bem-arrumadas, com lençóis novos e perfumados. Os copos, pratos e talheres dispostos sobre a mesa, forrada com uma toalha de linho branco, indicam que as pessoas esperadas não haviam chegado para jantar. Rondon não caiu prisioneiro dos rebeldes por pouco: ele se atrasara porque sua limusine atolara na estradinha que liga Formigas a Laranjeiras.

Os prisioneiros não param de chegar. Muitos tinham se entregado, outros foram apanhados pelas patrulhas, escondidos no mato. Entre os detidos está o tenente-médico José Ataíde, que aceita o convite de Cabanas para se incorporar às tropas rebeldes. Pela primeira vez as fileiras revolucionárias passarão a contar com os serviços de um médico.

A situação agrava-se de repente com a informação de que fortes contingentes do Governo avançam rapidamente, de pontos diferentes, em direção a Formigas. É tarde demais para organizar a defesa do povoado. Os rebeldes resistem ao ataque das tropas do Exército até o anoitecer. O poder de fogo das forças legalistas é surpreendente. Protegida pela escuridão, a *Coluna da Morte* rompe o cerco e abandona Formigas, carregando uma multidão de feridos, a maioria em estado grave. Seu objetivo agora é abrir uma picada no mato para alcançar Catanduvas e atacar o inimigo pela retaguarda. A marcha através da floresta recomeça em meio a uma tempestade. Chove torrencialmente em todo o sertão do Paraná.[258]

Na Serra de Medeiros, as trincheiras estão alagadas, mas os combatentes dos dois lados permanecem enfiados nos buracos, com água pelos joelhos, atentos a qualquer movimento do inimigo. Os rios transbordam por toda a região oeste. A *Gazeta do Povo*, de Curitiba, ao comentar o impacto do temporal sobre o que restou das plantações, observa que a chuva ameaça agora destruir o pouco que a seca deixara vivo e em pé. A mesma ameaça paira sobre os rebeldes. Depois de terem sido brutalmente castigados pelo calor e pela sarna, eles estão sendo dizimados por um outro flagelo: a disenteria bacilar. Com as chuvas, as trincheiras transformaram-se em pocilgas. Como a sarna, a disenteria também está sendo tratada com remédios caseiros, mas os resultados são pouco animadores. Os chás de brotos de goiabeira e de folhinhas de arruda não conseguem estancar a diarréia. Extenuados pelo cansaço e debilitados pela sarna e a má alimentação, os homens sentem-se agora ainda mais enfraquecidos com o surto de disenteria. Muitos já apresentam sintomas de desidratação. As baixas provocadas por toda sorte de doenças são infinitamente superiores ao número de feridos em combate. As trincheiras cavadas pelos rebeldes transformaram-se no pior inimigo da revolução.

As forças comandadas por Luís Carlos Prestes, reduzidas a pouco mais de 600 homens, preparam-se para atravessar o rio Uruguai e continuar a marcha em direção ao oeste do Paraná. A mata fechada e os obstáculos naturais oferecidos pela acidentada topografia da região impõem lentidão à caminhada. Os combatentes que decidiram permanecer ao lado dos rebeldes, sob o comando de Prestes, são submetidos a mais uma provação. A escassez de pasto, em toda a faixa de terra banhada pelo rio Uruguai, obriga os gaúchos a se desfazerem do que consideram a arma mais importante num combate: seus cavalos. Sem ter como alimentar tantos animais, no meio da floresta, eles resolvem dispersar a cavalhada e seguir a pé. A separação é dolorosa. Muitos se abraçam aos cavalos demoradamente, outros conversam com os animais, explicando as razões do abandono. Os gaúchos despedem-se das montarias com lágrimas nos olhos. Alguns preferem caminhar, sem olhar para trás, mas todos carre gam os pesados arreios nas costas, agarrados à esperança de que ao chegar ao Paraná encontrarão bons animais para montar.[259]

As tropas sofreram outras perdas irreparáveis. No dia 27 de janeiro, os tenentes Carlos Abreu dos Santos Paiva e Mário Portela Fagundes, por quem Prestes tinha carinho todo especial, morreram durante violento combate contra o 6º Corpo Auxiliar da Brigada Militar do Rio Grande. Mário Portela tinha sido uma das vigas-mestras do levante no sul, além de ser o principal auxiliar de Prestes na formação e organização da coluna revolucionária que marcha em direção a Foz do Iguaçu.

Apesar de todos esses reveses, Prestes não se deixa abater pelo desânimo que mina o espírito de alguns dos seus oficiais. A revolução, mesmo com todas essas dificuldades, sairia vitoriosa. Ele já havia manifestado a firmeza nessa crença numa carta a Isidoro, na qual destacava a persistência como uma das "melhores armas do revolucionário". Na correspondência, solicitava mapas completos do Paraná e de Santa Catarina, além de armas e munição. Mais precisamente: 100 mil tiros, 400 fuzis e as metralhadoras que pudessem ser enviadas para a localidade de Barracão, onde se encontrava acampado com seus homens, no Paraná. Prestes expôs a Isidoro a sua visão de como deveriam ser enfrentadas as tropas do Governo:

> *"A guerra no Brasil, qualquer que seja o terreno, é a guerra do movimento. Para nós, revolucionários, o movimento é a vitória. A guerra de reserva é a que mais convém ao Governo, que tem fábricas de munição, fábrica de dinheiro e bastantes analfabetos para jogar contra as nossas metralhadoras."*

Ele reafirmava a sua confiança inabalável na vitória da revolução A sua convicção de que, no final, sairiam vencedores era tão arraigada que, às vezes, chegava ao delírio:

> *"Com a minha coluna armada e municiada, sem exagero julgo não ser otimismo afirmar a V. Exa. que conseguirei marchar para o norte e dentro*

de pouco tempo atravessar o Paraná e São Paulo, dirigindo-me ao Rio de Janeiro, talvez por Minas Gerais (...) Espero, porém, de vosso esclarecido espírito e reconhecida prática de comando as necessárias ordens a fim de poder o mais eficazmente auxiliar a Revolução, cuja vitória final parece não ser mais duvidosa. (...) O que posso ainda afirmar a V. Exa. é que os 800 homens que tenho a fortuna de comandar querem lutar e morrer pela causa que defendem, certos de que sem a nossa vitória perdemos o Brasil."[260]

Prestes mantinha-se razoavelmente informado sobre as dificuldades que os rebeldes enfrentavam no Paraná, mas não tinha a exata dimensão da tragédia que se abatia sobre as tropas revolucionárias em Catanduvas. Andava obcecado com um plano que imaginava capaz de mudar o curso da guerra: atacar de surpresa a retaguarda legalista, na Serra de Medeiros. Isoladas, com as linhas de abastecimento cortadas, as forças do Governo seriam então facilmente derrotadas. A revolução poderia então seguir o destino que lhe fora reservado pela História.

O tenente João Cabanas diverte-se com a notícia de que fora morto em combate, amplamente divulgada pelo Exército, na tentativa de fazer ruir o mito que dava corpo e alma à *Coluna da Morte*. A notícia estava em uma ordem do dia do general Cândido Rondon que os rebeldes haviam recolhido, em meio a outros documentos, no acampamento de Formigas. Cabanas e seus homens, de acordo com a versão de Rondon, tinham sido liquidados durante o ataque do Exército a Belarmino, vilarejo nas imediações de Catanduvas. O documento firmado por Rondon era uma obra de ficção. Belarmino, na verdade, não passava de um grande descampado, com um único rancho no centro. Não tinha ruas, praças, e as poucas casas existentes estavam espalhadas pelo mato.

O tom bem-humorado e irônico que Cabanas empresta aos seus comentários, ao narrar em voz alta como tinha ocorrido a sua morte, arranca expressões de riso da platéia que o cerca com admiração e carinho. O clima descontraído é partilhado com o general Miguel Costa e seus oficiais, após o retorno da *Coluna da Morte* a Catanduvas. Entre os documentos foram encontradas algumas fotografias posadas, que seriam distribuídas pelo Governo como material de propaganda, mostrando os homens de Rondon trocando tiros com falsos combatentes, em Belarmino. O Exército era capaz de qualquer coisa para mostrar que estava vencendo a batalha do Paraná.[261]

22

UMA PROPOSTA DE PAZ

Quarta-feira, 13 de fevereiro

Os rebeldes recebem um telefonema de Foz do Iguaçu, informando que o QG se sentia honrado ao receber, naquele momento, a ilustre visita do deputado federal Batista Luzardo, do Rio Grande do Sul, ardoroso paladino da revolução. Luzardo chegara, através da fronteira, em companhia de um capitão do Exército. O oficial, que se declarou em missão do Governo, trazia uma mensagem pessoal do general Eurico de Andrade Neves, comandante da Região Militar sediada no Rio Grande, convidando Isidoro para um encontro de paz com o deputado João Simplício em Posadas, na Argentina. A proposta era animadora: o Governo não queria mais prolongar a matança que enlutava a nação. A sociedade não suportava mais ver seus filhos sacrificados numa luta entre irmãos.

Ao ser informado sobre as intenções do Governo, Isidoro queria conhecer a opinião, por escrito, de seus comandados. Caso concordassem com a proposta de paz, deveriam revelar as exigências a serem encaminhadas como condição para que depusessem as armas. A oficialidade divide-se não só quanto à forma, mas também em relação ao conteúdo da pauta de reivindicações. Cabanas defende uma anistia ampla para os soldados, que até agora têm sido os mais sacrificados. Os oficiais, segundo ele, poderiam emigrar ou se entregar ao Governo a fim de ser submeterem a um julgamento.[262]

As reuniões de paz em Posadas sucedem-se sem que as partes cheguem a acordo. Batista Luzardo, que também participa das conversações, mostra-se disposto a um entendimento com o Governo, desde que seja em termos elevados e generosos, sem humilhações para os revolucionários.

Isidoro, por sua vez, resolve consultar também o líder Assis Brasil. Os quatro marcam nova reunião para o dia 4 de março, em Monte Caseros. Ao passar por Paso de los Libres, são alcançados por um emissário do deputado Flores da Cunha, que dizia ter recebido um despacho de Bernardes com instruções para as negociações de paz. João Simplício permanece em Paso de los Libres, à espera do documento, enquanto Isidoro e Luzardo seguem para Monte Caseros, onde se reúnem com Assis Brasil.

As negociações estão sendo também acompanhadas a distância por Borges de Medeiros, presidente do Rio Grande do Sul. Apesar de se ter mostrado inicialmente favorável a um entendimento com Isidoro, não esconde sua descrença quanto a um possível acordo com os rebeldes. Borges de Medeiros acabara de enviar telegrama a Bernardes manifestando posição contrária a qualquer negociação com o inimigo. Em vez de suspender as hostilidades no Paraná, o Governo deveria continuar a luta com mais vigor. Na sua opinião, só a vitória no campo militar é que poderia restaurar a paz.

A intransigência de Borges de Medeiros e sua desconfiança quanto à sinceridade dos chefes rebeldes confirmam informações confidenciais que Bernardes recebera, dias atrás, do Ministério das Relações Exteriores. Os rebeldes estavam trocando erva-mate por munição de boca, em Foz do Iguaçu, na fronteira com o Paraguai. Já tinham sido desviadas clandestinamente mais de 20 toneladas. A erva-mate foi ensacada e exportada para a Europa como produto de origem paraguaia. E mais: na última semana, agentes reservados do governo brasileiro em Encarnación conseguiram convencer as autoridades de Buenos Aires a embargar 800 uniformes militares que estavam prontos para ser contrabandeados para as forças revolucionárias.

As negociações com João Simplício são reiniciadas, dois dias depois, em Paso de los Libres. As bases para a pacificação são fixadas por Bernardes através de um telegrama confidencial e incluem uma declaração solene dos rebeldes:

> *"Os revolucionários brasileiros, inspirados pelos sentimentos de concórdia, indispensáveis à vida da família brasileira, e tendo em vista os mais altos e vitais interesses da pátria e da própria nacionalidade, resolvem (...) considerar terminada a luta revolucionária, renunciando às idéias de subversão da ordem pública e constitucional do país."*

Pelas condições estabelecidas por Bernardes, os rebeldes deveriam entregar todo o armamento e a munição que se encontrassem em seu poder, enquanto o Governo se comprometia a "deixar cair no esquecimento esse período de sacrifícios e de luto", empenhando-se junto ao Congresso Nacional para que lhes fosse concedida anistia. Enquanto essa lei não fosse aprovada, o Governo indicaria as cidades onde os rebeldes deveriam entregar-se. O acordo de paz, obedecidas essas condições, deveria ser assinado na cidade de Uruguaiana, no Rio Grande do Sul.

Isidoro considera a promessa de anistia extremamente vaga. Nesses termos, a proposta não merece a menor confiança. Mais de mil oficiais encontram-se presos, no Rio e em São Paulo, recebendo o tratamento humilhante de presos comuns. Os rebeldes recebem como um insulto a imposição de Bernardes para que também se declarem vencidos. Em carta a João Simplício, Isidoro expõe as objeções dos companheiros que representa na conferência de paz. Lembra que o movimento deflagrado em São Paulo fora inspirado pelos mais nobres sentimentos cívicos. O Brasil era um país falido, com uma grande dívida externa, pela qual pagava "juros fabulosos", enquanto a população era acossada pela miséria e pela fome, em conseqüência de uma "artificial e criminosa carestia da vida", sem que os poderes públicos se mobilizassem para defendê-la contra a "feroz exploração dos negociantes insaciáveis". Os rebeldes não se consideravam aniquilados e continuariam, portanto, lutando até que fossem atingidos os seguintes objetivos: revogação da Lei de Imprensa, que amordaçava os jornais; instituição do ensino primário e obrigatório em todo o país; adoção do voto secreto para acabar com as eleições a bico-de-pena; revisão do texto constitucional, para impedir que o presidente da República continuasse intervindo nos estados, de acordo com seus interesses políticos e pessoais.[263]

Diante de mais esse impasse, as negociações são novamente suspensas para consultas ao Catete e à oficialidade rebelde.

Ao retornar ao QG revolucionário, em companhia de Isidoro, Batista Luzardo resolve visitar os acampamentos revolucionários espalhados pelo Paraná. Luzardo não esconde sua surpresa diante do excelente trabalho realizado em Foz do Iguaçu, onde se encontram desde outubro. Eles imprimiram uma feição urbana ao povoado, estabelecendo um traçado para as ruas, que não existia antes de sua chegada, e abrindo estradas modernas numa região que só podia ser alcançada através da Argentina. O que mais o impressionou foi a habilidade e a qualificação técnica dos rebeldes: além de fabricar munições e armamento com alta precisão, eles construíram um navio com os parcos recursos materiais disponíveis em Foz do Iguaçu.

A oficialidade não contém a alegria também com a chegada inesperada de outro líder da revolução, do qual há muito não tinham notícias. Magro e abatido, com expressão de cansaço, as roupas em péssimo estado, o coronel Juarez Távora levara três meses para chegar a Foz do Iguaçu. Durante esse tempo, foi vítima de humilhações e perseguições de toda natureza, tanto na Argentina quanto no Paraguai, onde as autoridades locais, mancomunadas com o Governo brasileiro, lhe criaram os maiores obstáculos para impedir que chegasse ao Paraná.

O Brasil fizera um acordo com o Uruguai, o Paraguai e a Argentina para que dificultassem a circulação e a passagem de rebeldes por suas fronteiras. Juarez chegou a vender o relógio e um revólver, que trazia sempre escondido, desde a revolução de São Paulo, para conseguir sobreviver. Com o dinheiro que sobrou, ainda teve que pagar a conta do hotel em que foi obrigado a se hospedar, em Assunção, por determinação das autoridades paraguaias, que o mantiveram durante vários dias sob severa vigilância policial.[264]

O quadro que ele encontra em Foz do Iguaçu é desolador: 600 homens sitiados em Catanduvas, pouca munição e uma legião de feridos, sem contar o elevado número de baixas provocadas pelo impaludismo e outras pragas da região. O que mais o abalara, entretanto, não foram as condições deploráveis em que a tropa se encontrava, mas a notícia de que o general João Francisco decidira abandonar a luta e se asilar na Argentina. Depois de se encontrar com Prestes em Santo Ângelo, no Rio Grande, João Francisco não mais retornou ao Paraná. A revolução perdera um de seus mais bravos combatentes; os soldados, o mais experiente e imaginoso de seus chefes.

Na carta que enviou do exílio volutário a Isidoro, explicou que se afastava, pesaroso, mas não lhe restava alternativa; estava com a saúde arruinada. Além de não se ter recuperado dos graves ferimentos sofridos em São Paulo e de sentir muitas dores quando cavalgava, por causa de uma hérnia, contraíra impaludismo. O velho caudilho queixava-se também de sofrer muito com os estilhaços localizados abaixo do fêmur direito, que não puderam ser removidos cirurgicamente durante o período em que esteve internado em São Paulo. E se ressentia também da ausência da família, que era mantida em prisão domiciliar, há vários meses, no Rio Grande, por ordem de Borges de Medeiros.[265] Outro motivo, de caráter pessoal, levava-o a se desligar do Alto-Comando revolucionário: as divergências e discussões, que se tornavam cada vez mais ácidas, com Isidoro sobre a melhor forma de conduzirem a luta contra o Governo.

Juarez sabia que, mesmo afastado para tratamento médico, João Francisco não pensava em romper seus vínculos com a revolução. Como todo bom chefe gaúcho, ele continuaria a exercer, ainda que no exterior, forte influência sobre seus homens, principalmente entre os oficiais, que haviam aprendido a admirar a criatividade, a coragem, o espírito de combatividade e a determinação que tanto marcavam o caráter daquele guerreiro de 64 anos.

Apesar de fisicamente distante, Juarez estava convencido de que João Francisco estaria sempre por perto, com os conselhos, os truques velhacos e o jeito meio cigano de enganar o adversário que havia ensinado aos seus comandados.

Domingo, 24 de fevereiro

Há dias impera o silêncio no *front*. As chuvas diminuíram sensivelmente, mas as estradas continuam alagadas em todo o sertão do Paraná. Os combatentes de ambos os lados, para suportar o tédio, consomem o tempo alfinetando-se com provocações. Fazem piadas uns com os outros, trocam insultos, gritam palavrões, entregam-se a todas as formas de agressão verbal. A distância entre as trincheiras não chega a 300 metros. Os rebeldes só não estão atirando com seus fuzis porque receberam instruções severas para poupar munição. O *front* vive uma trégua compulsória, imposta pela rotina e pela exaustão.

As trincheiras revolucionárias, nessa manhã nublada, são de repente tomadas de assalto pelas tropas do Governo. Os soldados legalistas avançam desarmados. Acenam com os braços para mostrar que não estão carregando fuzis. Não se ouve um tiro. Ninguém entende o que está acontecendo. Os rebeldes são cobertos, inesperadamente, com expressões de carinho e solidariedade pelas tropas do Governo. Através desse gesto inusitado, também manifestam seu desejo de terminar com aquela insensatez. Logo se estabelece um clima de confraternização entre os combatentes. As trincheiras passam a ser freqüentadas pelos dois lados, os homens se abraçam, trocam guloseimas, visitam o acampamento do inimigo e fazem até refeições juntos, em ampla camaradagem. Nem parece que passaram meses se matando.

Não foi assinado armistício, o fogo tampouco foi suspenso, em conseqüência de qualquer tentativa de acordo, mas todos se comportam como se estivesse em vigor um tratado de paz. Surpreendidos com o comportamento dos praças, os comandantes não sabem o que fazer. A soldadesca consagra, a seu modo, uma forma de entendimento entre os homens que a arrogância e o autoritarismo impedem que seja firmada na mesa de negociações.

Um grupo de oficiais legalistas, ainda confuso com a insólita confraternização, procura os chefes rebeldes a fim de pedir apoio para que a disciplina militar seja restabelecida no *front*. Aquilo não parece mais uma guerra, mas uma confraternização entre colegiais. Os combatentes, dos dois lados, recebem instruções para retornar imediatamente às suas respectivas posições. Com muita lentidão, depois de quase 14 horas de comunhão, os homens começam a se separar.[266]

Os oficiais rebeldes e legalistas haviam feito um acordo, sob palavra, de que não seriam efetuadas prisões durante o prolongado traslado dos soldados, de uma trincheira para a outra. As despedidas demoradas prolongam-se, por mais duas horas, com abraços e apertos de mão. Mas os legalistas não honram o compromisso assumido: prendem um oficial e oito soldados que ainda se encontravam a caminho de suas trincheiras. A represália não se faz esperar. Ao ver que oito oficiais legalistas ainda se encontram do lado rebelde, fazendo as últimas despedidas, o tenente João Cabanas toma a iniciativa de prender o grupo.

O comandante das forças legalistas pede uma conferência com os chefes revolucionários para explicar o equívoco ocorrido com os nove prisioneiros rebeldes. No momento da prisão, eles se encontravam longe do *front*, mas, se os oficiais legalistas fossem liberados, seriam também colocados em liberdade no dia seguinte, ao amanhecer.

O tenente-coronel Mendes Teixeira, chefe do Estado-Maior das forças revolucionárias, não aceita a proposta. Os oficiais só serão libertados quando os nove prisioneiros rebeldes forem devolvidos. A troca é combinada entre as partes para o dia seguinte.

Quarta-feira, 25 de fevereiro

Seis da manhã. O acordo não é novamente cumprido pelo Governo. Os oficiais legalistas recusam-se a devolver os nove prisioneiros, sem maiores explicações. Depois de algumas evasivas, o Exército aproveita-se do incidente para se queixar dos degolamentos praticados pelos homens de Cabanas durante o ataque a Formigas. Em nome do Governo, o capitão Alcides Mendonça Lima entrega um protesto formal, por escrito, aos chefes rebeldes. O comandante da *Coluna da Morte* repele a acusação de que seja um degolador. Os ferimentos profundos encontrados nos corpos dos soldados mortos não foram causados por degola, mas pela violência do corpo a corpo, realizado com facões. Como oficial da Força Pública, ele era também contra esse tipo de execução.

Volta-se, de dedo em riste, para o capitão e acusa:

— Crime cometeram vocês com o sargento Manuel de Oliveira. Ao fazê-lo prisioneiro, aqui em Catanduvas, vocês lhe arrancaram as orelhas, o castraram e o abandonaram, depois, no mato, até que a vida se lhe esvaísse com a última gota de sangue![267]

As trincheiras continuam silenciosas, num prosseguimento do armistício não-declarado entre os combatentes. Eles ainda não sabem que as reuniões de paz entre Isidoro e o deputado João Simplício soçobraram sem qualquer perspectiva de acordo. Em tese, nas negociações tinham tudo para dar certo.

Para conduzir uma conferência como aquela, em nome do Governo, não poderia ter havido melhor escolha: João Simplício era amigo pessoal de Bernardes e ex-colega de turma de Isidoro, na Escola Militar. Antes de procurar o chefe da revolução para negociar um acordo honroso entre os rebeldes e o Governo, ele passara em Porto Alegre, a fim de obter a anuência de Borges de Medeiros, que inicialmente se mostrara favorável ao entendimento, embora tenha mudado, depois, de opinião durante as conversações.

Desde o início, as posições intransigentes de Assis Brasil, chefe político do Rio Grande, foram o maior obstáculo para que se chegasse a um entendimento. Uma de suas idéias fixas era humilhar o Governo e submeter o Exército a uma derrota militar na mesa de negociações, exatamente o que Bernardes queria fazer com os rebeldes. Assis Brasil queria colocar o presidente da República de joelhos:

— Farei correr rios de sangue, arruinarei o país, mas os usurpadores terão que nos entregar o poder![268]

O ódio que Assis Brasil nutria por Borges de Medeiros contaminara as negociações de paz. Para ele, Borges e Bernardes eram a encarnação do mal, uma coisa só; a mesma alma habitando corpos diferentes.

Para Assis Brasil, os rebeldes não podiam se entregar porque o povo estava ao lado da revolução; para Bernardes, o país estava contra ela.[269]

As chuvas de verão encharcam a fronteira de Santa Catarina com o Paraná. Despojados de seus cavalos, os gaúchos insistem em vestir as mesmas roupas vistosas que usam montados, o que lhes aumenta o suplício durante as longas caminhadas através da mata fechada. As botas molhadas e pesadas produzem ferimentos nos dedos e no calcanhar, pela falta do hábito de andar a pé. As chuvas transformam em cangalhas, difíceis de carregar, os arreios imensos que levam às costas. Não há estradas carroçáveis do Rio Grande ao Paraná; o único caminho que se encontrava são picadas estreitas usadas por cargueiros, em determinadas épocas do ano. Com os ponchos imponentes e coloridos, ensopados e sujos de lama, eles amaldiçoam a infantaria. Marchar a pé, para eles, é uma humilhação. O próprio João Alberto, por mais de uma vez, empenhara-se pessoalmente em aplacar a ira de alguns chefes gaúchos ainda inconformados por se terem desfeito de seus cavalos. Suas palavras caem no vazio:

— Marchar a pé não requer valentia, mas tenacidade, estoicismo, dureza de fibra. São outras qualidades de caráter. Um outro gênero de bravura.[270]

A lenta travessia do rio Uruguai, realizada com a ajuda de dezenas de canoas, ocorre sem incidentes, apesar das dificuldades de natureza logística enfrentadas para transportar esse pequeno exército. Assim que cruzam o rio, os rebeldes vêem-se diante de uma situação inesperada, que ameaça esfacelar a estrutura da revolução e empestear o espírito da tropa. Alertado por Siqueira Campos, Prestes mandara cercar e desarmar o 3º Regimento de Cavalaria Independente, comandado pelo tenente João Pedro Gay, que desempenhara papel importante durante a conspiração. Gay estava se preparando para desertar com seus homens para a Argentina, levando todo o armamento do destacamento que comandava. Prestes já havia recebido um bilhete de Cordeiro de Farias informando que 14 homens do 3º RCI, internados na enfermaria sob o seu comando, já tinham "batido a linda plumagem", como se referiam às deserções. Diante desses fatos só lhe restara ordenar a prisão de Gay e enviá-lo, sob escolta, para o destacamento de João Alberto, a fim de ser submetido a um Conselho de Guerra, decisão dura aprovada em defesa da disciplina e da hierarquia.

Dias antes de o tenente ser preso, Prestes soube que ele estava pensando em fugir com um grupo de sargentos; reuniu-se então com Gay e os demais oficiais para discutir o assunto. Gay, disse Prestes, tinha todo o direito de ir embora, se assim desejasse, mas não poderia levar o armamento e a munição, que eram escassos. O tenente chorou, dizendo que estava sendo vítima de uma infâmia, e negou que estivesse pensando em desertar. Agora interrogados por Prestes, os soldados confirmaram que o tenente estava realmente pensando em se asilar na Argentina. Perguntados se aceitavam o comando de Siqueira Campos, todos concordam. Com a confirmação do plano de deserção em massa, o Conselho de Guerra decide condenar o oficial à morte, por fuzilamento.

Quarenta e oito horas antes da execução, Prestes é informado por João Alberto de que o tenente Gay fugiu. Foi melhor assim.[271]

Os rebeldes, com seus facões, abrem caminho através da floresta densa, indevassável e úmida, onde o sol dificilmente penetra. A muralha natural, impenetrável e hostil, formada por árvores imensas, arbustos e teias de cipós, dificulta a marcha em direção ao oeste do Paraná.

Apesar de todos os obstáculos, Prestes sente-se compensado por ter conseguido reunir sob o seu comando uma tropa tão heterogênea. Até mesmo os chefes gaúchos, que se haviam mostrado inicialmente refratários à sua liderança, aceitavam-no como chefe, embora não se conformassem com a sua falta de habilidade em cavalgar. Pelo menos não discutiam mais as ordens que recebiam.

Prestes está também particularmente confortado com outra manifestação de reconhecimento de seu talento como chefe militar. Em correspondência enviada por Isidoro, datada de 22 de fevereiro, mas que só agora lhe chega às mãos, o comandante exalta a importância de seu trabalho revolucionário. Escrita em papel timbrado da Companhia Mate Laranjeira, a carta é a resposta ao relatório que Prestes encaminhara sobre o levante no sul. O chefe supremo da revolução elogia não só a sua liderança e a capacidade de organização, mas principalmente a disciplina e a determinação demonstradas ao conduzir seus comandados através das florestas do Rio Grande e de Santa Catarina:

> *"Nossa retirada de São Paulo, sob o ponto de vista militar como sob qualquer outro aspecto, é uma ação incomparavelmente inferior à empresa armada de sua marcha, dadas as circunstâncias em que você a empreendeu."*

Depois de relatar o entusiasmo que o relatório de Prestes causara entre a oficialidade, Isidoro expõe com franqueza a situação em que se encontram as forças paulistas no Paraná:

> *"A homens como você se pode falar claro, encarando de frente a realidade (...) Nossa situação aqui é esta: temos 300.000 tiros de infantaria e muito poucos de artilharia; temos em caixa vinte contos de réis; existem disponíveis 1.500 armas (fuzis); os oficiais e muitos soldados estão seminus e descalços; a República Argentina nos sitia."*[272]

A situação do grosso das tropas rebeldes, no Paraná, reclama não só reforços urgentes como também uma mudança drástica de estratégia. Os rebeldes não podem mais se dar o luxo de permanecer entrincheirados há vários meses, como se encontram, gastando munição e consumindo suas escassas energias num tipo de combate que só interessa ao Governo. Ao aceitar a clássica "guerra de posição" imposta pelo Exército, eles praticamente decidiram seu destino no campo militar: a derrota é uma questão de tempo. Acuados entre a Argentina e o Paraguai, sem linhas de abastecimento, com a munição minguando, sem ter como receber reforços, a resistência das forças revolucionárias está a cada dia mais vizinha do colapso.

Na visão de Prestes, a tática tem que ser outra: os rebeldes devem se libertar da tradicional guerra de trincheiras, adotada durante a Primeira Guerra Mundial, para estabelecer outra forma de confronto com o inimigo. Não poderiam jamais ter aceitado a chamada "guerra de posição", que só beneficia o adversário. Os ensinamentos dessa tática, que se difundira em todo o mundo após a Grande Guerra, começaram a ser repassados aos oficiais brasileiros a partir de 1920, com a chegada da Missão Militar francesa chefiada pelo general Maurice Gustave Gamelin. O objetivo da Missão era reestruturar e modernizar o Exército, com a introdução de novas técnicas e conhecimentos, promover a renovação do armamento e reformular o ensino militar, para dotá-lo de caráter mais profissional.

A tática defendida pelos franceses prega a perseguição do chamado "objetivo geográfico" até encurralar o inimigo para depois asfixiá-lo, lentamente, até a morte. É justamente isso que o general Cândido Rondon está fazendo com as forças revolucionárias no Paraná.

Os rebeldes não podem perder mais tempo. A guerra deve ser conduzida de outra forma: o inimigo tem que ser estocado sempre de surpresa, com golpes de audácia e muita rapidez, evitando-se os confrontos em que as condições lhes sejam favoráveis. Os combates só devem ser travados quando os rebeldes tiverem certeza da vitória. Alguns princípios dessa "guerra de movimento" já haviam sido desenvolvidos por Luís Carlos Prestes na copiosa carta-relatório enviada a Isidoro.[273]

Há um mês que Prestes e seus homens estão praticamente inertes, acampados na localidade de Barracão, no Paraná, em frente à cidade argentina de Bernardo de Irigoyen, à espera de uma ligação com os revolucionários do Paraná. Precisam de armas, munição e de informações precisas sobre a correta localização do inimigo na Serra de Medeiros.

Os moradores de Barracão estão apreensivos com a presença dos revolucionários gaúchos nas imediações da fronteira argentina. Os camponeses ainda guardam bem vivas na lembrança as encarniçadas batalhas que ensangüentaram aquelas terras entre 1912 e 1916. Os remanescentes daqueles dias de dor e sofrimento não conseguem entender a razão de todos aqueles homens armados num lugar tão impregnado de misticismo.

Nessa região, conhecida como Contestado, uma legião de fanáticos, estimada em cerca de 20.000 homens, enfrentou o Exército durante quatro anos. Liderados por José Maria, um caboclo curandeiro de ervas, a quem consideravam um novo Cristo, alimentaram o sonho de que poderiam construir uma nova ordem política, econômica e social, diferente daquela em que viviam, sob o jugo dos grandes proprietários rurais. O imaginário dessa gente humilde, sofrida e analfabeta havia criado um reino de paz, justiça e fraternidade por eles batizado de *Monarquia*, em substituição ao mundo real e hostil representado pela *República*, que era o mundo da espoliação e do pecado, dominado pelos chefes políticos do interior, os *coronéis*. O fim desse movimento messiânico, a exemplo de Canudos, na Bahia, foi igualmente trágico. Os redutos santificados do Contestado, onde os moradores viviam em permanente estado de exaltação mística, foram espatifados pelo Exército a tiros de canhão.[274]

As tropas gaúchas acantonadas em Barracão passam agora a ser fustigadas pelas forças legalistas que seguiam seu rastro desde o Rio Grande. O Governo mobiliza Batalhões de Provisórios para caçar os rebeldes no Paraná. Não é possível prolongar por mais tempo a permanência da coluna revolucionária em Barracão. Para se manter por mais alguns dias, na região, Prestes recorre à tática de tocaiar o inimigo no meio da mata fechada. As emboscadas enlouquecem os legalistas, que varrem a floresta com o fogo das metralhadoras mas não acertam ninguém. Prestes orientara seus homens a darem apenas dois tiros, para economizar munição. A ordem é matar sempre os que vêm na frente, o que, além de semear o pânico, obriga o restante da tropa a recuar e a cavar trincheiras para se proteger. Assim que o inimigo se reorganiza e inicia o contra-ataque, os rebeldes recuam, em busca de outras posições de onde possam atirar sem ser atingidos.

O único reforço recebido pelos revolucionários desde que entraram no Paraná fora a visita do *coronel* revolucionário Fidêncio de Mello, amigo pessoal do general João Francisco, e conhecido fazendeiro na região do Contestado, que aguardava em Barracão a chegada das tropas comandadas por Luís Carlos Prestes.

Em conversa com Isidoro, em Foz do Iguaçu, Fidêncio havia prometido ajudar os rebeldes no sul. Ele levara 50 dias para abrir uma picada de Benjamin Constant, no Paraná, a Santo Antônio, em Santa Catarina, para que fosse estabelecida a ligação entre paulistas e gaúchos. O próprio Fidêncio estava surpreso com o resultado de sua empreitada. Além dos obstáculos naturais da região, sua expedição fora obrigada a se alimentar de mel, palmito e carne de cavalo e de burro, para não morrer de fome.

E mais: os 78 homens colocados sob o seu comando eram quase todos indolentes e indisciplinados, em sua maioria paraguaios, desertores da cavalaria de seu país, dos quais apenas 10 podiam ser considerados guerreiros.

Fidêncio e Prestes conversam longamente sobre a melhor forma de resistir às investidas dos chimangos, em Barracão, enquanto não chegassem as armas e a munição que aguardavam de Foz do Iguaçu. Polidamente, Fidêncio recusava-se a receber ordens de Prestes, embora os dois agissem sempre de comum acordo. Vaqueano e profundo conhecedor da região, Fidêncio ainda participa de algumas escaramuças contra o inimigo, ao lado de João Alberto e de Siqueira Campos, sem abrir mão da sua condição de chefe.

Terça-feira, 24 de fevereiro

Ao pressentir o avanço de uma força considerável organizada pelo coronel Claudino Nunes Pereira, comandante da Brigada do Rio Grande, Prestes ordena o abandono imediato de Barracão. Outro batalhão legalista, formado por provisórios, sob o comando de Firmino Paim Filho, também se aproxima, para tentar interceptar a retirada das tropas revolucionárias.

Ao anoitecer, Fidêncio e Cordeiro de Farias, que defendem a retaguarda da coluna revolucionária, resolvem brindar os chefes legalistas com uma emboscada. Os dois contingentes do Governo convergem de pontos diferentes em direção ao mesmo objetivo militar. Durante a madrugada, os rebeldes atraem as forças inimigas para um lugarejo conhecido como Maria Preta, às margens do rio Santo Antônio, na fronteira com a Argentina. Assim que as tropas legalistas estão bem próximas, eles se afastam sem ser percebidos; os dois batalhões ficam frente a frente. Os homens do coronel Claudino e de Firmino Paim, perdidos na escuridão, começam a atirar, passam a madrugada inteira trocando tiros. Só ao amanhecer, quando os rebeldes já estão longe, eles percebem que combatiam entre si. O número de baixas, em pouco mais de quatro horas de encarniçados combates, é surpreendente: cerca de 200 homens abatidos dos dois lados.[275]

Ao perder a pista dos rebeldes, que haviam mergulhado nas matas de Santa Catarina em direção ao Paraná, o presidente do Rio Grande do Sul envia um telegrama vitorioso ao Palácio do Catete. Borges de Medeiros, a exemplo de Bernardes, não tem nenhum escrúpulo em adulterar os fatos, nem mesmo quando se dirige oficialmente ao presidente da República. O telegrama reproduz o clima de farsa em que vive o país; é uma mistura de erro, de exagero — mentiras que depois receberiam colorido ainda mais acentuado através dos jornais. Borges de Medeiros não mede desfaçatez ao falsear a realidade:

> *"Capitão Prestes com 180 homens, quando descia em canoas o rio Uruguai, foi descoberto destacamentos legais e obrigado também internar-se na Argentina com alguns oficiais (...) Pode-se, assim, considerar extinta revolução neste Estado, razão por que efusivamente me congratulo com V. Exa."*[276]

Medeiros mente também no exterior. Quando a situação ainda estava confusa no Rio Grande, fez circular um boletim endereçado especialmente aos rebeldes que se refugiavam em Rivera, no Uruguai, desestimulando-os a prosseguir na luta contra Bernardes:

> *"Revolucionários brasileiros! A situação atual da mazorca é a mais dolorosa: batidos em todos os lados, fugiram para o estrangeiro todos os chefes e chefetes revolucionários (...) O mesmo quadro existe por toda a parte. A fome, a miséria e o desprezo aos soldados, enquanto chefes e chefetes gozam em bons hotéis e viajam para Montevidéu e Buenos Aires com o dinheiro da revolução. (...) Os soldados e civis que, iludidos, acompanharam a mazorca, fiados na mentira de chefes e chefetes, o governo anistiará, podendo os mesmos se apresentar às autoridades brasi-*

leiras, que os encaminharão aos seus lares, onde poderão continuar a gozar todos os direitos que anteriormente lhes eram facultados."[277]

O governo acenava também com uma falsa anistia para os que se entregassem.

A regra é mentir, mentir sempre, principalmente quando se trata de ocultar da opinião pública determinadas informações sobre a revolução. Mentir transformara-se numa rotina, numa prática de governo; fazia parte do jogo político não só escamotear as vitórias rebeldes como divulgar sempre com destaque as supostas atrocidades praticadas pelos revolucionários contra a população civil. O Governo habituara-se tanto a mentir, sem nenhum pudor, que não era mais levado a sério pelos representantes estrangeiros. O embaixador Edwin Morgan, dos Estados Unidos, há muito não confia nas informações oficiais distribuídas pelos Ministérios da Guerra e das Relações Exteriores. Ele alertara o Departamento de Estado para a inconsistência dos comunicados oficiais sobre o movimento rebelde, ao assegurar que eram sempre manipulados e, portanto, "não tinham o menor valor".[278]

23

A DERROCADA DE CATANDUVAS

Sexta-feira, 27 de março

Depois de terem sofrido, durante quase seis meses, toda sorte de misérias e provações, os rebeldes entrincheirados em Catanduvas vivem agora um momento desesperador, diante da gigantesca ofensiva das tropas legalistas. Rifles fumegantes, descalços e seminus, com o terror estampado nos olhos e no rosto, eles têm consciência de que estão virtualmente derrotados. À proporção que as horas passam, em meio ao intenso bombardeio, os rebeldes resistem, como loucos, agarrados a uma nesga de esperança: a situação poderia mudar, a qualquer momento, com a chegada das tão esperadas tropas gaúchas, lideradas pelo coronel Luís Carlos Prestes.

Há muito que o cessar-fogo não-declarado fora rompido. A cada dia que passa o Exército é mais implacável. Graças à trégua espontânea ocorrida nos últimos dias de fevereiro, o Governo conseguira formar minucioso dossiê das dificuldades em que os rebeldes se debatiam. Os oficiais legalistas detidos durante o armistício tinham conseguido fugir levando informações preciosas sobre as péssimas condições em que se encontravam as forças revolucionárias. Os rebeldes não dispõem de dois recursos fundamentais para manter aceso o fogo da revolução: armas e comida. Com armamento precário e sem munição, alimentando-se apenas uma vez por dia, os rebeldes estão com a saúde arruinada. Além da sarna e da disenteria, padecem agora de outro mal: estão também com bicho-do-pé.

Das sete da manhã à uma da tarde eles haviam sido bombardeados com cerca de 1.200 granadas de artilharia. O número de baixas aumenta consideravelmente em todo o *front*. Os padioleiros enfrentam perigos para remover os feridos, em padiolas ensopadas de sangue e lama, mas continuam o seu infatigável trabalho, em meio ao ruído ensurdecedor dos canhões e do matraquear das metralhadoras. Os artilheiros do Exército parecem divertir-se disparando suas armas em intervalos compassados, procurando imitar o ritmo monótono do *Zé Pereira*, reproduzindo a cadência carnavalesca dos seus tambores.[279]

A resistência começa a desmoronar com a perda de um ponto estrategicamente importante: Cajati, conquistada por soldados da Brigada Militar do Rio Grande do Sul. O saldo dos combates é trágico: 30 mortos. A Fazenda Floresta, outro ponto vital, desaba diante da superioridade do inimigo. Os rebeldes, sob o comando de Juarez Távora, que fora deslocado, às pressas, para essa frente, conseguem escapar.

Sexta-feira, 20 de março

Os 400 homens que defendem Catanduvas estão literalmente sitiados por mais de 4.000 soldados comandados por 17 generais. A longa mortificação a que se haviam exposto à espera das tropas gaúchas comandadas por Luís Carlos Prestes não tem, portanto, mais razão de ser. Eles se haviam submetido a todo esse martírio na expectativa de que os revolucionários do sul se juntassem o mais rapidamente possível aos rebeldes paulistas. Se o levante no Rio Grande tivesse fracassado, eles teriam adotado outro tipo de campanha no Alto Paraná. Talvez tivessem invadido Guarapuava ou se internado por Santa Catarina, através da região do Contestado, para levar a palavra da revolução a outros pontos do território nacional. Todos sabiam que não estavam ali em Catanduvas para vencer, mas apenas para garantir a junção das forças revolucionárias. Tinham se imobilizado, atraindo o inimigo para a Serra de Medeiros, a fim de impedir que Prestes e seus homens fossem dizimados no meio da mata.[280]

Os oficiais reúnem-se para tomar a derradeira decisão: tentar uma retirada, com poucas chances, entre Cajati e Arroio Tormentinha; render-se ao inimigo ou lutar até a morte. Um exame desapaixonado da situação mostra que a primeira possibilidade é inviável. A terceira alternativa não oferece também nenhum resultado prático, no campo militar, além de ser um sacrifício inútil e cruel para com soldados que haviam padecido todos os tipos de vicissitudes. Só lhes resta, portanto, a rendição. Mas esta se revestiria de outro significado: os oficiais, num gesto de solidariedade, abririam mão das regalias impostas pela hierarquia para se entregar com os soldados, dispostos a partilhar as mesmas mazelas do cativeiro. Três oficiais ficam com a tropa, enquanto outros três, entre eles Newton Estilac Leal, tentariam romper o cerco para comunicar a rendição ao QG, em Foz do Iguaçu.

Às nove da noite, os rebeldes recebem um bilhete rabiscado pelo capitão legalista Nereu Guerra, aconselhando-os a se entregarem nas próximas horas. O inimigo está a pouco mais de 200 metros de distância. O oficial informa que o assalto final às trincheiras revolucionárias está marcado para o alvorecer.

Segunda-feira, 30 de março

Duas da manhã. Os rebeldes erguem-se do chão, com os braços levantados, e começam a sair dos buracos alagados onde viveram como animais durante quase seis meses. Caminham em silêncio, mas estão todos de cabeça erguida. Não se sentem humilhados nem derrotados. O aspecto daqueles homens em farrapos, que caminham com tanta dignidade, é comovente. Estão quase todos doentes e descalços, com unhas grandes e sujas, as mãos e os cabelos longos, endurecidos pela lama, o corpo enrolado em trapos que lembram vagamente restos de um uniforme militar; outros, nem isso: usam apenas tangas de palmeiras.

Muitos, com o livor da morte nas faces escavadas, rendem-se amparados pelos companheiros, porque não têm forças para caminhar. A capitulação tinha sido provocada mais pela exaustão e pelo sofrimento do que pela pressão do inimigo.[281]

A maior parte dos combatentes pertence à Força Pública de São Paulo, que dispunha de um contingente superior ao do Exército no estado. A FP possuía 7.538 soldados profissionais, enquanto o efetivo do Exército se apoiava numa tropa de transição estimada em cerca de 3.700 homens, com armamento precário, malpreparados e quase sem instrução militar.[282]

A visão que aqueles homens agora oferecem, magros e de rosto encovado, embrulhados em pedaços de pano, chega a ser cruel demais para ser verdadeira. Curvados, com feições pestilentas, não exibem também vestígios da postura que tanto os orgulhava: o físico enérgico modelado por aulas diárias de ginástica e esgrima. O porte militar atlético e o rigor com a elegância eram alguns dos traços marcantes que salientavam as diferenças entre os soldados da Força Pública de São Paulo e os das outras milícias estaduais. Eles foram habituados a cultuar a forma física como os gregos e os romanos. Cada soldado tinha que ser, antes de tudo, um atleta. O perfil de um soldado da FP tinha que ser impecável.

Desde 1906 a corporação era treinada por militares franceses, extremamente exigentes com a aparência e com o uniforme, sempre objeto de cuidados especiais. Ao serem escalados para serviço em locais públicos, principalmente nas portas dos cinemas e teatros, os soldados da Força Pública eram obrigados a se apresentar com as botas cobertas com polainas de feltro branco.

Os exercícios de esgrima, para manter a silhueta, e a competência profissional no estudo e no emprego do fuzil e do cavalo davam à polícia militar de São Paulo a fina aparência de um exército estrangeiro. Outro aspecto realçava ainda mais essa impressão: a oficialidade, pela convivência diária com os militares chefiados pelo coronel Paul Balagny, aprendera o idioma dos instrutores europeus. Os oficiais mais afetados só costumavam dirigir-se à tropa em francês:

— *A la gauche!*

— *Bayonnettes...!*

— *Position... tireur debout!*

— *Position... tireur genoux!*

— *Tireur... couché!*

— *Très bien ! Chargez!*[283]

A queda de Catanduvas é comemorada pelas tropas legalistas com clarins e cornetas em toques de vitória. Aqueles homens esqueléticos que se arrastam como sombras, no meio da madrugada, empunhando uma bandeira branca, vão se entregando, um a um, às forças comandadas por Rondon. Não querem piedade e tampouco esperam muita coisa do Governo: desejam ser tratados apenas como soldados.

A notícia de que os rebeldes tinham se rendido em Catanduvas só chega ao Catete pela manhã. O ministro da Guerra já havia ligado, pessoalmente, para Bernardes, um pouco antes das sete, anunciando mais essa vitória da legalidade. Agora, o general Setembrino de Carvalho aguarda ansioso a presença do presidente da República no salão de despachos, para lhe fornecer maiores detalhes sobre a capitulação. Sentado num canapé de jacarandá maciço, com assento e encosto de palhinha, Setembrino corre os olhos pela sala imensa e se detém, por alguns momentos, observando *A República do Brasil*, alegoria em mármore do escultor francês Loiseau Rosseau, que repousa ao lado da parede, à esquerda da mesa de despachos. Ele nunca teve tempo, como agora, para contemplar com tranqüilidade a beleza deste imenso salão, onde se reúne quase todos os dias com Bernardes, desde que começou a revolução. Os dois passam horas discutindo os relatórios sobre o movimento rebelde que chegam diariamente ao Ministério da Guerra. Foi durante uma dessas reuniões que se decidiu o assalto final a Catanduvas.

Setembrino já conversara, pelo telefone, com o marechal Carneiro da Fontoura, que há meses dorme no local de trabalho, num quarto anexo ao seu gabinete, na Chefia de Polícia, na rua da Relação. O permanente clima de tensão nas guarnições do Exército, na Vila Militar, exige que a Polícia Política esteja atenta a qualquer movimento suspeito, mantendo severa vigilância sobre os oficiais que não merecem a confiança do Governo. Nem mesmo nos sargentos se pode mais confiar como antigamente. Há pouco mais de 20 dias uma dezena deles foi presa pelo comandante da 1ª Brigada de Infantaria, da Vila Militar, sob a acusação de estarem conspirando contra o Governo. Os acusados serviam na estratégica Companhia de Carros de Assalto, dotada de modernos blindados franceses que a transformaram em uma das mais poderosas unidades do Exército. Foi com a ajuda desses tanques Renault que o Governo conseguira esmagar a rebelião paulista de 5 de julho do ano passado.[284]

O que mais preocupa Carneiro da Fontoura, entretanto, não são os militares, mas a intrincada malha de ligações que envolve um número cada vez maior de civis com as tentativas de levante, o que antes não se observava, já que as manifestações de descontentamento contra o Governo estavam quase sempre circunscritas aos quartéis. Recentemente seus homens descobriram, por acaso, mais um esconderijo onde se fabricavam bombas de dinamite. Dois soldados de serviço na rua Santa Cristina, na Glória, desconfiaram dos ocupantes de um automóvel e acabaram localizando o prédio em que se reuniam inimigos do regime. No número 98 foram encontradas 20 bombas, de tamanhos diferentes, além de fragmentos de ferro, parafusos, arruelas, espoletas e grande quantidade de dinamite.[285]

O chefe de Polícia vive permanentemente preocupado com a possibilidade de que esse movimento militar possa se transformar numa insurreição popular. Há recente precedente histórico: a revolução na Rússia também tinha começado com uma rebelião de caráter militar e depois deu no que deu. O marechal Manuel Lopes Carneiro da Fontoura sabe que os comunistas não hesitariam em empalmar a revolução de Isidoro, no momento que julgassem mais adequado, para atingir seus "objetivos totalitários". Eles já manifestaram publicamente seu entusiasmo por esse movimento. Através de *A Nação*, órgão oficial do partido, já tinham proclamado uma palavra de ordem inspirada pelas agitações sociais na China: "Pelo Kuomintang brasileiro!"[286]

Os comunistas e os anarquistas aproveitam-se de qualquer incidente para jogar a população contra o Governo. A greve que os operários têxteis fizeram em março teve que ser reprimida pelos seus homens com violência para que não se transformasse num acontecimento político de conseqüências imprevisíveis. Ao se mobilizar para combater os grevistas de "forma exemplar", Carneiro da Fontoura lamentou não dispor de recente conquista tecnológica colocada a serviço da repressão policial em outros países: o gás lacrimogêneo. Ele se lembrou de um documento que Bernardes recebera do adido naval do Brasil nos Estados Unidos, no qual se falava nas maravilhas do emprego desse gás. O documento, intitulado "Instruções preventivas para o controle das multidões através de armas químicas", fora resumido em duas páginas para facilitar a leitura do presidente e continha ainda algumas observações complementares sobre a legislação internacional que aprovava o seu emprego.

O texto original, em espanhol, exalta as vantagens do gás lacrimogêneo para conter insurreições. Além de "não maltratar os rebelados", ele preserva a vida dos policiais empenhados em dominá-los, permitindo a rápida dispersão de multidões sem as tradicionais cargas de cavalaria, e evita problemas que esse tipo de repressão geralmente ocasiona. As granadas de gás podem ser lançadas manualmente ou através de disparos de fuzis. Há ainda outro tipo de granada, de fósforo branco, utilizada para produzir cortinas de fumaça. Como causam queimaduras graves em contato com a pele, o documento ensina como devem ser lançadas e os cuidados que devem ser tomados. Seu emprego, diz o manual, é "muito mais humano" do que os recursos tradicionais utilizados, com o emprego da força física, para reprimir greves, motins e outras manifestações.

"El gas lacrimogeno no dana. Puede irritar los ojos y la piel, pero non causará dano permanente", garantia o manual.[287] Um dos sonhos de Fontoura é um dia equipar seus homens com essas armas maravilhosas que cospem gás.

O desastre de Catanduvas produz um milagre industrial na imprensa do Rio: os jornais, ainda de manhãzinha, conseguem colocar nas ruas uma edição extra, anunciando a rendição dos rebeldes, antes mesmo de o comércio começar a funcionar. O colapso das forças revolucionárias no Paraná é divulgado com estardalhaço pelas publicações que apóiam o Governo. *A Notícia* estampa, em letras grandes, na primeira página: "Virtualmente terminado o movimento revolucionário. O tenente Cabanas está ferido." A visão que a imprensa oferece é de que os inimigos da ordem e da lei agonizam. A revolução está nos estertores.

Os jornais esgotam-se rapidamente. A queda da importante cidadela revolucionária transforma-se no principal assunto da capital do país. A nota oficial divulgada pelo Ministério da Guerra destaca que com a rendição de Catanduvas a situação das tropas remanescentes se tornara insustentável; só lhes resta uma saída: entregar-se ou pedir asilo à Argentina. A *Coluna da Morte*, com seu chefe gravemente ferido, fora obrigada a bater em retirada, de forma desordenada, em direção à fronteira. É o fim de um mito. A notícia de que o legendário Cabanas está à morte comove mais a opinião pública do que o desmoronamento das trincheiras de Catanduvas. Não se fala em outra coisa em toda a cidade.

As informações sobre a vitória legalista no Paraná foram liberadas pela censura com uma rapidez incomum. Os censores levavam, às vezes mais de um mês para autorizar a publicação de uma notícia, e depois de aprovada não se podia mexer no texto, nem mesmo para atualizá-lo ou simplesmente substituir a palavra "ontem", já que na maioria das vezes os fatos tinham ocorrido semanas antes. Só hoje, por exemplo, os jornais da capital divulgaram o levante ocorrido no 17º Batalhão de Caçadores do Exército, em Corumbá, no estado de Mato Grosso, a pouco mais de 100 metros da fronteira com a Bolívia. A rebelião, comandada por um grupo de sargentos, fora sufocada por oficiais do batalhão, com a ajuda da Marinha. A divulgação da notícia estava proibida pela censura até que se conhecesse o resultado do ataque do Governo a Catanduvas.

A revolta em Mato Grosso ocorreu na madrugada de 27 de março, quando cerca de 120 soldados do 17º BC, liderados por dois sargentos, prenderam o comandante da unidade em nome do general Isidoro Dias Lopes. Ainda durante a madrugada, os rebeldes ocuparam a estação do telégrafo e deram voz de prisão ao delegado de polícia de Corumbá, que foi detido com dez soldados da Polícia Militar e recolhido ao xadrez do quartel. A rebelião fracassou porque o telegrafista David Paulo de Lacerda pulou o muro da estação e comunicou o levante ao comandante da flotilha de Mato Grosso, em Ladário. Alguns oficiais do Exército que moravam longe do quartel, alertados pelo comandante da flotilha, começaram então a organizar a resistência, com a ajuda da Marinha. Os tiroteios se estenderam por toda a cidade, até uma hora da tarde, quando os rebeldes se entregaram. Os amotinados tinham ligações com o 11º Regimento de Cavalaria Independente, de Ponta Porã, na divisa de Mato Grosso com o Paraguai, que também se levantara em armas, na mesma noite, mas não teve forças para ultrapassar os muros do quartel. Os oficiais sufocaram-na dentro do batalhão, obrigando os rebeldes a fugirem para o Paraguai. O sargento Antonio Carlos de Aquino, um dos líderes da revolta, foi arrastado e espancado pelos soldados que havia amotinado. Por ordem do capitão Luís de Oliveira Pinto, comandante do batalhão, foi levado para junto de um muro e fuzilado. Ao ver o corpo do sargento tombar, crivado de balas, o capitão Luís Pinto cobriu-o de injúrias; em seguida, aproximou-se do moribundo, aos berros, e deu-lhe um chute no rosto. A bota e o uniforme do oficial ficaram tingidos pelo sangue do sargento.[288]

O carro que conduz o tenente Cabanas, com a primeira em péssimo estado, sem marcha à ré e com o freio em frangalhos, parece que vai se desmanchar, ao descer, de forma vertiginosa, as ladeiras acidentadas do interior do Paraná. Cabanas consumira a noite de 30 março cuidando de 100 feridos, espalhados por vários galpões de madeira, transformados em enfermaria, na localidade conhecida como Depósito Central, nas imediações de Foz do Iguaçu, longe dos horrores do *front*. A maioria dos doentes, deitada em padiolas improvisadas, com partes consideráveis do corpo expostas, em carne viva, queixava-se mais da sarna do que dos ferimentos adquiridos em combate. Graças ao enxofre aplicado em compressas, conseguido por Cabanas em uma fazenda da região, as dores e a coceira tinham sido consideravelmente aliviadas, mas o estado de saúde dos feridos é lastimável, não só pela extensão de alguns ferimentos a bala como pela falta de medicamentos e de assistência médica adequada.

Ao ver uma nuvem vermelha no fim da estrada, Cabanas ordena que o motorista reduza a marcha do carro. O automóvel que se aproxima, em alta velocidade, sacoleja tanto, no leito acidentado, que ameaça desintegrar-se a qualquer momento. Agarrados à carroceria, com as mãos crispadas, os passageiros lutam para não serem expelidos do carro. A bordo, com os rostos e os uniformes cobertos de poeira, estão o general Bernardo Padilha, o coronel Mendes Teixeira e o major Asdrúbal Guyer, todos tensos e com expressão cansada. O general, consternado, revela o que aconteceu:

— Catanduvas rendeu-se.

— E a oficialidade? O Estilac, Nelson, Tolentino...

— Entregaram-se.

— E a minha Coluna?

— A sua Coluna continua combatendo sob o comando do Távora.

Eles tinham que levar essa informação com urgência ao QG, em Foz do Iguaçu. Apanhado de surpresa, no meio da estrada, distante dos seus homens, Cabanas sente-se apunhalado pela notícia mortificante. Angustiado com o destino dos seus comandados, ordena ao motorista que avance a toda velocidade em direção ao povoado de Floresta, para tentar salvar a *Coluna da Morte*.

Depois de suportar, durante quase meia hora, acidentada corrida pelos caminhos carroçáveis da região, o carro enguiça, de repente, por falta de gasolina. Cabanas, enlouquecido de ansiedade, apanha um cavalo e galopa sozinho em direção a Floresta. No meio do caminho, passa pelo Posto de Comando do general Miguel Costa, que já fora informado sobre o desastre de Catanduvas. Ele exibe ao tenente Cabanas um ultimato do general legalista Álvaro Mariante para que o restante das tropas revolucionárias se entregue no prazo de uma hora. Miguel Costa, depois de consultar os oficiais e o próprio Cabanas, transmite ao mensageiro a resposta dos rebeldes: ninguém mais se renderá; estão todos dispostos a lutar até a morte.[289]

O povoado de Floresta está agora a pouco mais de 500 metros. O cavalo, vencido pelo cansaço, dobra as pernas, tomba, e arrasta Cabanas na queda. Alguém estende a mão para ajudá-lo a se levantar. O corpo está moído, a perna direita dói um pouco, o braço esquerdo também, mas não há indicadores de que tenha sofrido algum tipo de fratura. A voz metálica que procura tranqüilizá-lo lhe é familiar.

— Está tudo bem, lutamos durante dois dias sob uma chuva intensa, com água até a cintura, mas conseguimos nos retirar, com armas e bagagens, na mais perfeita ordem. Seus homens estão prontos para continuar a luta.

A *Coluna da Morte* conseguira sobreviver à tragédia de Catanduvas, fora exorcizada apenas nos boletins que o Ministério da Guerra distribuía aos jornais. Como uma assombração, o fantasma da *Coluna* continuaria ainda por algum tempo a aterrorizar o Governo, com os soldados legalistas entrando em pânico aos primeiros acordes do *Pé Espalhado*.

Ao contrário do que proclamava o noticiário oficial, que o apresentava como gravemente ferido, a imagem singular do intrépido Cabanas, com seu inseparável chapelão, o apito pendurado no pescoço para melhor se comunicar com seus homens, permanecia, na verdade, intocada em meio a essa tormenta. O mito sobrevivia, embora o homem que dava conteúdo e forma a essa legenda começasse a exibir os primeiros sinais de exaustão.

A revolução havia mergulhado num abismo cuja extensão e profundidade ninguém se atrevia a calcular. A tropa, inquieta, aguardava planos sólidos, impregnados de otimismo, que lhes servissem de alento. A queda de Catanduvas comprometera gravemente o ânimo dos combatentes.

Cabanas reassume o comando da *Coluna* e recebe ordens de organizar a resistência em toda a região de Floresta até a chegada de reforços. A exemplo do que ocorria nos temporais que caíram sobre o Paraná durante os últimos três meses, a luta dos rebeldes é também pontilhada por breves períodos de calma enganosa.

24

O ENCONTRO DE PRESTES E ISIDORO

Terça-feira, 7 de abril

Os oficiais rebeldes estão reunidos, desde as 11 da manhã, com o general Miguel Costa, na localidade de Depósito Central, para discutir os novos rumos da revolução. São então informados de que os gaúchos já se encontram em território paranaense. Os revolucionários do Rio Grande chegaram tarde demais, e com tropa bem mais modesta do que os 4.000 combatentes prometidos por João Francisco a Isidoro: não passam de 800 homens, muitos dos quais civis, sem formação militar; apenas 150 estão armados.[290]

Miguel Costa revela aos seus oficiais que no dia 3 se avistara e conferenciara reservadamente com o coronel Luís Carlos Prestes na boca da picada que liga Benjamin Constant a Barracão no Paraná. O eixo das operações, de acordo com o plano traçado com os gaúchos, seria deslocado para o estado de Mato Grosso, onde os rebeldes poderiam conseguir com mais facilidade armamento e munição, além de dispor de tempo suficiente para melhor reorganizar a tropa e, então, reiniciar a campanha numa região que imaginam ser a mais vantajosa.[291] Mas esse plano, entretanto, precisa ainda da aprovação do Alto-Comando revolucionário.

Domingo, 12 de abril

Prestes, depois de ter conversado com Miguel Costa, está agora reunido em Foz do Iguaçu com Isidoro e cerca de 40 oficiais da coluna paulista. O clima é de expectativa e muito abatimento. A maioria da oficialidade, ainda sob o impacto da derrocada de Catanduvas, está convencida de que a melhor opção é abandonar a luta e emigrar para a Argentina. A ordem de retirada já fora transmitida aos rebeldes que ocupavam Guaíra, um ponto estrategicamente importante na divisa do Paraná com Mato Grosso. Guaíra era o único porto seguro de que os rebeldes dispunham para escapar do cerco legalista. Mas o Alto-Comando revolucionário abandonara a opção de cruzar a fronteira com o Mato Grosso, depois do fracassado levante das guarnições do Exército em Corumbá e Ponta Porã. A possibilidade de regressar pelo rio Paraná para tentar entrar em Mato Grosso é inviável, por causa da grande concentração de tropas em toda essa região.

Diante de Isidoro e seu Estado-Maior, Prestes faz um discurso enérgico e apaixonado para que a luta continue. Como chefe e porta-voz da coluna gaúcha, exprime os anseios de seus comandados, que não admitem a capitulação nem o exílio voluntário, depois de tudo o que sofreram para realizar o grande sonho: se juntar às tropas de São Paulo. Os gaúchos julgavam-se vitoriosos, depois de quase três meses de marcha através dos campos e florestas de Santa Catarina, Paraná e Rio Grande do Sul, enfrentando todo tipo de adversidades. Negam-se, por isso, a ensarilhar armas e abandonar a luta.

O moral dos gaúchos está elevadíssimo, enquanto a maioria dos oficiais paulistas, dominada pelo sentimento de derrota, só pensa em se refugiar na Argentina.[292] O desgaste físico da tropa é igualmente desalentador: magros e debilitados, sem ter o que comer, há vários dias soldados e oficiais alimentam-se apenas de milho. Não têm mais uniforme, andam descalços, e os feridos contam-se às centenas. Assolados pelo impaludismo, depauperados pela fome e estiolados pela penúria e pelo desencanto, não mais exibem o ardor que os impulsionava apaixonadamente.[293]

O reduzido e frustrante número de combatentes recém-chegados do sul contribui de certa forma para o agravamento desse estado de espírito. Os gaúchos podem ser valentes e excelentes guerreiros, mas são poucos, quase não têm armas e estão praticamente sem munição.

Prestes declara-se incapaz de convencer seus homens a emigrar. Como seria possível dirigir-se a combatentes que se consideram vitoriosos e dizer que foram derrotados? Ele propõe o exame de três opções: reorganização da tropa para tentar chegar até Mato Grosso e continuar a luta em outras terras; resistir enquanto tivessem munição; emigrar, mas somente em último caso. Escolhida a melhor opção, terão que ser também adotadas novas táticas para enfrentar o inimigo. Para obter sucesso, é preciso abandonar a "guerra de posição" e substituí-la pela "guerra de movimento".

As posições defendidas por Prestes provocam profundo mal-estar. Alguns oficiais paulistas, convencidos de que estão diante de um visionário, levantam-se e abandonam a reunião, dispostos a pedir asilo à Argentina. Não acreditam que a situação possa ser revertida no campo militar.[294]

Apesar da resistência da oficialidade, a tese de Prestes impõe-se com o apoio de Miguel Costa, o único que se dispõe publicamente a acompanhá-lo na luta contra Bernardes. O objetivo, a partir de agora, será atrair o maior número de forças legalistas para o interior, a fim de desviar a atenção do Governo e permitir que as conspirações em andamento no Rio de Janeiro possam prosperar.[295]

Os gaúchos também têm queixas dos paulistas. Acham, por exemplo, que o Alto-Comando revolucionário, localizado em Foz do Iguaçu, a mais de 100 quilômetros de Catanduvas, nunca chegou a ter visão clara da situação dos combatentes fincados na Serra de Medeiros. O Estado-Maior, segundo os gaúchos, deveria ter apressado a abertura de uma picada até Barracão para que as tropas do sul pudessem chegar o mais rapidamente possível ao oeste do Paraná. Prestes e seus homens tinham ficado parados durante um mês, em Barracão, à espera de que os paulistas estabelecessem contato com eles. O desfecho do cerco a Catanduvas seria por certo diferente se os gaúchos tivessem chegado algumas semanas antes. Eles receberam a notícia da queda dessa espécie de praça-forte quando tinham acabado de atravessar o rio Iguaçu.[296]

A longa e morosa travessia do rio Iguaçu fora uma aventura. Naquele trecho, a largura do rio chegava a mais de dois quilômetros, e só existiam três canoas, com capacidade para levar apenas cinco homens de cada vez. Prestes foi um dos primeiros a pisar em território paranaense porque precisava chegar o mais rapidamente a Santa Helena, para estabelecer contato com as forças paulistas. Como a viagem de ida e volta levava, em média, uma hora, os gaúchos gastaram dois dias e duas noites para cruzar o rio. Durante a madrugada, os rebeldes tiveram que acender duas grandes fogueiras nas margens, para que as canoas não se perdessem na escuridão. A ansiedade fora atenuada de forma alegre e ruidosa, como se faz no sul: com cantorias e muita sanfona.[297]

Vitoriosa a proposta de Prestes, a nova força revolucionária começa a se mobilizar para abandonar o Paraná. Reestruturados em uma única divisão, com cerca de 1.500 homens, os rebeldes estão sob o comando do general Miguel Costa, mas divididos em duas colunas: a do sul, chefiada por Luís Carlos Prestes, e a paulista, por Juarez Távora. Pelos "relevantes serviços prestados à revolução", dois oficiais do remanescente Batalhão Italiano são incorporados ao comando revolucionário: o major Mário Géri, agregado ao Estado-Maior de Juarez, e o capitão Ítalo Landucci, ao Estado-Maior de Prestes. A brigada do Rio Grande é formada por 800 homens; a de São Paulo, 700. O objetivo dos rebeldes é alcançar o mais rapidamente Porto Mendes e cruzar o rio Paraná.[298]

Os oficiais tomam ainda outra decisão diante do novo tipo de campanha que pretendem desenvolver: o general Padilha e Isidoro, por causa da idade e do abatimento físico, devem se refugiar na Argentina, juntamente com Estilac Leal, ferido por um estilhaço de granada no pescoço.

Isidoro continuará sendo o chefe supremo da revolução, a cujas ordens e orientação todos permanecerão submetidos, mantendo-o sempre informado dos movimentos. Os três permanecerão no exterior até que seja possível a sua reintegração ao exército revolucionário. Isidoro decide refugiar-se em Encarnación, Paraguai, onde tem alguns amigos e excelentes contatos políticos. Antes de cruzar a fronteira, ele se despede comovido dos soldados paulistas, agradecendo o seu sacrifício e enaltecendo a coragem, a garra e o desprendimento por eles demonstrados, desde a rebelião de 5 de julho, quando iniciaram a ocupação da cidade de São Paulo por 22 dias. Num gesto de reconhecimento e gratidão, Isidoro, diante do precário estado de saúde em que muitos se encontram, libera esses comandados do compromisso de continuar a luta. A decisão será de foro íntimo: devem ou não seguir com o resto das tropas, de acordo com o que melhor lhes aprouver. Cada um escolherá o seu destino.[299]

Domingo, 26 de abril

A tropa revolucionária está acantonada em Porto Mendes. O general Miguel Costa escuta com atenção o minucioso relato que lhe está sendo feito por Luís Carlos Prestes. Siqueira Campos mandara avisar que desistira de retomar Guaíra porque as embarcações foram confiscadas pelo Governo para não caírem nas mãos dos rebeldes. Neste momento, Siqueira e seus homens estão a alguns quilômetros dali, envolvidos na defesa de Porto Mendes, ameaçada de sofrer o ataque de poderoso contingente legalista que marcha naquela direção. A única alternativa seria cruzar o rio, naquela região, e invadir o Paraguai. Cercados como estão, com o porto de Guaíra nas mãos do inimigo, só podem alcançar Mato Grosso através do território paraguaio. Prestes defende a retirada imediata, para evitar que as tropas do Governo acabem dificultando a travessia do rio Paraná.

Cabanas, que também ouve o relato de Prestes, chama a atenção para as conseqüências de uma invasão feita às pressas, com mais de mil homens, através de uma região deserta e desconhecida, sem roupas, sem dinheiro, sem provisões e ainda sem a cavalhada, que, em último caso, em circunstâncias dramáticas, poderia ser utilizada como alimento da tropa. A invasão, nessas condições, poderia transformar-se num desastre logístico. Cabanas sugere que ela seja realizada dentro de um ou dois dias, com mais planejamento; nesse intervalo, os rebeldes se utilizarão de todos os meios para manter o inimigo a distância. Suas ponderações sensibilizam Miguel Costa.

No dia seguinte, à frente de 100 homens bem armados, Cabanas parte com a sua *Coluna da Morte* para tentar conter o avanço das tropas do Governo.[300] Para ele, o mais importante para o cumprimento dessa missão não são as armas nem a munição, mas seu corneteiro. Os primeiros acordes do *Pé Espalhado* semeiam sempre o pânico entre as forças adversárias, produzem estragos maiores que os tiros de canhão.

"(...) Espero dentro de poucos dias resolver a situação definitivamente, convencido de que poderá no dia 3 de maio o Sr. Presidente da República declarar restabelecida a ordem no Paraná e Santa Catarina e, quiçá, em todo o Brasil, pois não creio nas novas tentativas que os chefes rebeldes, batidos e vencidos, apregoam e que não têm outro intuito senão produzir efeito para fins de anistia."[301]

O telegrama borbulhante no qual o general Cândido Rondon saúda a derrota dos rebeldes, como se estivesse empunhando uma taça de champanhe, repousa sobre a mesa com tampo de vidro do gabinete privado de Bernardes, na ala íntima do terceiro andar do Palácio do Catete. Ao entregar o telegrama de Rondon ao presidente da República, o ministro Félix Pacheco tinha em mente apenas um objetivo: dividir com o chefe da Nação o brinde à vitória da legalidade.

Durante o despacho com Bernardes, Pacheco descuidou-se da linguagem, utilizando-se, várias vezes, com entusiasmo, de jargões militares que o presidente, com seu português castiço, tanto detestava. Apesar da alegria sincera manifestada pelo ministro das Relações Exteriores, Bernardes não partilha do seu esfuziante estado de espírito. Na sua opinião, ainda falta muito para que a cortina caia pesadamente sobre a boca de cena do chamado *teatro de operações*. Tudo indica que a luta prosseguirá em outros cenários, talvez sem os principais personagens, sustentada apenas pelos coadjuvantes, mas com o apoio do numeroso elenco de desafetos que o Governo cultivou pelo país. Bernardes acha que o espetáculo ainda não terminou.

Acontecimentos recentes haviam fortalecido esse juízo de convencimento. No dia 13 de abril, por exemplo, a polícia de Pernambuco tinha abortado mais um levante contra o Governo. Numa casa da rua Velha, no bairro da Boa Vista, em Recife, foram encontrados caixas de dinamite, armas curtas e mosquetões que seriam utilizados para atacar quartéis e o Palácio do governador Sérgio Loreto. A polícia recolheu ainda grande quantidade de fardamento do Exército, retratos de Isidoro Dias Lopes, que havia sido promovido pelos seus pares a marechal, e faixas vermelhas com listras brancas, que seriam usadas pelos rebeldes, além de outros materiais.

O movimento era chefiado pelo advogado Sílvio Cravo, um dos mais respeitados do Recife. Os conspiradores tinham até distribuído um manifesto à redação dos jornais, anunciando a vitória da rebelião. O documento era assinado não só pelos sediciosos de Pernambuco, mas também por Isidoro, Miguel Costa, Assis Brasil e Luís Carlos Prestes. A conspiração foi abortada graças ao trabalho de um espião infiltrado, o tenente da Força Pública Luís Gonzaga, que denunciou a conspiração horas antes de ser deflagrada. As articulações para o levante haviam sido conduzidas pelos tenentes Carlos Chevalier e Sampson da Nóbrega Sampaio, procurados no Rio por envolvimento com a revolução paulista e que se encontravam clandestinamente no Recife. O que mais chamava a atenção, entretanto, era o número surpreendentemente grande de civis comprometidos com a sedição. De acordo com os documentos apreendidos, eles mantinham ligações com outros movimentos em gestação no Ceará, Paraíba, Alagoas e Rio de Janeiro.[302]

O Rio, mais do que qualquer outra cidade, é permanente fonte de preocupações para Bernardes. Há instantes ele recebera um relatório do chefe de Polícia informando-o de que mais uma conspiração estava sendo urdida na capital da República com a participação de políticos e de oficiais do Exército, sediados na Vila Militar. Fontoura prometia um informe mais substancioso, dentro de horas, talvez até com os nomes dos principais cabeças do levante.

Bernardes já perdera a conta de quantas rebeliões tinham sido sufocadas contra o seu Governo em todo o país.

A bordo do navio *Assis Brasil*, construído pelos próprios rebeldes em Foz do Iguaçu, João Alberto aproxima-se lentamente de Porto Adela, na barranca paraguaia do Paraná. Nesse trecho, o rio tem cerca de 400 metros de largura, mas suas águas correm apertadas e nervosas entre as margens escarpadas com mais de 100 metros de altura, dificultando a travessia da embarcação. O barulho dos motores, que lutam desesperadamente para vencer a correnteza, chama a atenção da guarnição do exército paraguaio.

O vapor *Bell*, que faz viagens semanais para Assunção, acabara de chegar a Porto Adela. Há dias os rebeldes esperam seu regresso para interceptá-lo. Assim que ele surge deslizando lentamente junto à margem paraguaia, o *Assis Brasil* parte para apresá-lo. Só com a ajuda de um navio do porte do *Bell* as forças revolucionárias poderão transportar todo o seu equipamento para o Paraguai.

O comandante da guarnição de Porto Adela, um capitão baixo, gordinho, percebe a intenção dos rebeldes e ordena que seus homens tomem posição de ataque contra os invasores. João Alberto, em companhia de Nestor Veríssimo, um dos "coronéis" gaúchos que decidira seguir com seus homens até o Paraná, caminha na direção do oficial paraguaio. Ao lado de ambos está o "coronel" Luís Carreteiro, um mestiço imponente, de 1,80m de altura, que acompanhava João Alberto desde o Rio Grande. Sua figura exótica parece hipnotizar não só o comandante da guarnição como os soldados; eles o contemplam, boquiabertos, olhos arregalados, como se estivessem diante de uma assombração. O que chama mais a atenção dos paraguaios não é a cor da pele, quase negra, ou os cabelos longos, a barba imensa, mas os ornamentos que o tamanho do corpo torna ainda mais bizarros. O cinturão largo exibe um conjunto de penduricalhos espalhafatosos, correntes e medalhas que tilintam quando Carreteiro caminha. Os enfeites são tão grandes que se derramam sobre as botas pretas de sanfona. Do cinturão largo, cravejado de balas, caíam ainda dois revólveres calibre 38. A camisa xadrez, arregaçada nas mangas, deixa nu o pulso direito, onde o mestiço exibe uma pulseira de couro cru. Desta pende um rabo de tatu.

Ainda sob o impacto da visão esdrúxula, o oficial paraguaio ordena, aos gritos, que os rebeldes voltem para o lado brasileiro. Mesmo com superioridade de homens e armas, João Alberto reconhece que será extremamente difícil conquistar Porto Adela, por causa da altura das barrancas. Cercado por 50 soldados, com as armas apontadas para os invasores, o oficial exige que eles se entreguem ou que regressem imediatamente ao Brasil, e se mantém firme nesse propósito. Depois de alguns momentos de hesitação, aceita parlamentar.

João Alberto diz que o exército revolucionário quer apenas atravessar o território paraguaio para se livrar do cerco do Governo. O Alto-Comando estava disposto a lhe dar, por escrito, todas as garantias que exigisse, isentando-o de qualquer tipo de responsabilidade por não resistir à invasão, diante da superioridade das forças rebeldes. A negociação arrasta-se em clima de grande tensão. Nervoso, o capitão mais de uma vez dá por encerrada a conversação, disposto a impedir a passagem da tropa revolucionária. João Alberto mantém-se, de pé, no mesmo lugar, irredutível. O oficial concorda finalmente em participar de derradeira rodada de negociações.

O plano de João Alberto, agora, é se atracar com o paraguaio e dominá-lo fisicamente, para resolver a questão de uma vez por todas. O capitão é bem mais baixo do que ele, embora um pouco mais robusto; se agir com rapidez, poderá imobilizá-lo sem grandes dificuldades.[303]

Como último recurso, João Alberto tenta imobilizar o oficial através da persuasão. Procura convencê-lo de que qualquer reação pelas armas será infrutífera. Os dois deviam resolver o problema amigavelmente, com um acordo de cavalheiros, para evitar inútil derramamento de sangue. Com invejável presença de espírito, João Alberto inventa uma história para quebrar as resistências do comandante de Porto Adela:

— O senhor deve compreender que, como somos militares, não iríamos lhe fazer esta proposta se já não tivéssemos desembarcado tropas ao norte e ao sul do seu país. O Paraguai já está sendo invadido pelas forças revolucionárias.[304]

O oficial se convence de que não adianta realmente resistir e concorda em permitir a passagem das tropas, desde que seja assinado um documento, nos termos que desejasse.[305]

O texto da declaração entregue ao capitão paraguaio é redigido por Juarez Távora e firmado pelo Alto-Comando revolucionário. O documento justifica os motivos da invasão:

> *"Senhor Comandante:*
> *Forçados por circunstâncias excepcionais e inapeláveis, entramos "armados" em território de vossa pátria. Não nos move nesse passo extremo a que nos atiram as vicissitudes de uma luta leal, mas intransigente, pela salvação das liberdades brasileiras, nenhuma idéia de violência contra os nossos irmãos da República do Paraguai. Queremos apenas evitar, a todo transe, a renovação de um espetáculo cuja brutalidade, certamente, vos revoltaria.*
> *Há poucos meses, tropas 'governistas' brasileiras invadiram o território da República Oriental do Uruguai para degolar, fria e cruelmente, vinte soldados e oficiais, que, vencidos em luta desigual e heróica, buscavam*

abrigo, desarmados, à sombra da soberania daquele povo. E nada nos garante, nesta contingência, que esses singulares 'defensores' da civilização de nossa pátria desistam de repetir em vosso país o gesto vil de barbárie, com que, já uma vez, afrontaram os sentimentos de humanidade dos nossos vizinhos do Uruguai.
Não descemos por isso, desarmados, o rio Paraná, ao longo do qual, em toda a costa brasileira, estacionam tropas governistas, cujo escrúpulo não trepidamos em igualar à inconsistência feroz daqueles monstros, que, em pleno dia do século XX e além de uma fronteira estranha, tripudiaram sobre os cadáveres mutilados dos seus irmãos."[306]

Os rebeldes assumem ainda o compromisso de respeitar as leis paraguaias durante a travessia, dispondo-se, inclusive, a ajudar o Paraguai a defender a sua soberania, caso o seu território seja invadido pelas tropas do Governo brasileiro. Eles não querem melindrar as autoridades paraguaias diante de outra situação igualmente delicada: naquele país encontram-se refugiados mais de 600 rebeldes, muitos dos quais doentes, outros gravemente feridos, todos famintos e maltrapilhos. Os comandantes revolucionários assumem inteira responsabilidade pela invasão, assegurando que essa decisão fora tomada à revelia dos seus chefes, diante da gravidade da situação e da impossibilidade de estabelecerem contato, naquele momento, com Assis Brasil e o marechal Isidoro Dias Lopes, que se encontravam no exterior.[307]

As tropas levam 72 horas para cruzar o Paraná. O *Bell* e o *Assis Brasil* transportam dia e noite cerca de 1.500 homens, mais de 600 cavalos, barracas de campanha, víveres, munição e todo o material bélico, que inclui uma bateria de artilharia de 75 milímetros. A maior dificuldade da travessia são os canhões, extremamente pesados, guindados para o alto da barranca, do lado paraguaio, com a ajuda de cabos de aço puxados por centenas de soldados. A encosta, de mais de 100 metros de altura, cheia de pedras, curvas e buracos, torna o trabalho ainda mais moroso.[308]

Os feridos em estado grave haviam sido transferidos, dias antes, do hospital de Foz do Iguaçu para Puerto Aguirre, na Argentina, enquanto outra leva de doentes já se encontrava em Saens Pena, em outro ponto do território paraguaio, sob os cuidados de enfermeiros que se desligaram da tropa para tratar dos enfermos. Os rebeldes tinham enviado uma carta à legação brasileira em Assunção pedindo que fosse dispensada atenção especial a esses refugiados. Através da fronteira com Saens Pena tinham também se internado no Paraguai cerca de outros 400 revolucionários que desistiram de continuar lutando. Exauridos e doentes, em sua maioria, estavam armados apenas para se defender de possível invasão de tropas brasileiras, como a que ocorrera, no ano anterior, no Uruguai.[309]

Terça-feira, 28 de abril

A travessia ainda não foi concluída em Porto Adela, mas João Alberto já se encontra com seus homens em marcha forçada, através do Paraguai, a poucos quilômetros da fronteira com Mato Grosso. A vanguarda revolucionária avança por uma picada de 125 quilômetros que liga Porto Adela à Fazenda Jacareí, nas faldas da Serra de Maracaju, em território brasileiro.[310]

O restante das tropas progride com muita dificuldade pelo interior do Paraguai, por causa dos obstáculos enfrentados pela artilharia pesada, puxada a tração animal. Os canhões, arrastados por parelhas de bois através de rios e terrenos pantanosos, só conseguem livrar-se dos atoleiros com o auxílio dos animais do Esquadrão de Cavalaria, responsável por sua escolta. Há cinco dias a coluna revolucionária se move pelo território paraguaio com extrema lentidão.

25

SANGUE NA PRAIA VERMELHA

Sexta-feira, 1º de maio

As ruas de Botafogo e da Urca, no Rio de Janeiro, estão quase desertas por força da ressaca que castigara a praia do Flamengo durante todo o dia, cuspindo água e areia sobre o calçamento e impedindo a passagem dos carros e dos bondes da Companhia Jardim Botânico, que ligavam o Centro da cidade à Praia Vermelha.

Cinco automóveis, com faróis baixos para não chamar a atenção, passam pelo Hospital Nacional de Alienados e, depois, pelo antigo Imperial Instituto dos Meninos Cegos, na praia da Saudade, e seguem em direção à Praia Vermelha. Com as luzes apagadas, os carros param, de repente, diante do portão de uma edificação imponente, entre os morros da Urca e do Leme. No prédio, construído em 1858, funcionou até 1904 a Escola Militar da Praia Vermelha; depois, o imóvel ganhou nova fachada e foi totalmente remodelado para abrigar o Pavilhão das Indústrias da Exposição de 1908. No alto do frontispício, em forma de arco, emoldurando o brasão com as armas da República, lê-se, em letras grandes 3º Regimento de Infantaria.

Não muito longe dali, o deputado Batista Luzardo e mais três conspiradores estão prontos para cumprir a parte mais delicada do plano·

há 15 minutos eles estão na praça José de Alencar, em frente ao Hotel dos Estrangeiros, à espera de um hóspede que descerá, dentro de alguns minutos, em companhia da mulher, para assistir a mais um espetáculo de ópera no Teatro Municipal. Ele faz isso todas as noites, desde que começou a temporada lírica: às nove em ponto desce dos seus aposentos e embarca no carro que o leva à Cinelândia.

O hóspede que deve ser preso na porta do hotel é o vice-presidente da República Estácio Coimbra, eleito pelo Congresso após a morte de Urbano Santos, que morrera antes de assumir o cargo.

O momento é particularmente difícil para Batista Luzardo. O vice-presidente é uma figura elegante, educada e muito gentil, que o distingue sempre com tratamento cerimonioso, embora distante, jamais deixando de cumprimentá-lo de forma cortês quando se encontram no Congresso: "Como está, deputado Luzardo?"

A senha para prender o vice-presidente, assim que colocasse os pés na calçada, seria os tiros de canhão do 3º RI. Luzardo, dominado por forte tensão, lutando com seus próprios sentimentos, mantém os olhos cravados no relógio. Cada minuto que passa é uma imensidão.[311]

São cerca de 20 os ocupantes dos carros, alguns à paisana, outros fardados. Eles descem dos automóveis e caminham a passos largos em direção à sentinela. Todos trazem o número 3 na gola dos casacos e do uniforme, como uma espécie de distintivo do grupo. O mais alto se identifica em voz alta:

— Somos todos oficiais do regimento!

A sentinela não se deixa intimidar pelo tom autoritário:

— Eu conheço os oficiais do regimento. Os senhores não podem entrar.

Um dos homens fardados fala com energia:

— Somos oficiais do regimento e vamos entrar!

— Vou chamar a guarda.

A sentinela vê-se, de repente, imobilizada com um revólver apontado no peito. O grupo entra atabalhoadamente no quartel, enquanto um dos civis permanece do lado de fora, com um revólver na mão, tomando conta da sentinela, com ordens de não deixar ninguém entrar.

Os homens à paisana vestem-se com apuro: estão de paletó e gravata, alguns usam chapéu. Os militares trazem o uniforme cáqui do Exército, mas sem talabarte; sem espadas, usam apenas cinto porta-balas. Estão armados com parabéluns e revólveres Smith & Wesson, calibre 38. Todos exibem um aspecto sinistro: têm o rosto pintado de branco, como uma máscara de *clown*, para não serem identificados.

Os conspiradores ocupam os principais pontos estratégicos do quartel. Um dos invasores ordena ao corneteiro:

— Dê o toque de comandante do regimento!

O corneteiro recusa-se, sob a alegação de que não reconhece no oficial o comandante da unidade.

— Agora eu sou o comandante: toque!

O oficial perde a calma e o ameaça com o revólver no peito:

— Dá o toque ou morre! Toque reunir!

O corneteiro, aparvalhado, dá outro toque bem diferente.

O homem com o rosto cheio de pó-de-arroz fica transtornado:

— Toque, sargento de dia!

No primeiro andar do quartel, dois rebeldes, com o rosto pintado de branco, rendem o capitão Aquino Correia, oficial de dia:

— O senhor está preso!

O capitão Aquino recusa-se a se render, dizendo-se vítima de um ato infame e covarde. A sua linhagem e a sua honra de militar não permitem que o seu posto e a sua dignidade sejam ultrajados de maneira tão vil. Aquino é irmão do bispo dom Aquino Correia, ex-presidente de Mato Grosso e velho representante da oligarquia rural. O capitão lamenta não ter um revólver para responder, a bala, a agressão de que é vítima. Os rebeldes insistem:

— O senhor está preso, vamos para o Estado-Maior. O Governo está deposto.

O oficial desembainha a espada para defender a sua autoridade, mas leva um tiro no peito. Mesmo assim, ainda consegue golpear o braço do homem que acabara de atingi-lo. O outro rebelde é atacado a baioneta por um soldado. Atingido no pescoço, o tenente Jansen de Melo, fardado de capitão, cai gravemente ferido ao lado do cabo Cecílio Randolfo, que sangra muito, com um corte profundo no braço. A confusão se estabelece no quartel.

Outro rebelde chama um dos sargentos, aos gritos, e ordena:

— Soltem todos os presos! A ordem é do comandante!

O sargento José Francisco dos Santos finge que não ouviu direito:

— De quem é a ordem?

— Do comandante do regimento!

Sem entender por que os oficiais estão com o rosto pintado de branco, o sargento resolve procurar o comandante do regimento para confirmar a ordem que acabara de receber. De repente, percebe que aqueles rostos, mesmo empapados de pó-de-arroz, lhe são familiares. Não demora muito para descobrir que está diante de uma rebelião. Como servira no presídio militar da Ilha Grande, reconhece, no grupo, vários oficiais rebeldes que haviam fugido da prisão.

A contra-revolta é comandada pelo próprio sargento José Francisco, que avança com seus soldados, fuzis apontados para os conspiradores. Ele mesmo dá a ordem para atirar:

— Fogo!

O tiroteio, cada vez mais vivo, se alastra por todo o quartel.

O tenente Jansen de Melo, que há pouco mais de um mês fugira do Hospital Central do Exército, onde se encontrava detido por ter participado do levante do Forte de Copacabana, é arrastado pelos companheiros para fora do 3º RI e colocado dentro de um carro. Diante da resistência oferecida pelos soldados, os rebeldes fogem nos automóveis em que haviam chegado.[312]

O general Setembrino de Carvalho, ministro da Guerra, que na hora passava de carro pela Praia de Botafogo, ouve o tiroteiro e dirige-se rapidamente para o Palácio do Catete, onde Bernardes despacha com o ministro da Justiça. O marechal Carneiro da Fontoura, que se encontra, como de hábito, em seu gabinete-dormitório, na Central de Polícia, é imediatamente acionado para ajudar a sufocar o levante. Mas seus homens não têm muito o que fazer: a rebelião fracassou.[313]

O deputado Batista Luzardo e seus acompanhantes estão prontos para entrar em ação. Os conspiradores acharam mais seguro dar voz de prisão ao vice-presidente na porta do hotel por ser um local quase deserto e com pouco movimento de trânsito, ao contrário da Cinelândia, onde há sempre muita gente, inclusive polícia. O vice-presidente Estácio Coimbra surge na porta, mas falta a senha para ser preso: o tiro de canhão.

Estácio Coimbra caminha, ao lado da mulher, em direção ao carro de presidente do Senado, cargo que acumula com o de vice-presidente da República. Mas cadê o tiro de canhão? Os quatro conspiradores, transtornados, não sabem o que fazer. A queda do 3º RI fora dada como favas contadas, como lhes haviam garantido o tenente Jansen de Melo e o médico Pedro Ernesto Batista, um dos civis que participava do levante. O tempo se esvaía rapidamente e nada de o canhão atirar. O grupo chega tão perto do vice-presidente que este, de repente, ao entrar no carro, reconhece Luzardo. Volta-se na sua direção e o cumprimenta com a habitual fidalguia:

— Boa noite. Como tem passado o nobre deputado?

Luzardo disfarça embaraçado, inventa uma desculpa para justificar a sua presença, diz que pretende usar o telefone do hotel. O carro arranca, aos solavancos, e os quatro ficam parados na calçada, observando o veículo perder-se na direção do Largo do Machado. Eles ainda permanecem algum tempo pelas imediações do hotel, atônitos, até serem escorraçados por um boato que começava a espraiar-se pela cidade: o Exército sufocara um levante no quartel da Praia Vermelha.

O grupo resolve dispersar-se: um dos conspiradores decide ir sozinho para casa, enquanto Luzardo e os outros três apanham um táxi. Luzardo mora no bairro do Andaraí, do outro lado da cidade. Quando o carro se aproxima do velho túnel da rua Alice, é detido por uma barreira policial. Os homens do marechal Carneiro da Fontoura haviam isolado o Catete e a Zona Sul, à procura dos atacantes do quartel.

Dois outros deputados, Azevedo Lima e Adolfo Bergamini, que estavam envolvidos com a conspiração, acabavam também de ser presos nas proximidades do túnel. Agora aparece Luzardo com mais três desconhecidos. O chefe dos tiras pergunta:

— O que os senhores deputados estão fazendo a esta hora, num momento tão delicado como este, juntos, neste local?

Luzardo, Bergamini e Azevedo Lins, mesmo alegando imunidades parlamentares, são presos pela Polícia Política e levados para a Polícia Central. Lá ficam detidos até as três da manhã, quando são finalmente libertados por interferência pessoal do ministro da Justiça, Afonso Pena Júnior.[314]

O Exército e a Polícia mantêm a cidade sob absoluto controle. Os dois rebeldes feridos durante o assalto ao 3º RI tinham sido deixados pelos companheiros na porta da Casa de Saúde Pedro Ernesto, com uma recomendação:

— Atendam esses feridos por ordem do Governo.

O tenente Jansen de Melo, de 22 anos, com hemorragia intensa, morre ao ser colocado na padiola, antes de receber os primeiros socorros. O cabo Cecílio é medicado e transferido, em seguida, para o Hospital Central do Exército, onde já se encontra o capitão Aquino Correia. Apesar de baleado à queima-roupa, o estado de Correia é considerado satisfatório. A bala, antes de penetrar no peito, teve seu impacto reduzido ao ricochetear numa medalhinha de Nossa Senhora das Graças que ele traz sempre no bolso esquerdo do dólmã, pendurada na correntinha do relógio.[315]

Domingo, 3 de maio

Há dois dias a vanguarda revolucionária, sob o comando de João Alberto, encontra-se, outra vez, em solo brasileiro, depois de ter cruzado vasta extensão do território paraguaio. O restante da tropa ainda luta contra a ingratidão do terreno, os atoleiros infernais e a picada acanhada, estreita demais, para permitir o rápido escoamento de tropa tão numerosa através de uma região inóspita como essa do Paraguai. O general Miguel Costa já havia ordenado que fossem abandonados os canhões, a fim de que a marcha pudesse ser acelerada.

A maior parte da tropa segue desmontada. O aspecto dos soldados e oficiais é andrajoso; estão todos descalços e quase nus, com a barba e os cabelos longos caídos sobre o peito e os ombros. A coluna é seguida por cerca de 50 mulheres, todas com aspecto miserável, que acompanham os gaúchos desde o Rio Grande.

Os primeiros combates realizados em Mato Grosso são surpreendentes. A tropa do governo, apesar da superioridade de suas forças, é rapidamente envolvida em Panchita, nas imediações de Ponta Porã, pelos homens de João Alberto. Os gaúchos, que conseguiram bons cavalos na região de Amambai, no sul de Mato Grosso, sentem-se agora retemperados e prontos para enfrentar o inimigo como faziam em seus pagos: atacando-o de surpresa em rápidas e empolgantes cargas de cavalaria.

Em poucas horas, os rebeldes obtiveram vitória fulminante: apoderaram-se de 20 caminhões do Exército e fizeram cerca de 100 prisioneiros. Ao ser informada de que os revolucionários tinham vencido a primeira batalha, a guarnição que defende Ponta Porã se retira da cidade em pânico, abandonando o sistema de trincheiras circulares escavado em volta do quartel. Sentindo-se desamparada e ameaçada pelas histórias de crueldades que o Governo espalhara sobre os rebeldes, a população refugia-se na localidade vizinha de Pero Juan Caballero, pequena vila em território paraguaio, bem em frente a Ponta Porã.

A GRANDE MARCHA

A rebelião de São Paulo detonou o processo que deu origem à Coluna Prestes.

As metralhadoras do Exército varriam as ruas, mantendo os rebeldes dia e noite sob fogo cruzado.

A fragilidade de algumas barricadas denunciava o caráter românti da revolta. Durante três dia os rebeldes não souberam quem era o chefe do levante, nem por que estavam lutando.

)s telhados dos
uartéis foram
)cupados pelos
evoltosos para
:onter o avanço
las tropas
egalistas num
:onfronto desigual:
5 mil rebeldes
:ontra 15 mil
oldados do
overno.

No começo, a rebelião concentrou-se em torno de si mesma, sem espalhar o peso de suas idéias por outros segmentos da sociedade. O povo apenas assistia à luta.

O tenente Cabanas, à esquerda, foi uma lenda viva. Tinha a força dos mitos: povo e soldados o veneravam. O Exército usou canhões pesados para esmagar a revolta.

O Externato Matoso, ocupado pelos rebeldes, foi picotado pelas balas da legalidade, que não poupava munição para derrotá-los. A ordem era mantê-los sob pressão até que se rendessem.

Canhões do Exército atiravam em todas as direções para semear o pânico e jogar a população contra as forças revolucionárias.

Os franco-atiradores que se aninhavam nas janelas do Palace Hotel, na rua Florêncio de Abreu, foram enxotados pelo fogo das tropas legalistas.

O Exército bombardeou São Paulo dia e noite: 300 mil pessoas abandonaram a cidade e fugiram para o interior.

Os mortos eram enterrados em qualquer lugar: em jardins, praças e quintais. Muitos corpos ficavam dias insepultos.

Diariamente, 15 mil pessoas deixavam São Paulo de trem, para se refugiar em Campinas. A maioria fugia com a roupa do corpo.

Os saques multiplicavam-se por toda a cidade. A população assaltava lojas e depósitos e carregava nas costas o que podia.

General Isidoro Dias Lopes, chefe supremo da revolução: um militar com nojo do Exército.

Coronel João Francisco, gaúcho da fronteira: um gênio na arte da improvisação.

General Miguel Costa, oficial de polícia: comandou os rebeldes até a Bolívia.

Artur Bernardes, presidente da República: castigou os rebeldes sem piedade até o fim do seu governo.

Cabanas, tenente de polícia, comandante da Coluna da Morte, *o pavor das tropas legalistas.*

Juarez e Siqueira Campos semearam a revolução entre os quartéis do Rio Grande. O deputado gaúcho Batista Luzardo, porta-voz da Coluna, alvejava sempre o ministro Setembrino de Carvalho nos discursos que fazia na Câmara Federal.

Muitos jovens participavam da revolução apenas pelo espírito de aventura, como Jaguncinho, *o mascote da Coluna. Ele aderiu aos rebeldes no Sul, quando tinha apenas 12 anos.*

O coronel *baiano Horácio de Matos foi um dos chefes sertanejos que mais combateu os rebeldes. Comandava seu batalhão de jagunços vestido com o uniforme do Exército.*

O esforço de guerra dos rebeldes não tinha limites: tanques com paredes duplas de madeira, cheias de areia, e outro de ferro, construídos no QG da Luz, não saíram do lugar. Outra invenção: locomotivas malucas, *sem maquinista.*

O Exército usou contra os rebeldes todo o seu poder de fogo: tanques franceses e canhões alemães com munição especial atiravam sem parar contra a cidade. Foi o maior bombardeio da história de São Paulo.

A população civil foi a maior vítima da artilharia do Governo. Milhares de casas foram atingidas pelas granadas que os canhões cuspiam sem direção.

O QG da Luz foi um dos poucos alvos militares destruídos pelos canhões do Exército. Fábricas como a Crespi foram reduzidas a escombros.

Os rebeldes abandonaram São Paulo em 13 trens para continuar a luta no interior. Até o Governo se curvou diante dessa extraordinária operação logística.

A retirada começou ao entardecer de 27 de julho, com a concentração de homens, canhões e animais na estação da Luz.

O presidente Artur Bernardes reuniu-se com a oficialidade do Exército para comemorar a vitória da ordem e da lei.

A população do Rio freqüentava o five o' clock tea *da Colombo, em busca de notícias da revolução. Os homens se reuniam na parte de baixo da confeitaria "para saber das últimas".*

As forças legalistas foram recebidas com indiferença pela população de São Paulo. O pior veio depois: a pilhagem da cidade pelas polícias do Rio e de Minas Gerais.

Ao retornar do interior, o povo encontrou a cidade ocupada por tropas federais. Foi o começo de uma longa noite de ódios que levou milhares de pessoas à cadeia.

O encouraçado São Paulo, *um dos navios com maior poder de fogo do mundo, aderiu à revolução, na baía de Guanabara, e partiu com destino ao Sul, para se juntar às tropas que se rebelaram no Rio Grande.*

Cleto Campelo viajou da Argentina a Pernambuco para sublevar os quartéis do Recife em nome da revolução.

Estado-Maior rebelde do Paraná: Miguel Costa, ao centro, com chapéu quebrado na testa. Novos hábitos de campanha.

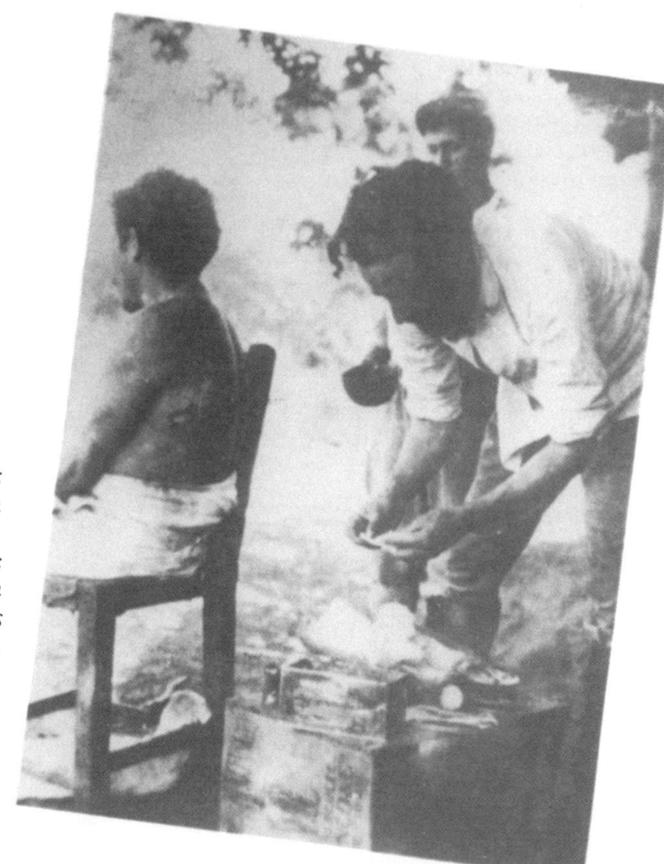

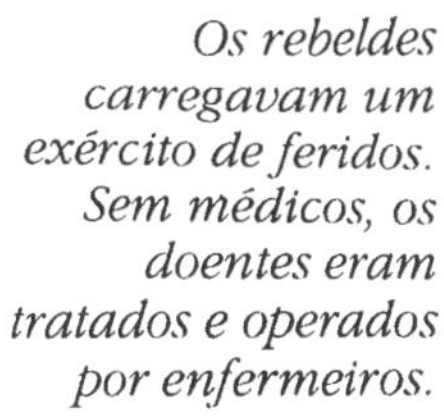

Os rebeldes carregavam um exército de feridos. Sem médicos, os doentes eram tratados e operados por enfermeiros.

As tropas revolucionárias ocupam Foz do Iguaçu, depois de terem descido de barco pelo rio Paraná. Controlam uma área maior que a Suíça.

Mau cavaleiro, Prestes era uma figura ridícula quando cavalgava. Custou a ser respeitado pelos gaúchos, habituados a ter como chefes homens que sabiam montar.

Moreira Lima gostava de ler documentos e jornais velhos. Os rebeldes liam tudo o que lhes caía nas mãos.

Emigdio Miranda usava roupas bizarras, parecia fantasiado. Prestes, à esquerda, só não abria mão da disciplina.

Empresa Matte Laranjeira S. A.

Foz do Iguassú, Paraná (Brasil)   Foz do Iguassú, 22-2-925.

Direcção Telegraphica: COMATTELAR

Ao prezado Cor.el Prestes – saudações e abraços,

Saudações e abraços de toda a Divisão S. Paulo ao chefe e commandante da Columna gaucha. Eu não tenho palavras que traduzam os sentimentos de alegria, de [illegible] e de forte e sadio enthusiasmo que despertou na alma de todos nós a marcha accidentada e gloriosa em você ideiou e executando com o destemor a heroica tenacidade d'aquelles que decidem, pensam com sentem e agem conservando o pensar e sentir. As aves de vôos rasteiros e as gralhas não podem, não podiam e não puderam seguir, nem mesmo comprehender o chefe. Perturbaram, desdenharam, resistiram pelo meio, tentaram fazel-o por acção e....

Na carta enviada a Prestes do Paraná, Isidoro elogiou a campanha do Rio Grande. Prestes sonhava em voltar a São Paulo e marchar sobre o Rio.

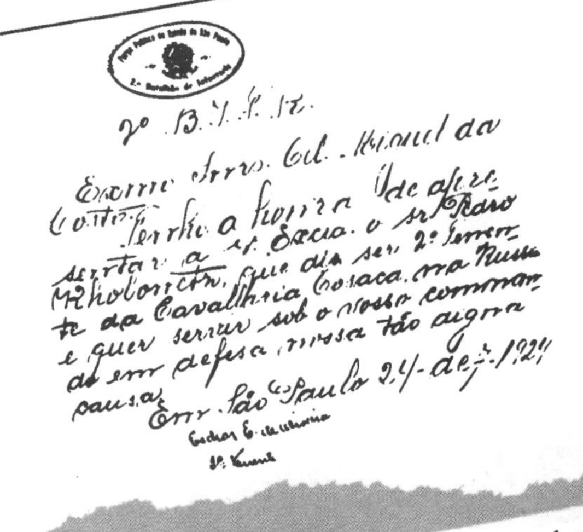

Força Publica do Estado de São Paulo – 2º Batalhão de Infantaria

2º B. I. F. P.

Exmo Snr. Cel. Miguel da Costa.

Tenho a honra de apresentar a V. Excia. o sr. Barão Nikolovitch, que dia ser 2º Tenente da Cavallaria Cosaca na Russia e quer servir sob o vosso commando em defesa nossa tão agrada causa.

São Paulo 24-de-jº-1924

Centenas de veteranos da Primeira Guerra aderiram aos rebeldes e formaram batalhões de estrangeiros para lutar contra o Exército em São Paulo.

—1922— EDIÇÃO COMMEMORATIVA —1926—

O 5 DE JULHO

Portavoz dos Ideaes da Revolução Brazileira

A DATA

15 de novembro e 5 de Julho são duas datas irmãs [illegible] significação historica [illegible].

Proclamada a republica por effeito de um verdadeiro "coup de theatre", assistiu-o inopinadamente pelo povo bestificado, como sem ceremonia observou Aristides Lobo, logo della se apoderaram, como de uma presa rabelle, os velhos macacões da politica, encandecidos na atmosphera de uma côrte cuja mediocre prosperidade repousava na escravidão.

Deodoro fôra na verdade, sem que a imagem lhe diminua o valor pessoal, uma hyperbole republicana. O virus monarchico contaminou de origem a republica recem-nascida, que por algum tempo dormiu sonhando no berço de ouro da Constituição de Fevereiro, embalada por mãos peccaminosas de "conselheiros" [illegible].

Crescendo sob a tutela duvidosa de taes padrinhos, não podia ser a republica outra coisa differente do que é realmente: uma especie de semi-virgens, das de que falla M. Prevot, acobertando com a pureza dos seus idéaes e dos seus principios, a pratica das orgias, as mais descabelladas e franciscanas.

Corria o anno de 1922. No palacio dos "aguias", Epitacio I chalrava e saltitava garboso como um canario do imperio, noutro tempo metamorphoseado em "patativa republicana". Foi quando o instincto de conservação da nacionalidade relampagueou na consciencia dos heróes de Copacabana.

Mas o grito de desespero que partiu de seus peitos juvenis, bronzeos [illegible] foi abafado na [illegible] tyrannia. Abafado momentaneamente. Porque, em 1924, dois annos depois, o espirito guia da Patria encarnava em Izidoro Lopes, o invicto, e a terra do Ipyranga, onde um seculo antes echoara o grito de independencia, foi abalada nas suas entranhas pelo tufão revolucionario.

Hoje, em 1926, no anno da victoria, Miguel Costa, o forte, Luiz Prestes, o genio da guerra, Juarez Tavora, o leão acorrentado, João Alberto, o intrepido, Siqueira Campos, o resuscitado, Cleto Leite, o Prestes da cidade, Ribeiro Junior, o [illegible] da Amazonia, Cleto Campello, [illegible] e Waldemar Lima, os

Martyr da Revolução

Tenente Cleto Campello Filho

O tenente Cleto Campello Filho contava apenas 23 annos de idade, tendo nascido em [illegible] de Dezembro de 1903. Alistou-se no exercito em 20 de Abril de 1918. Foi 2º tenente em 11 de Maio de 1921 e 1º tenente em 21 de Outubro de 1922.

Serviu no 21º batalhão de caçadores do Recife. Seguiu para o sul com essa unidade, [illegible]

[illegible]

WALDEMAR DE PAULA LIMA

(Samuel Gomes)

Heroe de [illegible], alma de Spartacus, [illegible] 25 annos [illegible] as hordes megalistas [illegible] e a Sta. Catharina, Rio Grande e Matto Grosso, [illegible] patriotas [illegible] municipio de Limoeiro, em Pernambuco, depois de tendo e eito prisioneiro [illegible]

[illegible]

martyres, Dutra, Serôa, Celso, Nery, Hugo, Dantas, Cordeiro de Farias, os bravos, os estoicos guerreiros, dão a sua esplendida e incomparavel [illegible] holocausto ao seu povo.

No parlamento, o templo da Soberania popular, [illegible] os vendilhões da politica [illegible] e [illegible] — Azevedo Lima, Baptista Luzardo, Leopoldino de Oliveira, Arthur Caetano, Barbosa Lima, [illegible] Escobar e Bergamini, e Assis Brasil, no exilio, fazem de sua palavra a chamma purificadora, que reduzirá a um montão de cinzas o despotismo bernardesco.

Brasileiros! A Revolução de Julho continua a sua marcha dolorosa atravez dos invios sertões. Toda revolução tem o seu Calvario e todo martyrio tem o seu Thabor.

A Revolução Brasileira vencerá. E vencerá por esta razão: porque o Brasil não quer [illegible] perecer!

Viva a Revolução!

A redação do 5 de Julho, *jornal clandestino que apoiava os rebeldes, nunca foi descoberta pela polícia.*

33

Rs 21$000

Recebi do Cel Horacio Mattos, a importancia de vinte e um mil réis de 7 mezes de pasto, de um cavallo deixado a minha entrega em 7 de Abril de 1926. e entreguei ao Snr Jose Rosa em 12 de Novembro, deixado a minha entrega pelo Major Jose Honorio Granja, pela occasião que passava atraz dos rebeldes.

São Francisco 10 de Setembro de 1927

Antonio [illegible] Pinto

Exército: brigas com as despesas do coronel *Horácio.*

Rebeldes no acampamento de La Gaiba, na Bolívia.
Prestes, o quarto da direita para a esquerda, ficou ao lado de seus homens até que todos conseguissem emprego.

Prestes em La Gaiba, sentado ao lado dos diretores da Bolivian Concessions, à sua direita, e de um oficial boliviano, à sua esquerda. Atrás, de paletó, Rafael de Oliveira, de O Jornal.

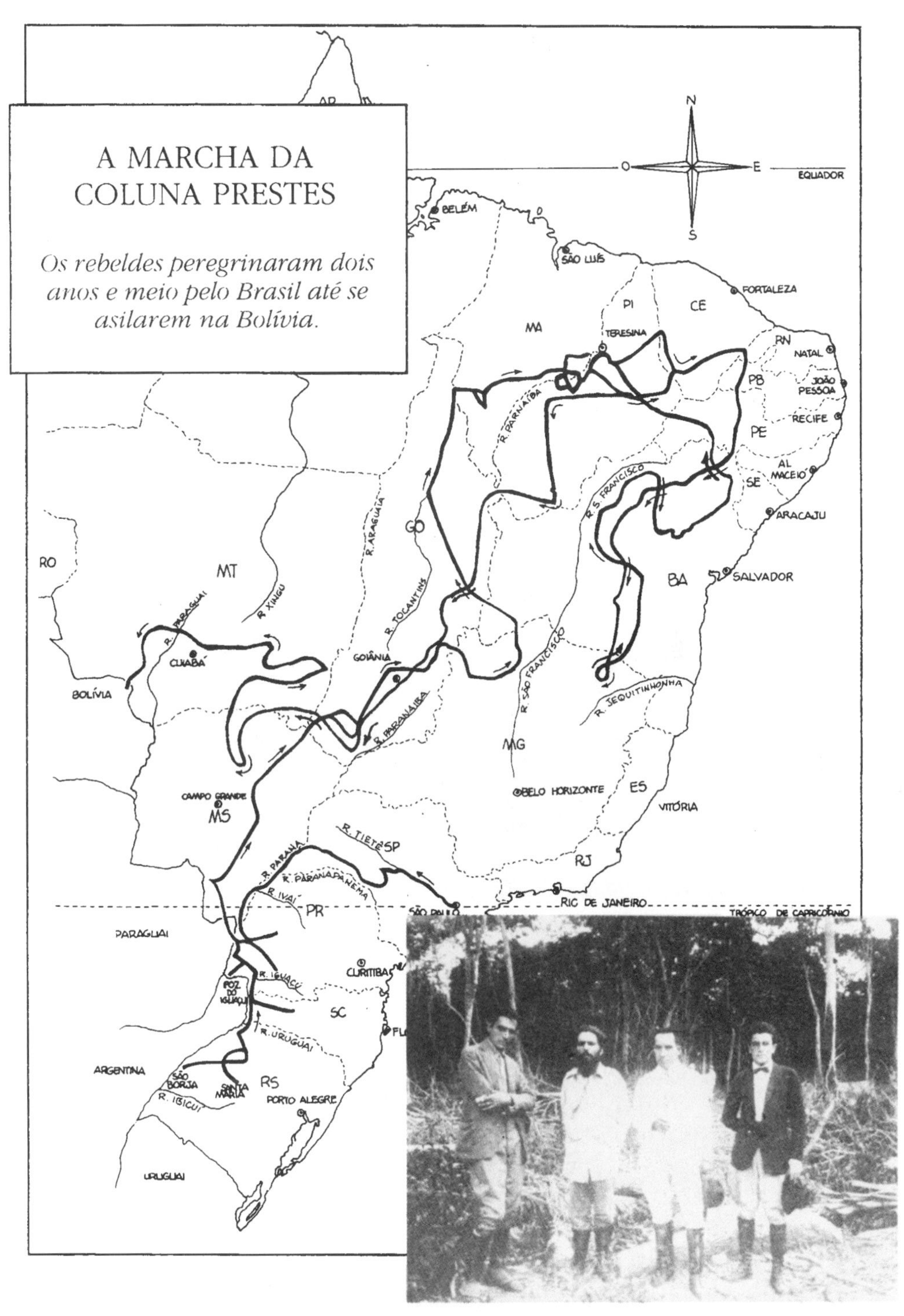

Rafael de Oliveira, de O Jornal; *Prestes; um oficial boliviano; e o fotógrafo Peres, de gravatinha-borboleta.*

Prestes transformou-se no próprio símbolo da Coluna. Fez boa parte da marcha a pé, ao lado de seus homens, que tinham por ele profunda admiração.

Guilhermino Barbosa, de Alegrete, RS, asilou-se com a Coluna, em 1927, casou-se com uma boliviana e nunca mais voltou ao Brasil.

Meio século depois da Coluna, o soldado Bamburral *vivia em condições mais miseráveis do que os homens que ele um dia imaginou libertar da pobreza.*

Prestes, com seus conhecimentos de engenheiro ferroviário, conseguiu empregar todos os seus homens na construção de uma estrada que ele mesmo planejou para a Bolivian Concessions.

O pequeno monumento erguido pelos rebeldes no cemitério de La Gaiba foi inaugurado durante uma cerimônia comovente em que muitos também choraram pelas suas próprias vidas.

Desguarnecida, Ponta Porã é invadida pelos paraguaios, que saqueiam o quartel do Exército e levam o que podem para Pero Juan Caballero, com a aquiescência das autoridades locais: móveis, louças, fardas, polainas. A pilhagem só não se estende ao comércio e às casas de família porque os rebeldes ocupam a cidade e expulsam os invasores.

A maioria dos habitantes de Ponta Porã tem raízes no sul. São quase todos de origem gaúcha e deixaram o Rio Grande há vários anos por motivos políticos, para viver em Mato Grosso, atraídos pela fama de suas terras férteis e generosas. Ao perceber que os rebeldes são também do Rio Grande, as famílias começam a retornar.

A volta ao Brasil transforma-se, de repente, numa grande farra para os rebeldes. Além de passarem a ser tratados com simpatia pelas famílias da cidade, descobrem outro atrativo na região: a vida noturna alegre e movimentada de Pero Juan Caballero, do outro lado da fronteira, com uma dezena de cabarés, os chamados *jiroquis*, onde se dança polca paraguaia até o amanhecer. Era tudo o que os gaúchos queriam desde que haviam partido do Rio Grande.[316]

Terça-feira, 5 de maio

A invasão do Paraguai e o ataque rebelde ao 3º RI, na Praia Vermelha, há dias agitam os meios políticos e diplomáticos do Rio de Janeiro. A capital da República ferve com os boatos, que se multiplicam e se dissolvem, como bolhas de sabão, pelos bares e confeitarias do Centro, principalmente entre as mesas da Colombo, onde deputados e senadores se reúnem, todas as tardes, para sorver xícaras de chá, acotovelados em torno de bandejas de porcelana, adornadas com biscoitinhos de polvilho.

"A forte impressão causada pela audácia brutal do grupo de renitentes inimigos da ordem", como o vespertino *A Notícia* se refere ao assalto do 3º RI, está presente em todas as conversas. O Governo manteve o ataque em sigilo durante três dias, e só agora a censura liberou a sua divulgação pela imprensa. A população ainda está sob o impacto das primeiras notícias divulgadas pelos jornais. A descrição minuciosa da morte de um dos oficiais que comandou o levante comove a opinião pública. O clima de consternação que impregnou o velório leva os leitores às lágrimas.

> *"Tristíssimo o quadro no necrotério do Hospital Central do Exército. Sobre uma das mesas de mármore via-se o cadáver do tenente Jansen de Melo, coberto por um lençol, deixando aparecer o rosto. Enchendo a pequena sala do necrotério velavam o cadáver as pessoas de sua família e muitos oficiais do Exército que se acham baixados no Hospital. O tenente Jansen morreu aos 22 anos de idade. Pertencia à arma de infantaria."*

O plano dos rebeldes era extremamente simplório. Dominado o 3º RI, que imaginavam conquistar em questão de minutos, pretendiam tomar de assalto a Fortaleza de São João, na Urca, e depois o Forte de Copacabana. Em seguida, um contingente marcharia sobre o Catete para prender o presidente da República, que se achava protegido por uma débil tropa armada. O plano, porém, tinha tudo para não dar certo. Os rebeldes não sabiam, por exemplo, que a guarda do Palácio fora reforçada e que as fortalezas estavam de prontidão, o que impossibilitava qualquer golpe de mão.[317]

Com sua habilidade política, Bernardes procura tirar partido da situação: ele e o povo foram vítimas de mais um gesto de insensatez revolucionária. Aproveita a tentativa de levante para, outra vez, responsabilizar a Constituição pelos males de que padece a República. Em mensagem ao Congresso, o presidente chama a atenção para incongruências do texto constitucional, principalmente as relacionadas com as garantias individuais, que estimulam a indisciplina e a rebeldia dos quartéis. A liberdade malpraticada e malcompreendida, diz, alimenta a anarquia. A benevolência da legislação embaraça o trabalho da Justiça, além de constituir incentivo ao crime e convite permanente aos atentados contra a segurança do Estado e do regime.

Bernardes sustenta que a Constituição "foi feita em uma fase de idealismo entusiástico e generoso, por homens que não tinham a experiência e o conhecimento prático da nova forma de governo e que haviam pregado o regime republicano como um sistema de excepcionais liberdades, com o exagero próprio dos apóstolos de idéias novas".

A Notícia endossa as críticas do presidente da República:

> *"Aí estão os frutos do liberalismo literário dos sonhadores da Constituinte: um povo que não compreende a democracia e que ainda não tem capacidade para praticá-la, que não influi na gestão dos seus próprios destinos e deixa, por isso, que os destinos da Nação sofram a influência deletéria dos mais audaciosos — minoria de exploradores contumazes, fomentadores das sublevações militares que, periodicamente, comprometem a estabilidade das instituições, o crédito e o renome do país. É o aventureiro a dirigir a grande massa coletiva."*[318]

A entrada dos rebeldes em Mato Grosso merecera especial atenção do embaixador Edwin Morgan, apesar de a censura ter proibido a divulgação da notícia pelos jornais. As informações circulam apenas nos altos escalões do Governo, no meio diplomático e entre a classe política. A imprensa não havia publicado uma linha sobre a marcha através do território paraguaio. A opinião pública ainda não tem uma visão clara da extensão do movimento revolucionário que virou o país pelo avesso.

Esta é a segunda vez que tropas rebeldes penetram em Mato Grosso. A primeira fora no ano anterior, quando Juarez, à frente de 400 homens, cruzou o rio Paraná para tentar proclamar a independência da região. O objetivo era transformar Mato Grosso no Estado Livre do Sul, que alguns rebeldes haviam previamente batizado com o nome de Brasilândia, de onde pretendiam partir com um formidável exército para reconquistar a cidade de São Paulo e, em seguida, marchar sobre o Rio de Janeiro.

Edwin Morgan sempre cultivou curiosidade sobre os movimentos rebeldes do sul. Em Mato Grosso viviam milhares de libertários gaúchos que haviam fugido do Rio Grande durante as revoluções de 1893 e 1923.

Agora, com a presença das tropas de Isidoro, o fogo que durante anos alimentou idéias separatistas, no Rio Grande, certamente voltaria a ser aquecido, desta vez num estado maior, rico e de terras tão férteis quanto as do Rio Grande.

Durante o levante das guarnições do Exército no Sul, em outubro, Edwin Morgan torceu diplomaticamente para que os rebeldes separassem o Rio Grande do resto do país. Seu sonho era que fosse criada uma nova República, mais próspera e sem os problemas políticos, econômicos e sociais que tanto afligiam o Brasil. A nova República, de acordo com os delírios do embaixador americano, estaria também livre de outra praga: a presença de grande número de negros e mestiços, praticamente inexistentes no sul.

Em relatório enviado a Washington, em 29 de novembro, ele apontara a principal vantagem da criação de um novo país que absorvesse os territórios do Rio Grande e do Uruguai: "A rivalidade insensata e ciumenta entre Argentina e Brasil seria diminuída se tal estado existisse", além de garantir que a paz no sul do continente estaria praticamente assegurada com a criação da nova República.[319]

As preocupações de Morgan são estimuladas por delicado conflito de interesses de natureza política e econômica entre os Estados Unidos e a Inglaterra, que, nos últimos anos, vinham se revelando cada vez mais agudos no Brasil. O cônsul americano de São Paulo, durante a rebelião, tinha se mostrado simpático aos rebeldes nos seus relatórios, procurando sempre tranqüilizar Washington quanto à natureza ideológica da revolta, ao esclarecer que seus objetivos eram exclusivamente militares. Por mais de uma vez ele assegurou que os rebeldes se preocupavam em preservar a propriedade privada e que o movimento revolucionário contava, inclusive, com o aval da população.

A revolução de Isidoro tinha aflorado num momento em que esse choque de interesses estava se acentuando com as intervenções cada vez maiores dos Estados Unidos, nos campos militar e diplomático, em toda a América Latina. A maioria desses países, a exemplo do Brasil, apesar de sua independência política formal, ainda era tratada economicamente como uma espécie de quintal do Império britânico. Os americanos, por sua vez, tentavam romper esses vínculos de ferro estimulando a instalação de fábricas e promovendo alianças não só com segmentos expressivos da incipiente burguesia industrial como também com a pequena burguesia liberal.[320]

Os primeiros resultados concretos dessa grande investida diplomática e comercial dos Estados Unidos já haviam sido observados pelo correspondente do *Times* de Londres. Na reportagem enviada do Rio de Janeiro sobre o aniversário da Proclamação da República, ele advertia que o comércio com os americanos "está ganhando terreno": "As exportações dos Estados Unidos, durante os primeiros oito meses de 1924, estão avaliadas em US$ 41.500.000, registrando-se um aumento de US$ 14.200.000 sobre o correspondente período anterior."[321]

A reportagem, extremamente simpática ao Governo, exime Bernardes de qualquer responsabilidade pela crise política, econômica e militar em que se debate o país. Ao assumir o poder, o presidente da República herdara um grande déficit da administração anterior, na qual haviam sido plantadas as sementes que produziram a revolução. Numa análise superficial, simplista, ele dividia os sediciosos em três grupos: "uma panelinha militar", que pretende implantar uma ditadura à imagem e semelhança da que existe na Espanha; "alguma coisa mal definida como partido político", que prega mudanças na Constituição; e os "operários políticos", que haviam perdido as vantagens pecuniárias que estavam habituados a receber do Governo anterior. A reportagem justificava as violências do Governo, ao observar que os métodos empregados eram drásticos, "mas o brasileiro não é para ser conduzido com luvas de veludo".[322]

A visão que os americanos têm da vida política brasileira não é também lisonjeira. Eles estão convencidos de que não existem partidos verdadeiramente políticos, como nos Estados Unidos, cujas idéias e ideais tinham se cristalizado em princípios e plataformas, como se observa nos programas dos republicanos e dos democratas. O que existe no Brasil, segundo a Embaixada americana, são grupamentos regionais que buscam atender aos interesses de ocasião de paulistas, mineiros, nordestinos, rio-grandenses e cariocas. Esses ajuntamentos, que cultivam uma visão paroquial e clientelista da vida política brasileira, jamais se interessaram, sinceramente, em resolver as grandes questões nacionais. Os mais graves problemas sociais da nação jamais se converteram em temas políticos.

Na maioria das vezes, o que habitualmente se convencionou chamar de "questões políticas" não passa, na realidade, de rixas pessoais. Os adversários não se atacam escudados em idéias ou programas: os partidos se digladiam apenas para conquistar o poder e usufruir das suas benesses. A radiografia da população brasileira mostra também um país definhado pela pobreza e pela corrupção, refém do analfabetismo. A taxa de analfabetos chega a 80%, o que de certa forma explica a alienação em que vive o povo brasileiro, indiferente à atividade política, mantendo-se cada vez mais distante de questões para ele incompreensíveis. As classes operárias, constituídas em sua maioria por imigrantes, não se interessam pelas questões nacionais, à exceção dos anarquistas e comunistas, sempre empenhados em denunciar a espoliação da classe trabalhadora pelo capital estrangeiro que suga as riquezas do país.

As classes dominantes são referidas pelos americanos com indisfarçado desdém: "Os herdeiros das velhas famílias governantes são egoístas, amantes do poder e do prazer, e não estão dispostos a sacrificar essas considerações por meros princípios partidários".[323]

26

GAÚCHOS MANGAM DOS PAULISTAS

Quinta-feira, 7 de maio

Atraídos pelo choro sentido das violas e dos violões, os rebeldes que ocupam Ponta Porã, em Mato Grosso, são rapidamente envolvidos pelas polcas paraguaias e arrastados para os cabarés de Pero Juan Caballero, do outro lado da fronteira. A luz cúmplice dos lampiões a querosene assegura o anonimato dos casais que se refugiam pelos cantos dos *jiroquis*. As mesas estão repletas de paraguaios, com os olhos já pisados pela bebida, todos de mau humor, ao verem as moças dançarem de mão em mão, sem que lhes chegue a vez.

As dançarinas de lábios vermelhos e murchos que enfeitam as noites da fronteira estão fascinadas com o jeito animado de dançar dos gaúchos. Gastas e excessivamente pintadas, elas só têm uma preocupação: manter os copos dos seus acompanhantes sempre cheios. O ambiente alegre faz os paulistas sentirem saudades do "Noturno de Santa Efigênia", como são conhecidos em São Paulo os ruidosos bares alemães, com seu chope, sua música e suas garçonetes de cabelos louros e cacheados. A pista de dança e os músicos dos *jiroquis* não passam também de mero pretexto para estimular o consumo de bebidas alcoólicas. Apesar de não terem dinheiro para pagar as despesas, os rebeldes não param de comer e beber.

Com seus cabelos de fogo e olhar desesperado, o tocador de harpa arranca das cordas uma guarânia de acordes sofridos, capaz de partir o coração. Alguns soldados, com o peito encharcado de cerveja, dormem sobre as mesas ou nos braços das dançarinas, que sorriem a todo momento, exibindo escandalosos dentes de ouro, embriagadas com toda aquela luxúria. É demais; os paraguaios não conseguem mais suportar toda essa humilhação. Ouve-se um disparo e o tiroteio se espraia por toda a zona boêmia. As patrulhas revolucionárias intervêm rapidamente, desarmando os rebeldes dominados pela bebida. João Alberto passa o resto da madrugada tentando apaziguar os ânimos. O saldo do tiroteio é considerado suave, diante da violência que varreu os cabarés de Pero Juan Caballero: três mortos, entre eles um paraguaio, e mais de uma dezena de feridos. Podia ter sido pior.

O incidente, que por pouco não teve conseqüências imprevisíveis, convence João Alberto de que não pode passar outra noite em Ponta Porã. Pela manhã, ele reúne a tropa e marcha em direção ao rio Apa. Ao acampar a dez quilômetros da cabeceira, percebe que o número de integrantes do seu destacamento aumentou, sem que tivesse sido notificado da existência de adesões. Não é difícil descobrir o que está acontecendo: 30 paraguaias, vestidas de homem, tinham se misturado com a tropa, dispostas a seguir em companhia de seus novos amantes. Para evitar mais problemas de indisciplina, pois já bastavam as dores de cabeça causadas pelas mulheres que tinham vindo do sul, João Alberto ordena que elas retornem a Pero Juan Caballero.[324]

Sábado, 9 de maio

O destacamento de João Alberto ataca com cargas de cavalaria os postos avançados de uma considerável força do Exército estacionada nas imediações do rio Apa. O ataque é fulminante e cerca de 100 soldados são feitos prisioneiros. É a primeira vez que a tropa participa de um combate contra os rebeldes.

O efetivo legalista é constituído de dois regimentos de infantaria recém-chegados da Vila Militar, no Rio de Janeiro, e está sob o comando do coronel Bertoldo Klinger, oficial de reconhecida competência. Ao perceber que o contingente revolucionário tem cerca de 100 homens, Klinger resolve cercá-lo. Para encurralar o inimigo, ele conta com a ajuda preciosa do "coronel" Mário Gonçalves, chefe civil de Mato Grosso e profundo conhecedor da região. Gonçalves comanda um batalhão de "patriotas" formado por trabalhadores braçais recrutados nas fazendas da vizinhança.

A resistência dos rebeldes é dramática. O próprio João Alberto é obrigado a descer do cavalo e assumir o comando de uma metralhadora pesada para conter o avanço da tropa do Exército. Ele aprendera durante a campanha do Rio Grande que nas cargas de cavalaria, iniciado o galope, os homens são movidos mais pela emoção do que pela razão. Sempre que o galope é inesperadamente cortado por uma barragem de fogo bem organizada, os cavaleiros perdem o controle dos animais e ficam desorientados; até reassumir o comando dos cavalos, enlouquecidos pelo tiroteio, o homem e a montaria são um alvo fácil para as armas automáticas.

João Alberto baixa a alça de mira da metralhadora, quase junto ao terreno, e espera pelo inimigo. Os tiros produzem enorme estrago nas fileiras do Governo: as rajadas atingem indiscriminadamente cavalos e cavaleiros. Os soldados do Exército abandonam os animais, o número de baixas entre os legalistas é muito grande e eles resolvem bater em retirada.

Os combates são travados numa região plana, onde se pode ver o rosto do adversário a pouco mais de 200 metros de distância. Alertado de que João Alberto se encontra em dificuldades, há 48 horas que Siqueira Campos marcha dia e noite para lhe prestar auxílio. Os dois, que não se viam desde a invasão do Paraguai, encontram-se finalmente no dia seguinte.[325]

A presença inesperada de tropas do Rio de Janeiro no interior de Mato Grosso mostrou aos rebeldes a disposição do Governo em impedir que continuem prosperando, impunemente, pelo interior do país. Prestes e João Alberto elaboram então um plano audacioso: avançar para o norte, em direção a Campo Grande, a cidade mais importante do estado, onde está concentrado o QG das forças legalistas.

Quarta-feira, 13 de maio

O grosso das tropas revolucionárias está agora acampado entre a ponte do rio Amambaí e a vila de Campanário. A marcha através do Paraguai e, depois, por Mato Grosso revelara a existência de algumas rusgas e divergências entre os integrantes das Brigadas de São Paulo e do Rio Grande. No início, os paulistas ficavam maravilhados com a rapidez e a técnica dos gaúchos em preparar um churrasco. Os novilhos eram abatidos com um só golpe de facão e em questão de minutos eram carneados, com a retirada das partes mais tenras para serem levadas ao fogo. Os melhores pedaços eram então atravessados por espetos de madeira, aspergidos com água salgada e revirados lentamente sobre um braseiro até ficarem no ponto. As longas tiras de carne eram então cortadas com as facas trazidas nas cintas. Alguns seguravam uma ponta da carne entre os dentes; com facas e punhais afiadíssimos, cortavam bocados na altura da boca. A curiosidade e o fascínio que esse hábito de assar churrasco provocara entre os paulistas não fora, entretanto, suficiente para atenuar os conflitos, que aumentavam agora com a convivência mais íntima e prolongada. No início tudo correu às mil maravilhas.

Os primeiros dias de vida em comum, durante a travessia do Paraguai, foram marcados por descobertas mútuas que contribuíram para estreitar ainda mais os laços de camaradagem da tropa. Mas com o passar do tempo surgiram logo indícios de animosidade entre combatentes de hábitos e origens tão diferentes. A Brigada Rio Grande, por exemplo, logo que entrou em território brasileiro, já estava montada, enquanto a totalidade da Brigada São Paulo ainda se encontrava a pé. Os soldados paulistas carregavam os arreios na cabeça, empurrados pela esperança de logo encontrarem bons animais para montar, mas dificilmente conseguiam cavalos, porque os gaúchos, marchando na frente, ficavam sempre com os melhores animais. Quando arranjavam montarias, elas eram roubadas; os cavalos tinham o rabo e a crina cortados, e os paulistas passavam dias tentando localizá-los.[326]

Havia entre eles também muitas diferenças do ponto de vista de formação militar, que não se restringiam apenas ao bom uso do cavalo como arma de guerra. A maioria dos integrantes da Brigada São Paulo era formada por soldados e oficiais da Força Pública, que desde 1908 recebiam treinamento dos franceses. Os soldados paulistas carregavam o fuzil no ombro direito, enquanto os soldados do Exército, mais numerosos na Brigada do Rio Grande, levavam a arma sempre do lado esquerdo. O Exército fazia meia-volta pela esquerda, enquanto o "Exército" paulista fazia pela direita. Os uniformes eram também diferentes: a Força Pública usava verde-oliva, e o Exército vestia brim cáqui. Os soldados de polícia, a exemplo do tratamento que recebiam das camadas mais pobres da população, eram vítimas agora de todo tipo de preconceitos. Muitos gaúchos costumavam tratá-los de forma pejorativa: ora como meganhas, ora como bate-paus, reproduzindo o péssimo conceito que as polícias militares tinham junto à população em outros estados, embora o povo de São Paulo tratasse a Força Pública de forma respeitosa, diante do rigoroso treinamento que haviam recebido dos franceses.

A exemplo do que ocorria também em outros estados, os soldados do Exército recusavam-se a fazer continência para os oficiais de polícia, o que era uma fonte permanente de conflitos entre as duas forças. Havia outra questão ainda mais perturbadora: o general Miguel Costa, comandante da 1ª Divisão Revolucionária, formada pelas duas brigadas, era um oficial de polícia. A disciplina e a hierarquia entre os rebeldes tinham, portanto, que ser implantadas em cima de uma nova estrutura e apoiada em outros valores.

A Brigada São Paulo, além de enfrentar toda sorte de preconceitos, ainda se encontrava gravemente abalada pelo golpe sofrido com a perda de um dos seus mais brilhantes e combativos oficiais: o tenente-coronel João Cabanas. Cansado e doente, Cabanas resolvera abandonar a luta e se refugiar na Argentina. Há muito ele estava com a saúde em frangalhos. Os pés estavam inchados, com chagas imensas, o que o impedia de caminhar. Para continuar a marcha, teria que ser transportado de padiola, o que representaria um sacrifício adicional para seus homens, além de se transformar num transtorno para o resto da Coluna. Os soldados haviam se acostumado a vê-lo sempre, em todos os combates, à frente da tropa, altivo, de espada em punho, assombrando o inimigo com a magia do seu talento militar. Não queria que seus homens o vissem agora carregado como um inválido, exposto aos surtos de uma febre intermitente, causada pelo impaludismo.

À revelia do Alto-Comando revolucionário, que não queria abrir mão dos seus serviços, ele decidiu procurar tratamento médico em Posadas. Cabanas resistiu a todos os apelos. A *Coluna da Morte*, que conseguira sobreviver às situações mais dramáticas no campo de batalha, acabava de ser colocada fora de combate pela ruína física do seu chefe. Ela desaparecia para sempre, invicta, como o seu líder.[327]

O desligamento de Cabanas provocara profundo mal-estar entre os membros do Alto-Comando. Até a chegada de Luís Carlos Prestes, Cabanas era o oficial mais famoso da revolução, mais popular até do que o próprio Isidoro. Ao se juntar aos paulistas, Prestes era um militar sem renome, cujo único mérito, pouco propalado, fora ter comandado o levante do sul e marchado com seus homens para o Paraná, embora fosse um oficial brilhante e muito respeitado entre os seus companheiros. Logo que se conheceram, Prestes e Cabanas tiveram alguns arrufos. Prestes acusava Cabanas de sabotar algumas de suas ordens, o suficiente para que as relações entre os dois se azedassem.[328] Além das diferenças de temperamento, os dois tinham personalidades fortes demais para conviver harmoniosamente lado a lado. Prestes era tímido, metódico, disciplinado; Cabanas, impulsivo, rebelde, vaidoso e, às vezes, inconseqüente Tinham tudo para não se entender.

Ao partir para o exílio voluntário, Cabanas foi execrado por seus próprios companheiros, recebendo o mesmo tratamento duro dispensado ao capitão Felinto Müller, que desertara a 14 de abril, deixando abandonada a cidade de Foz do Iguaçu, então sob seu comando. Felinto Müller, por haver "covardemente se passado para o território argentino", acompanhado de seus soldados, levando armas e munições, foi banido das forças revolucionárias e tachado de desertor.[329] Através de um boletim de campanha assinado por Miguel Costa, Cabanas foi igualmente excluído sob a mesma acusação. No documento, Miguel Costa afirmava que ele vinha se tornando "um elemento pernicioso no seio da tropa, fazendo constante propaganda de dissoluções, tendo por meio escuso e de má-fé obtido deste Comando um salvo-conduto, a fim de tratar de sua saúde no estrangeiro".[330]

Alguns oficiais chegaram a sustentar que o castigo imposto a Cabanas, no calor da hora, tinha sido odiento e cruel, por não ter levado em conta os relevantes serviços que ele prestara à revolução. Mas para o Alto-Comando a disciplina e a hierarquia não podiam sofrer arranhões.[331]

Quinta-feira, 21 de maio

Ao se aproximarem da localidade de Patrimônio de Dourados, em Mato Grosso, as tropas rebeldes são surpreendidas com a presença de um emissário do Governo. Ele traz uma carta do major do Exército Bertoldo Klinger. Em linguagem amistosa e elegante, pouco usual em comunicados militares dessa natureza, Klinger tenta convencer seus ex-companheiros de farda a colocarem um ponto final nessa "inglória luta pelas armas":

"Meus destemidos camaradas.
(...) Apelo pois para vosso patriotismo, que tem sido certamente o supremo móvel da vossa ação, a fim de ter afinal um termo esta luta ingrata, que já agora só pode, sem outro resultado, aumentar a desgraça do país e de

seus filhos, cavar mais fundo a cisão e aumentar os ódios. Ofereço de iniciativa exclusiva minha que será imediatamente posta em aplicação sob minha responsabilidade pessoal se aceitardes o seguinte:
1 — Todas as forças revolucionárias de Mato Grosso entregam suas armas, munições, cavalos e todo o material de qualquer espécie que tenham em seu poder.
2 — Todos os oficiais e um décimo das praças a critério dos chefes revolucionários terão livre trânsito para passarem incontinenti a fronteira mais próxima.
3 — Pormenores a fixar entre um chefe representante dos revolucionários e um representante meu.
Vosso camarada. (a.) Bertoldo Klinger."[332]

A carta é considerada um insulto. Ao propor aos oficiais que abandonem os soldados, levando para o exílio apenas dez por cento da tropa, Klinger ofende a oficialidade. O que os rebeldes mais prezam é justamente a lealdade, sentimento forte que os mantivera unidos nos momentos mais dramáticos, e está arraigado tanto na alma da oficialidade como na dos seus comandados. O documento ainda submete os rebeldes a outro vexame: a capitulação humilhante. A carta, apesar do tom respeitoso, não merece resposta.

27

NASCE A COLUNA

Quarta-feira, 10 de junho

O agravamento das divergências entre paulistas e gaúchos leva o general Miguel Costa a promover uma reunião com os comandantes das duas brigadas e dos comandantes de seus batalhões, a fim de encontrar uma solução para os atritos que vêm corroendo a unidade da tropa. Há ainda outro problema, de natureza tática, que também precisa ser resolvido: a lentidão da brigada paulista. A maioria dos seus combatentes continua a se arrastar a pé, comprometendo o bom desempenho da marcha revolucionária. Além de não dispor de boas montarias, os paulistas estão ainda pouco afeitos à guerra de guerrilhas, mantêm-se muito apegados à estrutura militar tradicional.

A morosidade da brigada comandada por Juarez Távora é tão grande que Siqueira Campos, com a sua impulsividade habitual, sugere a Prestes com desencanto:

— Acho melhor deixarmos o Juarez. Vamos embora!

Prestes, que tem noção exata das dificuldades enfrentadas pelos paulistas, repele a proposta com indignacão:

— Não, não é possível fazer uma coisa dessas. Vamos propor uma modificação. Vamos ver se fundimos as duas brigadas, a do Rio Grande e a de São Paulo, porque assim uma ajuda a outra. Os soldados do Rio Grande ajudariam os paulistas a pegar os cavalos, a conseguir os arreios...[333]

A idéia de misturar os paulistas com os gaúchos e criar quatro novos destacamentos, para dar maior mobilidade às tropas rebeldes, é repelida por Juarez com energia. Prestes tenta convencê-lo das vantagens que a fusão oferece, mas ele não concorda em dissolver a sua brigada, além de se recusar também a abrir mão do comando dos seus homens. A junção das forças revolucionárias resolveria ainda outra questão delicada: o afastamento de Juarez do comando da tropa. Ele se relaciona mal com os soldados e a oficialidade. Apesar de devotado à causa revolucionária e de ter sido uma das vigas-mestras da rebelião de São Paulo, ao se articular clandestinamente durante quase dois anos com as guarnições do Exército pelo interior do país, Juarez é inábil com seus camaradas na convivência diária.

Diante da intransigência de Juarez, Prestes resolve consultar individualmente os oficiais paulistas, em sua maioria originários da Força Pública, para saber se aceitam a unificação. O resultado é surpreendente: todos se manifestam favoráveis à junção das forças de São Paulo com as do Sul.

O coronel do Exército Djalma Dutra, que ocupa o cargo de chefe do Estado-Maior, reúne então os oficiais das duas brigadas e expõe não só a proposta de criação como a estrutura de comando de cada um dos quatro destacamentos. A oficialidade, numa incontida demonstração de entusiasmo, responde em uníssono:

— De acordo!

O único voto contra é o de Juarez. Ele desabafa com um muxoxo:

— A coluna do Rio Grande engoliu a de São Paulo![334]

As forças revolucionárias, inteiramente reorganizadas, ficam com os seguintes comandos:

1º Destacamento: Cordeiro de Farias; 2º Destacamento: João Alberto; 3º Destacamento: Siqueira Campos; 4º Destacamento: Djalma Dutra. Prestes passa a ser o chefe do Estado-Maior e Juarez fica como subchefe. O ajudante-secretário é o bacharel Lourenço Moreira Lima, que, entre outras atribuições, continua com a tarefa de escrever um diário sobre a marcha revolucionária. Os quatro destacamentos, subordinados à 1ª Divisão Revolucionária, continuam sob o comando geral do general Miguel Costa. As questões mais graves serão resolvidas em reuniões, sob a sua presidência, com os comandantes de destacamentos, o chefe e o subchefe do Estado-Maior. Cada destacamento, dividido em esquadrões, é formado por cerca de 400 homens.

Prestes, que nem sempre está de acordo com Miguel Costa sobre a melhor forma de conduzir a campanha, aproveita a oportunidade oferecida pela unificação para montar uma estrutura de comando que perfilhe suas idéias e lhe seja fiel. Como chefe do Estado-Maior ele assume, na prática, o comando virtual da guerra.[335]

A entrada dos rebeldes em Mato Grosso devolve aos gaúchos o que eles mais apreciam, depois do churrasco: o gosto de cavalgar. Os campos imensos que se perdem de vista permitem o florescimento das potreadas, pequenos grupos de 10 a 15 cavaleiros que vasculham a região à procura de animais para montar. Eles se afastam, às vezes, 20, 30 quilômetros do grosso das tropas, durante três ou cinco dias, para arrebanhar montarias. Invadem cidades e vilas, de onde voltam com enormes cavalhadas. Criadas para cumprir um papel meramente logístico, as potreadas transformam-se logo em importante instrumento de luta. Com uma mobilidade surpreendente, passam também a fustigar o inimigo onde estiver e quando este menos espera. A audácia dos potreadores não tem limites, fascina os oficiais do Exército e da Força Pública de São Paulo. Ex-aluno da Escola Militar do Realengo, Emigdio Miranda, seduzido pela magia das potreadas, transforma-se num exímio cavaleiro e extraordinário potreador, para surpresa dos companheiros de farda.[336]

A temperatura agradável, da primavera, a boa alimentação e a existência de erva-mate em abundância contribuem para retemperar o ânimo dos combatentes do sul. Os soldados, que chegaram descalços e maltrapilhos ao Paraná, estão agora vestidos e calçados. Adquiriram cerca de 200 contos de mercadorias em um armazém da vila de Campanário, que é uma espécie de capital da Cia. Mate Laranjeira, onde conseguiram também várias peças de lã vermelha, cortadas em pedaços de metro e meio e transformadas em ponchos. As compras não foram efetuadas com dinheiro, mas através de "requisições", documentos assinados pelos chefes revolucionários, onde assumiam a responsabilidade pelas despesas, que devem ser debitadas na conta do Governo. O mesmo sistema fora adotado pelos rebeldes em São Paulo, durante os 22 dias em que ocuparam a cidade.[337]

Nas correrias enlouquecidas pelos campos de Mato Grosso, os rebeldes cometem alguns abusos, favorecidos pela impossibilidade de se vigiar o comportamento de tantos combatentes espalhados por lugares tão distantes. Os excessos, entretanto, são punidos de forma exemplar: com advertências por escrito, castigos físicos, expulsões e fuzilamentos. Ao chegar a Mato Grosso, até as mulheres que acompanham os rebeldes praticam violências, achando-se com o direito de invadir as casas de família que encontram pelo caminho. Um pelotão de disciplina é então constituído para receber os soldados que cometem faltas graves e reeducá-los através de trabalhos que exigem esforço redobrado. Os serviços mais duros são executados com o máximo de rigor por esse pelotão.[338]

A expectativa de algum tipo de apoio militar em Mato Grosso frustrara-se com a derrocada dos levantes dos quartéis do Exército de Corumbá e Ponta Porã, quando o grosso das tropas revolucionárias ainda se encontrava no Paraná. Os rebeldes imaginavam contar com o apoio do coronel Frutuoso Mendes, com quem Lourenço Moreira Lima se avistara, na época em que ainda controlavam a cidade de São Paulo. Frutuoso, preso em 1922 por ter participado da revolta do Forte de Copacabana, sofrera depois outra punição: foi transferido para Corumbá. Ele confidenciara a Moreira Lima, no ano anterior, que os sargentos do Forte Coimbra se correspondiam, através do telégrafo, com o chefe de

Polícia do Rio, com quem tinham estreitas ligações e de quem receberam instruções sigilosas para matar os oficiais que se rebelassem contra o Governo.[339]

Assim que as guarnições de Corumbá e Ponta Porã se levantaram, os amotinados perceberam que não tinham qualquer chance de vitória: a primeira resistência que encontraram foi a do próprio coronel Frutuoso, um dos mais respeitados chefes militares de Mato Grosso, que era olhado com reservas pelo ministro do Exército. Para decepção dos rebeldes, Frutuoso rapidamente mobilizou forças de outras unidades para restabelecer a disciplina e a ordem. As esperanças de contarem com o apoio do Exército em Mato Grosso estavam definitivamente perdidas.[340]

Agora os rebeldes vêem-se, mais uma vez, diante de um caso de traição. Estão sendo impiedosamente perseguidos por um oficial que também fizera juras de amor à revolução: o major Bertoldo Klinger. Seus homens, que se deslocam rapidamente em dezenas de caminhões armados com metralhadoras, não abandonam o rastro da Coluna.

Klinger é um oficial fisicamente inexpressivo: baixinho, rechonchudo, calvo e com um imenso bigode, filho de pai austríaco e de mãe brasileira descendente de alemães, que sustentaram a família com uma pequena fábrica de cerveja no Rio Grande do Sul. Ele conhece com intimidade a maioria dos chefes rebeldes. Ficara preso durante cerca de quatro meses, após a rebelião de São Paulo, por causa de suas ligações com os irmãos Joaquim e Juarez Távora. Colocado em liberdade, por falta de provas, foi transferido para o Regimento de Artilharia de Campo, na cidade de Campo Grande, sede da Região Militar de Mato Grosso, comandada pelo general Malan D'Angrone. Agora, ele e seus antigos companheiros se reencontram em Mato Grosso. Em campos opostos.

Inteligente, Klinger é um militar reconhecidamente competente. Parece adivinhar todos os movimentos dos rebeldes, acompanhando-os por toda parte como uma sombra. Sua tática exaspera Prestes e Miguel Costa. Com superioridade de armamento e empregando com talento os recursos colocados à sua disposição, Klinger, a exemplo dos rebeldes, desloca-se rapidamente, com seus caminhões, aproveitando as vantagens oferecidas pela incipiente malha rodoviária de Mato Grosso. A topografia do terreno de certa forma facilita manobras que levam os rebeldes ao desespero. Em nenhum momento Klinger se deixa iludir pelos artifícios engendrados pela criatividade de Prestes. Destruição de pontes, para impedir a passagem dos caminhões, e as dissimulações de toda natureza, que os rebeldes estão sempre inventando, produzem vantagens temporárias, sem conseqüência eficaz no cenário da guerra. As tropas do Governo fustigam dia e noite a retaguarda da força revolucionária, causando baixas sucessivas e obrigando a Coluna a se manter permanentemente na defensiva. Sempre que os rebeldes retomam a iniciativa do ataque, Klinger aglutina rapidamente seus homens, em sólidas posições de defesa, escudado no seu poderio militar, enquanto aguarda o momento oportuno para reiniciar a perseguição.[341]

Terça-feira, 23 de junho

Os rebeldes abandonam Mato Grosso e entram em Goiás, através da região conhecida como Cabeceira Alta, onde decidem acampar, depois da obstinada opressão imposta pelo major Klinger. Eles caminharam cerca de dois mil quilômetros em terras mato-grossenses. Os canhões que trouxeram de Foz do Iguaçu não foram abandonados no Paraguai, como ordenara Miguel Costa, mas enterrados dias depois na fazenda Jacareí, em território brasileiro, quando os oficiais paulistas se convenceram definitivamente de que a artilharia é incompatível com a guerra de movimento. A tropa revolucionária, despojada dos seus canhões, está agora armada apenas com revólveres, fuzis e metralhadoras.[342]

A tranqüilidade dos primeiros dias não dura muito. Goiás oferece para uma campanha militar condições ainda mais excelentes do que as encontradas por Klinger em Mato Grosso. Há maior número de caminhos carroçáveis, além de uma via importante do ponto de vista econômico e estratégico: uma longa estradinha de barro que começa em

Uberlândia, Minas, atravessa Goiás de leste a oeste e termina em Santa Rita do Araguaia.

A região, entretanto, não tem a riqueza dos campos de Mato Grosso. O terreno é arenoso; a vegetação, muito pobre; em vez de mata exuberante, há um cerrado denso e espesso, sem plantações, sem gado nem qualquer outro tipo de alimento. Não há o que comer. Os rebeldes acampam em Buracão, às margens de um riacho, famintos, embevecidos com as águas verdes e transparentes dos rios de Goiás.

Quarta-feira, 24 de junho

A noite de São João é festejada com os soldados cantando e dançando, em volta de fogueiras imensas, ao som de violas, violões, gaitas, tambores e cornetas. A festa atravessa a madrugada e contagia o austero e sisudo QG, onde alguns oficiais também se divertem entoando modinhas ao violão. Um dos mais animados é o tenente Adalberto Granja, ajudante-de-ordens de Miguel Costa e responsável pela expedição das requisições, tipo bonachão, a quem Prestes chama carinhosamente de "ministro do Trabalho", por ser encontrado invariavelmente dormindo sempre que acampam.[343]

Ao chegar, dias depois, à localidade de Mineiros, após terem escalado a Serra dos Caiapós, os combatentes recobram o ânimo e o entusiasmo. É que a paisagem, até então árida e monótona, se altera. Há gado em abundância, excelentes cavalos, e a população é hospitaleira. A Coluna tem como guia um jovem colono de Mato Grosso, culto e simpático, de nome Braulino, proprietário da fazenda Bahus, com excelentes relações em toda a região. Não há melhor cartão de visita. A presença do jovem fazendeiro atenua o medo que os rebeldes inspiram aos habitantes das cidadezinhas, tranqüilizando-os. As forças revolucionárias estão recobertas por histórias de violência e horror que a propaganda do Governo espalha, pelo interior do Brasil.

Braulino é também um excelente contador de histórias. Os oficiais do Exército, jovens como ele e ainda com pouca intimidade com os hábitos e costumes do campo, ouvem com encantamento os casos que conta. Uma das histórias que deliciam João Alberto é a de um vizinho, também fazendeiro, "que tinha uma filha, bonita, moça, em idade de se casar". Como havia escassez de braços na região, o fazendeiro, sempre solícito, acolhia, um a um, os homens que desejavam tomá-la em casamento. Mais interessado em explorar essa força de trabalho do que em selecionar, dentre eles, aquele que seria seu genro, protelava indefinidamente a escolha até que os pretendentes desistissem e fossem substituídos por outros candidatos. Durante anos o homem utilizou-se desse artifício, sempre prometendo a mão da moça, para atrair mão-de-obra barata. O próprio Braulino tinha sido uma das vítimas desse vizinho sabido.

As terras em Goiás são férteis e baratas. Não é muito difícil fazer fortuna ali ou em Mato Grosso, ao contrário do Rio Grande, onde as propriedades, além de mais caras, exigem boa quantidade de recursos para serem administradas. Braulino vive fazendo planos com João Alberto de comprarem, no futuro, uma grande fazenda na região. Os planos são partilhados até por gaúchos, impressionados com o potencial de riqueza que aquelas terras oferecem. Juarez e Miguel Costa também sonham em um dia adquirirem propriedades e animais em Goiás. A inesperada descoberta da vida do interior encanta os jovens oficiais e desperta vocações jamais imaginadas.[344]

Segunda-feira, 29 de junho

O obstinado major Bertoldo Klinger está mais uma vez no encalço dos rebeldes, perseguindo-os agora através dos campos de Goiás. Há dois dias ele atacara o destacamento comandado por Cordeiro de Farias, que dá cobertura à retaguarda das forças revolucionárias.

A campanha de Klinger é noticiada com exagero pelos jornais que apóiam o Governo. A opinião pública é informada com muito atraso sobre a invasão do Paraguai e a chegada dos rebeldes a Mato Grosso, mas os boletins distribuídos às redações pelo Ministério da Guerra são tranqüilizadores: asseguram que os combates estão perto do fim. Acusados pela propaganda oficial de saquearem os lares e semearem o terror por onde passam, os rebeldes passaram a ser chamados de *"bandoleiros"* pelo Palácio do Catete. As notícias dizem que eles agonizam com os terríveis golpes que sofreram:

> *"Acossados e batidos por todos os lados pelas forças legais (...), os rebeldes, completamente desanimados, sem armas e sem munição, continuam a fugir das forças legais, evitando sempre entrar em combate. (...) As tropas federais continuam galhardamente a perseguir de perto os bandoleiros, não lhes dando tréguas e desbaratando-os totalmente, a fim de livrar o território nacional da permanência desses impertinentes e desmoralizados inimigos da ordem."* [345]

Assim que o grosso das tropas começa a se preparar para acampar na localidade conhecida como Invernada Zeca Neto, o general Miguel Costa recebe outra carta do major Klinger, vazada, como de hábito, em termos amigáveis e elegantes. Ele convida novamente os rebeldes a fazerem uma reflexão sobre a inutilidade de continuarem a luta, oferecendo-lhes como bálsamo uma rendição honrosa e digna, com garantia de vida para todos, sem exceções:

> *"Meus camaradas. Saudação.*
> *Acho-me muito próximo de vós, dispondo de recurso de velocidade e de fogo, bem como de uma tropa excelente. Esta tem sobretudo vontade decidida e grande superioridade moral. Não desejo empregar esses meios de força contra patrícios sem tentar antes, mais uma vez, a cessação pacífica da luta pelas armas. Por que não vos entregais à minha discrição confiantes de que tereis o máximo de concessões possíveis, militarmente? Certo da mudança da situação, não me permite manter o escandaloso oferecimento de 21 de maio que desprezastes (...) Espero da vossa cortesia que desta vez não fiqueis com o meu emissário, o meu carro de serviço e o meu chofer. Rendei ao menos uma homenagem à sua coragem e intrepidez que não se arreceia de procurar-vos apesar do exemplo anterior.*

Saudações do camarada,
(a) Major Bertoldo Klinger. Chefe do Estado-Maior.

A resposta de Miguel Costa é dura e amarga:

"Sr. Bertoldo Klinger.
A História julgará amanhã, talvez, a sinceridade das propostas que nos tendes enviado. Ex-companheiro de ideal revolucionário, vós não deveis procurar nunca injuriar com as vossas fraquezas a fé inquebrantável dos que não abjuraram as suas crenças.
Se quereis merecer daqueles que justamente vos julgam traidor alguns sentimentos de respeito, não os incomodeis mais com as vossas cartas tão cheias de orgulho por comandardes valentes esbirros de Bernardes. Estamos contentes com os nossos soldados. (...) A maldição pelo sangue derramado cairá um dia na consciência dos traidores.
(a) Miguel Costa
Comandante dos homens de brio."[346]

Uma nuvem de fogo cai sobre os rebeldes por volta do meio-dia, mas logo se percebe que o inimigo, apesar da inclemência dos combates, não é tão numeroso como se imaginava. O destacamento de Siqueira Campos enfrenta um contingente de pouco mais de 300 homens, distribuídos por 15 caminhões, mas extraordinariamente bem-armado com metralhadoras leves e pesadas, recentemente importadas pelo Governo. Surpreendidos com a reação dos rebeldes, os homens de Klinger abandonam os caminhões na estrada e se entrincheiram no mato. As tropas do Governo, soldados do Exército e da Polícia Militar de Minas Gerais, equipadas com armas automáticas, resistem à investida dos homens de Siqueira Campos, defendendo-se com tranqüilidade.

Os combates estendem-se por toda a noite. Os rebeldes ainda não se recuperaram do impacto que sofreram com a perda de vários homens sob o comando do capitão Modesto, um civil revolucionário do Espírito Santo. Dominado por incontrolável impulso de bravura, Modesto se lançara sobre o inimigo de revólver em punho, sob forte excitação, indiferente ao fogo das metralhadoras. Foi um dos primeiros a tombar, arrastando para a morte boa parte do seu desafortunado pelotão.

Os feridos são retirados do campo de batalha assim que o dia amanhece. O recolhimento é feito com nobreza: os rebeldes e as tropas do Governo suspendem o fogo para que patrulhas desarmadas possam realizar esse trabalho. Os homens de Siqueira Campos estão comovidos com o comportamento dos soldados legalistas, que esperam, pacientemente, os padioleiros terminarem de recolher o elevado número de rebeldes feridos. As perdas são pesadas: cerca de 30 mortos e considerável quantidade de feridos, a maioria em estado grave. A postura exemplar da tropa inimiga reflete admirável formação militar. O próprio Siqueira Campos sente-se orgulhoso com o gesto humanitário do Exército, que, a exemplo da Força Pública de São Paulo, fora também treinado pelos franceses. No Rio Grande, os feridos eram saqueados e impiedosamente degolados pelo inimigo. Em quase todos os enfrentamentos do sul, os rebeldes só conseguiam enterrar os seus mortos depois que o adversário abandonava a batalha.

As perdas são severas demais para os dois lados. O combate foi uma sucessão de desgraças. Como se cumprissem um acordo negociado, a luta havia cessado com a retirada dos feridos, mas a retirada dos rebeldes, entretanto, só começa ao anoitecer.[347]

Sexta-feira, 5 de julho

O primeiro aniversário da revolução é comemorado com a celebração de missa campal, presentes todos os combatentes, na cidade de Rio Bonito. Os soldados, contritos, recebem as bênçãos do vigário da freguesia, padre José Cenabre San Roman, que os saúda com eloqüência, exaltando a importância do seu apostolado através do interior do Brasil. Três oradores, entre eles Juarez Távora, sucedem-se no púlpito improvisado. Lembram o compromisso que os rebeldes têm com a causa da liberdade e exortam a tropa a continuar pregando a palavra da revolução.

A prédica é tão apaixonada e contundente que um dos religiosos, o padre Manuel de Macedo, não resiste à tentação do verbo revolucionário e resolve incorporar-se aos rebeldes.

A religiosidade do povo brasileiro, com as suas crenças, crendices e superstições, também se reproduz entre os integrantes da Coluna. Um deles, o cozinheiro Eduardo Prado, é protestante e aproveita as horas vagas para ler a Bíblia em voz alta. Ele se incorporou à tropa em Bauru, no interior de São Paulo, e passa o tempo todo fazendo a apologia de sua fé junto aos companheiros que trabalham na cozinha.

Os combatentes acreditam em Deus e em assombrações. A maioria vive aterrorizada com as histórias contadas pelos caboclos; durante à noite, protegem-se dos maus espíritos que habitam a mata, reunindo-se em torno de grandes fogueiras que ardem até o amanhecer. O tenente Hermínio, apesar de se confessar católico, tem medo de tudo. Corajoso durante os combates, não pode ouvir falar em lobisomens, mulas-sem-cabeça e almas do outro mundo. Sempre que passa diante de uma cova, tira o chapéu, em sinal de respeito, e pergunta a alguém se ali está enterrado um homem ou um animal. Há também entre os soldados os caça-fantasmas, que enxotam para longe os seres sobrenaturais e apaziguam os espíritos de pouca luz.

Dos sete principais chefes militares, apenas Juarez Távora declara-se católico praticante. Miguel Costa, Djalma Dutra e os irmãos Ari e Pinheiro Machado são espíritas de mesa. Nunca freqüentam as concorridas sessões de umbanda que alguns soldados realizam, em improvisados terreiros, por serem fiéis seguidores da doutrina de Alan Kardec. Alberto Costa é acusado por seus pares de ter um pacto com o demônio e praticar magia negra. O padre Manuel Macedo, por sua vez, tenta conciliar os princípios da rígida formação católica, adquirida no seminário, com as lições de espiritismo que aprende com a tropa. João Alberto, Siqueira Campos e Cordeiro de Farias não têm preocupações de natureza espiritual: é como se Deus e alma fossem uma ficção. Prestes mantém-se sempre distante das discussões sobre religião. Filho de pai positivista, estudou catolicismo e se batizou aos 18 anos. Nos tempos da Academia Militar de Realengo, ele, Juarez Távora e Eduardo Gomes não perdiam as missas domingueiras do padre Miguel, por quem nutriam especial afeição. Por andarem sempre juntos, os três eram conhecidos na intimidade da escola como *"os vicentinos"*.[348]

Sábado, 18 de julho

Um grupo de homens mal-encarados, todos de chapéu quebrado na testa, está espalhado, desde o entardecer, pelas imediações da rua Flack, no subúrbio carioca do Riachuelo. Estão também de sobretudo, por causa do frio e das armas que carregam na cintura. Alguns circulam, procurando demonstrar intimidade com a vizinhança, outros conversam descontraidamente na calçada de um bar. Três homens, que fingem ler jornais embaixo de postes de luz, estão fincados, como estacas, perto da casa que há dias é vigiada pela polícia política. Os *secretas* do marechal Carneiro da Fontoura estão prontos para prender o "Doutor Xavier", codinome usado pelo capitão do Exército Cristóvão Barcelos, desertor caçado pela Justiça, que continua conspirando, clandestinamente, contra o Governo.

Poucos oficiais têm folha de serviços tão brilhante. Em 1917, ainda tenente, foi dos primeiros a pedir licença ao Governo e se alistar como voluntário, ao lado da França, para lutar contra os alemães, na Primeira Guerra Mundial. Cursou a Escola de Saint-Cyr durante dois meses e foi lutar na Bélgica, participando de várias batalhas, como a de Vink, uma das mais violentas em que se envolveu o pelotão sob o seu comando. Ao terminar a guerra, o tenente Barcelos recebeu várias citações de bravura do comandante do 17º Regimento de Dragões francês e ainda foi condecorado pelo Governo da França com a Grande Cruz de Guerra. Ao regressar ao Brasil, o Exército promoveu-o a capitão por atos de bravura no campo da honra. Desde março está sendo procurado pela Polícia.

A casa da rua Flack mantém as lâmpadas da varanda apagadas para não identificar as pessoas que empurram o portão, sempre encostado, e se dirigem para os fundos, onde os conspiradores se reúnem quase todas as noites. A sombra da árvore imensa, junto ao portão, ajuda a manter a entrada da casa sob discreta penumbra. Os cães, soltos no quintal, latem sempre que alguém empurra o portão. Eles só param de latir quando o recém-chegado é recolhido por um dos moradores e conduzido para os fundos, onde se realizam as reuniões.

Esta noite, os cães latem sem parar, sem que os moradores tenham ouvido alguém bater à porta, como de hábito, à procura do "Doutor Xavier", senha utilizada pelos membros do grupo. A mulher do oficial levanta-se e vai até o portão. Ela se vê, de repente, cercada por um grupo de homens, alguns já dentro do quintal e outros até na varanda, que se identificam como policiais. O mais alto, que parece ser o chefe, apresenta suas credenciais e pede para falar com o dono da casa. Olga Barcelos não sabe que está diante do truculento chefe do serviço de investigações da 4ª Delegacia Policial, mais conhecido como Pereira *Valha-me-Deus*, pelos excessos que sempre comete contra os inimigos do Governo.

Nos fundos da casa, o capitão Barcelos está reunido com outro foragido da lei: o capitão Carlos da Costa Leite, que fora detido, há meses, na rua Cabuçu, dentro de uma casa recheada de dinamite. Costa Leite conseguira fugir do presídio militar da ilha Grande e participara recentemente do desastrado assalto ao 3º RI, na Praia Vermelha. Acompanhados de um civil, o estudante de engenharia João Backeuser, os dois sacam os revólveres, apagam as luzes e dirigem-se para a varanda.

Com a arma escondida, Barcelos pergunta se *Valha-me-Deus* tem ordem judicial para entrar em sua casa. Antes da resposta, dois policiais, que se encontravam escondidos entre as sombras, jogam-se contra o oficial. O mais corpulento tenta dominá-lo pelas costas. Costa Leite, que está mais atrás, atira nos policiais. Começa um tiroteio. Os *secretas*, surpreendidos com a reação, correm para a calçada, deixando três feridos na casa: um na varanda e dois no quintal. A vizinhança, alarmada com os tiros e com a gritaria, sai à rua para saber o que está acontecendo.

Ninguém se entende no meio da escuridão. Ao verem o chefe baleado na perna, os *secretas* correm para a esquina da rua Dr. Garnier, à procura do delegado titular da 4ª Delegacia, major Carlos da Silva Reis, que comanda a operação a distância.

Aos berros, na calçada, com o paletó aberto, um homem ordena aos moradores, de arma na mão, que chamem uma ambulância. O capitão Barcelos aproveita-se da confusão, finge que é autoridade e desaparece no meio da multidão. Costa Leite e o estudante pulam a cerca de zinco da casa e fogem pelos fundos.[349]

28

CISÃO NO ALTO-COMANDO

Os rebeldes chegam a Goiás ainda sem conhecer o rombo e a extensão dos danos infligidos à causa revolucionária pela troca de insultos entre o marechal Isidoro e o general João Francisco, que se esbofeteiam há vários dias, pelas páginas dos jornais. Os dois chefes militares, que se encontram no exílio, digladiam-se publicamente com ofensas pessoais e graves acusações, para decepção e tristeza de seus simpatizantes. A acidez e a virulência do bate-boca, com o emprego até de palavrões, e a lavagem em público de peças íntimas da revolução transformaram-se em grande escândalo. Alimentados por velhos ressentimentos e enlouquecidos pelo ódio, João Francisco e Isidoro continuam a se retaliar, agora através dos jornais da Argentina e do Uruguai, chocando a opinião pública com a crueza de suas agressões verbais. O Palácio do Catete regozija-se com a autoflagelação dos chefes rebeldes e com o inevitável desgaste de sua reputação no exterior. Nem mesmo o Governo, com o uso da força, conseguira provocar tamanho estrago na imagem da revolução como os seus próprios líderes.

A primeira carta de João Francisco atacando Isidoro fora publicada com estardalhaço na edição de 5 de junho do vespertino *A Notícia*, do Rio de Janeiro. Ela foi endereçada ao chefe supremo, que se encontrava em Encarnación, no Paraguai, mas, por motivos desconhecidos, uma cópia apareceu misteriosamente sobre a mesa do chefe de redação do jornal. A manchete bombástica, em letras garrafais, ocupava o alto da primeira página e tinha a largura do jornal: "A fuga do general Isidoro." Não podia ter ocorrido maior desgraça.

João Francisco acusava Isidoro de desertor, revelando que a 9 de julho de 1924 ele abandonara o comando da tropa, em São Paulo, para se entregar ao Governo, só não alcançando esse objetivo porque o presidente Carlos de Campos já tinha fugido da cidade.

> "(...) *Conseqüentemente deveis ter refletido que, desde esse dia,* ipso facto, *perdestes a confiança dos vossos companheiros, ainda que, por ironia, os vossos íntimos, a muque, o tivessem reinvestido do comando, no momento mais cor-de-rosa da campanha. Mais tarde, porém, a maioria das tropas revolucionárias pretendeu vos expulsar da sua frente, ao que me opus, porque considerei que esse ato era então inconveniente aos interesses da revolução, visto que a opinião das multidões inconsciente e desconhecedora das vossas fraquezas e misérias havia vos consagrado chefe da revolução e os tiranos, como as crianças, acordavam em todo o Brasil sonhando com o 'fantasma — General Isidoro!'...*
> *Mas a lenda fantástica, como toda a coisa que sobe artificialmente, cai logo e se esboroa. Assim aconteceu com a vossa chefia. Fugistes pela segunda vez — reincindistes — com a agravante de terdes semeado o pânico no seio dos heróicos defensores do Iguaçu.*
> *Que pena! Que dor me causou essa vossa fraqueza! É verdade que a revolução, de fato, pouco perdeu. Vós, porém, perdestes tudo! A revolução pouco prejuízo teve porque conservou um punhado de bravos da coluna paulista — carne da própria carne dos espartanos Miguel Costa e Távora, que tiveram a ventura de se reunir a esse tempo à homérica e gloriosa falange gaúcha, que, com o novo Napoleão dos Pampas à frente, atravessou os sertões do Rio Grande, Santa Catarina e Paraná, chegando a Iguaçu a tempo de salvar a honra das armas revolucionárias!*"

Depois de acusar Isidoro, atribuindo-lhe tibieza como chefe da revolução, sustentando que ele não passava de um impostor, de uma mistificação vulgar, João Francisco dedicou o melhor de sua pena para exaltar a bravura dos combatentes gaúchos que marcharam, durante três meses, para se juntar aos soldados paulistas. Prestes e seus homens eram cobertos de elogios.

"Quando eu contemplo a epopéia desses Leônidas, guiados pelo valor, intrepidez e capacidade inexcedível do meu coronel Luís Carlos Prestes, sinto que num dia eu vivi séculos... Sabeis que dia foi esse? O dia que atravessei o rio Uruguai, penetrei em São Borja, onde encontrei o então capitão de engenheiros Luís Carlos Prestes, conversei com ele e disse para mim: Aqui temos uma grande figura, um grande general. Redigi e assinei um diploma nomeando-o coronel. (...) Vivi séculos naquele dia, porque o meu coronel executou e realizou tudo melhor do que me afigurava. Revelou-se um grande general; os seus feitos orgulham a raça gaúcha; e o seu renome, amanhã, vai ser entalhado nas páginas mais refulgentes da História moderna para ser transmitido às gerações vindouras, como exemplo de valor, na maior extensão da palavra!"

A imprensa oficial aproveitou-se das acusações para denegrir ainda mais a imagem de Isidoro, qualificando-o como um militar obscuro, dono de uma carreira sem brilho, que a rebelião paulista tinha colocado em imprevista e celebrada evidência: "As turbas embevecidas, os torcedores da revolução, o aclamavam como uma figura legendária, um herói. Ontem ele se desmascarou."[350]

Isidoro reagiu às acusações de João Francisco desafiando-o, no estilo das tradições gaúchas, para um duelo de morte. Como ele era a parte ofendida, escolhia como arma a pistola e exigia que o confronto só terminasse quando um dos dois estivesse morto ou impossibilitado de lutar. O duelo poderia ser realizado em qualquer parte do território paraguaio, já que ele não dispunha de documentos para viajar até a Argentina, onde João Francisco se encontrava asilado.

Os jornais deliciaram-se com a proposta de desafronto pelas armas: "A luta entre os dois chefes da revolução de julho", anunciava o *O Jornal*, do Rio de Janeiro.

João Francisco contestou a autoridade moral e militar de Isidoro para lhe propor qualquer desafio. A revolução, segundo ele, não era dos militares nem dos civis, mas do povo, a quem reconhecia como única autoridade a que devesse dar explicações ou satisfações sobre os seus atos. Em vez do duelo, João Francisco propunha o julgamento de suas acusações por um tribunal de honra. Se ficasse provado que a honra militar de Isidoro ficara imaculada e que suas acusações eram mentirosas e injuriosas, comprometia-se, num gesto cavalheiresco, a lhe dar a devida reparação pelas armas.[351]

Indignado com as críticas que lhe fizeram outros chefes militares, por ter atacado Isidoro, João Francisco escreveu longa carta a Assis Brasil, historiando os fatos que o levaram a romper com o chefe supremo da revolução. Dizia João Francisco que Isidoro, a quem se referia de forma grosseira, chamando-o de "marechal viado", transmitira o comando a Miguel Costa, no Paraná, "mas não passou a indefectível malinha com o arame", como os rebeldes se referiam ao dinheiro da revolução. Ele se queixava de que Isidoro estava agora preparando um documento em que o acusava:

> *"Finalmente, quanto a outras calúnias que o 'marechal viado' pretende editar, aguardo, para lhe dar o tiro de honra."*[352]

Quinta-feira, 23 de julho

Os rebeldes estão acampados, desde as onze da manhã, na fazenda São Felipe, nas imediações da cidade de Anápolis, em Goiás.

A Coluna impõe aos soldados horários rígidos para manter a ordem e a disciplina. A rotina é a de um quartel: acordam todos às quatro da madrugada, lavam o rosto, tomam café ou comem churrasco, em volta das fogueiras, e às cinco iniciam a marcha, com as barracas já desmontadas. Sempre que falta café, a tropa toma uma beberagem aromática e levemente adocicada, conhecida como "xibéu", que inclui cravo, canela, erva-doce e limão, além de folhas de goiabeira, laranjeira e cajueiro. Às dez ou às onze param para almoçar; depois, dormem a sesta até as duas da tarde, para reiniciar a caminhada até as sete ou oito da noite, quando jantam, voltam a armar as barracas e dormem.[353]

O acampamento montado na fazenda São Felipe é procurado, depois da sesta, por alarmada comitiva de comerciantes de Anápolis, que faz um apelo dramático aos rebeldes: em nome das famílias do lugar, pedem que os rebeldes não entrem na cidade para evitar que ela seja cenário de um confronto com forças legalistas. O Alto-Comando acolhe com simpatia a solicitação dos moradores e ordena que a tropa passe a uma légua de distância de Anápolis.

Sexta-feira, 24 de julho

Às nove da manhã, quando já estão em marcha, em direção ao norte do estado, a vanguarda, formada pelo destacamento de Cordeiro de Farias, é surpreendida por um contingente do Governo, constituído de soldados das Polícias Militares de Minas e Rio Grande do Sul, sob o comando do major Bertoldo Klinger. O destacamento de João Alberto também se envolve na luta. Os combates, cada vez mais intensos, com o inimigo trepado em cima de vários caminhões, prolongam-se até as quatro da tarde. Os soldados legalistas, apesar de armados com metralhadoras pesadas, são obrigados a abandonar os veículos em chamas, mas não fogem do campo de batalha: continuam resistindo, com suas modernas metralhadoras, entrincheirados nas margens da estrada. Logo em seguida, porém, recebem ordens para bater em retirada.

Klinger percebera que a resistência era inútil; a pé, seus homens não tinham condições de enfrentar um inimigo mais ágil, que envolve seus comandados com mobilidade extraordinária, fustigando a tropa com cargas rápidas de cavalaria e demonstrando absoluto domínio do terreno.[354]

Diante dessa derrota humilhante, ao chegar a Anápolis, Klinger toma importante decisão à revelia do Comando Militar de Mato Grosso: desiste de continuar perseguindo os rebeldes, desmobiliza suas forças e determina que os soldados regressem aos quartéis. Apesar de representar um ato de rebeldia, sua posição está, pelo menos, coerente com as posições que sustentara nos copiosos relatórios encaminhados aos superiores. Ele está definitivamente convencido de que a paz só poderá ser obtida através de uma negociação política, como salientara em um dos seus últimos despachos:

> *"Como os adversários fogem da luta e escapam para lugares ínvios, é impossível alcançá-los, dadas a vastidão do terreno e a falta de meios ao pé da obra. O esmagamento é pura teoria. A questão não tem solução pela força: importa corajosamente resolvê-la por via política com um ato radical de ampla volta à paz."*[355]

Mesmo cumprindo com seu dever, como militar, de enfrentar os rebeldes, de acordo com as ordens e instruções que recebe de seus superiores, Klinger já manifestara sua discordância quanto ao desenvolvimento da guerra contra os rebeldes, através de algumas observações, de caráter pessoal, enviadas ao próprio ministro da Guerra. Sugeria que o Governo assumisse uma postura mais flexível a fim de que a harmonia nacional pudesse ser restabelecida com a pacificação dos espíritos. O ministro Setembrino de Carvalho, em resposta a um desses relatórios, negou qualquer possibilidade de se conceder anistia aos revolucionários:

> *" Até aqui o Governo tem procurado defender-se contra os revoltosos que, estes sim, querem esmagado e anulado com exigências de anistia com as armas na mão, a qual concedida, longe de passar como ato de magnanimidade, seria tida como vitória dos revoltosos extorquida à fraqueza dos poderes constituídos. (...) Benevolência, pois, na hora presente seria condenável, não somente pela manutenção dos poderes, mas com inteireza do*

prestígio necessário para corresponder honradamente ao mandato que a nação lhe conferiu."

O ministro da Guerra esclarecia, entretanto, que se viu na obrigação de dar essa resposta só porque Klinger era um oficial culto e patriota, de passado honroso, além de se ter mostrado sempre um "trabalhador infatigável pelo aperfeiçoamento do Exército".[356]

No dia seguinte, Klinger responde ao general Setembrino, em telegrama:

"(...) é gracioso V. Exa. tachar meu ponto de vista (...) errado e é indelicado convidar-me refletir melhor. Hoje comemora-se derrocada ficção da origem divina poder dos governantes, substituída pela outra ficção da emanação da soberania nacional. (...) Governo venceu a revolução militarmente, mas a vitória real e definitiva, o esmagamento efetivo, só pode ser obtido por um ato radical corajoso de ampla volta à paz. Tem a palavra o estadista, o soldado já disse quanto podia."[357]

Terça-feira, 11 de agosto

Os rebeldes deixam Goiás, entram em Minas Gerais e começam a escalar a serra do Paranã, com pouco mais de mil metros de altura. Os homens sobem a encosta da montanha a pé, puxando os animais pelas rédeas; as padiolas com os feridos são conduzidas nos ombros até a localidade de São João do Pinduca, povoado miserável e afastado da civilização, constituído exclusivamente de negros, no mais completo abandono e em estado de degenerescência; vivem eles confinados nessas terras, geograficamente isolados do resto do país. Ocupado o lugarejo, uma força sob o comando de João Alberto recebe a incumbência de estudar a possibilidade de travessia do rio São Francisco com segurança e alcançarem a Bahia, na outra margem.

A invasão da Bahia tem três objetivos bem definidos: engrossar as fileiras revolucionárias com legiões de voluntários, prolongar a luta por tempo indeterminado numa região de recursos inesgotáveis e receber as armas e a munição solicitadas ao marechal Isidoro, no Paraguai, através de carta que lhe fora encaminhada, de Goiás, sob os cuidados do coronel Filogônio de Carvalho. Da Bahia, os rebeldes pensam avançar sobre Minas, Espírito Santo, Goiás e o Nordeste, onde dispõem de muitos correligionários e imaginam contar com a simpatia da população.

Quarta-feira, 19 de agosto

Onze da noite. João Alberto ainda vasculha a margem mineira do São Francisco à procura de embarcações e de lugar seguro para realizar a travessia da Coluna. Na vila de São Romão, descobre um vapor e duas chatas que haviam partido de Pirapora, transportando um batalhão da Polícia Militar da Bahia. A tropa retornava da exaustiva campanha do Paraná, onde estivera combatendo os rebeldes sob o comando do general Cândido Rondon. Aproveitando a rápida escala do vapor em São Romão, para se abastecer de água e lenha, os soldados descem a terra: vão assistir a uma festinha realizada pelos moradores do lugar.

O plano de João Alberto é audacioso: surpreender a tropa, durante a festa, sem lhe dar tempo de reagir. Assim que aprisionassem a força legalista, assumiriam o controle das embarcações e dariam início à travessia. Mas o plano se esfumaça quando se aproximam da imensa fogueira: um dos rebeldes, major Erasmo Cordeiro, atira num morador que correra ao perceber a presença de estranhos dentro do povoado. Para evitar baixas entre a população civil, João Alberto afasta-se sem oferecer combate. Com a retirada inesperada, dois majores revolucionários perdem-se na escuridão: Nestor Veríssimo e o próprio Erasmo Cordeiro. Os dois são presos pelo inimigo ao amanhecer.

João Alberto não desiste, entretanto, de capturar o vapor. Dois dias depois, na localidade de Urucuia, ele monta duas metralhadoras pesadas na beira do rio e acampa num pasto, a pouco mais de uma légua de distância, para poder alimentar a cavalhada.

O navio-gaiola arrasta-se lentamente através das águas mansas, com duas chatas a reboque, guiando-se pelas árvores, pedras e contornos, para não encalhar nos grandes bancos de areia invisíveis. Os soldados, a bordo, mantêm-se alegremente descontraídos, espalhados pelo convés, por acreditarem que navegam por uma área desprovida de perigos. Alguns estão deitados sobre o piso das chatas atulhadas de armas, munição, provisões e o que sobrou do material de campanha.

As metralhadoras rebeldes varrem o convés do gaiola, os tiros abrem buracos imensos na chaminé, estilhaçam os vidros da cabina de comando. Apanhada de surpresa, a tropa tenta reagir, protegendo-se atrás dos troncos de lenha; muitos soldados, dominados pelo pânico, atiram-se na água e morrem afogados. O número de baixas, entre os legalistas, é surpreendente. Ninguém se entende a bordo. O gaiola, desgovernado, roda no leito do rio, o casco bate num banco de areia; o barco embica no barranco, do lado de Minas Gerais, justamente onde estão os rebeldes. Os baianos, ainda sob o impacto do inesperado ataque inimigo, hasteiam a bandeira branca e começam a se render. Um dos oficiais legalistas ao observar que estão diante de um contingente chocho, medíocre, com pouco mais de 20 homens, instiga os soldados a reagir. Aos gritos, diz que a rendição, naquelas condições, é uma humilhação para as gloriosas tradições da Polícia Militar da Bahia. Ordena que avancem contra os rebeldes e que as metralhadoras sejam silenciadas a qualquer preço. Recuperada do susto inicial, a tropa legalista assume rapidamente o controle da situação e retoma a iniciativa do combate. Diante da forte reação e de um adversário bem mais numeroso, os rebeldes recuam para a mata, levando as duas metralhadoras Hotckiss. Ao chegar à margem do rio, com o resto da força revolucionária, atraído pelo tiroteio, João Alberto constata que não há mais nada a fazer. Os soldados baianos já haviam partido com os seus mortos e feridos.[358]

Sábado, 12 de setembro

Os rebeldes encontram-se mais uma vez em Goiás, onde chegaram no dia 7. Atravessaram a serra de São Domingos e passaram pelo morro do Moleque, que tem forma exótica: parece um chapéu cardinalício.

O morro, conta-se, é povoado por fantasmas e assombrações que se manifestam, quase sempre à noite, quando se escutam sinos tocando. Os rebeldes, com o rosto crispado, olhos esbugalhados, ouvem as histórias completamente arrepiados. Os caboclos revelam ter visto frades sem cabeça, montados em esqueletos de cavalos imensos, além de cobras enormes com olhos de fogo; isto, quando o próprio demo não aparece em pessoa, no alto do morro, cavalgando um gigantesco porco-espinho, cujos grunhidos podem ser ouvidos a mais de 100 léguas de distância. Muitos rebeldes se benzem ao ouvir essas histórias.

Nessa quinta-feira, o Alto-Comando está diante de uma situação grave e delicada: acaba de ser descoberta uma conspiração chefiada pelo major Aldo Mário Geri, ex-comandante do Batalhão Italiano, que faz parte do Estado-Maior revolucionário. Há muito desencantado com as possibilidades de uma vitória contra o Governo, Mário Geri vinha arrebanhando combatentes igualmente desgostosos a fim de se rebelar com um grupo de descontentes e se desligar da Coluna. Os planos de Geri não se limitam apenas a uma deserção com homens e armas. Ele acaricia a idéia de atacar o QG e liquidar com os seus integrantes, assaltar as finanças do caixa de guerra, que estima abrigar cerca de mil e quinhentos contos de réis, e, em seguida, marchar em direção à Bolívia, através de Mato Grosso, e ali asilar-se. De acordo com a rígida disciplina revolucionária, a falta cometida por Geri é mais grave e escabrosa do que os saques contra a população civil e os casos de violação de lares, invariavelmente punidos com a pena de fuzilamento. Diante dos bons serviços que prestara à revolução, desde a ocupação de São Paulo, o Alto-Comando, depois de algumas reuniões, decide expulsá-lo, juntamente com os descontentes atraídos para o seu plano.[351]

Da Vila de Posse, em Goiás, os rebeldes enviam uma carta ao deputado Batista Luzardo, no Rio de Janeiro, para ser lida na tribuna da Câmara Federal.

> *"Sem julgarmo-nos fortes, ousamos confessar que, por meio de exclusiva violência, será difícil ao Governo submeter-nos. Um ano inteiro de lutas já devia ter convencido disso os nossos adversários. Estes, entretanto, confessando-se convencidos do contrário, publicam na sua imprensa que somos nós a causa máxima das desordens generalizadas que infelicitam o país. (...) Chamam-nos de desvairados e impatriotas (...) porque não entregamos a nossa liberdade e também a nossa vida (...) ao despotismo absoluto dos que nenhuma honra têm feito ao cristianismo da cultura brasileira e às tradições de generosidade de nossa raça."*

A carta, assinada por Prestes e Miguel Costa, estabelece como "limite mínimo" de suas aspirações liberais a revogação da Lei de Imprensa, que amordaça os jornais; a adoção do voto secreto, para acabar com as eleições a bico-de-pena; a concessão da anistia e a suspensão do estado de sítio. "Eis aí as bases em que se poderia apoiar uma paz grata para nós, honrosa para o Governo e proveitosa para o país", dizem os líderes rebeldes.[360]

29

BATALHA PELA ANISTIA

O momento para reabrir a discussão sobre a concessão da anistia é inoportuno. Há vários meses o Governo e as classes dominantes estão absorvidos com temas mais relevantes, como a reforma da Constituição. O Palácio do Catete, o empresariado e a classe política concentram suas atenções nas reformas fiscal e tributária e na criação do chamado Imposto Único. Através dos jornais e dos órgãos de classe, discutem-se as vantagens e desvantagens desse imposto, que já existia em outros países. Os que fazem sua apologia sustentam que, além de simplificar a burocracia e desafogar a indústria e o comércio do pagamento de tributos múltiplos e escorchantes, o tributo contribuiria de forma substancial para o aumento da receita da União.

Apesar das simpatias angariadas junto às classes dirigentes, o Imposto Único é tratado, às vezes, de forma humorística e até mesmo caricata pelos jornais. *O Globo* justifica a criação desse imposto numa *charge* bem-humorada, apresentada numa história em quadrinhos:[361]

Cena 1: As posturas municipais arrancam o chapéu do comerciante; Cena 2: O Imposto das Indústrias e Profissões tira-lhe o chapéu; Cena

3: As taxas e sobretaxas avançam-lhe no colarinho e na garganta; Cena 4: Os impostos sobre a renda aliviam-no das botinas; Cena 5: Os impostos do selo deixam-no de cuecas. Obs.: fica provado, portanto, que a cobrança de um imposto único tem uma grande vantagem: poupa-lhe, pelo menos, o trabalho; tira-lhe toda a roupa de uma vez só.

Bernardes apóia a reforma da Constituição por motivos pessoais. Ele a considera indulgente no capítulo das garantias individuais, diante do excesso de benevolência dos constituintes de 1891. É preciso uma Constituição dura, que não permita a repetição dos excessos que agora se observam.

A Câmara dos Deputados já havia escolhido a Comissão dos 21 parlamentares que seria responsável pelo parecer sobre a reforma constitucional, tema que se mantém distante da opinião pública mas empolga o Governo, o empresariado e a classe política conservadora. O povo está absorvido com questões mais imediatas, como o alto custo de vida, a crise de moradia, a fome e o desemprego.[362]

Os debates sobre a reforma incendeiam o plenário da Câmara Federal. Os deputados que fazem oposição a Bernardes são contra a revisão. Adolfo Bergamini vê na reforma interesses escusos de grupos políticos e econômicos empenhados em obter mais liberdade de espaço para atingir objetivos que não são os da Nação: "Não são as reformas [da Constituição] que fazem a grandeza de um povo. Fitemos a América do Norte, sempre cautelosa e vigilante na conservação do seu edifício constitucional. (...) Sigo a lição de Rui Barbosa: 'As boas instituições há de se conservar, melhorando-as como as boas construções, refazendo os estragos do tempo (...)' Nula, visceralmente nula é a revisão que tem servido senão para conchavos e composições políticas, desde o Amazonas ao Rio Grande do Sul."

Bergamini encerra a sua intervenção, diante de um plenário silencioso, esclarecendo que as reformas realizadas com açodamento não são o melhor caminho para o desenvolvimento nacional: "Nove constituições teve o Chile em cerca de 50 anos e não conseguiu evitar a formidável revolução de 1891(...) Dez transfigurações operou a Bolívia em 45 anos, sem o menor vislumbre de progresso. Oito ou nove teve o México (...) sem melhora alguma, aumentando, pela insegurança e instabilidade, a descrença nas instituições."[363]

A anistia é o tema que gera paixões políticas. Não há meio-termo: as pessoas apóiam ou condenam a sua concessão aos rebeldes. O vespertino *A Notícia*, do Rio de Janeiro, abrira o debate, dois meses antes, com uma manchete irônica: "A magnanimidade generosa do perdão!" Como subtítulo, em letras menores, o jornal indagava: "E qual será a recompensa dos que foram bons, souberam viver e morrer dignamente pela ordem, pela Pátria e pela República?"

Em editorial de primeira página, *A Notícia* elogia a firmeza de caráter de Bernardes, que não se deixara envolver pelas "solicitações do sentimentalismo deletério" que lhe aconselham e lhe imploram anistia.

O jornal sustenta que há quase três anos o presidente da República, assoberbado com tantas sublevações, vinha sendo o "chefe de polícia da nação", mantendo-se em permanente vigilância para conter a "horda vandálica" dos desordeiros e impedir a derrocada fragorosa da ordem constitucional. Os sucessivos levantes, segundo o editorial, tinham abalado o crédito do país no exterior, além de entravar as transações comerciais e manter o câmbio em permanente oscilação. O presidente da República, ao tomar posse, "trouxe para o Governo um programa de realizações honestas e patrióticas, mas ainda não teve tempo de executálas: perturbam-lhe todas as horas e todos os momentos".(...)

Para o jornal, o movimento revolucionário comandado por Isidoro é também despido de qualquer conteúdo de natureza doutrinária: "Somente se justificam as revoluções quando as anima e as nobilita a nobreza de um ideal. Sem isto elas são um crime, e os que as fazem não passam de vulgaríssimos criminosos."[364]

A imprensa criticara a decisão da Justiça Federal em São Paulo, que havia pronunciado apenas 119 dos 668 indiciados no levante da capital paulista. "Em que outro país, para os crimes dessa natureza e dessa gravidade, haverá mais carinhosa e protetora magnanimidade? (...) A certeza da impunidade fomenta e facilita a rebeldia e os atentados monstruosos contra a ordem pública e a segurança do regime. Senão vejamos quais foram os que em São Paulo fizeram a mazorca de julho: os mesmos que nesta capital haviam feito a revolução de Copacabana. Impunes aqui, foram reincidir no crime, ateando de novo as fogueiras da revolução", dizia *A Notícia*.[365]

A campanha de imprensa contra os rebeldes, através dos jornais que apóiam o Governo, é implacável. Esses jornais os acusavam de tudo: violam os lares, não respeitam a propriedade privada, roubam, saqueiam, "praticando toda sorte de tropelias" contra as populações do interior. A passagem da Coluna por Jaguari, em Mato Grosso, arranca expressões de horror dos leitores na descrição de *A Notícia*, que diariamente fustiga as forças revolucionárias com histórias inventadas pelo Catete:

> *"Desrespeitaram quase todas as moças da localidade, invadiram lares e, ao partirem, carregaram até as roupas das crianças recém-nascidas. Os rebeldes se mostraram verdadeiros monstros."*[366]

Terça-feira, 29 de setembro

A tropa está extasiada com o colorido da paisagem goiana, que desdobra seus tons fortes em todas as direções, criando painéis onde pontificam frondosas mangueiras e pequizeiros em flor. Os frutos maduros, caídos no chão, deixam o ar impregnado de um aroma doce e agradável. Embevecidos pela luxúria da vegetação, os gaúchos não se cansam de contemplar a beleza das mangueiras, com as copas largas e frondosas, árvores para eles desconhecidas e que a maioria vê, cheia de curiosidade, pela primeira vez. O encantamento é tão grande que alguns como o capitão Moreira, chegam a recolher mudinhas, na esperança de plantá-las mais tarde em suas terras, assim que retornem ao Rio Grande. Com a chegada da primavera, os chapadões goianos, forrados por um imenso tapete de flores douradas, compõem um cenário de formas, luzes e cores que fascinam a gauchada.

A Coluna está agora acampada num local exuberante: um bosque de mangueiras imensas, curvadas de tantos frutos, que proporcionam uma sombra colossal. O lugarzinho encantador, nas imediações do rio Palma e muito freqüentado pelos habitantes do lugar, não pode ter outro nome: Chuva de Manga. Os gaúchos armam as barracas embaixo das árvores, recolhem lenha para as grandes fogueiras que serão acesas durante a noite e consomem o resto do tempo chupando manga, iguaria com a qual jamais se haviam deliciado.

Ao conversar com dois negros velhos, gente da terra, Cordeiro de Farias sente-se embaraçado com a reação de espanto dos caboclos, ao perguntar onde poderiam conseguir canoas para atravessar os rios da região:

— Ué, vosmicês num passam por riba deles? Pra que canoa?

Os dois negros pensavam que os rebeldes cruzavam os rios sem ajuda de embarcações. No imaginário popular sertanejo, os homens da Coluna possuíam um aparelho mágico que estendiam sobre as águas e, depois, caminhavam sobre ele, passando de um lado para o outro do rio.

A rapidez com que os destacamentos se deslocavam pelas terras de Goiás e Mato Grosso fora também incorporada às crendices do homem do campo. A explicação do matuto é simples como a vida que leva: os rebeldes são ligeiros porque só comem as partes dianteiras do boi. Os gaúchos, na verdade, desperdiçavam os quartos das reses porque consideravam a sua carne imprestável para um bom churrasco. Outras lendas cercavam a Coluna por onde passava. Muitos acreditavam que os rebeldes possuíam uma rede especial para apanhar homens e animais, da qual poucos conseguiam escapar. Como os destacamentos nunca eram derro tados pelas tropas legalistas, Prestes adquirira a fama de *adivinhador*. Os caboclos, supersticiosos, pediam sempre para conhecê-lo; quando eram levados à sua presença, olhavam-no com admiração e respeito, sem compreender como aquele moço baixinho, de barba e cabelos compridos, rosto pálido e gestos delicados podia ser o chefe de tanta gente.

Até o sisudo Miguel Costa, a quem os oficiais, em tom de galhofa, apresentavam sempre como *bispo* para que os matutos lhe beijassem as mãos, costumava aderir às brincadeiras. Os caboclos faziam fila e, depois, se ajoelhavam para receberem suas bênçãos.[367]

Os rebeldes, sempre que podiam, exageravam o seu efetivo para confundir o Governo. O próprio Miguel Costa, sempre que lhe perguntavam de quantos homens dispunha, fornecia números absurdos:

— Aqui temos somente quatro mil homens. Mas esta força é apenas um flanco da Coluna. O grosso, que é cinco vezes isto que vocês estão vendo, vai por lá. E atrás vem o Isidoro com o resto, trazendo os canhões da artilharia e os aeroplanos. Aí é que vem gente...!

— O Zidoro também vem?! Mas entonces é o fim do mundo!...[368]

Sexta-feira, 16 de outubro

A Coluna chega a Porto Nacional, na margem direita do Tocantins, a cidade mais importante do norte de Goiás, para onde o Alto-Comando revolucionário despachara uma carta, dias antes, endereçada a frei José Audrin, superior de um convento dominicano existente na localidade. A carta, assinada por Miguel Costa, Prestes e Juarez Távora, pedia que frei Audrin tranqüilizasse a população, além de lhe dar também garantias de que nada aconteceria aos religiosos que estavam sob sua orientação espiritual:

> *"(...) não somos, como aí se tem dito, uma horda de malfeitores, de cujo contato devem fugir as famílias. (...) o lar é a melhor garantia para as pessoas e propriedades. O chefe de família, em sua casa, é um defensor*

valiosíssimo. É portanto indispensável que ele nos ajude a evitar algum abuso que contra a sua propriedade algum mau soldado tente cometer."[369]

A recepção é acolhedora. Os moradores não tinham fugido para o mato, e se mostram curiosos e hospitaleiros. O Estado-Maior, a convite de frei Audrin, se hospeda no Convento de Santa Rosa, uma construção gigantesca, de tijolos aparentes, erguida no final do século passado. A soldadesca arma as barracas na periferia da cidade, enquanto os combatentes feridos, que necessitam de cuidados especiais, são recolhidos pelas famílias mais abastadas. Os rebeldes nunca haviam recebido acolhida tão carinhosa. Os oficiais passam a fazer suas refeições em companhia dos frades, na biblioteca do Convento.

Ingênuo e extremamente religioso, o povo acorre às ruas quando passa a *Princesa Isabel*, como logo fica conhecida uma das mulheres que acompanha os rebeldes desde o Rio Grande do Sul. A Coluna é mais do que uma lenda. Lenda também composta de pecados. *Pisca-pisca*, alcoólatra incorrigível, dá sempre grandes escândalos quando se embriaga, esmurrando-se em público com as demais companheiras, para vergonha do Alto-Comando e divertimento da tropa.

Prestes mandou destruir toda a cachaça existente em Porto Nacional para impedir que os soldados se embriagassem, como de hábito, e começassem a provocar desordens e a atirar para o alto. Sempre que a Coluna entra num povoado, uma das primeiras providências da oficialidade é esvaziar os depósitos de aguardente e derramar as garrafas no chão. Muitos soldados burlam a rigorosa fiscalização das patrulhas, conseguem se embriagar e acabam, depois, perdendo-se do resto da tropa; outros, de tão bêbados, são amarrados aos cavalos quando a Coluna parte. Para desespero dos farmacêuticos, os oficiais esvaziam até os vidros de Elixir de Nogueira, consumidos de um gole só pelos rebeldes quando não encontram cachaça para beber.[370]

O Estado-Maior aproveita as oficinas do jornal *Norte de Goiás* para imprimir mais uma edição de *O Libertador*, publicação revolucionária que distribuem pelas cidades por onde passam. Geralmente impresso em página dupla, *O Libertador*, além de divulgar o ideário da revolução, defende os rebeldes das acusações infames que lhes são imputadas pelo Governo. Depois de imprimir o número sete, os rebeldes empastelam as oficinas do *Norte de Goiás*, em represália à campanha difamatória que promove contra a Coluna.[371]

Prestes e Miguel Costa estão chocados com a realidade política, econômica e social do interior de Goiás. Nas cadeias e até mesmo em algumas fazendas ainda são encontrados instrumentos de tortura medieval, como troncos de jatobá, para açoites, e gargalheiras de ferro, que eram usadas para prender os escravos pelo pescoço. A maioria dos presos ainda é castigada com chibatadas e mantida prisioneira com pesados grilhões.

Na cadeia de Porto Nacional, os rebeldes encontram um negro velho, acusado de homicídio, que cumpre pena há vários anos, acorrentado no interior de uma cela. Absolvido do crime pelo corpo de jurados, mesmo assim foi condenado a 30 anos pelo juiz, que estava bêbado na hora do julgamento. Esquelético, quase cego, com feridas nas pernas causadas pelas correntes, o negro já tinha cumprido onze anos: os primeiros sete, amarrado num tronco; os quatro últimos, acorrentado pelos pés. O homem foi imediatamente libertado pelos rebeldes, mas seu estado de saúde era tão precário, em conseqüência dos maus-tratos sofridos, que não podia caminhar.[372]

Em Porto Nacional, como nas cidades por onde passam, os rebeldes são muitas vezes abordados pela população em busca de justiça. Os moradores queixam-se de perseguições e de toda sorte de retaliações por parte das autoridades. Não foram poucas as vezes em que os oficiais tiveram que proteger essas autoridades da fúria popular.

Os cartórios, mesmo os criminais, eram sempre preservados, e os únicos documentos que destruíam publicamente, em grandes fogueiras, eram os livros e as listas de cobrança de impostos. Os rebeldes achavam que, pelo menos por algum tempo, a população ficaria livre dos escorchantes tributos do Governo. Muitas vezes, Prestes solicitava a Lourenço Moreira Lima, que era advogado, pareceres jurídicos sobre determinados processos criminais. Os documentos só eram destruídos quando Moreira Lima se convencia de que o processo havia sido conduzido de má-fé ou que a sentença proferida pelo juiz contrariava a prova dos autos.[373]

Frei Audrin, homem culto e politicamente habilidoso, envia uma carta ao general Miguel Costa oferecendo-se como mediador para estabelecer um entendimento entre os rebeldes e o Governo. Os seis dias em que haviam permanecido hospedados no convento tinham sido "suficientes para patentear-nos, além do seu fino cavalheirismo, a bondade do seu coração e a sinceridade de suas aspirações patrióticas". (...) "parte-se de dor o nosso coração ao ver essa plêiade de jovens e distintos brasileiros metidos nessa luta insana, entranhados em nossos remotos sertões, separados há tantos meses de seus pais, mães, esposas e filhos, perseguidos pelo Governo e ignorando quando raiará para todos a aurora da paz". (...) "Somos e permaneceremos depois deste rápido contato seus admiradores sinceros e, ao mesmo tempo, amigos compadecidos e dedicados."

Depois de exaltar os ideais da revolução e derramar os melhores elogios ao comportamento fidalgo da oficialidade do Estado-Maior, frei Audrin toca, delicadamente, em uma das chagas mais sensíveis da Coluna: o elevado custo social dessa marcha pelo interior do país. Os prejuízos inevitáveis e involuntários que a tropa causa ao passar pelas fazendas e lugarejos, no cumprimento de sua missão, é uma das questões que também angustia o Alto-Comando. Na carta, o assunto é abordado por frei Audrin com extrema elegância:

> *"A passagem da coluna revolucionária através dos nossos sertões e por nossa cidade tem sido um lamentável desastre que ficará, por alguns anos, irreparável. Em poucos dias, nosso povo, na maioria pobre, viu-se reduzido à quase completa miséria. Isso é sobretudo deplorável porque este povo nenhuma culpa teve nos acontecimentos passados, ignorando em sua quase totalidade os acontecimentos de 1924 em São Paulo e Rio Grande do Sul."*

Audrin exalta a elevada disciplina da Coluna, o respeito aos lares e o cuidado do Estado-Maior em prevenir e castigar com severidade qualquer ofensa à moralidade e à tranqüilidade da população, mas não pode deixar de deplorar e protestar diante dos elevados danos materiais sofridos pela população com a perda do gado e animais, embora reconheça ser isto "uma imposição vexatória mas fatal das duras necessidades da guerra".[374]

O roubo, os saques e a violação dos lares sempre foram punidos de forma exemplar, apesar das dificuldades de se controlar o comportamento de uma tropa tão grande e heterogênea, onde a disciplina é exercida de forma rígida e as faltas punidas sempre com o máximo de severidade. Apesar do excesso de cuidados com as famílias, o Alto-Comando vê-se, entretanto, diante de outra situação igualmente delicada, para a qual não há solução a curto prazo: como reparar a perda de dezenas de cabeças de gado, que servem de alimento para a tropa, e das centenas de animais recolhidos, nas fazendas e nas cidades, para serem utilizados como montarias?

Ao se apossar tanto dc mercadorias como de animais, os rebeldes expedem "requisições" assinadas por um oficial do Estado-Maior especialmente designado para emitir esses documentos. A fim de garantir o recebimento das "requisições", que deverão ser resgatadas pela União, os rebeldes orientam os comerciantes e as pessoas a reconhecerem a firma do oficial que assina o documento. Caso o tabelião não pudesse fazer o reconhecimento, os interessados deveriam pedir a duas pessoas que abonassem a firma e autenticar, em seguida, a assinatura dos abonadores. Depois, deveriam comprar um selo proporcional ao do valor do bem requisitado, caso o montante das despesas não estivesse declarado no documento. Após o reconhecimento das firmas, as "requisições" deveriam ser registradas no Cartório de Títulos e Documentos. As pessoas eram ainda alertadas para outro aspecto importante: o prazo para prescrição dessas ações, junto à União, era de cinco anos.[375] O ritual burocrático, com todos esses procedimentos de ordem legal, era liturgicamente incompreensível para a população analfabeta. Só os comerciantes compreendiam a importância de obedecer a essa tramitação.

A proclamação apaixonada que os rebeldes fazem aos habitantes de Porto Nacional não é também bem compreendida pela população. A linguagem empolada do manifesto não alcança o resultado esperado:

> *(...) "Queremos uma paz sem opróbrios, cimentada na justiça" e não "a paz sombria e trágica que encobre o vilipêndio das senzalas". (...) "E o povo pode ficar certo de que os soldados revolucionários não enrolarão a bandeira da Liberdade enquanto não se modificar esse ambiente de despotismo e intolerância que asfixia, num delírio de opressão, os melhores anseios da consciência nacional!"*[376]

Antes de deixar Porto Nacional, os chefes da Coluna assistem a uma missa solene na igreja de Nossa Senhora das Mercês, um templo imenso, em estilo romano, que domina toda a cidade. Ali, todas as noites, durante a hora do rosário, muitos rebeldes costumavam rezar. Nas missas, pela manhã, os gaúchos pediam autorização ao celebrante para cantar os *benditos*. Ao sair da igreja, o Estado-Maior se reúne para uma foto histórica que o próprio prior do Convento faz questão de tirar para guardar como lembrança da permanência da Coluna na cidade durante uma semana.[377]

Os rebeldes avançam agora em direção ao Maranhão, para onde já fora enviado, em missão precursora, o capitão Paulo Kruger, que sobe o rio Tocantins de canoa, a fim de estabelecer os primeiros contatos com os chefes políticos que simpatizam com a revolução. Nesse rio profundo e traiçoeiro, de águas verdes e calmas, por pouco não ocorre uma tragédia: Prestes, que não sabe nadar, quase morre afogado ao se banhar, numa manhã de sábado, em companhia de outros oficiais. Foi salvo pelo major Manoel Lira, quando já tinha sido engolido pelas águas e estava sendo arrastado pela correnteza.[378]

30

OS PORÕES DO *GENERAL ESCURIDÃO*

O estado de sítio alarga as fronteiras do arbítrio e confere poderes cada vez mais discricionários ao marechal Carneiro da Fontoura, chefe de Polícia do Rio de Janeiro, obstinado inimigo do movimento revolucionário. Por trás da imagem de militar duro e despótico esconde-se um homem de ambição sem limite. O *General Escuridão*, como a ele continuam a se referir seus detratores, é também vaidoso; empenha-se em aparecer nas primeiras páginas dos jornais.

O gabinete de Fontoura, na sede da Polícia Central, na rua da Relação, alimenta uma fogueira de vaidades. Por ali desfilam, diariamente, informantes, políticos, militares, comerciantes e até moças da melhor sociedade. Todos buscam merecer a atenção do marechal, por alguns instantes, bem como sua ajuda para resolver algum tipo de problema; muitos, entretanto, o procuram apenas em busca de notoriedade. É *chic* dizer que tinham estado com o chefe de Polícia ou que gozam de sua proteção e estima.

O próprio Carneiro da Fontoura gosta de conversar com os convidados mais ilustres na varanda do salão nobre, um arco dominado por belo vitral, com as armas da República, guarnecido por duas colunas jônicas, contíguo ao seu gabinete. Ele passa horas falando de si mesmo e da eficiência do aparelho policial que montou para combater os inimigos do Governo.

Um dos seus temas preferidos é o prédio em que funciona a Polícia Central. Construído em 1910, em estilo eclético francês, a sede contribui, com sua arquitetura de linhas elegantes, para atenuar o impacto negativo que as repartições policiais costumam causar sobre as pessoas. A monumentalidade da fachada, de linhas severas mas elegantes, o *hall* com piso em mosaico colorido e a bela escadaria de mármore, envolvendo o elevador, funcionam como uma espécie de biombo. Quem contemple o prédio, do lado de fora, jamais imagina o horror do xadrez, no andar térreo, e as sevícias impostas aos presos políticos, no terceiro andar.

O marechal gosta tanto do seu local de trabalho que, às vezes, em épocas de crise, pode ser visto de chinelos, circulando à noite, pelos corredores, de pijama, como se estivesse em casa. Ele dorme freqüentemente em um aposento contíguo ao gabinete, principalmente quando aguardava, ansioso, o resultado de determinadas diligências promovidas pela 4ª Delegacia.

Uma das maiores façanhas de Fontoura foi proibir, no Carnaval desse ano, que os foliões circulassem com máscaras ou disfarces pelas ruas, sob o pretexto de que os conspiradores poderiam travestir-se com fantasias ingênuas, para praticar atentados contra o Governo. Foi a primeira vez, na história do Carnaval carioca, que milhares de pessoas saíram às ruas fantasiadas, para brincar e cantar, com o rosto completamente descoberto.[379]

Agora, com a chegada da primavera, a Polícia, para surpresa da população, estabeleceu também uma série de regras para os banhistas que freqüentam a praia do Flamengo. As novas instruções, baixadas pelo delegado Oscar dos Santos, do 6º Distrito Policial, contêm o dedo do marechal. As restrições, segundo o Governo, têm como objetivo atenuar o elevado número de queixas de famílias que protestam contra o mau comportamento dos *habitués* desses banhos de mar.

De acordo com as normas que acabam de entrar em vigor, os banhistas só poderão freqüentar a praia em dois horários: das quatro da madrugada às nove da manhã e, depois, das quatro às seis e meia da tarde. Um guarda-civil, através de um apito, comunicará aos banhistas o encerramento do horário do banho, com trinta minutos de antecedência, para que as instruções do chefe sejam cumpridas com rigor.

As novas regras não se limitam a estabelecer horários predeterminados para os banhos de mar; definem também o figurino mais adequado para esse tipo de lazer. A Polícia determina não só o modelo como o tamanho, a qualidade do tecido e a cor dos trajes que devem ser usados pelos banhistas. Os homens poderão vestir camisa de meia, desde que não seja de cor branca, para evitar que fique transparente ao ser molhada, e usá-la para fora do calção, esticada para baixo e "com comprimento suficiente para compor, com recortes que não deixem aparecer os seios nem demasiadamente as costas". O calção, sempre de cor escura, deverá ter dimensões determinadas: a extremidade ou bainha não poderá ficar acima dos joelhos mais do que oito centímetros, guardando-se as devidas proporções para as pessoas de menor estatura.

As mulheres ficam obrigadas a usar roupas de banho com "o mesmo padrão de decência exigido para os homens".

Fontoura preocupou-se até com as roupas que os banhistas devem usar ao sair da praia. O trajeto pelas ruas vizinhas à orla marítima só será permitido àqueles que estiverem envolvidos em roupões "rigorosamente fechados e abotoados". Os banhistas estão também proibidos de fazer qualquer tipo de algazarra nas ruas por onde passarem, sob pena de serem severamente castigados os que "ofenderem a moral com pilhérias e chalaças". Além de advertidos publicamente pela autoridade policial, os transgressores dessas normas "serão presos e conduzidos à delegacia".[380]

Apesar de alguns reveses, como o cerco desastrado dos seus *secretas* ao esconderijo dos conspiradores na rua Flack, em julho passado, Fontoura vem ultimamente colecionando algumas vitórias significativas. Com a truculência habitual, seus homens tinham conseguido reverter o fiasco da rua Flack, através de habilidoso interrogatório a que submeteram as duas filhas menores do capitão Cristóvão Barcelos.

Levadas para a Polícia Central, depois do tiroteio, elas acabaram contando que o dono da casa, o comerciante e industrial Viriato Schummacker, tinha na rua Campos Sales uma lavanderia muito freqüentada por Barcelos. Ao visitar a lavanderia, na esperança de encontrarem uma pista do capitão sedicioso, os policiais tiveram uma surpresa: encontraram cerca de 80 bombas de dinamite nos fundos da loja. As bombas eram todas de ferro, de forma cilíndrica, com as extremidades dilatadas e achatadas, como se fossem um carretel. Não tinham pavio: foram produzidas para explodir sob impacto. Documentos encontrados na lavanderia revelaram ainda que elas seriam detonadas, num mesmo dia, em pontos diferentes da cidade, para desnortear as autoridades e espalhar pânico entre a população.[381]

Com base na documentação apreendida, há vários meses a Polícia política vinha colecionando prisões importantes, tanto na capital como em cidades vizinhas, como Barra do Piraí, onde fora também apreendida grande quantidade de bombas caseiras, confeccionadas com pregos e dinamite, que estavam escondidas num quarto de hotel.[382]

As cadeias do Rio estão entupidas de adversários do presidente da República. O Governo não sabe onde estocar as levas de dissidentes que são detidos, todos os dias, nas ruas e nos quartéis, sob a acusação de conspirarem contra a ordem constituída. As prisões são efetuadas de forma arbitrária e truculenta, sem qualquer amparo legal.

O Rio concentra o maior número de presos políticos de todo o país. A situação chegou a tal ponto que é impossível manter toda a população carcerária em presídios comuns. Até os agentes da 4ª Delegacia já não se preocupam mais em *batizar* os presos encaminhados ao xadrez pela primeira vez. Antigamente, eles eram sempre interrogados, durante a noite, nos horários mais inesperados, ou transferidos, às pressas, de uma prisão para outra, durante a madrugada, em fétidos e abafados camburões, conhecidos como *viúvas-alegres*, só para que ficassem com os nervos em frangalhos. Não se pode mais perder tempo com esse tipo de tortura psicológica. Agora, mais do que nunca, é preciso encontrar novos espaços para manter essa multidão de prisioneiros atrás das grades.

Os noviços, mal chegam à 4ª Delegacia, são levados para a *geladeira*. Antes de serem enfiados no xadrez, ouvem os carcereiros dizer, em tom de deboche:

— Você vai virar *borboleta*.

A *geladeira* é uma cela de oito metros por dez, com chão de ladrilhos, localizada atrás da garagem da Polícia Central, onde os presos permanecem em absoluta incomunicabilidade. Seu espaço é dividido com presos comuns e abriga uma população que oscila entre 40 a 200 homens. Os suspeitos de conspirar contra o Governo são mantidos presos, às vezes, durante três meses, sem culpa formada. Ao deixar a *geladeira*, exibem aspecto macilento e doentio, rosto cadavérico, olhos fundos; poucos conseguem caminhar, tão debilitados se encontram. Transformaram-se em *borboleta*.

Muitos conspiradores, depois de detidos, são distinguidos com outro endereço: a Casa de Detenção ou a vizinha Casa de Correção, para onde são levados os presos que gozam de algum renome, como políticos, professores e jornalistas, entre os quais Mário Rodrigues, Edmundo Bittencourt, José Eduardo Macedo Soares, Paulo de Lacerda e José Joaquim Teixeira.

Com as cadeias superlotadas, o Governo passa a utilizar as ilhas como presídios políticos. A ilha Rasa, a duas horas de rebocador do cais da Praça XV, que tinha sido inicialmente usada, em caráter provisório, como uma espécie de depósito de presos durante a rebelião em São Paulo, logo se torna prisão permanente. Os prisioneiros ficam alojados em precários barracos de madeira, com teto de zinco — verdadeiras fornalhas nos dias de calor. Na ilha não há nenhum tipo de atendimento médico, a comida é insuportável e quase não há água para beber. Sempre que chove, os presos recolhem a água que escoa dos telhados e aproveitam as poças que se formam no pátio imundo do farol.[383]

Por vezes os presos são levados também para a ilha das Flores, perto de Niterói, uma repartição do Ministério da Agricultura que oferece melhores acomodações do que a ilha Rasa e os navios-presídios estacionados ao largo da baía de Guanabara. Nesses navios, a prisão era um inferno. O mais assustador era o *Campos*, uma velha embarcação do Lloyd que não tinha mais forças para navegar. Ali, nessa espécie de ferro-velho flutuante, um velho cargueiro confiscado dos alemães em 1917, durante a Primeira Guerra Mundial, os presos eram obrigados a passar o dia picando ferrugem do casco, forma encontrada para mantê-los fisicamente ocupados durante a prisão.

Assim que subiam ao navio, os presos eram recebidos a chicotadas e, em seguida, atirados nos porões. Só o *Campos* hospedava cerca de 800 prisioneiros, uma boa parcela constituída de presos comuns. Apenas os chamados *"chefes de turma"*, delinqüentes que ajudavam a vigiar o restante da massa carcerária, usufruíam da regalia de ter uma esteira como cama; a grande maioria dormia sobre a chapa lisa de ferro, no fundo dos porões.

Os presos passavam meses com a mesma roupa. Quando não estavam picando ferrugem, dedicavam-se a procurar parasitas nas barbas e nos cabelos, que jamais eram cortados — trabalho que faziam catando-se uns aos outros, com notável espírito de solidariedade.

A ilha da Trindade já vinha sendo utilizada como prisão para alguns oficiais do Exército, mas a sua localização, em pleno oceano Atlântico, a 120 milhas do litoral do Espírito Santo, fora considerada inadequada não só pela distância, coberta, em média, com quatro dias de viagem, mas pelas dificuldades de desembarque que oferecia, mesmo quando o mar não estava agitado. Mas essas viagens só eram realizadas de dois em dois meses, tempo demasiado para a pressa do Governo.[384]

Até mesmo a ilha Grande, nas imediações de Mangaratiba e Angra dos Reis, no litoral sul do estado do Rio, funcionava como presídio militar desde janeiro de 1925. Bernardes aproveitara as antigas instalações de uma construção do final do século, conhecida como lazareto, para criar essa nova prisão, sob a jurisdição do Ministério da Guerra. O prédio, agora deteriorado, fora muito usado no começo do século para manter de quarentena os passageiros que chegavam do exterior, considerados suspeitos de serem portadores de doenças transmissíveis.[385]

Com a sucessão de prisões ocorridas a partir do levante da Marinha, em novembro do ano anterior, a situação carcerária ficara insustentável. Não havia mais onde prender tanta gente. Como muitos presos políticos estavam se beneficiando de *habeas corpus*, concedidos pelo Supremo Tribunal Federal, Bernardes achou melhor encontrar uma solução que, ao mesmo tempo, dificultasse a libertação dos prisioneiros e resolvesse, de uma vez por todas, o problema de falta de espaço.[386]

Por iniciativa do presidente, em sucessivas reuniões, todo o Ministério empenhou-se, no final do ano passado, em encontrar um lugar, em qualquer ponto do país, que contemplasse esses dois aspectos. Após examinadas várias alternativas, Bernardes mostrou-se particularmente encantado com uma sugestão do ministro da Agricultura, Miguel Calmon. Seu ministério, revelou, dispunha do lugar ideal para se despejar esse tipo de gente: a Colônia Agrícola de Clevelândia, no território do Amapá, em plena selva amazônica, na divisa com a Guiana Francesa.

Calmon explicou que não seria a primeira vez que o Governo federal recorreria ao desterro para se livrar de indesejáveis. Desde o começo da República se adotava essa prática como provação tanto para presos comuns como para os políticos. O marechal Floriano Peixoto, por exemplo, utilizara esse expediente durante o estado de sítio para deportar centenas de prisioneiros para o Acre. No meio desses presos, dos quais nunca mais se teve notícia, encontravam-se pessoas de renome, além de vários oficiais, entre os quais destacavam-se alguns majores e tenentes-coronéis. A maioria dos prisioneiros tinha sido desterrada para as localidades de São Joaquim do Rio Branco e Tabatinga.[387]

Bernardes ouviu com indisfarçado entusiasmo a exposição do ministro da Agricultura sobre as vantagens da internação dos presos políticos na região amazônica, a exemplo do que fizera Floriano Peixoto, em 1892, e Rodrigues Alves, em 1905. Não se sabe se por falta de escrúpulos ou por excesso de pudor, Calmon, que fizera ampla pesquisa sobre o desterro desses prisioneiros, achou melhor omitir como fora a dramática viagem dessa carga humana para o Acre.

A descrição desse longo martírio, nos porões de um cargueiro, do porto do Rio de Janeiro ao interior do Acre, chocou o país, no começo do século. *A Notícia* de 27 de dezembro de 1904 contou com riqueza de detalhes como, em nome da lei, foi praticado esse crime contra os direitos humanos:

> *"O* Itaipava *moveu sua [*sic*] possante hélice revolvendo ruidosamente as águas da baía, descrevendo graciosamente uma curva para tomar a direção da barra (...) Dos porões do navio partiam rumores surdos, gritos, imprecações, blasfêmias... Ali, amontoados na maior promiscuidade, crianças e velhos, negros e brancos, nacionais e estrangeiros, deitados uns, outros de pé, seguros fortemente, de mãos dadas, nos óculos das espias, procuravam respirar, fazendo esforços sobre-humanos para sorver o ar puro do exterior, que dificilmente penetrava nos interstícios...*
>
> *"Nos porões, nem uma luz! Os 334 condenados, nus, debatiam-se nas trevas com as enormes ratazanas que, audaciosamente, os atacavam cobrindo-os de dentadas! O navio transpôs a barra e logo uma aragem mais forte o fez dançar desesperadamente sobre o dorso de enormes vagalhões. Nos porões os presos sem apoio rolavam uns sobre os outros, magoando-os, escorregando na lama nauseabunda de fezes e vômitos (...) Não lhes bastava ainda tanto sofrimento; cerca de três dias depois irrompeu nos porões terrível praga de parasitas, atacando a todos barbaramente. Piolhos e percevejos, aos milhares, cobriam os corpos seminus dos desgraçados, transformando-os em chagas asquerosas, de onde se desprendia um cheiro horrível. O médico dificilmente conseguia tratá-los; a falta de higiene dos porões e a falta de banho para os infelizes muito contribuíam para a ineficácia dos curativos (...) Dos porões, um cheiro horrível, nauseabundo, se desprendia, fazendo recuar quem ali pretendesse entrar. Assim, todos ou quase todos os presos acham-se enfermos e atacados de febre, causada pela intoxicação de gases deletérios."* [388]

O ministro Miguel Calmon garante a Bernardes que Clevelândia oferece excelentes condições sanitárias para acolher a quantidade de prisioneiros que o Governo entendesse por bem deportar. Instalada oficialmente a 12 de março de 1920 pelo engenheiro Gentil Norberto, um veterano da campanha de colonização do Acre, realizada com a mão-de-obra desterrada por Floriano Peixoto, a colônia fora também pioneira no processo de povoamento do Oiapoque, então "uma terra abandonada e sem dono". Um relatório assinado em 1922 pelo médico Heráclides de Souza Araújo, diretor do Serviço de Profilaxia Rural do Pará, atestava os bons índices de salubridade da região, por ele considerados "mais lisonjeiros" que os da Estrada de Ferro de Bragança. As casas da Colônia eram todas de madeira de lei, pintadas a óleo, com assoalho, envidraçadas e cobertas com telhas de barro do tipo francês.[389]

Calmon não precisa mais continuar exaltando as virtudes de Clevelândia: esse pedacinho do inferno tinha caído do céu. Bernardes não tem mais dúvidas para onde enviar seus desafetos políticos. Como bom advogado, sabe que não há qualquer impedimento de ordem legal para que o plano seja executado. A Constituição de 1891 estabelece no artigo 80 de suas Disposições Gerais que o presidente, na vigência do estado de sítio, pode recorrer ao desterro para internar os inimigos da ordem e da lei.

A escolha do local e data do embarque foi, entretanto, mantida no mais absoluto sigilo, por medida de segurança e, também, por estratégia política. Os escolhidos seriam indicados por uma comissão formada pelos Ministérios da Marinha, da Guerra e da Justiça. Ao contrário do que ocorrera em 1905, quando os presos foram deportados com nomes falsos para facilitar o embarque, agora seriam cumpridas todas as formalidades legais. Antes de subir nos navios, todos seriam corretamente identificados pelos nomes verdadeiros e, no caso de militares, pela unidade em que serviam, além dos crimes de que eram acusados.

Não seriam também cometidos os excessos praticados no passado, como o vergonhoso leilão de prisioneiros ocorrido no Acre, onde os presos chegaram a ser negociados às centenas, pela bagatela de 50 mil réis cada um, já que a oferta era maior do que a demanda, tal a quantidade de homens colocados à venda na localidade de Penha de Tapuá. Não seriam também abandonados nas margens dos rios, apenas com a roupa do corpo e sem nenhuma alimentação, como ocorrera em 1905.[390]

31

O INFERNO DE CLEVELÂNDIA

A primeira leva de prisioneiros para Clevelândia havia partido no início de dezembro do ano anterior. O navio, com 250 presos, chegara ao rio Oiapoque dois dias depois do Natal de 1924. A bordo estavam criminosos qualificados pelo Governo como "dos mais perigosos" e com os piores antecedentes de que se tem notícia; gente que a sociedade queria ver pelas costas. Essa, pelo menos, fora a versão oferecida pelo Governo para justificar o degredo. Desse grupo, na verdade, faziam parte líderes sindicais que cumpriam pena no *Campos*, alguns desocupados recolhidos pela Polícia nas ruas do Rio e dezenas de marinheiros envolvidos com o levante do encouraçado *São Paulo*.[391]

O Governo aproveitara-se da suspensão temporária das regalias constitucionais imposta pelo estado de sítio para reprimir o movimento operário liderado pelos anarquistas no Rio de Janeiro. Entre os presos, os criminosos comuns, com "os mais perigosos antecedentes", não passavam de uma minoria quase simbólica.

A segunda viagem para o Oiapoque chegara ao fim da linha a 6 de janeiro deste ano, com 120 rebeldes que haviam participado do levante da Flotilha do Amazonas e da ocupação militar de Manaus. A escolha de Clevelândia fora extremamente feliz. Não havia melhor lugar para o Governo se livrar de toda essa quantidade de "indesejáveis", como a Polícia costumava rotular os mendigos e certos presos comuns.

Os prisioneiros desembarcaram no Oiapoque e dali foram levados em navios-gaiolas até a localidade de Santo Antônio. Depois, através de uma picada aberta na selva, completaram o percurso de 18 quilômetros a pé, caminhando, descalços, por brejos e igarapés, até alcançarem a Colônia, um amontoado de barracões sem acomodações para tanta gente. Os presos que não conseguiam vagas nessas instalações precárias eram obrigados a dormir embaixo do assoalho das casas ou a improvisar abrigos sob as árvores, onde sofriam outro tipo de suplício: a umidade e a companhia de ratos, mosquitos, répteis e insetos de toda natureza que gravitavam em torno dos barracões.

Clevelândia oferecia aos presos dois destinos: a fuga através da mata fechada, na esperança de chegar à Guiana Francesa, do outro lado do Oiapoque, ou os trabalhos forçados e a lenta agonia na selva, até serem consumidos de vez pelas doenças tropicais. A floresta era o grande muro dessa prisão sufocante onde as fugas eram freqüentes; as que fracassavam eram punidas severamente com castigos físicos, para servir de exemplo.

O Centro Agrícola esforçava-se por manter as aparências de uma repartição pública civilizada. Assim que chegavam, os presos recebiam um enxoval: chapéu de palha de aba larga, paletó e calça de brim azulão. Depois, eram escalados para as mais diversas atividades, com a duração de nove horas diárias, na maioria das vezes sem qualquer remuneração. Construíam pontes, abriam estradas e retiravam toras de madeira dos rios para serem beneficiadas na serraria da Colônia. Os presos que exerciam funções mais qualificadas, como eletricistas, mecânicos ou escriturários, recebiam um pagamento: meia dúzia de cigarros. Às vezes aparecia também algum dinheirinho, quantias que variavam de 10 a 200 mil réis por um ano de trabalhos forçados.

Alguns prisioneiros trabalhavam na ampliação do Hospital Simão Lopes, que ficara pequeno demais para atender a tantos casos de malária. Como tinha poucos leitos, a maioria dos doentes ficava deitada no chão da enfermaria; muitos dormiam ao relento, na porta do hospital, enquanto aguardavam uma vaga. Para atender a esse contingente de miseráveis que aumentava a cada dia, foi erguida uma enfermaria auxiliar anexa, com 88 leitos, mas a situação continuava insustentável, com a média de oito óbitos por dia.[392]

As condições de vida dos presos políticos em Clevelândia eram piores do que as do presídio de Saint-Georges ou da famosa penitenciária francesa de Saint Laurent du Maroni, ambas do outro lado do rio Oiapoque, onde mais de três mil prisioneiros comuns, condenados na França, cumpriam pena de desterro. Havia ainda outro conjunto de prisões nas ilhas de Saint Joseph, do Diabo e Royale, conhecidas como as ilhas da Salvação, no litoral da Guiana, onde ficavam os condenados à morte ou à prisão perpétua. Lá, pelo menos, os presos tinham a guilhotina para abreviar seus sofrimentos.[393]

No começo de junho desse ano o cargueiro *Cuiabá* retornava ao Oiapoque com mais uma apreciável leva de prisioneiros. Durante 21 dias ele navegou do porto de Paranaguá, no Paraná, até o Amapá, transportando os 400 rebeldes que se renderam em Catanduvas. Ao fazer uma breve escala no porto do Rio, para se abastecer de água e carvão, o *Cuiabá* recebeu uma carga adicional de mais 23 "conspiradores" e cerca de 130 presos comuns, entre ladrões, homicidas, malandros e vigaristas, a chamada escória da sociedade carioca. Nessa lista fora também incluído um punhado de vadios e mendigos, de acordo com o programa de profilaxia social adotado pelo Governo para manter a cidade sempre limpa e com aspecto agradável, além de ser também um trabalho de "prevenção contra o crime", como a Polícia costumava justificar as prisões sem qualquer amparo legal. Esse serviço de *limpeza* era uma das muitas violências praticadas de forma rotineira, com o aval da Prefeitura, contra os segmentos mais desvalidos da população. O objetivo das operações, na realidade, era apenas retirar da paisagem urbana esses pobres, sujos e de aparência repugnante, e apressar a morte desses infelizes na região amazônica, como já denunciara Rui Barbosa em 1911.[394]

A viagem do *Cuiabá* tinha sido dramática. Os prisioneiros de Catanduvas, doentes e esfarrapados, foram embarcados no litoral do Paraná em estado deplorável. Logo após a rendição, foram obrigados por Rondon a fazer uma penosa marcha forçada de 16 dias até a localidade de Irati, onde foram embarcados, como animais, em vagões de carga e transportados, de trem, para o porto de Paranaguá. A maioria estava em péssimas condições de saúde e higiene, sujos e anêmicos, quase todos com sarna, disenteria e bicho-do-pé. Mesmo doentes e debilitados pelo martírio em que se transformara a luta nas trincheiras, eles foram despejados em porões infectos, sem ventilação, para uma viagem de quase 30 dias até o Oiapoque. Como a água a bordo era escassa, o comandante do navio racionava-a. Os presos passavam dias seguidos com sede.

Durante todo o percurso, eles haviam se alimentado de uma comida rala e insuportável, o que contribuiu ainda mais para o agravamento de seu estado de saúde. Pela manhã, recebiam um pouco de mate e um biscoito; o cardápio das refeições principais tinha sido praticamente o mesmo ao longo de toda a viagem: feijão-fradinho e pouco mais de 100 gramas de carne verde malcozida, quase sempre dura e insípida, que os presos engoliam sem mastigar. A mesma escotilha usada para levar a comida aos porões era também utilizada para fazer subir e descer os dois barris de madeira em que urinavam e defecavam. Apesar de retirados pela manhã e à tarde, quando eram lavados com a água do mar, esses barris, conhecidos como *cubos*, desprendiam sempre "emanações pestilentas" que contaminavam o ar dos porões.[395]

Terça-feira, 6 de outubro

O sul está mais uma vez em pé de guerra. O jornal *El Día*, de Montevidéu, oferece com exclusividade aos seus leitores uma notícia proibida de ser divulgada com detalhes no Brasil: a invasão do Rio Grande do Sul por um grupo de homens montados em grandes cavalos, armados com revólveres, espadas, lanças, rifles e fuzis. Não foi muito difícil reconhecê-los e descobrir o que pretendiam. Os 80 cavaleiros eram gaúchos e podiam ser identificados de longe: estavam todos com camisa xadrez, bombachas, botinas pretas sanfonadas, chapéu de copa alta e abas largas, de onde pendia uma fita vermelha, larga e comprida, que tombava sobre os ombros como uma espécie de flâmula, mas que na verdade constituía um distintivo. O lenço vermelho e a fita da mesma cor eram o símbolo da revolução.

O chefe, com a pele queimada de sol, estatura mediana, tinha leves traços de índio, apesar da cor branca. O que traía a mestiçagem, naquele corpo jovem para os seus quase 60 anos, eram os cabelos desfiados e corredios, levemente encanecidos, que apareciam sob o chapéu. Todos o chamavam de *general*, embora fosse civil e analfabeto. Os rebeldes tinham cruzado a fronteira através de Riviera e Artigas, sob o comando do *coronel* Honório de Lemos, que se encontrava exilado no Uruguai. Com ele estava o *coronel* Julio de Barros, o mesmo que teve seus homens chacinados por tropas brasileiras, em território uruguaio, em novembro do ano anterior. Os dois chefes maragatos voltavam ao Brasil dispostos a tentar, mais uma vez, levantar o Rio Grande em nome da revolução.

Os rebeldes, em seus reides enlouquecidos, já tinham assaltado um trem de passageiros, queimado os vagões, arrancado os trilhos e destruído a estação ferroviária de Porteirinhas. Depois, em marcha forçada, deslocaram-se para Caverá, região montanhosa entre Alegrete e Livramento, que vinham utilizando como esconderijo. Pelo caminho apossaram-se de todos os cavalos disponíveis e recrutaram compulsoriamente os homens com mais de 18 anos encontrados pelas fazendas e povoados por onde passaram.

Essas informações sobre o movimento rebelde foram divulgadas por uma autoridade brasileira, o ministro Nabuco de Gouveia, em entrevista exclusiva concedida ao correspondente de *El Día* em Porto Alegre. O ministro esclarecia que a invasão fora realizada por *"rebeldes profissionais"*, os eternos bandos de revolucionários que infestavam a fronteira com o Uruguai. Tratava-se de uma rebelião conduzida exclusivamente por civis. Todas as tentativas de aliciar militares, mesmo entre aqueles que simpatizavam ou que haviam apoiado o levante de outubro do ano anterior, tinham fracassado. Os chefes maragatos, com suas lanças, espadas e fuzis, estavam isolados e sem condições de sustentar a rebelião. A disposição do presidente do Rio Grande, Borges de Medeiros, era a mesma do Governo federal: reprimir os rebeldes "com firmeza e energia patriótica".

As tradições de luta no sul obrigavam, entretanto, as autoridades a deixarem uma porta aberta: o Governo estava disposto a mudar de atitude, desde que os responsáveis pelo movimento concordassem em "seguir o bom caminho da ordem e da paz que o povo brasileiro tanto desejava".[396] O Governo sabia que, desde o Império, as revoluções gaúchas duravam anos e só terminavam através de um acordo negociado, jamais por derrota ou imposição.[397]

Acuados em Passo da Conceição, no dia 10 de outubro, por cerca de 2 mil homens comandados pelo general Flores da Cunha, os rebeldes tomam uma decisão dramática: resolvem lutar até a morte. O chefe legalista, como bom gaúcho, prontificou-se a fazer um acordo com os revolucionários para evitar maior derramamento de sangue. Flores da Cunha enviou um fazendeiro da região como emissário para tentar parlamentar com Honório de Lemos, na esperança de convencê-lo a se render sob a garantia de que a vida dele e a de seus companheiros seriam preservadas.

Depois de muito discutir com seus pares, Honório de Lemos aceita o acordo. À frente dos seus homens, o *general* ergue uma lança com uma bandeira branca na ponta e cavalga com altivez em direção às tropas legalistas. Os dois revólveres continuam pendurados do cinto largo e vistoso, junto com a espada de comando. As abas largas e cinzentas do chapéu novo, levemente enterrado na cabeça, escondem a emoção que lhe escapa através dos olhos. O Estado-Maior caminha a seu lado, com o cano das carabinas voltado para baixo, em sinal de rendição. A cena é tocante: estão todos chorando, inclusive o velho *general*; as lágrimas rolam pelo seu rosto e se perdem no tecido grosso da camisa xadrez de algodão.

Num gesto de altruísmo, Flores da Cunha estende a mão para o chefe rebelde que, mesmo rendido, não se considera derrotado.[398]

Domingo, 1º de novembro

A Coluna ocupa a vila de Pedro Afonso, nas imediações do rio Tocantins, e invade o Maranhão em companhia de vários índios, alegres e comunicativos, das tribos Xavantes e Javés, que habitam a região do Piabanhas. Apesar de estarem sempre pedindo dinheiro, querem também alguns cavalos para comer. À noite os rebeldes são obrigados a manter cuidado redobrado com as barracas e, principalmente, com a cavalhada: além de roubar os animais, os índios furtam o que estiver ao seu alcance.[399]

O território maranhense é diferente dos chapadões goianos. Suas florestas têm a exuberância da região amazônica, da qual são prolongamento, com árvores gigantescas, rendilhadas de cipós e emolduradas por bosques de babaçus. A cidade de Carolina, a mais importante do sul do Maranhão, recebe o destacamento de Siqueira Campos de braços abertos. O resto da Coluna avança margeando o Parnaíba em direção à cidade de

Flores, localizada em frente a Teresina, capital do Piauí, que fica do outro lado do rio.

Os rebeldes são recepcionados pela Filarmônica Carolinense, que, em uniforme de gala, executa com entusiasmo e ardor a marchinha *Ai, seu Mé*, apelido pejorativo de Bernardes incorporado ao repertório carnavalesco. No Carnaval carioca de 1922, quando Bernardes ainda era apenas um dos candidatos à Presidência da República, essa modinha, lançada durante um espetáculo popular no Teatro São José, na praça Tiradentes, a 16 de fevereiro de 1922, tornou-se uma das preferidas do povo:

"*Ai, seu Mé,*
Ai, seu Mé,
Lá no Palácio das Águias, olé!
Não hás de pôr os pés."

Depois de eleito, Bernardes vingou-se. Os grupos que cantarolavam essa modinha eram invariavelmente presos ou dissolvidos a cacetadas por uma máfia de desordeiros a soldo da polícia de Bernardes, os *Cravos Vermelhos*. Esse bando de desqualificados agia sob o comando de João Batista do Espírito Santo, conhecido pelo vulgo de *Cidadão Pingô*, e que também prestava outros serviços ao marechal Carneiro da Fontoura, com quem tinha relações de amizade e estima.[400]

Cercados por tanto carinho, os rebeldes multiplicam os comícios em praça pública. Juarez Távora e Lourenço Moreira Lima dirigem-se à população de Carolina de forma apaixonada. Contagiado pelo clima de apoteose, um dos rebeldes, o sargento João Baiano, protestante convicto, não se contém diante da platéia e faz uma exaltada pregação evangélica.

Juarez Távora e Cordeiro de Farias, em tom de galhofa, telegrafam a Bernardes comunicando-lhe a ocupação de Carolina. A família Diógenes Gonçalves, uma das mais tradicionais da cidade, recepciona os rebeldes com uma grande festa. Um jovem alto, moreno e esguio, de hábitos educados, filho de uma professora de Pernambuco, num gesto de agradecimento delicia os presentes com um repertório de música clássica ao piano. Além de tocar piano com um talento incomum, o pernambucano João Alberto também extrai maravilhas de um violino. A população de Carolina jamais poderia imaginar que entre os rebeldes existisse um músico tão virtuoso.[401]

O número 8 de *O Libertador* é impresso na gráfica do jornal *A Mocidade*. O comércio e o povo recebem explicações sobre as requisições feitas em Carolina e como devem ressarcir-se das despesas, encaminhando os documentos firmados pelos rebeldes para as delegacias fiscais que a União mantém nos estados. Em editorial, o Alto-Comando garante aos comerciantes que esse procedimento está dentro da lei, porque a "União, de acordo com a Constituição e o Código Civil, é obrigada a indenizar os prejuízos causados pelas forças revolucionárias".[402]

Antes de deixar Carolina, os rebeldes queimam em praça pública, diante de uma multidão estupefata, os livros e as listas de cobrança de impostos atrasados. Um dos presentes, que acompanha de perto a destruição dos documentos numa grande fogueira, constata que as chamas ainda não envolveram os seus papéis. Volta-se para Juarez Távora com ar de preocupação e observa:

— Coronel, o meu recibo ainda não pegou fogo.

Juarez autoriza então o homem a queimar, pessoalmente, os seus documentos.

A papelada é rapidamente consumida pelas labaredas, num clima de festa, com a *Philarmônica* executando mais um número de *Ai, seu Mé*, para alegria da oficialidade e divertimento da tropa.

Sexta-feira, 6 de novembro

A vanguarda da Coluna, sob o comando de João Alberto, abandona Carolina e marcha agora, a passo acelerado, em direção à cidade de Grajaú. As forças comandadas por Prestes e Siqueira Campos avançam, pela outra margem do Parnaíba, do lado do Piauí, para alcançarem Uruçuí, um dos portos fluviais mais importantes da região.

O tenente do Exército Jacob Manuel Gaioso e Almendra, chefe de Polícia de Teresina, comanda pessoalmente um grupo de 40 soldados da Polícia Militar do Piauí, com a missão de barrar o avanço das tropas rebeldes na cidade maranhense de Benedito Leite. A retaguarda legalista, com 1.500 homens do exército, está entrincheirada do outro lado do rio, em Uruçuí, Piauí.

O tiro de *parabellum* de um dos homens do destacamento de Djalma Dutra soa como o disparo de um canhão. Os rebeldes usam uma munição especial que faz muito barulho, por eles apelidada de *inquietação*. O pânico envolve tanto a tropa de Benedito Leite como a de Uruçuí, que fogem, enlouquecidas, abandonando armas e equipamentos. Os soldados estão assombrados com a história de uma preta velha feiticeira que dança nua entre as metralhadoras dos revolucionários. A lenda espalha-se rapidamente pelo Vale do Parnaíba e chega à capital do Piauí.[403]

A debandada das tropas legalistas explode como uma bomba em Teresina. A cidade transforma-se numa praça de guerra. Soldados do Exército e da Polícia Militar, com a ajuda da população, cavam, aterrorizados, trincheiras em volta de Teresina, para impedir que a cidade caia nas mãos dos rebeldes. O coronel Frederico Beutenmüller, que comanda a guarnição do Exército, baixa normas rígidas de segurança: impõe o toque de recolher das oito da noite às seis da manhã e proíbe a entrada e saída de pessoas ou de veículos da cidade sem permissão das autoridades militares. Apenas 10% dos habitantes permanecem na cidade.

O governador Matias Olímpio pede reforços urgentes a Bernardes para defender a capital diante de iminente ataque das forças revolucionárias. Todas as noites as tropas legalistas consomem milhares de cartuchos num tiroteio ensurdecedor, atirando contra um inimigo imaginário que acreditam cada vez mais perto. É tudo um delírio. A Coluna, que se move lentamente em dois grandes braços, dividida pelas águas turvas do Parnaíba, está muito longe.

João Alberto, sempre que ouve o tiroteio à noite, em seu acampamento, a quilômetros de distância, reclama, brincalhão:

— Estão gastando toda a nossa munição.[404]

Quinta-feira, 24 de dezembro

Há dias os rebeldes ocupam Floriano, a segunda cidade mais importante do Piauí. As casas comerciais são arrombadas pelas forças revolucionárias, que se apossam de tudo que necessitam. As mercadorias de empresas do sul do estado, armazenadas em grandes depósitos sob a guarda do Governo, são distribuídas entre a população pobre.

Na gráfica de *O Floriano*, cuja oficina não dispõe de muitos recursos, é impresso, com certa dificuldade, mais um número de *O Libertador*. A edição, preparada especialmente pelo jornalista Pinheiro Machado, um tipo alto e franzino que gosta de discursar ao lado de Juarez, exibe na página dois uma mensagem de Natal dos rebeldes:

> *"Os soldados revolucionários desejam Boas Festas ao povo brasileiro e fazem votos de que o Ano Novo traga a vitória da revolução para que o Brasil entre numa era de paz e liberdade."*

Não podiam ter imaginado nada mais convencional. Os depósitos do Governo são arrombados e as mercadorias distribuídas entre a população pobre.

Na noite de Natal, a família do comerciante Raimundo Ribeiro da Silva oferece generosa ceia ao Estado-Maior e presenteia os oficiais com lenços de seda vermelha. A data é também comemorada pelos soldados com dança, muita cantoria e o triste repicar das violas.[405]

Quarta-feira, 30 de dezembro

Um dos destacamentos rebeldes, sob o comando de Juarez Távora, está acampado nas imediações de Teresina, que se encontra protegida por um cinturão de metralhadoras e canhões, apoiado por cerca de 4 mil homens do Exército, da Polícia Militar e de "batalhões patrióticos" arregimentados na capital e em cidades do interior. A tropa fantástica está sob o comando do general João Gomes Ribeiro Filho, comandante-em-chefe das forças federais enviadas para defender o Norte e o Nordeste do "terrível flagelo" representado pela Coluna. Por estratégia ou comodismo, ele prefere instalar seu QG o mais longe possível do teatro de operações: São Luís do Maranhão.

A Associação Comercial do Piauí distribui dinheiro, cigarros, doces e biscoitos entre os soldados enfiados nas trincheiras com lama até os joelhos. O estado está sendo castigado por uma chuva torrencial, o pior inverno dos últimos 100 anos. Teresina encontra-se virtualmente sitiada desde 1° de dezembro. Começam a faltar alimentos, e os gêneros de primeira necessidade são tabelados para impedir a ganância dos açambarcadores. Os poucos habitantes que permanecem na cidade e os soldados que a defendem estão se alimentando exclusivamente de galinhas e porcos criados nos quintais.[406]

O destróier *Amazonas* e o navio *Pará* chegam a São Luís do Maranhão apinhados de tropas federais e estaduais, trazendo ainda um carregamento extra de armas e munição destinados à capital do Piauí. Um destacamento de 776 praças da Brigada Militar do Rio Grande do Sul acaba de desembarcar em Teresina para reforçar as defesas da cidade.

Ao traçar um perfil do inimigo que se aproxima, na esperança de elevar o moral das tropas sob o seu comando no Piauí, o coronel Gustavo Beutenmüller aumenta ainda mais o pânico entre a população civil:

— O Brasil vê assombrado esse bando aventureiro, mascarado pelas teorias falsas de uma política estreita, sem o apoio unânime da nação, saquear-lhe as cidades indefesas, violentar suas virgens e desonrar os lares honestos da família brasileira do nosso *hinterland*.[407]

O discurso não poderia ter sido mais infeliz.

Uma grave cisão entre o governador e o comandante militar da região ameaça fazer ruir a precária defesa da cidade, que por pouco não desmoronara, dias antes, com uma tentativa de levante do 25º Batalhão de Caçadores do Exército. Oficiais e sargentos fiéis ao Governo tinham se trancado no quartel na noite de Natal, deixando do lado de fora o comandante e os soldados que queriam sublevar o batalhão. Impedidos de entrar no quartel, eles passam o resto da noite espalhados pela vizinhança, apanhando de espada e de facão da Polícia Militar.

O governador Matias Olímpio e o general João Gomes não se entendem sobre a melhor forma de enfrentar os rebeldes, acusando-se mutuamente de incompetência desde o primeiro dia em que a Coluna colocou os pés no Piauí. João Gomes defende um plano alucinante: entregar Teresina aos rebeldes para depois acuá-los e reconquistar a cidade a tiros de canhão, tática semelhante à adotada para derrotar Isidoro em São Paulo. Olímpio não concorda em abandonar a cidade. Telegrafa para o Rio de Janeiro em busca do apoio e proteção de um piauiense influente, o ministro das Relações Exteriores Félix Pacheco, a quem pede mais homens, armas e munição. A bancada do Piauí na Câmara Federal é também acionada pelo governador para fazer pressão sobre Bernardes e o ministro da Guerra.

Os rebeldes, entretanto, não têm nenhuma pretensão de atacar Teresina e ocupar a capital. Além de não disporem de recursos para enfrentar os fortes contingentes que defendem a cidade, eles não afastaram o plano inicial de invadir a Bahia. Antes, passariam pelo Ceará, onde esperam engrossar as fileiras da Coluna com novas adesões.[408]

1926

32

A COLUNA SEM JUAREZ

Quinta-feira, 31 de dezembro

O Estado-Maior revolucionário é despertado com uma notícia estarrecedora. Não poderia ter ocorrido tragédia maior no último dia do ano, quando já estavam de partida: o coronel Juarez Távora caiu prisioneiro das tropas legalistas.

Ao preparar uma emboscada contra uma lancha governista que circulava pelo Parnaíba, Juarez viu-se, de repente, envolvido por um pelotão do 29º BC, sediado no Rio Grande do Norte e que chegara ao Piauí há pouco mais de dez dias. Assustado com o tiroteio, seu cavalo empacou; Juarez, reconhecidamente mau cavaleiro, não conseguiu controlar o animal e foi obrigado a se render na fazenda Angelim.[409]

Assim que se ouviram os primeiros tiros, em vez de tomar a direção das forças rebeldes, o cavalo arrastou Juarez para o caminho oposto. Diante dos soldados legalistas surge então uma figura imponente, "um homem de porte varonil", camisa branca e bombachas, lenço vermelho no chapéu. Atira no chão o revólver e o punhal que traz no cinto largo e se identifica em voz alta:

— Sou Juarez Távora e me entrego prisioneiro![410]

Ao se entregar ao major Araújo Filho, Juarez pediu para ser levado à presença de um médico. Revelou que sofre de cistite e necessita de tratamento.[411]

Juarez é conduzido para o 25º BC, em Teresina, onde fica preso na *casa das ordens*, como a sala do telégrafo é chamada no jargão militar. Ali se transformou em objeto da curiosidade popular. Todos querem vê-lo de perto: soldados, oficiais, gente do povo. O próprio Governo não acredita que tenha sido preso. Na *casa das ordens* ele recebe a visita do bispo de Teresina, dom Severino Vieira de Melo, que tenta confortar espiritualmente o prisioneiro, sabidamente católico, e lhe faz um apelo em nome da caridade cristã para que os rebeldes não ataquem a cidade.

A importância da prisão de Juarez é destacada pelo estardalhaço que *O Piahuy* faz em sua edição de 1º de janeiro de 1926: "Uma brilhante vitória das forças legais."

Domingo, 3 de janeiro de 1926

Cordeiro de Farias entrega a Miguel Costa uma carta que Juarez escreveu na prisão. Endereçada a Prestes e datada de 1º de janeiro, a mensagem endossa o pedido de dom Severino. Na carta, Juarez reforça a ilusão de que os rebeldes estão na iminência de invadir a capital, embora saiba que seus companheiros já se encontram longe de Teresina:

> *"De qualquer forma, valeria a pena suspender o assalto à capital até um novo entendimento com o comandante das forças que a defendem, coronel Gustavo Beutenmüller. Este, embora sem competência para estabelecer um armistício, se manteria em suas posições até receber uma resposta sua a esta carta."*

Prestes e Miguel Costa dirigem-se na madrugada seguinte ao povoado de Natal, onde assistem pela manhã a uma missa celebrada por dom Severino. Cordeiro de Farias e Lourenço Moreira Lima juntam-se depois aos dois chefes, na casa do vigário, a fim de participar de uma reunião reservada com o bispo de Teresina.

Dom Severino renova o apelo para que não ataquem a cidade. Prestes prontifica-se a atender ao pedido, desde que libertem Juarez. Com habilidade e delicadeza, o bispo tenta dissuadi-los de continuar a luta. Propõe que deponham as armas e se oferece como mediador de um honroso e definitivo acordo de paz.

Ao notar que o bispo percebera que as tropas rebeldes não sitiam mais a capital, Miguel Costa inventa uma história fantástica, um plano mirabolante para impressioná-lo:

— Afastamo-nos de Teresina a fim de executarmos um novo plano de ataque... Não sei se conseguiremos impedir o início desse assalto, que já deve estar sendo realizado pelas forças de João Alberto. Rogo, entretanto, a V. Exa. avisar ao coronel Beutenmüller e ao Dr. Matias Olímpio que não considerem uma deslealdade de nossa parte se houver qualquer tiroteio do lado do rio Poti.

Com os olhos arregalados, o bispo despede-se apressadamente dos chefes rebeldes e parte, a todo galope, a batina esvoaçando, em companhia de seu assistente, rumo a Teresina. No alforje, amarrado à sela, junto com os paramentos, está a carta que Prestes escreveu a Juarez, comprometendo-se a atender a seu pedido de não invadir a capital. Dom Severino, em troca, compromete-se a interceder junto às autoridades militares para que os rebeldes deixem o Piauí sem serem molestados pelo Governo. Durante cinco dias eles migram pelo interior do estado sem ser atacados pelas tropas legalistas.[412]

Os rebeldes, na verdade, precisavam sair o mais rapidamente do Piauí, porque já não dispunham também de braços suficientes para oferecer qualquer tipo de resistência ao Governo: 60% das forças revolucionárias tinham contraído malária. Cerca de 400 homens estão gravemente doentes, necessitando de cuidados médicos, e muitos ainda padecem de um outro mal: a exemplo dos combatentes de Catanduvas, eles também pegaram sarna, para a qual não dispõem de nenhum lenitivo, diante da falta de medicamentos para esse tipo de doença de pele.[413]

A Coluna deixava o Piauí com 1.500 homens, bem montados e equipados, mas sem ter conseguido as substanciais adesões que esperava. Os revolucionários de Teresina, que haviam feito tantas promessas, não honraram os compromissos assumidos. Os planos românticos de transformar também o Maranhão numa cidadela inexpugnável, onde poderiam resistir indefinidamente aos ataques do Governo, igualmente se esfumaram.

O Maranhão, na visão do Alto-Comando, oferecia as condições ideais para uma luta prolongada. Com seus 460 mil quilômetros quadrados, fartos recursos naturais, protegido a oeste pela impenetrável floresta amazônica, ao sul pelos chapadões goianos, a leste pelo rio Parnaíba, que o separa do Piauí, e ao norte pelo litoral, o estado permitiria comunicação com o exterior e acesso a outros estados. O plano, porém, começou a se desmilingüir com a prisão de Paulo Kruger, quando se aproximava de São Luís. Ele havia deixado Porto Nacional, em Goiás, com a missão de estabelecer clandestinamente os primeiros contatos políticos com os conspiradores maranhenses, para facilitar a ocupação do estado, mas sua prisão inesperada e a descoberta de que pretendiam invadir o Maranhão alertaram as autoridades. Os rebeldes tiveram então que mudar de plano.[414]

Ao começar a se movimentar com suas tropas, para abandonar o Piauí, o Alto-Comando revolucionário é contemplado com uma notícia alentadora: emissários do Partido Comunista do Brasil, fundado em 1922, procuraram os chefes rebeldes na cidade de Natal para informar que o dirigente do PCB em Pernambuco, Cristiano Cordeiro, e o tenente do Exército Cleto Campelo estão prontos para levantar Recife com o apoio da classe operária e do Batalhão de Caçadores da cidade. É a primeira vez que a revolução estabelece um contato direto com os comunistas e concorda em lutar a seu lado, depois da rebelião de São Paulo. A comissão é representada pelo capitão do Exército Waldemar de Paula Lima e pelo jornalista Josias Carneiro Leão, que submetem à apreciação de Prestes o programa político dos conspiradores. O Estado-Maior examina cuidadosamente o programa e, depois de aprová-lo, assume o compromisso de chegar a Recife com as forças revolucionárias até o dia 15 de fevereiro.[415]

A prisão de Juarez Távora abala profundamente o moral do Alto-Comando. Com a unificação das forças revolucionárias, ele havia perdido o comando da Divisão São Paulo. Mesmo sem comandar tropa, como subchefe do Estado-Maior, tinha sempre participação importante nas decisões tomadas pelos rebeldes. Era o intelectual da Coluna: escrevia bem, expunha seus pensamentos com clareza, discursava com paixão. Além disso, tem raro domínio do idioma. As cartas e os relatórios que os rebeldes encaminhavam a Isidoro e ao deputado Batista Luzardo eram invariavelmente escritos por ele. Católico praticante, Juarez transmitia confiança e proporcionava sempre palavras de conforto a todos que a ele recorriam em busca de orientação espiritual. Era também um dos mais preciosos colaboradores de Prestes. Ele e o irmão Joaquim foram conspiradores incansáveis, constituíam os verdadeiros sustentáculos do movimento rebelde em todo o país.[416]

Juarez já se encontrava detido no 1º Regimento de Cavalaria Divisionária no Rio de Janeiro quando as tropas rebeldes começaram a se aproximar do Ceará. O comandante do RCD é o coronel Euclides Figueiredo, responsável pela renovação da instrução militar na Escola de Realengo na época em que Juarez era cadete. A remoção do importante preso foi cercada de cuidados especiais: transferido às pressas, de trem, para São Luís, viajou num vagão blindado sob forte escolta, diante das suspeitas de que seria resgatado pelos companheiros durante a viagem. Em São Luís foi embarcado em um navio do Lloyd Brasileiro, que levou 10 dias para chegar à capital federal.

Ao chegar ao Rio, Juarez reencontrou o capitão Paulo Kruger, que fora preso no Maranhão, e um antigo conspirador da travessa da Fábrica, em São Paulo: o tenente Eduardo Gomes, detido em agosto, em Santa Catarina, quando viajava de navio. Disfarçado e com documentos falsos, Gomes pretendia participar do levante no Rio Grande do Sul.[417]

A situação dos presos em Clevelândia assume a cada dia proporções alarmantes. Os últimos meses de 1925 tinham sido marcados pela dor, agonia e morte de centenas de prisioneiros. O Hospital Simão Lopes estava também precisando de socorro: não tinha mais como atender os casos de malária, disenteria bacilar, beribéri, polineurite e febres intermitentes que flagelavam os prisioneiros. A enfermaria do hospital só dispunha de duas seringas; às vezes, contava com apenas uma agulha para aplicar mais de cem injeções por dia.

Em dezembro não havia um só preso que não tivesse ficado doente. O tratamento era um só: injeções ou comprimidos de quinino. As agulhas, em conseqüência do uso, estavam tão rombudas que provocavam edemas e úlceras na pele. O serviço de enfermagem era formado por um dedicado grupo de presos políticos sob o comando de Domingos Patriarca, um sargento-enfermeiro da Força Pública de São Paulo que servira no corpo de saúde das tropas rebeldes durante a batalha de Catanduvas. Na folha de pagamento da Colônia, entretanto, consta o nome de dois enfermeiros. São funcionários do Governo: recebem sem trabalhar.

A média de óbitos, que era de cinco por dia, subiu para 12. Os mortos eram embrulhados em redes e enterrados pelo coveiro *Moleque Cinco*, preso comum, exímio batedor de carteiras que a polícia do Rio jogara nos porões do *Cuiabá*.

Os doentes mais graves e os considerados "desenganados" eram transferidos para a enfermaria auxiliar, ao lado do hospital, conhecida como *a enfermaria da morte*, com seus 88 leitos sempre lotados. Quem baixava com febre alta no Simão Lopes dificilmente voltava.[418]

As condições de saúde em Clevelândia agravaram-se e ficaram fora de controle com a chegada dos prisioneiros de Catanduvas, todos muito doentes e debilitados pela longa viagem nos porões dos navios. A sarna e a disenteria bacilar que haviam contraído nas trincheiras logo se transformaram em incontrolável epidemia. O quinino é a base de todo o tratamento. Os doentes tomam de cinco a seis doses diárias, o que provoca graves efeitos colaterais, com danos irreversíveis para o organismo. O medicamento ataca a visão e a audição. É comum verem-se presos completamente surdos em conseqüência do uso excessivo do quinino, tomado sem nenhum controle médico. Muitos presos, mais atingidos pelo remédio do que pela doença, ficaram cegos. Podem ser vistos, em bandos, tateando pela colônia, com a ajuda de rústicas bengalas. Imagens dolorosas que davam um tom ainda mais dramático àquele ambiente marcado pelo sofrimento e pelo abandono.

Até junho de 1925 tinham sido enterrados 35 prisioneiros no cemitério de Clevelândia; em setembro, o número de mortes fora assustador: mais de 400 homens consumiram-se com malária e disenteria bacilar. Entre os mortos estava o enfermeiro Patriarca. Em reconhecimento pelos serviços prestados, mereceu distinção especial: foi sepultado pelos companheiros num caixão de madeira.[419]

Terça-feira, 26 de janeiro

A Coluna está reunida na vila de Arneiroz, no Ceará, povoado miserável às margens do Jaguaribe, o maior rio seco do mundo. Seu leito escarpado, quase sem água, lembra as costelas de um boi magro e doente. A grandeza do Jaguaribe é trágica: seu curso tem 739 quilômetros de extensão e sua bacia estende-se por 75.000 quilômetros quadrados de terras semi-áridas onde quase não chove. É uma região pobre que ocupa metade do Ceará.

A marcha da Coluna através do vale do Jaguaribe castiga os rebeldes gaúchos, que mal conseguem suportar o calor das terras queimadas de muito sol, onde não há pastagens e alimentação, e é escassa a água para beber. A vegetação pobre da caatinga, com seus galhos secos e retorcidos, confunde-se com os homens magros e de rosto escavado da região, também quase sem vida, que plantam milho e feijão no leito úmido do Jaguaribe. A descoberta desse cenário até então desconhecido encanta e, ao mesmo tempo, amedronta os rebeldes, tal a aspereza dessa terra quase morta que os paulistas e os gaúchos estão vendo também pela primeira vez.[420]

Através de uma manobra de despistamento, João Alberto e seus homens tinham invadido o Ceará pelo norte, entre o rio Ipuçaba e a serra da Ibiapina, passando por Ipu, onde assaltaram a estação ferroviária, quebraram o telégrafo e arrancaram os trilhos do trem, interrompendo as ligações com Sobral e Fortaleza. Antes de danificar o telégrafo, João Alberto lançou mão de um ardil para enganar e acuar o Governo: enviou telegramas conclamando a população de Fortaleza a organizar uma grande recepção para acolher os rebeldes. As forças legalistas, concentradas no sul, imaginando que os rebeldes se preparavam para atacar a capital a qualquer momento, deslocaram-se rapidamente para Fortaleza, a fim de defender a cidade. O grosso da Coluna aproveitou-se do truque para atravessar o sul do Ceará sem ser molestado pelas tropas do Governo.

Assim que deixou Ipu, João Alberto visitou o túmulo do irmão Apolônio, que tinha sido juiz de Direito em Crateús. Ao chegar, recebeu uma notícia que o deixou abalado: o pai, a quem sempre se referia com veneração, tinha morrido há seis meses. Como ainda dispunha de algum tempo, resolveu visitar a cunhada, que também vivia com os filhos em Crateús. Na chegada à cidade, à noite, os rebeldes foram brindados com uma sucessão de estampidos, um espetáculo inesperado, barulhento e iluminado, como num *réveillon*. Uma chuva de ferro e fogo caiu sobre eles assim que colocaram os pés na pracinha principal. Entrincheirada na torre e nos telhados da igreja, uma tropa da Polícia Militar enfrentou os rebeldes com a ajuda dos presos da cadeia pública, um bando de pistoleiros perigosos — entre eles o famoso *Zé Mourão*, cabra bom de emboscada, com um punhado de mortes nas costas.

Ao perder três homens nesse inesperado combate, João Alberto achou melhor mudar seus planos e tomar outra direção: desistiu de visitar a família e abandonou a cidade, depois de dar uma boa corrida no comitê de recepção. Em seguida, passou por Novo Oriente, Saboeiro e Jucás, onde não encontrou nenhum tipo de resistência, até se juntar ao resto da Coluna em Arneiroz.[421]

Na meteórica e alucinante incursão pela região dos Inhamuns, onde caminharam cerca de 100 quilômetros por dia, os homens de João Alberto privaram-se do que mais gostavam de fazer, depois de comer churrasco e andar a cavalo: tomar chimarrão. Os gaúchos não sabiam que no Ceará não existia erva-mate. Ao chegarem a Ipu, eles tentaram encontrá-la no comércio, peregrinando de loja em loja, batendo de porta em porta com as cabaças vazias, mas ninguém sabia o que era erva-mate. Só então descobriram que os hábitos e costumes do homem do Nordeste eram bem diferentes do Sul.[422]

A morte do pai, um professor apaixonado pelo ensino da Matemática, golpeou fundo o espírito de João Alberto. O professor Joaquim Cavalcante Leal de Barros, homem ingênuo e muito distraído, dono de uma biblioteca colossal, tinha carinho especial por João Alberto, o único dos 11 filhos a quem ensinava, pessoalmente, as lições do colégio. Uma de suas manias era ler sempre uma obra qualquer, em voz alta, depois do jantar, para estimular entre os filhos o gosto pela leitura. Ao perceber que se haviam interessado pelo tema, pedia que continuassem a ler em seu lugar. Depois da paixão pelos livros e pela Matemática, sua maior loucura era Beethoven. Violoncelista bissexto, obrigou todos os filhos a aprenderem música clássica. As filhas estudavam piano, instrumento que João Alberto também passou a tocar, ao mesmo tempo em que recebia aulas de violino. Sob a regência do pai ele e as irmãs interpretavam Mozart, Schubert e, como não podia deixar de ser, Ludwig van Beethoven, cujo repertório era impiedosamente repetido, todas as noites, mais de uma vez, para deleite do maestro Joaquim e desespero dos vizinhos, que não suportavam mais ouvir o esquartejamento da Sinfonia Número 5 em Dó Menor.

Ao morrer, aquele homem magro e de meigos olhos azuis, ligeiramente curvo, que entrava e saía de casa sobraçando uma montanha de livros, não sabia que o filho preferido, agora com 24 anos, transformara-se num dos mais imaginosos chefes revolucionários. João Alberto entende praticamente de tudo: conserta relógios, constrói padiolas, pontes e pinguelas, sangra boi, faz churrasco como poucos, aplica injeções, realiza pequenas intervenções cirúrgicas, toca piano e violino, canta; habilidades herdadas do velho Joaquim.[423]

A Coluna, com cerca de 1.500 homens, marcha agora em direção a Pernambuco, onde pretende alcançar a cidade de Triunfo entre os dias 12 e 15 de fevereiro, como fora combinado no Piauí com os emissários do tenente Cleto Campelo e do líder comunista Cristiano Cordeiro.

Pelo caminho, os rebeldes vão apostando algumas de suas melhores fichas em outro levante que também está sendo tecido, ali perto, na capital da Paraíba, sob a orientação de Campelo. A guarnição do Exército de João Pessoa está disposta a se rebelar contra o Governo junto com seus camaradas do Recife.

Sábado, 30 de janeiro

O Alto-Comando está preocupado com a repercussão do coquetel de pilhagens que encharca as pegadas da Coluna desde o Piauí, enlameando as terras por onde passaram com indescritíveis cenas de vandalismo. Muitos voluntários que haviam aderido aos rebeldes no Maranhão estão desertando em bandos para promover saques e se dedicar a tropelias contra as populações indefesas depois que as forças revolucionárias deixam as cidades. Uma das defecções foi a do *coronel* Manuel Belarmino, que se incorporara à Coluna no Maranhão, com cerca de 100 homens. Assim que chegaram ao Ceará, Belarmino desertou com o irmão e 12 companheiros, para surpresa do Estado-Maior, que sempre lhe dedicou as melhores atenções. Prestes e Miguel Costa sabiam que todas aquelas violências seriam debitadas pelo Governo na conta corrente da Coluna.[424]

Em sua marcha batida em direção a Pernambuco, os rebeldes avançam em forma de arco, através da caatinga, para evitar a cidade de Campos Sales, no Ceará, onde está concentrado um forte contingente legalista: os romeiros do *Padim Ciço*. O Alto-Comando ainda não sabe que o Governo formou um batalhão de pistoleiros para perseguir as forças revolucionárias pelo sertão.

O responsável pela organização dessa tropa foi o médico e deputado Floro Bartolomeu, que tem grande influência não só no vale do Cariri como também na capital da República. Ele conseguiu que o Catete lhe enviasse, de Fortaleza, um trem especial, que chegou a Juazeiro estufado de uniformes do Exército, armas, munição e mil contos de réis, em fundos federais, para que gastasse como melhor lhe aprouvesse. Em Juazeiro, onde grande número de bandidos se refugiava sob a batina surrada do padre Cícero Romão Batista, chefe espiritual e temporal da população sertaneja, Floro arregimentou cerca de 500 jagunços para lutar contra os "revoltosos".

Padre Cícero é venerado pelos nordestinos como um santo. Lúcido e rijo para os seus 82 anos, tem sincero interesse em ajudar os sertanejos pobres e desvalidos que tanto precisam de uma palavra de alento. Não se importa também em acolher a legião de pistoleiros que o procura em busca das suas bênçãos e de outras formas de proteção. Desde que não provoquem desordens na cidade, bandidos e peregrinos que chegam, diariamente, de todos os pontos do Nordeste são sempre bem-vindos a Juazeiro. É ele quem manda na cidade:

— Aqui eu sou major, Câmara, juiz, chefe de polícia, comandante militar, polícia e carcereiro!

Com suas peixeiras e seus fuzis, os bandidos convocados por Floro Bartolomeu aguardam apenas uma ordem do chefe para se jogar no rastro da Coluna. Ainda não satisfeito com o fantástico bando sob seu comando, ele está empenhado em acrescentar mais um nome à sua invejável lista de pistoleiros: o cangaceiro Virgulino Ferreira da Silva, o *Lampião*, que o povo do interior considera a encarnação do mal.

Floro escreveu-lhe uma carta carinhosa, convidando-o a se juntar aos seus homens no *Batalhão Patriótico* que estava formando com a colaboração dos devotos do *Padim Ciço*.[425]

Ressabiado, o *Rei do Cangaço* aparece, de surpresa, dias depois, em Juazeiro, em companhia de 40 capangas, para se aconselhar com seu protetor espiritual, o *Padim Ciço*, com quem se reúne, em audiência particular, na igreja Matriz de Nossa Senhora das Dores. *Lampião* obtém as bênçãos do *Padim*, a quem promete, mais uma vez, renegar a vida de crimes e converter-se num homem de bem.

Ao deixar a cidade, o cangaceiro recebe de suas mãos uma falsa patente de capitão do Exército. Floro Bartolomeu, que estava fora da cidade, designa um representante para cobrir *Lampião* e seus homens com dengos e honrarias: em nome do presidente da República, entrega-lhe uma bolada de dinheiro, armas e farta munição para combater os *revoltosos* que agem "sob a influência de Satanás".

O *Rei do Cangaço* deixa a região do Cariri encantado com tantas homenagens. Vaidoso, deixa-se fotografar com a farda de capitão do Exército: túnica cáqui, na platina três galões de sutache branco, botas, chapéu, cartucheira e talabarte. No dólmã, as iniciais BPJ (Batalhão Patriótico do Juazeiro), que ele faz estampar no peito de todos os membros do seu bando.

Agora também ele é autoridade, têm que lhe bater continência. A patente de *capitão* funciona como um salvo-conduto, dando-lhe o direito de circular livremente de um estado para outro, em companhia dos *patriotas*. É o que mais desejava. Pode andar com seus cabras para lá e para cá sem ser molestado pelos *macacos*, como costuma se referir à Polícia.

A única coisa que não pretende fazer é trair seu instinto: alguma coisa lhe diz que não deve combater os rebeldes. Seus inimigos são os mesmos que perseguem a Coluna através dos sertões. Ele ouve essa voz interior e toma uma decisão: deixar os *revoltosos* em paz. É um homem ignorante, um sertanejo rude, sem instrução, mas não se considera burro. Não é o idiota que Floro Bartolomeu imagina.[426]

A oficialidade não está contente com a estratégia do Catete em armar um bando de malfeitores para defender a legalidade. O mais grave é que, além de receber armas e dinheiro, estão todos vestidos com o uniforme do Exército. Como se trata de gente reconhecidamente desqualificada, sem instrução militar e acusada de crimes comuns, o risco de que venham a denegrir a imagem da instituição é muito grande. O Catete pouco se importa com esses pruridos. Bernardes está cansado de ficar policiando o Exército para que não mude de lado. Convenceu-se de que despachar tropas regulares para perseguir a Coluna, através do Nordeste, será o mesmo que atirá-las nos braços da revolução.

O envio de contingentes policiais de outros estados para perseguir os rebeldes pelo interior é outro tormento para o Governo. Além de provocar inevitável desgaste político, com as resistências habituais, representa custo extremamente elevado para a União, sem contabilizar os discutíveis resultados no campo militar.

O vice-cônsul americano em Porto Alegre, E. Kitchel Farrand, registrara em um dos seus relatórios o descontentamento de alguns deputados gaúchos com o deslocamento de tropas de estados distantes, como o Rio Grande do Sul, para combater a Coluna no Maranhão e no Piauí. O deputado Venceslau Escobar protestara, através dos jornais, contra a participação insignificante de alguns governos estaduais na luta contra os rebeldes: "Por que Minas, que tem mais de 6 milhões de habitantes (...), não mobiliza quatro ou cinco mil homens (...) e por que o Rio Grande, com pouco mais de 2 milhões de habitantes, deve fornecer sempre alimento para os canhões?"[427]

Como a campanha pelo sertão, através de região inóspita, com as tropas expostas a toda sorte de vicissitudes, é ainda uma incógnita, o Governo achou melhor que os rebeldes fossem combatidos por gente da terra, habituada ao clima e às condições duras da caatinga. É menos dispendioso do que o deslocamento de tropas de outros estados e ainda evita surpresas como as ocorridas nas últimas semanas.

No final de dezembro o Governo levara um susto com a tentativa de levante do 25º Batalhão de Caçadores, em Teresina, durante o cerco dos rebeldes à capital do Piauí. Ainda recentemente, na noite de 18 de janeiro, Bernardes foi impedido de dormir por causa de outro pesadelo: a ocupação de Aracaju por tropas rebeladas do Exército, sob o comando do tenente Augusto Maynard Gomes, o mesmo oficial que liderara a rebelião de Sergipe, em julho de 1924.

Maynard, que desde aquela época se encontrava preso no 28º BC em Aracaju, conseguira fugir e sublevar outra vez o Batalhão. Divididos em pelotões, os amotinados ocuparam os principais pontos da cidade e cercaram o quartel da Polícia Militar. O levante só não prosperou porque o tenente Maynard levou um tiro no pé. Os rebeldes ainda resistiram durante quatro horas, porém terminaram subjugados com a ajuda de tropas da Marinha. Depois, foram enfiados nos porões de um cargueiro do Lloyd e levados para a ilha da Trindade.[428]

Quarta-feira, 3 de fevereiro

O telegrafista da vila de São Miguel de Paus dos Ferros, na divisa do Rio Grande do Norte com o Ceará, voa, esbaforido, ziguezagueando como um buscapé pelos becos esburacados, conduzindo um telegrama do governador do estado para o *coronel* e deputado João Pessoa, presidente da Intendência Municipal. Pelo caminho, vai soltando a novidade que o povo, em estado de inquietação há vários dias, mais temia:

— Os revoltosos, os revoltosos!

O telegrama que o escrivão José Avelino Pinheiro lê, com voz fanhosa, em frente à igreja, confirma o que todos já suspeitavam:

> *"Notícias do Ceará dão conta de que um grupo de 70 malfeitores se aproxima da fronteira do Rio Grande do Norte. Determino que o coronel João Pessoa organize a resistência, lançando mão de todos os meios de que possa dispor, contanto que os bandoleiros sejam contidos fora do estado."*

A situação fica ainda mais tensa quando o *coronel* João Pessoa, no meio da multidão de feirantes que o cerca, grita para um funcionário da prefeitura pedindo a presença do seu braço direito:

— Avise ao Chico Moreira que eu tô chamando ele.

Outro telegrama enviado de Natal informava que 700 soldados do Batalhão de Polícia, com ordens de marchar dia e noite, estavam a caminho de São Miguel. São então organizados pequenos grupos de voluntários para enfrentar o bando de "saqueadores" que se aproxima.[429]

Um dos braços da Coluna, com cerca de mil homens, invade o povoado ao entardecer, depois de rápida troca de tiros com um minguado comitê formado por cerca de 70 voluntários. Os rebeldes arrombam a golpes de machado 18 casas comerciais onde se abastecem de víveres, tecidos, roupas e medicamentos. Levam também todo o estoque de Elixir de Nogueira disponível na pequena farmácia do povoado. As repartições estaduais e municipais são invadidas por rebeldes à procura de dinheiro e, em seguida, incendiadas. Sob o comando de Djalma Dutra, os rebeldes cometem uma série de excessos contra a propriedade privada.[430]

Prestes e o Estado-Maior da Coluna, que não haviam entrado em São Miguel, tomam conhecimento do que acontecera e deploram a conduta da tropa. Indignado, Prestes vai até a cidade. Depois de rápida caminhada pelas ruas, para avaliar a extensão dos prejuízos, chama a atenção de Djalma Dutra, de quem exige mais energia e disciplina de seus comandados para evitar a repetição de atos dessa natureza.[431]

Sexta-feira, 5 de fevereiro

Os rebeldes chegam à Paraíba na esperança de estabelecer contato com os tenentes Souza Dantas e Seroa da Mota, que organizam um levante em João Pessoa. O movimento será detonado em sintonia com a rebelião que está sendo coordenada em Recife pelo tenente Cleto Campelo, com a ajuda de civis. O objetivo é sublevar, ao mesmo tempo, as guarnições do Exército na Paraíba e em Pernambuco no dia 15 de fevereiro, quando a Coluna se aproximar da cidade pernambucana de Triunfo. O plano vem sendo estudado há algum tempo, tem tudo para dar certo.

As forças revolucionárias, depois de escalar a serra Luiz Gomes, estão agora acampadas em São José do Rio do Peixe. O destacamento de João Alberto marcha em direção a Patos e Pombal, num ato de pura provocação: fustigar os contingentes enviados pelo Governo com a missão de impedir a invasão da Paraíba.[432]

Numa demonstração de ousadia, os rebeldes, antes de cruzar as fronteiras do estado, tinham feito circular em João Pessoa e em algumas cidades do interior uma proclamação ao povo da Paraíba defendendo-se das infamantes acusações do Governo:

> *"(...) Não somos bandidos. Somos leais e desinteressados combatentes, interessados numa causa santa, numa causa que reúne dentro de si mesma os mais ardentes desejos de nossa Nação. (...) Seus lares, suas famílias, suas propriedades serão religiosamente respeitadas pelos soldados da Revolução. O invicto Exército da Libertação está se aproximando das fronteiras do glorioso estado da Paraíba. Permita-nos abrir o caminho para a sua marcha triunfal."*

A resposta das autoridades estaduais é imediata: através de um manifesto à população, o presidente da Paraíba esclarece que os rebeldes, depois de terem sido escorraçados de vários estados, estão chegando às fronteiras paraibanas em desordem, sem conseguir mais dissimular os ideais de justiça política com os quais "tentaram inicialmente mascarar a sua atividade revolucionária".

> *"(...) Eles não mais tentam ganhar a simpatia e apoio do povo brasileiro para suas maldisfarçadas intenções; ao contrário, em todo lado e em repetidos ataques, eles atacam a honra, a vida e a propriedade de um povo indefeso. (...) A causa é de todos; todos devem participar com um alto ideal de dignidade pública e com coragem a fim de que o nosso glorioso estado possa ser salvo dos reides, do saque sistemático e de irreparáveis afrontas. Paraíba! Cumpra o seu dever! Às armas!"*[433]

Há dias o presidente João Suassuna não dorme direito. Ele atravessa as madrugadas debruçado, em seu gabinete, sobre um grande mapa da Paraíba e estados vizinhos, acompanhando o deslocamento dos rebeldes pelo Nordeste. Durante o dia, visita quartéis, vai ao telégrafo para se corresponder pessoalmente com outros governadores, prestigia, com sua presença, o embarque das tropas que partem a todo momento para combater a Coluna no interior da Paraíba. Em nenhum momento perde a serenidade e se afasta da linha do dever. Também não foram poucas as vezes em que foi à redação dos jornais, durante a madrugada, para redigir de próprio punho "a nota dos acontecimentos", como ocorreu durante o ataque ao povoado de Cruz das Almas.[434]

O telégrafo funciona dia e noite martelando mensagens que chegam do sertão para o presidente do estado.

> *"São João do Rio do Peixe (5/2) — Capitão Viegas comunica de Belém que rebeldes se acham acampados duas léguas daquele povoado. O Dr. Sobreira oferece 150 homens armados conforme aviso em poder auxiliar João Coelho estrada ferro aqui. Saudações. Elísio Sobreira."*

Muitas mensagens são lidas e respondidas na mesma hora por Suassuna, que nos momentos mais críticos permanece ao lado dos telegrafistas transmitindo ordens para os batalhões empenhados em perseguir a Coluna.[435]

O jornal *A União*, de João Pessoa, reflete o estado de espírito da população e a disposição do Governo de não esmorecer diante da luta que se avizinha:

> *"Temos, porém, um orgulho: a Paraíba, pequena e pobre, numa fase de aperturas econômicas e surpresas do banditismo, mostrará que as suas cidades não são presas imbeles de aventureiros, nem seus campos arena desimpedida para escaramuças de loucos e malfeitores."*[436]

Depois de enfrentar, no Ceará, problemas de toda natureza com a ingratidão da caatinga, os rebeldes estão agora diante de nova dificuldade na Paraíba: quase não têm o que comer. Como não existem boiadas na região que atravessam, para não passar fome, são obrigados a provar, pela primeira vez, um prato típico do sertão: carne de cabra com abóbora e feijão. Os gaúchos, habituados à tenra carne de churrasco, limitam-se a beliscar algumas lascas duras e sem paladar que muitos mal conseguem mastigar. O que não suportam mesmo é o cheiro da carne de cabra, uma morrinha que empesta o ar, difícil de suportar, que parece grudar na roupa e que pode ser sentida de longe.

Domingo, 7 de fevereiro

O grosso da tropa desce o vale do rio Piranhas sem notícias de Dantas e Seroa da Mota. Os rebeldes ainda não sabem que eles foram traídos e presos, durante a madrugada, pela Polícia da Paraíba. O mais grave: o delator era um homem da confiança de Prestes e Miguel Costa.

O autor da denúncia fora o deputado estadual Batista Santos, um foragido político de Goiás que se incorporara à Coluna no Piauí, onde chegou a participar de comícios com o lenço vermelho no pescoço, como o realizado em Uruçuí. Assim que as tropas revolucionárias chegaram ao Ceará, Batista Ramos desertou e contou às autoridades tudo o que sabia sobre os levantes em andamento na Paraíba e em Pernambuco.[437]

Alertadas pelo Governo do Ceará, as forças legalistas entram em estado de alerta na Paraíba e em Pernambuco, enquanto a Polícia promove grande caçada nas duas capitais para prender os líderes da revolta. Dantas e Seroa da Mota, que foram seguidos durante a viagem de trem de Recife para João Pessoa, são detidos em companhia de ex-marinheiros do encouraçado *São Paulo* recém-chegados do Rio Grande do Sul.

No sertão, a Coluna continua sem saber o que aconteceu com os conspiradores. Não conseguiram estabelecer nenhum contato com eles. O único indício de anormalidade é a concentração de tropas na capital, providência adotada pelo Governo sempre que os rebeldes invadem um estado. Prestes e Miguel Costa não suspeitavam que os conspiradores estivessem sendo agarrados um a um.

A classe política e até algumas áreas íntimas do poder, no Rio de Janeiro, desconhecem a existência desses levantes, mas o embaixador Edwin Morgan, como de hábito, está bem-informado sobre tudo o que acontece na Paraíba e em Pernambuco. Um relatório detalhado recebido do cônsul americano em Recife, Nathaniel P. Davis, não só confirma a prisão de Dantas e Seroa da Mota durante um tiroteio às duas e meia da manhã do dia 5, em João Pessoa, como revela a descoberta de armas e bombas na capital pernambucana, onde também foram detidos alguns suspeitos. No relatório encaminhado ao Departamento de Estado, Davis informa que a situação se mostra tão delicada que até o Carnaval do Recife estava ameaçado de ser suspenso pelas autoridades. O Governo pensa proibir os desfiles de rua, diante da possibilidade de os conspiradores se aproveitarem dos festejos para se infiltrar entre os foliões e promover desordens, além do risco de se utilizarem das fantasias como disfarce para atacar os quartéis da capital.[438]

33

A CILADA DO PADRE ARISTIDES

Terça-feira, 9 de fevereiro

A Coluna aproxima-se de Piancó, no sertão paraibano, vilarejo pobre e castigado pela seca, controlado politicamente pelo padre Aristides Ferreira da Cruz, fervoroso aliado do ex-presidente Epitácio Pessoa. Valente e brigão, o padre Aristides, para se defender de seus inimigos, não confia só no crucifixo que traz no peito: anda sempre com um 38 na cintura, oculto sob a batina, que também esconde a barriga e a vida de pecados que leva.

Anos antes, ao ser acusado de se deixar seduzir pelos prazeres da carne, padre Aristides fora punido com a suspensão de suas ordens pelo Bispado. Pouco adiantou jurar, de joelhos, que não caíra em tentação. A decisão foi mantida pelo bispo, que acompanha com os olhos e os ouvidos a vida dissoluta que ele cultiva. Além da fornicação, Aristides carrega outros pecados, entre eles o de ter roubado de um vizinho um touro premiado. Por causa desse crime, acabou sendo expulso da cidade, anos antes, depois de trocar tiros durante 26 horas com os capangas do dono do animal.

O presidente Epitácio Pessoa, ao ser informado de que seu correligionário fora enxotado de Piancó como um judas, determinou que ele fosse reentronizado na cidade e respeitado o seu mandato de deputado estadual. Para que não houvesse dúvidas quanto ao cumprimento de suas ordens, mandou um batalhão da Polícia Militar garantir a volta triunfal do protegido, com todas as honras. Com o retorno assegurado pelas baionetas, o padre conseguiu finalmente provar que fora vítima de inominável calúnia. Coisas do demônio. O touro, na verdade, fora comprado, de boa-fé, pelo idiota do seu capataz. Aristides soube depois que o animal fora roubado de uma fazenda vizinha por um parente do dono, que o vendeu para o bobão do seu empregado.

Todo mundo acreditou nessa abençoada história. Compungido, o povo ainda agradeceu a Deus pela graça alcançada, por ter impedido que aquele santo homem fosse condenado por um crime que não cometera.[439]

Ao perceber que os rebeldes estão cada vez mais perto de Piancó, padre Aristides enfia nas malas o que pode, despacha a mulher e os quatro filhos menores para fora da cidade, convoca uma procissão de pistoleiros e começa a organizar a resistência.

Para chegar a Pernambuco, as forças revolucionárias tinham que passar obrigatoriamente por Piancó. Padre Aristides recebera ordens expressas do presidente da Paraíba para barrar a passagem do bando de infiéis, estimado em cerca de 200 almas, quase sem armas e munição, até que chegassem as forças do bem. Eles só entrariam na cidade se passassem sobre a sua batina.

Vista assim do alto da serra, aninhada no fundo do vale, Piancó parece uma cidade adormecida. O único traço de vida visível, de longe, são as bandeiras brancas, espetadas nos telhados das casas. As bandeiras indicam que a população e as autoridades pretendem acolher os rebeldes num clima de paz. Cordeiro de Farias recebera uma mensagem dos chefes políticos locais de que seriam recebidos num clima de festa. Apesar do tom amistoso, ele está convencido de que há algo de estranho no ar.[440]

A vanguarda da Coluna aproxima-se, lentamente, do único acesso a Piancó. Sua posição privilegiada no vale, com o casario voltado para a rua principal e os buracos abertos nas paredes grossas, em forma de seteira, indicam que a cidade está habituada a se defender de invasores. O aspecto que oferece é de uma fortaleza em pleno sertão.

Alguns habitantes que moram no campo, interrogados pelos rebeldes, haviam informado que a população fugira e a cidade estava deserta. Um pequeno contingente do destacamento de Cordeiro de Farias, acompanhando o leito quase seco do rio Piancó, desce a encosta a pé, em fila indiana, e entra na cidade com a guarda relaxada. A única coisa que se move, ao ultrapassarem o primeiro quarteirão, são as bandeiras no alto dos telhados. Detrás dessas bandeiras surgem, de repente, rostos hostis. Nas seteiras aparecem dezenas de fuzis. O tiroteio é ensurdecedor. Debruçados sobre os telhados das casas e da cadeia pública, os homens do padre Aristides alvejam os rebeldes com facilidade. Apanhados de surpresa, os revolucionários tentam recuar, mas o número de mortos e feridos é muito grande. As primeiras balas mataram à queima-roupa seis rebeldes gaúchos.

O restante do destacamento de Cordeiro de Farias, enlouquecido com a traição, se atira sobre Piancó. Djalma Dutra joga também seu destacamento contra os defensores da cidade. A jagunçada do padre Aristides resiste bravamente. A batalha, com os homens lutando de casa em casa, prolonga-se até as duas da tarde. Alguém, do outro lado da rua, agita desesperadamente uma bandeirinha branca em uma janela e o tiroteio é suspenso. O coletor Manuel Cândido, um dos poucos moradores a permanecer em Piancó, surge na porta, trêmulo, com os olhos banhados de medo, e pede para sair com a família, porque as paredes estão se esfarinhando com os tiros de fuzil e a casa ameaça desabar. Ele, a mulher e os filhos ficaram na linha de tiro dos combatentes. Os rebeldes, num gesto humanitário, permitem que Manuel Cândido se retire com os seus. A maioria dos jagunços se aproveita da trégua para escapar pelos telhados.

Com a debandada, o principal foco de resistência passa a ser a casa do padre Aristides Ferreira, nas imediações da cadeia. Encurralado, o padre se defende como um leão. Seus homens atiram com rifles e espingardas, através das janelas e das seteiras abertas nas paredes quase junto ao chão.

Numa oficina mecânica, os rebeldes conseguem um pouco de gasolina e improvisam uma bomba incendiária na tentativa de desalojar o vigário, que luta desesperadamente em companhia de 14 capangas. Ao tentar atirar a bomba pela janela, o sargento Laudelino, que acompanha as tropas desde o Rio Grande, morre com um tiro no peito. Com a morte de Laudelino, que era muito querido entre os companheiros, os revolucionários, dominados por um ódio incontrolável, resolvem incendiar a casa com gasolina. O padre acha melhor se entregar para não morrer queimado.[441]

Alto e forte, camisa branca, calça escura com suspensórios, uma grande faca na cintura, a figura rija do padre Aristides, bem conservado para os seus 54 anos, contrasta com a imagem de miséria dos homens que lutam a seu lado, todos magros e andrajosos, a maioria descalça, com a boca murcha quase sem dentes. O padre e seus jagunços são empurrados pela soldadesca até uma vala cheia de água perto da cadeia. Ao identificar um oficial, entre a turba enfurecida, Aristides faz um pedido:

— Eu sei que vou morrer; rogo apenas que o comandante da força me dê uma pausa, para que eu possa rezar uma pequena oração... Um ato de contrição... sou padre e não posso morrer sem pedir a Deus que perdoe meus grandes pecados.

— Padre coisa nenhuma! Degola logo esse assassino!

Os rebeldes, cegos de ódio, perdem a cabeça e avançam, aos gritos, faca na mão, sobre o padre e seus companheiros. Aristides e seus homens são degolados como animais. Os corpos, com as gargantas estraçalhadas, são atirados, um a um, dentro da vala que transborda, inundada por uma pasta de sangue. O padre, em plena agonia, recebe ainda uma coronhada no rosto e uma punhalada no ombro direito. Insatisfeitos com a coleção de horrores, um dos rebeldes resolve ainda castrá-lo e enfiar-lhe os testículos na boca.

Os homens que participaram do impiedoso sacrifício dos prisioneiros estão com os braços, o rosto e a roupa sujos de sangue.[442]

Os soldados que vão chegando à cidade, consternados com a morte de tantos companheiros, contemplam cabisbaixos o corpo do sargento Laudelino. Depois, como se cumprissem um ritual macabro, seviciam o cadáver do padre: enfiam espadas no peito, furam os olhos, chutam o rosto já desfigurado por intermináveis agressões, atiram no peito. A mortalha fica irreconhecível.[443]

O espetáculo de selvageria, entretanto, não termina. Completamente fora de controle, os soldados, enlouquecidos pelo ódio, promovem uma selvagem romaria pelas ruas da cidade. Cinco jagunços, pai e quatro filhos, agarrados pela tropa ensandecida nas imediações de Piancó, são executados pelos rebeldes com requintes de crueldade; um dos rapazes é amarrado e arrastado por um cavalo até morrer, como na Idade Média. A vingança dos homens sob o comando de Siqueira Campos e Djalma Dutra é impiedosa.

O Alto-Comando revolucionário chega à cidade duas horas depois da chacina. Prestes pergunta ao capitão Emigdio Miranda pelo padre Aristides e seus capangas:

— Acho que fugiram.

Apesar da intensidade do tiroteio, que foi ouvido de longe, Miguel Costa e Prestes aceitam a explicação sem maiores questionamentos e seguem o caminho, sem entrar na cidade. Era comum as populações resistirem ao avanço da Coluna e, depois, fugirem para o interior. João Alberto, entretanto, desconfia que alguma coisa de errado acontecera em Piancó. Além de os rebeldes estarem muito nervosos, ele tem a atenção atraída por grande quantidade de urubus, que voam em círculos em volta da torre da igreja. Puxa as rédeas do cavalo e entra na cidade.

As marcas da violência estão em toda parte: casas arrombadas, paredes rendadas pelos furos das balas, corpos espalhados pelo chão e muito sangue. Os rastros levam até a pracinha da igreja, onde os cadáveres do padre Aristides e de seus pistoleiros se amontoam numa vala em frente à cadeia.

Os oficiais do Estado-Maior, perplexos com a violência, ainda conseguem impedir que um jovem soldado da Polícia Militar da Paraíba também seja degolado. O prisioneiro, um menino de 17 anos, João Moreira Leite, nascido no Maranhão, é interrogado por Miguel Costa. Seu aspecto de menino e a forma digna como se comporta durante o interrogatório impressionam os oficiais.

Siqueira Campos pergunta se ele sabe o que vai lhe acontecer:

— Sei. Vocês vão me matar. Nós faríamos a mesma coisa com o senhor se tivéssemos vencido a batalha.

O soldado é solto e adotado como bagageiro por Cordeiro de Farias.[444]

Apesar de a Coluna ter perdido cerca de 40 combatentes com a emboscada do padre Aristides, Prestes e Miguel Costa estão indignados com o massacre e os métodos utilizados na execução do padre Aristides e de seus asseclas. Não escondem sua revolta diante da inominável violência com prisioneiros indefesos.

Miguel Costa, Prestes e o general Isidoro têm ojeriza à degola, velho hábito guerreiro, de características primitivas, que os gaúchos herdaram dos maragatos espanhóis. Mas degolar um prisioneiro não é tão simples como parece. Além de muita frieza, é preciso também dominar essa técnica para se considerar um verdadeiro degolador. "*Hay dos maneras de degolar um cristiano, a la brasilera o a la criolla*", diziam os gaúchos da fronteira.[445]

Imobilizada a vítima, de joelhos, com as mãos para trás, o degolador coloca-se às suas costas e encosta a lâmina da faca na ponta do nariz. Instintivamente, o prisioneiro levanta a cabeça; o degolador afunda então a lâmina, seccionando-lhe o pescoço, de orelha a orelha. O sangue esguicha e a vítima tomba para a frente; a morte ocorre em questão de minutos.

Prestes e Miguel Costa sabem que a chacina de Piancó será explorada politicamente pelo Governo. Bernardes e seus acólitos vão mostrar ao país, mais uma vez, que os revolucionários são um bando de salteadores covardes e assassinos, capazes de cometer todo tipo de atrocidades.

Os rebeldes passam a noite em Piancó enterrando os seus mortos. O Estado-Maior atravessa a madrugada reunido no interior das barracas iluminadas por lampiões a querosene, em busca de uma solução para atenuar o impacto que a chacina vai provocar na opinião pública. Depois de examinar uma série de alternativas, o Alto-Comando decide enviar uma carta ao deputado Batista Luzardo, no Rio de Janeiro, com a sua versão da tragédia. Prestes e Miguel Costa querem que ela seja lida por Luzardo no plenário da Câmara Federal.[446]

Quarta-feira, 10 de fevereiro

Ao amanhecer, os rebeldes abandonam a cidade, deixando 23 cadáveres insepultos, gente do padre Aristides, alguns mortos a bala, outros, a maioria, degolados.

Piancó é logo depois ocupada por um destacamento avançado do *Batalhão Patriótico Forças Legais do Juazeiro*, o exército de romeiros armado pelo Governo para combater a Coluna através dos sertões. Padre Aristides e seus companheiros são encontrados com as gargantas cortadas e as mãos amarradas para trás. A tropa de devotos do *Padim Ciço*, armada com fuzis e peixeiras, é comandada pelo *capitão* Mário Rosal, que se benze ao ver o padre com os testículos enfiados na boca. Logo se espalha a lenda de que Aristides, depois de sofrer todo tipo de martírios, ainda foi obrigado a mastigar os próprios testículos antes de morrer.[447]

O massacre, na visão mística dos devotos e da jagunçada, assume o aspecto de uma guerra de extermínio contra a população sertaneja. O episódio referendava outras histórias de saques e depredações em cidades e povoados por onde os rebeldes haviam passado, acontecimentos sempre exagerados pela propaganda oficial. Os revoltosos são piores que o demônio, diz-se. Ao abater o gado, do qual só comem a parte dianteira, e ao queimar os paióis de milho em espiga que os fazendeiros usam para alimentar a cavalhada, apenas confirmam o que há muito deles já se falava: os rebeldes só "tinham o propósito de estragar e destruir".[448]

Os integrantes da Coluna não merecem, portanto, nenhum tipo de compaixão. O próprio presidente da República, em telegrama enviado ao presidente João Suassuna, já alertara que as forças revolucionárias, ao passarem pela Paraíba, não deveriam ser tratadas com benevolência, que, "além de ser por eles considerada uma demonstração de fraqueza, será também um estímulo aos crimes que vêm praticando".[449]

Quinta-feira, 11 de fevereiro

Apesar das ostensivas medidas de segurança que envolvem Recife, diante dos rumores de possível levante da guarnição do Exército sediada na capital do estado, as atenções da intelectualidade estão voltadas para um evento cultural que muitos consideram, em termos regionais, tão importante quanto a Semana de Arte Moderna, realizada em 1922 em São Paulo. O Congresso Regional do Nordeste, que reúne, durante quatro dias, escritores, jornalistas, professores e cientistas de cinco estados nordestinos, encerra hoje suas atividades, após saudável polêmica com a imprensa do Sul. Acusado por jornais do Rio e de São Paulo de estimular o separatismo, diante do caráter revolucionário de algumas teses apresentadas em plenário, o principal compromisso do Congresso tinha sido a discussão dos grandes problemas do Nordeste e as conseqüências do isolamento político e geográfico em que se encontra a região.

Um dos ouvintes mais interessados nas sessões realizadas entre os dias 7 e 11 de fevereiro foi o cônsul dos Estados Unidos, Nathaniel Davis, estudioso da cultura brasileira, especialmente dos hábitos e costumes do homem nordestino. Os participantes do Congresso, que não contou com nenhum tipo de ajuda oficial, fazem questão de enfatizar que se trata apenas de um encontro de intelectuais em busca de soluções para os problemas que afligem a região. É preciso que o Nordeste se desenvolva econômica e socialmente, a fim de que possa participar de forma mais efetiva nos negócios da nação, deixando de ser uma região de importância secundária em relação aos estados do Sul.

Os delegados do Ceará, Rio Grande do Norte, Paraíba, Alagoas e Pernambuco defendem a unificação de todos os recursos disponíveis para promover um desenvolvimento unificado, em vez de pulverizar esses mesmos recursos em atividades e projetos isolados, de acordo com interesses políticos, mais empenhados em servir aos grupos econômicos que representam do que lutar, na Câmara e no Senado, pelo atendimento das reivindicações do povo nordestino.[450]

Uma das estrelas do encontro, o jovem sociólogo Gilberto Freyre, do Recife, encantara o cônsul Davis com algumas idéias verdadeiramente revolucionárias, como a de que a miscigenação fora extremamente positiva para o Brasil. A contribuição do negro, dizia Gilberto Freyre, fora extraordinária não só para o país como para a cultura brasileira.

Muitos romancistas nordestinos, sob o impacto da tese sustentada por Gilberto, assumem o compromisso, durante o Congresso, de criar uma espécie de *literatura regional*. Eles se propõem a divulgar o papel exercido pelo negro na formação da sociedade brasileira, mostrando como trabalhava, como vivia nas senzalas, suas relações com a casa-grande.

Os escritores do Nordeste pretendem ultrapassar os limites da literatura asséptica e elegante defendida em São Paulo, nos melhores salões, pela vanguarda intelectual que participara da Semana de Arte Moderna de 1922.[451]

Nas ruas do Recife, indiferente às questões políticas e sociais, o povo esquenta os seus tamborins. O Governo incinerara a idéia de suspender o Carnaval, mas os desfiles estão proibidos, como também o uso de máscaras ou fantasias que ocultem o rosto ou dificultem a identificação do folião.

Sábado, 13 de fevereiro

Desde o dia 11 a Coluna encontra-se em território pernambucano, à espera do levante. No município de Princesa, o Estado-Maior é informado da morte acidental do *coronel* Luís Carreteiro, chefe gaúcho muito estimado pela tropa que acompanha os rebeldes desde o Rio Grande do Sul. Bigode e barbas longas, cabelos abundantes, Carreteiro ainda vestia a mesma roupa espalhafatosa que tanto impressionara os paraguaios durante a travessia de Puerto Adela. Do chapéu cinza-escuro e de abas largas que usava, pendia uma fita vermelha com a inscrição: "Não dou nem pido vantaje." João Alberto ainda se lembra da figura alta e exuberante que o procurou, no Rio Grande, indicado pelo capitão Luís Carlos Prestes:

— Trazia apenas o título de *coronel* e quatro homens.

Sua morte foi casual: ao limpar o revólver, a arma disparou e uma bala o atingiu no peito.[452]

Em Pernambuco, os rebeldes são também informados que *Tia Maria*, uma das cozinheiras da Coluna que andava sempre bêbada, fora degolada na Paraíba pelos soldados legalistas, junto com outros três prisioneiros, ao se perderem do resto da tropa. O grupo foi arrastado para o cemitério de Piancó, pela Polícia da Paraíba, que obrigou os presos a cavarem suas próprias sepulturas; depois, os quatro morreram como o padre Aristides: com a garganta cortada. Cerca de 30 jovens cearenses que haviam chegado a Piancó, na esperança de se unir aos rebeldes, tinham sido igualmente degolados pela polícia.[453]

A Coluna, que penetrou em Pernambuco entre Flores e Ingazeira dos Afogados, está reunida na fazenda Caiçara, à espera de um contato de Cleto Campelo. Através dos jornais de Recife, o Alto-Comando informara-se da prisão dos tenentes Aristóteles de Souza Dantas e Seroa da Mota.

As forças revolucionárias não podem permanecer muito tempo na região. Servida por boa rede de estradas, ela facilita o rápido deslocamento das tropas do Governo. João Alberto já havia travado violento combate contra um destacamento da Polícia pernambucana, nas imediações da cidade de Cordeiro, onde destruiu seis automóveis e apreendeu grande quantidade de armas e munição. A tropa legalista, apanhada de surpresa e colocada em fuga, estava sob a chefia do famoso general João Gomes, responsável pelo comando das operações em todo o Nordeste.

O general, que reprimira a invasão do Maranhão e do Piauí confortavelmente instalado com o seu QG em São Luís, sente agora, pela primeira vez, o gosto da guerra. Recém-chegado a Pernambuco, ele se viu obrigado a fugir em companhia dos seus homens e caminhar a pé, pela caatinga, durante dois dias, até alcançar a cidade de Custódia, onde chega faminto e com mau aspecto. O garboso uniforme, sempre engomado com apuro, tinha virado um trapo.

Tudo indica que a Coluna, a partir desse episódio, não terá mais descanso. Humilhado pela vergonhosa derrota, o general João Gomes começa a delirar. Engendra planos fantásticos, com marchas e contramarchas, na esperança de liquidar os rebeldes e, com isso, resgatar sua honra e sua dignidade achincalhadas de forma tão grotesca.[454]

34

O METEORO CLETO CAMPELO

Quarta-feira de Cinzas, 17 de fevereiro

O Carnaval do Recife transcorreu sem incidentes. O número de foliões nas ruas, entretanto, fora bem menor do que no ano anterior, talvez em conseqüência dos insistentes boatos que circulavam pela cidade e da presença ostensiva de forças policiais nos principais pontos da capital, o que gerou medo e nervosismo entre a população. No primeiro dia de Carnaval, o número de foliões nas ruas foi tão insignificante que a Pernambuco Transwell viu-se obrigada a reduzir o preço das passagens dos bondes, na esperança de atrair mais passageiros para as linhas do centro.[455]

As cinzas dessa quarta-feira, ainda com hálito de festa, não contribuem para relaxar as excepcionais medidas de segurança adotadas durante o Carnaval. A cidade vai, aos poucos, retomando as suas atividades normais, mas ainda podem ser vistos fortes contingentes policiais nas imediações dos quartéis, do Palácio do Governo e de alguns edifícios públicos. Apesar da calma aparente, percebe-se no ar um clima de tensão. As pessoas caminham nervosamente pelas ruas, bondes circulam quase vazios e muitas lojas de comércio, principalmente os armarinhos e casas de tecidos, ainda permanecem fechadas. O entra-e-sai nervoso de agentes civis no prédio da Chefatura de Polícia, todos de capa e chapéu por causa da garoa úmida que cai desde as primeiras horas da manhã, alimenta boatos de que alguma coisa está acontecendo.

O plano de sublevar a capital de Pernambuco frustrara-se dias antes do Carnaval. O cunhado de um dos conspiradores, o alfaiate José Pedro, levou a Polícia à rua do Alecrim, onde foi encontrado um depósito de explosivos. Mesmo com a delação, o levante continuava de pé. A apreensão de 36 bombas de dinamite, confeccionadas por um técnico vindo especialmente do Rio de Janeiro, e a prisão de alguns suspeitos não tinham sido, entretanto, suficientes para abortar o levante. A data, a hora e o local marcados para o início da rebelião permaneciam inalterados: quarta-feira de cinzas, onze da noite, bairro do Peres.[456]

O líder do movimento é o tenente pernambucano Cleto Campelo, 28 anos, casado, que vive clandestinamente no Recife com mulher e dois filhos pequenos, em uma casinha modesta no bairro de Areias. Cleto desertara do Exército em 1925 ao ser enviado com um contingente do 21º Batalhão de Caçadores para combater os rebeldes em Mato Grosso. Assim que abandonou a tropa, refugiou-se na Argentina, onde manteve contatos com o marechal Isidoro e um grupo de oficiais que viviam asilados em Paso de los Libres. Os rebeldes mantinham um Comitê Central Revolucionário em Buenos Aires, sediado na Calle Costa Rica, 5179, chefiado pelo general Olinto de Mesquita.

Isidoro, com as informações de que dispunha, estava convencido, mais do que nunca, de que era preciso sublevar o Nordeste; caso contrário, a revolução estava morta.[457]

Cleto Campelo deixou a Argentina com uma missão pesada demais para os seus ombros de jovem oficial: levantar, a qualquer preço, as guarnições do Exército em Pernambuco e na Paraíba, para impedir que a Coluna continuasse exaurindo suas forças pelo sertão. Sem o apoio desses dois grandes estados, os rebeldes estariam praticamente liquidados.

Ao chegar ao Rio de Janeiro, Cleto enfrentou seu primeiro obstáculo não tinha documentos falsos para viajar até Recife. As pessoas que viajavam de um estado para outro tinham que ter passaporte, exigência imposta pelo Governo para melhor controlar o fluxo de passageiros e vigiar os passos daqueles que se encontravam sob suspeição. Como precisava embarcar logo, tentou arranjar emprego como foguista num cargueiro, mas acabou seguindo para o Nordeste como auxiliar de maquinista. Sujo, praticamente com a roupa do corpo, desembarcou semanas depois no Recife com a tarefa de organizar a Revolta.[458]

Apesar de muito conhecido pelas posições políticas que assumira em 1922, ao apoiar o levante do Forte de Copacabana, seu tipo físico quase não chamava a atenção. Ninguém poderia imaginar que aquele homem baixinho e franzino pudesse representar alguma ameaça às instituições. O rosto lembrava um adolescente: nariz afilado, queixo pontudo, boca pequena. Os lábios finos davam, entretanto, à sua fisionomia ar altivo e severo. A aparente sisudez logo se desmanchava com o olhar irônico e o jeito brincalhão, meio juvenil, de usar sempre as mãos para melhor se expressar. Por trás dessa cara de meninão escondia-se uma personalidade metódica e obstinada, que convivia com um gênio esquentado. Nos momentos mais críticos, Cleto deixava-se levar pela emoção.[459]

Às onze e meia da noite, fardado com o uniforme cáqui do Exército, de quepe e revólver na cintura, ele parte de táxi do bairro do Peres em companhia de outro conspirador, o padeiro comunista José Francisco de Barros, com destino a Tijipió. Ali os dois juntam-se a outro padeiro, José Caetano Machado, também membro do PCB, ao marinheiro Severino Cavalcanti e ao sargento da Marinha Waldemar de Paula Lima, que estabelecera contato com Prestes e Miguel Costa no Piauí. Do grupo também fazem parte nove civis. Armados com rifles e dinamite, eles dão início à rebelião. Não dispõem do apoio dos quartéis nem da população civil. Apenas alguns operários participam do levante.

Num gesto solitário e ingênuo, os rebeldes marcham triunfantes pela noite.[460]

Quinta-feira, 18 de fevereiro

Uma e meia da madrugada. Os rebeldes chegam a Jaboatão, na periferia do Recife, e assaltam a estação da estrada de ferro Great Western. Prendem os funcionários que estão de serviço nos escritórios da empresa, quebram o telégrafo e requisitam todo o dinheiro guardado no cofre, cerca de seiscentos mil réis, do qual passam recibo em nome da revolução. O grupo, já agora com mais de 50 homens, armados com revólveres e espingardas de caça, recebe substancial reforço em Jaboatão com a adesão de um lote de ferroviários que vivia em permanente litígio com a Great e o Governo. Da estação eles vão à cadeia pública, onde soltam 11 presos, que são compulsoriamente incorporados ao grupo. Entre os novos colaboradores, arrebanhados a muque, estão ladrões, homicidas e um estuprador.[461]

No caminho, o caixa da rebelião é engordado com mais uma doação compulsória: 925 mil-réis, retirados da coletoria estadual mediante recibo. Ao todo já são 1 conto e 525 mil-réis — uma fortuna. Essa montanha de dinheiro, acondicionada em uma valise confiscada de um passante, terá destinação nobre: financiar a revolução em Pernambuco.[462]

Na estação, os ferroviários montam um trem de combate com quatro vagões de passageiros e uma fogosa locomotiva, capaz de chegar a 60 quilômetros por hora. A máquina recebe um estoque adicional de água, lenha e carvão. Antes de partir para a morte ou para a história, os rebeldes, por medida de segurança, arrancam trilhos e dinamitam uma ponte para dificultar uma possível perseguição. O trem deixa Jaboatão ao alvorecer e se perde pelo agreste com destino ao sertão. Pelo caminho, os rebeldes vão deixando um rastro escuro no céu.

A primeira parada é em Morenos, às 5h55min da manhã. Apesar de ocuparem o povoado de surpresa, com as ruas ainda desertas, os insurretos não conseguem dinheiro nem adesões; a única coisa que obtêm são dez rifles e três caixas de munição. Não há tempo a perder. Bloqueiam a estrada, descarrilam um trem de cana da Usina Bulhões e partem rumo ao desconhecido. Passam pelo povoado de Tapera, onde quebram o telégrafo, e chegam às 9h30min a Vitória de Santo Antão.

Cleto Campelo convida o prefeito e o coletor estadual a darem uma contribuição financeira para o levante. O caixa da revolução é engordado com mais 2 contos e 7 mil réis. Como de hábito, é emitido um recibo com o valor da requisição, para que possam depois se ressarcir desse prejuízo junto à União. Os rebeldes encontram ali o que mais precisam: armas e munições. Esvaziam as prateleiras de uma casa especializada em material de caça e levam o pequeno arsenal para o trem. O passo seguinte é libertar os presos da cadeia pública. Para serem absolvidos de seus pecados, eles são intimados a aderir à revolução.

De repente, Cleto Campelo é surpreendido por um corre-corre na estação. Alguns homens tomam posição de combate, dentro dos vagões, enquanto outros se entrincheiram nos prédios vizinhos. Está se aproximando um trem. A revolta já deve ter chegado ao conhecimento das autoridades. Os rebeldes sabem que serão atacados a qualquer momento por tropas do Governo.

Foi apenas um susto: é o trem diário de Caruaru, com destino a Recife, que acaba de chegar. Todos os passageiros, depois de obrigados a descer, são revistados e desarmados. As fileiras revolucionárias, por sua vez, são contempladas com inesperado reforço. Além dos operários que trabalham na via permanente, aderem à rebelião alguns funcionários graduados, fiscais, telegrafistas e até o chefe de estação de Caruaru, que viajava para Recife. O engraxate de trens Ezequiel, ao ver todas essas manifestações de apoio aos revolucionários, também se junta a eles, ganha um rifle e uma promoção: será o ordenança e ajudante-de-ordens de Cleto Campelo. O grosso do contingente rebelde é formado por trabalhadores da Great Western. Veteranos de muitas greves, com uma visão mais avançada das questões sociais do que a maioria das categorias profissionais, os ferroviários são os mais politizados trabalhadores de Pernambuco.[463]

Às duas da tarde o trem parte com destino a Gravatá. Como os vagões estão superlotados, os rebeldes foram obrigados a engatar outra máquina no final da composição, para que pudessem escalar a serra das Russas.

Abarrotado de rebeldes, o trem passa trovejante e sem parar por São João dos Pombos, onde vários passageiros esperavam embarcar. A cinqüenta metros da estação, os freios mordem as rodas da locomotiva, a máquina estremece, arrancando faíscas dos trilhos, e estanca, bufando. Cleto desce em companhia de dez homens, quebra o telégrafo e prende o sargento de Polícia que ocupa o cargo de delegado.

A viagem continua através de pontes e túneis. Com um mapa aberto sobre o banco, Cleto Campelo traça o roteiro que o levará com seus homens até Buíque, onde já se encontra à sua espera um pelotão avançado da Coluna. No rosto levemente pálido, os lábios parecem ainda mais finos; seu aspecto, com o dólmã da farda aberto, revela que ele está sob forte tensão. Nos vagões o clima é de festa. A tropa heterogênea conversa em voz alta, alguns cantam, outros se divertem contando piadas; nem parece que estão participando de uma revolução.

No fundo do vale surge, de repente, o casario pobre e tosco de Gravatá. As paredes que um dia foram brancas contrastam com o fundo verde da mata, recortado, ao longe, pela silhueta da serra Negra. Debruçado na janela do vagão, Cleto Campelo vasculha a cidade com a ajuda de um binóculo. Observa os becos, os telhados e a torre da igreja de Santana em busca de algum traço de anormalidade. Com os olhos pregados nas ruas tortas, faz um sinal com a mão, como se pedisse silêncio, e ordena que o maquinista reduza a velocidade do trem.

A tranqüilidade da cidade o assusta. São quatro da tarde, nada se move nas imediações da estação, e a primeira suspeita que lhe passa pela cabeça é que lhe armaram uma cilada. Através da estrada de rodagem, o governo pode ter enviado reforços, não só de Caruaru como também do Recife. A topografia da região estimula sua imaginação. Para chegar à estação, o trem terá que passar no meio de uma pequena elevação, um corte estreito e escarpado dominado por um pontilhão de madeira. Não há melhor lugar para uma emboscada.

A locomotiva pára a 200 metros da estação. Ao lado do maquinista, com um engomado uniforme de sargento da Marinha, Waldemar de Paula Lima vigia a garganta por onde deve passar o trem. Não serão mais apanhados de surpresa e entalados naquele corredor; a luta, agora, vai ser em campo aberto.[464]

Os ferroviários saltam dos vagões, aos gritos, dando vivas à revolução. Espalhados, quase rastejando com seus fuzis, avançam cautelosamente para cercar o inimigo no local da emboscada. Mas não encontram ninguém. Cleto decide então invadir a cidade. A força revolucionária é dividida em dois grupos: um segue pela direita, contornando o quarteirão, e o outro pela esquerda. O objetivo é atacar a cadeia pública de pontos diferentes.

Gravatá estava deserta desde as primeiras horas da manhã. Assim que os rebeldes chegaram a Jaboatão, correu logo a notícia de que a Coluna passaria pela cidade. Foi o bastante para que a população abandonasse as casas e se refugiasse no mato. Dispostos a oferecer algum tipo de resistência, entrincheirados na cadeia, só ficaram dois soldados e quatro civis.

Os primeiros tiros dos defensores de Gravatá são respondidos com uma saraivada de balas. Assustados com o poder de fogo dos rebeldes, eles abandonam as armas e fogem pelos fundos do prédio. Irritado com o outro grupo que ainda não havia chegado à esquina para atacar o xadrez, Cleto Campelo, de revólver em punho, seguido pelo ordenança armado com um fuzil, corre em linha reta em direção à cadeia. Cleto expõe-se de forma ingênua. Se os soldados ainda estivessem no interior do prédio, teria sido abatido com facilidade. Os dois sobem rapidamente as escadas, Cleto acende o estopim e joga uma bomba dentro do prédio. A explosão é ensurdecedora. Em seguida, mergulha na fumaça e invade o corpo da guarda. Ele e o ordenança se movimentam com dificuldade entre a poeira que se eleva dos escombros. Na cadeia estão apenas os presos, encurralados no fundo do xadrez. Cleto abre as grades, explica que começou a revolução em Pernambuco, mas só dois aceitam acompanhá-lo. A maioria, ainda aterrorizada pelo impacto da explosão, prefere continuar cumprindo pena em Gravatá.

Com o rosto e o uniforme cobertos de poeira, Cleto vira-se para os sentenciados com ar de desprezo e desabafa:

— Só merece mesmo a liberdade quem tem coragem de lutar por ela.[465]

A cadeia começa agora a ser alvejada pelo outro grupo de rebeldes. Eles acabam de chegar, pelo lado direito do quarteirão, atraídos pelo barulho da bomba e do tiroteio. Não sabem que o chefe já está dentro do prédio.

Ao aparecer na calçada ainda cheia de fumaça, sem se identificar, Cleto Campelo tem os passos interrompidos por um tiro de fuzil. Cai desamparado, a dois passos da entrada, o corpo dobrado sobre os joelhos; larga o revólver e bate com o rosto na laje de cimento. Junto ao meio-fio, também varado por um tiro de fuzil, tomba o ordenança Ezequiel. Os dois acabam de ser baleâdos, por engano, pelos próprios companheiros.

Um silêncio pesado cai sobre os rebeldes. Muitos correm para a porta da cadeia na esperança de prestar algum socorro, outros permanecem onde estão, imóveis, paralisados pela tragédia. Comovidos com a desgraça, vários rebeldes sentam-se na calçada com os rostos apoiados nos fuzis e começam a chorar.

O corpo do tenente, estendido junto à porta, parece adormecido. Alguém se aproxima, toma-lhe o pulso parado e coberto pela manga do dólmã, ajoelha-se e coloca o ouvido no peito para ouvir o coração. Depois, levanta as pálpebras, mas as pupilas não reagem. O rosto sereno, sem qualquer traço de dor, mantém ainda vivo aquele ar juvenil que tanto contrastava com seu caráter severo. Pelo dólmã aberto pode-se ver sobre o peito sem camisa o delicado cordão de ouro que lhe envolve o pescoço, de onde pende uma medalhinha, frágil, com a efígie de Nossa Senhora. Não há mais nada a fazer: Cleto Campelo e o seu ordenança estão mortos.[466]

A bala penetrou do lado direito do peito de Cleto, logo abaixo da primeira costela, atravessou-lhe o coração, saiu na axila direita, transfixiando-lhe o braço, do mesmo lado, e se perdeu. O tiro que matou Ezequiel entrou pelo estômago e saiu pelas costas. Os dois tiveram morte instantânea. O sonho de levantar Pernambuco dissipara-se, como uma névoa, às cinco e dez de uma tarde fria, envolta por uma garoa úmida, que ameaça congelar os ossos. Esse sonho, que Cleto viveu tão intensamente, durou pouco mais de 18 horas.

A dor, a perplexidade e a sensação de desespero e de abandono promovem uma devastação nas hostes revolucionárias. Cinqüenta homens, desorientados, sentindo-se sem rumo e sem comando, abandonam as armas e desertam. O sargento da Marinha Waldemar de Paula Lima, 23 anos, assume a liderança dos poucos que ficam, talvez por não disporem, no momento, de forças para debandar. Os corpos de Cleto e Ezequiel permanecem por quase uma hora na calçada, expostos à curiosidade pública e à chuva miúda que se desfaz sobre Gravatá.

O prefeito, acompanhado de um farmacêutico e do jornalista Alfredo Sotero, promove a remoção dos corpos para dentro da cadeia. Nesse momento chega à cidade o bispo dom Ricardo de Castro Vilela, que fora alertado sobre a chegada dos rebeldes. Ele se curva contrito sobre o cadáver do tenente e faz o sinal-da-cruz. Depois, retira de um dos bolsos ensangüentados da túnica de Cleto o retrato da mulher e das duas filhas, com uma dedicatória no verso. Dom Vilela recolhe os óculos de aro redondo, esquecidos sobre o rosto, e observa o corpo. O oficial está fardado com uniforme cáqui do Exército, botas e perneiras sujas de lama, bolsos revirados, sem nenhum documento de identificação. Com a multidão de curiosos em silêncio, o bispo concede a extrema-unção *post mortem* ao tenente e seu ordenança, absolvendo-os dos pecados que tenham cometido.[467]

Ao anoitecer, Gravatá transforma-se numa praça de guerra, com a chegada de centenas de soldados da capital. As tropas passam a madrugada em vigília, com os soldados se acotovelando em frente à delegacia. Todos querem ver o corpo do tenente.

Sexta-feira, 19 de fevereiro

A imprensa do Recife oferece diferentes versões para a morte de Cleto Campelo. O *Jornal do Commércio* e o *O Diário de Pernambuco* informam que ele foi fuzilado pelos soldados que defendiam a cadeia. *A Província* divulga versão ainda mais estapafúrdia: o tenente fora baleado e morto pela mulher do sargento que tomava conta da prisão.

O ordenança Ezequiel é enterrado à tarde em uma cova rasa, no cemitério de Gravatá. No mesmo momento, o corpo de Cleto é colocado num caminhão com destino ao povoado de Russinha, onde será embarcado de trem para Recife. Assim que o caminhão começa a se afastar, os sinos da matriz, por ordem do bispo Vilela, repicam mais uma vez o toque de finados. O povo se aperta nas calçadas para ver passar o cadáver do líder rebelde. Muitas pessoas, mesmo sem conhecê-lo, choram a triste sorte do chefe revoltoso. Comovem-se com a sua imagem: ele tinha uma cara de menino.

O trem chega ao largo da Paz, no Recife, por volta das nove da noite. O caixão miserável, com o corpo do tenente, é levado num carro especial para o necrotério público, sob a proteção de 40 policiais a cavalo. Diante da presença do desembargador chefe de Polícia, de alguns oficiais do Exército e de várias autoridades, a autópsia é finalmente concluída por volta das duas da madrugada. Cumpridas as formalidades legais, o cadáver é conduzido em segredo para o cemitério de Santo Amaro. Como não há luz, Cleto é enterrado com a ajuda dos faróis do carro do genro do governador, que foi ao cemitério para se certificar de que o corpo era realmente de Cleto Campelo. O exame datiloscópico confirmara a identificação, mas na cidade circulavam insistentes rumores de que o tenente estava vivo. O morto seria outro oficial, apesar de os jornais terem estampado uma foto do tenente dentro do caixão, quando o cadáver ainda se encontrava em Gravatá.

Realizado no mais absoluto segredo, o sepultamento termina às três da madrugada. A cova rasa não tem número. O objetivo é impedir que a família identifique o local onde o corpo foi enterrado.[468]

Pela manhã, depois que a mulher de Cleto reconhece o marido nas fotos que lhe são apresentadas pelos repórteres de *A Rua* e do *Jornal Pequeno*, a família, consternada, entra em contato com o delegado Apulcro d'Assunção, responsável pelo inquérito, a fim de reclamar o corpo e saber quando ele chegaria ao Recife. O delegado informa que o cadáver ainda está em Gravatá. Ele só chegará à capital no dia seguinte, por volta das oito da manhã, quando será entregue à família, para que seja realizado o enterro. A mulher acredita na história de delegado e vai para casa.

No outro dia, reunida em frente à administração do cemitério, a família de Cleto aguarda a chegada do corpo, desde as sete da manhã. Duas horas depois aparece o delegado Apulcro para informar que o caixão não mais será entregue à família, por ordens superiores, para evitar tumultos e impedir que o enterro seja transformado num ato político de contestação ao Governo. A família procura o administrador do cemitério para saber onde Cleto foi enterrado. O funcionário, amedrontado, diz que não pode fornecer essa informação, por determinação das autoridades, mas desabafa: nunca viu um sepultamento ser realizado "naquelas circunstâncias".

Ao se retirarem do cemitério, os parentes de Cleto percebem que alguém os chama, escondido atrás de um mausoléu. É o coveiro.

— Vocês são parentes do militar enterrado de madrugada?

A mãe adotiva, a viúva e o irmão respondem afirmativamente.

— Então me acompanhem, por favor, mas sem chamar a atenção.

Com ar assustado, sempre olhando para trás e esgueirando-se entre as sepulturas, o coveiro conduz os familiares até a cova rasa. A terra fresca, recém-revolvida, denuncia ainda as marcas de muitos pés. No local, reservado aos indigentes, podem ser vistos os sulcos deixados pelos pneus do carro usado para iluminar o enterro, durante a madrugada. Comovida, a família agradece o gesto humanitário do coveiro, a quem prometem sigilo, comprometendo-se a manter o local em segredo. A viúva e o irmão manifestam o desejo de um dia construírem, ali, um mausoléu.[469]

Mesmo com a morte do principal líder da rebelião, a situação permanece tensa em Recife. O Governo produz notas oficiais em profusão para convencer a população de que a revolução acabou e que a situação está sob controle. Mas as ruas desmentem os boletins do Governo. O Centro continua patrulhado por fortes contingentes policiais, enquanto os quartéis, o palácio do Governo e os prédios mais importantes da capital recebem guarda redobrada. Estão proibidas as reuniões e ajuntamentos em praça pública e os cafés só podem funcionar até as dez da noite. Recife, com a morte de Cleto Campelo, está sob toque de recolher.[470]

A revolução ainda não terminou no interior, como procura fazer crer a propaganda oficial. Apesar de desarvorados com a morte do chefe, os rebeldes não representam mais nenhuma ameaça, mas ainda estão longe de serem derrotados. Em vez de seguir viagem pela via férrea, para tentar se juntar à Coluna em Buíque, resolvem adotar outra estratégia. Chefiados pelo sargento Waldemar, decidem abandonar o trem cheio de armas e munições e se enfiar pelo mato.

Durante quatro dias eles são caçados como animais por uma legião de pistoleiros que fareja os seus rastros para roubar o dinheiro requisitado, em nome da revolução, nas cidades por onde haviam passado. Atraídos para uma emboscada, no município de Taquaretinga, acabam finalmente mortos a tiros de espingarda e golpes de facão. As cenas que se seguem espelham, mais uma vez, a violência que viceja no sertão. Enquanto esfolam suas vítimas, os bandidos dividem o dinheiro entre si, num clima de festa, em ruidosa algazarra. O sargento Waldemar de Lima e seus homens são vítimas não só de um bando de ladrões empenhados em assaltá-los, mas dos ódios do Governo, que não tem escrúpulos em se associar a qualquer tipo de gente para liquidá-los.[471]

A bala que varou o coração de Cleto, disparada pela miopia do foguista de trem Artur Cipriano dos Santos, por ele mesmo recrutado em Jaboatão, atingira no peito a revolução. Naquela tarde, em Gravatá, o movimento revolucionário em Pernambuco morreu junto com Cleto Campelo.

Quinta-feira, 25 de fevereiro

As chuvas de verão no agreste de pernambucano transformam os caminhos em imensos lamaçais que dificultam a marcha da Coluna em direção à fronteira com a Bahia. Os homens caminham a pé, puxando os animais pelas rédeas; os cavalos afundam na lama, os rebeldes são obrigados a empurrá-los para fora dos atoleiros. A tropa está esgotada pelos sucessivos combates sofridos nos últimos dias. Perseguem-na contingentes do Exército, soldados da Polícia Militar de Pernambuco, um batalhão de *provisórios* do Rio Grande do Sul e uma multidão de romeiros do padre Cícero.

O destacamento de Cordeiro de Farias acusa pesado número de baixas em violento combate travado contra essas forças na fazenda Cipó. Depois de quatro horas de cerrado tiroteio, os rebeldes batem em retirada, abandonando grande quantidade de munição, espadas, revólveres, fuzis Mauzer. No campo de batalha, deixam cerca de 40 mortos. *A União*, de João Pessoa*, conta que o ataque fora realizado por uma tropa gaúcha.

Um dos mortos da fazenda Cipó é o negro *Tio Balduíno*, um velho peão da família Pinheiro Machado, do Rio Grande do Sul, que acompanhava a Coluna ao lado do jovem patrão, sempre pronto para defendê-lo com uma espada longa da qual jamais se afastava. Às vezes ele podia ser visto também em companhia de um obsoleto Comblain, arma de um tiro

*Na época ainda tinha o nome de Paraíba.

só, veterana de outras campanhas do sul. *Tio Balduíno*, curandeiro e benzedor, que sabia a importância medicinal de cada erva, lutou até a morte para salvar a vida de Pinheiro Machado, vítima de uma emboscada legalista quando chegava à fazenda Cipó.

Os soldados cercaram os dois e um deles gritou:

— Rende-te, negro velho!

— Eu não me entrego a chimango, *canaiada*...

Balduíno virou-se para o patrão e ordenou, severo, como se estivesse diante de uma criança indefesa:

— Vá *s'imbora*, guri, que eu vou *intreverá* essa chimangada.

Dominado por forte sentimento de desvelo e proteção, o negro levantou-se, aos gritos, enraivecido como um animal, e avançou enlouquecido em direção aos soldados, golpeando o inimigo com expressões em dialeto africano. Brandindo a espada na mão direita, como se estivesse participando de mais um combate nas coxilhas do Rio Grande, só parou quando a morte o deteve.[472]

Desde as seis da manhã os rebeldes estão acampados no lugarejo conhecido como Várzea Redonda, perto de Jatobá, às margens do São Francisco, na divisa de Pernambuco com a Bahia. O Estado-Maior da Coluna ainda tem esperanças de que Isidoro envie para o interior da Bahia a munição e as armas prometidas. Acreditam também que os sertanejos baianos, por sua tradição de luta, receberão os rebeldes de forma acolhedora, sem o calvário de hostilidades enfrentadas durante a passagem pelo Ceará, Paraíba e Pernambuco. Do cerco de Teresina até Pernambuco, os rebeldes perderam mais de 100 dos seus melhores combatentes, em sua maioria veteranos, sem contar o número de voluntários que se incorporaram à Coluna e morreram durante a marcha pelo Nordeste.[473]

Com a cheia, o rio São Francisco, em Várzea Redonda, está com quase um quilômetro de largura. Suas águas, turvas e levemente avermelhadas, engordaram com as chuvas e se espraiaram pelas margens de forma indisciplinada. Os rebeldes estão diante de um obstáculo intransponível. Não dispõem de barcos e canoas para fazer a travessia, porque todas as embarcações foram transferidas para a margem baiana, por ordem do Governo. O fantástico plano de operações para a passagem do São Francisco, idealizado por Prestes e qualificado pelos próprios companheiros como um modelo de planejamento, não contava, entretanto, com esse imprevisto.[474]

Os rebeldes estão organizando um pelotão de exímios nadadores para apanhar alguns barcos do outro lado do rio, quando um dos sargentos descobre uma pequena canoa escondida no mato. Ele e um vaqueano atravessam as águas caudalosas e retornam, quase duas horas depois, com uma canoa maior, que pode levar até oito homens. Armada com um fuzil-metralhadora, a canoa retorna à Bahia com um grupo de rebeldes, que apresam duas barcaças a vela. O embarque do QG e da enfermaria é transferido para a localidade de Volta Grande ou Volta de São Pedro, um ponto mais abaixo do rio, nas imediações da cachoeira de Paulo Afonso, enquanto o restante da tropa é transportado, mais acima, através dos portos de Piau e Cariru.

O Estado-Maior decide abandonar a cavalhada, não só porque os animais se encontram muito esgotados e enfraquecidos pelas marchas forçadas das últimas semanas, como também pela dificuldade de transportá-los em embarcações tão pequenas, o que prolongaria a travessia por alguns dias, expondo a retaguarda ao risco de um ataque do Governo.

Os cavalos são abandonados, os arreios queimados, mas os melhores animais são embarcados, para serem utilizados no transporte da carga e dos feridos. Iniciada por volta do meio-dia, a travessia é lenta e perigosa, por causa da correnteza e pela fragilidade das canoas; as barcaças maiores, com excesso de peso, navegam empurradas pelo vento; velas abertas como asas, lembram os pássaros que singram pelo São Francisco.

Durante a noite são acesas fogueiras na margem baiana, para que as embarcações não se percam na escuridão e sejam arrastadas para a cachoeira de Paulo Afonso. A passagem penosa, com tintas de epopéia, dá-se sem incidentes e é concluída durante a madrugada.[475]

Sexta-feira, 26 de fevereiro

O dia amanhece radiante, com um sol quente e um azul muito vivo, como se o tivessem pintado a mão, sem qualquer traço de nuvem no céu. A Coluna está acampada, desde o alvorecer, em território baiano, num lugarejo conhecido como Saco. Talvez inspirado pela beleza do dia, depois das chuvas intensas que tanto castigaram os rebeldes em Pernambuco, o Alto-Comando está otimista com as perspectivas que a Bahia oferece à causa revolucionária. Além do esperado apoio da população do interior, pela sua história de confrontos com o Governo, das armas e da munição solicitadas a Isidoro, o Estado-Maior confia contar com a adesão de importante chefe político do sertão, o *coronel* Horácio de Matos, que vive na cidade de Lençóis, importante centro de comercialização de pedras preciosas na região de Lavras Diamantina. Horácio tornara-se conhecido nacionalmente em 1925, ao derrotar a Polícia do estado da Bahia, após uma série de desentendimentos políticos com o governador Góes Calmon.[476]

Os rebeldes aproveitam a manhã para fazer um balanço da campanha pelo sertão. Ao chegar ao Maranhão, em dezembro de 1925, estavam com cerca de 900 homens e entram na Bahia, agora, neste final de fevereiro de 1926, com 1.200 combatentes. Entre os dois estados, tinham perdido pouco mais de 160 homens por mortes, extravios e deserções.[477]

A ferocidade com que haviam sido perseguidos tanto pelos batalhões de jagunços como pelas polícias estaduais e as condições inóspitas dessa região, onde a vegetação da caatinga castiga tanto quanto o inimigo, convencem os oficiais de que dificilmente voltarão a ser contemplados com os dias de paz e tranqüilidade de que tanto necessitam para curar as feridas na marcha pelo sertão. A campanha pelo Nordeste seria completamente diferente da que foi travada em terras do Mato Grosso e do planalto goiano. No Maranhão e no Piauí, os rebeldes foram dizimados pela malária; a partir do Ceará, tiveram que enfrentar, dia e noite, a praga dos romeiros do padre Cícero, que perseguiam a Coluna como cães de caça.

Deslocando-se sempre em marcha batida, desde que penetraram nos sertões, os oficiais do Estado-Maior viram-se também obrigados a abandonar um dos poucos prazeres a que se permitiam: o hábito da leitura, partilhado por quase toda a oficialidade, entretenimento que cultivavam desde o Paraná. Durante as longas caminhadas, a maioria dos oficiais cavalga sempre com um livro aberto. Siqueira Campos, leitor inveterado, é o que mais lê entre os membros do EM. Ninguém entende onde consegue aquela montanha de livros. Juarez Távora era sempre o primeiro a herdar o que ele terminava de ler. Absorvido pela leitura da *Divina Comédia* de Dante, Juarez, durante a campanha do Mato Grosso, foi apanhado certa vez por um galho que o derrubou do cavalo, provocando uma risadeira geral. Ao vê-lo caído no chão, Miguel Costa, em vez de ajudá-lo a se levantar, ainda o alfinetou com deboche:

— Como é, seu *manguari-pistola*, você está pensando que isso aqui é um clube de leitura?[478]

Outro que lê muito é João Alberto. Ele carrega, em sua bagagem, encadernados, os 21 volumes da *"História Universal"*, de Cesar Cantu, além de outros livros que arrebatou da biblioteca de um advogado que apoiava o Governo, em Porto Nacional, interior de Goiás. Para evitar o que acontecera com Juarez, mantém um ordenança cavalgando à sua frente, puxando as rédeas do animal, para alertá-lo sempre que um galho perigoso se debruçava sobre o caminho.[479]

Os livros passam de mão em mão. Às vezes, os capítulos são arrancados e distribuídos entre a oficialidade para que todos possam ler. Por isso é comum, muitas vezes, começarem a ler um livro do meio para o fim, ou do começo para o meio. Lê-se durante as marchas e também quando se acampa. Juarez um dia começara a ler deitado à sombra de uma gameleira, quando foi vítima da "desconsideração inominável" de um pássaro: recebeu uma cusparada, em cheio, no rosto, que o deixou momentaneamente cego e com o corpo empesteado por um cheiro insuportável. Às tontas, atirou-se com roupa e tudo no riacho mais próximo, para lavar o rosto e se livrar da pasta repugnante que lhe roubava a visão. A partir desse dia, sempre que abria um livro, Juarez olhava para cima a fim de verificar se estava na linha de tiro de algum pássaro distraído.[480]

Quando não lêem durante as marchas, os oficiais conversam sobre tudo. Muitos contam planos pessoais enquanto cavalgam. João Alberto e Miguel Costa são dois sonhadores: consomem o tempo discutindo a criação de uma empresa agropastoril que imaginam fundar, em sociedade, assim que termine a revolução. Os dois nunca chegam a um acordo quanto às prioridades econômicas do futuro negócio. Miguel Costa acha mais rentável plantar eucaliptos, enquanto João Alberto sustenta que criar porcos dá muito mais dinheiro.

A fantasia também povoa o pensamento dos mais modestos, como o carregador José, que sonha em ficar rico. Quando terminar a revolução, ele pretende ganhar dinheiro à custa da mula *Bolívia*, que acompanha a tropa desde o Paraná. O plano é simples como a vida ingênua que José sempre levou: o animal seria exposto à visitação pública na capital de São Paulo, com ingressos a 500 réis por visitante. José faz as contas e eleva o preço para 1.000 réis, por considerá-lo barato demais, e em seguida para 1.500. O ingresso estava a 2.500 réis quando lhe roubaram o animal, deixando-o desesperado, na miséria. Os companheiros, de farra, diziam que a mula tinha virado *xibéu*, expressão brincalhona que se usava para tudo o que desaparecia de repente. José, todo choroso, queixou-se a Miguel Costa, lamentando-se de que lhe tinham levado o animal e a esperança de envelhecer sem problemas financeiros. Apesar das ordens do chefe para que o animal fosse devolvido, *Bolívia* nunca mais foi encontrada.[481]

Os planos para o futuro, iniciados durante as cavalgadas, muitas vezes continuavam a ser tecidos na barraca de Miguel Costa, onde a maioria dos oficiais do Estado-Maior se reúne depois do jantar para jogar gamão ou xadrez, ou simplesmente para trocar idéias e conversar. A política era o tema preferido de Juarez, que não parava de expor as reformas que introduziria na Constituição e as leis que deveriam ser criadas para combater a politicagem e a corrupção.

Siqueira Campos, com seu afiado espírito crítico, debochava sempre, em tom de brincadeira, dos planos de Juarez, por quem tinha grande admiração e estima. Nos seus devaneios, Miguel Costa, acusado de bairrista pelos demais companheiros, só tinha olhos para São Paulo, sempre reclamando que não estavam contemplando sua terra com a merecida atenção. A maioria se divertia com essas apaixonadas e intermináveis discussões, como o carioca Djalma Dutra e Ari Salgado Freire, sempre muito tímidos, que endossavam as críticas lancinantes de Siqueira Campos só para contrariar e aumentar ainda mais o calor da polêmica. Cordeiro de Farias, com seu jeitão de adolescente, não emitia conceitos mas ria de tudo. O único que se mantinha reservado e distante, nesses momentos de alegria e descontração, era Luís Carlos Prestes, sempre preocupado com os desdobramentos imediatos da revolução. Nesses momentos, Prestes raramente se divertia.[482]

A campanha através dos sertões alterara radicalmente os hábitos da oficialidade. Além de abandonarem a leitura durante os deslocamentos, os oficiais também não podiam mais se dar o luxo de matar o tempo com conversas ingênuas e despretensiosas, que não levavam a lugar algum. Estavam agora lutando em uma região desconhecida e áspera, quase sem água e alimento, pontilhada de obstáculos e armadilhas naturais, onde o pior inimigo depois do sol e da terra é o homem, com seu ódio à Coluna.

Os ventos da intriga, entufados pelo Governo, espalharam-se pelo sertão. Com a violação dos lares, saques e depredações, os rebeldes só têm na verdade um objetivo: extinguir a população pobre do Nordeste. As violências praticadas em Piancó convenceram os sertanejos de que estão diante de uma guerra santa. Eles não estão só empenhados em proteger suas famílias e o magro patrimônio acumulado com tantos sacrifícios, mas em defender acima de tudo a própria vida, ameaçada pela Coluna e pelas histórias de horror plantadas pelo Governo nas terras por onde ela passa.[483]

Os rebeldes já perceberam que os sertanejos são bem diferentes dos guerreiros gaúchos, acostumados a lutar de forma heróica e teatral, aos gritos, com suas roupas coloridas e lanças enfeitadas, enfrentando o inimigo de peito aberto, olho no olho, com cavalos e cavaleiros envolvendo-se em exuberantes movimentos coreográficos. Nesses reides, a gritaria era tão grande que contaminava até os animais. O jagunço, por sua vez, é silencioso, e muito mais perigoso. Melhor atirador que o gaúcho, ele ataca o inimigo sem estardalhaço, preferencialmente de tocaia. Avalia friamente o adversário, olho pousado na mira do rifle, quase invisível, e só puxa o gatilho protegido pelas sombras, cuidando-se sempre para não se expor.

O único oficial do Alto-Comando que conhece com intimidade os segredos da alma sertaneja é João Alberto. Nordestino, nascido no Recife, ele procura convencer os chefes revolucionários gaúchos de que devem ser indulgentes com aquele povo sofrido e valente que persegue a Coluna com ódio extremado. João Alberto vê com tristeza aqueles homens miseráveis, a quem considera aliados naturais, serem lançados contra os rebeldes como braço armado do Catete. Em vez de retribuírem os ataques com a mesma virulência, é preciso que os rebeldes entendam o que se passa na cabeça daquelas populações, duplamente castigadas pela seca e pela espoliação dos *coronéis* do sertão. O nordestino é um homem que não se acovarda diante do perigo. Curtido por uma vida de sofrimentos, meio nômade, só amealha bens móveis. Sempre que a estiagem aumenta, ele migra com os animais e a família, o seu maior patrimônio, à procura de água em outras regiões onde também possa plantar seu feijão. Cabras vacas, dois jumentos e um cavalo, seu companheiro inseparável, compõem o seu universo patrimonial. Analfabeto, ingênuo e ordeiro, o sertanejo respeita o padre e o chefe político da terra, a quem está sempre pronto a servir, devoto e fiel como um cão.

Manipulada pela propaganda oficial, a população nordestina acredita piamente que os rebeldes roubam o gado, conspurcam os lares e raptam as mulheres para prostituí-las; o objetivo da Coluna, segundo o Governo, é destruir a família sertaneja. Para aqueles homens rudes e destemidos, profundamente religiosos, não pode existir desgraça maior. A Coluna, com todas essas maldades, é a encarnação de satã e de todos os seus asseclas. Prestes é lúcifer, o demônio, o chefe dos anjos do inferno.[484]

O padre Cícero Romão Batista também comunga com os medos que tanto afligem o seu rebanho. Em carta que enviou a Luís Carlos Prestes e "seus companheiros de luta", ele exorta os rebeldes a depor as armas. Numa linguagem polida, sem ódios e ressentimentos, *Padim Ciço* diz estar com a alma de sacerdote flagelada por uma "indefinível tristeza":

> *"Caros patrícios. Venho vos convidar à rendição. Faço-o firmado na convicção de que presto serviço à pátria, por cuja grandeza também devem palpitar os vossos corações de patriotas. Acredito que já não nutris esperanças na vitória da causa, pela qual há tanto tempo pelejais, com excepcional bravura (...) Confrange-me o coração e atormenta-me incessantemente o espírito esse inominável espetáculo de estar observando brasileiros contra brasileiros, numa luta fratricida e exterminadora. (...) Deveis refletir ainda na viuvez e na orfandade que, com penalizadora abundância, se espalham por toda a parte; na fome e na miséria que acompanham os vossos passos, cobrindo-vos de maldições dos vossos patrícios."*

Ao se referir aos jovens oficiais que fazem parte da Coluna, *Padim Ciço* chama a atenção de Prestes para a péssima imagem que "esses moços educados" haviam adquirido diante do povo. Além de serem qualificados como "criminosos comuns", a imprensa das grandes cidades ainda os compara "aos mais perigosos facínoras do Nordeste".

> *"Deixai, portanto, a luta e voltai à paz, paz que será abençoada por Deus, bendita pela pátria e aclamada pelos vossos cidadãos. (...) Deus e a pátria assim o querem, e eu espero que assim o fareis."*[485]

35

UMA ELEIÇÃO SEM SURPRESAS

Segunda-feira, 1º de março

O Brasil vai hoje às urnas para escolher o sucessor de Artur Bernardes, o qual passará a governar o país a partir de 15 de novembro. O povo vai ratificar apenas a decisão das elites: o novo presidente da República fora escolhido em setembro, para disputar o cargo em chapa única. O candidato oficial, indicado por Bernardes com a anuência das "forças vivas da nação", não tem concorrentes. *O Diário do Ceará*, a exemplo de toda a imprensa que apóia o Governo, justifica a pantomima com indisfarçado cinismo:

> *"As altas qualidades de patriota e de amor ao Brasil do presidente Artur Bernardes o levaram a prestigiar a escolha de dois nomes que estavam naturalmente indicados à suprema governança. Os estados da Federação, por sua vez, formaram todos, sem nenhuma discrepância, em torno das duas candidaturas indicadas pela Convenção Nacional de 12 de setembro (...) Desta maneira, iremos ter uma eleição tranqüila e unânime, a qual significará uma verdadeira aclamação nacional dos nomes por si tão recomendáveis de Washington Luís e Mello Viana."*[486]

Desde janeiro a imprensa do interior conclama os eleitores, através de anúncios, a votarem nos nomes escolhidos pelo Catete. Os "comerciais" estampados nas páginas mais nobres dos jornais nem se davam o trabalho de apresentar a plataforma política dos candidatos oficiais:

"Eleição de 1º de março:
Para presidente da República: Dr. Washington Luís Pereira de Souza. Senador da República, residente em São Paulo. Para vice-presidente da República: Dr. Fernando de Mello Viana. Presidente de Minas Gerais, residente em Belo Horizonte."[487]

A política do café-com-leite estabelece mais uma vez que o país será governado pelos representantes das oligarquias de São Paulo e Minas Gerais. Mesmo que Washington Luís e Mello Viana estivessem disputando a eleição com outros candidatos, já podiam considerar-se virtualmente eleitos. A apuração dos votos é sempre manipulada, não só para a escolha do presidente como também para os candidatos à Câmara e ao Senado, à governança dos estados e municípios e às representações estaduais e municipais.

A forma despudorada como as classes dominantes resolveram o problema da sucessão já tinha merecido algumas farpas dos jornais do Rio, apesar do zelo da censura em preservar a imagem do futuro presidente. Antes mesmo de a convenção ratificar oficialmente o nome do candidato das oligarquias de São Paulo, todo mundo já sabia que ele seria o eleito.

O Globo, na edição de 7 de setembro de 1925, uma semana antes da convenção, estampava uma *charge* na primeira página denunciando o conchavo. Washington Luís aparecia de pé, diante de uma cama, onde se lia no travesseiro: "Presidência." Olhando para o leito vazio, cheio de desejos, ele se lastimava: "Pena é que ainda falta tanto tempo..."

Em outra *charge*, publicada no dia 12, *O Globo* voltava a alfinetar o processo de escolha dos candidatos ao Catete. Gorda, com cara de matrona, a mulher vira-se para o eleitor com a palavra "República" estampada no vestido, aponta para uma multidão de pretendentes ao cargo e diz:

— Tens aí um cento deles... Escolhe um a teu gosto!

Os postulantes apresentavam-se com roupas diferentes, de fraque, sobrecasaca, alguns só de paletó e gravata, outros usavam chapéu, mas eram todos do mesmo tamanho e tinham a mesma cara. A cara de Washington Luís.

Ninguém tem dúvida de que o candidato de São Paulo será o sucessor de Bernardes. É uma eleição de cartas marcadas.

No interior, a vitória nas urnas começa muito antes da votação. Na maioria das vezes, só o controle do registro de eleitores já é suficiente para garantir um resultado satisfatório. Os chefes políticos locais, sob as mais variadas formas de intimidação, entre elas o uso da violência, só permitem o registro dos eleitores que estejam em sintonia com suas idéias e sob o seu controle imediato, o chamado *voto de cabresto*. A intimidação é geralmente feita por capangas armados que convencem os eleitores pouco confiáveis a desistirem do registro. Muitas vezes os *coronéis* levam os livros de registro para casa e só permitem a inscrição daqueles que os apóiam.[488]

A compra de votos é outra rotina. Como não há uma listagem oficial de eleitores nos estados, vota-se várias vezes no mesmo dia em municípios diferentes. Os candidatos, além de garantir sempre o transporte e a refeição, ainda promovem farta distribuição de roupas, sapatos e chapéus entre o eleitorado. Outra prática fraudulenta é engordar as listas de votação com *"eleitores-fantasmas"*, também conhecidos como *"fósforos"* — pessoas já falecidas ou que nunca existiram.

O processo eleitoral é conduzido pelo juiz da comarca, tendo como substituto imediato um *suplente de juiz*, quase sempre um *coronel* da confiança pessoal do governador, escolhido por ele de comum acordo com as lideranças locais. Nas eleições mais acirradas, os juízes encontram sempre um pretexto para se ausentar, deixando a eleição sob o comando de seu substituto legal.

Durante o processo de apuração é freqüente encontrar nas urnas mais votos do que o número de eleitores registrados na seção, descuido quase sempre corrigido na hora pela junta apuradora, ou submetido a posterior apreciação do legislativo estadual ou federal. Uma comissão especial examina a possibilidade de ter havido apenas um erro, reconhecendo o resultado, ou impugna a urna ao se convencer de que houve má-fé. Dificilmente, porém, ocorrem impugnações.

Assim que termina a contagem dos votos, a junta apuradora, controlada pelos políticos da região, fornece "certificados" aos candidatos atestando a votação obtida em cada urna. Na Bahia, onde os revolucionários acabam de entrar com suas tropas, os postulantes a cargos municipais e estaduais ainda submetiam os seus diplomas ao Senado estadual, para uma espécie de "escrutínio final". Os senadores, através de uma comissão eleitoral, proclamavam então o vencedor, desde que o pleito tivesse transcorrido com o máximo de lisura e o eleito não fosse adversário do governo.

O resultado era sempre fruto de um arranjo entre os grupos que detinham o controle do poder político: de um lado, os *coronéis* que mandavam nos municípios, e do outro, o presidente e os governadores que controlavam o legislativo.[489]

Muitas eleições, quando não terminavam completamente enlameadas por fraudes de toda natureza, eram dissolvidas a tiros ou acabavam em grandes pancadarias sempre que os chefes políticos regionais não chegavam a um denominador comum.

A eleição desse sábado, no Rio de Janeiro, que transcorria placidamente desde o início da votação, é maculada por um episódio considerado indigno da capital da República. As urnas da 4ª Seção Eleitoral, no bairro de São Cristóvão, foram confiscadas de forma truculenta e arbitrária por um bando de policiais civis. Entre os investigadores estava o escrivão Antunes, envolvido em um crime de morte no mesmo bairro, e o agente Cortes, que se celebrizara na última eleição para o Senado ao roubar os livros e a lista de votação de uma seção eleitoral do Méier.

Em São Cristóvão os policiais levaram urnas e títulos de eleitores que se preparavam para votar em separado. O tenente do Exército Nadir Machado, oficial de gabinete do chefe de Polícia, e vários soldados, todos fardados, assistiram à cena impassíveis, "como se a tivessem organizado". Os desmandos só não se alastraram por outras seções graças à coragem pessoal do capitão médico do Exército Oswaldo de Moura Nobre. Ao ser informado, por um vizinho, das violências, o oficial vestiu a farda, armou-se com um *parabellum* e foi defender sozinho as urnas de São Cristóvão. A firmeza de seu gesto produziu resultados imediatos. Alertado por correligionários, o deputado Azevedo Lima ligou para a casa do ministro da Justiça e o convidou a assistir ao assalto que estava sendo tramado, pela mesma quadrilha, contra a 2ª Seção Eleitoral, onde mesários, advogados e jornalistas estavam sendo presos pela polícia.

A situação só foi contornada com a chegada de um representante do ministro, que liberou os detidos.[490]

Apesar de as 232 seções do Rio de Janeiro terem funcionado normalmente, o número de votantes que compareceu às urnas até a hora do almoço era bastante reduzido. O povo carioca não compactuava com a farsa, como mostrara pesquisa realizada durante a manhã, em sete seções eleitorais, pelo jornal *A Noite*. Dos 2.425 eleitores inscritos, até a uma hora da tarde apenas 495 tinham aparecido para votar.[491]

Quarta-feira, 3 de março

Há oito dias os rebeldes caminham a pé, através da caatinga, abrindo caminho entre a estranha e agressiva vegetação de espinheiros, um emaranhado de galhos retorcidos e traiçoeiros que se enovelam pelos arbustos, armados de afiados espinhos.

A paisagem inóspita logo se modifica a partir da Chapada Diamantina. Com a chegada das chuvas de inverno, os campos estão forrados de flores douradas, onde pontificam árvores com até seis metros de altura de copa também dourada, conhecidas como são-joão, ao lado das esguias e esbeltas caraibeiras adornadas por ramalhetes de flores roxas. Aqui e ali podem ser vistos deslumbrantes imbuzeiros, coroados por flores brancas e delicadas, que encantam particularmente os gaúchos. Nunca tinham visto uma vegetação com formas e cores tão exuberantes.[492]

Prestes faz todo esse percurso a pé. Ele tem o hábito de ceder sua montaria aos doentes e feridos sempre que os cavalos escasseiam, fazendo a marcha ombro a ombro com os soldados, o que lhe permite estabelecer um contato mais íntimo com a tropa, uma legião de combatentes anônimos a quem fica conhecendo por nome e apelido, criando laços de amizade e respeito que depois se aprofundam transformando-se em verdadeira veneração.[493]

A Coluna já havia atravessado as serras do Queimado e de Santa Rosa, ladeado os rios Vaza-barris, Salitre e Matuí e alcançado a fazenda Sítio Novo, onde foi surpreendida com a notícia do fracassado levante de Aracaju, realizado há mais de um mês pelo tenente Maynard Gomes.

Agora as tropas estão acampadas no povoado de Várzea da Ema, na margem direita do rio do mesmo nome, onde foram vítimas de uma emboscada no mesmo estilo da de Piancó. Ao chegar ao povoado, pela manhã, o pelotão avançado da vanguarda viu uma bandeira branca tremulando no mastro em frente à igreja, indicando que os rebeldes eram bem-vindos. Assim que se aproximaram da praça, foram recebidos a bala por um grupo de jagunços a soldo do Governo. A reação foi imediata e os pistoleiros fugiram, deixando para trás um saco com pedaços de rapadura, um pé de sandália rasgada e dois mortos.

A Coluna abandona Várzea da Ema e marcha em direção ao sul da Bahia. Os rebeldes encontraram muitos animais nas fazendas abandonadas e agora cavalgam todos pelo sertão, garbosamente montados em jumentos. Os gaúchos, grandalhões, sentem-se ridículos em cima daqueles pequenos animais de grandes orelhas e passo apertado. Curvados sobre os jericos, os gaúchos, de pernas imensas, volta e meia arrastam as esporas pelo chão. Os jumentos, com o trote miúdo e compassado, cumprem o seu papel com galhardia. Diante de um riacho, porém, empacam e perdem a pompa. Não podem ver água que dão um trabalhão. Cravam as patas na terra, dão coices e cabeçadas; não entram na água por mais que apanhem e sejam amaldiçoados pela gauchada. A travessia de cada jumento é uma complicada operação que exige, no mínimo, a participação de quatro homens. Os animais só cruzam os rios empurrados e arrastados pelas orelhas e pelos cabrestos.[494]

Quinta-feira, 25 de março

Parte da tropa continua montada nos vagarosos jumentos, mas o restante já conseguiu bons cavalos, para alegria dos soldados gaúchos. O Alto-Comando está reunido, na cidade de Caraíbas, com o capitão da Guarda Nacional Leovigildo Viana, amigo do *coronel* Horácio de Matos, e um primo deste, de nome Augusto. Os dois estão empenhados em promover um entendimento entre o *coronel* e as forças revolucionárias, de quem garantem ser ele um admirador, por simpatizar com a causa que defendiam. Essa, pelo menos, era também a versão há muito conhecida pelos rebeldes e que corria de boca em boca pelo sertão da Bahia.

O Alto-Comando atende aos apelos da dupla de mediadores e envia uma carta ao chefe sertanejo, conclamando-o a juntar-se à Coluna ou a permanecer neutro, em seus domínios, para que não se vissem obrigados a combatê-lo.[495]

Os rebeldes, na verdade, não estão tão bem equipados militarmente como procuram fazer crer. Em Goiás e Mato Grosso, se reabasteciam de armas e munição durante os combates travados contra as tropas do Governo; agora, as reservas estavam perto do fim.

Apesar do rígido controle para que não desperdiçassem munição — cada homem carregava de 15 a 20 cartuchos —, muitos rebeldes ainda usam velhos trabucos descalibrados pelo uso, que servem apenas para fazer barulho e assustar o inimigo. As armas de cano longo variam do fuzil de infantaria ao Winchester de caça, além de grande variedade de rifles de discutível eficiência. O grosso da Coluna está armado com todas as marcas conhecidas de revólver, inclusive garruchas, pistolas grandes e obsoletas que disparam um tiro de cada vez. Os rebeldes dispõem também de alguns fuzis-metralhadoras e de uma seção completa de metralhadoras pesadas com seus pentes praticamente intactos. Elas só são utilizadas em casos de extrema gravidade. Veteranas da revolução paulista, elas matraqueiam nos momentos mais críticos, para amedrontar o inimigo com o seu poder de fogo, mas logo silenciam, para economizar munição. Como os cartuchos minguam a cada escaramuça, muitos rebeldes usam os rifles apenas como adorno, pendurados nos ombros, sem munição.[496]

Quinta-feira, 1º de abril

O Estado-Maior mal consegue dissimular a perplexidade com o conteúdo de algumas cartas do *coronel* Horácio de Matos que acabam de ser interceptadas em um pequeno povoado na serra do Campestre. Prestes e Miguel Costa sabiam, há alguns dias, que tinham sido enganados pelo capitão Leovigildo e seu acompanhante. Em outra apreensão, realizada por acaso, haviam encontrado uma correspondência do *coronel*, datada de 19 de março, onde se descobriu que no dia 25, quando foram procurados por Leovigildo em missão de paz, Horácio já se preparava para a guerra.

Mas só agora, através das cartas que o chefe sertanejo dirigiu à sua tia Casemira, proprietária da fazenda Carrapicho, no município de Guarani, eles perceberam a extensão do grande cerco que se armava contra as forças revolucionárias no interior da Bahia. Nesse "correio", o *coronel* autorizava a tia a fazer requisições e pedia que lhe enviasse, o mais rapidamente possível, homens, armas e munição para enfrentar os rebeldes; comprometia-se a pagar 4 mil-réis diários a cada combatente. O chefe sertanejo fornecia ainda detalhes do plano traçado pessoalmente pelo general Álvaro Mariante, que acabara de instalar seu QG em Chique-Chique. O Governo pretendia cercar os rebeldes na caatinga, entre Tiririca dos Bodes, Aleixo, Brotas e o rio São Francisco, onde então seriam finalmente acuados e esmagados sem compaixão.[497]

36

A CONTRAVENÇÃO NO PODER

Quinta-feira, 8 de abril

"A crise na polícia. O sr. marechal Carneiro da Fontoura será exonerado hoje."

Com essa manchete, em letras imensas, a edição vespertina de *A Notícia* esgotou-se rapidamente nessa manhã em todos os quiosques do Rio de Janeiro. Foi um furo sensacional. É o tão esperado dia D, em que será colocado um ponto final no prontuário de violências cometidas por esse militar bronco, servil e truculento a quem seus desafetos chamavam de *General Escuridão*.

Pouca gente acredita que a notícia seja verdadeira. Carneiro da Fontoura é uma das vigas que sustentam o poder discricionário de Bernardes, e o presidente sabe que não pode abrir mão de um auxiliar tão dedicado e eficiente.

O jornal informa, com exclusividade, que o motivo da exoneração foi a demissão do delegado Renato Bittencourt, da 17ª DP, indicado há poucos dias pelo ministro da Justiça para comandar a repressão ao jogo do bicho na capital da República. O delegado Bittencourt vinha estourando pontos e fortalezas do bicho em vários bairros da cidade, devassando santuários da contravenção onde a Polícia jamais colocava os pés. A demissão, segundo o *General Escuridão*, fora provocada por motivos disciplinares, sem qualquer ligação com a campanha contra o bicho.

Na véspera, com indisfarçada ironia, o *Jornal do Commércio* atribuía a demissão do delegado a um possível engano do chefe de Polícia na hora de assinar algum documento sobre sua mesa de trabalho. O tom de deboche indicava que o marechal enfiara a mão num vespeiro: "A notícia não pode ser absolutamente verdadeira, é preciso que o *Diário Oficial* de hoje a confirme", acentuava o jornal ao lembrar que o delegado Bittencourt tinha mais de 10 anos de serviço, além de "gozar, como goza, da inteira confiança dos que o indicaram para a árdua e necessária missão que com tanto zelo e integridade vinha desempenhando. Deve ter havido, no caso, um equívoco qualquer, que hoje mesmo estará naturalmente esclarecido".

Em Petrópolis, para onde viajou assim que leu o jornal, o chefe de Polícia consumiu cerca de uma hora tentando convencer Bernardes, em sua residência de verão no Palácio Rio Negro, de que tinha agido corretamente ao afastar o delegado Bittencourt, policial arrogante e indisciplinado.

O presidente, porém, aguardava apenas um pretexto para se livrar de Fontoura. Ele tinha em seu poder um dossiê que mostrava as ligações do marechal com a cúpula do jogo do bicho. Os banqueiros mandavam e desmandavam na Polícia Central. O delegado Raul de Magalhães, por exemplo, fora afastado do 3º Distrito Policial para que em seu lugar assumisse o advogado Alberto Tornay, indicado para o cargo pelo contraventor Guimarães das Linhas. O segundo delegado auxiliar, Mário de Lacerda, fora também nomeado para essa função por indicação de Guimarães, de quem era compadre. O dossiê relacionava os clubes e as grandes sociedades que promoviam em suas sedes todo tipo de jogatina, sob a proteção do delegado Lacerda. O jogo era controlado pelos contraventores João Pallut, Pereira, Cavanellas, Cropalatos, Metelle e Alvin, que contribuíam mensalmente com pesadas propinas para a caixinha do bicho, cujo dinheiro era depois rateado entre os altos escalões da Polícia Central.[498]

O presidente não aceitou as explicações de Fontoura e manteve a sua exoneração. Para evitar que o fato fosse explorado politicamente, o afastamento do chefe de Polícia seria anunciado, oficialmente, como se tivesse ocorrido "a pedido".

No Rio, o capitão João Lopes Carneiro, filho do marechal, queimava o último cartucho para tentar salvar a cabeça do pai. Procurou o senador Washington Luís, no Palace Hotel, na esperança de que recebesse o marechal em audiência particular e intercedesse em sua defesa junto a Bernardes. O presidente eleito "escusou-se, entretanto, da entrevista, alegando que não tinha tempo para tal".[499]

Assim que regressou à capital, após ter se avistado com o presidente, no Palácio Rio Negro, Carneiro da Fontoura resolveu escrever uma carta pessoal ao chefe da nação. Não podia ser demitido assim, como se fosse um zé-ninguém, do cargo que ocupava desde 1922. Antes de encaminhar a correspondência a Bernardes, enviou uma cópia aos jornais. A carta tinha o sabor de uma bofetada.

O marechal sustentava que a demissão do delegado Bittencourt, a bem da disciplina, era uma atribuição do chefe de Polícia, que podia nomear ou afastar os funcionários que não fossem merecedores de sua confiança. Ele, por sua vez, não estava também saindo "a pedido", como afirmou o presidente, mas porque havia sido por ele convidado a se exonerar do cargo. O pior vinha depois:

> *"Quanto à generosa oferta que me fez de uma comissão na Europa como prêmio aos serviços que prestei ao país, depois de sobre ela meditar durante a volta de Petrópolis, peço licença para não aceitar por considerá-la uma ofensa à minha dignidade e ao meu passado, contentando-me com os aplausos da minha consciência de haver cumprido o meu dever com lealdade e abnegação, com sacrifício da minha saúde, da minha tranqüilidade e da minha família, expondo a minha vida aos ódios dos inimigos de V. Exa."*[500]

A carta ficou entalada na garganta do presidente. A oposição, por sua vez, divertia-se com o pugilato verbal que o marechal travava com o presidente da República.

Nessa mesma tarde, não se sabe se por decisão pessoal ou inspiração de Bernardes, o delegado Bittencourt resolveu cometer algumas indiscrições, em entrevista a *A Notícia*. Contou, por exemplo, como fora a conversa reservada que ele e o chefe de Polícia tiveram, um dia depois de ter sido indicado para o cargo pelo ministro da Justiça com a missão de reprimir o jogo do bicho na capital. Nesse encontro, a portas fechadas, o marechal aconselhou-o a não aceitar a nomeação. Esclareceu que tomava essa iniciativa com a autoridade que lhe davam os seus cabelos brancos. O marechal estava cordato e falava como um avô. Revelou que o Governo, além de não lhe oferecer os recursos de que necessitava para reprimir a contravenção, não via também com bons olhos as medidas que costumava tomar para coibir o jogo no Rio de Janeiro. As investidas policiais nessa área nunca eram prestigiadas pelos seus superiores e pela classe política. A indicação dele, Bittencourt, para uma função tão espinhosa não passava, portanto, de um jogo de cena do ministro da Justiça. Era tudo encenação.

O delegado contou aos jornalistas que ouviu toda essa peroração em silêncio. No final da conversa, afirmou que, apesar de todas as dificuldades, estava decidido a enfrentar o desafio. Havia recebido, inclusive, instruções "pessoais" do ministro para iniciar logo o trabalho e precisava formar a sua equipe. Forneceu então a relação de policiais com os quais desejava trabalhar e se retirou.

— Dois dias depois da minha posse, o marechal recebia no salão nobre da Polícia Central a visita de um conhecido contraventor, o sr. João Pallut. Depois dessa conferência, a portas fechadas, o marechal tornou sem efeito as transferências dos policiais que eu havia solicitado e com as quais havia, inclusive, concordado.[501]

No dia seguinte, o próprio Bittencourt era afastado do cargo pelo chefe de Polícia, sob a alegação de que fora exonerado a bem da disciplina. Vinte e quatro horas depois de ter desafiado o ministro da Justiça, o marechal era convidado a esvaziar as suas gavetas e tomar o rumo de casa.

A queda de Carneiro da Fontoura foi festejada não apenas por suas vítimas habituais, operários, intelectuais, ativistas sindicais e militares que contestavam o autoritarismo do Governo, mas também pela imprensa, que sofria com a censura imposta às redações, sob sua inspiração e torpeza, com base no estado de sítio. Ao ser confirmada sua exoneração, *A Notícia* comentou:

> *"A opinião pública desta terra não atinava com os objetivos pelos quais o Sr. Presidente — tão austero e tão digno — levava a sua magnanimidade até o infinito de tolerância para conservar, no seu cargo, aquele que não só desvirtuava as funções de que se achava encarregado, mas até comprometia seriamente o prestígio do Governo."*[502]

O afastamento de Carneiro da Fontoura foi atribuído pelos jornais à fanfarronice com que ele conduzia a campanha contra a contravenção. "Da forma como estava sendo feita era uma burla, uma ignomínia aviltante, uma ofensa aos próprios créditos da administração", dizia *A Notícia*.

Foi também através da imprensa que se tomou conhecimento de um episódio teatral, logo depois que o marechal desceu de Petrópolis, demitido pelo presidente da República. Ao chegar à chefia de Polícia, Fontoura reuniu os principais auxiliares em seu gabinete e, durante rápida preleção, anunciou que tinha sido mantido no cargo pelo amigo Artur Bernardes. Ao concluir, pediu a todos que o continuassem ajudando, com o mesmo denodo, a cumprir sua missão. Depois, trancou-se em seu gabinete e, com a pena embebida de ódio, escreveu a Bernardes, recusando o cargo diplomático que lhe fora oferecido na Europa.[503]

Foi o quinto e último ato de uma comédia insólita, onde o marechal desempenhou ao mesmo tempo vários papéis, alguns criados e dirigidos pelo próprio Bernardes; agora, o presidente assumia pessoalmente a responsabilidade de fechar as cortinas, apagar as luzes e comunicar ao público que o espetáculo terminara. Pelo menos por aquela noite. Para substituir Fontoura, Bernardes escolheu um personagem com outro perfil, embora o *script* continuasse o mesmo.

A oposição passou a atacar o escolhido antes mesmo da posse. Num jogo de palavras, diziam que Bernardes havia escolhido "um homem das trevas" para colocar no lugar do *General Escuridão*. Mas a acusação era infundada. O escolhido, dizia o Governo, é um homem culto e honrado, amante da ordem, que abomina a violência. O novo chefe de polícia é o ex-procurador criminal de São Paulo, o odiado Carlos da Silva Costa, responsável pelo libelo acusatório dos envolvidos na revolução de 5 de julho de 1924. Bernardes acertara na escolha? O tempo dirá. "Nada melhor do que um fiscal da lei para conter os abusos cometidos em seu nome", assegurava o presidente da República.

O fogoso Renato Bittencourt, dias depois, seria contido em seus arroubos pelo novo chefe de Polícia, que, por talhe de formação, mostrava-se excessivamente rigoroso no cumprimento de certos formalismos legais. Carlos Costa determinou que durante as batidas policiais aos pontos de jogo do bicho os investigadores só poderiam apreender o dinheiro correspondente ao total das apostas encontradas em poder dos contraventores. Os valores que superassem esse montante não poderiam ser mais apreendidos. Para a Polícia, a partir de então, só podia valer também o que estava escrito.

A campanha que o delegado Renato Bittencourt desenvolveu contra o jogo do bicho começou logo a sofrer pressões de toda natureza e a merecer reparos até da imprensa, alguns "plantados" pelos próprios "banqueiros". A contravenção lançava mão de todo o seu poder político e econômico para comprometer a campanha que prometia reprimir não só o bicho como a tavolagem que campeava à solta pela cidade:

> *"A repressão contra o vício nem sempre vem sendo conduzida com a devida serenidade pelos que foram incumbidos de efetivá-la. (...) O glorioso delegado Renato Bittencourt e seus heróicos auxiliares estão*

arrastando a ação policial a excessos que lhes desvirtuam a finalidade", denunciava *A Notícia.*[504]

O próprio delegado vinha pisando em ovos depois do escorregão que quase lhe custara o cargo. Ao invadir, ingenuamente, o Jóquei Clube para saber se a instituição estava legalmente autorizada a promover "jogos de salão" entre seus associados, foi recebido com insolência pela diretoria. Ao ouvirem que desejava saber se tinham licença para promoverem toda aquela jogatina, os diretores se entreolharam com ironia.

Irritado com o ar de galhofa, o delegado passou um sabão na diretoria e exigiu a presença imediata do presidente do Clube. Um dos jogadores, que permaneceu de costas para o policial, deu uma baforada no charuto, consultou o relógio e revelou onde o homem poderia ser encontrado:

— Está no Catete. O presidente honorário do nosso Clube é o presidente Artur Bernardes.[505]

Sábado de Aleluia, 10 de abril

Os soldados divertem-se com um boneco de palha, enfiado numa velha sobrecasaca, com a calça esfarrapada, sem os pés e sem mãos, que cavalga como um bêbado em cima de uma mula; no peito, carrega um cartaz de papelão onde se lê: "Eu sou o Bernardes." Agredido por ofensas, piadas e brincadeiras de toda natureza, o judas desfila impassível diante da tropa, para gáudio da soldadesca. De repente, ouve-se um estampido seco, seguido de disparos de revólveres e fuzis. A bomba que "Bernardes" carregava na barriga tinha acabado de explodir. O judas é então boleado por um gaúcho e cai da montaria, mas um laço, atirado por mãos experientes, ainda consegue apanhá-lo pelas pernas. O boneco, em frangalhos, dá uma cambalhota e se esborracha no chão. Aos gritos, é arrastado por um cavaleiro enquanto uma legião de perseguidores procura golpeá-lo com espadas e facões. A brincadeira só termina depois que "Bernardes" se desfaz em pedaços e vira um trapo.[506]

Para escapar da cheia dos rios nessa época de chuvas intensas que os nordestinos chamam de *inverno*, a Coluna desloca-se pela chapada Diamantina, um planalto com pouco mais de 800 metros de altitude que se estende por cerca de 300 quilômetros de extensão, do norte para o sul, bem no centro da Bahia, onde as estradas e os caminhos não estão alagados.

Ao evitar a travessia dos rios inundados, que correm para o Atlântico ou para a bacia do São Francisco, os rebeldes ficam sujeitos, no avanço pela Chapada, a um tormento ainda maior que os atoleiros: os jagunços de Horácio de Matos. Depois de peregrinar durante uma semana pelo interior da Bahia, chegam finalmente a Minas do Rio de Contas. É a mais importante cidade do estado que já encontraram, com excelente comércio, mercado público, clube social, biblioteca e até um teatro, luxo a que so os grandes centros se permitem.

Em Minas do Rio de Contas, como em outras cidades que a Coluna atravessara, o advogado Lourenço Moreira Lima mais uma vez impressiona-se com a diferença entre as cadeias e as escolas. Não é só uma questão de padrão arquitetônico. Ele sempre se chocava com a situação de indigência a que o ensino público estava relegado no interior. Apesar do fausto e da riqueza, Minas do Rio de Contas não é exceção. A cadeia está instalada num prédio sólido e com razoável conforto, enquanto a escola, como de hábito, funciona numa pocilga. Uma situação bem diferente, por exemplo, da existente na Argentina, que Moreira visitara antes de se juntar aos rebeldes. Nesse país, ao se chegar a uma cidade, por menor que fosse, não era preciso perguntar onde ficava a escola. Ela ocupava sempre o prédio mais imponente, que podia ser visto de longe, com seu porte majestoso, ao lado das igrejas e dos hospitais. O contraste com o Brasil era triste, doloroso, mas expressivo.[507]

No telégrafo da cidade, os rebeldes interceptam uma mensagem em que o fazendeiro cearense Geraldo Rocha, amigo pessoal de Horácio de Matos, oferece, em nome de Bernardes, um prêmio de 500 contos de réis aos chefes sertanejos que derrotarem a Coluna. Horácio não é homem de se vender por um punhado de moedas; o que o anima a se mobilizar contra os rebeldes é a defesa da família e da honra, conspurcadas pelos revoltosos.

37

O CORONEL DA CHAPADA

A silhueta que se move atrás da cortina adamascada, emoldurada pela janela em forma de ogiva, na melhor casa de Lençóis, no interior da Bahia, é a de um homem esmirrado, quase sempre vestido de terno de casimira escuro sem nenhum apuro no talhe, mas também sem desleixo, que pode ser confundido com qualquer comerciante da região. Nos últimos dias, os candeeiros a querosene da sala de jantar têm permanecido acesos até a meia-noite para que possam ser atendidas todas as pessoas que vêm de longe em busca de aconselhamento e proteção.

O dono da casa não é respeitado só por morar em um palacete construído com mão-de-obra importada da Europa. Ele também não é temido, em toda a região de Lavras Diamantina, apenas porque anda sempre em companhia de um punhal de 30 centímetros de comprimento, alojado na cava do colete, e do revólver de cano longo que pende de um cinturão largo, caído sobre a perna esquerda.

À noite, ao conduzir até a porta de casa as pessoas de aspecto grave que o têm procurado ultimamente, ele se despede quase sempre com a mesma frase estudada, esculpida por um passado de lutas, que soa também como uma espécie de garantia de terem batido na porta certa:

— Eu sou um homem que preza o caráter acima de tudo. Os meus amigos, quando me levarem ao cemitério, terão de dizer: era um homem de caráter...

Interrompe a frase, contempla os olhos angustiados do visitante com uma expressão enigmática, afiada como o seu punhal, e conclui com ar de sabedoria:

— Um homem sem palavra é um corpo sem alma.[508]

Apesar de seu poder e sua fama terem ultrapassado as fronteiras do estado e chegado até o Rio de Janeiro, poucas pessoas conhecem pessoalmente o *coronel* Horácio de Matos. Até mesmo para a população da Bahia ele é um desconhecido, do qual só se ouvem histórias. Sua timidez e sua desconfiança chegam por vezes ao exagero.

Seu mundo era o sertão; a capital, a cidade de Lençóis, de onde quase não se afastava a fim de melhor administrar o seu sortido armarinho. Depois, Horácio dedicou-se a atividades bem mais lucrativas do que os tecidos baratos e as bugigangas que comprava no Rio para revender na Chapada: passou também a explorar o comércio de compra e venda de diamantes. Um negócio que lhe rendeu bons lucros e um apreciável patrimônio. Uma das suas riquezas é o belo e suntuoso palacete em estilo gótico onde mora.[509]

Em julho de 1924, para surpresa da família, ele resolveu quebrar um retiro voluntário de 11 anos e fazer uma rápida visita a Salvador. O povo e os jornalistas o perseguiam como um mito pelas ruas da capital. Uma multidão de curiosos não saía da porta do Hotel do Eugênio, onde se hospedara, só para ter a honra e o prazer de conhecê-lo pessoalmente.

Seu tipo físico era, entretanto, incompatível com a sua imagem de caudilho, "a lendária criatura cujo poder se descreve, cuja força se propala, mas que não é dada a pessoa alguma observá-la de perto". O repórter de *A Vanguarda* destacado para entrevistá-lo mal consegue dissimular a decepção ao ser apresentado ao chefe sertanejo num quartinho modesto de hotel.

"Tínhamos ali, a meio metro de distância, o homem que enchera toda uma época da vida política da Bahia. O físico de Horácio de Matos é profundamente diverso daquele que criamos na imaginação e que talvez

se desenhe no espírito de toda a gente. Nenhum homenzarrão de caráter feroz, seco, incapaz de sorrir. Muito ao contrário de tudo isso, Horácio de Matos de estatura é franzino, queimado de sol, (...) que pode confundir-se com qualquer pacato transeunte citadino."

Nas últimas semanas, o *coronel* vinha dedicando o melhor do seu tempo e do seu talento na organização de um exército de jagunços que expulsasse os rebeldes da Bahia. A invasão das tropas revolucionárias ocorria num momento particularmente delicado para os seus interesses políticos. Horácio ainda estava absorvido em consolidar a paz na região de Lavras Diamantina, depois de vários anos de luta contra os velhos caciques da região, sem contar a guerra particular que travara recentemente contra o governador da Bahia, por ter nomeado um inimigo jurado da família para a delegacia de Polícia de Lençóis.

O *coronel* fora vítima de uma perfídia: denunciaram-no ao Catete de estar conspirando com Isidoro para derrubar o governador da Bahia. Revoltado com essa intriga e indignado com a nomeação de um adversário para um cargo tão importante como o de delegado, Horácio não só enxotou o homem para fora da cidade, como destroçou todas as expedições policiais punitivas enviadas a Lençóis. Em uma só emboscada, seus jagunços mataram 20 soldados e feriram mais de 30. Os sangrentos combates ocorridos em fevereiro de 1925 tinham deixado cicatrizes ainda muito vivas na alma da população, que nunca mais esqueceu como foram aqueles dias de medo e violência.[510]

Na época, os amigos de Horácio, preocupados com a possibilidade de o chefe sertanejo cair, realmente, nos braços dos rebeldes, pressionaram Bernardes e o governador da Bahia para que negociassem uma paz honrosa com o chefe sertanejo. O influente jornalista Geraldo Rocha e seu primo, o deputado federal Francisco Rocha, fizeram a sua parte. Negaram que tivesse qualquer tipo de envolvimento com Isidoro, mas advertiram o presidente para o risco de Horácio apoiar o movimento revolucionário caso as hostilidades não fossem logo suspensas. Convencido do perigo, Bernardes determinou imediato cessar-fogo. Depois, antes que fosse tarde demais, obrigou o governador Góis Calmon a fumar o cachimbo da paz com aquele matuto valente e brigão.[511]

As visitas que Horácio recebe agora, até altas horas da noite, na sala de jantar, lhe desfiam um novelo de horrores. As cenas de vandalismo assumem um aspecto ainda mais dramático ao serem relatadas num ambiente elegante como aquele, onde predominam a prata portuguesa, o cristal Baccarat e a porcelana de Limoges. Estão todos sentados em volta de uma mesa imensa e ovalada, forrada com uma toalha de linho rendado, tendo ao centro uma fruteira de metal com platô e tulipas de cristal. Os depoentes são quase todos correligionários do interior, aterrorizados com as notícias que chegam junto com o avanço das forças revolucionárias através do sertão da Bahia. Pelas histórias que lhe contam, a Coluna é um flagelo de Deus. Como se considera um homem de caráter e de palavra, Horácio não pode deixar de socorrer os amigos e de atender a um pedido do presidente da República, a quem se sente ligado por um laço de gratidão. Mas tem outro bom motivo para entrar na briga: o sobrinho Francisco Macedo e o primo Henrique Matos foram assassinados pelos rebeldes.

Por uma ironia do destino, Manuel Quirino, o único membro da família que simpatizava abertamente com o movimento revolucionário, fora o primeiro a atacá-lo, pessoalmente. Manuel Quirino não só havia votado contra a criação de um batalhão de jagunços para combater a Coluna como também recusou-se a participar da reunião em que foi discutida a sua organização. Quirino voltou-se repentinamente contra os seus companheiros de idéias e ideais, no dia 27 de março, ao ser informado de que tinham invadido e saqueado a sua fazenda. Desencantado com o comportamento dos rebeldes, não esperou por um pedido de desculpas: recebeu-os a bala quando entraram no povoado de Tiririca dos Bodes, onde perdeu dois homens. A partir desse dia, sempre que pode, cutuca a Coluna com o cano longo da sua espingarda de caça.[512]

Segunda-feira, 19 de abril

As forças revolucionárias cruzaram a Bahia de norte a sul, através da chapada Diamantina, e entram, mais uma vez, em Minas Gerais, depois de terem sido perseguidas por um inimigo quase invisível. Nada parece deter a jagunçada. Mesmo em território mineiro, a retaguarda continua sendo atacada por eles, mas as escaramuças já não são tão sangrentas como no interior da Bahia.

As lições recolhidas pela Coluna durante os combates na região montanhosa da Chapada foram dramáticas. Só agora é que haviam percebido por que as populações miseráveis, que imaginavam libertar, se voltam contra eles. Embrutecido pela pobreza, pela fome e pelo sofrimento, o nordestino não compreende os objetivos políticos do movimento revolucionário e reage sempre com violência quando lhe tomam o gado e a montaria. O homem do sertão não está disposto a abrir mão do pouco que tem em benefício de coisas que não entende.

Geograficamente isolados, sem obter o esperado apoio da população do interior, longe do litoral e das grandes cidades, os rebeldes sentem-se encurralados e sem grandes perspectivas de continuar sustentando a luta contra o Governo. Não há também muitas alternativas: alcançar Goiás é praticamente impossível, diante da presença de grandes contingentes legalistas no vale do São Francisco; só lhes resta continuar descendo, em direção ao sul, até encontrar outra saída ou surgir um fato novo capaz de reverter a situação em que se encontram. Muitos gaúchos aferram-se a uma idéia fixa: voltar para o Rio Grande.

A região de Rio Pardo, em Minas Gerais, onde a tropa está acampada recuperando-se do desgaste sofrido durante a campanha pelo Nordeste, oferece novo alento aos rebeldes. O campo aberto, cheio de pastagens, é inadequado para o tipo de combate preferido pela jagunçada. Não dispondo mais do terreno acidentado, com montanhas, gargantas e desfiladeiros onde armam suas emboscadas, eles tinham retornado à

Bahia. Depois de quase quatro meses de tocaias diárias, tiros e correrias, os rebeldes conseguem armar suas barracas e dormir em paz.[513]

Quarta-feira, 21 de abril

Os oficiais do Estado-Maior são informados pelos fazendeiros da região que a luta política no Rio de Janeiro não esmoreceu. Cada vez mais inflamados, os discursos de Batista Luzardo, no plenário da Câmara Federal, são a principal fonte de informações sobre o movimento rebelde. Apesar de estarem proibidas de sair nos jornais, as notícias, pinçadas no calor dos debates, espalham-se rapidamente de boca em boca, pelo resto do país.

A Coluna transformara-se num símbolo de idealismo e patriotismo. As populações dos grandes centros começam a se mobilizar e a se comover com a saga dos rebeldes através dos sertões. As forças revolucionárias sentem-se revigoradas com essas notícias, que chegam aos mais distantes rincões de Minas. Os oficiais rebeldes ficam ainda mais entusiasmados com outra informação: a chama da revolução continua viva nos quartéis.[514]

Prestes apresenta então ao Estado-Maior um plano audacioso: a Coluna, novamente bem-montada, com 1.200 homens, poderia dar uma volta, girando sobre os seus calcanhares, e retornar à Bahia, caminhando sobre os próprios passos, até encontrar uma saída para Goiás e Mato Grosso. Não há outra escolha. É impossível furar o bloqueio montado pelo Governo no vale do São Francisco. Se forem bem-sucedidos, podem ainda recorrer a outro ardil: fingir que estão marchando em direção a Salvador; quando as tropas legalistas se concentrarem no litoral para defender a capital, eles se deslocarão de repente para oeste, atravessarão a chapada Diamantina e cruzarão o São Francisco entre Xique-Xique e Remanso.

Apesar de absurdo, por contrariar as noções mais comezinhas da arte da guerra, o plano é de um atrevimento tão fascinante que acaba apro vado pelo Estado-Maior. A decisão carrega em seu bojo, porém, outro objetivo, que é mantido em segredo para o restante da tropa: assim que chegarem a Mato Grosso, pedirão asilo à Bolívia ou ao Paraguai. Para isso terão que caminhar cerca de 10 mil quilômetros para alcançar a fronteira. Apenas os comandantes e subcomandantes de destacamentos conhecem o verdadeiro objetivo da manobra. Nem os oficiais imaginam que ela encobre o plano de emigrar. O Estado-Maior espalha que o próximo alvo das forças revolucionárias é a cidade de Salvador.[515]

A Coluna gira em torno do seu próprio eixo, rabiscando o desenho de um grande laço, e regressa à Bahia, em marcha acelerada. A manobra, de audácia sem limites, confunde o Governo. Os rebeldes ainda alimentam esperanças de receber, pelo caminho, as armas e munições prometidas por Isidoro.[516]

Segunda-feira, 4 de maio

A Coluna ocupa, de surpresa, a cidade baiana de Ituaçu, sem encontrar qualquer tipo de resistência. Foi tudo tão rápido que a população nem teve tempo de fugir. O destacamento policial que guarnece a cidade entregou-se também sem disparar um tiro. Os rebeldes estão, mais uma vez, nos domínios do *coronel* Horácio de Matos, a região de Lavras Diamantina, por onde pretendem passar para evitar a cheia dos rios que deságuam no São Francisco.

A volta dos *revoltosos* pelas terras da Chapada é interpretada pelo *coronel* como uma afronta pessoal, que se encontra a 400 quilômetros de Lençóis, chefiando um bando de jagunços, à procura da Coluna pelos campos de Minas Gerais. Para um homem de palavra e de caráter como ele, invadir e atacar uma casa como a sua, quando o dono está ausente, é um ato de traição e covardia. Ele, pelo menos, procura dar o melhor exemplo a seus homens, enfrentando os inimigos sempre de frente, jamais pelas costas. Não tolera também excessos, sempre punidos com rigor, como o lamentável episódio ocorrido de 10 abril em Minas do Rio de Contas, que mereceu de sua parte corretivo exemplar.

Ao ser informado de que um tenente de polícia matara dois prisioneiros, Horácio mandou chamá-lo à sua presença. O crime tinha sido vergonhoso: ao tentar possuir a mulher de um rebelde, que permanecera na cidade em companhia do marido gravemente ferido e sem ter condições de seguir com a Coluna, o tenente, ao ser repelido, deu-lhe dois tiros nas costas. Depois cortou-lhe as orelhas e ainda fuzilou o irmão dela, na sua frente, que ficara em Rio de Contas para ajudar a tratar do cunhado. Nunca acontecera nada igual na Chapada.

Horácio mandou formar a tropa e, diante de uma multidão de curiosos reunida na praça de Lençóis, deu ordens para que o tenente levasse uma surra de espada. Depois da sova, que lhe deixou o corpo lanhado, o *coronel* expulsou-o dos quadros da Polícia e enfiou-o no xadrez para ser processado pelo crime que cometeu.[517]

A Coluna serpenteia a serra do Sincorá durante a noite, com os animais sendo puxados pelas rédeas. A encosta é iluminada por imensas velas de carnaúba conduzidas pelos rebeldes, que caminham lentamente em fila indiana, como peregrinos cumprindo uma penitência. Vistas de longe, as forças revolucionárias parecem um longo cordão de fogo que se contorce, flamejante, pela montanha, como se participassem de uma procissão noturna, comum no sertão.[518]

As classes conservadoras da Bahia estão reunidas no Instituto Geográfico e Histórico para ouvir o depoimento candente do professor Anísio Teixeira sobre os prejuízos materiais e humanos causados pela Coluna através do Nordeste. O seleto auditório sorve suas palavras com uma expressão de pavor:

— O que foi essa incursão? Felizmente já não faltam relatos, testemunhas e entrevistas para vos dizer o que ela tem sido (...) Um homem rústico e simples dizia-me assombrado: "Seu doutor, eles nem parecem gente. Andam vestidos de vermelho e parecem demônios."

Anísio Teixeira explica que a encenação militar dos rebeldes, que marcham sempre através de uma coluna central, custodiada por destacamentos que se espalham pelos lados, na vanguarda e na retaguarda, excita ainda mais a imaginação dos sertanejos, já exacerbada "pelos cabelos e barbas crescidos e pelo lenço vermelho de alcobaça que traziam em volta do pescoço".[519]

Alguns rebeldes, apesar do calor, ainda carregam nas costas os improvisados ponchos vermelhos confeccionados no ano passado, quando chegaram ao povoado de Campanário, em Mato Grosso, depois de invadirem o Paraguai. Os ponchos, que são também usados como mantas de dormir, dão-lhes um aspecto ainda mais ameaçador. A fértil imaginação sertaneja se encarrega do resto. A cor vermelha é um indicador de que os rebeldes têm mesmo parte com o demônio.[520]

38

A REPRESENTAÇÃO DO BICHO

Terça-feira, 5 de maio

O plenário da Câmara Federal, no Rio de Janeiro, está sendo utilizado como *décor* de mais um violento confronto entre a oposição e a bancada que apóia o Governo. Há horas que os deputados participam de um pugilato verbal, esmurrando-se com acusações mútuas, por causa das denúncias de envolvimento com o jogo do bicho nas últimas eleições. O poder político e econômico da contravenção está, mais uma vez, na ordem do dia, estimulando acalorado debate entre os deputados Azevedo Lima e Cesário de Melo, a quem a oposição acusa de ser ligado ao *banqueiro* João Pallut, mais conhecido no submundo do crime como *João Turco*. Azevedo Lima sustenta que o *banqueiro* incluiu vários nomes de sua confiança pessoal na chapa de Paulo de Frontin.

O deputado Leopoldino de Oliveira não se contém diante do que acaba de ouvir:

— É um verdadeiro escândalo um contraventor como *João Turco* interferir nesses assuntos!

Acuado diante da revelação, Cesário de Melo defende-se como pode:

— Trata-se de um cidadão naturalizado brasileiro, de um bom chefe de família, como pode atestar o Sr. Adolfo Bergamini, que morou em sua casa.

— Não é verdade, sempre morei em minha casa — interrompe Bergamini, que integra a oposição.

Leopoldino de Oliveira vira-se para Cesário de Melo, com cara de nojo, e lhe dá uma estocada:

— O senhor não tem o direito de defender, dentro da Casa do Parlamento, um criminoso, um contraventor...

— Tenho tanto o de defender como V. Exa. o de acusar.

O deputado Azevedo Lima entra na briga:

— O Sr. Cesário de Melo desce no meu conceito, considerando-se amigo desse indivíduo, proclamando a sua amizade no plenário da Câmara dos Deputados, quando ele mesmo (...) acaba de ser acusado por um dos seus sicários (...) como o maior dos bandidos, como um homem que percorreu quase todos os delitos do Código Penal (...) E V. Exa. a confessar, publicamente, que é um dos seus amigos mais íntimos...

Henrique Dodsworth tenta mudar o eixo da discussão:

— O Sr. Paulo de Frontin nunca teve relações pessoais com o Sr. João Pallut, e os candidatos pelos quais este se interessava não foram incluídos na lista...

— Atenção! — intervém o presidente da mesa.

Azevedo Lima volta-se para Cesário de Melo com expressão de repugnância e lhe dá o tiro de misericórdia:

— O povo do Distrito Federal ficará, daqui por diante, conhecendo a consciência dos políticos de sua terra que se apresentam como homens íntegros e honestos, mas venceram as eleições pelo crime, pela corrupção, pela venalidade.[521]

Não é a primeira vez que a política e o crime aparecem de mãos dadas. O envolvimento de parlamentares com a contravenção já fora denunciado pela imprensa em outubro do ano passado.

"O jogo do bicho tem protetores na Câmara!" Com essa manchete,

A Notícia denunciava a tramitação de um projeto na Comissão de Constituição e Justiça patrocinado por um grupo de parlamentares ligados aos reis da jogatina no Rio de Janeiro. Através de uma série de sutilezas retóricas, o projeto, que se propunha a aumentar a receita da União, na verdade tinha como principal objetivo "livrar da cadeia os amantes e profissionais do jogo do bicho, criminosos como quaisquer outros, perante o nosso Código Penal".[522]

Assinado pelos deputados Cesário de Melo, Walfredo Leal, Tavares Cavalcanti, Joaquim de Melo, Cesar Magalhães, Bethencourt da Silva Filho e Nogueira Penido, o projeto propunha substituir a pena de prisão, estabelecida pelos artigos 31 e 32 da Lei número 2.321, de 30 de dezembro de 1910, pelo pagamento de uma multa de 1:000$000; em caso de reincidência, este valor seria em dobro.

O projeto defendia a substituição da pena de reclusão celular de dois a seis meses pela multa de um conto de réis, que seria recolhida aos cofres públicos, através da compra de um selo com esse valor. As justificativas para a modificação da lei foram também consideradas um insulto à inteligência e ao caráter dos homens de bem. Os parlamentares sustentavam que seria mais "rendoso" para o Tesouro recolher multas do que mandar os contraventores para a cadeia.

Com a pena de prisão, em vez de haver benefício para os cofres públicos, diziam os defensores do projeto, só haveria prejuízos. Além de ser o responsável legal pela segurança dos prisioneiros, o Governo teria ainda que arcar com o ônus de fornecer roupa, comida e assistência médica, além de outros serviços para manter "esses delinqüentes" atrás das grades. O melhor, portanto, seria a cobrança de uma taxa, a fim de que todas essas despesas não caíssem, mais uma vez, sobre os ombros largos do contribuinte.

As alegações finais eram um escândalo.

"Onde já se viu transformar o crime em fonte de renda pública?", perguntava *A Notícia*, para logo em seguida acrescentar, com uma pitada de ironia: "Se os criminosos libertos voltassem novamente à prática dos seus delitos, tanto melhor! Eram mais multas, mais dinheiro a entrar no Tesouro. E estava salva a pátria..."

A cobrança de uma taxa já existia na legislação em vigor e com valor superior ao proposto pelos deputados. O aumento da receita previsto no projeto não passava, portanto, de sofisma, mistificação, com o objetivo apenas de assegurar a sua aprovação.

> *"O jogo do bicho tem sido entre nós uma verdadeira praga social. Vício que ardilosamente se insinuou nos nossos costumes, absorvendo, indistintamente, tanto as classes pobres como as ricas, ameaçando os lares modestos pelo desvio constante de recursos indispensáveis ao pão de cada dia"*, denunciava *A Notícia.*[523]

O que mais indignou a imprensa foi descobrir que o patrono do projeto era o deputado Walfredo Leal, representante do clero católico na Câmara Federal. Ao ser questionado pelos jornalistas, Leal confessou-se escandalizado ao saber que era o primeiro signatário da proposta; alegou que fora vítima de uma traição. O padre-deputado garantiu ter emprestado seu nome de boa fé, "na absoluta ignorância do que se tratava". Contou que só tomou conhecimento do texto através da imprensa.

Os jornais chamavam ainda a atenção para outra ironia desse projeto que manteria os contraventores em liberdade para sempre: fora apresentado à Câmara em 28 de setembro, mesma data em que a princesa Isabel assinara a Lei do Ventre Livre, em 1871:

> *"Ontem eram os filhos dos escravos; hoje querem que sejam os próprios 'bicheiros'... Amanhã serão todos os presidiários, todos esses assassinos e ladrões que enchem os nossos cárceres, dando despesas aos cofres da nação... Esperemos!"*[524]

Canhoneado assim por *A Notícia*, o projeto do padre Walfredo, que já estava com água nos porões, encalhou na Comissão de Constituição e Justiça e logo depois adernou de vez.

Quinta-feira, 6 de maio

Uma potreada acaba de fazer uma presa importante na chapada Diamantina: Anatalino Medrado, cunhado de Horácio de Matos, cai em poder dos rebeldes durante o ataque à vila Bom Jesus. Filho do famoso e temido Doca Medrado, chefe político de Mucujê, Anatalino, ao ser detido, contou que estava em missão de paz. Fora enviado pelo pai a fim de convidar os rebeldes a visitarem Mucujê, onde seriam recebidos como amigos, num clima de festa.

Prestes determina que o destacamento de Djalma Dutra vá, com o rapaz, até o povoado em busca de armas e munições, já que seriam recebidos ali com hospitalidade. Antes, entretanto, ele o adverte para os riscos oferecidos por essa região acidentada e cheia de gargantas, ideal para emboscadas.

Após um dia de caminhada, Anatalino chega a Mucujê em companhia da vanguarda, comandada por Ari Salgado Freire. Ao se aproximar das primeiras casas, no alto da serra, a delegação é apanhada por uma saraivada de balas. Dezenas de carabinas surgem, de repente, nas janelas, enquanto centenas de jagunços, encarapitados no alto das pedras, atiram sem parar. Era uma cilada. A vanguarda, que não chega a 50 homens, é cercada por mais de 400, quase todos bons atiradores escolhidos a dedo pelo pai de Anatalino. Ao ouvir o tiroteio, Djalma Dutra avança com o resto da tropa, pouco mais de 200 rebeldes precariamente armados. Estão todos revoltados com a vileza de Doca Medrado, que não teve escrúpulos em usar o filho como isca numa emboscada.

Os combates prolongam-se das nove da manhã ao anoitecer, quando os rebeldes decidem, finalmente, recuar e descer a encosta, com uma legião de mortos e feridos às costas. Indignado com a traição de Anatalino, Djalma Dutra resolve submetê-lo à corte marcial assim que se juntarem ao resto da Coluna.[525]

O inquérito instaurado para apurar o envolvimento de Anatalino esbarrou no arraigado sentimento de justiça de Prestes e Miguel Costa. Apesar de os indícios comprometerem o filho de Doca Medrado, os dois tinham algumas dúvidas sobre o seu grau de responsabilidade na emboscada. Não querem mandar fuzilá-lo sem estarem realmente convencidos de sua culpa. O major Ari Salgado Freire, que estava ao lado de Anatalino quando foram cercados em Mucujê, conta que ele se mostrou sinceramente surpreso quando os jagunços começaram a atirar. E mais: indignado com o ato de traição, chegou até a pedir uma arma para lutar ao lado dos rebeldes. Na hora do tiroteio, Anatalino também não fugiu para Mucujê porque não quis. O depoimento de Salgado Freire é mais do que suficiente para absolver o filho de Doca Medrado. Djalma Dutra, como chefe do destacamento, defende o seu imediato fuzilamento, até para servir de exemplo, diante do elevado número de baixas sofridas na emboscada.

Prestes e Miguel Costa, assaltados por dúvidas e escrúpulos, sempre generosos com os adversários, acham melhor absolver o réu. Os dois comandantes não querem agir como o Governo e o Supremo Tribunal Militar que, apoiados numa legislação infame e despótica, condenam os acusados baseando-se apenas em indícios, suspeitas e no ódio incontrolável que nutrem por eles.

Anatalino não foi executado. Dias depois, quando os rebeldes passaram pela cidade de Monte Alegre, foi libertado. Uma semana após sua libertação, descobriu-se que ele era culpado. O próprio Anatalino deu entrevista a um jornal de Salvador em que revelou detalhes da emboscada que ele e o pai haviam planejado. Prestes e Miguel Costa entenderam que, por questão de princípio, a decisão do julgamento não podia ser diferente.[526]

Domingo, 9 de maio

Ao anoitecer, as tropas deixam o povoado de Coxó dos Malheiros e marcham através da escuridão, o que só acontece em situações excepcionais. Como não existe nenhuma nesga de claridade no céu, os soldados caminham dentro da noite como zumbis, completamente desorientados, guiando-se pela acidentada topografia do terreno. Os que estão montados de vez em quando batem com a cabeça nos galhos mais baixos das árvores, para deleite dos que marcham a pé. Mas a maior diversão é com os que cavalgam dormindo. Apanhados de surpresa pelos galhos, na altura do pescoço, despertam em pânico, com as armas na mão, prontos para se defender, como se estivessem sendo degolados pelo inimigo.

Entre risos e gargalhadas, a tropa grita em coro:

— Olha o pau na frente! Olha o *pé de árvore* à direita! ...

A marcha, que se iniciou de forma tensa, arrastada e cansativa, logo se transforma numa grande farra.[527]

A maioria dos combatentes, principalmente os oficiais, é jovem, alegre, bem-humorada. O grosso da tropa, quando não combate, gasta o tempo cantando, dançando, tocando gaita, sanfona e violão, ou inventando sempre brincadeiras entre eles. Tudo é motivo para diversão. A oficialidade, nessas ocasiões, também participa dos folguedos.

Um dos maiores galhofeiros é Siqueira Campos. Seus 28 anos fazem dele, às vezes, um verdadeiro adolescente. Em Mato Grosso, ele e outro oficial inventaram o mapa de um tesouro fabuloso que estaria enterrado numa igreja em ruínas. Desenhado num papel velho e amarelado, o mapa foi estrategicamente abandonado em um dos buracos da parede da igreja para que pudesse ser logo encontrado por um incauto. O tesouro, de acordo com o mapa, estava enterrado sob o chão de pedra do templo. As indicações diziam que se encontrava a .... braças da porta principal, caminhando na direção do altar-mor e a ...., braças de profundidade. A maldade estava justamente aí. Era impossível saber a sua exata localização, porque no ponto em que deveria estar indicado o número de braças Siqueira fez um buraquinho, como se o mapa tivesse sido parcialmente destruído pelas traças.

A brincadeira só não prospera porque Juarez Távora, católico convicto, entra na igreja para rezar e descobre tudo.[528]

39

AS NOITES DAS GRANDES FOGUEIRAS

Quarta-feira, 19 de maio

Sempre acossada por grupos esparsos de jagunços, a Coluna deixa o povoado de Pedrinhas e penetra na caatinga. Vistos de longe, os rebeldes, quase todos vestidos de couro, parecem vaqueiros. Nem mesmo os soldados paulistas, que tanto se orgulhavam dos seus uniformes, resistiram ao modismo de andar de casaco de couro, o gibão, sandálias e perneiras, uma espécie de couraça sobre as calças também de couro cru que os nordestinos usavam para se defender dos espinhos. Mas há exceções. Muitos gaúchos, mesmo sofrendo desesperadamente com o calor, mantêm-se fiéis ao figurino dos pampas. Não se desfazem das blusas de lã, das bombachas e das botas sanfonadas, impróprias para o sertão.

Faz uma hora que a tropa caminha a pé, através da caatinga, puxando os cavalos pelas rédeas. Os homens têm, primeiro, que abrir uma picada entre a vegetação áspera, que se contorce, impenetrável, para poder passar depois com os animais. A Coluna é abraçada por milhões de galhos, secos e retorcidos, afiados como navalhas, que vão sendo golpeados um a um pelos facões. A trilha que os rebeldes abrem através da caatinga é pavimentada por uma floresta de espinhos. Descalços, impossibilitados de marchar com as botas sanfonadas, emolduradas por grandes esporas, os gaúchos estão com os pés sangrando. A marcha, para eles, é agora um martírio.[529]

Atravessar a caatinga em passo acelerado tinha sido uma decisão dolorosa. Extenuadas pela fadiga e pelas tocaias, que aumentam a cada dia o número de mortos e feridos, as forças revolucionárias já estão no limite de sua resistência. Por onde passam, há uma emboscada. A região, onde imaginavam não encontrar adversários, transformou-se, de repente, num tormento. O inimigo está sempre à espreita nos locais onde os rebeldes saltam dos cavalos à procura de água. As cacimbas, as aguadas e as ipueiras são ninhos de jagunços. Com o dedo no gatilho, eles passam dias e noites em permanente vigília, para esconjurar o demônio com o chumbo quente das espingardas de caça. Os rebeldes tombam aos montes, sem saber de onde partem os tiros. Os sertanejos disparam as armas e somem no mato, como se nunca tivessem existido.

Várzea, Furado, Olho-d'água, Canabrava do Gonçalo, Água de Rega, Roça de Dentro, Tiririca dos Bodes, todos esses povoados da chapada Diamantina recepcionam a Coluna com emboscadas. A resposta às agressões é igualmente brutal: essas cidades foram saqueadas, e as três últimas incendiadas pelos rebeldes. Só em Lagoa Grande foram queimadas 73 casas.[530]

No retorno à Bahia, não ocorrem grandes confrontos como em outros estados, apenas ataques de emboscada. É justamente por causa desse inimigo invisível, que se refugia nas sombras, que Prestes e Miguel Costa decidiram cruzar a caatinga. Eles querem chegar o mais rápido possível ao rio São Francisco, atravessar o seu leito e marchar em direção ao exílio.

Um dos poucos estrangeiros que participa da marcha selvagem através da caatinga é o capitão Ítalo Landucci, que faz anotações diárias sobre a saga da Coluna. Além de ex-integrante do Batalhão Italiano na rebelião de São Paulo, Landucci é um veterano da Primeira Guerra Mundial. Ele está particularmente comovido com o sofrimento dos feridos, carregados em padiolas rudimentares, feitas com duas varas e um cobertor. Observa, penalizado, o resto da tropa se arrastando pela caatinga como animais e se pergunta enquanto caminha pela trilha de espinhos: onde todos esses homens conseguiram a força, a resistência e a disciplina que os mantêm unidos na dor e na desgraça? [531] Qual o segredo dessa magia que os torna solidários e resignados, como se estivessem acorrentados, presos entre si, sempre juntos nas situações mais dramáticas? Por que, mesmo distantes, estão sempre tão próximos? Onde os potreadores feridos encontram a força e a luz que os fazem cavalgar, dias e noites sem parar, amarrados em suas montarias, só para morrer nos braços dos companheiros? De que tipo de sentimento são as algemas que aprisionam esses homens?

Aparentemente, eles não têm muitas coisas em comum. Boa parte dos revolucionários é gaúcha, com hábitos e costumes típicos do Sul, muito distintos daqueles que vêm de dois grandes centros urbanos, como o Rio e São Paulo, sem contar os nordestinos que aos poucos foram se juntando à Coluna. Entre eles há militares, intelectuais, estrangeiros, jornalistas, operários semi-alfabetizados e camponeses analfabetos, na maioria muito jovens, com idéias e ideais forjados pelo meio em que viveram. Apesar de terem vindo de regiões diferentes e de diferentes classes sociais, formam todos uma grande família. Há entre os rebeldes forte sentimento de irmandade.

Não existem também entre eles desigualdades, apesar da hierarquia imposta pela disciplina militar. Os chefes levam a mesma vida que os soldados, sem privilégios: se for preciso, dormem também no chão ao lado da tropa; comem do mesmo rancho. Durante toda a marcha, o melhor é sempre destinado aos feridos e, depois, aos demais combatentes. A oficialidade não tem regalias.

O hábito gaúcho de cozinhar e de fazer as refeições em volta de fogueiras, usadas para preparar a comida, também contribui para que homens tão diferentes nas suas origens se aproximem e passem a se conhecer melhor. Os *fogões*, como os gaúchos se referem a essas fogueiras, permitem também que aflorem nobres e insuspeitados sentimentos em combatentes que acreditavam lutar só pelo gosto da guerra. Os *fogões* não só revelam ideais como criam vínculos que os mantêm entrelaçados, como se fizessem parte de um destino comum. Nessas conversas em volta do fogo, surgem revelações e sentimentos que acabam por fazê-los prisioneiros uns dos outros, algemados pelos mesmos sonhos e paixões.[532] As noites consumidas em volta dessas grandes fogueiras consolidam a nobreza do afeto que faz todos aqueles homens parecerem irmãos.

A marcha através da caatinga torna-se ainda mais dramática ao anoitecer. Os galhos invisíveis, recheados de espinhos, brotam por toda parte, para desespero dos gaúchos. À meia-noite, depois de terem caminhado durante dez horas seguidas, os homens, abatidos pela fome, pela sede e pelo cansaço, param numa clareira para descansar. Um silêncio pesado se abate sobre os rebeldes, que se encostam uns aos outros, espalhados entre os arbustos, sem espaço para armar as barracas de lona, um dos muitos hábitos herdados da caserna do qual jamais abrem mão. Mas a caminhada extenuante acaba por despojá-los de todas as regras e ensinamentos militares. Nessa noite, os homens só precisam de um pedaço de chão para dormir.

Três horas depois a marcha recomeça, com os rebeldes trôpegos de sono, amaldiçoando as macambiras, xique-xiques e mandacarus. O objetivo da Coluna é alcançar logo o rio São Francisco, na divisa da Bahia, e entrar no Piauí. As forças revolucionárias consomem o resto da madrugada lutando contra as armadilhas da mata. Por volta de dez da manhã, finalmente libertadas desse pesadelo, chegam a Boca da Picada, lugarejo às margens do rio Jacaré, onde o Estado-Maior resolve montar acampamento.

Com as barracas armadas, os rebeldes passam o dia purgando as suas chagas, sem perceber que o inimigo está ali perto, silencioso, de tocaia pronto para saltar sobre eles como um animal.

Os oficiais do contingente legalista estão, entretanto, convencidos de que os rebeldes foram impiedosamente esfolados pela caatinga e agora, derrotados pela aspereza da mata, só lhes resta uma alternativa: a rendição incondicional.[533]

Terça-feira, 25 de maio

A Coluna chega a Tabuleiro Alto, onde encontra um cenário de desolação e sofrimento causado pela cheia do São Francisco. Com a elevação das águas, a população ribeirinha foi empurrada para as partes mais altas, refugiando-se na caatinga. Famílias inteiras, abandonadas pelo Governo, viviam na mata, na mais funda miséria, à espera de que o *Velho Chico* se recolhesse ao seu leito.

Os rebeldes conhecem a inclemência dessa região inóspita. Ao sair da mata, há dias, foram obrigados a mergulhar outra vez na caatinga para não serem tocaiados por um batalhão legalista. Durante horas caminharam entre mandacarus, unhas-de-gato, facheiros e coroas-de-frade para escapar ao cerco do Governo.

Apesar de terem se livrado da tropa governista com essa manobra, os rebeldes dessa vez foram abandonados pela sorte. Mesmo com as canoas existentes em Tabuleiro Alto, é praticamente impossível cruzar o São Francisco naquele trecho. A cheia avolumou tanto as suas águas que as margens se afastam quase cinco quilômetros. Há ainda outra dificuldade, incontornável, de natureza militar: o *Velho Chico*, entre Barra e Remanso, está sendo patrulhado por uma nuvem de embarcações fortemente armadas, para impedir a travessia dos rebeldes para o Piauí.

A situação da Coluna é desesperadora. Os homens sentem-se encurralados, à beira de um grande desastre, como se tivessem caído numa emboscada, dessa vez armada pela própria natureza. De um lado, o São Francisco; do outro, a serra do Encaibro, agressiva e intransponível, forrada por uma vegetação cruel que se estende até as águas da cheia. É um quadro extremamente grave. São vítimas da desinformação sobre o regime de chuvas da região e o impacto que as cheias do São Francisco causam a estas terras da Bahia. Se as tropas legalistas que navegam pelo rio resolverem atacar, os rebeldes estarão liquidados.

Prestes propõe o avanço pela caatinga em direção ao norte, para alcançar a cidade de Santa Sé, onde a tropa tentaria cruzar o rio com mais facilidade. É a única alternativa que lhes sobra.[534]

A marcha inicia-se em condições precárias. Não existem mais provisões. Acabaram o café, o sal, o açúcar, o arroz, o feijão, a farinha e o fumo. O café da manhã, habitualmente farto, é substituído por uma sopa de abóbora, rala e intragável, sem nenhum tempero, que os homens ingerem de um gole só. A carne de cabra também terminou. Como única reserva de comida, dispõem apenas de alguns bois magros e cansados, definhados pela fome e pela sede, e que estão sendo guardados para alimentar os doentes e feridos — o exército de inválidos que se arrasta, amarrado aos cavalos, junto com a Coluna.[535]

As padiolas improvisadas, formadas por duas grandes varas e um cobertor, têm as extremidades presas nos arreios de dois cavalos. Os feridos fazem sempre as marchas suspensos entre a garupa do animal da frente e a cabeça do que vem atrás. O pior martírio para os feridos são os inevitáveis solavancos durante a caminhada. Muitas vezes, esses dolorosos solavancos, quando não lhes retardam a recuperação por meses seguidos, acabam por lhes apressar a morte.

Houve épocas em que a Coluna conduzia cerca de 50 padiolas, mobilizando mais de 200 homens retirados da frente de combate só para cuidar dos feridos. Como certos ferimentos custavam a cicatrizar, as lesões supuravam e exalavam um cheiro forte de carne podre.

Apesar da precariedade de recursos, os rebeldes mantêm um improvisado corpo de saúde que faz verdadeiros milagres. Como os únicos instrumentos cirúrgicos de que dispõem são um bisturi, algumas pinças e tesouras, as cirurgias são feitas sempre com o auxílio de punhais, facas e canivetes. A céu aberto, sem anestesia.

As amputações, as intervenções mais delicadas, são também feitas a sangue-frio, quando os ferimentos começam a exibir os primeiros sintomas de gangrena. A maioria das operações de emergência é feita pelos próprios enfermeiros: a Coluna não tem médico. Os enfermeiros fazem praticamente tudo. As cirurgias complexas, que exigem conhecimentos mais profundos de anatomia, são sempre conduzidas sob a orientação de um tenente veterinário, o gaúcho Aristides Leal, que as contingências promoveram à condição de chefe do corpo de saúde.

Aristides assumiu essa função depois que o tenente José Ataíde, o único médico da Coluna, se desentendeu com Siqueira Campos em Goiás e foi escalado para cumprir uma missão política no Rio de Janeiro: entregar uma carta pessoal do Alto-Comando revolucionário ao deputado Batista Luzardo. A carta, na verdade, fora apenas um pretexto para afastá-lo da Coluna, diante de suas resistências em realizar cirurgias sem a instrumentação adequada.

Ataíde não era revolucionário, mas um oficial legalista que havia sido preso pelo tenente Cabanas em 1924 no Paraná. No início, ele chegou a utilizar seus conhecimentos médicos como prisioneiro, mas logo depois se incorporou voluntariamente às fileiras rebeldes e chegou a prestar destacados serviços à revolução durante três meses.

O episódio que provocou a briga com Siqueira Campos e, em seguida, o seu afastamento foi a recusa em operar, em Anápolis, um soldado com um ferimento horrível que começava a gangrenar. Uma bala inimiga ricocheteou no carregador do fuzil-metralhadora e lhe decepou o braço direito. Não havia condições técnicas de realizar uma cirurgia, num caso grave como aquele, sem instrumentos adequados. Ataíde não sabia o que fazer. Dois dias depois, Siqueira convocou o veterinário Aristides para examinar o ferido, cujo estado já era desesperador. Como Ataíde sustentava não dispor de recursos para fazer a amputação, o veterinário apanhou um facão e comunicou ao médico:

— Vamos ter que fazer uma operação de carniceiro, senão o homem morre.

Aristides fixou os olhos no ferido, aterrorizado com o facão, e procurou tranqüilizá-lo:

— Você é jovem e não vai morrer.

Para sorte do soldado, que era marinheiro, ainda havia uma certa quantidade de cocaína na farmácia da Coluna. O veterinário deu-lhe uma injeção no local do ferimento para atenuar a dor e iniciou a amputação. A operação foi presenciada apenas pelos enfermeiros: tanto soldados como oficiais foram para longe, para não ouvir os gritos do marinheiro. Prestes, que fazia sempre questão de observar as pequenas cirurgias e acompanhar de perto o tratamento dos feridos, também se afastou.

O marinheiro, que participara do levante do encouraçado *São Paulo*, gritou pouco durante a operação. Em vez de cortar o osso, o veterinário achou melhor desarticulá-lo para diminuir o sofrimento. A cirurgia, a céu aberto, durou pouco mais de uma hora.

O pós-operatório foi surpreendente. Durante quatro dias, o soldado foi conduzido de padiola pelos companheiros, mas no quinto já estava montando a cavalo.[536]

Aristides já realizara outras intervenções igualmente dramáticas. Ao deixarem o Rio Grande, ele teve que amputar a mão esquerda de um negro, estraçalhada pela bala de um fuzil. O curativo inicial, com iodo, tinha sido feito com muito atraso e a mão começava a gangrenar. O ferimento era tão grave que se podiam ver os ossos através da carne arroxeada, a mão ferida a querer se separar do resto do braço.

João Alberto, que também fazia pequenas cirurgias, conferenciou com o veterinário sobre as chances de a operação ser bem sucedida. O negro, que se imaginava condenado à morte, ouviu a conversa em silêncio. Como o animal que conduzia os medicamentos e os poucos instrumentos se extraviara pelo caminho, a alternativa foi fazer a amputação com um canivete-faca, com uma lâmina dentada, conhecida no Sul por *tira-prosa*.

A operação, sem anestesia, durou uma hora. O negro suportou todo o sofrimento com resignação. O veterinário enfiou depois um chumaço de algodão queimado na ponta do braço amputado para estancar o sangue e impedir que a medula escorresse dos ossos. Dias depois, João Alberto levou o negro para ser atendido por um médico numa cidadezinha, onde nova cirurgia, com anestesia local, corrigiu as limitações da amputação a canivete.[537]

Os ferimentos a bala, desde que não tivessem atingido um órgão vital, não exigiam uma intervenção cirúrgica imediata. A orientação era deixar que o organismo expelisse naturalmente as balas alojadas nos braços e nas pernas, e, quando elas afloravam junto à pele, eram retiradas com a ajuda de canivetes ou do único bisturi de que dispunham.

Os enfermeiros e o veterinário examinavam o ferimento e só extraíam as balas que estivessem em áreas de fácil acesso, em regiões muito sensíveis, próximas a um nervo, ou que estivessem provocando muita dor. Se tivessem perfurado os intestinos ou o pulmão, muito pouca coisa se podia fazer.

A perfuração das vísceras era sempre um caso perdido. Nessas situações dramáticas, o único recurso era drogar o ferido e esperar que ele morresse em paz, com o mínimo de sofrimento. Não havia também como fazer transfusões, não só pela falta de material adequado, como pela impossibilidade de se identificar o tipo sanguíneo da vítima e do doador.[538]

Sempre que a Coluna invadia um povoado, os enfermeiros corriam para as farmácias e esvaziavam as prateleiras; levavam tudo o que podiam: tintura de iodo, algodão, aspirinas, gaze, esparadrapo e Leptagol, um antiinflamatório de largo espectro, além da Maravilha Curativa do Dr. Humphrey, um bálsamo para todos os fins muito usado no tratamento das feridas difíceis de cicatrizar. Confiscavam-se também os estoques de Elixir de Nogueira para o tratamento dos problemas internos, antes que as farmácias fossem pilhadas pelos soldados, ávidos em consumir qualquer tipo de remédio que contivesse um pouco de álcool. Muitos chegavam a tomar sofregamente o famoso Regulador Gesteira, usado pelas mulheres no controle da menstruação, o qual era ingerido por causa do gosto amargo, como se fosse cachaça.[539]

Os feridos a bala eram os que exigiam sempre cuidados especiais, enquanto os outros doentes, em sua maioria com impaludismo, ficavam geralmente entregues aos seus próprios cuidados, tratando-se com ervas medicinais e chás receitados e preparados pelo batalhão de curandeiros mantidos pela Coluna.

Entre esses curandeiros o que mais se destacava era o velho Balduíno, morto no combate da fazenda Cipó. Foi graças a um preparado à base de mel de abelha que ele conseguiu salvar a perna de um cunhado de João Alberto, no Rio Grande do Sul. Inflamada e intumescida, a perna já exibia manchas roxas no pé, indicando a existência de gangrena. Com a sua pomada e as suas rezas, contra o parecer do veterinário Aristides, Balduíno curou o homem e impediu que a perna fosse amputada.

As dores de dentes eram tratadas com a ajuda de "simpatias". Balduíno colocava os soldados de costas, dizia palavras ininteligíveis, fazendo com os braços uma coreografia de movimentos estranhos, e, em seguida, cravava um punhal no chão para cortar a dor. Diziam que a dor passava porque os dentes se esfarinhavam com a sua reza forte.[540]

O corpo de saúde apoiava-se basicamente no trabalho dos enfermeiros chefiados pela devotada Hermínia, austríaca de nascimento, que se incorporara à revolução em São Paulo. Valente como um soldado, ela, muitas vezes, se infiltrava pela linha de frente, indiferente ao perigo, para socorrer os rebeldes feridos e trazê-los de volta. Durante a campanha do Piauí, Hermínia deu comovente exemplo de amor ao próximo. Foi até as trincheiras inimigas cuidar dos legalistas feridos e depois regressou à Coluna. Dotada de extraordinária capacidade de trabalho, marchava a pé, participava de potreadas e usava o laço com o virtuosismo de um gaúcho.[541]

Muitos rebeldes, mesmo aleijados, não desistiam da luta. Zé Viúvo, um dos feridos de Piancó, levou um tiro na perna, andou várias semanas de padiola e ficou aleijado. Sempre que descia do cavalo só conseguia locomover-se de muletas, com extrema dificuldade. Como não podia manter-se de pé, pedia que o escalassem para o serviço de sentinela. Zé Viúvo permanecia horas sentado e calado, com a carabina entre as pernas, ao lado das muletas, sempre atento a qualquer movimento suspeito à sua volta.[542]

O farmacêutico Agerson Dantas, ferido no braço esquerdo em Pernambuco, também ficou aleijado. Mesmo com o braço esquerdo na tipóia, em conseqüência da fratura exposta que o obrigava a manter o ferimento permanentemente coberto por ataduras, continuava participando dos combates com a mesma garra e bravura.[543]

Os combatentes veteranos não paravam de tombar, vítimas das tocaias dos jagunços baianos, mas a Coluna não deixava seus feridos para trás, mesmo que isso comprometesse o desempenho da tropa na marcha através do sertão. As padiolas eram transportadas de qualquer forma, nos ombros dos soldados ou pelos cavalos; um esforço que se justificava até pelo fato de que tinham, pelo menos, o direito de morrer nos braços dos próprios companheiros, em vez de serem abandonados no campo de batalha e degolados pelo inimigo.

O tenente Rubens, cunhado de João Alberto, atingido por um tiro nos quadris, teve que ser recolhido à força da linha de frente quando seria mais fácil abandoná-lo, já que o seu caso podia ser considerado perdido. Com a razão tolhida pelo sofrimento, não permitia que ninguém se aproximasse. Enlouquecido pela dor, ameaçava atirar com o revólver no primeiro padioleiro que lhe tocasse o corpo. Foi preciso que João Alberto rastejasse até onde se encontrava e conseguisse puxá-lo por um braço, para que pudessem, depois, colocá-lo numa padiola rapidamente, antes que fossem atingidos pelo inimigo.

Rubens passou oito dias com febre alta, entre a vida e a morte, com o ferimento sendo tratado apenas com iodo e uma pomada preparada com banha de porco fervida e ácido bórico. Nos seus delírios, queria levantar-se para continuar combatendo, o que obrigava os enfermeiros a mantê-lo amarrado dia e noite na padiola, durante a marcha, para que não caísse no chão. Sempre muito agitado por causa da febre, só se tranqüilizava quando percebia a presença do cunhado. Os dois então conversavam, com João Alberto sempre procurando acalmá-lo. Rubens, ardendo em febre, delirava, dizia coisas desconexas. À noite, João Alberto aproximava-se da padiola e se recostava no cunhado, sempre com palavras consoladoras, até que os dois, vencidos pelo cansaço, adormeciam.

O iodo, as rezas fortes, a pomada de banha de porco, o ácido bórico e o galhinho de arruda atrás da orelha foram um santo remédio. Um dia, para surpresa de João Alberto, o cunhado levantou-se da padiola e começou a cavalgar. Para a maioria dos combatentes, a recuperação de Rubens tinha sido obra e graça de um milagre.[544]

A audácia e a criatividade dos rebeldes exasperavam o Governo. Premidos pelas circunstâncias e com invejável perspicácia, eles eram capazes de produzir as soluções mais imaginosas no campo de batalha, transformando muitas vezes situações dramaticamente adversas em surpreendentes vitórias. Com a sua capacidade de liderança e o seu gênio inventivo, Prestes ensandecia os generais. As forças legalistas deixavam-se sempre envolver por táticas e estratégias que não constavam dos manuais militares. O Exército já não suportava mais tantas humilhações.

Bernardes diariamente cobrava providências, cada vez mais enérgicas, do ministro Setembrino de Carvalho. O Governo fornecera ao Ministério da Guerra todos os recursos que lhe haviam sido solicitados. Equipamentos, armas modernas, munição em abundância, dinheiro, mas os resultados em termos práticos mostravam-se desanimadores: Nada era capaz de arrefecer a pertinácia dos rebeldes.

Mas o Governo havia recolhido uma lição: a Coluna servira, pelo menos, para expor as mazelas do Exército, uma instituição mal-estruturada, com uma tropa totalmente despreparada, sem espírito ofensivo e de sacrifício, comandada por oficiais medíocres e pusilânimes, incapaz de lutar com ardor.[545]

A crise do Exército aprofundava-se com as críticas que recebia a todo momento, no Congresso, na imprensa, nas ruas, nos bares e em conciliábulos, onde se procurava por todos os meios denegrir o papel das Forças Armadas. O Governo, na verdade, já não dispunha mais de uma organização que pudesse oferecer um combate efetivo aos rebeldes. Desmantelado por uma sucessão de equívocos que se haviam acumulado ao longo dos anos e minado pelo envenenamento político, o Exército, semidesaparelhado, desagregado pela indisciplina, mal instruído e com oficiais que não inspiravam confiança, não tinha condições de sustentar uma campanha com o vigor desejado. Além de tudo isso, "estava entregue à mais inepta e ruinosa das administrações". O Estado-Maior, por exemplo, era um órgão apático, alheio às questões militares, completamente indiferente ao que acontecia no *front*.[546]

Esse quadro mostrava-se ainda mais caótico com os constantes desentendimentos entre o general João Gomes Ribeiro Filho, comandante das Forças em Operações no Norte da República, e um dos seus subordinados, o general Álvaro Mariante, designado para combater os rebeldes na Bahia. Os dois tinham pontos de vista diametralmente opostos de como sustentar a luta contra a Coluna.

Os desentendimentos entre os dois tinham chegado a um nível insuportável. Acusado de ter cometido crime de desobediência pelo general João Gomes, sob alegação de não haver cumprido suas ordens, o general Álvaro Mariante viu-se obrigado a fazer copioso relatório ao ministro Setembrino de Carvalho, defendendo-se das críticas de seu superior imediato.

No longo documento, datado de 19 de abril de 1925, Mariante queixava-se de ter recebido apenas uma parte dos 4 mil homens que deveriam ter ficado sob seu comando quando chegou à Bahia. A tropa colocada sob suas ordens, além de consideravelmente reduzida, estava exausta, sem condições de sustentar uma campanha prolongada contra os rebeldes através dos sertões. Alguns contingentes ainda marchavam, desorientados e debilitados, pelo interior, enquanto ele os aguardava em Xique-Xique, onde instalara o seu QG.[547]

Mariante não se defendeu apenas das acusações que lhe haviam sido imputadas. Aproveitou a oportunidade para flechar no peito o general João Gomes e fazer críticas amargas à forma como o Exército combatia as forças revolucionárias no Nordeste. A começar pelos planos mirabolantes que eram diariamente concebidos pelo Estado-Maior, sob inspiração de João Gomes. Além de inócuos, os planos tinham um custo extremamente elevado. E mais: as tropas que o Governo lançava no rastro da Coluna não estavam preparadas para suportar esse tipo de guerra.[548]

Na sua visão pessoal, os rebeldes deviam ser combatidos por homens que lutassem como eles. Em vez de ficarem, por exemplo, paradas durante vários dias à espera de que os trens trouxessem cavalos descansados para continuar a perseguição, as tropas legalistas deviam arrebanhar os animais onde estivessem disponíveis, como faziam as forças revolucionárias. Era preciso abandonar as regras e lições ensinadas pelos manuais militares, porque não estavam diante de um inimigo que se movia no campo de batalha de acordo com os padrões da guerra convencional. Mariante desaconselhava o emprego de grandes contingentes, com armamento pesado e abundância de víveres e munição, para enfrentar um adversário que se deslocava com incrível rapidez. Com a estrutura tradicional e o excesso de burocracia, as tropas do Exército não tinham condições de enfrentar os rebeldes. A Coluna era ágil e imaginosa, mantendo-se em permanente movimento, sem que o Exército lhe pudesse oferecer combate numa região inóspita, com pouca água e onde não existiam estradas.

As adversidades do terreno exigiam também outro tipo de luta. As tropas regulares, habituadas a viajar em caminhões, encontravam dificuldade em se deslocar a pé através da caatinga. Para enfrentar um inimigo que agia fora dos padrões preestabelecidos, era preciso adotar novas táticas e estratégias e recorrer a outro tipo de soldado que não dependesse de apoio logístico. Um soldado que se alimentasse como os rebeldes, sobrevivendo à custa dos recursos naturais e que pudesse caminhar dia e noite sem esmorecer.

O general Mariante sustentava que a melhor estratégia para liquidar Prestes e sua gente era lançar no seu rastro "grupos de caça". Esses batalhões deveriam ser formados de no máximo 300 homens. Com poucos víveres e equipados com armamento leve, eles deveriam caçar os rebeldes como os cães fazem com os animais. Sua missão seria localizar, atacar e acuar a presa, impedindo sua fuga. Assim que encontrassem o inimigo, não poderiam mais largá-lo. As forças revolucionárias deveriam ser imobilizadas na defensiva, até que fossem finalmente liquidadas com a chegada de reforços.

Foi com indisfarçável surpresa que o ministro Setembrino tomou conhecimento de que esse plano, na verdade, já estava sendo colocado em prática na Bahia, com excelentes resultados. Mariante revelou que esses grupos eram formados por sertanejos sob o comando dos chefes locais, que tinham mais intimidade com a região, além de estarem também acostumados a fazer tocaias e emboscadas, um tipo de luta a que as tropas regulares não estavam habituadas.

"É assim que tenho agido — não elaborando planos de operações complexas com manobras de grande estilo, destinadas a cair no vácuo e dormir registradas no papel", dizia Mariante a Setembrino, acentuando que se tratava de um tipo de luta sem similar no mundo moderno. "Se V. Exa. me permite a comparação, trata-se de uma caçada à raposa", enfatizava Mariante.[549]

Era tudo o que o ministro da Guerra queria ouvir. Quatro dias depois, docemente constrangido, o general Setembrino de Carvalho exonerava o general João Gomes do comando das Forças em Operações no Norte da República. O cargo, em reconhecimento ao seu talento militar, foi entregue ao general Álvaro Mariante.[550]

A partir de agora, os rebeldes seriam caçados como animais:

— *À la chasse!*

Os principais "pontos" de panfletagem política do Rio de Janeiro amanheceram inundados por um jornalzinho clandestino, com impressão rudimentar, que há quase dois anos enlouquecia os investigadores da 4ª Delegacia Policial. O *5 de Julho* circula, desta vez, com uma edição em homenagem ao segundo aniversário da revolução, que vai ser completado dentro de um mês. O editorial compara a data de 5 de julho com 15 de novembro, "duas datas-irmãs" pela sua grande significação histórica, ressaltando, entretanto, que a proclamação da República na verdade não passara de um *coup de théâtre* presenciado por um "povo bestificado". E acrescenta:

> *"O vírus monárquico contaminou de origem a república recém-nascida (...) e logo dela se apossaram, como de uma presa imbele, os velhos macacões da política, ensandecidos na atmosfera de uma corte cuja medíocre prosperidade repousava na escravidão."*

A edição é também dedicada a um dos mártires do movimento revolucionário, o tenente Cleto Campelo, que tem sua foto estampada na primeira página, em uniforme militar. Apesar dos seus 28 anos, Cleto, que aparece de óculos com aro redondo, tem ainda o rosto de um adolescente. A reportagem descreve a sua partida de Jaboatão, nas imediações de Recife, e a sua trajetória à frente de um grupo de onze homens com o objetivo de se juntar à Coluna, mas omite a sua desdita em Gravatá.

O *5 de Julho* considera 1926 o ano da vitória. O jornal ornamenta a importância histórica dos líderes revolucionários com uma *corbeille* de adjetivos: Miguel Costa, *o forte*; Luís Carlos Prestes, *o gênio da guerra*; Juarez Távora, *o leão acorrentado* (por se encontrar preso); João Alberto, *o intrépido*; Siqueira Campos, *o ressuscitado*; Costa Leite, *o Prestes da cidade;* Ribeiro Júnior, *o messias da Amazônia.* Cleto Campelo, Jansen e Waldemar Lima são considerados *os mártires*, enquanto Djalma Dutra, Seroa, Celso, Nery, Hugo, Dantas e Cordeiro de Farias são *os bravos, os estóicos guerreiros* que doaram sua "esplêndida e incomparável mocidade em holocausto ao seu povo".

> *"Brasileiros! A Revolução de Julho continua a sua marcha dolorosa através dos ínvios sertões. Toda revolução tem o seu calvário, o seu Thabor. A Revolução brasileira vencerá. E vencerá por esta razão: porque o Brasil não quer retrogradar nem perecer! Viva a Revolução!"*[551]

A idéia de fundar o *5 de Julho* para denunciar as violências praticadas pelo governo Bernardes tinha sido de um anarquista, o gráfico Antônio Bernardo Canelas. Nascido em Niterói, no estado do Rio, mas educado na Europa, Canelas convenceu os jornalistas Leônidas Resende e os irmãos Pedro e Rodolfo Mota Lima a criarem um jornal clandestino que levasse ao conhecimento da opinião pública as notícias censuradas pela Polícia. Canelas lembrou que, ao ocupar a Bélgica, durante a Primeira Guerra Mundial, os alemães tinham sido duramente atacados por jornais que circulavam de mão em mão em Bruxelas. Os simpatizantes da revolução não podiam também deixar de ter a sua imprensa clandestina.

A fim de não despertar as suspeitas da Polícia Política, que mantinha apreciável rede de informantes em quase todas as atividades profissionais, Canelas, por medida de segurança, decidiu restringir ao mínimo o número de colaboradores do *5 de Julho*. Participariam do corpo de redação apenas cinco ou seis jornalistas, quase todos do *Correio da Manhã*.

Os primeiros números foram impressos no bairro do Méier. Com a ajuda de um comerciário que trabalhava na Casa Hermanny, na rua Gonçalves Dias, Canelas instalou a oficina numa casinha modesta da rua Dias da Cruz. Na parte da frente morava o comerciário, com a mulher e dois filhos pequenos; nos fundos, num quartinho, ficava o prelo de mão. Além de redigir a maior parte dos artigos do jornal, Canelas, por trabalhar como gráfico, era ainda o responsável pela sua impressão.

O *5 de Julho* circulava quinzenalmente, financiado pelos próprios colaboradores. O jornal consumia quase toda a sua tinta exaltando os feitos dos rebeldes, denunciando as truculências e "falcatruas" do Governo Bernardes, mas, ao correr da pena, Canelas não deixava também de cometer alguns excessos de caráter pessoal, como o de externar, como anarquista, o seu ódio incontrolável aos jesuítas e à inquisição, temas que nada tinham a ver com a revolução.

A distribuição do jornal era realizada através de um artifício insuspeitado. Os exemplares circulavam pela cidade conduzidos pelos membros de uma Associação Espírita localizada na travessa Hermengarda, no Méier, cuja diretora, Nuna Bartlett James, era ardorosa partidária do movimento revolucionário.[552]

O alvo preferencial do *5 de Julho* era o presidente Artur Bernardes. O jornal acusava-o de querer a reforma da Constituição para "acabar com os empregos vitalícios, pensões, montepios civis e militares e direitos adquiridos". Dizia mais: "A venda da Central do Brasil já estava também combinada, sob fundamento de que o Estado não pode nem deve explorar atividades desse gênero. Também vão ser vendidos o Lloyd Brasileiro e o Banco do Brasil. Isso está no Relatório da Missão Inglesa publicado no *Diário Oficial*."[553]

Segunda-feira, 31 de maio

Há vários dias os rebeldes marcham com água pela cintura através de imensos atoleiros causados pela cheia do São Francisco. A retaguarda, defendida por Siqueira Campos, vem sendo impiedosamente fustigada por cerca de 4 mil homens das Polícias da Bahia, São Paulo e Alagoas Também fazem parte da tropa batalhões de jagunços comandados pelos coronéis Franklin de Albuquerque e Abílio Wolney. Nas últimas semanas, os rebeldes perderam cerca de 30 homens.[554]

Diante da impossibilidade de cruzar o rio nas imediações de Santa Sé, o Alto-Comando revolucionário decide, mais uma vez, enganar o inimigo com uma grande manobra de despistamento. As tropas desviam-se, bruscamente, para o interior e cruzam a chapada Diamantina como se marchassem em linha reta em direção a Salvador. Avançam, em passo acelerado, rumo a Mundo Novo, na serra do Orobó. Depois, deslocam-se novamente para a esquerda. O plano é traçar um grande arco até a cidade de Rodelas. A manobra surpreende o Governo.[555]

Sábado, 17 de junho

A Coluna é recebida em Monte Alegre com uma saraivada de marchinhas, maxixes e dobrados executados pela banda de música da cidade. A população, para surpresa dos rebeldes, sai às ruas para homenagear a chegada das forças revolucionárias. À noite, depois de um dia de muita festa, com danças e recitais de gaitas, sanfonas e violões, o prefeito oferece um jantar ao Estado-Maior.

Depois de terem peregrinado durante vários meses pelo Nordeste, passando muitas noites ao relento, os oficiais conseguem resgatar alguns hábitos urbanos que haviam perdido ao aderir à revolução: dormem, pela primeira vez, em um quarto de hotel. As toalhas de banho, a roupa de cama, toda branca e bem-passada, os travesseiros macios e o cheiro de limpeza dos lençóis emocionam os oficiais, aumentando as saudades da família. Muitos, como Lourenço Moreira Lima, que se acostumara a dormir no chão, vestido e calçado, não conseguem conciliar o sono ao serem momentaneamente devolvidos à civilização.

A recepção carinhosa em Monte Alegre serve também para atenuar o impacto sofrido dias antes com a morte do tenente Gumercindo dos Santos, muito querido dos companheiros e um dos filhos do *coronel* Luís Carreteiro, que lutava ao lado do pai desde o Rio Grande do Sul.

Gumercindo morrera em conseqüência de um grave problema renal. A morte, para ele, foi um alívio. Durante dias contorceu-se com dores terríveis, a barriga inchando, sem conseguir urinar. O quadro era tão doloroso que Prestes chegou até a mudar o curso da Coluna na esperança de encontrar um povoado com médico ou farmácia para salvá-lo. Gumercindo gritava dia e noite, sem parar, numa alucinante agonia, só interrompida pela morte. Uma simples sonda, introduzida na uretra, seria capaz de livrá-lo de todo aquele martírio; mas onde encontrar esse tipo de material numa região pobre e abandonada como o interior da Bahia? [556]

40

CRUZADA CONTRA SATANÁS

Segunda-feira, 5 de julho

O *coronel* Horácio de Matos deixa a igreja de Nosso Senhor Bom Jesus dos Passos em companhia do seu Estado-Maior, após ter assistido à missa em que recebeu as bênçãos e a proteção de Deus para cumprir a nova missão que o destino lhe reservou: comandar, pessoalmente, a guerra santa contra os rebeldes até que sejam vencidos ou definitivamente expulsos da Bahia. As emboscadas, quase diárias, que os seus jagunços armam contra a Coluna, desde os primeiros dias de março, já tinham cumprido o seu papel. As tocaias debilitaram as forças revolucionárias, mas não foram suficientes para derrotá-las.

Vestido com o uniforme de *coronel* da Guarda Nacional, igual ao do Exército, Horácio de Matos passa em revista o Batalhão Patriótico Lavras Diamantina, organizado em bases militares, sem a improvisação dos bandos que há quatro meses fustigam a Coluna. Dá gosto ver todos aqueles homens com fardamento novo, equipados com o armamento moderno enviado do Rio, pelo Ministério da Guerra.

Horácio é o comandante-em-chefe da nova força governista, com todas as prerrogativas de um coronel do Exército da ativa. Como é semi-alfabetizado, escolheu como capitão ajudante-de-ordens um homem de letras que usa a caneta e o fuzil com o mesmo talento: o jornalista Franklin de Queirós, redator-chefe de *O Sertão*, que há seis anos circula na Chapada, defendendo os interesses da zona sertaneja.

O Estado-Maior do Batalhão Patriótico Lavras Diamantina é exemplo de nepotismo: um major, dois capitães, quatro primeiros-tenentes e 14 segundos-tenentes são todos parentes de Horácio de Matos.[557] Ao todo, 21 oficiais, de acordo com as instruções expressas do general Mariante, enviadas por telegrama de Aracaju. Mariante explicou a Horácio que, de acordo com a legislação em vigor no Exército, o número de oficiais combatentes no seu batalhão não poderia exceder a 21. Apesar de Mariante fixar em oito o número de segundos-tenentes, Horácio, por sua conta, aumentou essa quota para 14; reduziu de sete para quatro o número de primeiros-tenentes e de quatro para dois o de capitães. As modificações não foram introduzidas por questões militares, mas para preservar a hierarquia da estrutura familiar.[558]

Os 613 homens do Batalhão, escolhidos a dedo entre os melhores jagunços da região, estão divididos em quatro companhias, todos fardados com o uniforme cáqui do Exército. A maioria é egressa dos primeiros grupos criados para combater os rebeldes assim que deixaram Pernambuco e penetraram na Chapada, no dia 26 de fevereiro. A fina-flor da jagunçada baiana faz parte do Batalhão.[559]

A população, emocionada com a arregimentação de uma tropa como essa, jamais vista em todo o sertão, debruça-se nas janelas para dar o último adeus à destemida legião de cruzados sertanejos. Comprimindo-se em sacadas abaloadas, cobertas por bandeiras, colchas e toalhas coloridas, as melhores famílias de Lençóis se debulham em lágrimas ao verem aqueles homens valorosos partirem em defesa da ordem e da paz. As ruas, as praças e os becos da cidade estão atapetados pelo povo do sertão. Famílias inteiras viajaram durante dias, através da Chapada, para ver de perto, com admiração e respeito, o abençoado batalhão de jagunços que vai enfrentar o exército de Satanás.

A maior parte das pessoas que vieram de longe assistir à partida do batalhão não conhecia Lençóis. Estão todos extasiados não só com a pompa da festa, mas também com a beleza da cidade. Não podiam imaginar que existisse um lugar tão bonito na Bahia. Nunca tinham visto residências como aquelas, grandes e luxuosas, com portas, janelas e telhados bem diferentes das outras casas do sertão. As calhas de bronze, por exemplo, afastavam-se dos telhados e se projetavam sobre as calçadas em forma de cabeças de animais, o focinho e os olhos bem-modelados, a boca aberta, com os dentes e a língua aparecendo. Não existe outra cidade como aquela em toda a Bahia.[560]

No imaginário popular, os rebeldes viviam como animais. As pessoas que chegaram a manter contato com eles, no interior, contam que os homens de Prestes fedem como bode, são piores que bicho do mato. Andam sujos e descalços, com as roupas rasgadas, barba e cabelos muito compridos, na altura dos ombros, como se fossem mulheres. Dos cadáveres costumam levar até a roupa, deixando-os de ceroulas. Das mulheres bem-vestidas encontradas nos caminhos tiram os vestidos, deixam-nas só com as roupas de baixo. Das cidades carregam o que podem.

— Por onde passava a gente de Prestes ficava uma verdadeira roçagem. Nenhum animal, nenhuma criação, nenhuma roça, argolas das orelhas das mulheres, trastes de valor, tudo levavam e ainda derrubavam cercas e portas. Uma verdadeira calamidade. Por onde passavam, deixavam um rastro de fome e miséria.[561]

Os jagunços do Batalhão Patriótico Lavras Diamantina aguardam apenas o retorno do comandante, que se despede da família e dos amigos no palacete da rua Floriano Peixoto. Além das malas e objetos pessoais, a bagagem de Horácio de Matos inclui alguns livros militares, como *Estado-Maior do Exército nº 5: Regulamento para os Exercícios e o Combate da Infantaria* e *Orientação em Campanha*, publicações que ele recebera de presente durante a guerra travada contra o Governo do estado da Bahia em 1925.[562]

Os filhos e a mulher estão preocupados não só com a sua habitual impetuosidade, que o tem levado sempre a se expor em demasia nas querelas pessoais, mas também com o seu estado de saúde, que exige cuidados especiais.

Horácio regressou a Lençóis há poucos dias, bastante adoentado, e já está novamente de partida. Ao chegar à cidade depois de ter perseguido os rebeldes com meia dúzia de gatos pingados, Horácio, mesmo acamado, foi entrevistado por *O Sertão*:

— Não queríamos ser indiscretos, coronel, mas poderia nos dizer algo sobre a sua luta?

— Difícil, meu amigo. É como brigar com quem não quer. E os rebeldes fogem mal pressentem a aproximação de forças.

— Correu aqui o boato de acidentes em rios. Isso é verdade?

— Sim. Atravessei rios a nado e, por duas vezes, escapei de perecer afogado. Daí a razão de me achar doente.

A entrevista foi rápida porque Horácio se encontrava bastante debilitado: "Compreendendo que não deveríamos fatigá-lo com perguntas, agradecemos e retiramo-nos." [563]

Só mesmo sentimentos nobres e elevados, como o desejo de varrer para longe esses "transviados da disciplina e da lei" e de devolver à República "o regime da ordem e do trabalho", dão a Horácio forças para prosseguir na luta contra os rebeldes. Essa gente, sem pátria e sem honra, é capaz de tudo: até saias de mulher eles vestem para atingir seus objetivos.

Ao regressar de Minas para entrar, outra vez, na Bahia, dois rebeldes disfarçaram-se de mulher para assaltar a fazenda de Francisco Pires, subdelegado de Tiririca do Irizinho, perto de Roça de Dentro. Felinto Paes, o filho do fazendeiro, desconfiou das duas "jovens" que pediam abrigo em sua fazenda, apontou-lhes um revólver e desmascarou a dupla:

— Vocês são revoltosos!

O tiroteio durou das nove da manhã ao meio-dia, obrigando Felinto a abandonar a fazenda, deixando para trás dois parentes que foram mortos pelos rebeldes: um surdo-mudo e outro que sofria das faculdades mentais.[564]

O coração perverso desses "filhos bastardos da crueldade" inspira toda sorte de maldades e desatinos. Diz Horácio que os rebeldes, segundo lhe contaram, além de espancar as populações indefesas, costumam arrancar a pele do rosto dos prisioneiros, que são colecionadas como troféus. Há ainda aqueles que, depois de aplicar toda sorte de suplícios nos seus adversários, ainda se divertem abrindo-lhes o crânio a golpes de facão. Fazem tudo isso na maior farra, indiferentes ao sofrimento que impingem às suas vítimas.[565] São também desrespeitosos e debochados. Muitas requisições, redigidas com péssima caligrafia, como as encontradas em Barro Vermelho, achincalham o presidente da República: "Recebi da senhora fulana de tal a quantia de tanto, referente a dois animais. Catete. Rio de Janeiro, 19 de tanto. (A...) Seu Mé Artur Bernardes."[566]

Horácio já se encarregara pessoalmente de desfazer alguns mitos que corriam pelo sertão, como a história ocorrida em Campestre. Prestes, segundo o povo do lugar, era também um mestre da magia: num piscar de olhos, fabricou milhares de cartuchos apenas esfregando as mãos.[567]

Ao ver o *coronel* caminhar empertigado em direção à tropa, apoiando-se em sua bengala, um dos oficiais volta-se para a jagunçada e ordena:

— Batalhão, marche!

Quarta-feira, 21 de julho

Os meios políticos na capital da República estão alvoroçados com as fatigantes discussões sobre a reforma da Constituição. A oposição sustenta que Bernardes não defende as mudanças em nome do progresso e da decência, como tem procurado fazer crer, mas movido por objetivos inconfessáveis que colidem com os interesses da nação.

— O Governo só sabe fazer uma coisa: mentir, mentir sempre!

A oposição e os defensores do Governo engalfinham-se quase que diariamente no plenário da Câmara, golpeando-se com agressões verbais. O deputado gaúcho Batista Luzardo gesticula, da tribuna, exibindo um documento que denigre a imagem de político probo do presidente da República. Bernardes é acusado de ter empregado parentes nas Casas Civil e Militar e de ter nomeado o genro Alves de Souza embaixador.

— O que vemos entronizado, nestes tempos tristes de estado de sítio e de suspensão total das garantias constitucionais, é o nepotismo, é a consagração do filhotismo dissimulado e confessado até pelo representante da maioria, o Sr. Viana do Castelo.

A promoção do genro fora um escândalo. Além de atropelar 30 segundos-secretários do Itamarati, bem mais antigos e com direitos assegurados, Bernardes não teve nenhum pudor em nomear o genro para uma função para a qual não estava também profissionalmente qualificado. Alves de Souza é inexperiente e jovem demais para ser embaixador. Não passa de um noviço, recém-chegado à *carrière*, com apenas seis meses de serviço no exterior. Aos 25 anos de idade, num passe de mágica, teve 11 anos de atividade diplomática acrescentados pelo sogro em sua ficha funcional, para ganhar o posto de embaixador.[568]

Bernardes, ao assinar essa promoção, emitiu também o atestado de improbidade administrativa de um Governo que se vangloriava de estar sempre acima das paixões políticas e pessoais e de só ter compromissos com a lei.

Terça-feira, 27 de julho

Os rebeldes já estão longe quando Horácio parte de Lençóis com a missão de persegui-los até a morte. No dia 2 de julho, o destacamento de João Alberto tinha chegado a Rodelas, às margens do São Francisco, onde conseguira aprisionar, com a ajuda de algumas canoas, várias embarcações de gado que se encontravam do outro lado do rio. Os barcos, com as velas enfunadas, atravessaram a madrugada transportando a cavalhada para o território pernambucano. Apesar do luar, foram acesas grandes fogueiras nas duas margens do rio para que as embarcações não se perdessem.

A Coluna havia permanecido cerca de quatro meses na Bahia. Foi uma campanha dramática. Os rebeldes perderam mais de 200 homens, entre mortos, feridos, prisioneiros, desertores e combatentes que se extraviaram ao se embrenhar pela caatinga, sem conseguir depois se juntar ao restante da tropa. As forças revolucionárias estão agora reduzidas a cerca de 900 homens, mas só a metade está armada, e assim mesmo com muito pouca munição. O maior número de vítimas ocorreu entre os potreadores, que, por se afastarem muito em busca de animais e de informações, acabaram por se tornar presas fáceis de emboscadas.

Durante a campanha na Bahia, foram atravessados 33 rios, muitos mais de uma vez, com os rebeldes deslocando-se 54 quilômetros por dia, quase sempre em marcha forçada. Ao todo, as forças revolucionárias percorreram cerca de 5 mil quilômetros em terras baianas, sem que tivessem atingido os objetivos que pretendiam alcançar: conquistar o apoio das populações e dos chefes sertanejos do interior e receber as armas prometidas pelo marechal Isidoro.[569]

Depois de cruzar rapidamente o território pernambucano sem ter enfrentado grandes obstáculos, a Coluna invade, pela segunda vez, o Piauí, sem encontrar também qualquer tipo de resistência. Após passar pelas cidades de Picos, Oeiras e Mariante, onde foram recebidos pela população com manifestações de carinho, os rebeldes participam, nessa segunda-feira, de um grande comício em Floriano. Os oficiais do Estado-Maior são presenteados pelas famílias da cidade com lenços de seda vermelha.

Em Oeiras, Prestes e Miguel Costa foram acolhidos com hospitalidade e delicadeza pela família do fazendeiro Nogueira Tapety, que lhes ofereceu os melhores aposentos da casa. Em retribuição, os dois lhe deixaram como recordação o velho mapa de campanha, impresso em Paris e cheio de anotações, onde escreveram uma dedicatória:

> *"Marcha dos Revolucionários de 1924. Percurso de 2.500 léguas de Puerto Adela (Paraguai) a Jurumenha (segunda passagem). Lembrança ao senhor José Nogueira Tapety que gentilmente nos ofereceu outro mapa mais*

próprio. Oeiras, 22 de julho de 1926. (A.) General Miguel Costa. General Luís Carlos Prestes.''[570]

Oeiras tinha sido também cenário de uma discussão áspera entre Prestes e Siqueira Campos por causa de uma custódia de ouro, cravejada de brilhantes, que se encontrava no altar-mor da igreja de Nossa Senhora das Vitórias. Antes de ir embora, Siqueira manifestou o desejo de ver essa custódia; mas como o vigário estava viajando e o sacristão não tinha as chaves, ele tentou arrombar a porta da igreja; Prestes não deixou. Os dois discutiram em voz alta, aos palavrões, Siqueira deu um soco na mesa, mas Prestes não se abalou. Por ter sido contrariado, Siqueira, com seu gênio difícil, afastou-se, possesso, xingando o chefe como se fosse uma criança mimada e voluntariosa.[571]

A população de Oeiras despediu-se dos rebeldes oferecendo-lhes um grande baile. O flautista Possidônio Nunes de Queiroz mimoseou os soldados paulistas com a valsa *Supremo Adeus*, que o sargento Álvaro cantou com a letra trocada:

" Adeus, São Paulo, terra querida.
Adeus, terra do meu coração.
Vou partir para Mato Grosso.
Vou para a revolução."

Com suas gaitas e sanfonas, os gaúchos tocavam músicas típicas, cantadas por soldados e oficiais, em versos nostálgicos de sete sílabas:

"Eu nasci naquela serra,
Num ranchinho à beira-chão,
Todo cheio de buracos,
Onde a lua faz clarão."[572]

Os rebeldes deixam o Piauí, reconfortados com a festiva acolhida, fingem que vão para o Maranhão mas seguem em direção a Goiás. Como as raposas dos seriados de desenhos animados exibidos nos cinematógrafos, eles vão semeando pistas falsas pelo caminho, para tentar enganar os "cães de caça" que o Governo lançou no rastro da Coluna.

A melhor arma de que Bernardes dispõe para liquidar, de uma vez por todas, com os rebeldes não eram os "cães farejadores" que integram a matilha criada sob a inspiração do general Mariante, mas a reforma da Constituição. O calcanhar-de-aquiles dos "divorciados da lei" está no capítulo referente às garantias individuais. O projeto do Governo encaminhado ao Congresso retira do Supremo Tribunal o direito de conceder *habeas corpus* aos acusados da prática de crimes políticos durante o estado de sítio. Todo aquele que for apanhado em luta armada ou conspirando contra a ordem constituída não poderá mais pleitear essa regalia junto ao Supremo.

Num aleivoso gesto de servilismo político, o próprio Supremo, depois de consultar seus pares, curvou-se de joelhos, submisso, manifestando-se também favorável a essa mudança constitucional. A posição do Supremo não chega a surpreender a imprensa e a oposição, pois apenas confirma a tradição da Corte de se submeter aos poderosos.

Mas a decisão do Supremo Tribunal não foi tomada por unanimidade. Alguns dos seus membros se confessam envergonhados com tamanha vileza. O plenário da Câmara dos Deputados está envolvido em silêncio quando o deputado Batista Luzardo sobe à tribuna para comentar a posição do Supremo:

— Sr. presidente, nestes rápidos minutos que me faltam, quero ler à Câmara o final do voto do eminentíssimo ministro que é, sem contestação, uma das maiores glórias da magistratura brasileira e verdadeiro ornamento do mais alto tribunal deste país: o Sr. Hermenegildo de Barros.

Luzardo corre os olhos pelo plenário emudecido, limpa a voz com um pigarro e inicia a leitura do parecer:

— O Supremo Tribunal, que era ou devia ser a garantia suprema das liberdades individuais, "o último juiz da sua própria autoridade", o poder que "guarda sem ser guardado, que fiscaliza sem ser fiscalizado", o baluarte da Constituição contra as incursões dos outros poderes. O Supremo Tribunal será, hoje, o que Rui Barbosa e Epitácio Pessoa, quando lhe defendiam as prerrogativas, não queriam que ele fosse, isto é, uma excrescência inútil, um aparelho subalterno no mecanismo do sistema constitucional, uma espécie de eunuco sem vigor, sem energia, sem virilidade, para num caso como esse, em que o cidadão pede garantias com o sacrifício da sua liberdade, o Supremo Tribunal lhe responder que não pode conceder o pedido porque não o permite a reforma da Constituição. (...) Seria preferível um fuzilamento a esse ato de inominável covardia.

O deputado Adolfo Bergamini não se contém diante de tamanha ignomínia:

— Debaixo do estado de sítio, até os ministros do Supremo poderão ser presos! [573]

Com a reforma da Constituição defendida por Bernardes, as liberdades individuais asseguradas pela Carta Magna de 1891 serão completamente varridas pelo novo texto constitucional.

Há muito a imagem da Justiça está esgarçada e enodoada, associada a interesses que, na maioria das vezes, se sobrepõem aos da própria lei. Durante a grande crise de moradia ocorrida em 1925 na capital da República, o papel da Justiça fora deplorável. Os juízes haviam se colocado ao lado dos proprietários de imóveis. Escudados no pretexto de que estavam apenas cumprindo a lei, eles votavam sempre contra os inquilinos, indiferentes ao grave problema social criado com o despejo de milhares de famílias pobres em toda a cidade.

A Notícia, ao denunciar o grave problema da habitação no Rio de Janeiro, observa que o aumento dos aluguéis ocorre "em escala ascendente e vertiginosa (...) atingindo proporções verdadeiramente fantásticas", sem que a Justiça, o Governo e os legisladores se sensibilizem com a tragédia da população pobre.

Os proprietários, quando censurados pela gananciosa valorização que dão aos imóveis que possuem, continua o jornal, procuram justificar-se alegando o enorme encarecimento do material de construção, a extraordinária elevação das tabelas de mão-de-obra, além dos impostos cobrados pela Prefeitura.[574]

Os inquilinos, além de terem que se submeter ao pagamento de aluguéis escorchantes, ainda são obrigados pelos proprietários a adquirir, sob contrato, o mobiliário existente no imóvel, sem contar a exigência de uma fiança em dinheiro. A fiança é depositada num banco, em nome do proprietário, sem que o inquilino tenha direito aos juros durante o tempo em que estiver ocupando o imóvel. A exigência da compra dos móveis é também um golpe do proprietário. Sempre que o inquilino deixa o imóvel, o dono adquire logo outro mobiliário usado que é repassado pelo dobro do preço ao futuro ocupante da casa.

Quando pretendem despejar os antigos inquilinos, a fim de alugar os imóveis a preços mais vantajosos, os proprietários simulam a venda dos prédios. A Justiça, de acordo com a lei, fornece então a respectiva ordem de despejo, colocando, da noite para o dia, milhares de pessoas na rua.

A fim de sustar esse conluio entre a Justiça e os proprietários de imóveis, foi apresentado na Câmara Federal um projeto que suspendia pelo prazo de 18 meses todos os processos de despejo em andamento no Distrito Federal. O projeto aguardava apenas o parecer da Comissão de Constituição e Justiça para ser submetido à apreciação do plenário.[575]

Domingo, 15 de agosto

Vistos de longe, no meio da caatinga, caminhando em grupos, os jagunços do *coronel* Horácio de Matos parecem espantalhos que se confundem com a vegetação retorcida pela seca. Pouco mais de um mês foi suficiente para mudar o aspecto do brioso Batalhão Patriótico Lavras Diamantina. Magros, descalços, com o uniforme do Exército em frangalhos, os jagunços não lembram em nada as figuras empertigadas que deixaram Lençóis para participar de uma verdadeira cruzada contra a Coluna.

A jagunçada acabou sendo a maior vítima da estratégia imaginada pelo general Álvaro Mariante. Ao partir sem provisões, para que se alimentassem como os rebeldes, com o que fossem encontrando pelo caminho, os homens acabaram sendo abatidos pelas vicissitudes de uma região que acreditavam conhecer como ninguém. Há dias dormem ao relento, sem água e sem comida, sofrendo todo tipo de privações. O desânimo da tropa é tão grande que muitos só pensam em retornar a Lençóis.

O forte da jagunçada não é também a marcha batida, através de atoleiros ou da mata de espinhos da caatinga. A longa caminhada, nas condições que lhes foram impostas, exige sacrifícios para os quais não estão preparados. O que eles sabem fazer, na verdade, é atacar de tocaia. São capazes de permanecer dias e noites atrás de uma pedra, alimentando-se de rapadura e farinha, à espera do inimigo. Estão mais habituados às emboscadas. Para eles, a guerra de movimento transformou-se num tormento.

Os planos de Mariante, na prática, são um desastre. A situação tornou-se ainda mais dramática, para os jagunços, com o rastro de destruição deixado pela Coluna. Ao perceber que estavam sendo perseguidos pelos homens de Horácio de Matos, os rebeldes adotaram a tática de "terra arrasada", destruindo tudo o que encontravam pelo caminho. Pontes, plantações, armazéns, depósitos de cereais, tudo é queimado. Matam porcos, cabras e todas as galinhas que encontram. Até as montarias cansadas que costumam abandonar e deixar para trás, quando são substituídas por outros animais, também estão sendo mortas para que não sejam usadas pelos jagunços.

Nos primeiros dias, os homens do *coronel* Horácio ainda chegaram a se alimentar de rapadura e farelo de bolacha. Mas logo depois vieram a fome, a sede e o desespero. Caminhando dentro da noite à procura de água, os jagunços procuram orientar-se pelo coaxar dos sapos e pela presença de pequenos córregos e aguadas no interior da caatinga. Sempre que chegam perto, percebem, pelo ar pestilento, que a água está contaminada. Só em uma dessas aguadas os rebeldes haviam abatido 14 cavalos magros, cujos despojos se encontravam em adiantado estado de decomposição. Com o rosto enrolado por trapos para evitar o mau cheiro, os jagunços ainda tentaram cavar poços perto da aguada, na esperança de encontrar água limpa, mas foi um trabalho inútil e exasperante. Apesar dos buracos enormes e profundos, a água não apareceu.[576]

O Batalhão Patriótico ainda carrega outra cruz: seu próprio comandante. O estado de saúde do *coronel* Horácio de Matos piora a cada dia. Acometido por fortes cólicas intestinais, ele se afastou do comando imediato da tropa, embora acompanhe seus homens a distância, integrado às forças encarregadas do serviço logístico, que se movem na retaguarda do Batalhão.

Além da fome e da sede, os jagunços enfrentam outra dificuldade: a falta de apoio das populações, o que nunca tinha acontecido antes, quando lutavam na Bahia. A passagem da Coluna, com o seu rastro de destruição, provocou o êxodo dos moradores das fazendas, vilas e povoados.

Há mais de um mês a tropa desloca-se a pé, pela falta de montarias, porque as populações esconderam os poucos animais que não foram mortos ou levados pelos rebeldes. Esfarrapados e famintos, com a farda em desalinho, os jagunços caminham sem rumo, como zumbis. De acordo com o plano do general Mariante, o Batalhão partiu sem provisões para se deslocar com mais agilidade do que as tropas regulares.

Apesar de castigados pela fome, pela sede e pelo cansaço, os homens continuam bem armados. Conduzem um mosquetão à bandoleira, com 120 cartuchos Mauser, e um revólver de cano longo, com 200 balas calibre

38. No ombro, levam um cobertor enrolado. Do cinturão largo, pendem ainda uma peixeira e um cantil. Armado, mas sem montarias e sem a imprescindível ajuda da população, o Batalhão está militarmente derrotado.[577]

As instruções enviadas pelo general Álvaro Mariante, através do telégrafo, tinham sido seguidas à risca por Horácio de Matos. Com base na experiência adquirida durante o combate aos rebeldes na região da Chapada, ele introduzira algumas sábias modificações nas instruções superficialmente alinhavadas pelo general Mariante. Profundo conhecedor da tática de Prestes, Horácio dividiu o Batalhão em destacamentos de 200 homens, que deveriam lançar-se sobre as forças revolucionárias seguindo a mesma tática dos rebeldes: um grupamento atacaria a retaguarda, enquanto os outros dois, deslocando-se pela direita e pela esquerda, iriam isolando os bandos esparsos de 20, 40 e 100 potreadores que se afastavam sempre do grosso da tropa, em missão de reconhecimento e espionagem. Esses grupos deveriam ser apanhados e destruídos, um a um, deixando a Coluna sem informações e sem condições de substituir os animais cansados. Atingido esse objetivo, era só fechar o cerco em torno da formação principal e deixar que escolhessem o seu destino: a rendição incondicional ou a morte. No papel, o plano era um exemplo de estratégia militar. No campo de batalha, um fiasco.[578]

Em Sergipe, para onde transferira o QG, o general Mariante amarga os insucessos da empreitada por ele patrocinada sob os auspícios do *coronel* Horácio. Nessa caçada, como nas fábulas de La Fontaine, a raposa foi mais rápida e mais esperta do que os caçadores e seus cães.

Sexta-feira, 20 de agosto

A proximidade da primavera alcança a Coluna invadindo, pela segunda vez, o estado de Goiás. A primeira foi em outubro de 1925, quando as forças revolucionárias ainda eram perseguidas por tropas regulares do Exército, sob o comando do major Bertoldo Klinger.

As vilas e os povoados do planalto goiano se entrelaçam com as linhas de defesa estendidas pelo Governo, entre São José do Duro e Porto Nacional, e de Formosa a Cavalcante. Essa rede de fortificações está sendo defendida por cerca de 2.400 homens da Força Pública de São Paulo, sob a orientação direta do próprio comandante da corporação, o coronel Pedro Dias Campos. Além de armamento sofisticado e boas montarias, o coronel Pedro Dias reserva uma surpresa mortífera para os rebeldes: a chamada 5ª Arma, como é conhecida a aviação militar. A qualquer momento deverá chegar a Goiás uma esquadrilha guarnecida para ataque ao solo. Como não confia na aviação militar do Exército, o Governo achou melhor combater os rebeldes com os aviões da Força Pública de São Paulo.[579]

Pedro Dias não foi escolhido para essa delicada missão por acaso. Irritado com o fracasso de seus generais, Bernardes, aconselhado pela oligarquia paulista, aquiesceu em nomear o comandante da Força Pública para coordenar uma vasta linha de defesa que impedisse a passagem dos rebeldes.

A infalibilidade do seu plano de campanha tinha sido aprovada pelos seus superiores, depois de uma brilhante manobra realizada com grãos de feijão-preto. Sobre um mapa, Pedro Dias espalhou os grãos ao longo do rio Paraná, reproduzindo as forças da Coluna, enquanto as tropas legalistas eram representadas por bandeirinhas espetadas aqui e ali em pontos estratégicos do outro lado da margem. Com a ajuda de uma régua, deslocando os grãos de feijão pelo mapa, Pedro Dias expôs a sua tática: acuar as forças revolucionárias junto ao rio Paraná para, em seguida, destroçá-las com uma carga de cavalaria.

Maravilhado com o plano de seu subordinado, o secretário de Justiça de São Paulo, Bento Bueno, convenceu-se de que estava diante de um gênio militar:

— Coronel, o senhor é o homem talhado para bater o Prestes.

Envaidecido com tamanho elogio, Pedro Dias procurou retribuir a confiança que lhe foi depositada com uma promessa:

— Com a ajuda de Nossa Senhora Auxiliadora eu levarei o Miguel e o Prestes pelas orelhas até a Penitenciária de São Paulo.[580]

Bernardes não podia ter feito escolha mais feliz.

Terça-feira, 31 de agosto

A perseguição aos rebeldes é um calvário para o Batalhão Patriótico Lavras Diamantina. O rastro de destruição que a Coluna deixara na Bahia alastra-se agora de forma ainda mais avassaladora pelo estado de Goiás. Por onde passam, os rebeldes não deixam animal vivo; chegam até a matar bezerros recém-nascidos, deixando as carcaças espalhadas pelo curral. Jogam nos rios todo o arroz que encontram e ainda cortam os pés de pimenteira. As populações são duplamente penalizadas; primeiro com a passagem predatória dos rebeldes; depois, com a das forças comandadas por Horácio de Matos, com centenas de homens famintos à procura de comida. Diante de tantas desgraças, a situação das famílias passa a ser também desesperadora, porque não têm o que comer.[581]

No rio Novo, afluente do rio das Balsas, tributário do Tocantins, os jagunços são obrigados a suportar o ar pestilento, envenenado por dezenas de carniças atiradas em suas águas, enquanto constroem balsas improvisadas com cordas e talos de buriti; as canoas foram destruídas pelos rebeldes a golpes de machado. Conduzidos de dois em dois nesses frágeis feixes flutuantes, os homens, empurrados pela correnteza, atravessam o rio com expressão de pavor. A maioria da jagunçada, habituada à vida áspera da caatinga, não sabe nadar.[582]

O jornalista Franklin de Queirós, que integra o Estado-Maior de Horácio, registra tudo o que acontece num caderno de anotações, a fim de mais tarde escrever uma espécie de diário de campanha sobre o dia-a-dia do Batalhão de Lençóis. Desde que chegaram a Jalapão, os jagunços, por medo e ignorância, evitam manter qualquer tipo de contato com as famílias do lugar. Culto e viajado, Franklin não consegue também conter sua perplexidade diante do que vê. Homens, mulheres e crianças vivendo "numa promiscuidade de chiqueiro", completamente deformados e com tantos aleijões que chegam a perder o aspecto humano. Alguns estão tão inchados que parecem monstros.

"Nunca a miséria orgânica tomou a nossos olhos proporções de tamanha hediondez", observa Franklin de Queirós em seu caderninho. O povo do lugar, sugado pelo *chupão*, como é ali conhecido o barbeiro, sofre do mal-de-Chagas. As crianças, com o rosto e o corpo deformados por imensas papadas, produzem imagens dolorosas, difíceis de suportar. Franklin encontra famílias inteiras com 10 ou 15 *moiados*, como são ali também chamados os idiotas, os surdos-mudos, os cegos, os *cambaios*, todos vivendo como "verdadeiros frangalhos humanos, nos ranchinhos na beira dos brejos, se alimentando de arroz sem sal", no mais completo abandono, sem qualquer tipo de assistência médica, esquecidos de Deus e dos homens. "Faz dó se ver aquele povo." [583]

Quarta-feira, 1º de setembro

O Estado-Maior da Coluna está acampado na casa principal da fazenda Alto Alegre, numa esplanada esplêndida, geograficamente bem protegida por três grandes serras, em cujo vale corre o caudaloso rio das Balsas. O único acesso ao QG está sendo controlado e guarnecido pelo destacamento de Siqueira Campos. No casarão dormem Prestes, Miguel Costa e alguns oficiais do Estado-Maior.

Duas da madrugada. Um grupo de 33 homens bem armados arrasta-se, como animais, pelo brejo que margeia a fazenda. A sentinela percebe, de repente, a aproximação de estranhos e aponta o fuzil. O vulto que se levanta, com o corpo coberto de lama, se identifica como revoltoso. Ingênuo, o rebelde abaixa a arma, sem saber que está diante do famoso e temido capitão Ludovico Lustosa, chefe de um dos mais aguerridos pelotões de jagunços do vale do São Francisco. Sem despertar suspeitas, Ludovico aproxima-se lentamente e, num golpe de frieza e coragem, domina a sentinela, que é amordaçada e jogada no atoleiro. O casarão continua com as luzes apagadas. O silêncio só é interrompido pelo aborrecido e azucrinante coaxar dos sapos que povoam o manguezal.

Ao se esgueirar pelos fundos da casa, confundindo-se com as sombras do arvoredo, o grupo é denunciado por um clarão, seguido de um estrondo. Os jagunços jogam-se no chão para escapar dos tiros de fuzil. O capitão Ludovico não percebeu que estava sendo observado por outra sentinela.

Prestes, Miguel Costa e os oficiais do Estado-Maior, que conservam o hábito de dormir vestidos e calçados, saltam das camas de arma na mão. Os oficiais rebeldes espalham-se pelas portas e janelas, em posição de defesa, sem saber direito o que está acontecendo. Do lado de fora o tiroteio é intenso.

De dentro de casa, ouve-se a voz aflita de Miguel Costa:

— Metralhadoras, metralhadoras! [584]

Os jagunços, protegidos por uma plantação de bananeiras, mantêm os ocupantes da casa sitiados. O dia amanhece com o Estado-Maior cercado. Em toda a marcha revolucionária, esta é a primeira vez que Prestes e Miguel Costa se encontram diante de situação tão delicada. O esquema tático da Coluna impedia sempre que o Alto-Comando fosse apanhado de surpresa. Os quatro destacamentos moviam-se, permanentemente, à sua volta, sempre vigilantes, criando uma espécie de cordão de segurança, para impedir que o inimigo produzisse qualquer tipo de ofensa ao Estado-Maior. Só por obra do acaso, como agora, os chefes seriam surpreendidos. Os jagunços haviam sido conduzidos até o QG, através de um brejo aparentemente intransponível, com a ajuda de um vaqueano rebelde que caíra prisioneiro, dias antes, na localidade de Piau.[585]

O tiroteio prolonga-se até o meio-dia. A varanda da fazenda está entulhada de cadáveres. O número de baixas, entre os rebeldes, é surpreendente, por causa da posição privilegiada em que se encontram os homens do capitão Ludovico. A retirada vai se fazendo sem ordem e sem comando, porque Prestes e Miguel Costa continuam cercados dentro da casa.

Alguns jagunços avançam sorrateiramente, pelos fundos, na esperança de assaltar o QG com uma carga de baionetas e prender o Estado-Maior. O pequeno grupo é liderado por um ex-revolucionário, o sargento Nilton, que se passou para o lado legalista em troca da promessa de promoção a tenente. Nilton, que se encontra escondido com mais dois homens no curral, bem próximo da casa, reconhece o homem que dá instruções, em voz alta, aos seus comandados, do lado de fora, reorganizando a resistência. Aponta o revólver e puxa o gatilho. O corpo do general Miguel Costa estremece, com o impacto, e tomba junto à porta, desfalecido. Ao verem o chefe gravemente ferido, os rebeldes se atiram enlouquecidos sobre os jagunços. Nilton, depois de se envolver num corpo a corpo, com facões e punhais, é abatido dentro do curral.[586]

João Alberto, que se encontra nas imediações, aguardando o melhor momento de usar as metralhadoras pesadas, corre para a fazenda a fim de prestar socorro ao comandante. Ao ser colocado, às pressas, sobre a sela do cavalo, Miguel Costa acaba levando um tombo, porque os arreios do animal, mal-apertados, haviam deslizado para o lado. O general é então carregado nos braços por João Alberto, enquanto os soldados improvisam uma padiola, com duas varas e uma velha rede de dormir.[587]

O estado de Miguel Costa é extremamente grave. A ferida aberta no peito, do lado esquerdo, junto ao coração, é tão grande que nela se pode enfiar a mão com os dedos abertos. Apesar da gravidade do ferimento, Miguel Costa, com a expressão lívida, porta-se como um soldado. Não geme, não reclama do atendimento precário, mantém-se absolutamente calmo. Os olhos, levemente embaçados, movem-se com dificuldade, de um lado para o outro, procurando encontrar os olhos de João Alberto.[588]

A extensão e o aspecto do ferimento indicam que as chances de sobrevivência são reduzidas. O sangue continua a jorrar pelo peito e pela boca; as golfadas longas e sufocantes denunciam que os pulmões correm o risco de serem afogados pela hemorragia interna. Deitado na maca, com os olhos bem abertos, Miguel Costa suporta a agonia com estoicismo.

Não se pode fazer muita coisa sem uma agulha e um pouco de fio guta para suturar a ferida imensa, um pouco acima do coração. É também impossível qualquer cirurgia, por falta de instrumentos. A única alternativa é fazer apenas um curativo externo e torcer para que o ferimento não infeccione.

O veterinário Aristides Leal, com a ajuda de um oficial da Força Pública de São Paulo, que tem prática de enfermagem, faz a assepsia com iodo e algodão. Depois, prepara o bálsamo de sempre: uma pomada amarelada, preparada com banha de porco e ácido bórico. Essa mistura caseira tem excelente poder de cicatrização. Ferve-se a banha com um pouco de água e depois, quando esfria, recolhe-se a camada superficial com uma colher. Desinfetada, a banha é então misturada ao ácido bórico e espalhada sobre o ferimento.

O buraco no peito de Miguel Costa é tão grande que se pode ver o coração pulsando. A ferida é coberta pela pomada, enquanto a área atingida começa a ser protegida por uma bandagem que lhe toma todo o peito. A bala passou tão perto do coração que, mais um milímetro, Miguel Costa teria morrido na hora.[589]

41

UM PILOTO AMERICANO

Quarta-feira, 8 de setembro

Bernardes é despertado, em seus aposentos, por uma alucinação, que ameaça transformar-se em mais um pesadelo para o Governo: a queda de um dos aviões militares deslocados de São Paulo para bombardear os rebeldes, no interior de Goiás. A notícia, que o arrancou da cama mais cedo, esta manhã, adiciona mais uma pitada de amargura ao vendaval de dissabores, ódios, rivalidades, intrigas e retaliações que fazem parte da sua agenda diária desde o início da revolução. Há mais de dois anos sua rotina de trabalho, no Catete, vem sendo marcada por toda sorte de infortúnios. Só faltava, agora, o maldito acidente com esse avião.

O sol forte que explode nas janelas do quarto o convida a se expor e a gozar um pouco o calor das primeiras horas de um dia que promete ser sufocante. Ele desce dos seus aposentos e se deixa ungir pela luz da manhã. Enquanto caminha, solitário e pensativo, pelos jardins do palácio, Bernardes distrai-se, momentaneamente, com as plantas banhadas pelos raios de sol que se infiltram através das árvores. As gotas de orvalho, caídas durante a madrugada, extraem das folhas reflexos prateados, como se fossem pingentes de cristal.

A expressão do rosto espelha também o impacto do golpe sofrido bem no ventre do Governo. Atrás dos óculos, seus olhos refletem, entretanto, a mesma determinação exibida em outras situações igualmente delicadas por ele administradas com extraordinário talento político.

Nenhum presidente, em toda a história republicana, enfrentou tantos levantes e conspirações como Bernardes. Ele sente-se intimamente angustiado e exausto, assolado por um sentimento generalizado de revolta e indignação com as infâmias lançadas contra ele por seus detratores. Não poderia ter ocorrido, agora, maior desgraça do que o acidente com esse bombardeiro. Os inimigos vão se deliciar com essa tragédia.

O episódio, além de ser explorado politicamente pelos seus adversários, terá grande repercussão no exterior. Os estilhaços provocados pela queda desse avião carregado de bombas, na cidade de Urutaí, em Goiás, vão produzir danos irreparáveis na imagem do Governo. O problema não repousa propriamente no acidente, uma fatalidade que poderia ocorrer em qualquer país, mas no fato de o avião estar sendo pilotado por um militar americano que se encontrava em missão oficial no Brasil. É preciso agir com rapidez para tentar abafar esse escândalo internacional: o envolvimento de militares americanos em operações clandestinas contra os rebeldes no interior do Brasil.

O chefe de Polícia e o ministro da Guerra são logo encarregados por Bernardes de tomarem as providências e os cuidados que o caso exige. Para começar, deve ser tratado como um segredo de Estado. O corpo do capitão Orton Hoover deve ser entregue à Embaixada americana, no Rio, no mais completo sigilo. A censura, por sua vez, impedirá a divulgação da notícia pelos jornais. O embaixador Edwin Morgan cuidará do resto. Um avião americano levará o corpo do capitão Orton Hoover para os Estados Unidos, onde o oficial será recebido com as homenagens de praxe e condecorado como herói militar.

Embora o Governo tenha conseguido abafar o acidente com a competência habitual, o episódio chega ao conhecimento da oposição. Dias depois, na tribuna da Câmara Federal, ele é publicamente denunciado pelo deputado Batista Luzardo. Estarrecido com a revelação, o plenário ouve, de pé, em silêncio, o discurso inflamado do líder gaúcho:

— Um estrangeiro, senhores, incumbido de bombardear os nossos patrícios! Que dirão disto os senhores deputados que acusam de impatriota Prestes, por ter um ou outro estrangeiro na Coluna? (...) O avião pilotado pelo capitão americano carregava 15 bombas que seriam atiradas contra os revolucionários!

Faz uma pausa, contempla a bancada do Governo para avaliar o impacto causado pela revelação e retoma o discurso, alteando ainda mais a voz:

— Por que, pergunto, 15 bombas, se o sr. Hoover ia simplesmente fazer observações? Por que razão esse oficial levaria consigo essas máquinas infernais, se a sua missão era simplesmente observar? (...) A esquadrilha comandada pelo capitão Hoover, chefe da missão instrutora da Força Pública de São Paulo, era de bombardeio! [590]

Alguns dias antes do acidente, os aviões da Polícia paulista tinham realizado um *show* aéreo para a população de Uberaba, em Minas Gerais. O povo lotou as dependências do Jóquei Clube da cidade para apreciar o pouso e a decolagem dos aviões que seriam lançados contra os rebeldes. A esquadrilha, na verdade, fez algumas evoluções sobre a pista de terra do hipódromo apenas para atender a um pedido pessoal do coronel Geraldino Rodrigues da Cunha, presidente da Câmara Municipal. Uberaba nunca tinha visto um avião militar, e o coronel intercedeu junto ao capitão Hoover, chefe da esquadrilha, para que fosse realizado um sobrevôo sobre a cidade apenas para satisfazer a curiosidade da população.

"Gentilíssimo, o glorioso aviador não relutou em aceder, levando no avião Anhangüera o dr. Otávio Martins", como convidado, registrou o *O Jornal*, do Rio, em sua edição de 3 de setembro, ao descrever a passagem da esquadrilha por Uberaba, em direção ao planalto goiano.

As acrobacias do piloto americano duraram pouco mais de dez minutos, para regozijo de milhares de pessoas que se deslocaram de cidades vizinhas só para assistir àquele espetáculo aéreo. O tempo fechado, com o céu carrancudo, encharcado de nuvens escuras, impedia, entretanto, que os aviões partissem com destino a Goiás. Os cinco Curtis Anhangüera e JN estavam sob o comando do capitão americano Orton Hoover, que oficialmente exercia a função de instrutor da Aviação da Polícia de São Paulo.

Por volta do meio-dia, quando o tempo melhorou, a esquadrilha prosseguiu viagem. Assim que partiu o primeiro avião, um inesperado problema mecânico obrigou o tenente Negrão Brito a retornar à pista. O segundo avião, com dificuldades semelhantes, não teve a mesma sorte: ao decolar, o motor entrou em pane e o piloto não conseguiu retornar. Nesse acidente, morreram os oficiais Pereira Lima e Edmundo Chantre.[591]

A queda com o Curtis Anhangüera, carregado com 15 bombas, ocorreu dias depois na cidade goiana de Urutaí, quando o avião se preparava para atacar as forças rebeldes. O capitão Hoover não teve tempo de saltar de pára-quedas. Com a repercussão política provocada pelo acidente, o Governo decidiu cancelar as operações de bombardeio aéreo sobre os rebeldes.

Premidos pelas circunstâncias e sem poder lançar mão dos aviões, os generais são, mais uma vez, obrigados a apostar todas as fichas que lhes restam nos batalhões de jagunços que continuam a perseguir Prestes e Miguel Costa como cães de caça.

Sábado, 11 de setembro

As tropas de Horácio de Matos continuam no rastro da Coluna. Para dificultar a perseguição, os rebeldes dividem-se em piquetes que marcham em variadas direções, inundando os caminhos com boatos de toda natureza. A jagunçada se esfalfa, seguindo pistas falsas; quando descobre a verdadeira direção dos "revoltosos", eles já haviam desaparecido.

O Batalhão Patriótrico Lavras Diamantina, mesmo extenuado, não se deixa abater pelo cansaço e pelo desânimo. Com Miguel Costa gravemente ferido, os rebeldes não podem estar muito longe. Nessas condições, eles estão também impedidos de fazer a média de 40 quilômetros que costumavam percorrer diariamente. Alcançá-los, portanto, será uma questão de tempo.

Os jagunços estão concentrados agora em Planaltina, interior de Goiás, onde aguardam a chegada de automóveis e caminhões. Como o estado é bem servido de estradas, os rebeldes vão ser perseguidos com a ajuda de veículos motorizados.

Franklin de Queirós, o jornalista-jagunço, está deslumbrado com a cidade de Planaltina, que visita pela primeira vez. Ela foi construída às pressas, há pouco mais de dois anos, para abrigar a futura capital da República, uma das principais promessas de campanha de Washington Luís. Planaltina contrasta com as outras cidades do interior. Tem luz elétrica, traçado urbano moderno, comércio viçoso e excelentes oficinas para reparo de automóveis.[592]

O *frisson* em torno da região começou em 1925, quando Washington Luís incluiu em sua plataforma política a mudança da capital para o planalto goiano, por considerá-la "tão necessária à vida nacional como o ar é necessário para os pulmões". A área em que seria construído o novo Distrito Federal fora recentemente adquirida por importante empresa imobiliária, a Sociedade Anônima Central de Goiás, com sede no Rio de Janeiro. A construtora promovia um *lobby* bem-articulado junto ao Congresso, para que a nova capital fosse transferida para os terrenos de sua propriedade. Numa falsa demonstração de interesse pelo bem público, os donos ofereceram a doação de grande pedaço da área à União, a fim de que o Governo erguesse ali os primeiros edifícios da administração da futura capital.[593]

A oposição, entretanto, não concorda com a rapidez com que se discute a mudança da capital. Além de o epicentro do poder ficar afastado dos grandes centros políticos, no interior de Goiás, esse isolamento seria também responsável pelo divórcio que se estabeleceria entre a nova capital e o resto do país. Ilhada no Planalto Central, ela fatalmente cairia nos braços da oligarquia rural. Distante de um centro politizado como o Rio de Janeiro e longe do poder fiscalizador da opinião pública, a capital, em Goiás, acabaria refém de interesses escusos, além de correr o risco de ser corroída e tragada pela corrupção.

O açodamento revelado por Washington Luís tinha também o hálito das grandes negociatas.

Sábado, 2 de outubro

Um dos pelotões de Horácio de Matos é interceptado na localidade goiana de Olhos D'água por um contingente da Força Pública de São Paulo. De pé, no meio da estrada, ao lado do jumento que lhe serve de montaria, o sargento paulista interpela um dos jagunços:

— Qual é a senha?

As senhas identificam os numerosos batalhões legalistas. Elas impedem que sejam eventualmente confundidos com os rebeldes e acabem trocando tiros entre si. São trocadas diariamente, para não serem utilizadas pelo inimigo. O tenente jagunço Manuel dos Santos puxa pela memória, mas não consegue lembrar a contra-senha do dia.

— Esqueci.

Os homens de Horácio de Matos vão, aos poucos, aproximando-se da garbosa patrulha paulista. O aspecto é o pior possível: estão quase todos sujos, anêmicos, descalços e esfarrapados. Não parecem tropas do Governo.

Ao ver aquele grupo de maltrapilhos cada vez mais perto do sargento, o cabo imagina logo que são "revoltosos" tentando se fazer passar por homens do *coronel* Horácio. Assustado, aperta o gatilho. O tenente Manuel tomba com uma bala no peito. O vaqueano que o acompanha, como guia, também morre na hora.

O tiroteiro é enlouquecedor. As baixas multiplicam-se, de ambos os lados, com uma rapidez surpreendente. As armas silenciam, de repente, quando se ouve a voz de um dos jagunços baianos gritar a contra-senha:

— Paulicéia, Paulicéia!

É tarde demais. O estrago já está feito. As vítimas do lamentável engano são enterradas no cemitério de Olhos D'água com as honras militares de praxe. Informado do doloroso incidente, o Governo de São Paulo determina que sejam construídos mausoléus para os jagunços mortos com a seguinte inscrição: "Aos bravos companheiros do Batalhão Patriótico Lavras Diamantina, as homenagens da Força Pública de São Paulo."[594]

O choque entre os dois contingentes não aconteceu por acaso. Ele foi engendrado por Prestes, com base em manobras semelhantes já realizadas em outras regiões. As tropas revolucionárias tinham furado o bloqueio das tropas do coronel Pedro Dias e jogaram os jagunços contra os paulistas. O esquecimento da contra-senha fez o resto.

O major Artur de Almeida, que comanda o contingente da Força Pública, é preso por ordem do coronel Pedro Dias. No meio do caminho, ao ser conduzido, sob escolta, para São Paulo, o oficial se recolhe a um quarto de hotel e estoura a cabeça com uma bala.[595]

A tragédia de Olhos D'água deixa o *coronel* Horácio de Matos ainda mais abatido. Magro e bastante debilitado, em conseqüência do grave problema intestinal que o acomete desde a saída de Lençóis, Horácio não se conforma com o que aconteceu. Ele havia orientado seus homens e tomado todas as providências para que as tropas legalistas não confundissem o seu batalhão com os rebeldes.

Em março, muito antes de organizar a sua força paramilitar, ele já havia sido advertido, através de algumas cartas, para que tomasse certas precauções: "Comunico-lhe que os revoltosos costumam trazer distintivos vermelhos: um lenço vermelho no pescoço e cores vermelhas nos chapéus; não deve, portanto, sua gente, usar distintivos dessa cor porque pode ser atacada pelas forças legais (...) É preciso muito cuidado para não haver choque de amigos com amigos."[596]

A mesma preocupação teve o capitão Franklin de Queirós ao alertar o QG do general Álvaro Mariante, no dia 19 de setembro, para o risco de confrontos entre tropas legalistas. Ele informou que a Coluna se deslocava pelo interior de Goiás em direção à fronteira com o Paraguai, acrescentando que era preciso "ter muito cuidado com as forças em operação, principalmente com os patriotas, para evitar que fossem tomados, pelas forças do sul, como rebeldes".[597] A partir de agora, todos os seus homens serão obrigados a decorar as senhas e contra-senhas do dia, para evitar a repetição de episódios deploráveis como esse.

42

UM BANQUETE DAS ELITES

Terça-feira, 5 de outubro

Como nos mais finos champanhes, a espuma do banquete oferecido pelas classes produtoras ao presidente eleito Washington Luís se derrama, de forma inebriante, pelos deslumbrantes salões do Automóvel Clube do Rio de Janeiro, na maior festa já celebrada, na capital federal, em homenagem a um chefe de Estado antes da posse. Todos de sobrecasaca, polainas de feltro branco e gravata de *plastron*, os convidados borbulham esfuziantes pelos corredores, num ambiente impregnado de afetação e frivolidade.

A festa reúne o corpo diplomático, empresários estrangeiros, os mais devotados militares da República, o melhor da classe política e a nata da sociedade brasileira. Nesta homenagem organizada pelo Senado é proibida a entrada de mulheres. Apesar de comensais tão ilustres, a ornamentação do salão nobre, escolhida por uma comissão de senadores, não podia ter sido mais infeliz. A quantidade de bandeirinhas que ornamentam os salões é tão grande que lembra as quermesses do arraial da Penha. Nunca se viu tamanha falta de classe numa recepção oficial.

A premiada arquitetura do Automóvel Clube é a maior vítima da decoração medíocre. A beleza do seu interior sucumbe diante de tamanha insensatez. A graça e a elegância das colunas jônicas, que sempre chamam a atenção pela majestade do seu porte, são ofuscadas por galhardetes de mau gosto, de onde caem, em pencas, palavras de louvor ao novo presidente.

O serviço é também um descalabro. O banquete prima pela improvisação, pela falta de protocolo e de refinamento. Numa demonstração de total ausência de *finesse*, os organizadores esqueceram de colocar nas mesas talheres para peixe; nada mais imperdoável para um jantar como este, servido à luz de velas. As agressões à etiqueta não param por aí. Foram cometidas gafes ainda mais deploráveis. O *menu* é um insulto aos costumes da boa mesa. Impresso em papel telado, o cardápio é um modelo de vassalagem. Ao lado das iguarias que serão servidas durante o banquete, ostenta reclames de conhecido tipo de presunto e de famosa marca de charutos, cujos produtores patrocinaram a impressão do cardápio, a pedido do Senado. Não pode haver algo mais condenável e deprimente do que essa submissão a conhecida casa de secos e molhados da rua do Acre, que sempre contou com a proteção de representantes do Congresso.

A falta de sensibilidade atinge o clímax na decoração das mesas. Despidas de qualquer traço de bom gosto e originalidade, quase nuas de flores, elas estão ornamentadas com alguns cravos murchos, sem matiz e sem viço, como o discurso chocho proferido por Washington Luís. No pronunciamento insosso, o presidente eleito em nenhum momento se deteve nas graves questões que afligem o país. Deu apenas ênfase à situação econômica, em detrimento dos problemas sociais, prometendo "estabilizar o câmbio", como se a grave situação em que se encontra o país fosse exclusivamente de natureza financeira.

O discurso de Washington Luís é considerado tão distante da realidade brasileira que o recém-fundado *O Globo* compara o presidente eleito a um dos personagens de *Os Primeiros Homens na Lua*, um romance de H.G. Wells que o jornal está publicando diariamente, em forma de folhetim.[598]

Terça-feira, 19 de outubro

O tenente-coronel Marcionillo Barroso, da Circunscrição de Mato Grosso, está com uma verdadeira bomba nas mãos: acabou de receber um informe reservado de um dos seus *secretas* com revelações surpreendentes sobre os planos que estão sendo elaborados pelos líderes da revolução no exílio. Os chefes supremos do movimento revolucionário estão conspirando com a oposição paraguaia para derrubar o Governo de Assunção.

Um agente do Exército infiltrado no Paraguai descobriu que os exilados pretendem retornar ao Brasil assim que a Coluna invadir o estado do Mato Grosso. Cerca de 250 homens estão prontos para cruzar a fronteira e se juntar às forças comandadas por Prestes e Miguel Costa. Os rebeldes aguardam apenas a chegada de armas e munições, que estão sendo providenciadas pelo comitê revolucionário recentemente instalado em Assunção.

De acordo com o informe, o movimento está sendo financiado por um grupo de ativistas da oposição paraguaia. Eles têm planos de derrubar o Governo em dezembro, a fim de melhor ajudar a Coluna; em contrapartida, esperam contar com o apoio dos rebeldes para se consolidar no poder.

Descobriu o agente que os brasileiros asilados se encontram dispersos por várias cidades do Paraguai. O grupo mais numeroso, formado por 59 homens, trabalha na construção de uma estrada em Quiriquello, perto de Pero Juan Caballero, na divisa com Ponta-Porã. Em Aguerrito, na fazenda da Companhia Mate Laranjeira, 26 rebeldes que ali trabalham receberam recentemente a visita de um oficial brasileiro, identificado como *coronel Ramos*, que chegou de automóvel, a fim de estabelecer contatos com as principais lideranças no exílio.

O documento revela ainda que oficiais da Marinha, asilados em Montevidéu, estão cruzando a fronteira, com documentação falsa, com a missão de levar informações para os outros companheiros que se encontram no Uruguai aguardando instruções para também se juntar à Coluna.[599]

A descoberta da nova conspiração surpreende o Exército. O ministro da Guerra e seus generais imaginavam que o movimento revolucionário vivia os seus estertores. A informação de que a revolução continua viva e atuante e prospera no exterior, com a ajuda de estrangeiros, assusta o Catete. Até então se sabia que os rebeldes gozavam da simpatia de determinados grupos apenas na Argentina e no Uruguai. O envolvimento com a oposição paraguaia, na organização de um levante armado para depor o Governo, representa grave ameaça à soberania dos dois países. Os generais imaginam então erguer uma espécie de muralha humana em Mato Grosso, para impedir que eles penetrem no estado e se aproximem da fronteira com o Paraguai.

As linhas de defesa concebidas pelo coronel Pedro Dias de Campos, comandante da Força Pública de São Paulo, esfarinharam-se com o avanço da Coluna através do norte de Mato Grosso. Uma semana depois do incidente de Olhos D'água, nas imediações de Anápolis, onde os paulistas trocaram tiros com os jagunços de Horácio de Matos, novo equívoco se encarregou de desgraçar ainda mais a ficha profissional do coronel Pedro Dias. Seus homens, dessa vez, defrontaram-se com uma unidade do Exército, perto do rio dos Bois, em Goiás. Durante duas horas eles trocaram tiros com o 6º Batalhão de Caçadores do Exército, sediado em Ipameri, onde o general Álvaro Mariante instalara seu QG. Os rebeldes, mais uma vez, aproveitaram-se da trapalhada para escapar do inimigo e continuar a marcha em direção à fronteira.

Era a gota que faltava para Mariante derramar a sua bílis sobre esse oficial petulante, que se recusara, no início, a colocar seus 4 mil homens sob suas ordens. Mariante repeliu, como um insulto, a negativa de Pedro Dias por considerá-la uma afronta ao Exército; o comandante da Força Pública de São Paulo acabou ficando apenas com a missão de bloquear a passagem da Coluna pelo Planalto Central.

Muito antes de chegar a Goiás, os rebeldes já sabiam que a Polícia Militar paulista estava à sua espera. Eles haviam interceptado um cargueiro de correspondência, transportado em burro, com cartas dos familiares dos soldados que viviam no Sul, nas quais comunicavam aos parentes do Nordeste que estavam se deslocando de São Paulo para enfrentar as forças revolucionárias que desciam em direção a Goiás e Mato Grosso.[600] Ao se aproximar da cidade de Arraias, os rebeldes tiveram a confirmação de que as tropas legalistas os esperavam. Eles haviam detido um habitante da região que, depois de longo e tortuoso interrogatório, confirmou a presença dos soldados paulistas no planalto goiano.

Era sempre muito difícil extrair algum tipo de informação dos vaqueanos, não só por causa da má vontade como também pelo medo, timidez e dificuldade de se expressarem com clareza. Analfabetos e ignorantes, qualquer conversação com eles era um tormento. Os melhores interrogadores eram Prestes e João Alberto. Até ser preso, no Piauí, Juarez Távora era também quem melhor interrogava os nordestinos. Cordeiro de Farias, Siqueira Campos, Djalma Dutra e Ari Salgado Freire perdiam logo a calma, irritavam-se com facilidade, e quase sempre acabavam por emudecer os interrogados, paralisados pelo medo diante das ameaças que lhes faziam. No linguajar dos matutos, as respostas, muitas vezes, eram enigmáticas:

— *De a pé*, oito léguas grandes; a cavalo, *num burro*, cinco puxadas; escoteiro, quatro; e expresso, três.

Prestes, o mais habilidoso e paciente, era capaz de ficar horas puxando conversa para ganhar a confiança das pessoas e obter as informações que desejava. Muitas vezes, abria mão dessa técnica psicológica de interrogatório para recorrer a métodos mais persuasivos, como certa feita ocorreu em Goiás. Miguel Costa, que assistia à conversa com o vaqueano, tinha tomado a sua defesa:

— Mas ele não sabe de nada...

Prestes foi duro com o caboclo:

— Ele sabe, vai ter que dizer.

Chamou então o tenente Hermínio, o ex-sargento da Força Pública de São Paulo que comandava o pelotão de disciplina da Coluna, e comentou:

— Olha, esse cidadão disse que não sabe de nada. Você vai ver se ele sabe ou não alguma coisa.

Assim que o tenente colocou a corda no pescoço do vaqueano, este começou a falar:

— Tem um regimento de cavalaria lá.[601]

Sábado, 23 de outubro

A edição de *O Jornal* do Rio de Janeiro comunica aos seus leitores o lançamento, na primeira quinzena de novembro, de um livro do jornalista Assis Chateaubriand sobre o Governo Artur Bernardes, com o objetivo de esclarecer as raízes da "formação mental do presidente". O anúncio imenso, de quarto de página, revela que Chateaubriand fez "um estudo de pura substância psicológica, com absoluta imparcialidade", sobre o caráter autoritário de Bernardes no exercício da presidência da República. A obra dispõe-se a analisar as virtudes e os defeitos de um homem que "encheu o quadriênio 1922-1926 com a sua ríspida e indomável individualidade".

A exemplo de outros jornalistas, políticos e militares, como Everardo

Dias, Maurício de Lacerda e Juarez Távora, o diretor de *O Jornal* aguarda também a posse do presidente Washington Luís para denunciar as violências cometidas por seu antecessor. O livro, que recebeu o título de *Terra Desumana*, já está impresso e guardado em local seguro, pronto para ser distribuído às livrarias do Rio e de São Paulo. De acordo com o anúncio, o livro foi escrito em apenas três meses, durante uma vilegiatura de Chatô em Campos do Jordão.

Terra Desumana desenvolve a tese de que a personalidade autoritária de Bernardes nada mais é do que o resultado de austera educação familiar aliada à rígida formação religiosa recebida durante os anos em que estudou no seminário do Caraça, em Minas Gerais. Chatô sustenta que os hábitos e costumes dos professores do colégio, que levavam uma vida de clausura e penitência, acabaram por se refletir de forma acentuada na personalidade do presidente, que se mostrou sempre mais apegado à letra da lei do que aos sentimentos humanos de seus governados. A tese de Chatô atribuía também responsabilidade na formação desse tipo de caráter à própria localização geográfica do Caraça, confinado entre montanhas, sem desprezar a influência que a pesada arquitetura do seminário certamente exerceria sobre a alma das pessoas que viviam entre suas paredes.

A simples referência ao nome Caraça assombrava as crianças, como símbolo de castigo e opressão. Lembrava Chateaubriand que o colégio era uma espécie de espantalho medonho a que as mães recorriam para assustar os filhos. "Mando-te para o Caraça!" era uma sentença que aterrorizava particularmente os meninos.

Foi nesse ambiente de claustro, "onde a palmatória passava de aula em aula, de salão em salão, de recreio em recreio, nivelando a todos com o seu avassalador domínio", que transcorreu a adolescência de Bernardes. "À entrada do colégio, à primeira intriga anônima, culpados e inocentes, em forma, estendiam a mão à 'Santa Luzia'", como a palmatória era chamada pelos alunos.

A passagem de Bernardes pelo Caraça, dizia o diretor de *O Jornal* não passou impune: "Ele vegeta numa existência melancólica, entre sotainas (batinas) negras que flagelam a alma infantil, no fundo de um vale, que podíamos dizer todo circundado de montanhas, se não fosse a brecha aberta para a estrada que vem de Santa Bárbara". Ao passarem, nas férias, por esse caminho de terra, os alunos conseguiam finalmente respirar e ver um pouco de luz.[602]

Domingo, 24 de outubro

Há cerca de dez dias a Coluna marcha através do território mato-grossense. Os rebeldes estão fascinados com as histórias de luxúria, fausto e riqueza que brotam durante as conversas com os garimpeiros do rio Araguaia. Os olhos dos revolucionários brilham diante de casos fantásticos de gente muito pobre e humilde, como eles, que "enricou" da noite para o dia e que saiu pelo mundo acendendo cigarro com notas de mil-réis. Garimpeiros que compraram fazendas, gado de raça, carro novo. Garimpeiros que alugaram todas as mulheres da zona, durante dias seguidos, só para festejar com os amigos o fim da pobreza.

Aquele exército de homens magros e de rosto chupado, que revolve compulsivamente o cascalho, com água pelo peito, à procura de diamantes, há muito vinha chamando a atenção de Prestes. Andavam quase todos armados, com revólveres e espingardas de caça, e sempre que encontravam uma pedra de valor comemoravam o acontecimento disparando para o alto.

As tentativas de atraí-los para as fileiras revolucionárias tinham sido sempre inócuas. Os garimpeiros, como a maioria da população do interior, eram imunes ao discurso urbano da revolução. Democracia, justiça social, arbítrio, direitos individuais eram palavras abstratas, sem qualquer significado no universo em que viviam. Lutar pela liberdade? Lutar contra o Governo? Lutar para quê? Os rebeldes é que deveriam se juntar a eles, no garimpo, uma atividade muito mais lucrativa do que sair por aí, como salteadores, trocando tiros com a Polícia e o Exército.

A lógica desse raciocínio começa a seduzir a tropa. Com as suas fantasias de riqueza, o garimpo passa a ser um estímulo à deserção. A oficialidade não esconde a preocupação com o risco de a Coluna se desintegrar. Exauridos por longa e dolorosa campanha, que não havia produzido os resultados esperados nas áreas política e militar, os rebeldes vivem agora um dilema: permanecer fiéis aos ideais revolucionários ou abandonar a luta para tentar a vida no garimpo?

Prestes, sensível aos sentimentos da soldadesca, surpreende o Estado-Maior com a proposta de se juntarem aos garimpeiros e formarem outro exército para enfrentar o Governo. As forças regulares não teriam condições de lutar contra cerca de 10.000 homens armados numa região como aquela. Seu plano não era transformar os rebeldes em garimpeiros, mas aproveitar as condições oferecidas pelo garimpo para dar novo alento à revolução. A Coluna seria dividida em grupos autônomos, que agiriam isoladamente, mas preservando sua identidade política e militar.

Miguel Costa, que milagrosamente se recuperara do ferimento no peito, reage com indignação à proposta de dissolver a Coluna. Sempre atencioso e cordato com os planos e sugestões oferecidos pelo chefe do seu Estado-Maior em outros momentos igualmente difíceis, Miguel Costa faz um discurso apaixonado em defesa da unidade das forças revolucionárias. Em hipótese alguma admite a sua fragmentação em bandos armados de eficiência duvidosa.

A maioria da oficialidade endossa a posição assumida por Miguel Costa e se coloca, pela primeira vez, contra a principal figura da revolução. Os próprios oficiais tomam a iniciativa de suspender a reunião para impedir que seja tomada uma decisão definitiva sobre o assunto. A manobra tem como objetivo evitar o confronto entre Prestes e Miguel Costa. Aprovar a preservação da Coluna, naquele momento, seria o mesmo que impor a destituição compulsória de Prestes da chefia do

Estado-Maior. Prevalecem o espírito de camaradagem, o carinho e o respeito que todos têm por ele.

À noite, João Alberto e Siqueira Campos vão à cabana de Prestes, a fim de negociar uma solução conciliatória que não afete o prestígio do líder e amigo e não arranhe, também, a autoridade de Miguel Costa. Prestes, que sempre os escuta por amizade e distinção, está indignado por não ter conseguido convencer a oficialidade sobre as vantagens do seu plano. Na verdade, a tropa está esgotada, quase sem forças para combater; todos só pensam num único objetivo: emigrar o mais rapidamente possível.

Na manhã seguinte, Lourenço Moreira Lima e Djalma Dutra são convocados à barraca de Miguel Costa para receber importante missão. Os dois viajariam até a Argentina a fim de estabelecer contato com os chefes supremos da revolução: o marechal Isidoro e o gaúcho Assis Brasil. Dutra e Moreira Lima levariam cartas de Prestes e Miguel Costa credenciando-os a negociar com os dois o destino da Coluna. Fazia já algum tempo que Miguel Costa não recebia notícias do levante que deveria ter ocorrido, em setembro, no Rio Grande do Sul. Os rebeldes precisam conhecer os planos que Isidoro e Assis Brasil estão discutindo no exterior.

Dutra e Moreira Lima são escoltados até a fronteira do Paraguai por um piquete formado por nove homens, sob o comando do capitão Emigdio Miranda. O piquete, por sua vez, será custodiado a distância pelo destacamento de Siqueira Campos. Seus homens fingiriam atacar a cidade de Campo Grande, sede do Comando Militar da região, para atingir dois objetivos: atrair as forças legalistas situadas no caminho do piquete e aliviar a pressão que elas vêm exercendo sobre o grosso da Coluna.[603]

A decisão de enviar dois emissários à Argentina fora também imposta pelas circunstâncias. As forças revolucionárias estão reduzidas a 800 homens, dos quais apenas 600 podem ser generosamente considerados combatentes. Estavam armados apenas com punhais, revólveres, espingardas de caça e velhos fuzis descalibrados. A munição é tão escassa que só podem atirar com ordens superiores. O restante da tropa é constituído de inválidos, velhos, feridos e homens em estado físico tão lastimável que mal conseguem caminhar. Muitos soldados não passam de meninos. A idade desses voluntários varia de 12 a 17 anos, e quase todos aderiram à revolução apenas pelo espírito de aventura. O melhor exemplo é *Jaguncinho*, o mascote da Coluna, que se juntou aos rebeldes, no Rio Grande, quando tinha pouco mais de 12 anos.[604]

Segunda-feira, 8 novembro

O plenário da Câmara Federal, no Rio de Janeiro, está mais uma vez sob o feitiço do deputado Batista Luzardo. Sua magia verbal atrai a atenção não só de todos os parlamentares da Casa como também de centenas de populares que se comprimem, em silêncio, nas galerias, para ouvir o porta-voz da Coluna. Até os mais modestos funcionários da Câmara correm para o plenário, esbaforidos, assim que o seu vozeirão de gaúcho começa a vazar pelos corredores.

Dominado, como de hábito, por forte sentimento de revolta e indignação, Luzardo lê para o plenário um documento do Conselho Municipal manifestando os seus aplausos à Câmara pela iniciativa de propor uma anistia geral como forma de restaurar a paz e reconciliar, definitivamente, "todos os brasileiros no regaço sereno e tranqüilo da pátria":

— Faço a leitura deste documento, senhor presidente, porque ele traduz os desejos (...) da população desta metrópole para a pacificação do Brasil.[605]

O público e os deputados o ouvem com respeito e admiração.

— Esta mensagem, entretanto, não pode ser divulgada pela imprensa por uma razão única e simples: a censura, restabelecida há menos de uma semana (...), voltou com um rigor inexplicável, impedindo os jornais de tratarem de qualquer assunto concernente à anistia. (...) O atual

Governo, que está por dias a exercer o seu mandato, proíbe taxativa e expressamente que saia a lume uma palavra sequer, na imprensa carioca, sobre o desejo de pacificação da família brasileira.[606]

Luzardo manifesta a sua perplexidade com a extrema acrimônia com que fora ressuscitada a censura. Antes, as redações tinham uma espécie de *index prohibitorum*, com a relação dos assuntos proibidos. Agora, de acordo com as novas instruções do Catete, há um censor da polícia em cada jornal, com a recomendação de impedir a publicação de qualquer notícia ou comentário sobre a anistia, tema que apaixona o país desde a revolta do Forte de Copacabana, em 1922.[607]

Bastava a censura afrouxar os seus liames que a imprensa logo empunhava a bandeira da anistia. Até mesmo os pequenos jornais do interior, como a *Gazeta da Serra*, de Ubajara, no sertão do Ceará, abrem grandes espaços para defender a pacificação nacional.

> *"Quantas lágrimas, quantas dores, quantas orfandades não teria poupado a família brasileira o sr. Artur Bernardes se, cristãmente, patrioticamente, tivesse desistido de suas vinganças, dos seus rancores e dos seus ódios, se tivesse perdoado, anistiado aos seus compatriotas que tinham cometido o grande crime de terem pensamentos e idéias diferentes das suas. E hoje, o que vemos? A pátria enlutada e lacrimosa, e a fina flor do Exército brasileiro a tombar nos campos de batalha, num horrível fratricídio, a desaparecer no horror das bastilhas, a despir-se da farda gloriosa, numa luta para ambos os campos inglória e impatriótica."*[608]

A opressão e o arbítrio fazem também florescer, em todo o país, publicações em defesa das liberdades, como *O Combate*, que começara a circular recentemente na capital do Ceará. A primeira edição, apesar do tom amargo de alguns artigos, foi uma ode de esperança por um Brasil melhor.

> *"A Nação jaz oprimida, semi-afogada num pântano de miséria. O seu organismo já apodrecido e gangrenado se estertoriza em convulsões, chupado, carcomido pelos vermes da politicagem. (...) A política, no Brasil, é*

uma feira, pior que os prostíbulos, pois, nestes, vendem-se os corpos e nela vendem-se as consciências."

Com um grito altaneiro de liberdade, *O Combate* "se lança, hoje, trazendo na fronte a divisa — Lutar! Lutar para libertar da miséria e da opressão o Ceará, a sua pátria, ou morrer por ela!" [609]

Quarta-feira, 10 de novembro

Descalços, trôpegos e esfalfados pela obstinada perseguição que há dois meses empreendem contra a Coluna, os jagunços de Horácio de Matos chegam à cidade de Campo Grande, em Mato Grosso, onde são recebidos com indisfarçada hostilidade pelos oficiais do Exército. A reação inamistosa não é só por causa do aspecto andrajoso da jagunçada, mas por estarem todos envergando o uniforme cáqui do Exército, uma das muitas ofensas impostas pelo Catete ainda não absorvida pela maior parte da oficialidade. Nem o tenente do Exército Afonso Rodrigues, que faz parte do Batalhão Patriótico Lavras Diamantina, na condição de contador-tesoureiro, escapa da antipatia de seus camaradas.

Apesar da acolhida inicial pouco hospitaleira, os homens de Horácio de Matos passam logo a ser distinguidos com todas as considerações pela população local. Além de bastante numerosa na cidade, a colônia baiana ocupa também importante papel de destaque não só na administração como em todos os ramos de comércio de Campo Grande. Horácio e os seus sentem-se em casa. O chefe parece até que está em Lençóis.[610]

A chegada dos jagunços só fora bem-recebida pelo general Nicolau Silva, comandante da Circunscrição Militar, e pelos seus oficiais imediatos. O clima em toda a região era pesado e permeado de intrigas, com os comandantes a se responsabilizarem mutuamente por terem permitido a entrada dos rebeldes em Mato Grosso.

O coronel Pedro Dias de Campos, comandante da Força Pública de São Paulo, chocara-se de frente com o general Álvaro Mariante. Em relatório enviado ao ministro da Guerra, logo depois do incidente ocorrido em rio dos Bois, Mariante o havia honrado com as qualificações de "inepto, presunçoso e parlapatão". No documento, além de contabilizar na ficha pessoal de Pedro Dias os desastres com os aviões militares em Uberaba e Urutaí, Mariante o acusa também de responsável pelo suicídio do major Artur Almeida, da Força Pública de São Paulo, após tê-lo submetido a uma prisão humilhante.

Diante do exposto, só resta ao ministro do Exército uma providência: afastar o coronel Pedro Dias e entregar o comando de todas as forças em operação em Goiás e Mato Grosso ao ambicioso Mariante, ainda com o seu QG aquartelado em Ipameri.[611]

Para derrotar os rebeldes, porém, é preciso muito mais do que planos eficientes. É necessário identificar e anular os oficiais que fazem, discretamente, o jogo do inimigo. Como Bernardes não confia no Exército, tinham sido enviados investigadores da 4ª Delegacia Policial do Rio de Janeiro para espionar a oficialidade. Disfarçados, os *secretas* acompanham todos os movimentos, a fim de identificar os *empatas*, como eram crismados, nos meios militares, os oficiais que simpatizavam com a revolução. O Governo está preocupado com o resultado pouco estimulante da campanha contra os rebeldes por causa do trabalho clandestino dos *empatas*. Eles procuram sempre sabotar as determinações do Ministério da Guerra, não só burocratizando as ordens de comando, retardando a entrega das mensagens telegráficas, como também executando as instruções de forma excessivamente lenta. Às vezes, chegam a interferir de maneira equivocada em determinadas operações, só para facilitar a fuga do inimigo.

Há mesmo certo desinteresse da oficialidade em continuar combatendo os rebeldes, cuja liderança é formada por companheiros de farda. Não encontram razões para continuar sustentando uma campanha tão desgastante contra a Coluna às vésperas da posse do novo presidente da República.

Até o ministro Setembrino de Carvalho é criticado por alguns oficiais linha-dura, como o general Nicolau Silva, que defende veladamente a sua substituição. Numa conversa reservada com Horácio de Matos, por quem nutre simpatia pessoal, Silva confidencia que às vezes se convence de que Setembrino só pode cometer erros tão absurdos porque deve estar mancomunado com os rebeldes. Sem nenhum pejo de criticar o ministro da Guerra diante de um civil, sentencia:

— O Setembrino deve ser o verdadeiro chefe!

Não há outra explicação para o rosário de bobagens que o Exército vem desfiando, há dois anos, para exorcizar os vendilhões do templo, acentua o general.[612]

A comunhão de idéias e pensamentos entre o general Nicolau Silva e o *coronel* Horácio de Matos é perfeita. A conduta, a resistência, a lealdade e o amor às instituições demonstrado pelo Batalhão Patriótico Lavras Diamantina devem servir como exemplo para o Exército. As observações do general, transmitidas dias depois, em boletim, para o resto da tropa, produzem efeitos imediatos. As relações entre a jagunçada e o Exército melhoram sensivelmente.

Mas o melhor prêmio vem em seguida: Horácio recebe instruções do Comando da Circunscrição Militar para que seus homens fiquem responsáveis pelo patrulhamento da cidade de Campo Grande, onde estão ocorrendo conflitos diários entre soldados do Exército e contingentes da Polícia Militar de Mato Grosso. É o reconhecimento de sua capacidade de liderança. Horácio recebe a incumbência como uma homenagem pessoal ao trabalho que havia realizado. Com a intervenção dos jagunços, as brigas logo cessam.

Horácio aproveita os dias de descanso em Campo Grande para tratar da saúde e tentar livrar-se, de vez, das cólicas que não o abandonam desde Lençóis. Todo de roupa nova, abastecido de víveres, munição e plenamente revigorado, o Batalhão está novamente pronto para perseguir o inimigo. A temporada de caça à raposa ainda não terminou.[613]

43

O OCASO DO TERROR

Segunda-feira, 15 de novembro

As ruas do centro do Rio de Janeiro são, de repente, sacudidas por disparos de fuzis, mas não há motivo para preocupações: os tiros, desta vez, são de festim; eles marcam o início da solenidade de posse do presidente Washington Luís na Câmara Federal. O plenário, as galerias e os corredores estão entupidos de convidados especiais; os homens, todos de fraque, e as mulheres, apertadas em formosíssimos vestidos de *soirée*. A Câmara mais parece uma vitrina, onde estão sendo apresentadas as últimas criações dos melhores costureiros de Paris.

A silhueta de Washington Luís surge, finalmente, triunfal, recortada entre os membros da comissão parlamentar que o introduzem no recinto. Uma tempestade de pétalas de flores desaba sobre o plenário e afoga o tapete vermelho por onde caminha o presidente. Washington Luís e seu augusto cavanhaque são ovacionados, de pé, pelos presentes. A platéia é tomada por um *frisson*.

O presidente curva-se ligeiramente para os lados, agradecendo a acolhida calorosa do público. Sempre escoltado pela comissão de deputados e senadores, Washington Luís dirige-se em passos firmes em direção à mesa da Câmara, a fim de proferir o juramento de posse. As palmas só são interrompidas quando ele começa a ler os termos de praxe:

— Prometo manter e cumprir com perfeita lealdade a Constituição Federal, promover o bem geral da República...

O aluvião de pétalas que despenca sobre o livro é tão grande que o presidente se vê obrigado a afastá-las com a mão para encontrar as palavras que compõem o compromisso de juramento.

— Observar as suas leis...

Ao concluir a leitura, com voz firme e pausada, Washington Luís é novamente aplaudido de pé. Alguém grita das galerias:

— Viva o presidente Washington Luís!

— Viva!

Às duas e trinta, o presidente retira-se do plenário com a faixa presidencial atravessada no peito. Assim que a sua figura desponta na porta da Câmara, é aplaudido por um grupo de estudantes.

— Viva o libertador!

— Viva!

O toque dos clarins mistura-se com o repique dos sinos da igreja da Misericórdia. Sua Excelência agradece, mais uma vez, as manifestações de carinho e desce os degraus conduzindo, na mão direita, um cáctus que lhe foi ofertado por um admirador na saída da Câmara.[614]

Às três em ponto, Washington Luís chega ao Catete para se despedir do ex-presidente. Bernardes achara melhor não participar da cerimônia de transmissão de posse e deixar que a faixa presidencial fosse entregue pelo senador Antônio Azeredo, vice-presidente do Senado Federal. A faixa, que já se encontrava há quatro dias no gabinete da presidência da Câmara, na verdade não é a oficial. Fora ofertada a Washington Luís pelo povo de São Paulo e ele, se assim o desejasse, poderia guardá-la, depois, como recordação, ao deixar o Catete, por não se tratar de um bem de propriedade da nação.[615]

Após fazer uma breve saudação ao seu sucessor, no salão de honra do Palácio, Bernardes ouve com atenção as palavras do novo presidente:

— Acabo de atravessar as ruas do Rio sob entusiásticas aclamações de palmas do povo brasileiro. Estas aclamações foram mais dirigidas ao regime do que a mim, e, por isso, venho entregá-las a Vossa Senhoria que tão bem o personificou, defendendo-o, e, desse modo, fazendo com que eu pudesse assumir o Governo. Pode Vossa Senhoria retirar-se para a sua vida particular com o espírito tranqüilo de um justo e com a certeza de haver cumprido com o seu dever.[616]

Os dois caminham juntos até a porta do Palácio e se despedem afetuosamente. Bernardes segue, em companhia dos seus auxiliares, em direção ao Hotel Glória. Ao anoitecer, na gare da Central do Brasil, o ex-presidente embarca num trem especial, em companhia da família, com destino a Belo Horizonte.

Quarta-feira, 17 de novembro

As atenções da opinião pública na capital da República estão voltadas para a edição especial de *O Globo*, que começa a circular a partir das cinco da manhã, denunciando "os vulcões de lama" em que o Governo Artur Bernardes chafurdara. As truculências cometidas pelo ex-presidente e seus acólitos estavam condensadas num dossiê de sete páginas.

O Globo exige do novo mandatário rigorosa punição dos responsáveis pela miséria e pelo sofrimento que enlutaram o povo, durante os quatro anos em que o seu antecessor permaneceu no poder, "entocado na noite do maior sítio de que há memória, cercado de sicários e armado com o dinheiro que pertencia ao patrimônio público". Sob o título, "O Governo que se foi...", o jornal expõe pela primeira vez aos olhos da nação as vísceras de uma administração marcada pelo terror.

A longa reportagem começa descrevendo o empenho do Catete em esconder do povo o que estava acontecendo em São Paulo no dia 5 de julho de 1924. Mesmo sem o amparo legal do estado de sítio, que ainda não fora decretado, a Polícia invadiu os jornais para impedir a publicação de notícias que contrariassem as versões do Governo.

A censura foi também, muitas vezes, utilizada em defesa de interesses econômicos e pessoais dos apaniguados do Catete. Durante muito tempo foi proibido, por exemplo, revelar as oscilações da cotação do açúcar no mercado internacional, para proteger negócios dos amigos do presidente. Até o incêndio da fábrica de tecidos da Gávea, no Rio de Janeiro, fora censurado, sem que se entendesse, na época, as razões de Estado que poderiam ter inspirado essa decisão. Mais tarde soube-se que a ordem partira do próprio Bernardes, que era um dos principais acionistas da companhia.

A divulgação do resultado das investigações que comprovaram o envolvimento de policiais militares do estado do Rio em centenas de saques, realizados durante a ocupação de São Paulo, tinha sido também proibida pela censura. O inquérito revelou que muitos policiais compraram imóveis, carros e lojas comerciais com as pilhagens, oficialmente atribuídas aos rebeldes.

As revelações mais surpreendentes, entretanto, estão no capítulo reservado à Polícia Política. *O Globo* denuncia a existência de uma verdadeira fábrica de *suicídios* nos porões da Polícia Central. Muitos presos, depois de impiedosamente torturados pelos investigadores da 4ª Delegacia Policial, *suicidavam-se* na prisão. Foi o que aconteceu com o empresário Conrado Borlido Niemeyer, acusado de fornecer explosivos para a confecção de bombas. Prostrado, caído como um trapo no chão, Conrado Borlido Niemeyer arquejava, golfando sangue, depois de espancado por seus algozes. As costelas haviam afundado com os socos, um braço estava quebrado e a cabeça sangrava muito. Após rápido conciliábulo, os policiais chamaram um médico-legista. O prisioneiro não conseguiria sobreviver depois de tantas sevícias. A solução foi a costumeira: *suicidar* o preso. Conrado foi atirado por uma das janelas da Polícia Central; assim que o corpo se espatifou na calçada, um guarda civil cobriu-o imediatamente com um capote, para impedir que fosse visto por curiosos, revelou *O Globo*.

As brigas entre os responsáveis pela repressão política eram também muito comuns. Um sobrinho do coronel Araripe de Faria, que exercia as funções de secretário do chefe de Polícia, depois de se desentender com um agente, matou-o a tiros, dentro da Polícia Central, e o caso foi abafado.

Uma das revelações do dossiê chocou particularmente o Exército. Descobriu-se que Carneiro da Fontoura, promovido a marechal ao passar para a reserva, profanara a disciplina e subvertera a hierarquia ao criar uma *tropa* de sargentos só para espionar a oficialidade. Vestidos à paisana e apresentando-se como policiais, os sargentos vigiavam dia e noite os oficiais suspeitos de simpatizar com a revolução. Através de *O Globo*, a população ficou sabendo também de outro escândalo: a maioria das bombas atribuídas aos rebeldes, encontradas nos pontos mais movimentados da cidade, fora colocada nesses locais pela própria Polícia Política, sob inspiração do coronel Carlos Reis, titular da 4ª Delegacia. As fábricas de bombas freqüentemente descobertas pela Polícia não passavam também de mais uma simulação para aumentar e justificar a repressão contra os adversários do Governo.

Outro escândalo fora a transferência compulsória dos bordéis da Glória, da Lapa e adjacências para uma nova área de prostíbulos localizada na Cidade Nova, em ruas perpendiculares ao canal do Mangue, no bairro do Estácio. A mudança, a toque de caixa, havia sido realizada sob o pretexto de *limpar* o centro da cidade de pontos de meretrício, mas logo descobriu-se que o verdadeiro motivo era outro. As casas que abrigariam os novos prostíbulos tinham sido alugadas pela Polícia e, depois, sublocadas às donas dos bordéis por preços escorchantes.

A exoneração de Carneiro da Fontoura da Chefia de Polícia fora provocada por enriquecimento ilícito. O marechal adquirira apreciável patrimônio imobiliário graças às generosas contribuições da *caixinha* do jogo do bicho. O chefe de Polícia começou a cair em desgraça a partir de janeiro, após um desentendimento com o banqueiro *Turquinho*, que privava de excelentes amizades no Catete. Além de ter reunido provas substanciais que incriminavam o marechal com a contravenção, *Turquinho* ainda recolheu várias cartas de amor, "com obscenidades de alarmante baixeza", que o chefe de Polícia enviara a uma de suas amantes.

Ao tomar conhecimento do dossiê do banqueiro contra ele, Fontoura promoveu uma devassa nos negócios de *Turquinho*, estourando todos os *pontos* de bicho e casas de tavolagem mantidas pelo contraventor. *Turquinho* foi preso, mas os documentos não foram encontrados em seu poder. Um de seus irmãos, que tinha livre trânsito no Catete, foi a Petrópolis e entregou o dossiê ao presidente, então veraneando no Palácio Rio Negro. Ao ler os documentos, Bernardes ordenou a imediata libertação do *banqueiro* e determinou que uma comissão formada por dois oficiais de seu gabinete investigasse a autenticidade das denúncias.

Durante vários dias, uma fauna ilustre desfilou pelos aveludados tapetes da Presidência da República. Uma refinada coleção de *banqueiros* e *bicheiros*, todos com ficha na polícia, foi ouvida pelos auxiliares de Bernardes em salas anexas ao seu gabinete. Ilhado por denúncias de toda natureza e politicamente enfraquecido, Carneiro da Fontoura não resistiu ao contra-ataque da contravenção: quinze dias depois, era exonerado do cargo, de forma humilhante.[617]

Segunda-feira, 22 de novembro

O novo Governo, apesar de atenuar a censura à imprensa e de arejar o país com algumas lufadas de liberdade, conserva, entretanto, a mesma postura da administração anterior, inflexível e autoritária, refratária a qualquer tipo de negociação com os rebeldes. Como seu antecessor, Washington Luís é também contrário à concessão da anistia.

Apesar dos inúmeros compromissos políticos e econômicos assumidos com Bernardes, o novo presidente adota algumas medidas surpreendentes, na tentativa de desvincular sua imagem do homem personalista e de comportamento ditatorial que o levou ao poder. A imprensa e a classe política ficam perplexas com a decisão de Washington Luís de abrir os portões do Catete, todas as segundas-feiras, para conceder audiências populares.

A primeira audiência, realizada sete dias depois de sua posse, é um sucesso, apesar da magra afluência de público. Os quatro anos em que Bernardes governou o país, divorciado de qualquer contato com o cidadão comum, tinham deixado a população ressabiada diante da notícia de que o povo, uma vez por semana, poderia avistar-se diretamente com o seu presidente.

A medida foi implantada sem nenhuma burocracia. As pessoas iam chegando, com timidez, assinavam o nome em uma lista de presença, e em seguida eram conduzidas até uma sala, à esquerda do *hall*, onde aguardavam o momento de serem levadas, uma a uma, ao salão de despachos, para serem atendidas pelo presidente. Dois incrédulos jornalistas misturaram-se ao pequeno grupo de populares para registrar o acontecimento. Sem se identificar, eles se juntaram a dois homens de descendência alemã e a três mulheres pobres, duas vestindo luto, que se destacavam entre outras pessoas, todas de aspecto muito pobre, que aguardavam, ansiosas, pela audiência.

De pé, com ar benevolente, Washington Luís ouvia o pedido verbal das pessoas, recolhia os documentos que lhe eram entregues e os passava para as mãos de seu secretário. Os repórteres ficaram de queixo caído.

> *"O Senhor Presidente, abrindo as portas do Catete e restabelecendo praxes que a tendência misantrópica do seu antecessor havia abolido, pode verificar que ninguém está exigindo mais do que aquilo que o instinto do regime concede."*

Apesar do tom impessoal do noticiário, a medida, do ponto de vista político, rendia extraordinários dividendos junto à opinião pública.[618]

A postura do novo presidente da República não contribuiu, porém, para que houvesse imediato desarmamento dos espíritos. O Governo decidira manter as tropas auxiliares que há mais de dois anos permaneciam estacionadas no Rio Grande, concedendo-lhes todas as vantagens de campanha, como direito a mais um terço dos vencimentos, etapas especiais e as promoções a que fariam jus se estivessem em combate.

Washington Luís e seus generais temiam que Prestes e seus legionários resolvessem, de repente, marchar em direção ao sul do país, onde circulavam rumores de um novo levante militar.[619]

O Governo afogava-se em dívidas para manter milhares de homens armados contra a Coluna. Só aos fornecedores do sul o Tesouro devia uma dinheirama: cerca de 70 mil contos de réis. A formação de batalhões patrióticos, na Bahia, também custara rios de dinheiro. O deputado Batista Luzardo já havia denunciado essa orgia de gastos:

— Na Bahia fundou-se a *Companhia dos Batalhões Patrióticos Ltda.*, com o fim de explorar essa indústria junto ao Governo federal (...) Aqui mesmo, o meu distinto colega Francisco Rocha, um dos organizadores desses batalhões, declarou que só para iniciar o recrutamento dos seus 342 soldados recebeu do Tesouro 550 contos de réis.[620]

Não foi só com a criação desses batalhões de jagunços que o deputado baiano passou a nadar em dinheiro. Francisco Rocha engordava ainda mais a sua conta bancária, a expensas do erário, com outra fonte adicional de receita que saía também do bolso do contribuinte: alugava ao Governo 30 embarcações da companhia de navegação do rio São Francisco, de sua propriedade, que lhe rendiam, por dia, um conto de réis, livre de despesas.[621]

Washington Luís recebera outra herança de seu antecessor, como denuncia o deputado Batista Luzardo, da tribuna da Câmara:

— O senhor Bernardes, para se conservar no poder, teve de estender o estado de sítio a 15 unidades da Federação brasileira. Durante 40 meses de seu período governamental, manteve Sua Excelência essa medida de exceção e, na hora de sair, como despedida, como legado ao seu sucessor, deixa dez estados da República com as garantias constitucionais suspensas.[622]

44

A REVOLUÇÃO RENASCE NO SUL

Sábado, 27 de novembro

A população do Rio de Janeiro é informada, através de uma nota oficial da Presidência da República, publicada em *O Jornal*, que acabara de ocorrer novo levante no Rio Grande do Sul. O comunicado revela que no dia 7 de novembro um bando de rebeldes, chefiados por Leonel Rocha, que se encontrava asilado no Uruguai, cruzou a fronteira e invadiu a cidade de Porto Feliz, em Santa Catarina. Em seguida, o grupo tomou a direção de Barracão, na fronteira com a Argentina, onde se juntou aos homens comandados pelo tenente do Exército Simas Enéas. Os rebeldes invadiram, depois, a cidade de Guarapuava, no Paraná, de onde fugiram, em debandada, no dia 24, ao pressentir a aproximação das forças legalistas.

A situação, assegura o Governo, está sob absoluto controle das autoridades constituídas. As tropas da Brigada Militar e os batalhões de *provisórios* dedicam-se agora ao trabalho de varredura, caçando nas florestas do Paraná e de Santa Catarina os remanescentes dessa mais nova e fracassada intentona.[623]

Não foi bem assim, porém, que os fatos aconteceram. A nota do Catete omitia uma série de informações importantes, como a de que o levante fora planejado no exterior pelo marechal Isidoro e contava com o apoio de algumas unidades do Exército no Rio Grande. Não se tratava, portanto, de uma revolta de paisanos sob a inspiração e o comando de civis que odiavam o Governo. A situação era muito mais grave do que o comunicado fazia supor.

Há muito a conspiração prosperava no Rio Grande. Existiam centros clandestinos de arregimentação e propaganda em Porto Alegre, Santa Maria, Uruguaiana e em Rivera, no Uruguai. O plano era levantar outra vez o Exército. As tropas sublevadas se juntariam às forças da Coluna acantonadas em Mato Grosso e marchariam em direção a São Paulo.

O novo exército revolucionário seria inicialmente formado por ex-marinheiros do encouraçado *São Paulo* que viviam em Montevidéu e por integrantes dos grupos chefiados pelos caudilhos que se encontravam também asilados no Uruguai. O movimento deveria eclodir antes da posse de Washington Luís, de quem os rebeldes esperavam um governo tão duro e intransigente quanto o de Bernardes.

Apesar do inquebrantável otimismo de Isidoro, a conspiração enfrentava dificuldades cada vez maiores. O comando e a articulação do movimento tinham sido entregues às lideranças civis do Rio Grande, mais precisamente ao Partido Libertador, tradicional inimigo do voluntarioso e autoritário Borges de Medeiros, um dos mais devotados aliados de Bernardes. Nos quartéis comprometidos com a revolta, para cada oficial *libertador* existiam três ou quatro que apoiavam o *borgismo* e o Partido Republicano, exercendo um severo controle sobre o comportamento político de seus adversários. Com o sistema bipartidário então existente no Rio Grande, ou se era *chimango* ou *maragato*, o que estreitava ainda mais a faixa de adesões e a margem de manobra dos conspiradores.

Nesse contexto regional pontificavam, de um lado, a figura do revolucionário Assis Brasil, que se encontrava no exílio; do outro, o carismático Borges de Medeiros, presidente do Rio Grande do Sul. Apesar de se perpetuar no poder há 25 anos, Borges possuía excelente reputação em todo o estado. Era considerado um homem de princípios, com grande firmeza de caráter, honrado e dedicado à coisa pública, virtudes que cultivava com aplicação e orgulho por causa de sua formação filosófica. Como a maioria dos homens cultos de seu tempo, Borges de Medeiros era também positivista. Os *chimangos*, que o cultuavam com admiração e respeito, obedeciam-lhe cegamente. Como a oficialidade do Exército no Rio Grande era constituída em sua maioria de gaúchos, o borgismo tinha também sólidas raízes fincadas nos quartéis.

A outra dificuldade, a falta de dinheiro para a compra de armas e munição, fora resolvida pelo marechal Isidoro, que se empenhava, no exterior, em manter acesa a chama da revolução. Consultados por ele, os oficiais rebeldes que se encontravam exilados no Uruguai, na Argentina e no Paraguai haviam concordado em participar do levante coordenado pelas lideranças civis.[624]

O primeiro contingente revolucionário, comandado pelo caudilho Leonel Rocha, cruzou a fronteira da Argentina e penetrou em Santa Catarina no dia 5 de novembro. Seus homens estavam armados com mosquetões-metralhadoras Bergmann adquiridos em Buenos Aires, com fundos do Caixa Geral da Revolução, sustentado com contribuições dos rebeldes emigrados e recursos enviados do Brasil por simpatizantes do movimento de julho de 1924. O grupo dispunha até de munição especial: balas explosivas, a última novidade no gênero, negociadas com um traficante de armas europeu.

O principal objetivo militar dessa força de pouco mais de 200 homens, todos bem-montados, era interromper as ligações ferroviárias de Santa Catarina e Paraná com o Rio Grande. Assim que fosse cumprida essa missão, os rebeldes deveriam retornar e se juntar aos companheiros do Sul. Em Santa Catarina, Leonel contou com a prestimosa colaboração do *coronel* José Fabrício, um revolucionário de primeira hora, que já havia prestado relevantes serviços a Luís Carlos Prestes, quando a brigada gaúcha marchava em direção ao Paraná.

Apesar de exaustivamente planejado no exterior, o levante foi detonado por Leonel Rocha de forma romântica e indisciplinada. Ao tomar sozinho a iniciativa de antecipar a data previamente marcada para a invasão, acabou sendo a primeira vítima de sua precipitação: partiu só com dois veteranos da rebelião paulista, sem que os demais oficiais exilados pudessem acompanhá-lo.[625]

A rebelião nos quartéis não trouxe também o resultado esperado. O levante começou na madrugada do dia 14 de novembro, quando uma patrulha do 5º Regimento de Artilharia de Montanha do Exército invadiu o 7º Regimento de Infantaria, em Santa Maria, sob o comando do tenente Iguatemi Graciliano Moreira. Os rebeldes assumiram o controle da tropa através de uma artimanha. O tenente Iguatemi penetrou no alojamento dos soldados e os arrancou da cama aos gritos:

— Levantem-se! A Brigada está revoltada e vem atacar o quartel!

Imbecilizada pelo sono, a soldadesca tomou logo posição de defesa para repelir o suposto ataque da Polícia Militar. Uma hora depois o quartel tremeu com o primeiro tiro de canhão. O estrondo despertou o coronel Enéas Pires, comandante do 7º RI, que dormia em seus aposentos, dentro do quartel, sem saber que ele estava ocupado pelos rebeldes. Ao abrir a janela do seu alojamento, viu um grupo de soldados do 5º RAM, sob o comando do tenente Alcides Etchegoyen, com as armas apontadas em sua direção. Ao interpelar o oficial sobre o que estava acontecendo, recebeu como resposta uma ameaça:

— Recolha-se. Caso contrário não responderei pela sua vida!

Enéas logo percebeu que estava diante de um bando de amadores. A contra-revolta não se fez esperar; meia hora depois, os rebeldes batiam em retirada. Às dez da manhã, o coronel Enéas já estava, outra vez, no comando do 7º RI.[626]

O malogrado levante de Santa Maria arrefeceu ainda mais o entusiasmo de Isidoro. Ele ainda não absorvera o desastre provocado por Leonel Rocha, que, bafejado pela sorte, chegou até a espicaçar o inimigo, mas logo depois foi obrigado a retornar, vencido, à Argentina.

As esperanças depositadas no grupo armado por Zeca Neto, um próspero estancieiro gaúcho, homem culto e viajado que lutava por idealismo, também logo se dissolveram. Ao se lançar, aos 70 anos, sobre a cidade de Pelotas com a impetuosidade de um adolescente, Zeca Neto, um aristocrata do caudilhismo, viu-se, de repente, diante do mesmo destino de Leonel: o exílio.

A última cartada dos rebeldes chamava-se agora Júlio de Barros, o caudilho uruguaio que tentara invadir o Rio Grande com um grupo de marinheiros do encouraçado *São Paulo*, em dezembro de 1924. Além de serem os mais bem-armados, os homens sob seu comando dispunham de sólida experiência revolucionária. O grupo era formado por oficiais e praças do Exército, da Marinha e da Força Pública de São Paulo que viviam exilados em Buenos Aires, Montevidéu, Salto, Artigas e Rivera.

De acordo com os planos aprovados por Isidoro, a invasão do Rio Grande, desta vez, deveria ocorrer simultaneamente em três frentes: Rivera, Santa Rosa e Quaraim. Os rebeldes contavam ainda com outro trunfo: a adesão do 8º Batalhão de Caçadores do Exército, sediado em São Leopoldo.

Apesar de reprimida pelo Governo com extrema violência, a revolta no Sul ainda não estava definitivamente perdida, como afirmava a nota oficial que o Palácio do Catete distribuíra aos jornais.[627]

Quarta-feira, 1º de dezembro

A Coluna vaga pelo garimpo do rio Garças na esperança de se juntar ao destacamento de Siqueira Campos, depois de sua coreográfica investida sobre a cidade de Campo Grande. Os rebeldes estão, outra vez, com os jagunços nos seus calcanhares. A força revolucionária está sendo caçada por vários batalhões patrióticos, entre eles o comandado pelo *capitão* Rotílio Manduca, homem violento e sem escrúpulos, acusado pelos próprios aliados de ser "um salteador".[628]

Prestes e Miguel Costa ainda desconhecem as desventuras do piquete que partiu sob as ordens do capitão Emigdio Miranda com a missão de escoltar Moreira Lima e Djalma Dutra até às imediações da fronteira com o Paraguai. Os dois continuaram a viagem em companhia de um vaqueano, e a 4 de novembro conseguiram alcançar território paraguaio.

Ao regressar, porém, o piquete foi surpreendido por um pelotão do Batalhão de Lavras Diamantina. Depois de rápida troca de tiros, os rebeldes foram obrigados a abandonar quatro cavalos, armas e munição. Por pouco não foram todos presos, inclusive Dutra e Moreira Lima, cujo rastro vinha sendo seguido pela jagunçada desde o final de outubro.

O grosso das forças revolucionárias também enfrentara dificuldades, nos últimos dias, na região do Garças. Tocaiados em Jauru, os rebeldes acabaram incendiando cerca de 30 casas, depois de lutar durante cinco horas com o inimigo. Ao passar, depois, por atalho apertado, sofreram nova emboscada. Foi preciso recorrer às velhas metralhadoras pesadas, que engasgavam com freqüência, para abrir caminho através do pequeno desfiladeiro, nas imediações do rio São Lourenço. A tocaia fora armada por 14 membros da família Taquari, baianos há muito afazendados na região, que decidiram enfrentar os rebeldes por uma questão de honra: vingar a surra aplicada, dias antes, em um parente que morava em Jauru.[629]

As divergências entre Prestes e Miguel Costa sobre o desmembramento da tropa estão aparentemente superadas. Prestes, ao se ver isolado na defesa de sua proposição, abriu mão da atitude inicial, marcada por surpreendente posição de intransigência. Ele percebera que naquele momento o mais importante de tudo era preservar a unidade da Coluna. A difícil situação em que se encontravam, em Mato Grosso, não comportava cisões de qualquer natureza.

O Alto-Comando revolucionário, formado a partir de maio de 1925 por dez tenentes e capitães do Exército, dois oficiais da Força Pública de São Paulo e dois ex-alunos da Escola Militar do Realengo, está agora reduzido a 9 oficiais com formação militar. O restante da oficialidade é constituído de civis que, durante a marcha, foram promovidos a tenente e capitão por merecimento. Os demais combatentes são soldados, cabos e sargentos, em sua maioria também civis; gente muito humilde e com baixo nível de escolaridade, boa parte analfabeta ou semi-alfabetizada, todos muito jovens, embora lutem com invejável desprendimento e bravura. Uma tropa extremamente heterogênea, com raízes urbanas e rurais, em que há até crianças pequenas e algumas mulheres, as chamadas vivandeiras, que acompanham os rebeldes gaúchos desde o Rio Grande. Apesar dos inúmeros compromissos de natureza doméstica, elas participavam da Coluna também como combatentes.

Em sua maioria prostitutas, a presença dessas mulheres nunca foi bem aceita pelo comando revolucionário. Prestes, por exemplo, tentou livrar-se delas ainda no Sul, impedindo que cruzassem o rio Uruguai. Foi desobedecido. No dia seguinte, para sua surpresa, encontrou-as pintadas e montadas, com todos os seus apetrechos, prontas para continuar a marcha em direção ao Paraná. A determinação de permanecerem ao lado da soldadesca fez Prestes tolerar sua presença com uma condição: não poderiam ser incorporadas novas voluntárias. O grupo ficaria com o mesmo número de integrantes: cerca de 50 mulheres, algumas ainda muito jovens, mas quase todas analfabetas.

Siqueira Campos as detestava, não permitia que fizessem parte do seu destacamento. Considerava a presença dessas mulheres uma permanente ameaça à disciplina, por serem o pivô de sangrentos conflitos passionais que, às vezes, explodiam entre a soldadesca. Fazia tudo para afastá-las da Coluna. Tomava-lhes as montarias e as abandonava, sem compaixão, no meio das estradas, apenas com a roupa do corpo. Mas elas nunca desistiam. Por isso Siqueira era odiado. Elas o chamavam, por vingança, de *Olho de Gato* e *Barba de Arame*, sempre que estava ausente. Djalma Dutra, João Alberto e Cordeiro de Farias, por sua vez, eram indulgentes com essas mulheres pobres e miseráveis que também trabalhavam como enfermeiras.

Muitas vivandeiras tinham engravidado durante a marcha. A primeira a ter um filho foi Santa Rosa, do destacamento de Cordeiro de Farias. A criança nasceu no meio do mato, em Mato Grosso, no momento em que os rebeldes estavam sendo perseguidos por tropas do Exército, em

1925. Agarrada às costas de uma cadeira, Santa Rosa, pálida, contorcia-se em dores. O parto foi assistido pelo marido e por uma mulher da região, enquanto um grupo de soldados se empenhava em alimentar uma fogueira e preparar uma panela de água quente. Algumas horas depois de ter dado à luz, Santa Rosa já estava montada, vestida de homem, levando a criança nos braços. Recusou a padiola por não querer atrasar a marcha dos soldados que haviam permanecido a seu lado, à espera de que ela se desembaraçasse e desse à luz uma menina.

A maioria das mulheres mantinha-se fiel ao seu companheiro, mas existiam também as que levavam vida boêmia e inconseqüente, dormindo cada noite em um *fogão*, para deleite e encantamento da soldadesca. A mais exuberante de todas era Alzira, uma gaúcha alegre e rechonchuda, de 18 anos, que freqüentava os braços da tropa com a agilidade de uma borboleta. Temperamental e desbocada, dona de gênio difícil, Alzira sofria nas mãos dos soldados. Eles sentiam um prazer mórbido em provocá-la com brincadeiras de mau gosto, só para vê-la enraivecida. Enlouquecida com as provocações, Alzira esbravejava, dizendo palavrões. Com língua afiada, lancetava os amantes com inconfidências, revelando pecadilhos de alcova que faziam a delícia da tropa. Uma vez, fez um escândalo tão grande que Prestes mandou prendê-la. Alguns minutos depois, um dos integrantes da patrulha procurou o Alto-Comando, em busca de reforço, porque ela não queria se entregar. O episódio foi tão comovente que Prestes resolveu perdoá-la. Um dia Alzira foi aprisionada, em Goiás, durante um confronto com tropas legalistas, e nunca mais se teve notícias dela.

Essas mulheres nunca ficavam sozinhas. Assim que o companheiro morria em combate, arranjavam outro para substituí-lo. Apesar dessa avidez, imposta pelas circunstâncias, não eram volúveis. A maioria era fiel aos seus homens. *Cara de Macaca* era um exemplo de dedicação, embora surrada diariamente pelo amante, um fuzileiro beberrão, que a maltratava sempre que bebia escondido. Certa ocasião ele tomou um porre tão grande que jogou fora o seu fuzil-metralhadora. Ao ser preso, a mulher ficou horas procurando a arma no mato; assim que a encontrou, foi ao Alto-Comando pedir que o companheiro não fosse castigado por indisciplina.[630]

As vivandeiras mantinham-se sempre ao lado de seus amantes, mesmo quando gravemente feridos. Eram todas de uma dedicação extremada. A austríaca Hermínia, enfermeira, não se intimidava durante os combates. Valente como um homem, esgueirava-se pelo tiroteio para socorrer os feridos na linha de frente. Até aos inimigos prestava ajuda. Durante o cerco a Teresina, ela se comoveu com o sofrimento dos legalistas e se arrastou até suas trincheiras para atender soldados do Exército gravemente feridos.[631]

A presença das vivandeiras havia contribuído também para a criação de outra lenda sobre a Coluna: a de que existia um grande número de *amazonas*, mulheres guerreiras, armadas de rifles e pistolas, que lutavam ao lado dos homens, montadas a cavalo. Eram freqüentemente confundidas com os jovens gaúchos, imberbes e com os cabelos longos, em desalinho sobre os ombros, com idades entre 12 e 20 anos. Os ingênuos habitantes dos lugares por onde a Coluna passava viam aqueles cavaleiros de cabelos compridos e pensavam que eram mulheres.[632]

João Alberto, sempre condescendente com elas, um dia descobriu 20 vivandeiras paraguaias, todas vestidas de homem, marchando junto com a tropa. Elas tinham se infiltrado no destacamento, com a conivência dos soldados, quando a Coluna passou por Ponta-Porã. Revoltado por ter sido enganado por seus comandados, João Alberto expulsou-as, em nome da disciplina.

Numa extraordinária demonstração de resistência, depois de dois anos de marchas e combates, as vivandeiras gaúchas estão agora reduzidas a pouco mais de dez mulheres, magras e de rosto chupado, a quem a bebida e a vida de guerrilheira já haviam roubado todo e qualquer atrativo. Apesar de precocemente envelhecidas e de terem sofrido, ao lado dos amantes, toda sorte de privações, Hermínia, *Chininha*, Joana e *Pisca-Pisca* conservavam o ar adolescente da época em que, ainda mocinhas, se incorporaram às tropas rebeldes com a cabeça enfeitada por uma grinalda de fantasias.[633]

Quinta-feira, 23 de dezembro

Lourenço Moreira Lima e Djalma Dutra acompanham, ao lado de Isidoro, os desdobramentos da revolução, no Rio Grande, desde o dia 14, quando os dois conseguiram finalmente chegar a Paso de los Libres, na Argentina. O automóvel em que haviam embarcado, em Pero Juan Caballero, no Paraguai, logo quebrou. Os dois foram então obrigados a fazer o resto da maratona em carro de boi.

Com a saúde arruinada por uma hérnia sob permanente ameaça de estrangulamento, a viagem fora um martírio para Moreira Lima. Ele mantinha a barriga sempre comprimida com um tampão de algodão, amarrado por um cordão e preso com arame, para impedir que a hérnia estrangulasse. Com isso, a cintura ficava permanentemente ferida. Suportando dores terríveis, sem jamais se queixar, Moreira Lima viu-se também, muitas vezes, obrigado a marchar segurando o ventre com as mãos.[634]

Isidoro considerava perdido o levante no Rio Grande. A carta que recebera de São Gabriel comunicando-lhe a decisão dos conspiradores de Santa Maria de precipitar logo a revolta, diante da impossibilidade de esperarem mais tempo, deixou-o perplexo. Além de não autorizar a imediata invasão dos quartéis, como solicitavam os rebeldes, Isidoro declarou ainda que precisava ser avisado da data da rebelião no mínimo com seis dias de antecedência, tempo de que necessitava para tomar algumas providências e garantir a vitória do movimento.

Mesmo chegando à conclusão de que a revolução estava militarmente derrotada, Isidoro alimentava esperanças de que ela pudesse ter, pelo menos, uma sobrevida significativa do ponto de vista político. Caso fosse realmente impossível evitar a sua deflagração, os rebeldes deveriam então agir de acordo com as circunstâncias.[635]

Os amotinados foram devorados pela sua sofreguidão. Os levantes do Exército em São Gabriel, Santa Maria e São Leopoldo chegaram a mobilizar cerca de mil homens, mas acabaram se circunscrevendo aos próprios quartéis e foram sufocados no berço. A grande invasão sob o comando de Júlio de Barros e seus *baianos*, como eram conhecidos os marinheiros do *São Paulo*, transformou-se também num episódio degradante. *Baiano*, na terminologia do Sul, era quem não sabia montar a cavalo. Péssimos cavaleiros, os marinheiros tinham se envolvido, mais uma vez, em uma aventura eqüestre de trágicas conseqüências.

Um dos primeiros bandos a cruzar, às pressas, a fronteira do Uruguai, em busca de asilo, estava sob o comando de um cavaleiro negro. Palmiro Pinto guardava luto fechado pela morte da mulher e andava todo de preto. Chapéu preto, camisa preta de manga comprida, lenço preto em volta do pescoço, botas e bombacha pretas, até o cavalo era negro. A única coisa que não estava tingida de preto era a sua espada. A sensação do perigo dava-lhe certa dignidade. Tinha-se a impressão de que a perda da mulher o empurrava inconscientemente para a morte, diante da forma cega e obstinada com que se expunha ao perigo, à frente dos seus homens. Ninguém melhor do que ele para encarnar a legendária figura do cavaleiro gaúcho.

Palmiro Pinto não só cruzou a fronteira a galope como ainda cavalgou cerca de três quilômetros através do território uruguaio, para se afastar o máximo possível da divisa com o Brasil. Ainda estava bem vivo na lembrança de todos o *massacre de Los Galpones*, quando tropas brasileiras invadiram o Uruguai para degolar os marinheiros do *São Paulo*, em dezembro de 1924.

Foi tão surpreendente a velocidade com que todos esses episódios se desenrolaram que os próprios personagens, já no exílio, decidiram batizar esse movimento revolucionário com o nome de *Coluna Relâmpago*, numa alusão ao estilo de propaganda política adotado pelo chefe do Partido Blanco do Uruguai. Sua campanha fora realizada num *trem-relâmpago* que se demorava nas estações apenas o tempo suficiente para que ele pudesse atirar um punhado de palavras candentes sobre os eleitores. Assim que concluía o número ensaiado, o trem partia, em busca de novas platéias, que a ele logo se entregavam com a mesma paixão.[636]

Na antevéspera do Natal, Moreira Lima deixa a Argentina com destino ao Brasil, levando uma carta de Isidoro para Prestes. Mesmo abatido pelo fracasso da rebelião no Rio Grande, que tanto acariciara os seus sonhos nos últimos meses, Isidoro não esconde a emoção sempre que se refere à saga da Coluna. Ao se despedir de Moreira Lima, o chefe supremo da revolução não se contém:

— Ela excedeu a minha expectativa. Seu esforço ultrapassou todas as possibilidades humanas. Não tenho o direito de pedir que se sacrifique.[637]

1927

45

OS MORTOS-VIVOS DE CLEVELÂNDIA

Sábado, 8 de janeiro de 1927

A opinião pública está em estado de choque com a revelação de que Artur Bernardes mantinha um campo de concentração de prisioneiros políticos na Colônia Agrícola de Clevelândia, no Oiapoque, divisa com a Guiana Francesa. O navio *Baependi* acabara de chegar ao porto do Rio trazendo a primeira leva de desterrados políticos. Com o fim do estado de sítio, que se prolongara até 31 de dezembro, a censura fora finalmente suspensa e os jornais podem, agora, expor com clareza, diante de uma nação estarrecida, os horrores praticados pela repressão política durante o Governo Bernardes.

O depoimento dos retornados, ao desembarcar, é dramático. As pessoas comovem-se não só com o estado de miséria física em que se encontra a maioria dos libertados, magros e amarelados, mas também com a crueza dos relatos, ainda impregnados de angústia e sofrimento. Muitos dos 79 ex-prisioneiros foram enviados para o Oiapoque sem que estivessem respondendo a qualquer tipo de inquérito policial, como o cozinheiro Alberto Saldanha, um negro de 42 anos, nascido em Sergipe. Detido no largo da Carioca, em outubro de 1924, pelo agente 299 da 4ª Delegacia Auxiliar, Saldanha foi inicialmente arrastado para os porões do navio-prisão *Campos* e, depois, enviado para Clevelândia, sob suspeita de conspirar contra as instituições. Os testemunhos, em sua dolorosa rudeza, revelam o que foi aquele inferno a seis dias de Belém por via fluvial.

"A cidade se tornou, em todo o dia de ontem, um coro de lástimas e de exaltações de piedade", observa *A Noite*, ao descrever o impacto causado pelo drama de todos aqueles que haviam sido vítimas dos ódios, das antipatias ou de uma simples aversão policial.

"O núcleo amazônico devorou toda uma multidão de bons brasileiros segregados da vida normal pelo arbítrio político", acentua o jornal, ao denunciar que, mesmo impedido, pela Constituição, de aplicar a pena de morte, Bernardes encontrara uma forma legal de extermínio, sem necessidade de recorrer à guilhotina ou ao fuzil. "O Oiapoque deve ser, hoje, um cemitério enorme, trágico, terrível, na triste eloqüência de seus marcos e suas cruzes."[638]

— Nós éramos 1.200, mas no final da prisão estávamos reduzidos a 179. Os outros morreram; poucos conseguiram evadir-se. Os presos morriam às dúzias, diariamente, devorados pela maleita.

O depoimento de Severino José de Souza, fiel de artilharia da Escola de Aviação Militar, preso no Rio, a bordo da torpedeira *Goiás*, durante o levante do encouraçado *São Paulo*, arranca expressões de revolta e indignação entre os leitores de *O Jornal*. As histórias que os repórteres recolhem, ao vivo, no cais do Armazém 17, no porto do Rio, mostram também o ilimitado poder da Polícia Política durante o Governo Bernardes.

Joaquim Maria, operário espanhol que trabalhava no aterro da lagoa Rodrigo de Freitas, não sabe por que foi enviado para Clevelândia. Preso no final de 1924 por um agente da 4ª Delegacia, na Galeria Cruzeiro, no momento em que tomava um bonde, levaram-no para a Polícia Central, tiraram-lhe as impressões digitais e o enfiaram no xadrez. Uma semana depois era embarcado no porão de um cargueiro com destino à Amazônia. Em Clevelândia, onde ficou internado durante dois anos, Joaquim Maria foi o chefe dos coveiros:

— Enterramos mais de 500 companheiros.

Os presos morriam não só de maleita. Entre as piores epidemias estava um tipo de sarna, de características desconhecidas, que os caboclos da região chamavam de *praga dos jacarés*. A doença atacava os animais aquáticos e as pessoas, que morriam sempre, horas depois, com febre alta, o corpo tomado por chagas terríveis que logo se cobriam de vermes. Os corpos tinham que ser imediatamente enterrados por causa do mau cheiro que as feridas exalavam.

A deportação cruel de homens livres para as regiões pestilentas do Oiapoque, sem culpa formada, choca a consciência nacional e desperta um sentimento de solidariedade para com aqueles homens que desceram do *Baependi* acenando como múmias para a multidão que os esperava no cais. Nunca se vira nada igual. Nunca se cometera tamanha indignidade contra tantos inocentes. Estarrecido e humilhado, o país cobre-se com um manto de vergonha e luto.

"É um desses episódios que chumbam eternamente o Governo que os promoveu e executou", sentencia o jornal de Assis Chateaubriand, para quem o desterro fora um crime ignominioso que merece a "execração universal".[639]

Clevelândia estava tão isolada no interior da selva que para se comunicar com Belém era preciso recorrer aos serviços telegráficos do presídio congênere francês, do outro lado da fronteira. Os telegramas transmitidos através da estação radiotelegráfica da penitenciária de Saint-George seguiam então o seguinte percurso: Saint-George—Caiena—Fort de France—Paris, via rádio, e, depois, Paris—Recife—Belém, via Western.

As mensagens que o Ministério da Justiça, por sua vez, enviava para esse campo de concentração faziam o mesmo itinerário, mas de forma inversa. Só em setembro de 1926 Bernardes se libertou da humilhação de expor as chagas de seu Governo aos olhos sempre curiosos das autoridades de outro país. Com a construção de uma poderosa estação radiotelegráfica, em ondas curtas, equipada com gerador, Clevelândia deixou de prescindir dos serviços de Saint-George, e passou a se comunicar diretamente com Belém.[640]

A opinião pública já ouvira falar em Clevelândia, mas de forma muito superficial. A maioria das pessoas pensava que se tratava de mais uma ilha-prisão, a exemplo da Trindade, da ilha Rasa e da ilha Grande, onde funcionavam presídios militares, diante da impossibilidade de manter toda essa numerosa população carcerária nos presídios do continente.

Um dos primeiros jornais a denunciar o inferno de Clevelândia foi o *Syndicalista*, órgão da Federação Operária do Rio Grande do Sul. A publicação, de orientação anarco-sindicalista, denunciou a existência dessa prisão em dezembro de 1925, ao transcrever a carta de um prisioneiro divulgada por outro jornal operário, *La Antorcha*, que circulava nos meios anarquistas de Buenos Aires. Como de hábito, o Catete negou a existência do campo de concentração, atribuindo mais essa denúncia à campanha internacional que os rebeldes promoviam sistematicamente contra o presidente Bernardes, com o objetivo de denegrir o seu Governo no exterior.[641]

Quinta-feira, 13 de janeiro

A Coluna arrasta-se, lentamente, através do pantanal mato-grossense, em direção à fronteira com a Bolívia. O aspecto da tropa é desolador; os homens, esfarrapados e seminus, embrulhados em cobertores, exibem uma imagem de miséria e sofrimento. A maioria dos rebeldes, descalça e com o dorso nu, desloca-se, em fila indiana, com água pelo peito. Sem armas e sem alimentos, esquálidos, há dias eles só comem palmitos. As reservas de víveres estão praticamente no fim.

Os gaúchos parecem indiferentes à realidade que os cerca. Ainda cheios de fitas coloridas e penduricalhos, como no início da revolução, viajam agora montados em bois. Pesados e vagarosos, os animais, conhecidos como bois de sela, foram logo adotados pelos gaúchos, que nunca tinham ouvido falar na sua existência. Além de transportar a carga e as padiolas com os feridos, os bois ainda desempenham uma outra função: puxam canoas imensas, esculpidas em troncos enormes, conhecidas como *ubás*.

Faz quase um mês que a Coluna se desloca, através do pantanal, sob chuva intensa, suportando toda sorte de martírios. Os rebeldes descansam trepados nas árvores, muitos se amarram nos galhos, com medo de caírem na água, durante o sono, e morrerem afogados. As noites são ainda mais insuportáveis. A temperatura cai assustadoramente durante a madrugada, e a bruma úmida, que se estende sobre as águas, deixa a roupa gelada no corpo. Os homens mal conseguem dormir por causa de outro pesadelo: os pernilongos, que não poupam sequer os animais.

Prestes, Miguel Costa, João Alberto e Cordeiro de Farias marcham a pé, ao lado de seus comandados, amparando doentes e feridos, numa demonstração de solidariedade e camaradagem. A travessia do pantanal é muito mais dramática do que o longo trecho que se viram obrigados a percorrer, na Bahia, entalados entre a cheia do São Francisco e a caatinga.

Os rebeldes são agora uma tosca caricatura dos combatentes criativos e ardilosos que se arrastavam pelo mato, como animais, imitando o ruído dos guizos da cascavel, para manter o inimigo em permanente sobressalto. Também não lembram em nada os homens que se divertiam, enganando seus perseguidores, ao reproduzir o balido das ovelhas e dos bezerros, atribuindo a esses animais o barulho que faziam pela mata. Alguns ainda trazem ao pescoço os chocalhos de lata que usavam à noite, para se comunicar entre si, fingindo que o badalar era de gado perdido.

A Coluna já ultrapassou a floresta do rio Paraguai, o último grande obstáculo que a separa da fronteira com a Bolívia. Antigos e cheios de imperfeições, os mapas obrigam os rebeldes a consultar constantemente a bússola para corrigirem o rumo. Deixam, muitas vezes, de assinalar a presença de rios importantes ou registram acidentes geográficos que não existem. Diante de tantas informações incorretas, o Alto-Comando não tem noção exata do tempo que a Coluna ainda levará para cruzar o pantanal e pedir asilo político na Bolívia.[642]

Os rebeldes ignoram também o paradeiro de Lourenço Moreira Lima. Não sabem se conseguiu chegar à Argentina, para conferenciar com o marechal Isidoro, como desconhecem o destino de Siqueira Campos, de quem não têm notícias há quase dois meses. Siqueira conhece bem o roteiro da Coluna e onde devia encontrá-la, logo que tivesse cumprido sua missão. Alguma coisa deve ter acontecido com ele.

Há também grande ansiedade do Alto-Comando em rever o advogado Moreira Lima. Os rebeldes sabem que a revolução no Rio Grande fracassou e aguardam o regresso de seu emissário a Paso de los Libres para receber novas instruções de Isidoro.

Até a chegada de ordens superiores, da Argentina, será mantido o plano original — marchar até a fronteira e pedir asilo à Bolívia.[643]

A maioria dos revolucionários gaúchos está novamente refugiada no Uruguai. Um telegrama do jornal *La Nación*, de Montevidéu, revela que só no campo militar da cidade de Taquerembó estavam internados 297 rebeldes, entre os quais se encontram muitos combatentes de nacionalidades uruguaia e alemã. Taquerembó é o resultado do mais recente acordo diplomático firmado entre as autoridades dos dois países, pelo qual o Uruguai se compromete a manter os rebeldes asilados o mais longe possível da fronteira brasileira.

Apesar de proibidos de exercer qualquer tipo de atividade política, os líderes gaúchos não param de dar entrevistas aos jornalistas estrangeiros. Garantem que a revolução no Rio Grande continuará enquanto Borges de Medeiros não abandonar o poder que usurpou há 30 anos. O caudilho Adalberto Correia, de todos o mais falastrão, exibe aos jornalistas um mapa do Uruguai:

— Enquanto o Governo de vocês constrói escolas, ao longo da fronteira, no Rio Grande se instalam cabarés.

Diante da expressão de espanto dos repórteres, arremata, elevando a voz, com ar triunfal:

— A revolução rio-grandense não terminou; na verdade, sequer começou. O Brasil e o povo brasileiro estão contra Borges de Medeiros e o Governo federal que o apóia.[644]

Sábado, 15 de janeiro

Apesar de negar sistematicamente aos rebeldes o pedido de clemência, recusando-lhes a anistia, Washington Luís vem demonstrando, ultimamente, extraordinária habilidade em desarmar os espíritos. Ele já editou um conjunto de medidas para desanuviar o horizonte político que encilhava a sua administração. A escolha do general Nestor Sezefredo dos Passos para a pasta da Guerra, por exemplo, fora uma jogada de mestre. Ao deslocar a pedra certa no intrincado jogo de xadrez em que se transformara o seu governo, Washington Luís deu um xeque-mate nos conspiradores que ainda sonhavam em levantar os quartéis.

Militar íntegro e de reconhecido valor intelectual, sempre atento aos seus compromissos para com o Exército e a nação, o general Sezefredo é muito respeitado e estimado por seus pares. Assim que tomou posse, numa surpreendente demonstração de confiança, vários oficiais rebeldes, que se encontravam na clandestinidade, apresentaram-se a ele, em seu gabinete, para serem submetidos a julgamento.

Ao tomar conhecimento de que Sezefredo assumira o Ministério da Guerra, a reação dos militares que ainda conspiravam foi de desalento:

— A revolução morreu. Ninguém ousará empunhar a espada contra um homem como esse, porque só um louco poderia acompanhar o outro louco que o fizesse![645]

Com seu permanente ar *blasé*, Washington Luís esconde por trás da imagem de homem fidalgo, distante e carrancudo, fino gosto pelo exercício da atividade política. Sem romper os compromissos assumidos com Bernardes, ele começa a varrer o entulho de tudo o que há de ruim na administração moldada por seu antecessor. Uma de suas primeiras preocupações foi cortar os vínculos que haviam contaminado as relações do poder público com o arbítrio e a corrupção. Com uma só penada, extinguiu as subvenções oficiais que sustentavam dezenas de publicações no Rio de Janeiro, em troca de apoio político, de cumplicidade e do silêncio diante das atrocidades e dos desmandos praticados pelo Governo.

A decisão de suspender os negócios espúrios que o Catete mantém com vários jornais é festejada com estardalhaço pela imprensa independente que fazia oposição a Bernardes. Assis Chateaubriand aplaude a iniciativa e lembra que o Tesouro estava sendo utilizado para cevar jornais, sem honra e sem pátria, que sobreviviam graças ao mais "puro mercenarismo":

> *"Uma das coisas que mais assombram os estrangeiros que visitam o Rio é a quantidade excessiva de jornais diários que possui a nossa metrópole. O Rio, com uma população de 1.400.000 habitantes e um vasto coeficiente de analfabetos, possui mais jornais diários que Nova York, com perto de 8 milhões de habitantes e uma população altamente alfabetizada. Pode-se dizer que 80% dos jornais que entre nós vegetam vivem ou dos cofres públicos ou da chantagem organizada."*[646]

Num gesto de grandeza, Washington Luís também mandou abrir as portas das prisões. Dezenas de oficiais do Exército e da Marinha, detidos sem processo, são libertados por determinação expressa do presidente. Entre os políticos colocados em liberdade está o ex-deputado federal Maurício de Lacerda, que se encontrava preso, por ordem de Bernardes, desde julho de 1923, apesar de não ter participado de qualquer levante. As prisões políticas esvaziam-se, transformam-se logo no símbolo carcomido de um passado que o próprio Governo se empenha em sepultar. Só permanecem na cadeia os oficiais que se encontram à disposição da Justiça, aguardando julgamento.

Navios chegam da Europa carregados de asilados políticos. Em uma dessas viagens, a bordo do vapor *Oceania*, regressara o jornalista Edmundo Bittencourt, diretor do *Correio da Manhã*, que fornecera a motivação mais imediata para as revoluções de 5 de julho de 1922 e de 1924, ao publicar as cartas falsas atribuídas ao ex-presidente, nas quais insultava o Exército.

Sem ódios e ressentimentos de qualquer natureza, Washington Luís estimula, discretamente, o retorno dos adversários de Bernardes, com o objetivo de promover a pacificação do país. O grande desfile militar da Semana da Marinha, um mês antes, fora demonstração cabal de que as Forças Armadas apoiavam o novo presidente da República e endossavam os seus atos de Governo. A *marche aux flambeau* realizada pelos marinheiros, em meio a uma chuva de fogos-de-bengala, durante a noite de 15 de dezembro, fora deslumbrante. A festa encantou o repórter de *O Jornal* que cobriu o acontecimento: "Dir-se-ia alguma coisa fantástica, maravilhosamente oriental."

O garbo, o entusiasmo e a disciplina da tropa receberam derramados elogios da população. O comportamento da Polícia e do público foi também irrepreensível. Mas o clímax da comemoração foi o momento em que se retirou o cordão de isolamento, em frente ao Palácio do Catete, ocasião em que o povo confraternizou com a marujada. A corda, suspensa no ar, empunhada por milhares de mãos, representou, naquele instante, um gesto de liberdade. Uma cena forte e emocionante, que contagiou todos os presentes, particularmente a Washington Luís, que assistia ao desfile, da sacada principal do Palácio, em companhia da família.[647]

Quinta-feira, 27 de janeiro

Apanhada de surpresa, no meio do pantanal, por um grupo de jagunços do Batalhão Lavras Diamantina, a Coluna ainda contabiliza as graves perdas sofridas com a emboscada montada pelo capitão Ludovico. Ao atravessar o rio Jauru em balsas improvisadas, os rebeldes foram atacados sem piedade pelos homens de Horácio de Matos, que não abandonaram o seu rastro.

O aspecto do inimigo era igualmente deplorável. Famintos, descalços e esfarrapados, mas fortemente armados, os jagunços lançaram-se sobre as forças revolucionárias como animais enlouquecidos. O ataque ocorreu no momento em que a tropa estava mobilizada no embarque de doentes e feridos. O grosso da Coluna já se encontrava do outro lado do rio, com cerca de 400 metros de largura, quando a jagunçada atirou sobre as balsas que conduziam as padiolas. Cordeiro de Farias, que comandava a retaguarda, resistiu sozinho, durante quase duas horas, até receber a ajuda do destacamento de João Alberto, que já havia cruzado o rio. A contraofensiva foi fulminante. Movidos por sentimentos de honra, os rebeldes reagiram de forma desesperada, repelindo o inimigo com um vigor surpreendente. Ao enfrentar um adversário que acreditavam sem forças para esboçar qualquer tipo de defesa, os jagunços viram-se diante de uma derrota humilhante e fugiram desordenadamente, abandonando armas, mortos e feridos. Apesar de ter repelido o inimigo com vigor, a Coluna sofreu enorme estrago: nesse combate, o mais violento dos últimos meses, foram perdidos 18 homens.[648]

Dias antes, os rebeldes tinham conquistado outra vitória igualmente expressiva, mas com reduzido número de perdas. Nas imediações de Capim Branco, em Mato Grosso, eles trocaram tiros, durante duas horas, com uma tropa da polícia mato-grossense. As baixas sofridas pelo contingente legalista foram pesadas: 8 feridos, 46 prisioneiros e 32 mortos. Nos últimos meses, os rebeldes não haviam apreendido quantidade tão grande de armas e munição: 75 fuzis Mauser, 15 mil tiros de guerra, 14 cofres de munição para metralhadoras, 60 carregadores, com cerca de 20 mil tiros. Além disso, apresaram dois caminhões, um automóvel, 12 cavalos encilhados, uniformes e outros equipamentos militares.[649]

As últimas semanas tinham sido marcadas por combates de extremada violência. As tocaias, que tantas baixas provocaram na Bahia, foram reintroduzidas em Mato Grosso pelas forças regulares, sob a inspiração da jagunçada de Horácio de Matos. Em uma emboscada realizada a 19 de dezembro, nas margens do rio das Garças, morreu o major Manuel Alves Lira, um dos oficiais mais estimados pela tropa. Lira, civil que aderira à revolução em São Paulo, era o subcomandante do 2º Destacamento. Alto, de compleição robusta, esse pernambucano alegre e brincalhão vivia com uma vivandeira alemã, Elza, loura bonita, mãe de um menino de três meses. Os dois viviam maritalmente. Lira cobria a mulher com o máximo de conforto possível. O casal tinha barraca, cama, panelas e quase todos os apetrechos indispensáveis ao que se podia chamar de um lar. Sua bagagem era a maior de todas, o que provocava constantes reclamações do Alto-Comando, pelo peso e a lentidão com que era conduzida pelos animais.

Lira foi baleado pelos jagunços quando tentava atravessar o rio das Garças com uma montanha de utensílios domésticos. O bravo e amoroso Manuel Lira morreu nos braços de João Alberto, seu comandante.[650]

Apesar de estar, outra vez, razoavelmente armada, a Coluna sonha agora com o exílio. Os doentes e feridos, que sofrem ainda mais com as padiolas em que são transportados, só pensam em cruzar a fronteira. Não é mais segredo que as forças revolucionárias marcham em direção à Bolívia com o objetivo de se asilar. Todos estão conscientes de que a revolução vive seus últimos momentos. Por trás daqueles rostos jovens, com ar de desleixo, cobertos por barbas longas e maltratadas, há um forte traço de orgulho. O brilho intenso dos olhos e o sorriso moleque que domina a expressão dos mais jovens revelam que não se consideram derrotados. Para eles, a Coluna é a maior e a mais apaixonante aventura de suas vidas. A partir de agora, porém, com o fim da revolução, terão que seguir seus próprios caminhos. Isso explica, de certa forma, a angústia que aperta o peito dos mais velhos: o medo de enfrentarem, sozinhos, o desconhecido, longe dos seus.

Caso não ocorram imprevistos, dentro de quatro ou cinco dias estarão todos sob a proteção das autoridades de La Paz.

Sábado, 29 de janeiro

Há um mês a população do Rio de Janeiro acompanha, atônita, pelos jornais, a grande celeuma travada em torno do decantado projeto de estabilização econômica do Governo. O projeto fora a viga-mestra da plataforma política de Washington Luís durante a campanha eleitoral. Como num passe de mágica, os problemas políticos, econômicos e sociais do país seriam resolvidos com a criação de uma nova moeda que tivesse como padrão monetário o ouro. O longevo e desidratado mil-réis, que vinha desde o Império, era uma moeda podre, completamente corroída pela inflação, sem expressão no mundo financeiro. O Brasil, dizia-se, não podia continuar indiferente aos ventos da modernidade que exigiam reformas profundas na economia, sob o risco de perder o bonde da História.

Washington Luís pretendia substituir o desvalorizado mil-réis pelo cruzeiro, lastreado em ouro, que deveria assegurar a estabilidade cambial. A nova moeda entraria em circulação valendo 4$000 (quatro mil-réis). O fortalecimento da economia proposto pelo Governo estava sendo acusado pela oposição de ser uma espécie de conto da carochinha. Ao fingir que resolveria os graves problemas nacionais com o lançamento de uma moeda forte, ele estaria, na verdade, agravando ainda mais o quadro de dificuldades que sufocava a nação.

Uma das primeiras autoridades financeiras a condenar o plano de estabilização cambial foi o ex-ministro da Economia Leopoldo Bulhões. Ele denunciou que, ao facilitar a importação de capital estrangeiro para garantir a viabilidade do novo programa econômico, o Governo estava reduzindo o país "à triste situação de colônia inglesa ou americana".[651]

Apresentado à Câmara, em 1925, pelo deputado Camilo Prates, o projeto vinha sendo também duramente atacado pelo jornalista Assis Chateaubriand. O diretor de *O Jornal* defendia a realização de amplo debate nacional sobre a reforma financeira proposta pelo Governo, sob a alegação de que uma medida de tamanha importância não podia ser discutida e aprovada durante "conversações, a portas fechadas, dentro do Palácio do Catete". Era preciso que a sociedade participasse dessa discussão.[652]

A reforma estabelecia a conversão em ouro de todo papel-moeda em circulação, na base de 0,200 miligramas para cada mil-réis. A data da conversão seria anunciada com seis meses de antecedência para que pudesse ser realizada de forma lenta e gradual. O país adotaria "o ouro como padrão monetário, pesado em gramas e cunhado em moedas, ao título de 900 milésimos de metal fino (ouro) e 100 milésimos de liga adequada". O projeto previa ainda a criação da Caixa de Estabilização, anexa ao Banco do Brasil, com filiais em Londres e Nova York.

Todo o ouro recebido deveria ser convertido em depósitos nessas duas capitais, como lastro de garantia do valor da nova moeda. Ela seria dividida em centésimos, cunhados em prata, níquel e cobre.

Para a oposição, o plano de estabilização é uma mistificação imposta pelo capital estrangeiro, com o apoio dos bancos ingleses, os maiores credores da nossa dívida externa. Os objetivos a que se propõe são tão fantasiosos que Chateaubriand comunica a seus leitores a disposição de freqüentar um cursinho particular de economia para entender como é possível uma moeda fraca, sem nenhum valor, transformar-se, através de um projeto de lei, em uma das moedas mais fortes do mundo.[653]

46

A COLUNA NA BOLÍVIA

Sexta-feira, 4 de fevereiro

A Coluna amanhece acampada em território boliviano. No dia anterior, o major Ari Salgado Freire, em nome do Alto-Comando revolucionário, cruzara a fronteira para negociar o pedido de asilo com o comandante da guarnição militar de San Mathias. Depois de quase dois anos e meio de marchas e combates, os rebeldes conseguiam dormir, pela primeira vez, sem sonhar com o inimigo.

As autoridades militares bolivianas impuseram apenas uma condição para conceder o asilo: a entrega do armamento pesado e da respectiva munição. A pedido do Alto-Comando, o major Heliodoro Carmona Rodó autorizou, por medida de segurança, que os rebeldes mantivessem em seu poder as armas de cano curto. Prestes e Miguel Costa temiam que se repetisse na Bolívia o que acontecera no Uruguai, quando tropas brasileiras invadiram o país para degolar um grupo de revolucionários refugiado no povoado de Los Galpones. Foram entregues ao major Rodó quatro metralhadoras pesadas, 90 fuzis Mauser, dois fuzis-metralhadoras completamente descalibrados e cerca de 8 mil tiros. Em seguida, Prestes e Miguel Costa firmaram um documento comprometendo-se, com seus homens, a obedecer às leis bolivianas.

Comovidos, os rebeldes contemplam em silêncio as armas que se amontoam pelo chão de terra batida, amarradas em feixes como se fossem galhos mortos, para serem usados como lenha. Para muitos era doloroso se desfazer, para sempre, daquele armamento. Armas que, além de lhes garantir a sobrevivência, haviam sido também a extensão de seu próprio corpo e das quais jamais se haviam separado. Por trás de cada uma daquelas armas havia uma história que se confundia com a de seu dono. Muitos, para atenuar o sofrimento imposto pela separação compulsória, entregam seus fuzis sem olhar para trás. Todos, mesmo os mais despojados, os mais frios, estão com os olhos afogados de emoção.

A chegada inesperada de Lourenço Moreira Lima quebra o clima pesado e denso que sufoca alguns oficiais. Contaminados pela mesma ansiedade que se apossara da tropa, eles já começavam também a exibir alguns sinais de depressão. Depois de terem vivido, durante mais de dois anos, sob permanente agitação, os rebeldes mostram-se agora tensos e inquietos, enquanto outros exibem comportamento diametralmente oposto. Caminhavam como sombras, silenciosos e com o olhar distante, prisioneiros de uma apatia galopante. A Coluna interna-se na Bolívia com cerca de 620 homens, depois de ter percorrido perto de 36 mil quilômetros, através de 12 estados.

Ao perceber o lastimável estado de espírito de seus comandados, Prestes forma a tropa e dirige palavras de estímulo à soldadesca. Expõe as dificuldades em que se encontram e fala sobre as chances de encontrarem emprego na região de La Gaiba. Faz em seguida um apelo para que todos devolvam o dinheiro que têm em seu poder, a fim de que seja distribuído entre os feridos e os doentes em estado grave. Prestes anuncia também o envio de uma comissão de oficiais a Santa Cruz de La Sierra, de onde o grupo deverá seguir para a Argentina, a fim de se avistar com o marechal Isidoro, em busca de ajuda financeira.

Miguel Costa, João Alberto e Cordeiro de Farias partem, ao amanhecer, em companhia de seus ordenanças, depois de longa e afetuosa despedida. Não levam dinheiro nem valores; carregam apenas a bagagem individual, algumas armas para defesa pessoal e munição. As despesas, pelo caminho, serão pagas com balas de revólver ou de Winchester. Nessa região abandonada do território boliviano, povoada por bandos de aventureiros, cada bala vale uma refeição.[654]

Com o resto da Coluna, Prestes desloca-se para o sul, ao longo da fronteira com o Brasil, em direção a La Gaiba, nas imediações de Corumbá. Ele espera conseguir trabalho para os seus 620 homens na Bolivian Concessions Ltd., uma companhia inglesa que explora a região. Precisa assegurar o mínimo de condições para que seus comandados possam sobreviver com dignidade no exílio.[655]

Terça-feira, 15 de fevereiro

Através da tela da janela do seu escritório, instalado num barracão com teto de palha, o ex-oficial da Marinha francesa Juan Clouzet observa a figura esmirrada de um homem baixo, magro e de longas barbas pretas que se aproxima lentamente do acampamento, puxando pela rédea um cavalo cansado. Seu aspecto é o pior possível: pálido, rosto encovado, botas rasgadas e sujas de lama, além de estar vestido também de forma desprezível, com calças amarrotadas e largas, amarradas por um cordão. Tem a aparência de quem veio de longe, apesar de não carregar bagagem. Não está armado e dá a impressão de procurar trabalho. Clouzet levanta-se, sai do escritório e caminha na direção do homem que conversa, de pé, com alguns operários. Volta-se para o recém-chegado e pergunta em português:

— O senhor é um revolucionário brasileiro?

— Sim, senhor.

O gerente da Bolivian Concessions Limited percebe que está diante de um homem de hábitos urbanos, educado e culto. Trata-se de um cavalheiro, apesar do ar de desleixo e das unhas malcuidadas, ainda que sujo e com as roupas em desalinho. Clouzet não se contém: começa a falar com entusiasmo sobre a revolução de Isidoro. Confessa cultivar uma profunda admiração por um dos seus comandantes, um homem que considera extraordinário, não só pelo caráter como pela bravura: o general Luís Carlos Prestes.

Embaraçado com a observação, o desconhecido pergunta, com timidez:

— O senhor conhece o Prestes?

— Não.

— Pois está falando com ele.

Clouzet não acredita no que acaba de ouvir. Olha por cima dos óculos e examina o recém-chegado em silêncio. Jamais poderia imaginar que aquele corpo miúdo e franzino, enfiado numa roupa exageradamente grande, que o tornava ainda menor, fosse habitado por um mito. Prestes é um nome conhecido e venerado não só no Brasil como também na Bolívia, onde a população acompanhava com igual interesse a marcha da Coluna.

Ele deixara seus comandados em Santo Corazón, depois de terem caminhado durante vários dias, com água pela cintura, através do pantanal boliviano, assim que deixaram San Mathias. Tinha cavalgado, sozinho, cerca de 30 léguas, até La Gaiba, onde pretendia conseguir emprego para seus homens. Não podiam ser abandonados na Bolívia depois de terem lutado durante tanto tempo juntos.

Clouzet lutara também como oficial da Marinha francesa durante a Primeira Guerra Mundial; está impressionado com tamanha demonstração de renúncia e solidariedade. Os dois trocam confidências sobre suas experiências de campanha; logo se estabelece entre eles uma cumplicidade de afetos e sentimentos. Como se fossem velhos companheiros, deixam-se envolver por uma atmosfera impregnada de admiração e respeito mútuos.

Ao convidar Prestes para almoçar, Clouzet se emociona com sua franqueza:

— Há seguramente dois anos que não me sento a uma mesa para uma refeição regular.

A mulher de Clouzet, boliviana, ao ver aquele homem maltrapilho e cheio de lama, confundira-o com um vendedor de queijos.

— Oh! que lástima! *¡Y yo que estaba con tanta gana de comer un quejito!...*[656]

A região está sendo colonizada há pouco mais de sete meses pela Bolivia Concessions, empresa inglesa que arrendara área imensa, na baía de La Gaiba, com uma série de vantagens e privilégios, pelo prazo de 25 anos. As instalações da companhia são rudimentares. O porto ainda está em fase de construção, como também os barracões, que abrigam o escritório, o depósito de ferramentas e o alojamento dos operários. Apesar do desconforto e da região inóspita, castigada por cheias colossais na época das chuvas, até agora não se registrara nenhum caso de impaludismo ou de qualquer outra doença infecciosa.

Após o almoço, Prestes regressa a Santo Corazón com a promessa de emprego garantido para cerca de 200 homens. É o que a companhia pode contratar no momento.[657]

Segunda-feira, 28 de fevereiro

Miguel Costa e João Alberto finalmente conseguiram chegar a Paso de los Libres, na Argentina, depois de extenuante jornada pelo território boliviano. Chegam sem armas e com o cinturão de balas vazio. Tiveram que vender não só a munição como também os revólveres e até as selas e arreios dos animais para poder chegar à Argentina. Enfrentaram tantos mosquitos pelo caminho que João Alberto, para se defender dos insetos, foi muitas vezes obrigado a usar as meias como luvas e manter o rosto e o pescoço permanentemente cobertos por uma toalha.

A viagem de trem foi outro tormento. Durante quatro dias, os dois dormiram em bancos de estações e vagões de carga, até chegarem ao QG da revolução. O melhor presente que João Alberto recebeu, ao rever e abraçar os velhos companheiros, foi a carta que sua mulher, Cândida, enviara para a sede do QG, na Argentina: há dois anos ele não recebia notícias da família. Ao abrir o envelope, encontrou a foto do filho Cláudio, de dois anos e meio, que ele não conhecia. O menino havia nascido a 21 de outubro de 1924, uma semana antes do levante de Alegrete. João Alberto não pára de acariciar com os olhos aquele menino gordo, bochechudo e de cara zangada. Garoto bonito e forte como o pai. Beija o retrato, uma, duas, três vezes. Não se cansa de admirar a foto do filho:

— Bonitão!

Cordeiro de Farias tinha permanecido em Santa Cruz de La Sierra como elemento de ligação. Ele encaminharia a Prestes os recursos que fossem levantados na Argentina. Oferecera-se para levar o dinheiro até Santo Corazón, na fronteira com o Brasil, onde está acampado o grosso da Coluna.

A situação em Paso de los Libres, entretanto, não é das mais animadoras. A depressão instalara-se entre as lideranças da revolução. Isidoro se confessa sem condições de prestar a ajuda financeira de que necessitam. O caixa da revolução não dispõe de recursos suficientes para manter os oficiais que se encontram no exílio no Uruguai, Paraguai e Argentina e ainda sustentar a tropa acampada no oriente boliviano. O dinheiro da revolução está quase no fim.

Cansado de esperar pelos recursos que nunca chegam, Cordeiro de Farias decide abandonar Santa Cruz de La Sierra e viajar para Santo Corazón, levando uma triste notícia: os soldados terão que trabalhar para sobreviver. Não podem contar com nenhum tipo de ajuda do QG em Paso de los Libres.

Sem dinheiro, sem roupas e sem alimentos, com centenas de doentes e feridos, Prestes e seus homens sentem-se desgraçadamente sós.[658]

Quarta-feira de cinzas, 2 de março

O Carnaval do Rio de Janeiro reflete o clima de liberdade que começa a se instalar no país. Com o fim da longa noite do estado de sítio, que proibia qualquer tipo de crítica ao Governo, voltaram as sátiras políticas nos desfiles das grandes sociedades. Os Tenentes do Diabo exibem um carro de crítica batizado com o título de *Clevelândia*, denunciando as misérias do campo de prisioneiros que Bernardes plantou na selva amazônica. As máscaras estão liberadas, como também o uso de lança-perfumes, que haviam sido proibidos em 1925 pela Polícia.

Mas as músicas desse ano não têm a mesma alegria de outros carnavais. Além de pouco melodiosas, as letras das canções não reproduzem a irreverência do Carnaval carioca. O último grande sucesso carnavalesco tinha sido o *Tatu Subiu no Pau*, lançado no Carnaval de 1923. Nos dois anos seguintes, o marechal Carneiro da Fontoura e seus acólitos reprimiram com violência os foliões que substituíam as letras das marchinhas com o objetivo de ofender a honra do presidente da República. Os mais afoitos desafiavam a polícia cantando, com a letra trocada, velhas modinhas como *Rolinha* e *Seu Mé*, que obtiveram enorme sucesso no Carnaval de 1922.

Os festejos de 1927 são batizados por *O Jornal* como *O Carnaval dos Banqueiros*, onde os principais destaques tinham sido as "fantasias do cruzeiro", alusão ao padrão monetário que está sendo costurado pelo Catete. Como de hábito, cáustico e impiedoso nos seus ataques aos Governo, Assis Chateaubriand chama a atenção dos leitores para o numeroso séquito de convidados presentes, esse ano, aos festejos de Momo. Ele se refere ao bloco de celebridades do mundo financeiro internacional que desfilaram pelo gabinete de Washington Luís e, depois, resolveram aproveitar a passagem pelo Rio para assistir ao Carnaval. Há mais de quinze dias os hotéis Glória e Copacabana Palace estão lotados de empresários estrangeiros.

Chatô alfineta os visitantes sustentando que a presença inesperada de tantos banqueiros ingleses e americanos não se deve ao repentino interesse em conhecer o Carnaval do país, mas às possibilidades de realizarem negócios fantásticos com a reforma econômica que está sendo proposta pelo Governo. "Padrão e bandeira são dois símbolos da honra nacional que um povo não muda como quem troca de camisa", brada Chatô com a ponta de seu florete.[659]

O mil-réis, que Washington Luís quer substituir pelo cruzeiro, era um fruto do velho real, criado em 1568 por ordem de dom Sebastião, rei de Portugal. O real era representado por moedas de ouro e cobre cunhadas na Bahia. A partir de 1833, com a implantação do sistema monetário brasileiro, até então o que vigorava era a extensão do sistema português; extinguiram-se as chamadas moedas fracas, confeccionadas em cobre, e se estabeleceu a unificação do padrão, com uma única *moeda forte*, cunhada em ouro. Com a República foi mantido o padrão mil-réis, múltiplo do real, adotado em Portugal desde o século XII. Com o tempo e a inflação, o real foi perdendo a sua expressão de valor, sendo substituído, na prática, pelo *mil-réis*. A partir de 1922, o Governo deixou de cunhar moedas em ouro, de 10 mil e 20 mil-réis, adotando em seu lugar o papel-moeda, que expressa valores maiores.[660]

Washington Luís quer agora retirar de circulação o vetusto e alquebrado mil-réis e implantar uma moeda nova, lastreada em ouro, com o objetivo de colocar o Brasil ao lado de países como os Estados Unidos, a Inglaterra, a França e a Alemanha. Para a oposição, o plano econômico do Governo não passa de um engodo. A imprensa sustenta que grandes nações não se constroem com espetáculos de ilusionismo, mas com determinação, disciplina, suor e muito trabalho. O desenvolvimento desses países só foi possível com substanciais investimentos na educação, criação de grandes universidades públicas e aplicação de recursos significativos, a longo prazo, em centros de pesquisa. Washington Luís pretende alcançar esse mesmo objetivo com um número de prestidigitação.

Quinta-feira, 28 de fevereiro

La Gaiba é agora a meca dos revolucionários. Com a chegada dos rebeldes, a região experimenta um surto de desenvolvimento tão grande que muda completamente a fisonomia do lugar. Os ex-combatentes, sob o comando de Prestes, erguem barracões imensos, abrem caminhos pela mata, melhoram as instalações do porto e dão início a várias plantações. Clouzet e seu parceiro Christian Lilloe Fangen, diretor-geral da Bolivian Concessions Limited, não escondem sua satisfação diante das transformações que surgem a cada dia. A contratação dos rebeldes foi um excelente investimento para a companhia.

A presença dos remanescentes da Coluna em La Gaiba atrai logo a atenção da imprensa brasileira. O primeiro jornalista a visitar o acampamento revolucionário é Rafael Correia de Oliveira, diretor da sucursal de *O Jornal* em São Paulo. Oliveira chegou à Bolívia depois de viajar durante vários dias, através do pantanal, em companhia do fotógrafo Miguel Peres, contratado em Corumbá. Seu objetivo é escrever uma série de reportagens sobre a epopéia de Luís Carlos Prestes, "o mais novo herói nacional".

Ao se aproximar da fronteira, no dia 25 de fevereiro, a lancha de Oliveira cruzou com o vapor *Etrúria*, do *coronel* Franklin de Queirós, que vasculhava as margens do rio Paraguai à procura de rebeldes desgarrados da Coluna. A visão dos jagunços, naquela manhã, impressionara Oliveira. O *Etrúria* parecia um navio de flagelados da seca cearense que vira chegando ao porto do Recife em 1919. Os homens de Franklin viajam amontoados nos porões, como animais, em chocante promiscuidade. Magros, amarelados e imundos, os jagunços, com seus rostos opacos, são dignos de pena. Muitos estão atacados de broncopneumonia e tossem sem parar. Nos porões viajam também dois prisioneiros: uma mulher que acompanhava a Coluna como enfermeira e um paraguaio de 15 anos, que se perdera no mato.

Há dias Rafael Correia de Oliveira circula pelo acampamento em companhia de Prestes, seguindo-o como uma sombra. O jornalista registra em um caderno tudo o que vê. Algumas páginas já foram ocupadas com suas impressões pessoais sobre aquele homem de olhar doce e tranqüilo, que parece mais um apóstolo do que um chefe militar.

"Uma figura que impressiona e convence, conquista e domina pela pureza de uma consciência cristalina que se denuncia, a cada momento, nos gestos mais simples e nas atitudes mais comuns. Tudo nele respira serenidade e modéstia. Não fosse o olhar, onde às vezes há fulgurações metálicas, poder-se-ia dizer que é um místico, capaz de aceitar o sacrifício com um sorriso de bondade, sem um gesto mais leve que fosse de protesto ou revolta."

Rafael de Oliveira não esconde também o seu encantamento com a postura crítica de Prestes diante do papel histórico da Coluna. Prestes confessa que a revolução não tinha como objetivo derrotar militarmente o Exército. Não dispunham de armas e homens para sustentar esse tipo de luta. A revolução armada fora apenas um gesto extremado de protesto contra o Governo. Prestes não se deixa embriagar com os louros da marcha rebelde:

— Militarmente, se não vencemos, também não fomos vencidos. (...) O Estado-Maior da revolução, em toda a campanha, foi de uma precisão matemática nas suas resoluções. Do ponto de vista tático e estratégico, nunca a nossa Coluna foi batida. Realizamos todas as nossas evoluções sem que o inimigo as pudesse evitar. Acho que conseguimos atingir o nosso objetivo. (...) As massas mais ignorantes do Brasil sabem hoje o que é o espírito da revolução.[661]

Prestes conta que foi a partir de janeiro, quando Washington Luís deu os primeiros passos em prol da pacificação do país, que o Alto-Comando revolucionário decidiu suspender a luta contra o Governo e marchar em direção à Bolívia. Os sangrentos combates travados em Mato Grosso, ao longo dessa caminhada, foram sempre provocados pelo inimigo.

— Se dependesse de nós, teríamos feito a marcha até a Bolívia sem disparar um tiro.

Além do carisma de Prestes, o que mais impressiona Oliveira, em La Gaiba, é a rígida disciplina de quartel imposta aos rebeldes. A Coluna mantém no exílio a mesma estrutura de comando da campanha militar.

Não era um bando desordenado de salteadores, como propagava o Governo, que cuspia sobre eles a pecha de "bandoleiros assassinos e violadores de lares".

A tropa, em sua maioria, é formada por militares, com reduzida participação civil, ao contrário também do que se supunha. O maior contingente de militares é constituído de gaúchos que acompanham Prestes desde Santo Ângelo. Há também muitos soldados do Exército e da Força Pública de São Paulo.

Com a permissão de Prestes, Oliveira tenta convencer alguns soldados a voltarem ao Brasil, a fim de se livrar das dificuldades que enfrentam no exílio. O general Álvaro Mariante, com quem conversara antes de seguir para a Bolívia, confidenciou-lhe que recebera instruções do Governo para conservar prisioneiros apenas os oficiais rebeldes. Os soldados, cabos e sargentos seriam colocados imediatamente em liberdade e desobrigados de responder a qualquer tipo de processo. Nenhum deles, entretanto, admite voltar ao Brasil e deixar o comandante na Bolívia.

— Voltar sem o general? Nem pensar!....

A disciplina dos rebeldes merece rasgados elogios também do capitão Barrón, que comanda o contingente do Exército boliviano em La Gaiba. Ele se desculpara com Rafael Correia de Oliveira pela situação precária em que Prestes vive ali com seus homens. Conta que lhe oferecera, pessoalmente, roupas, calçado, alimentação e até mesmo sua própria casa, mas ele recusa todo e qualquer tipo de privilégio com uma desculpa elegante:

— Vamos primeiro cuidar dos soldados.

Oliveira registra, em suas anotações, que se encheu de orgulho cívico ao ouvir o capitão boliviano exaltar a vida de sacrifícios que Prestes leva em La Gaiba:

— Enquanto houver um revolucionário sem teto ou sem leito, o general não descansará.

A modéstia, a delicadeza, a simplicidade e o comportamento ascético de Prestes impressionariam profundamente qualquer jovem jornalista, mas o veterano Rafael Correia de Oliveira, que freqüenta a intimidade do poder, em função do cargo que ocupa em *O Jornal*, está particularmente encantado com o seu despojamento. Nunca vira nada igual. Oliveira está convencido de que Prestes é, acima de tudo, um homem de princípios. Ao perguntar se pensa em voltar ao Exército, caso seja anistiado, Prestes respondeu:

— Eu pedi demissão do Exército antes de me tornar revolucionário. Se ainda estou no Exército é porque o meu pedido foi abafado a fim de que me pudessem processar também como desertor.

Oliveira já escolheu um título eloqüente para a série de reportagens que escreveria ao chegar à redação: "Ouvindo e falando a Luís Carlos Prestes, o *condottierie* e fascinante da Revolução." A reportagem prometia ser um grande sucesso jornalístico.

Dias depois, ao partir de La Gaiba, Rafael de Oliveira é procurado por Prestes com um pedido pessoal: que seja portador de uma carta para a mãe viúva, a professora municipal Leocádia Felizardo Prestes, que mora com três filhas no subúrbio carioca do Méier, no Rio de Janeiro. Há um ano e três meses ele não manda notícias para a mãe. As cartas são sempre apreendidas pela Polícia Política, que rastreia a correspondência dos parentes das principais lideranças revolucionárias. Por isso ele é obrigado a enviar as cartas para o endereço de amigos, sem jamais saber se chegam ao seu verdadeiro destino.

Ao ser informado, mais tarde, na redação do *O Jornal*, que o filho de dona Leocádia havia ganhado todas as medalhas de ouro do colégio e que nunca fora apanhá-las, porque não tinha vaidade suficiente para exibi-las no peito, Rafael Correia de Oliveira lamentou não ter podido privar por mais tempo da companhia de homem tão extraordinário e generoso, sempre cheio de bondade, como esse "bravo e iluminado gênio da guerra".[662]

47

O CASO CONRADO NIEMEYER

Sexta-feira, 25 de março

O sucesso alcançado pela série de reportagens de Rafael Correia de Oliveira sobre o *condottiere* da revolução, publicadas com destaque por *O Jornal*, está sendo agora abafado por um escândalo político em torno de um episódio enterrado há quase dois anos: a morte do empresário Conrado Borlido Niemeyer. Desde julho de 1925 acreditava-se que ele cometera suicídio, ao se atirar de uma das janelas da Polícia Central, depois de preso sob a acusação de conspirar contra o Governo.

A versão de suicídio fora inventada e espalhada, através da imprensa, pelo delegado Francisco Chagas, para encobrir o assassinato do empresário, que foi torturado e morto durante um interrogatório da Polícia Política. O inquérito instaurado por determinação do próprio Chagas chegou também à conclusão de que o preso se matou, depois de iludir seu carcereiro.

Em sua edição especial de 17 de novembro de 1926, *O Globo* já havia denunciado o crime, mas as autoridades não tomaram nenhuma providência, sob a alegação de que o jornal fizera uma acusação leviana, sem provas, apenas com o objetivo de denegrir a imagem do Governo anterior.

Agora, a 16 de março, novo inquérito policial para investigar a morte do empresário fora instaurado por determinação do procurador-geral da Justiça do Distrito Federal. A decisão foi tomada com base numa petição da viúva, que pediu a abertura de inquérito para apurar a verdadeira causa da morte do marido. O resultado das primeiras investigações foi estarrecedor. Os depoimentos das testemunhas não deixam dúvidas de que Conrado foi assassinado durante uma sessão de interrogatório. Começava a ser levantada a pesada lápide que durante anos ocultou a hedionda rotina de crimes políticos rotulados, oficialmente, como *suicídio*. O ar pestilento exalado por essa imensa sepultura mostra que o Catete fora o responsável por essas mortes.

A viúva Elfrieda Helh de Niemeyer contou ao promotor Maximiano de Paiva que o marido foi procurado, em sua residência, no dia 24 de junho de 1925, pelo delegado Francisco Chagas, titular da 4ª Delegacia Policial. Como já havia saído para o trabalho, o delegado localizou-o em sua loja comercial e lhe comunicou, pelo telefone, que precisava fazer-lhe algumas perguntas. Borlido Niemeyer colocou-se à disposição da autoridade policial para esclarecer o que fosse necessário. O delegado despediu-se da mulher e foi ao encontro do empresário.

Elfrieda, que assistiu à conversa entre os dois, pelo telefone, só voltou a ver o marido no dia seguinte, quando a Polícia lhe entregou o cadáver. Ao chegar em casa, o corpo apresentava várias manchas escuras. As mãos estavam tão inchadas que os dedos pareciam ter sido quebrados. A enorme atadura que lhe envolvia o tórax não conseguia esconder os hematomas arroxeados que podiam ser vistos no ventre e nas costas, na altura dos rins. As pernas, que também pareciam estar quebradas, estavam amarradas com talas de papelão. Os braços retorcidos e o ferimento grande que tinha na cabeça, do lado direito, davam-lhe um aspecto ainda mais doloroso. Conrado estava com quase todos os ossos moídos.

O industrial Alberto Conrado Niemeyer, irmão do morto, revelou em seu depoimento que foi imediatamente procurá-lo na 4ª Delegacia Policial assim que tomou conhecimento da prisão. Não teve autorização para ver o irmão, mas chegou a ouvir sua voz, quando era interrogado no setor de Ordem Política, numa sala vizinha. Depois de esperar quatro horas para tentar avistar-se com ele, retornou à noite, ocasião em que o delegado Francisco Chagas lhe garantiu, pessoalmente, que Conrado estava sendo bem-tratado. Contou-lhe, inclusive, que o irmão já havia jantado e que se encontrava agora lendo jornal em sua cama. Alberto Niemeyer deixou a Polícia Central, por volta das oito e meia da noite, convencido de que Conrado seria logo colocado em liberdade, como lhe garantira o delegado.

Outro irmão do preso, o major do Exército Álvaro Conrado Niemeyer, também tentara obter autorização especial junto ao marechal Carneiro da Fontoura, mas o chefe de Polícia não lhe concedeu sequer a satisfação de recebê-lo em seu gabinete.

O depoimento do industrial Victor da Cunha Bastos Schomaker foi considerado fundamental para o esclarecimento do crime. Preso no mesmo dia em que Conrado foi detido pela Polícia Política, Victor viu quando ele reagiu, em voz alta, diante dos insultos dos policiais e deu uma bofetada no delegado Francisco Chagas. O empresário foi então violentamente espancado na sua frente. Entre os que o agrediram estava um dos filhos de Carneiro da Fontoura, conhecido como *capitão Pituca*, freqüentador habitual das sessões de tortura da Polícia Central.

Victor contou que Conrado se desentendeu com os policiais por sua causa, ao reclamar pela forma como o estavam interrogando. Irritado por ter sido advertido publicamente, diante de seus subordinados, o delegado soltou um palavrão. Francisco Chagas largou Victor e se voltou, aos gritos, para Conrado, que estava sentado num canto da sala:

— Fique calado! Você está preso!

O empresário levantou-se da cadeira e reagiu com indignação:

— Sou um homem de bem e exijo respeito.

Num gesto impulsivo, Chagas arrancou o chicote das mãos do filho do chefe de Polícia e tentou atingir o preso no rosto. Conrado esquivou-se e deu-lhe uma bofetada. Os policiais atiraram-se sobre ele, aos socos e pontapés, enquanto o detetive Moreira Machado o imobilizava, torcendo-lhe os braços para trás. Indefeso, continuou sendo espancado pelos presentes, inclusive pelo *capitão Pituca*, enquanto Machado lhe aplicava joelhadas nos rins. Caído no chão e quase inconsciente, ainda continuou sendo surrado com canos de borracha. Depois, agonizante, foi arrastado por dois policiais e jogado num xadrez imundo.

Victor Schomaker foi em seguida violentamente espancado para revelar o que sabia sobre as ligações de Conrado com o movimento revolucionário. Apanhou tanto que nem conseguia caminhar. Ao tentar visitá-lo, na 4ª Delegacia Policial, sua mulher ouviu o delegado Chagas dizer que só deixaria vê-lo se Victor confessasse as relações que mantinha com os conspiradores que se reuniam na rua Flack. Caso contrário, receberia o mesmo tratamento dispensado a Conrado. A mulher respondeu que lhe daria um tiro se isso acontecesse. O delegado deu-lhe então voz de prisão e ela ficou detida até de madrugada, quando foi liberada.

Ao ver o marido, no dia seguinte, por dois minutos, não percebeu que ele tinha sido torturado. Com as pernas inchadas e sem poder andar, Schomaker foi carregado pelos policiais e colocado em um divã, sentado, para que a mulher não percebesse que fora espancado.[663]

O inquérito está sendo conduzido de forma exemplar. Todas as testemunhas interrogadas até agora pelo delegado Cumplido de Santana e pelo promotor Maximiano Gomes de Paiva foram ouvidas na frente da imprensa. Os depoimentos são prestados de forma minuciosa, com ampla liberdade, sem interferências de qualquer natureza.

O depoimento do fabricante de fogos de artíficio Francisco Almeida Ramalheda, preso na mesma época, ajudou apenas a estabelecer a linha de interrogatório a que Conrado fora submetido. Contou Ramalheda que foi detido, em Nova Iguaçu, na Baixada Fluminense, por 13 agentes da Polícia Política. Na 4ª Delegacia Policial, foi espancado, dentro de um banheiro, para confessar que fabricava bombas de dinamite para os conspiradores. Irritado com as suas negativas, o investigador Machado puxou-o tão violentamente pelos cabelos que ficou com punhado de mechas entre os dedos; depois, jogou-o no chão e determinou que outro colega lhe aplicasse uma sessão de bolos com a palmatória. Ramalheda lembrou-se de ter ouvido Machado dirigir-se a outro preso, de nome Schomaker, que também estava sendo surrado no banheiro:

— Você sabe o que aconteceu com o Conrado Niemeyer?

Em seguida, exibiu-lhe um exemplar do *Jornal do Povo*, com a notícia da morte do empresário, e acrescentou, furioso:

— Se não confessar, vai acontecer o mesmo com você!

O fabricante de fogos revelou ainda que por volta das onze da noite de 1º de agosto de 1925 foi visitado, na prisão, pelo general Antenor de Santa Cruz Pereira de Abreu, chefe da Casa Militar da Presidência da República. Depois de ter sido, mais uma vez, conduzido ao banheiro por um dos carcereiros, Ramalheda viu o delegado Francisco Chagas colocar um embrulho no chão e pedir que ele o abrisse. Como só tinha a mão direita, já que a outra havia sido amputada em conseqüência de um acidente sofrido na fábrica, Ramalheda encontrou dificuldade para desembrulhar o pacote, porque seus dedos estavam muito inchados, e aproveitou a presença do chefe da Casa Militar para se queixar dos maus-tratos que vinha sofrendo na prisão. O delegado Francisco Chagas abriu o pacote, cheio de apetrechos para a fabricação de bombas, e fez uma ameaça:

— Se você não confessar, quem vai agora te meter o pau sou eu!

Ramalheda disse que se recusou a confessar e continuou apanhando até que o colocaram em liberdade, dias depois.[664]

De todos os depoimentos, o mais contundente foi o do construtor Humberto Roma, amigo do marechal Carneiro da Fontoura. Foi dele, espontaneamente, a iniciativa de se fazer ouvir no inquérito. Ligou para a casa do promotor Gomes de Paiva, em Copacabana, dizendo que desejava prestar declarações, já que dispunha de informações importantes para o esclarecimento do caso.

Contou Roma que numa de suas visitas à Polícia Central foi procurar o agente *Melo das Crianças*, em nome de Fontoura, a fim de que liberasse um caminhão da Polícia para transportar tijolos que seriam levados para um sítio de propriedade do chefe, no subúrbio de Ricardo de Albuquerque. Ao chegar ao gabinete do delegado Francisco Chagas, encontrou a porta fechada e percebeu que estavam espancando alguém. A vítima gritava sem parar:

— Bandidos! Canalhas!

A porta abriu-se de repente e ele viu o agente *Melo das Crianças* e o tenente Nadir saírem do gabinete e descerem as escadas correndo. Humberto Roma acompanhou-os até a calçada e encontrou um homem caído no chão. O corpo estava afastado pouco mais de um metro da parede do prédio. Ao perceber que ainda estava com vida, Roma procurou socorrê-lo, levantando-lhe a cabeça. Passou-lhe, em seguida, um lenço na boca e no nariz, para remover o sangue que lhe impedia a respiração. O tenente Nadir empurrou-o então para o lado e disse:

— Roma, não se meta nisso!

Melo das Crianças, ao ver que o construtor continuava de joelhos ao lado do corpo, puxou-o pelo paletó e ordenou:

— Roma, sai daí! Você está preso!

Como continuasse de joelhos, *Melo* deu-lhe então um puxão violento, no paletó, para que se levantasse. Ao se colocar de pé, ergueu os olhos e viu o delegado Francisco Chagas esbaforido, na janela de seu gabinete, fazendo sinais para que o agente Moreira Machado, que também havia descido correndo pelas escadas, prendesse o depoente. O construtor viu então Moreira Machado fazer um gesto para o chefe, indicando que sua camisa e seu colarinho estavam em desalinho. A roupa do delegado, além de amarfanhada, também estava rasgada. Com a advertência do subordinado, o titular da 4ª Delegacia levantou a gola do sobretudo esverdeado e se afastou rapidamente da janela.

Roma contou que recolheu então um dente de ouro da vítima, caído sobre a calçada, e colocou-o entre seus lábios. Alguns minutos depois chegava uma ambulância da Assistência Pública. Roma virou-se para o médico, que conversava com o agente Moreira Machado, e informou:

— Doutor, ele ainda está com vida!

Ao se voltar para o homem, viu que ele acabara de morrer.

Aproveitando-se da confusão formada, o construtor tomou um táxi e foi até a casa do chefe de Polícia para lhe contar o que acontecera. Ao chegar lá, já encontrou o agente *Melo das Crianças* conversando com seu superior. Roma foi logo dizendo:

— Marechal, mataram lá, agora mesmo, um homem!

Carneiro da Fontoura colocou as mãos na cabeça, com ar de reprovação, e exclamou:

— São uns perversos. Todos sabem que sou contra violências!

A mulher de Fontoura, ao ouvir a notícia de mais uma morte, não se conteve. Virou-se, zangada, para o marido e esbravejou:

— Manuel, é preciso acabar de uma vez por todas com esses horrores!

Nesse momento, o marechal foi chamado, com urgência, ao telefone. Depois de conversar em voz baixa durante cerca de cinco minutos com seu interlocutor, advertiu o construtor de dedo em riste:

— Roma, você é muito linguarudo. Você não tem nada que se envolver com isso. Cale-se e não diga mais nada.

O construtor revelou que voltou à Polícia Central e ficou sabendo que o morto era o empresário Conrado Niemeyer. Dias depois, num telefonema, Carneiro da Fontoura pediu-lhe que o procurasse em seu gabinete. Ao entrar na sala, recebeu voz de prisão do próprio Fontoura, que, virando-se para o tenente Nadir, ordenou:

— Recolha este homem incomunicável à minha disposição.

Pensando que se tratava de uma brincadeira, já que tinha muita intimidade com o chefe de Polícia, Roma respondeu, sorrindo:

— Que é isso, marechal?

Roma foi então conduzido pelo tenente para uma sala na 4ª Delegacia, onde ficou detido durante quatro dias. Antes de ser colocado em liberdade, o agente Moreira Machado foi procurá-lo, pedindo que assinasse uma declaração de que nunca fora sócio de Carneiro da Fontoura. E mais: teria também que deixar a cidade, imediatamente, por ser uma pessoa que falava demais. O construtor recusou-se a assinar o desmentido. Alegou nunca ter afirmado que era sócio do marechal; quanto à sua saída do Rio, não poderia também fazê-lo. Tinha muitos interesses no Distrito Federal, inclusive negócios com o Ministério da Guerra, que lhe arrendara uma olaria, no subúrbio.

No dia seguinte, Roma foi novamente procurado por Moreira Machado, acompanhado, dessa vez, pelo capitão Travassos. O oficial procurou convencê-lo, de forma educada, a assinar a declaração, sob a promessa de que seria logo solto e de que também não precisava mais abandonar a cidade. Roma assinou o papel e foi colocado em liberdade.[665]

O depoimento do médico-legista Rodrigues Caó confirmou o que se sabia. Conrado foi atirado por uma das janelas da Polícia Central. A cópia do laudo de necrópsia, anexada aos autos, mostrou que ele caíra de cabeça, ao contrário da maioria das vítimas desse tipo de suicídio, que se chocam com o solo quase sempre de pé. O médico revelou também que foi sua a iniciativa de realizar a autópsia. A família havia pedido, encarecidamente, que ela não fosse realizada, para "não mutilar ainda mais o corpo" do empresário. Os parentes estavam todos convencidos de que Conrado se suicidara e queriam levar logo o corpo para casa. Ele os convenceu da importância de se fazer a necrópsia, diante do fato de que Conrado se encontrava preso, à disposição da Polícia Política, e poderia ter morrido em conseqüência de maus-tratos sofridos na prisão.

O exame do cadáver, além de apresentar as lesões clássicas das quedas de grandes alturas, como hemorragia interna, fraturas múltiplas e ruptura do fígado e rins, exibia ainda vários hematomas pelo corpo, causados por torturas. Ao ser interrogado pelo promotor se tinha examinado as roupas do morto, o médico disse que sequer chegara a vê-las, porque foram logo jogadas no lixo. O legista revelou também que a Polícia não fez a perícia do local em que o corpo havia caído, para esclarecer se a vítima tinha sido ou não jogada pela janela.[666]

A situação do agente Moreira Machado complicou-se ainda mais com o depoimento da copeira Zélia Conceição da Silva, que trabalhava em sua casa na época em que Conrado morreu. Ela procurou a Polícia, por iniciativa própria, para contar o que ouviu na noite de 25 de julho de 1925, quando servia o jantar ao patrão. Machado, diante da mulher e dos filhos, comentou:

— Hoje fiz um crime.

Machado revelou em seguida que não sentia remorsos, já que havia sido ofendido pela vítima. Uma de suas filhas ficou muito nervosa, mas o pai procurou tranqüilizá-la, dizendo que não se preocupassem, porque "ele sabia o que estava fazendo". Zélia disse que estavam à mesa, nessa noite, a mulher Hermínia, a quem Machado chamava de Théo, e os cinco filhos do casal, Sibéria, Semi, Hélia, Sinhozinho e Lindinho. Revelou a copeira que contou o episódio à sua tia, que a aconselhou a ficar na casa até o fim do mês, quando então resolveu trocar de emprego.

Ao ser intimado a comparecer à Polícia Central para ser acareado com a empregada, Machado alegou estar impossibilitado de sair de casa por se encontrar doente. O promotor e o delegado responsável pelo inquérito resolveram então fazer a acareação na casa do policial. Moreira Machado, ao ver a ex-empregada, procurou manter-se calmo. Negou conhecê-la, apesar de a copeira confirmar, diante dele, todas as declarações que prestara em cartório. Frio e calculista, o policial continuou negando que a conhecesse. Nesse momento, apareceu Hermínia, a ex-patroa, que, sem saber do que se tratava, procurou puxar pela memória do marido:

— Moreira, essa é a Zélia, que trabalhou em nossa casa...

Nem a interferência desastrada da mulher de Machado foi capaz de perturbá-lo. A ex-patroa confirmou que Zélia tinha trabalhado para o casal quando ainda moravam na rua Almirante Cochrane, na Tijuca. Mesmo assim ele não se deu por vencido. Ao ditar, em seguida, seu depoimento para o escrivão, Machado cometeu um ato falho:

— No dia do crime...

O delegado virou-se, rápido, e lhe perguntou com ironia:

— No dia do crime? Então houve crime...

A perturbação tomou conta de Machado. Lívido e suando muito, o policial, depois de emudecer durante alguns segundos, retomou o depoimento, refazendo a declaração inicial:

— No dia do suicídio de Niemeyer...[667]

Os responsáveis pela investigação não tinham conseguido ouvir até agora outra testemunha considerada importante para o esclarecimento do caso: o general Antenor de Santa Cruz Pereira Abreu, ex-chefe da Casa Militar de Bernardes, ao qual estava diretamente subordinada a 4ª Delegacia Policial. O militar encontrava-se na Europa, numa viagem de observação e estudos, como representante do Ministério da Guerra. O delegado Francisco Chagas, um dos principais suspeitos da morte do empresário, também estava na Europa, em missão oficial, a serviço do Governo. Intimado a prestar depoimento, foi obrigado a interromper a temporada em Paris, por conta do erário. No momento se encontrava a caminho do Brasil, para ser ouvido no inquérito.[668]

O depoimento do marechal Manuel Carneiro da Fontoura foi tomado em seu elegante palacete, na rua Marquês de Valença, na Tijuca. Com 68 anos e alegando encontrar-se enfermo, o ex-chefe de Polícia pediu que o ouvissem em casa. Apesar de se declarar doente, seu aspecto era excelente. O marechal admitiu não ter absoluto controle sobre tudo o que acontecia na Polícia Central. Muitas ordens eram transmitidas, diretamente, pelo Palácio do Catete e executadas pela 4ª Delegacia sem que ele tomasse conhecimento. Explicou que a repressão política era também coordenada pela Casa Militar da Presidência da República, que se utilizava, inclusive, de sargentos do Exército para o cumprimento de determinadas missões de natureza policial.

Contou Fontoura que tomou conhecimento do *suicídio* através de um telefonema, quando se encontrava no Palácio do Catete, para participar de uma reunião com o presidente Artur Bernardes. Disse ter lamentado profundamente a morte do empresário, por causa dos laços de amizade que o uniam ao pai da vítima, o falecido marechal Conrado Niemeyer, que fora seu companheiro no Exército.

Fontoura negou que os presos sob sua responsabilidade sofressem qualquer tipo de constrangimento, "mormente os presos políticos", já que todos eram sempre tratados com dignidade. O ex-chefe de Polícia disse também ser falsa a informação de que no dia da morte havia recebido em sua casa a visita do construtor Humberto Roma, para lhe comunicar o que acontecera na Polícia Central.

A acareação entre Fontoura e o construtor mostrou que o ex-chefe de Polícia tinha mentido em seu depoimento.

Ao sustentar, com firmeza, que estivera em sua casa na manhã do crime, o construtor passou a ser questionado pelo marechal:

— Olhe bem para mim, senhor Roma, a que horas foi isso?

— Foi pela manhã, antes das dez. Quando conversávamos, sua senhora, ao passar da cozinha para a sala de jantar, ouviu a notícia da morte do preso e lhe disse: "Manuel, é preciso acabar com esses horrores!"

Simulando indignação, o marechal voltou-se para o delegado e explodiu, de forma teatral:

— Doutor, isso é uma falsidade! Minha senhora deita-se sempre muito tarde e só acorda depois do meio-dia. Ele jamais a poderia ter visto!

— Vi, sim senhor, *seu* marechal!

Fontoura alegou finalmente, em sua defesa, que ele e o construtor estavam brigados; portanto, o depoimento deste era suspeito. Virou-se para um de seus ex-auxiliares, que assistia à acareação, e perguntou:

— Travassos, desde quando eu estou de relações cortadas com o *seu* Roma?

— Desde 1924.

O construtor corrigiu a informação:

— O capitão Travassos deve estar enganado. E se eu apresentar cartas do marechal Fontoura que me foram enviadas depois da morte de Niemeyer?

Diante da resposta, Fontoura e seu ex-auxiliar ficaram em silêncio, enquanto o delegado, satisfeito, dava por encerrada a acareação.[669]

O tão esperado depoimento do ex-titular da 4ª Delegacia transformou-se num espetáculo circense. O interrogatório do delegado Francisco Chagas foi várias vezes interrompido para que o responsável pelo inquérito pedisse silêncio à multidão de policiais e jornalistas que se acotovelavam nas acanhadas dependências da 1ª DP.

Chagas negou todas as acusações feitas pelas testemunhas. Garantiu jamais terem ocorrido torturas ou espancamentos de presos políticos durante o período em que chefiou a 4ª Delegacia. Admitiu ter interrogado o empresário no dia anterior à sua morte, mas fez questão de esclarecer que o fez "com o máximo de brandura", o que provocou risos entre os jornalistas. Seu depoimento era visto como um insulto ao bom senso.

Contou, por exemplo, que na manhã do *suicídio* passava por um dos corredores da Polícia Central quando alguém gritou que "um preso tinha se atirado pela janela do gabinete". Foi então à sua sala para saber o que tinha acontecido e, em seguida, desceu até a calçada, onde encontrou o cadáver de Conrado Niemeyer. Voltou ao seu gabinete e determinou que o investigador responsável pela guarda do preso fosse detido e interrogado para esclarecer o que tinha acontecido.

O resto do depoimento foi uma montanha de sandices.[670]

Ao ser ouvido pelo promotor, o investigador Eugênio Joaquim Correia desmontou a versão de Francisco Chagas. Revelou que na manhã de 25 de julho, ao entrar no gabinete do delegado, viu Conrado de pé, discutindo com o titular da 4ª Delegacia. O preso, mais uma vez, tentava, inutilmente, provar sua inocência:

— Doutor, eu já lhe disse...

De repente, o delegado Chagas e três policiais avançaram sobre Conrado. Iniciou-se violenta luta corporal, com o empresário tentando defender-se dos socos, rasteiras e pontapés. Seus gritos eram tão deses peradores que podiam ser ouvidos no corredor:

— Bandidos! Covardes! Miseráveis!

Eugênio Joaquim lembrou-se que o grupo, embolado, derrubou ainda várias cadeiras antes de alcançar a janela que dava para a rua da Relação. Conrado estava sendo violentamente espancado pelo delegado e pelos investigadores Machado, Mandovani e *26*. Eugênio, de repente, não acreditou no que viu: seus colegas, enlouquecidos de ódio, empurraram o empresário pela janela. Aquela cena dramática ficou congelada em sua memória:

— A última coisa que eu vi foram os pés de Conrado. Depois, ouvi uma pancada seca. Era o impacto de seu corpo sobre a calçada.

À tarde, o investigador Eugênio foi chamado por Chagas ao seu gabinete. O delegado o convenceu a afirmar, em seu depoimento, que o preso, depois de iludir sua vigilância, se atirou pela janela, sem que ele nada pudesse fazer.[671]

O crime foi testemunhado também por um estudante do Colégio Pedro II, que morava em um sobrado da rua da Relação, bem em frente ao prédio da Polícia Central. O menino Mário Lago, de 13 anos, que sonhava ser artista, viu do seu quarto um homem já de idade, mas ainda bastante forte, lutar desesperadamente contra cinco ou seis policiais. Mário Lago não conseguiu ver direito a fisionomia da pessoa que estava sendo espancada porque o rosto se transformara numa pasta de sangue. Como seu quarto ficava na altura do mesmo andar do gabinete do delegado Francisco Chagas, ele acompanhou todas as cenas que antecederam ao crime. Conrado Niemeyer foi várias vezes derrubado por seus algozes, ocasião em que tentava morder as pernas dos policiais que o chutavam. Com os olhos petrificados diante de tamanha brutalidade, Mário Lago ainda viu quando um dos homens empurrou Conrado, com violência, pela janela. O corpo caiu de cabeça e se estatelou na calçada "como um saco".

Só no dia seguinte Lago conseguiu contar aos pais o que vira. A revelação foi um choque para toda a família. Lívido, com as mãos trêmulas, o pai de Mário Lago, que era maestro, pousou as mãos sobre os seus ombros, procurando dissimular a tensão. A mãe, aterrorizada com o testemunho do filho, não sabia o que fazer. O pai olhou na direção do prédio da Polícia Central e fez um apelo ao filho. A voz, perpassada de angústia, saiu tão baixa que parecia um sussurro:

— Pelo amor de Deus, meu filho, não comece a espalhar isso por aí.[672]

O inquérito foi concluído um mês depois. Quatro policiais foram indiciados como responsáveis pelo assassinato de Conrado: o delegado Francisco Chagas e os investigadores Pedro Mandovani, Alfredo Moreira Machado e Manuel da Costa Lima, o *26*. Ao oferecer a denúncia, o promotor conseguiu obter a prisão preventiva dos quatro acusados, para os quais pediu a pena máxima: 30 anos de prisão.[673]

48

FAZEDORES DE ESTRADAS

Sábado, 2 de abril

A admiração, o carinho e o respeito que os rebeldes aprenderam a cultivar pela figura de Prestes, sempre solidário com seus homens, nos sonhos e nas desgraças, transformaram-se, no exílio, em devotada veneração. O lutador abnegado e inflexível, idealista, de caráter altivo e severo com a disciplina, para eles era um deus. Os soldados lhe obedeciam cegamente, comovidos com seu exemplo de homem e chefe. O espírito de renúncia demonstrado ao longo de toda a marcha da Coluna continuava intocado. É sempre o último a comer e a se deitar.

Prestes sentia-se gratificado com o reconhecimento dos comandados. Cumprira a promessa que fizera a si mesmo ao pedir asilo: conseguir emprego, na Bolívia, para todos os seus homens. Uma batalha que venceu sozinho, graças à sua capacidade de organização e à sua competência profissional como engenheiro militar. Os rebeldes que não foram logo contratados pela companhia inglesa, por falta de vagas, estão agora trabalhando em povoados vizinhos a La Gaiba, como San Mathias e Santo Corazón. Alguns, entretanto, só encontraram serviço em cidades mais distantes, como o fiel e dedicado José Santos, o impecável barbeiro de Miguel Costa, responsável pelo rosto liso e bem-escanhoado que o general sempre exibiu desde a sua saída de São Paulo: ele foi o único oficial que não deixou a barba e os cabelos crescerem durante toda a marcha da Coluna. Todos os dias Miguel Costa se submetia, docilmente, ao ritual imposto pelo barbeiro, que, antes de espalhar a espuma, tinha a mania de amaciar a pele do rosto com uma toalha de água quente. O cabo Santos exibia agora os seus dotes em uma pequena barbearia em Puerto Suarez, na divisa com Corumbá, para onde também seguiram outros companheiros, em busca de emprego.

Os rebeldes que permaneceram em La Gaiba foram organizados numa espécie de cooperativa de produção e consumo. Estimulados a desenvolver suas habilidades pessoais, muitos acabaram descobrindo uma nova profissão. Tornaram-se alfaiates, sapateiros, relojoeiros, marceneiros. A maior parte, entretanto, vive do trabalho braçal. Prestes divide tudo o que recebe com a tropa: dinheiro, ferramentas, roupas, víveres. É ele também quem distribui o trabalho, fixando a remuneração de acordo com o nível de qualificação e a capacidade de produção de cada um. Com o salário recebido, cada homem provê o seu próprio sustento. Para evitar que os rebeldes sejam explorados pelos comerciantes bolivianos, ele criou um pequeno armazém, onde as mercadorias são vendidas quase a preço de custo. O lucro obtido é, depois, também dividido entre todos.

Antes de efetuar o pagamento da tropa, Prestes separa sempre determinada quantia para a manutenção dos feridos, doentes e inválidos. Outra parte é separada como uma espécie de fundo de reserva para ser usado em casos de emergência: compra de medicamentos ou aluguel de barcos para enviar os feridos ou doentes em estado grave para outras cidades.

A disciplina do acampamento é militar. Apesar de mantida a hierarquia, todos são obrigados a honrar seus compromissos e deveres para com a comunidade, sem qualquer privilégio. O severo regime de caserna imposto aos ex-combatentes não esgarça os laços que unem os soldados ao seu comandante.

O relacionamento de Prestes com seus homens, durante a revolução, foi sempre marcado por um forte espírito de camaradagem, embora ele jamais deixasse de punir com rigor os que cometiam falta grave. Nunca transigiu com o abuso, a violência desnecessária, o saque e o assassinato. Todos os casos de violação de mulheres, por exemplo, foram exemplarmente punidos com o fuzilamento. Os rebeldes que degolavam prisioneiros eram também condenados à pena de morte. Mas nem por isso a tropa deixava de amá-lo. Prestes costumava dormir entre os soldados, sem mosquiteiro, e viajava quase sempre a pé, sem jamais usufruir de qualquer tipo de benesse.

Apesar de ter experimentado um surto de desenvolvimento extraordinário com a chegada dos rebeldes, La Gaiba deixara de ser o paraíso por eles conhecido há dois meses. A febre devastava o que restou da Coluna. Foi preciso construir um hospital maior para abrigar as vítimas de impaludismo e de outros males que aumentavam, a cada dia, de forma surpreendente. A maioria dos doentes fica espalhada pelo chão de terra batida, deitada em camas de palha, porque as redes de embira não chegam para tanta gente. O número de mortes cresce todos os dias, por falta de remédios e atendimento médico.

A escassez de medicamentos, numa região distante e sem recursos como La Gaiba, obriga Prestes a varar noites seguidas debruçado sobre compêndios de homeopatia. Ele estuda detalhadamente cada droga, a dosagem, a composição química e seus efeitos sobre o organismo. Em poucas semanas transforma-se, também, em farmacêutico, manipulando remédios homeopáticos para os soldados.

No meio do hospital, os rebeldes montaram um pequeno quadrado, cercado por cortina ordinária. Ali fica o quarto de Prestes. O mobiliário é formado por uma velha cadeira, uma mesinha tosca com alguns papéis e uma cama de lona, portátil, sem travesseiro. Era nela que morriam os soldados da Coluna. Sua agonia era sempre confortada pela presença consoladora do comandante.

As mortes eram sempre causadas por impaludismo, disenteria amebiana e por graves ferimentos adquiridos em combate que gangrenavam.

No hospital também não havia lençóis. Aqueles esqueletos ainda com vida, que se recusavam a morrer, eram cobertos com trapos e, às vezes, com folhas de palmeira. Prestes passava as noites de rede em rede, conversando com seus homens, para tentar atenuar seu sofrimento. Muitos doentes, já moribundos, com o livor da morte estampado no rosto, eram então levados para a sua cama portátil, onde ele os assistia, em silêncio, apertando-lhes as mãos até que suas vidas se apagassem.[674]

O grosso da tropa trabalha agora na abertura de uma estrada de rodagem entre La Gaiba e San Carlos. A obra foi projetada por Prestes, que aproveita para isso conhecimentos de engenheiro ferroviário. A maioria dos oficiais também presta serviços à companhia. O capitão Ítalo Landucci exerce a função de guarda-livros da empresa; o capitão Estêvão fiscaliza as turmas responsáveis pelo desmatamento, o tenente Alfredo administra uma plantação de cana, Mendes de Morais toma conta da alfaiataria, Romão é o chefe das cavalariças; Danton dirige uma oficina de ferreiro.

Nas últimas semanas, com as notícias de que só os oficiais serão submetidos a julgamento, muitos rebeldes retornaram ao Brasil. Alguns doentes graves foram removidos para Corumbá, onde a população os acolheu com carinho, antes de encaminhá-los ao hospital da cidade. Mas a maioria dos combatentes, como o soldado do Exército Guilhermino Moreira Barbosa, gaúcho de Santo Ângelo, não pensa em voltar tão cedo para o Brasil. Cada um tem o seu motivo. Guilhermino, por exemplo, arranjou uma noiva boliviana e tem planos de se mudar para o povoado de El Carmen, a cerca de 120 quilômetros de Puerto Suarez, onde pretende montar um rancho. Apaixonado também por uma cabocla de La Gaiba, o maranhense Nelson Pereira de Souza, o *Bamburral*, partiu com a noiva para tentar vida nova em Quijarro.[675]

Ao se despedir de Prestes, ele chora, emocionado, ao se lembrar da reprimenda que havia recebido quando se encontravam no interior da Bahia. Ele dizimara uma penca de combalidos jagunços, todos famintos e quase sem munição, que mal conseguiam ficar de pé com seus fuzis. Ao tomar conhecimento do massacre, Prestes quase o condenou à morte:

— *Bamburral*, alguma vez eu mandei você fazer isso?

— Meu general, o senhor queria que eles me matassem? Essa gente é como bicho: morre, mas não se entrega.

— Matasse um só, *Bamburral*, que o resto se entregava. Você matou muita gente...

Com a cara zangada, Prestes assoviava e olhava para os lados, caminhando em círculos, indignado com a matança. Sempre que assoviava daquela forma, tenso e com expressão carregada, os soldados sabiam que o chefe estava de cabeça quente. Ele só não o mandou fuzilar porque alguns oficiais confirmaram a sua versão. Os jagunços recusavam-se a se render.

Bamburral, que tanto deliciava Miguel Costa com a picada de sua viola e os versos improvisados de poeta repentista, partiu para Quijarro com o coração ulcerado de tristeza. Deixou o acampamento sem olhar para trás, a garganta apertada, chorando como um menino. As lágrimas que vincavam o seu rosto magro acabaram também umedecendo outros olhos igualmente ingênuos como os daquele jovem, cheio de fantasias, que se incorporara aos rebeldes no Maranhão. A dolorosa partida do negro *Bamburral* e o seu pranto comovente apenas confirmavam o que a maioria dos rebeldes fingia não ver: aquela fascinante aventura exaurira-se militarmente, chegara ao fim. Como movimento armado, a Coluna está destroçada e morta, apesar do feitiço que ainda se apossa daqueles homens de alma juvenil.

A partir de agora, a luta deve ser sustentada no campo político e com outras armas, mas a tropa não sabia o que era isso.[676]

Terça-feira, 8 de abril

A praça Tiradentes está engalanada para festejar as 200 apresentações de uma peça irreverente e bem-humorada que se transformou num dos maiores sucessos da história do teatro de revista do Rio de Janeiro. Todas as noites, centenas de pessoas se espicham, alegremente, em filas imensas, diante das bilheterias do Teatro Recreio, na esperança de se divertir com um espetáculo "deveras espirituoso" que vem descabelando o Governo: a comédia musical *Prestes a Chegar...* , de Marques Porto e Luís Peixoto, estrelada pela "arquigraciosa artista brasileira Lia Binati". Através de um jogo de palavras, que começa pelo título, a condimentada sátira política provoca, com elegância, o presidente Washington Luís, ao expor publicamente um dos seus maiores temores ao se lançar candidato ao Catete em 1925: o medo de que os rebeldes pudessem conquistar a capital da República.[677]

Não são apenas os comensais do presidente que detestam o humor cáustico dessa revista musical que lota o Teatro Recreio duas vezes por noite, cobrando 5 contos de réis por poltrona. O *coronel* Franklin de Albuquerque, que se encontra no Rio há quase duas semanas, a convite do Ministério da Guerra, também não achou nenhuma graça ao assistir *Prestes a Chegar...*, por ele considerada uma história boba, sem pé nem cabeça, cujo único objetivo é ridicularizar o Governo. A única coisa que se salva de toda aquela idiotice é o quadro *Noite Brasileira*, com Catulo da Paixão Cearense e João Pernambuco, que entoam desafios sertanejos. Ele considerou também razoável o quadro intitulado *O Café da Mãe Joana*, contracenado por Jaime Costa, Ismênia dos Santos, Pinto Filho e Alfredo Silva, e que conta também com a participação do jovem cantor Francisco Alves.

Franklin acha que o povo, segundo ele, tem uma visão completamente equivocada dos rebeldes. Ninguém melhor do que ele para contar quem é, de fato, o *legendário* Prestes e como lutam seus homens. A população do Rio, a exemplo dos habitantes das grandes cidades, glorifica os comandantes da Coluna, e particularmente Luís Carlos Prestes, que se transformara num mito. Tudo fantasia fabricada pela imprensa e pelos inimigos do Governo.

Franklin apresentou pessoalmente ao ministro Sezefredo um minucioso relatório, descrevendo a sua vitoriosa campanha contra as forças revolucionárias. Os rebeldes foram pintados por ele com traços bem diferentes da imagem esculpida pelo imaginário popular. Nas longas entrevistas que concede aos jornais, ele procura enodoar a valentia e o espírito guerreiro dos integrantes da Coluna, procurando sempre exagerar a *performance* de sua tropa de jagunços. Não tem nenhum pejo em afirmar que se orgulha de ter travado 44 combates contra os rebeldes, "sem ter sofrido uma única baixa", evidente mentira.[678]

Seu despudorado oportunismo azeda a alma de outro chefe sertanejo que também combateu as forças revolucionárias com dedicação e desvelo. O *coronel* Horácio de Matos, que também está de passagem pelo Rio, a caminho de Lençóis, se contorce de raiva sempre que ouve Franklin se autoproclamar o verdadeiro vencedor dos rebeldes.

Há muito Horácio fora alertado de que Franklin era capaz de cometer toda sorte de vilezas. No dia 6 de junho do ano passado, por exemplo, quando os rebeldes ainda tentavam cruzar o São Francisco, entre Juazeiro e Santo Sé, ele recebeu, em pleno sertão, uma carta confidencial informando-o de que Abílio Wolney e Franklin de Albuquerque diziam estar derrotando a Coluna, sozinhos, no interior da Bahia. O missivista, sem saber que se tratava apenas de uma fanfarronice com o objetivo de arrancar mais armas e dinheiro do Governo, lamenta que Horácio tivesse deixado escapar uma vitória que, de fato e de direito, lhe pertencia: "Não é absolutamente justo que a glória final seja deles", deplorava, inconsolável, o amigo Ângelo Francisco da Silva.[679]

Além de ser vítima de uma usurpação, Horácio está diante também de uma chantagem de repercussões políticas imprevisíveis. Guilherme Meyer, o guarda-livros contratado para organizar a contabilidade do Batalhão Lavras Diamantina, ameaça agora denunciar aos jornais as irregularidades que encontrou na documentação enviada ao Ministério da Guerra. Na carta endereçada a Horácio, o guarda-livros denuncia que as contas preparadas de acordo com a orientação recebida do major Arquimedes de Matos "tinham sido consideradas pelo Estado-Maior como um assalto aos cofres da nação". Como Arquimedes recusava-se a pagar o que lhe devia pelo trabalho realizado, Guilherme Meyer promete contar tudo o que sabe: "Sendo assim, como tanto o senhor como o major Arquimedes negam qualquer responsabilidade pelo meu pagamento, vou comunicar os fatos e os procedimentos do batalhão com todos os detalhes aos jornais *A Rua* e *Vanguarda*, único caminho que me resta para talvez receber justiça. Aliás não sou a única vítima, pois tenho comigo uma lista de diversos soldados reclamando também pagamento." Guilherme fornece seu endereço no Rio, para qualquer acordo amigável: "Hotel Pompeu. Rua Senador Pompeu, número 268, quarto 14."[680]

A contabilidade do Batalhão é caótica. As despesas foram quase todas superfaturadas e a maioria das requisições, fraudada. Assim mesmo ainda foi preciso produzir uma pilha de documentos falsos para justificar a montanha de dinheiro que saiu para a luta contra os rebeldes. Alguns problemas, entretanto, já foram resolvidos. As falhas encontradas pelo Ministério da Guerra na folha de pagamento dos seus oficiais, em agosto de 1926, foram contornadas politicamente. Além de utrapassar o limite de 21 oficiais fixado pelo Exército, a folha incluía 29 nomes, a maioria parentes do *coronel*.

Em julho de 1926, o total de pagamentos à oficialidade tinha chegado a R$ 24:239$.382, um verdadeiro roubo, segundo o Serviço de Intendência do Ministério, repartição encarregada de liberar as verbas autorizadas pelo Catete. O dinheiro era distribuído entre os chefes sertanejos como se fosse a fundo perdido. Alguns batalhões patrióticos, como o Lavras Diamantina, ainda tinham oficiais do Exército para policiar os pagamentos e impedir que a dinheirama se volatilizasse, mas a situação acabou ficando sem controle.[681]

Em correspondência enviada ao general Álvaro Mariante, em 6 de novembro de 1926, Horácio encaminhou relação das despesas que fizera, através de adiantamentos recebidos de fontes diversas, inclusive de particulares, "para atender às necessidades do pessoal". O montante chegava a 221:215$385 (221 contos, 215 mil, 385 réis), uma fortuna, levando-se em conta que muitos fazendeiros contribuíam espontaneamente com víveres, armas e munição para ajudar Horácio a combater os rebeldes.

"Apesar da boa vontade em cumprir fielmente todas as disposições regulamentares referentes à administração militar, existem muitas lacunas, ora por falta de selo, ora por deficiência de tempo, durante as marchas, com a circunstância de falta de prática dos meus oficiais nesse tipo de serviço", justificava-se o chefe sertanejo no relatório em que solicitava o ressarcimento das despesas, a maioria sem qualquer tipo de comprovante.

Horácio retirava dinheiro de onde podia, de acordo com o levantamento realizado pelo major José Scarcella Portela, chefe do Serviço de Intendência do Ministério da Guerra, que ainda aguarda esclarecimentos sobre as primeiras despesas, no valor de 225 contos de réis, efetuadas em julho de 1926. A maior parte do dinheiro era o resultado de empréstimos que o *coronel* realizara, em nome do Governo, junto a empresas da Bahia, como a Morais & Cia. (50:000$000) e a Almeida & Cia., ambas de Salvador, e de Costa Cayres & Cia., de Paramirim, além de quantias avulsas, como os 5 contos de réis adiantados por Wensceslau Alves Coelho, de Caculé.[682]

Além de obrigado a justificar os gastos descabidos, existem ainda outros graves problemas a resolver. Horácio precisa explicar, por exemplo, o destino do arsenal que recebeu. O Exército exige explicações para o sumiço de 25 fuzis Mauser, além de copiosa munição, que se dizia extraviada ou "tomada pelo inimigo".[683]

Os comprovantes dos gastos também não resistem a um superficial exame contábil. O major Fulgêncio Alves Teixeira da Silva afirmava ter pagado 50 contos ao senhor Hermínio da Silva, de Curvalinho, por ter cuidado, durante nove meses, de um cavalo ruço deixado sob sua guarda. Vinte e um contos foi quanto o major Honório Granja garantiu ter desembolsado para pagar as despesas contraídas pelo fazendeiro Antônio Alves Pinto, que cuidou de outro cavalo, durante sete meses, com alimentação de pasto.[684]

Havia também casos extremamente delicados, como os pedidos de indenização por violação de domicílio, seguida de roubo, praticados por seus homens. Essas reclamações tinham que ser logo abafadas, para não chegar ao conhecimento do Ministério da Guerra e dos jornais, que vinham crucificando os batalhões patrióticos da Bahia, Goiás e Mato Grosso com denúncias de toda natureza.

O fazendeiro Ananias José Alves, de Boa Vista de Jacareí, acusava os capitães Durval de Matos, sobrinho de Horácio, e João Correia de chefiarem os jagunços que assaltaram a sua casa. Ananias exigia que o *coronel* Horácio lhe pagasse 2.551 contos pelos prejuízos sofridos. Apesar de os invasores não deixarem assinado nenhum recibo do que levaram, o fazendeiro relacionou os bens roubados: cinco selas novas, 10 chapéus de feltro, 18 pares de botinas, além de chicotes, arreios, panelas, dois ternos de brim, um cordão, um coraçãozinho, um crucifixo e quatro anéis de ouro.[685]

Bernardes, que acabou de se eleger senador por Minas Gerais, também está preocupado em prestar contas à Nação. Seus ex-colaboradores anunciaram que ele fará "um discurso sensacional" defendendo seu governo. Pretende cometer algumas inconfidências, como revelar o nome dos "falsos heróis revolucionários" que, ao serem presos, mandavam as mulheres ao Catete implorar de joelhos que fossem libertados.

O ex-presidente reservara aposentos especiais no Hotel América, na rua do Catete, onde pretendia residir, assim que tomasse posse no Senado Federal. Só os mais íntimos sabiam, entretanto, que logo depois de assumir o mandato ele viajaria para a Europa, onde pretendia ficar pelo menos um ano, descansando na França, em companhia da família. As passagens já estavam até reservadas pelo vapor *Bagé*, que deveria partir no final de maio.[686]

Além de lancetar o "tumor moral" em que se transformara seu Governo, como diziam seus inimigos, Bernardes estava vivamente interessado em defender, pessoalmente, as principais realizações de sua administração no campo social. Em 1923, por exemplo, ele havia promulgado um decreto do Congresso que obrigava as empresas de estradas de ferro a criarem caixas de aposentadorias e pensões para seus empregados. Os recursos seriam criados com contribuições mensais dos próprios empregados, com base nos salários recebidos, além de uma verba anual que seria destinada a essas caixas pelas respectivas empresas. Nesse mesmo ano, através de decreto, ele criou o Conselho Nacional do Trabalho, órgão consultivo, composto de 12 membros, cuja principal finalidade era estudar as relações entre patrões e empregados e oferecer sugestões para o aperfeiçoamento dos contratos coletivos de trabalho e das normas que regiam os serviços prestados por mulheres e crianças. Partira dele também a legislação que deu proteção aos menores abandonados e delinqüentes. Tinha sido também sua a iniciativa de proibir o trabalho de menores de 12 a 14 anos que não tivessem o curso primário completo.

Igualmente sob sua inspiração foi criado, em janeiro de 1925, o cargo de curador especial de acidentes de trabalho, com o objetivo de prestar assistência médica gratuita aos trabalhadores que se acidentassem durante o trabalho. E em outubro de 1926, data em que se comemora o Dia do Empregado do Comércio, com uma caneta de ouro que recebeu de presente dos trabalhadores, Bernardes assinou o decreto que regulamentou a lei de férias, obrigando os estabelecimentos comerciais, bancários e industriais a concederem, anualmente, férias remuneradas de 15 dias a todos os empregados.[687]

As realizações do Governo Bernardes no campo social tinham sido significativas e representavam um marco nas conquistas dos direitos da classe trabalhadora. Era preciso que o povo ficasse sabendo que toda essa nova legislação social de amparo ao trabalhador fora aprovada e entrara em vigor durante o seu Governo. Ele não fora um governante insensível às aspirações dos assalariados e dos desvalidos. Seu discurso no Senado salientaria as conquistas sociais obtidas pela massa operária durante os quatro anos em que ocupou o Catete. Nenhum outro governante se preocupara tanto quanto ele em defender os direitos do trabalhador.

49

A VAIA LIBERTADA DA GARGANTA

Quarta-feira, 25 de maio

O Centro do Rio amanhece cercado por uma floresta de fuzis e baionetas para garantir a posse de Artur Bernardes no Senado Federal. Os cordões de isolamento e as patas dos cavalos envolvem o Palácio Monroe no maior esquema de segurança já testemunhado pela capital da República.

Os manifestantes que protestam contra a fraude que lhe deu essa cadeira no Senado são mantidos a distância por alas de carabinas. Revoltado com toda aquela demonstração de força para proteger o *Sicário de Viçosa*, o povo comprime-se em frente ao Cine Odeon, cantando a marchinha de carnaval que Bernardes odiava:

Ai, seu "Mé",
Ai, seu "Mé",
Lá no Palácio das Águias, olé!
Não hás de pôr o pé.

É a segunda vez que Bernardes se transforma em alvo da ira popular. A primeira fora em 1921, quando chegou ao Rio ainda como candidato à Presidência da República. O *Correio da Manhã* havia publicado duas cartas falsas, a ele atribuídas, em que atacava o Exército e o marechal Hermes da Fonseca. Assim que chegou nas imediações do Teatro Municipal, vinda da estação da Central do Brasil, a comitiva foi coberta de assovios, vaias e injúrias. Homens e mulheres, de todas as condições sociais, cercaram os carros e passaram a bater nos vidros dos automóveis com pedaços de paus. A turba enlouquecida cobria os ocupantes dos veículos com palavras obscenas. Os políticos, reconhecidos pela massa, eram chamados pelos nomes e publicamente humilhados.

Ao assumir o Governo, como presidente eleito, quase um ano depois, Bernardes jamais voltou a aparecer publicamente. Só participava de cerimônias em recinto fechado ou de platéias com convidados previamente selecionados. Agora, para ser empossado senador, como representante de Minas Gerais, é obrigado a se expor à humilhação que a turba lhe impõe.

"Aí vem o homem!..." Com essa manchete, nas vésperas da cerimônia de posse no Senado, *O Globo* desfizera as dúvidas que ainda envolviam a odiada presença de Bernardes no Rio, para assumir o mandato de senador. O ex-presidente tinha conseguido participar das eleições de fevereiro de 1927 graças a uma manobra política do Congresso, que mudou a legislação só para que pudesse se candidatar ao Senado.

Através de um projeto dos deputados Paulo de Frontin e Bueno Brandão, o prazo de inelegibilidade dos ex-presidentes da República foi reduzido de seis para três meses, a fim de que tivesse condições legais de se eleger senador pelo Partido Republicano de Minas Gerais.[688]

Nas calçadas, o povo não pára de cantar:

— *Ai, seu "Mé"....*

Os membros da oposição sentem-se envergonhados com o servilismo do Senado, ao permitir que "a Casa da Soberania" seja mantida de joelhos, prisioneira de um esquema militar, em que predominam as espadas e as armas de tiro rápido.

A Polícia isolou a avenida Central e outras áreas do Centro para impedir que os manifestantes tivessem acesso ao Palácio Monroe, cujas galerias estão tomadas pela "cafajestada bernadesca", como denunciam aos berros os populares concentrados na Cinelândia. Sob as ordens do delegado Renato Bittencourt, investigadores da 4ª Delegacia investem com bofetadas e bengaladas contra um grupo de estudantes que insiste em realizar um *meeting* em frente ao Cine Odeon. O Senado Federal, o Passeio Público e as ruas vizinhas à Cinelândia estão transformados em praça de guerra.

Mas o povo não sabe que estava sendo enganado, mais uma vez. Todo mundo esperava que Bernardes viesse da Tijuca, onde morava seu irmão Olegário. De acordo com um plano prévio, o Catete espalhara grande contingente policial ao longo desse percurso, para convencer as pessoas de que seria esse o trajeto seguido pelo ex-presidente até o Monroe.

O clima de hostilidade contra a presença de Bernades no Rio irradiara-se por toda a cidade. Nas ruas onde há policiais, o povo se concentra nas calçadas para vaiar sua passagem. Das janelas da redação de *O Globo,* localizada no largo da Carioca, Maurício de Lacerda instiga a multidão, ao sugerir que 25 de maio, dia da posse de Bernardes, fique conhecido como o *Dia da Vaca*, numa alusão ao número 25 no jogo do bicho.

Para surpresa geral, Bernardes surge, de repente, pelos lados de Botafogo, onde praticamente não existiam manifestantes, e entra no Senado pela porta dos fundos, em companhia do irmão. O ex-presidente está pálido e abatido. Nem mesmo a chuva de confete e de dálias brancas que é despejada sobre ele é capaz de lhe devolver a calma e rasgar um sorriso no seu rosto de mármore. Bernardes está tão tenso que, ao chegar, tropeça no tapete vermelho e só não perde o equilíbrio porque é amparado por um investigador que faz parte da sua guarda pessoal.

O ex-presidente é ovacionado com delírio. Nas galerias, atulhadas de simpatizantes, centenas de pessoas acenam para ele ostentando cravos vermelhos na lapela, um dos símbolos do bernardismo. Uma comissão de senadores, custodiada por agentes de segurança, acompanha-o até o plenário para que possa participar da cerimônia de juramento. A presença no recinto de tantos policiais e militares à paisana, em sua maioria sargentos do Exército, é considerada um escândalo pela oposição.

Ao perceber que o *carrasco de Clevelândia* já se encontra no interior do Monroe, o povo começa a vaiá-lo de longe. Os palavrões e as manifestações de protesto chegam ao recinto do Senado. Um dos líderes da oposição, o senador Irineu Machado, levanta-se de sua cadeira e vai até a janela saudar o povo pela sua edificante "reação pública". De uma das sacadas, Irineu tenta reproduzir para a multidão o que está acontecendo no interior do plenário e declara que Bernardes acaba de ser investido no mandato de senador pelas atas falsas de Minas Gerais. O povo, do lado de fora, vaia sem parar.

— Poltrão!

— Cafajeste de *pince-nez*!

A cerimônia é tão rápida que o ex-presidente, nervoso e lívido, nem sequer se senta em sua cadeira. Protegido por uma *corbeille* formada pelos devotados *cravos vermelhos* e ainda sob o impacto dos apupos que podem ser ouvidos de longe, ele se dirige ao gabinete do senador Melo Viana para receber os cumprimentos de praxe.

Na Cinelândia, a Polícia lança uma carga de cavalaria contra os manifestantes, que correm de um lado para o outro, agarrados às suas bengalas, segurando o chapéu na cabeça com uma das mãos. A multidão, em coro, ofende o ex-presidente, vingando-se das declarações que prestara dias antes à imprensa de Belo Horizonte, nas quais classificava o povo carioca como "carnavalesco" e desprovido de qualquer sentimento de civismo:

— Gabola!

— Patife!

— Gigolô de casaca!

— Biltre!

— Dono de *rendez-vous*!

Um grupo de estudantes circula entre o povo, ao longo da avenida Central, recolhendo dinheiro para os revolucionários asilados na Bolívia. Carregam uma faixa enorme onde se lê: "Auxiliai os exilados da Coluna Prestes." As pessoas dão o que podem, sensibilizadas pela campanha de ajuda aos rebeldes promovida por *O Jornal*, de Assis Chateaubriand.

Brusca movimentação policial na porta do Monroe denuncia que Bernardes está deixando o Senado. Os *cravos-vermelhos* posicionam-se rapidamente nas escadarias do Palácio para se despedir do líder. Das janelas e sacadas do Clube Militar, repletas de oficiais acompanhados de suas mulheres, estruge uma vaia monumental. O *maldito,* sempre protegido por um grupo de policiais, desce as escadas rapidamente e entra num carro preto que arranca a toda velocidade, sem lhe dar tempo de se acomodar no banco de trás. O povo vaia sem parar. A caravana, formada por mais quatro veículos, segue em disparada até desaparecer em uma curva, lá para os lados da avenida Beira-Mar.

Os apupos continuam mesmo com a partida do ex-presidente. A manifestação atinge seu clímax quando o senador Irineu Machado aparece no alto da escadaria do Monroe, de chapéu na mão. A massa, dominada por impulso incontrolável, rompe os cordões de isolamento e, em delírio, ovaciona o representante carioca. O senador é carregado em triunfo até o Palace Hotel. Ali, diante de uma multidão excitada, ele narra, com detalhes, como foi a solenidade de posse do *réprobo viçosense*. No discurso, entrecortado por gritos e aplausos de entusiasmo, ele faz um brado de guerra:

— Contra as baionetas da Polícia, as baionetas da Coluna Prestes!

Irineu Machado encerra seu pronunciamento, da sacada do hotel, com uma frase de efeito. Diz que o ex-presidente deixou o Senado como um rato:

— Bernardes fugiu por um alçapão de galeria da City!

O povo delira ao ver denegrida, mais uma vez, a honra do homem que durante quatro anos esfolara sem piedade seus adversários políticos

Em sua edição das sete da noite, *O Globo* anuncia em letras grandes·

"Vergonha das Vergonhas." O texto afirma que o ex-presidente entrou pelos fundos do Senado para empossar-se da cadeira que lhe deu a fraude partidária: "Hoje, 25, na gíria dos bicheiros — carneiro casado com vaca —, deu-se, finalmente, a posse do *calamitoso*. Bernardes já pode viajar para a Europa com os subsídios de senador."[689]

O embarque para Paris ocorre no dia seguinte pela manhã. Bernardes, depois da posse, passou a noite na residência do irmão, na Tijuca. As ruas vizinhas estavam cercadas desde cedo pela Polícia, para impedir a presença de manifestantes. O ex-presidente sai de casa por volta das oito da manhã. Ao passar pela rua Conde de Bonfim, o cortejo é novamente vaiado por populares, apesar de ninguém ter conseguido ver o *Lampião de Viçosa*, como a ele se referira Maurício de Lacerda. O carro está com os vidros levantados e as cortinas cerradas, mas só pode ser ele o ocupante daquele automóvel misterioso, escoltado por outros veículos cheios de policiais, que cruza as ruas da Tijuca em direção ao Centro da cidade.

O armazém 15 do porto do Rio, por onde a caravana entrou, está cercado por tropas de cavalaria desde as primeiras horas da manhã. Nem a imprensa conseguira entrar no cais. O ex-presidente subiu a bordo do *Bagé* em companhia da família e desapareceu no alto da escada, sem olhar para trás. No embarque não houve música nem flores. Bernardes parte para a Europa como um renegado.[690]

50

A REVOLUÇÃO PERDIDA

Terça-feira, 5 de julho de 1927

Muito magro, rugas fundas no rosto queimado de sol, expressão cansada, quase à beira de um colapso físico, Prestes insiste em permanecer na Bolívia, ignorando os apelos para se juntar a Isidoro e Miguel Costa. Ele prefere continuar em La Gaiba, ao lado de seus homens, cuidando dos inválidos e dos feridos. Recusa-se a abandonar os despojos da Coluna e seguir para Buenos Aires, como os demais oficiais do Estado-Maior, que transformaram a capital da Argentina numa espécie de QG da revolução. No exílio, a oficialidade rebelde ocupa o tempo conspirando agora contra Washington Luís.

Miguel Costa não esconde a preocupação com o estado de espírito de Prestes. As últimas informações chegadas ao seu conhecimento, em Buenos Aires, deixaram-no extremamente apreensivo. Por mais de uma vez pensou em viajar a La Gaiba para convencer Prestes a deixar a Bolívia.

Olhar triste, pensamentos cada vez mais distantes, Prestes tem passado as noites quase sempre sozinho, no mais absoluto silêncio, com os olhos fixos num ponto que só ele vê. Dentre as muitas angústias que o consomem, a maior, no momento, é o precário estado de saúde em que ainda se encontram seus homens, flagelados por toda sorte de enfermidades. Em La Gaiba, as febres estão provocando mais baixas do que os combates travados com o inimigo.

Não são apenas as doenças que o inquietam, naquele pedaço de chão, no abandonado Oriente boliviano, no outro extremo do país, a milhares de quilômetros de La Paz. O futuro da revolução o vem atormentando de forma brutal. É preciso capitalizar, rapidamente, os dividendos políticos produzidos pela marcha da Coluna para promover as mudanças de que o país tanto necessitava.

Visto de longe, o destino do movimento revolucionário no Brasil é cada vez mais sombrio. O quadro político brasileiro está bastante confuso, sem qualquer perspectiva de uma solução institucional a curto prazo. A proposta de uma anistia "ampla quanto aos efeitos e restrita quanto às pessoas", que Isidoro encaminhara a Washington Luís, continuava embalsamada pelo Governo. Num gesto de grandeza, Isidoro deixara bem claro que as lideranças rebeldes não pensam tirar dela nenhum proveito. O ato de clemência deveria ser extensivo a todos os combatentes, à exceção dos oficiais que integravam o Alto-Comando revolucionário.

A proposta de anistia ampla, reivindicada pela oposição, permanece também bloqueada no Congresso, onde o Catete dispõe de sólida maioria parlamentar. Em junho, o senador Adolfo Gordo expôs, da tribuna, a opinião pessoal de Washington Luís sobre essa questão:

— O atual chefe do Governo, que tem as mãos sobre o coração do país, que sente as suas pulsações e que deseja mais do que ninguém o apaziguamento (...), é do parecer que a hora da anistia ainda não soou.[691]

O novo presidente, apesar de ter restabelecido o estado de direito, mostra-se tão intransigente e autoritário quanto seu antecessor. Para atenuar, por exemplo, os temores dos banqueiros de Londres, com os quais negocia mais um empréstimo para o país, Washington Luís arma-se com um formidável arsenal jurídico para conter a agitação operária que ameaça os lucrativos negócios ingleses no Rio e em São Paulo. Com o Brasil endividado e precisando de mais dinheiro, os banqueiros submetem o novo presidente a toda sorte de pressões.

Com o objetivo de cortejar os investidores estrangeiros, o deputado Aníbal de Toledo apresentara ao Congresso um projeto de lei, em nome do Governo, que, além de aumentar as penas dos operários grevistas para até dois anos de prisão, permitia que a Polícia fechasse por tempo indeterminado as associações, sindicatos e entidades que cometessem atos contrários à ordem, à moralidade e à segurança pública. O projeto, apelidado de *Lei Celerada,* tem como verdadeiro objetivo legitimar a repressão policial contra toda e qualquer reivindicação de natureza salarial. Aos olhos do mundo, o Brasil transformava-se num país atraente para os grandes investimentos, sem o risco de confrontos com o operariado.

A primeira voz que se ouve em defesa da classe trabalhadora foi a do jornal *A Plebe*, órgão oficial do movimento anarquista, que acusa Washington Luís de ser "mil vezes pior" que Bernardes. Através de uma legislação autoritária, diz o jornal, ele tenta agora garantir "para sempre" o emprego das mesmas violências que o *tarado de Viçosa* praticara sob a égide do estado de sítio.[692]

Mesmo confinado em La Gaiba, Prestes não deixa de se manter razoavelmente informado sobre o que acontece no Brasil. Através dos viajantes que chegam de Buenos Aires, Santa Cruz de La Sierra e Corumbá e dos jornalistas que o visitam, em busca de entrevistas, ele consegue acompanhar a vida política e econômica do país, com as limitações impostas pela distância e pelo isolamento em que vive, em companhia de seus homens.

O jornalista Luís Amaral, que foi ouvi-lo em nome de *O Jornal* para uma segunda série de reportagens sobre as condições em que os remanescentes da Coluna vivem no exílio, abastecera-o recentemente com um punhado de informações sobre o Governo Washington Luís. Amaral tinha sido portador de 17 contos de réis arrecadados entre a população do Rio de Janeiro durante a campanha que Assis Chateaubriand promovera através das páginas de *O Jornal* e do *Diário da Noite* para ajudar os doentes e feridos. Uma parte desse dinheiro era resultante da venda de 30 exemplares de *O Libertador*, alguns sujos de sangue, que Prestes havia entregue a Rafael Correia de Oliveira para serem leiloados em benefício dos soldados. A fim de que os recursos fossem obtidos mais rapidamente, *O Jornal* cedeu cinco números a *O Globo*, cujos leitores chegaram até a oferecer 200 mil-réis por exemplar do órgão oficial da Coluna.[693]

Prestes e Luís Amaral conversam longamente, durante três dias, sobre a visão que os rebeldes têm em relação às grandes questões nacionais. A exemplo de Rafael Correia de Oliveira, o primeiro repórter a entrevistar Prestes no exílio, Amaral também deixou La Gaiba impressionado com a grandeza de caráter do *condottiere*, embora não o considere propriamente um revolucionário. Prestes, Miguel Costa e seus oficiais jamais haviam se empenhado em demolir os privilégios das classes dominantes e promover reformas econômicas e sociais como as que eram defendidas, por exemplo, pelos anarquistas e comunistas, que pregavam uma nova ordem social. Na sua avaliação, o *condottiere* é "um homem extremamente generoso, digno e honrado, que se apega, com firmeza, às suas idéias e ideais". Apenas isso. Como militar, só havia participado da revolução porque acreditou que era este o seu dever, como patriota.

Ao escrever a reportagem, Luís Amaral vai mais além em suas observações:

> *"Prestes não é, de maneira alguma, um espírito revolucionário. Fez a revolução porque julgou que, no momento, era essa a melhor forma de exercer o seu patriotismo. Assim o fez como será também capaz de fazer uma contra-revolução, colocar-se ardorosamente ao lado do Governo, no momento em que seu esclarecido patriotismo assim o inspirar."*

O representante de *O Jornal* entendia que a Coluna fora apenas um movimento pequeno-burguês de contestação a um Governo autoritário que humilhara o Exército. Essa era também a opinião de alguns dirigentes do Partido Comunista Brasileiro, que afastavam qualquer possibilidade de aliança com as lideranças rebeldes no exílio. Qualquer iniciativa nesse sentido era considerada uma heresia, não só uma traição ao proletariado como também a negação de "todos os ensinamentos de Marx e Engels".[694]

Os rebeldes, na verdade, em nenhum momento se preocuparam em promover uma revolução social no Brasil. Apesar de sua perplexidade diante do ambiente de miséria, ignorância, opressão e abandono em que viviam as populações do interior do país, os líderes da Coluna jamais pensaram em mudar a estrutura da sociedade para reverter a situação que tanto os impressionava.

Sua rígida formação militar impediu que percebessem os interesses econômicos responsáveis por esse quadro de exploração e pobreza. Não tiveram também sensibilidade política para identificar as verdadeiras raízes da miséria no campo, já que eram incapazes de perceber os conflitos que existiam, de forma dissimulada, entre fazendeiros e trabalhadores sem terra. Para os tenentes, tanto os grandes proprietários de terras como as famílias por eles exploradas eram todos homens do campo. Os problemas decorrentes do latifúndio eram incompreensíveis para os rebeldes. Eles se aproximavam desses trabalhadores, que muitas vezes viviam como escravos, apenas à procura de braços para engrossar o movimento militar que espicaçava o Governo.

Em momento algum pensaram em organizar e conscientizar as massas rurais para que lutassem por seus direitos. Jamais perceberam que o homem do campo e o trabalhador urbano poderiam ser capazes de promover mudanças políticas, já que eram considerados personagens secundários, diante da importância do papel que eles mesmos se atribuíam, como salvadores da pátria. Como faziam parte de uma elite, num país em que 80% da população eram analfabetos, os integrantes da Coluna julgavam-se os legítimos protagonistas da História.

Acreditavam que não era preciso mudar a ordem estabelecida para que o Brasil se tornasse uma grande nação. Seu discurso pregava, acima de tudo, a moralização dos costumes, com o afastamento dos políticos desonestos e a sua substituição por cidadãos cultos, dignos e respeitáveis, capazes de restabelecer a ordem e de resgatar a imagem das instituições, dominadas pelo vício e pela corrupção.

Esse discurso, de caráter moralista, mostrou-se inócuo no campo. As populações ignorantes do sertão, aterrorizadas com a propaganda do Governo, não viam a Coluna com o mesmo entusiasmo das populações urbanas, fascinadas com seu espírito de contestação e rebeldia diante de um governo opressor. Para o homem do campo, a Coluna era "o raio, a peste, a chama, o pecado", a representação do mal.[695]

Os sertanejos nunca entenderam o verdadeiro significado desse apostolado revolucionário porque eles e os rebeldes tinham aspirações e visões diferentes do mundo. A Coluna e o trabalhador rural não falavam a mesma língua.

Prestes mantinha-se inflexível diante dos comoventes apelos para deixar aquele "inferno verde", antes que as febres também o atingissem, e se juntar ao Alto-Comando revolucionário, na Argentina. Mas ele não estava ainda decidido a trocar a sufocante La Gaiba, com sua floresta úmida e sombria, pela trepidante Buenos Aires, que se transformara, nos últimos meses, num excitante viveiro de "idéias avançadas". A cidade atraía socialistas, anarquistas e comunistas de quase toda a América Latina, que acreditavam estar a Argentina às vésperas de uma revolução social.

Antes de pensar em qualquer projeto de mudança é preciso honrar os muitos compromissos assumidos com a Bolivia Concessions, como a construção da estrada para Santo Corazón, cujas obras se encontram bastante adiantadas. Prestes tem também motivos pessoais para não se juntar logo aos companheiros que conspiram nos enfumaçados cafés da Calle Florida. Alguma coisa lhe diz que a política de alianças costurada no Brasil pelas lideranças civis do movimento revolucionário não está produzindo os resultados esperados. Caso seja mal-alinhavada, essa costura será capaz não só de alterar os rumos do movimento, desfigurando-lhe o perfil e o ideário, como também de atirá-lo em outros braços.

A chegada inesperada de Siqueira Campos a Buenos Aires, depois de perambular com seus homens, durante quase dois meses, por Mato Grosso e Goiás, sem enviar notícias, devolveu a Prestes um pouco da alegria perdida. Há muito que se temia pela vida de Siqueira, já que a fronteira com a Bolívia tinha permanecido, até há bem pouco tempo, sob severa vigilância dos jagunços baianos.[696] Prestes queixara-se ao jornalista Luís Amaral de que esses pistoleiros tinham o hábito de profanar as sepulturas dos rebeldes para desenterrar os cadáveres e verificar se entre eles não se encontrava algum que estivesse com a cabeça a prêmio. Os corpos eram depois abandonados, com as covas abertas, para servir de pasto aos urubus.

Os jagunços tinham causado, recentemente, péssima impressão às próprias autoridades bolivianas. Ao visitar a cidade de Cáceres, em Mato Grosso, o juiz de San Mathias viu em poder de um cangaceiro, de nome Teixeira, um rosário de orelhas cortadas, que ele exibia publicamente como se fossem troféus. Um dos maiores orgulhos de Teixeira, que fazia parte do batalhão de Franklin de Albuquerque, era mostrar que sabia de cor o nome do dono de cada uma das 30 orelhas por ele decepadas. Entre elas, uma era fácil de ser identificada: a menor de todas pertencia ao major Lira, que era baixinho e mulato.[697]

A carta que Siqueira enviou da Argentina chegou a La Gaiba quase 15 dias depois. Prestes considera-o seu melhor amigo, apesar de possuírem temperamentos diametralmente opostos. Os dois foram colegas de turma, mas de Armas diferentes. Siqueira é impulsivo, obstinado e audaz. Não é intelectual nem se guia pelo cérebro. Age sempre sob forte impulso, sem medir as conseqüências. Prestes, ao contrário, é racional, calmo e metódico. Não se deixa apossar pela emoção e só toma decisões após longa reflexão, quando as idéias estão claras e suficientemente amadurecidas.

"Buenos Aires, 30 de abril de 1927.
Prestes,
Às ordens, meu caro general!...
... São tantas as coisas a dizer que não sei por onde começar."

Siqueira asilara-se inicialmente no Paraguai, em companhia de 65 homens, mas apenas 10 decidiram acompanhá-lo até Assunção, onde Miguel Costa o esperava, ansioso, sem saber o que havia acontecido. Os restantes dispersaram-se por fazendas, ao longo da fronteira, onde conseguiram emprego, ou acharam melhor regressar clandestinamente ao Brasil.

A marcha desengonçada e sem destino de Siqueira perturbou o Governo durante cerca de dois meses. A invasão de Jataí, por exemplo, foi uma bofetada no Exército. Ao entrar de madrugada nessa cidade, considerada a sala de visitas de Goiás, Siqueira surpreendeu uma força da Polícia Militar dormindo na cadeia pública. Acordou os soldados e perguntou, com ironia, se sabiam onde estavam os rebeldes. O tenente que comandava o grupo, irritado por ter sido despertado àquela hora da noite, respondeu, sonolento:

— Estão muito longe...

Virou-se na cama e continuou dormindo.

Siqueira alteou a voz e deixou o oficial crispado de espanto:

— Os revoltosos somos nós, que o apanhamos em flagrante delito, dormindo, em vez de estar cumprindo com o seu dever.

O tenente Florêncio de Souza deu um salto da cama como se despertasse de um pesadelo. Depois de desarmá-lo, Siqueira ainda humilhou-o, transformando-o em seu motorista. Um rebelde despojou-o, em seguida, da espada de oficial, que foi atada à cauda de um animal. Com o tenente ao volante, Siqueira dirigiu-se ao telégrafo, onde instalou o seu QG. Ali, recolheu cerca de 100 contos de réis, que lhe foram entregues, "espontaneamente", pelos comerciantes de Jataí. Com ar debochado, fingindo emoção pela dádiva recebida, Siqueira esclareceu que aquele dinheiro não era para ele, mas para o Banco da Revolução. Agradeceu, mais uma vez, a "idéia carinhosa" que tiveram em presenteá-lo com quantia tão expressiva e partiu como chegou: como um relâmpago. O Exército, a Polícia Militar e os batalhões de jagunços jamais conseguiam alcançá-lo. Ele surgia e desaparecia "como um raio"

Siqueira só conseguiu cruzar a fronteira com o Paraguai no dia 24 de março. Pelas terras por onde andou, em Mato Grosso e Goiás, o Governo plantou uma floresta de infâmias, entre elas a de que seus homens invadiam as cidades só pelo prazer de roubar e matar, e que, depois de violarem os lares, costumavam estuprar as mulheres na presença dos maridos. Siqueira também era acusado de cobrar uma espécie de imposto de guerra em vilas e fazendas, uma contribuição invariavelmente arrancada a ponta de baionetas e que oscilava de 10 a 30 contos de réis.

Entre a enxurrada de injúrias lançadas contra seus homens algumas não eram, entretanto, desprovidas de fundamento. O próprio Siqueira, com sua impulsividade e o gênio esquentado, tinha parcela de culpa na campanha que tanto enodoava sua imagem. Ao determinar que os jagunços aprisionados em combate não fossem mais levados à sua presença, porque não queria ver mais pela frente aqueles "desprezíveis detritos humanos", bandidos vulgares e desalmados, que só assassinavam de tocaia, Siqueira "legitimou" a execução desses prisioneiros. Seus homens passaram a se livrar desse tipo de gente da forma que achavam melhor.[698]

Na carta enviada de Buenos Aires, o herói do levante do Forte de Copacabana dizia não ter ainda domicílio fixo na capital da Argentina. A correspondência a ele destinada deveria ser encaminhada aos cuidados de Orlando Leite Ribeiro, oficial gaúcho que havia alugado um apartamento na "Calle Bartholomé Mitre, 835, 4º piso".[699]

No exílio de La Gaiba, Prestes continua sendo festejado como um personagem de que necessitava "tanto a nossa história como a nossa literatura". Um herói nacional, denso, popular, guerreiro e libertário, de que "tanto careciam a poesia e o romance". O Brasil tinha agora a figura do herói e do mito esculpida numa só pessoa. Conseguíamos, finalmente, ter o nosso Bolívar, o nosso Sucre, o nosso San Martín, o ídolo de que "nossa tradição e nosso ideal romântico andavam famintos". Prestes, como diziam os jornais, tinha sido maior que Aníbal. A marcha da Coluna, realizada em pouco mais de dois anos, foi três vezes maior do que a distância percorrida, em 16 anos, pelo exército do famoso guerreiro cartaginês. Na história da humanidade, só a extraordinária marcha comandada por Alexandre, o Grande, havia superado o feito da Coluna, que tinha sido ainda "28 vezes mais veloz que a de Aníbal", dizia *A Manhã,* do Rio de Janeiro.

Depois de ter estudado as distâncias percorridas pelos exércitos de Átila, César e Bonaparte, *A Manhã,* concluía, enfático:

"A epopéia de Prestes confrontada, como o fizemos, com as demais epopéias do gênero, das quais tanto se ufana a História da Civilização, só pela de Alexandre é superada e detém, portanto, o segundo lugar entre as mais notáveis expedições militares de que há notícia na história universal de todos os tempos."[700]

Os jornalistas e os políticos que o procuram, na Bolívia, rendem-lhe as maiores homenagens, mas sempre que os visitantes partem ele se mostra cada vez mais silencioso e introspectivo. É aclamado como herói pelas populações urbanas, particularmente pela intelectualidade das cidades litorâneas, mas continua ignorado pelo homem do interior.

As classes dominantes não estão também indiferentes ao admirável prestígio amealhado pelos líderes da Coluna entre a opinião pública. Os primeiros sinais de pacificação, propostos por Assis Brasil, que assumira a chefia civil do movimento revolucionário, foram bem recebidos pelas oligarquias dissidentes que faziam oposição a Washington Luís. Desde abril de 1927 ele vinha mantendo contatos com o Partido Democrático de São Paulo, que reúne interesses oligárguicos preteridos pelo Catete, visando à formação de uma frente ampla nacional com a Aliança Libertadora, o braço paisano da revolução. A luta armada já tinha cumprido o seu papel histórico; o momento, agora, exige "soluções políticas", sem qualquer ranço de sectarismo. É preciso fazer um acordo entre a liderança civil do movimento revolucionário e as dissidências da oligarquia que lutam contra a política do *café-com-leite,* sustentada pelos oligarcas de São Paulo e Minas Gerais. A oposição articula-se em âmbito nacional pregando as reformas defendidas pela revolução. No exílio, as lideranças militares continuam conspirando contra o Governo, que se nega a lhes conceder anistia.

51

O CEMITÉRIO DE LA GAIBA

Nessa terça-feira, 5 de julho, as ruínas da Coluna estão diante de um pequeno monumento de cal e pedra erguido no cemitério de La Gaiba em memória dos rebeldes que morreram na Bolívia. Aos pés do monumento, pintado de branco, jaz uma lápide de granito, onde se lê: *Glória aos Bandeirantes da Liberdade!*

Além de Prestes, dois outros comandantes de Destacamento também participam da pungente cerimônia: Cordeiro de Farias, recém-chegado de Santa Cruz de La Sierra, e Djalma Dutra, que se encontrava em Paso de los Libres.

O orador é o capitão Lourenço Moreira Lima, advogado dos tenentes acusados de ter participação no levante do Forte de Copacabana, em 1922. Ao se juntar aos rebeldes no Paraná, Moreira Lima transformou-se numa espécie de Pero Vaz de Caminha da Coluna, cuida dos arquivos e registra num diário tudo o que acontece.

A sua voz grave de bacharel ecoa pela floresta boliviana.

— Os movimentos armados que têm explodido no Brasil são a conseqüência lógica e fatal da degradação moral a que chegaram os políticos profissionais que se apoderaram do Governo da República (...) Num país como o nosso, onde a quase totalidade desses políticos visa tão-somente locupletar-se com a fortuna pública, sobrepondo as suas ambições inconfessáveis aos interesses nacionais (...), a revolução armada é o último recurso que resta ao povo para fazer triunfar as suas justíssimas aspirações de aperfeiçoamento político e moral.(...) Domina-se um motim, mas não se mata uma revolução.

Aquele homem de aspecto severo, alto, magro, sempre fechado em si, ligeiramente curvo, é ouvido com deslumbramento pelos rebeldes. Apesar de ter pouco mais de 40 anos, a aparência de Moreira Lima é a de um sexagenário, com rugas profundas que lhe acentuam ainda mais o rosto ossudo e anguloso. As palavras são, de repente, sufocadas por uma tosse seca e cavernosa, que há anos não o abandona:

— Assim, a 5 de julho de 1924, a guarnição da culta e progressista cidade de São Paulo levantou-se de armas na mão, vendo-se logo apoiada pelo povo, que se colocou a seu lado, num belo e nobre gesto de solidariedade. (...) São Paulo trocou o arado do semeador pelo fuzil do revolucionário. Surgiram nos cimos do Cubatão a alma varonil dos bandeirantes e a alma liberal dos campeões das batalhas nobres e das refregas generosas pelo bem da nacionalidade.(...) O Brasil não é uma senzala do Sr. Washington Luís e dos seus serviçais. O Brasil é a pátria de todos os que nasceram, cresceram e vivem sob os seus céus, e não a fazenda de meia dúzia de patifes enriquecidos à custa dos cofres públicos e de negociatas acanalhadas.

De cabeça baixa, Prestes mantém-se aparentemente impassível, com o mesmo olhar distante e angustiado das noites em que era sempre visto caminhando, sozinho, pelo acampamento de La Gaiba, entregue a seus pensamentos. Ele está cada vez mais convencido de que as oligarquias e a burguesia emergente estão se apossando do ideário da Coluna para desvirtuá-lo e impedir a sua execução.

A aliança costurada por Assis Brasil com as oligarquias dissidentes não só conspurca a pureza do movimento revolucionário como perm e que sua bandeira seja empunhada por mãos profanas. Essas forças, na verdade, também fazem parte das classes dominantes e não estão preocupadas em mudar a fisionomia do país. Elas foram momentaneamente alijadas do poder, porque alguns interesses políticos e econômicos regionais haviam sido contrariados. Ao assumir, agora, o comando do processo político de contestação a Washington Luís, elas poderiam manipular o ideário defendido pela Coluna de acordo com seus interesses de classe.

Prestes percebera que os chefes civis gaúchos tinham aderido à revolução só com o objetivo de expelir Borges de Medeiros do poder. Sua visão política era extremamente limitada. Eles estavam empenhados em defender posições políticas e econômicas de caráter exclusivamente regional. Ao contrário dos militares, sempre preocupados com as questões nacionais, os caudilhos gaúchos em nenhum momento se deixavam envolver pelas discussões em que se debatiam os graves problemas que tanto asfixiam o país.

— Companheiros: a revolução vencerá! O espírito divino de rebeldia, que levamos através de todo o Brasil, nessa marcha formidável de perto de quatro mil léguas, combatendo dia a dia, permanecerá eternamente vivo no coração do povo, desse povo humilhado, explorado e escravizado, para quem a vida tem sido um desdobramento secular de todas as misérias.(...)[701].

Os destroços da Coluna estão formados, em posição de sentido, diante das sepulturas. Emocionados, muitos choram baixinho, soluçam como crianças. Os rebeldes sorvem as palavras daquele homem apaixonado pelos seus ideais que se deixa trair pelo velho hábito de falar lentamente, como se estivesse diante de um tribunal. Moreira Lima discursa com exacerbada acrimônia. Há um forte acento de indignação e revolta em sua voz.

À mente de Prestes acodem velhas reminiscências que o levam, de repente, de volta à época em que servia no Rio de Janeiro, em 1921. Tudo começou na manhã chuvosa de 9 de outubro, quando o *Correio da Manhã* publicou uma carta insultuosa ao Exército, atribuída a Artur Bernardes, então governador de Minas Gerais e candidato à Presidência da República. A carta que Bernardes teria escrito, de próprio punho, ao amigo Raul Soares convulsionou os quartéis e indignou toda uma geração de jovens oficiais.

Além de chamar o marechal Hermes da Fonseca de "canalha" e "sargentão sem compostura", o autor insinuava que a oficialidade do Exército, em sua maioria, era venal, gente que podia ser facilmente comprada "com todos os seus bordados e galões". O Exército sentiu-se enxovalhado.

Todo mundo acreditou que a carta era verdadeira, mas logo depois se verificou que se tratava de uma carta falsa, parte de um plano diabólico para inviabilizar a candidatura Bernardes e abrir caminho para que fosse lançado o nome do próprio Hermes da Fonseca à Presidência da República.

A carta fora escrita por Jacinto Guimarães, um notório falsário com algumas passagens pela Polícia, que se especializara em forjar assinaturas e fraudar documentos, e redigida sob a inspiração de uma figura também sem escrúpulos, o chantagista Oldemar de Lacerda, que freqüentava os melhores salões da capital federal.

Antes de atirar o país em uma das maiores crises de sua história, Oldemar imaginou que poderia faturar alguns trocados com a carta apócrifa. Avistou-se então com o senador Paulo de Frontin, amigo de Bernardes, e perguntou se o governador de Minas não teria interesse em comprá-la. Consultado, Bernardes repeliu a oferta, indignado e com ar de nojo. Um mês depois elas apareciam estampadas, com todas as letras, na primeira página do *Correio da Manhã*, como se fossem autênticas. As primeiras labaredas deram logo a dimensão do incêndio que começava.

Bernardes apressou-se em negar, com veemência, a sua autoria. Denunciou que estava sendo vítima de uma inominável perfídia. Mas o fogo foi mais rápido: sua candidatura já estava chamuscada. Por pouco não se reduzira a cinzas.

O vigoroso desmentido, entretanto, não impediu que o episódio tomasse outros rumos. Se tivesse, por exemplo, seguido os conselhos de Maquiavel, Bernardes talvez não estivesse no epicentro daquele terremoto político: "O príncipe precisa agir como raposa para pressentir as armadilhas e como leão para amedrontar os lobos."[702] Bernardes, porém, preferiu fingir-se de morto e acabou sendo capturado como uma ovelha.

Os desdobramentos da crise política e militar foram imediatos. No dia seguinte à publicação da carta, o Clube Militar, sob a presidência de Hermes da Fonseca, reuniu-se para examinar a gravidade da situação. O próprio marechal foi um dos primeiros a denunciar a fraude. Mesmo colocando-se contra a maioria da oficialidade, que acreditava na autenticidade da carta, sustentou que ela não passava de simples instrumento de condenável jogo político. Pouco adiantou. O Exército sentia-se ultrajado e exigia uma reparação.

Os ânimos ficaram ainda mais exaltados quando o *Correio da Manhã* publicou uma carta, agora atribuída a Raul Soares e endereçada ao amigo Artur Bernardes. O texto, desta vez, era desairoso não só para com o Exército, como também com a Marinha.

Mesmo diante do enxoval de panos quentes que se estenderam para amenizar a crise, o Clube Militar recusou aceitar a versão de que as ofensas ao Exército tinham sido inventadas. Reunidos em assembléia permanente, os militares exigiram que a carta fosse submetida a um exame pericial.

A fim de que o caso fosse definitivamente esclarecido, foi então criada uma comissão de alto nível, com peritos indicados pelas partes interessadas: o *Correio da Manhã*, o Clube Militar e Artur Bernardes. Constituíram-na dois generais, dois almirantes, três coronéis, um capitão da Marinha e um civil, o perito Simões Gouveia, que representava Bernardes, juntamente com o general Barbosa Lima. Os exames grafotécnicos obedeceram aos procedimentos técnicos adotados internacionalmente em perícias dessa natureza. Na hora em que o laudo seria redigido, com a conclusão dos peritos, os representantes de Bernardes recusaram-se a assiná-lo e abandonaram os trabalhos.

No dia seguinte, o relatório da comissão foi submetido à apreciação da assembléia permanente do Clube Militar. O plenário decidiu por 493 votos contra 90 reconhecer como autêntica a carta atribuída a Bernardes. O perito Simões Correia ainda tentou demolir o parecer da comissão com provas técnicas irrefutáveis, mas não adiantou. Ninguém lhe deu ouvidos.

Prestes, que também participou da assembléia, ainda se lembra do momento em que pediu a palavra e conclamou os companheiros a não aprovarem o relatório da comissão:

— Essas cartas são falsas. Acho que, se devemos fazer uma revolução, precisamos dar à nação motivos justos e não falsos, como essas cartas e o laudo com que se procura, agora, legitimar essa falsificação grosseira.[703]

Também a ele ninguém lhe deu ouvidos. Ele recorda as vaias que recebeu por ter sido contra a aprovação do relatório.

O Clube Militar, num gesto teatral, politicamente estudado, decidiu então entregar "a solução do caso ao julgamento da nação".

O presidente Epitácio Pessoa, que até então acompanhava a discussão a distância, resolveu intervir nos quartéis, para restabelecer a disciplina e impedir que o incêndio se alastrasse em outras direções. Os oficiais que se haviam declarado contra a candidatura Bernardes foram imediatamente transferidos para guarnições distantes no Amazonas e Rio Grande do Sul.

Mesmo com as Forças Armadas e a opinião pública contra si, Bernardes, meses depois, conseguiu eleger-se presidente da República com o voto dos *coronéis* do interior. Como era de se esperar, o resultado das urnas foi contestado por Nilo Peçanha, que se declarou o verdadeiro vencedor das eleições de março de 1922.

Nilo garantiu ter recebido 325.325 votos contra 302.576, dados ao seu opositor. Os ânimos ficaram ainda mais exaltados com a perspectiva de que o nome de Bernardes fosse referendado pelo Congresso Nacional. Quem decidia a sorte dos candidatos não eram os eleitores, mas as chamadas comissões verificadoras, formadas por deputados e senadores, as quais legitimavam o resultado das apurações em todo o país. Elas é que apontavam sempre o candidato vitorioso, mesmo contra a vontade das urnas.

O vencedor não podia ser outro: Artur da Silva Bernardes, o candidato do Catete. O Congresso proclamou-o vitorioso com 466.877 votos, enquanto Nilo ficava com 317.000. A oposição protestou. A vitória do candidato oficial era um insulto ao Exército e aos homens de bem, a consagração da mentira, do nepotismo, da fraude e da corrupção. A jovem oficialidade deu logo movimento e cor a essa insatisfação.

A hierarquia foi virada pelo avesso no dia 24 de junho de 1922, durante uma das mais tumultuadas assembléias da história do Clube Militar. A razão de toda essa revolta, na verdade, não era a figura política de Bernardes, mas o que ela representava. A continuação do assalto aos cofres públicos, a submissão do país ao capital inglês, a manutenção dos privilégios das classes dominantes em contraste com a miséria e do abandono em que vivia o resto da população, a má representação do Congresso, constituído em sua grande maioria por políticos venais e corruptos, ligados aos grandes proprietários rurais.

As academias militares, por sua vez, como grandes centros de estudos da classe média, alimentavam ainda mais as veleidades intelectuais e políticas dos jovens oficiais, que se consideravam uma elite. Como o estágio de indigência e de incultura da população era absoluto, a revolução tinha que ser feita pelos quartéis.[704]

Nunca as paixões estiveram tão acesas como naquela assembléia do Clube Militar. Alguns oficiais chegaram ao desvario de insultar publicamente seus superiores, numa demonstração de insubordinação até então jamais vista. Os grupos agrediam-se, verbalmente, indiferentes às patentes e aos postos que ocupavam. Aos gritos, os tenentes xingavam seus comandantes e apontavam o dedo na cara dos generais. A tempestade de ódios e ressentimentos que despencou sobre a assembléia foi tão violenta que a hierarquia acabou sendo pisoteada pela paixão incontrolada.

A jovem oficialidade reagia com virulência à ameaça de fechamento do Clube Militar. Ninguém encarnou melhor esse sentimento de rebeldia contra o Governo do que o tenente Asdrúbal Gwaier de Azevedo. Sua revolta era também contra a apatia dos oficiais mais velhos, por não terem repelido com energia mais essa humilhação imposta pelo Catete.

Ao se dirigir aos companheiros, durante a sessão presidida pelo marechal Hermes da Fonseca, Gwier expôs a indignação que lhe queimava o peito:

— Os jornais noticiam que o sr. presidente da República, para enxovalhar o Exército, vai mandar amanhã os seus agentes fecharem o Clube Militar, baseado numa lei que fecha sociedades de anarquistas, de caftens e de exploradores do lenocínio. Maior injúria não se pode fazer. Suprema afronta jogada às faces do Exército nacional!

O major Euclides Figueiredo aparteia bruscamente o orador. Fala como um escudeiro de Epitácio Pessoa:

— O senhor presidente da República tem toda a razão!

O tenente volta-se na direção do major, que permanece sentado, no fundo do salão. Gwaier alteia a voz e questiona Figueiredo com ar de desprezo:

— Vossa Excelência concorda que o presidente da República feche o Clube Militar baseado naquela lei?

— Concordo!

— Então Vossa Excelência é cáften? É explorador do lenocínio? É anarquista? Queira desculpar porque, francamente, eu não sabia.

O major levanta-se e devolve a ofensa com uma ameaça:

— Eu respondo a V. Excia. como homem.

Gwaier não se deixa intimidar:

— À vontade. Escolha lugar e marque hora. Sob minha honra de militar o juro, lá estarei.

Ninguém mais se entende no plenário. O marechal Hermes da Fonseca intervém rapidamente, procurando conter os mais exaltados. Toca insistentemente a campainha e chama a atenção do orador:

— O senhor tenente Gwaier precisa modificar a sua linguagem. Vossa Excelência está convidando os seus superiores para brigar...

A confusão continua. Os oficiais superiores tomam as dores do major Euclides e exigem que a mesa tome providências enérgicas contra o tenente.

Gwaier deixa-se arrastar por uma provocação e cutuca com vara curta os companheiros que apóiam o Governo. Comenta, em tom de deboche, os apartes feitos ao tenente Siqueira de Brito, que tomara a sua defesa:

— Senhor presidente, se eu soubesse que os defensores do Governo epitacista apartearíam o tenente Brito com tanta rudeza e grosseria, não teria tocado no caso da prisão daquele oficial, para não assanhar os gaviões e os abutres que rasgam a dignidade alheia.

Ouve-se um protesto anônimo no meio da platéia:

— Gavião é Vossa Excelência.

— Eu sou gavião e Vossa Excelência é *rolinha*.

Ao ouvir a expressão *rolinha*, usada pejorativamente para identificar os simpatizantes do Governo, o general Tertuliano Potiguara, que conversava, distraído, ao lado da janela, fica de cabelos em pé. Sente-se ofendido pelo orador, pensa que Gwaier está se referindo a ele, militar reconhecidamente legalista, que jamais compactuou com qualquer tipo de conspiração.

Interpela o orador com rispidez:

— O senhor está se dirigindo a mim?

O tenente não deixa o general completar a frase:

— Vossa Excelência é também um corvo que procura rasgar a honra alheia!

Trêmulo de ódio, Potiguara mal consegue falar. Volta-se para o plenário, perplexo, e explode:

— Protesto! Isto revolta, senhores oficiais!

Gwaier não lhe dá trégua. Acusa o general também de servil:

— O que revolta é Vossa Excelência emprestar seus galões e a força que comanda a um bandido como o senhor Epitácio Pessoa, deixando-o cavalgar livremente o Exército, fechando o Clube Militar baseado numa lei infame, injuriosa e opressora!

Potiguara não acredita no que ouve. O nervosismo o faz tropeçar nas próprias palavras:

— Vossa Excelência se atreve a chamar o senhor presidente da República de bandido?

— Ele não é somente bandido, é ladrão também; está provado.

O capitão Teopom Vasconcelos não se contém diante de tamanha insolência. Acusa o tenente de ser abjeto e perjuro:

— Vossa Excelência é indigno de vestir a farda do Exército. Não agrida seus superiores!

Gwaier golpeia o capitão Vasconcelos no peito:

— Eu falei com o general Potiguara, e não com o seu ordenança.

Vasconcelos devolve-lhe o insulto, alteando a voz:

— Ordenança é Vossa Excelência!

— É Vossa Excelência que, como capitão, se prestou aos papéis mais infames, como sejam os de perseguidor e algoz dos seus colegas.

Vasconcelos ri com ar de deboche, zomba do orador:

— Vossa Excelência está se alterando e o sangue lhe chegando às faces...

— Sim, porque onde não tem sangue é na fisionomia dos cadáveres. Onde não tem sangue é na fisionomia de Vossa Excelência, que é um cadáver moral.

A confusão espraia-se novamente pelo plenário. Os generais não suportam mais ouvir tanta ignomínia. Hermes da Fonseca intervém outra vez, para serenar os ânimos. Toca a campainha com energia, faz valer a sua autoridade como marechal e presidente da mesa. Ameaça dissolver a assembléia se continuarem os insultos e xingamentos:

— Se os senhores oficiais continuarem nessa linguagem, eu serei obrigado a suspender a sessão. Todos nós somos do Exército, e o que se está passando aqui é uma vergonha que depõe contra a nossa cultura e educação. Continua com a palavra o tenente Gwaier de Azevedo.

— A observação do senhor presidente — prossegue o tenente — atinge aqueles que me obrigam a responder com violência apartes violentos e indelicados.

O general Carneiro da Fontoura, ex-comandante da 1ª Região Militar, que até então se mantinha em silêncio, tem um chilique:

— Indelicado é Vossa Excelência, que não tem educação.

Gwaier responde de forma áspera e grosseira:

— Vossa Excelência não sabe nem escrever o próprio nome. Para que e por que se mete a apartear? Resultado: eu lhe respondo, Vossa Excelência não sabe coisa alguma e é, portanto, obrigado a se calar.

Carneiro da Fontoura parece estar sendo vítima de um infarto: expressão congestionada, olhos esbugalhados, a mão agarrada ao peito, o general mal consegue respirar.

O general Potiguara toma a defesa de Fontoura:

— Vossa Excelência é um cretino!

— Cretino é Vossa Excelência. Não estamos no Contestado, onde Vossa Excelência mandava fuzilar a torto e a direito. Isto é um costume seu... e muito antigo.

O coronel Antenor de Santa Cruz Pereira de Abreu levanta-se, indignado, e chama a atenção de Hermes da Fonseca:

— Eu estou revoltado com a linguagem desse oficial, senhor presidente.

Gwaier responde rápido, antes que soe a campainha:

— Vossa Excelência está revoltado porque não pode me pegar no 1º Regimento de Cavalaria para me raspar a cabeça, como faz com os seus soldados.

Santa Cruz esbraveja, de pé, apoplético:

— Isto é uma infâmia!

O tenente lhe dá o tiro de misericórdia:

— Vossa Excelência pode me informar por que todo mundo o conhece por *Rapa-coco*?

Ouvem-se risos na platéia. Alguém grita no fundo do salão: "Muito bem!" A turba aplaude.

Os oficiais superiores estão sendo objeto de chacota pelos mais jovens. A insubordinação do tenente Gwaier ultrapassa todos os limites. É preciso acabar de uma vez por todas com a insubordinação. O general Heitor Moura levanta se, tenta sufocar a insubmissão:

— O senhor está preso!

O tenente não se dá por vencido·

— Perdeu boa ocasião de ficar calado. Se eu, dizendo tudo isso, não soubesse que seria preso, seria um idiota.

O general José de Lima ordena que ele se cale:

— Vossa Excelência é um indisciplinado!

Gwaier balança a cabeça afirmativamente e responde com escárnio:

— É verdade...

Os mais velhos jamais viram tamanha demonstração de desrespeito. O general Lima permanece de pé, no meio da assembléia, aguardando que Gwaier acate a ordem de prisão. Faz prevalecer a hierarquia, exige respeito, procura colocar o tenente no seu lugar. Fala duro com o subordinado:

— Vossa Excelência, olhe para a minha cara e veja quem sou, atrevido!

— Eu não conheço Vossa Excelência direito, mas pela cara parece um coveiro de cemitério em tempo de epidemia.

— Muito bem! Muito bem!

Os jovens oficiais deliram. A assembléia está, mais uma vez, sob o domínio do acinte e da indisciplina.

Uma voz grave impõe-se de repente, como um trovão, sobre o clima de sedição e de desacato à autoridade:

— Devia ser cassada a palavra desse oficial.

— Pois venha Vossa Excelência cassar.

A oficialidade diverte-se com aquele clima de lassidão:

— Muito bem! Muito bem!

As atenções voltam-se para o general Setembrino de Carvalho, ex-comandante da 4ª Região Militar, em Belo Horizonte. Ele nunca vira tamanha insolência. O velho general tenta conter a arrogância do tenente:

— Eu o repilo como homem!

— Vossa Excelência já teve ocasião de repelir alguém a não ser como homem? Eu não tive, graças a Deus...

O plenário explode em gargalhadas, numa algazarra típica de motim. A assembléia parece um cabaré. Perplexo, Setembrino censura o marechal Hermes da Fonseca pela licenciosidade com que conduz a reunião:

— Fosse eu presidente do Clube, esse oficial não continuaria a falar.

Gwaier aproveita a deixa de Setembrino para lavar velhas trouxas de roupa suja no meio do salão. Lembra algumas passagens escabrosas do general durante a campanha do Contestado:

— Vossa Excelência podia ser presidente do Clube, mas não com o meu voto. Como poderia ser presidente do Clube Militar um oficial general que na campanha do Contestado, de parceria com os peculatários, roubou a nação em dois mil e seiscentos contos, assinando recibos fantásticos de víveres e deixando soldados morrerem de fome?

— Vossa Excelência tem como provar essas acusações?

— Pois não! Os documentos existem!

O general Potiguara coloca-se ao lado de Setembrino, acusa o tenente de falsear a verdade:

— Vossa Excelência é um caluniador.

Gwaier aproveita a oportunidade para lavar também algumas peças de roupa suja do general Potiguara:

— Vossa Excelência mandou encher de palha 15 vagões que deveriam levar roupas para os soldados no Contestado; em vez de 30 volumes de granadas, remeteu 30 volumes de pedras. Foi, finalmente, Vossa Excelência que, com o general Setembrino, fluidificou 20.000 pares de botas de montaria do Exército que nunca foram vistos, em ponto algum do planeta, a não ser nas algibeiras de Vossa Excelência, vastas como o oceano.

O plenário divide-se entre protestos e aplausos. O general Lima aparteia, defende Potiguara e semeia suspeitas sobre a integridade moral do orador:

— Ladrão pode ser Vossa Excelência...

— Vossa Excelência manifestou-se sem ser chamado. Também terá que ouvir a sua fé de ofício. Ei-la: Vossa Excelência construiu uma estrada de ferro na fábrica de pólvora com o célebre túnel pelo qual as locomotivas só puderam passar depois de arrancadas as suas chaminés, porque não fora prevista altura suficiente, sendo que a via férrea era tão bem feita que os trens gastavam 74 horas para percorrer 120 quilômetros. Desminta-me, se é capaz!

A acusação deixa o general Lima petrificado. Ele não consegue, sequer, mover os músculos do rosto. O general Napoleão Felipe Aché procura levantar o brio dos oficiais superiores. Conclama o generalato a tomar uma posição enérgica diante de todas aquelas ofensas:

— Torna-se necessária uma reação de nossa parte, porque esse oficial está nos enxovalhando.

Gwaier lhe dá o troco:

— Vossa Excelência também tem rabo comprido...

— Aponte uma irregularidade minha!

— Vou satisfazer a Vossa Excelência com todo o prazer. Vossa Excelência, na França, requisitou dinheiro do Tesouro para pagar dívidas contraídas na França e na Alemanha, conseqüência de jogo e libertinagem, aliás libertinagem senil, em que Vossa Excelência se contentava só com os elogios das proxenetas à artificial eternidade do vigor brasileiro. Isso está no relatório do embaixador do Brasil enviado ao Ministério do Exterior.

Ruborizado, Aché acusa o embaixador de infame. O tenente lava as mãos diante dessas revelações:

— Não sou o culpado, entenda-se com o senhor embaixador...

A confusão instala-se mais uma vez no plenário. A rebeldia e a contestação aos valores morais da alta oficialidade não são exclusivos do orador. Ele exprime, na verdade, o estado de espírito da maioria dos jovens oficiais diante da corrupção que campeia à solta também entre os altos escalões do Exército.

O tenente Asdrúbal Gwaier de Azevedo volta-se para o marechal Hermes da Fonseca e adverte, profético:

— Senhor presidente, estamos às portas da revolução![705]

As sepulturas do cemitério de La Gaiba formam uma figura geométrica que se assemelha a um retângulo com 30 metros de comprimento por 15 de largura. De onde está, ao lado do monumento, Prestes ainda consegue ler o nome de alguns companheiros nas cruzes pintadas de branco. Canuto Martins, Brasil Borges dos Santos, Máximo Pinheiro, Torquato de Moraes. Entre os mortos alguns ainda continuam bem vivos na sua lembrança, como o velho Jorge, o fiel e dedicado Jorge Alberto Ribas, um sargento do Exército que o acompanhava desde o Rio Grande do Sul.

Todas aquelas cruzes de madeira, perfiladas diante do monumento, não conseguem, entretanto, reproduzir em sua inteireza o que foi o martírio daquela marcha alucinada através do Brasil. Prestes corre os olhos lentamente pelo cemitério, à procura de outros nomes, embora só os mortos na Bolívia estejam enterrados naquele pedaço de chão. Ele se deixa então acariciar por algumas imagens antigas, pálidas e vaporosas, que vão aos poucos ganhando contornos claros e nítidos.

A saudação aos revolucionários em La Gaiba está chegando ao fim. O tom comovente do discurso tem também o significado de uma despedida: Moreira Lima vai deixar a Bolívia, dentro de alguns dias, para se juntar ao QG da revolução, em Buenos Aires. Suas últimas palavras soam como uma maldição e um instigamento. Prestes recebe aquelas palavras como uma definição de objetivos e um compromisso de vida:

— Tiranos! Os vossos dias estão contados na terra brasileira.[706]

ABREVIATURAS

AA — Arquivo do autor.
AAB — Arquivo Artur Bernardes
AGE — Arquivo Geral do Exército
AHM — Arquivo Horácio de Matos
APERJ — Arquivo Público do Estado do Rio de Janeiro
ATJESP — Arquivo do Tribunal de Justiça do Estado de São Paulo
BPLD — Batalhão Patriótico Lavras Diamantina
CEPDOC — Centro de Pesquisa e Documentação (Fundação Getúlio Vargas)
IPM — Inquérito Policial Militar
NA — National Archives (EUA)
SDEM — Serviço de Documentação Geral da Marinha

NOTAS BIBLIOGRÁFICAS

1 - *Jornal do Commércio*, 3 de junho de 1924. Rio de Janeiro. Era muito comum as *boutiques* anunciarem a chegada de novas coleções com pequenos anúncios em francês.
2 - Correspondência do cônsul A. Haeberle para o Departamento de Estado Despacho número 156, 18 de agosto de 1924. NA/USA.
3 - BASBAUM, Leôncio, *História Sincera da República, de 1889 a 1930*, p.149.
4 - Depoimento do general Emigdio Miranda ao autor; TÁVORA, Juarez, *À Guisa de Depoimento,* volume l, p. 172.
5 - Depoimento do general Emigdio Miranda ao autor.
6 - *História dos Transportes Coletivos no Estado de São Paulo.*
7 - Relatório confidencial do coronel Carlos Reis, titular da 4ª Delegacia Auxiliar, ao chefe de Polícia do Distrito Federal. Rolo 6, fotograma 98, Arquivo Artur Bernardes. A 4ª Delegacia Auxiliar, órgão responsável pela repressão política, foi criada a 20 de janeiro de 1922, em substituição à antiga Inspetoria de Investigação e Segurança Pública. Além de manter as mesmas atribuições do serviço extinto, passou a funcionar com as seguintes seções: Ordem Política e Social, Arquivo e Informação, Segurança Pessoal e Leis Especiais, Propriedade Pública e Particular, Vigilância Geral, e Capturas Recomendadas. Estavam ainda vinculados à 4ª Delegacia o Serviço de Hotéis e Pensões e uma unidade encarregada da Fiscalização de Armas e Munições. Seus investigadores agiam em qualquer Estado, e até mesmo no exterior. Apesar de administrativamente subordinada ao Ministério da Justiça e Negócios Interiores, a 4ª Delegacia era diretamente ligada à Casa Militar da presidência da República, de onde recebia a orientação política necessária para desempenhar as suas funções, in *Os Arquivos das Polícias Políticas. Reflexos de Nossa História Contemporânea,* p. 12. APERJ.
8 - Telegrama interceptado pela polícia política do Distrito Federal. Rolo 6, fotograma 1185, AAB.
9 Denúncia do Procurador Criminal da República no Estado de São Paulo sobre a revolta de 5 de julho de 1924, *O Estado de S. Paulo*, 1º de janeiro de 1925; e A Denúncia, ATJESP.

10 - Depoimento do general Emigdio Miranda ao autor.
11 - Idem
12 - TÁVORA, Juarez, *À Guisa de Depoimento*, volume l, p. 171.
13 - Depoimento de Emigdio Miranda ao autor.
14 - TÁVORA, Juarez, op.cit., volume 1, p. 192.
15 - Idem, p. 202.
16 - Ibidem, p. 199.
17 - NORONHA, Abílio de, *Narrando a Verdade,* p. 64.
18 - Idem, p. 67.
19 - Relatório geral do IPM instaurado contra os rebeldes em São Paulo. Volume 1, pp. 43 a 63. ATJESP.
20 - IPM, volume 16, folha 83. Telegramas apreendidos pela polícia paulista. ATJESP.
21 - TÁVORA, Juarez, op. cit., volume 1, p. 207.
22 - IPM, volume 16, folha 76. ATJESP.
23 - IPM, Relatório Geral, fls. 29 e 32. ATJESP.
24 - *O Estado de S. Paulo*, 6 de julho de 1924.
25 - DEAN, Warren, *A Industrialização de São Paulo,* p. 165; Everardo Dias, *História das Lutas Sociais no Brasil*, p. 46.
26 - BASTOS, Abguar, *Prestes e a Revolução Social,* pp. 140 a 141.
27 - DEAN, Warren, op. cit., p. 174
28 - *O Paiz*, 5 de julho de 1924. Rio de Janeiro.
29 - Relatório do cônsul A. Haeberle para o Departamento de Estado. Despacho número 151, 3 agosto de 1924. Rolo 6, fotogramas 0035 a 0055. NA/USA.
30 - IPM, volume 16, fl. 85. ATJESP.
31 - TÁVORA, Juarez, op. cit., volume 1, p. 217.
32 - *O Paiz*, 7 e 8 de julho de 1924. Rio de Janeiro.
33 - Relatório do cônsul americano em Santos, Herndon W. Goforth, para o embaixador Edwin Morgan, no Rio de Janeiro, em 16 de julho de 1924. Rolo 6, fotograma 030. NA/ USA.
34 - COSTA, Cyro e GÓES, Eurico de, *Sob a Metralha...*, p. 308.
35 - Idem, p. 39.
36 - TÁVORA, Juarez, op. cit., volume 1, p. 229.
37 - COSTA, Cyro e GÓES, Eurico de, op. cit., p. 44.
38 - TÁVORA, Juarez Távora, op. cit. volume l, p. 233.
39 - Idem, p. 235.
40 - Idem, ibidem, p. 240.
41 - COSTA, Cyro e GÓES, Eurico de, op. cit., p. 56. (Comunicado dos chefes rebeldes.)
42 - CARVALHO, Castro, *A Revolução de 1924*, p. 16.

43 - CABANAS, João, *A Coluna da Morte*, p. 51.
44 - Idem, p. 53.
45 - COSTA, Cyro e GÓES, Eurico de, op. cit., p. 66.
46 - *O Estado de S. Paulo*, 10 de julho de 1924.
47 - *A Platéia*, 3 e 7 de julho de 1935, *in* CARONE, Edgard, *A Primeira República*, p. 202.
48 - CARONE, Edgard, *A República Velha*, Rio, Difel, 1972, pp. 194 a 201.
49 - Instruções para controle e vigilância de estrangeiros no Rio de Janeiro. Rolo 6, fotograma 078. AAB.
50 - DULLES, John W. Foster, *Anarquistas e Comunistas*, pp. 195 e 206.
51 - COSTA, Cyro e GÓES, Eurico de, op. cit., p. 117.
52 - IPM, Relatório Geral, fls. 44 a 47. ATJESP.
53 - Idem, volume 27, folha 52.
54 - Ibidem, volume 22, fls.191, 194.
55 - Ibidem, volume 22, folha 198.
56 - COSTA, Cyro, e GÓES, Eurico de, op. cit., p. 85.
57 - Idem, p. 56.
58 - Depoimento do general Emigdio Miranda ao autor.
59 - COSTA, Cyro, e GÓES, Eurico de, op. cit., p. 193.
60 - O desabafo de Isidoro foi reproduzido ao autor pelo general Emigdio Miranda.
61 - Documento com o título *Instruções Gerais*, apreendido pela polícia paulista no esconderijo da avenida Vauthier, onde se recomendava o estabelecimento de contatos políticos com jornalistas estrangeiros, em Buenos Aires e Montevidéu. IPM, volume 16, folha 69. ATJESP; *O Paiz*, 12 de julho de 1927.
62 - PINHEIRO, Paulo Sérgio, *Estratégias da Ilusão*, p. 74.
63 - Carta do cônsul americano em Montevidéu, Hoffman Philip.
64 - CORRÊA, Ana Maria Martinez, *A Rebelião de 5 de Julho de 1924*, p. 21.
65 - Projeto de Reorganização do Exército Brasileiro proposto pelo general Maurice Gamelin, chefe da Missão Militar Francesa. Documento com oito páginas datilografadas em francês. Rolo 19, AAB; formulário confidencial do Ministério do Exército com a relação dos candidatos à promoção de general-de-brigada e a indicação dos respectivos padrinhos políticos. Rolo 19, AAB.
66 - *O Paiz*, 14 de julho de 1924.
67 - *A Notícia*, 6 de março de 1925; Catálogo geral, Museu da República, RJ.
68 - COSTA, Cyro, e GÓES, Eurico de, op. cit., p. 305.
69 - DUARTE, Paulo, *Agora Nós*, pp. 75 e 76.
70 - COSTA, Cyro e GÓES, Eurico de, op. cit., p. 70.
71 - Depoimento do general Emygdio Miranda ao autor.
72 - Correspondência do cônsul A. Haeberle para o Departamento de Estado. Despacho número 156, em 8 de agosto de 1924. NA/ USA.

73 - Idem.
74 - *Jornal do Commércio*, São Paulo, 19 de julho de 1924.
75 - COSTA, Cyro e GÓES Eurico de, op. cit., p. 98.
76 - Idem, 179.
77 - AMERICANO, Jorge, *São Paulo Naquele Tempo*; PIRES, Mário, *Largo da Memória,* p. 98.
78 - *O Paiz*, 15 de julho de 1924. Rio de Janeiro.
79 - TÁVORA, Juarez, Távora, op. cit., pp. 245-6.
80 - CARVALHO, Castro, op. cit., p. 18.
81 - COSTA, Cyro e GÓES, Eurico de, op. cit., p. 70.
82 - Correspondência do cônsul A. Haeberle para o Departamento de Estado. Despacho número 151.
83 - DULLES, John W. Foster, op. cit., pp. 194-5.
84 - Idem, pp. 197, 198.
85 - MARTINEZ, Ana Maria, op. cit., nota 326, pp. 105-6-7.
86 - DIAS, Everardo, *História das Lutas Sociais no Brasil*, pp. 136-7-8-9.
87 - IPM, Relatório Geral, fls. 68 a 72. ATJESP.
88 - Denúncia do Procurador Criminal da República, in *O Estado de S. Paulo,* 1º de janeiro de 1925.
89 - IPM, Relatório Geral, fl. 81. ATJESP.
90 - DIAS, Everardo, op. cit., pp. 39, 40-1-2.
91 - BASBAUN, Leôncio, op. cit., p. 207.
92 - Depoimento do general Emigdio Miranda ao autor.
93 - Nota oficial do Encarregado de Negócios da Embaixada americana enviada ao Ministério das Relações Exteriores, em 16 de julho de 1924, protestando contra as restrições impostas ao trabalho dos correspondentes da UPI e AP, no Rio de Janeiro. Rolo 6, fotograma 647, AAB.
94 - Resposta do embaixador Félix Pacheco ao Encarregado de Negócios da Embaixada americana. Rolo 6, fotograma 648, AAB.
95 - NORONHA, Abílio, op. cit., pp. 90-1.
96 - Correspondência do cônsul A. Haeberle para o Departamento de Estado. Despacho número 151, em 3 agosto de 1924. Rolo 6, fotogramas 0035 a 0055.
97 - GOMES, Eduardo, *O Brigadeiro da Libertação*, p. 111.
98 - COSTA, Edgard, *Os Grandes Julgamentos do Superior Tribunal Militar*, p. 379.
99 - Denúncia do Procurador Criminal, *O Estado de S. Paulo*, 1º de janeiro de 1925.
100 - *Diário Popular*, São Paulo, 30 de julho de 1924.
101 - MACEDO SOARES, José Carlos de, *Justiça*, p. 97.
102 - CORRÊA, Ana Maria Martinez, op. cit., p. 187.
103 - Idem, p. 72.
104 - DUARTE, Paulo, op. cit., pp.145 e 146.

105 - CORRÊA, Ana Maria Martinez, op. cit., p. 162
106 - Correspondência do cônsul em Santos, Herndon Goforth, para o Departamento de Estado. Rolo 6, fotogramas 0061 a 0074. NA/USA.
107 - COSTA, Edgard, op. cit., p.483.
108 - COSTA, Cyro, e GÓES, Eurico de, op. cit., p. 213.
109 - DUARTE, Paulo, op. cit. p. 114.
110 - Idem, p. 121.
111 - COSTA, Cyro, GÓES, Eurico, de, op. cit., p. 223.
112 - *O Paiz*, 25 de julho de 1924. Rio de Janeiro; depoimento de Emigdio Miranda ao autor; MACEDO SOARES, José Carlos de. op. cit., p.117.
113 MACEDO SOARES, José Carlos de, op. cit., pp. 111-2-3-4.
114 - Correspondência confidencial do cônsul americano na Bahia, Homer Brett, para o Departamento de Estado, em 24 de julho de 1924. Rolo 6, fotogramas 088 a 0091. NA/ USA.
115 - *O Paiz*, 25 de julho de 1924. Rio de Janeiro.
116 - Informações prestadas pelo pesquisador do Museu Aeroespacial Jackson Flores Jr., que realizou um levantamento das operações aéreas do Exército contra os rebeldes, durante a ocupação de São Paulo, em julho de 1924.
117 - Informações prestadas pelo pesquisador de história ferroviária Antônio Osório.
118 - Correspondência confidencial do cônsul A. Haeberle para o Departamento de Estado. Despacho número 156, em 18 de agosto de 1924. NA/USA.
119 - *O Estado de S. Paulo*, 26 de julho de 1924.
120 - Depoimento do general Emigdio Miranda ao autor.
121 - COSTA, Cyro, e GÓES Eurico de, op. cit., p. 181; depoimento do maquinista Manuel Lobo ao encarregado do IPM, volume 18, folha 65. ATJESP.
122 - IPM, volume 18, folha 156. Bilhete apreendido pela polícia no QG da Luz.
123 - CHAGAS, Paulo Pinheiro, *Eduardo Gomes: O Brigadeiro da Libertação*, p. 115; depoimento de Emigdio Miranda ao autor.
124 - Depoimento de Emigdio Miranda ao autor.
125 - Idem.
126 - DUARTE, Paulo, op. cit., pp. 179,180-1.
127 - Idem, p. 181.
128 - Ibidem, pp. 187-8-9.
129 - Idem, ibidem, p. 198.
130 - Idem, ibidem, pp. 239 a 244.
131 - Idem, ibidem, pp. 20,77-8 e 247.
132 - IPM, volume 16, fl. 5 a 30. ATJESP.
133 - IPM, Relatório Geral, página 17; volume 16, fl.147. ATJESP.
134 - Denúncia do Procurador Criminal, *O Estado de S. Paulo*, 1º de janeiro de 1925
135 - IPM, volume 16, fl. 31. ATJESP.

136 - IPM, volume 16, fl. 55. ATJESP.
137 - SOUZA LIMA, Alberto de, *Bernardes Perante a História,* p. ll.
138 - IPM, Relatório Geral, p. 86. ATJESP.
139 - *O Paiz*, 29 de julho de 1924. Rio de Janeiro.
140 - COSTA, Cyro, e GÓES, Eurico de, op. cit., pp. 381-3.
141 - CABANAS, João, op. cit., p. 107.
142 - CARVALHO, Castro, op. cit. p. 46
143 - CABANAS, João, op. cit., pp. 123 a 128.
144 - Depoimento de Emigdio Miranda ao autor.
145 - COSTA DANTAS, José Ibarê, *O Tenentismo em Sergipe*, pp. 106 a 112.
146 - Idem, p. 107.
147 - Ibidem, p. 125; entrevista do tenente Maynard Gomes a *O Globo*, 10 de fevereiro de 1927.
148 - MONTEIRO dos SANTOS, Eloína, *A Rebelião de 1924 em Manaus*, p. 49.
149 - Idem, p. 35.
150 - CUNHA, Themístocles, *No Paíz das Amazonas*; pp. 63 a 65.
151 - MONTEIRO dos SANTOS, Eloína, op. cit., p. 50.
152 - Idem, pp. 13-4-5.
153 - *O Paiz*, 6 e 7 de agosto de 1924; telegrama do cônsul Potts, enviado de Manaus para o Departamento de Estado, em 6 de agosto de 1924. Rolo 5, NA/USA.
154 - MACEDO SOARES, José Carlos de, op. cit., pp. 336 a 339.
155 - IPM, volume 18, pp. 65 e 102. ATJESP.
156 - Manifesto de Bauru, rolo 6, fotograma 176. NA/ USA.
157 - CABANAS, João, op. cit., p. 144.
158 - Idem, pp. 174-5-6.
159 - TÁVORA, Juarez, op. cit., volume 3, pp. 256 a 259.
160 - LANDUCCI, Ítalo, *Cenas e Episódios da Coluna Prestes*, pp. 11 a 18.
161 - Depoimento de Emigdio Miranda ao autor.
162 - Depoimento de Juarez Távora ao autor.
163 - Telegrama do cônsul Potts para o Departamento de Estado, em 11 de agosto de 1924. Rolo 6, fotograma 0012, NA/USA.
164 - Depoimento de Emigdio Miranda ao autor.
165 - LANDUCCI, Ítalo, op. cit., pp. 21 a 31; ASSIS, Dilermando, *Nas Barrancas do Rio Paraná* , pp. 239 a 241.
166 - DANTAS, José Ibarê Costa, op. cit., p. 173.
167 - *Jornal do Commércio*, 26 de julho de 1924. São Paulo.
168 - IPM, Relatório Geral, folha 58. ATJESP.
169 - Idem, folha 68.
170 - Denúncia do Procurador Criminal, in *O Estado de S. Paulo*, 1º de janeiro de 1925.

171 - Idem.
172 - IPM, volume 35, pp. 67 a 306. ATJESP.
173 - CARVALHO, José Nunes de, *A Revolução no Brasil*, pp. 95 e 96.
174 - Correspondência interceptada pela polícia política do Rio de Janeiro. Rolo 6, fotogramas 2198 a 2210, AAB; despacho do cônsul Roth para o Departamento de Estado, em 30 de agosto de 1924. Rolo 6, fotograma 0085, NA/USA.
175 - CARVALHO, J. Nunes de, op. cit., p. 97., afirma que os rebeldes chegaram a Foz do Iguaçu, a 6 de outubro de 1924; Dilermando de Assis, op. cit., p. 304, garante que a cidade foi invadida na madrugada de 24 de setembro. Como J. Nunes fez parte das tropas de ocupação, sua versão nos parece mais digna de crédito.
176 - ASSIS, Dilermando, *Das Barrancas do Alto Paraná*, p. 57.
177 - Idem, pp. 58, 120, 126.
178 - Carta de Isidoro a João Francisco, ASSIS, Dilermando de, op. cit., p. LVI; Rolo 6, fotograma 337, NA/ USA.
179 - Rolo 6, fotogramas 170 a 175, despacho número 2.248, NA/USA.
180 - SOUZA LIMA, Alberto de, op. cit., p. 76.
181 - CARNEIRO, Glauco, *Lusardo, o último caudilho*, p. 285; depoimento do almirante Augusto Amaral Peixoto ao autor; rolo 6, fotogramas 132 e 133, AAB.
182 - *O Estado de S. Paulo*, 24 de junho de 1924; rolo 6, fotograma 402, NA/USA.
183 - *O Estado de S. Paulo*, 3, 22, 29 de janeiro e 26 de junho de 1924; *Jornal do Commércio*, 1º de janeiro de 1924. Rio de Janeiro.
184 - *Correio Paulistano*, 4 de julho de 1924. São Paulo. O relatório final da Missão Econômica Inglesa foi publicado, na íntegra, no *Diário Oficial* de 29 de junho de 1924, pp. 15282 a 15297. Rio de Janeiro.
185 - CARNEIRO, Glauco, *O Revolucionário Siqueira Campos*, p. 317.
186 - TÁVORA, Juarez, *Uma Vida e Muitas Lutas*, pp. 130, 158-9.
187 - CARNEIRO, Glauco, *O Revolucionário Siqueira Campos*, pp. 318-9, 320-1; "Relatório das ocorrências suspeitas...", rolo 6, fotograma 145, AAB.
188 - MACAULAY, Neill, *A Coluna Prestes*, p. 52.
189 - ASSIS, Dilermando de, op. cit., p. 58.
190 - Depoimento do almirante Augusto do Amaral Peixoto ao autor. Rio de Janeiro, outubro de 1976.
191 - Idem.
192 - Anotações do almirante Augusto do Amaral Peixoto sobre o levante do encouraçado *São Paulo*, p. 83. AA.
193 - Depoimento do almirante Benjamin Xavier ao autor. Rio de Janeiro, setembro de 1974.
194 - Livro do encouraçado *São Paulo*, SDGM. Rio de Janeiro.
195 - SOUZA LIMA, Alberto de, op. cit., p. 75.

196 - Depoimento de Augusto do Amaral Peixoto; carta do comerciante James Ackerson para o Departamento de Estado, em 15 de dezembro de 1924, NA/USA. DC.

197 - Depoimento de Augusto do Amaral Peixoto ao autor.

198 - SOUZA LIMA, Alberto de, op. cit., p. 75.

199 - Depoimento de Augusto do Amaral Peixoto ao autor; Livro do encouraçado *São Paulo*, SGDM.

200 - Relatório confidencial do cônsul americano em Montevidéu, Hoffman Philip, para o Departamento de Estado. Despacho número 325, rolo 6, fotograma 397. NA/USA.

201 - MACAULLAY, Neill, op. cit., pp. 58-9.

202 - Depoimento de Augusto do Amaral Peixoto ao autor. Rio de Janeiro, outubro de 1976.

203 - SOUZA LIMA, Alberto de, op. cit., pp. 74, 75, 76.

204 - Anotações de Augusto Amaral Peixoto sobre o levante do encouraçado *São Paulo*. AA.

205 - Idem, p. 47.

206 - MACAULLAY, Neill, op. cit., pp. 59 e 60.

207 - TÁVORA, Juarez, *Uma Vida e Muitas Lutas*, op. cit., p. 164.

208 - Idem, op. cit., p. 166; MACAULAY, Neill, op. cit., 61.

209 - AMARAL PEIXOTO, Augusto, anotações sobre o levante do *São Paulo*, p. 50.AA.

210 - *El Paiz*, 11 de novembro de 1924. Montevidéu.

211 - Relatório do cônsul Hoffman Philip, despacho número 329, rolo 6, fotogramas 413 e 418. NA/USA.

212 - CARNEIRO, Glauco, op. cit. pp. 325 a 335.

213 - Relatório confidencial do embaixador Edwin Morgan, despacho número 2275. NA/USA.

214 - Livro da Torre 3 do encouraçado *São Paulo*; relatório do encarregado do IPM. SDGM. Rio de Janeiro.

215 - IPM da revolta do *São Paulo*, depoimentos, pp. 79, 95-6-7.

216 - MACAULAY, Neill, op. cit., pp. 62 a 65.

217 - *Jornal do Commércio*, 16 de novembro de 1924. Rio de Janeiro.

218 - Idem.

219 - ALMEIDA Magalhães, Bruno de, *Artur Bernardes: o Estadista da República*, pp. 30-1.

220 - *Jornal do Commércio*, 16 de novembro de 1924. Rio de Janeiro.

221 - Idem.

222 - Idem.

223 - SOUZA LIMA, Alberto de, op. cit., pp. 79 e 81; *Jornal do Commércio*, 30 de novembro de 1924. Rio de Janeiro.
224 - Relatórios da 4ª Delegacia sobre investigações de pessoas suspeitas. Rolo 6, fotograma 168. AAB
225 - Relação de suspeitos presos pela 4ª Delegacia. Rolo 6, fotograma 168; carta do advogado Sobral Pinto a Afonso Pena solicitando sua interferência na libertação de um cliente. Rolo 6, fotograma 1.024.AAB
226 - Relatório confidencial do cônsul Hoffman Philip. Despacho número 330, rolo 6, fotogramas 433 e 436. NA/USA.
227 - LANDUCCI, Ítalo, op. cit., pp. 29, 31-2.
228 - *El Diario*, 13 de dezembro de 1924. Montevidéu.
229 - Relatórios do cônsul Hoffman: rolo 6, fotogramas 450 a 452, e 461 a 469. NA./USA.
230 - PRESTES, Anita Leocádia, *Coluna Prestes*, pp. 130-1-2.
231 - Depoimento de Emigdio Miranda ao autor.
232 - Depoimento de Luís Carlos Prestes a Anita Prestes, op. cit., pp. 122-23, 147.
233 - Depoimento de Emigdio Miranda ao autor.
234 - ASSIS, Dilermando, op. cit., p. 59.
235 - PRESTES, Anita Leocádia, op. cit., p. 157, nota número 59.
236 - PRESTES, Anita Leocádia, op. cit., pp. 146-7.
237 - *Jornal do Commércio*, 2 de janeiro de 1925. Rio de Janeiro.
238 - *O Estado de S. Paulo*, 2 de janeiro de 1925.
239 - COSTA, Cyro e GÓES, Eurico de, op. cit. pp. 297, 300-1.
240 - Relatório do embaixador Edwin Morgan. Despacho número 2.257, rolo 6, fotogramas 323 a 325. NA/USA.
241 - Idem.
242 - *Jornal do Commércio*, 2 de janeiro de 1925. Rio de Janeiro.
243 - CABANAS, João, op. cit. p. 310.
244 - Idem, p. 300.
245 - BARROS, João Alberto Lins de, *Memórias de um Revolucionário*, p. 62
246 - idem, op. cit., p. 59.
247 - Denúncia do Procurador Criminal da República de São Paulo contra os acusados de participar da rebelião de 5 de julho de 1924, *O Estado de S.Paulo*, 1º de janeiro de 1925.
248 - Relatório do presidente da Província de São Paulo. Mensagem do presidente Carlos de Campos à Câmara Estadual, em 14 de julho de 1926, destacando as principais realizações da sua administração, no ano de 1925.
249 - CHAGAS, Paulo Pinheiro op. cit., p. 117.
250 - *O Estado de S. Paulo*, 2 de fevereiro de 1925; SOUZA LIMA, Alberto de, op. cit., p. 83. O jornalista Paulo Duarte, op. cit., p. 11, diz que a conspiração foi

descoberta nos primeiros dias de janeiro de 1925. Como os jornais eram censurados, determinadas notícias eram liberadas para publicação 30 dias depois, sem que se pudesse atualizar o texto original, inclusive a data em que os fatos ocorreram.

251 - DUARTE, Paulo, op. cit., p. 12 a 15.

252 - DEAN, Warren, op. cit., pp. 176 a 179.

253 - SOUZA LIMA, Alberto de, op. cit., p. 28; *Jornal do Commércio*, 14 de janeiro de 1925. Rio de Janeiro.

254 - BARROS, João Alberto Lins de, op. cit., pp. 63 a 66.

255 - Idem, pp. 67 e 42.

256 - MACAULAY, Neill, op. cit. pp. 69 a 74.

257 - CABANAS, João, op. cit., pp. 88, 276-7.

258 - Idem, pp. 281 a 286.

259 - Depoimento de Prestes à filha Anita Leocádia Prestes, op. cit., p. 152; depoimento de Emigdio Miranda ao autor.

260 - MOREIRA LIMA, Lourenço, *A Coluna Prestes. Marchas e Combates*, pp. 107 a 111; rascunho a lápis da carta-resposta de Prestes a Isidoro, Coleção S.V.M., CPDOC/FGV.

261 - CABANAS, João, op. cit., pp. 291-2.

262 - Idem, 297 a 298. As negociações de paz, segundo Cabanas, foram realizadas em Paso de Los Libres, embora outros autores sustentem que ocorreram em Monte Caseros. O marechal Oscar de Barros Falcão, op. cit., pp. 138, 139, garante que foi em Posadas.

263 - FALCÃO, Oscar de Barros, op. cit., pp. 137 a 141; telegrama de Borges de Medeiros a Artur Bernardes, em 6 de abril de 1925, rolo 19, AAB; telegramas confidenciais do Ministério das Relações Exteriores para a presidência da República, rolo 17, AAB.

264 - TÁVORA, Juarez, op. cit., pp. 171-2.

265 - Carta de João Francisco, em 15 de janeiro de 1925, explicando as razões do seu afastamento; carta de João Gramacho ao general Setembrino solicitando que liberasse a mulher e os filhos de João Francisco, sob prisão domiciliar em Porto Alegre, a fim de que pudessem viajar ao encontro do líder revolucionário exilado no Uruguai. CPDOC/FGV.

266 - CABANAS, João, op. cit., p. 300.

267 - Idem, pp. 303-4.

268 - SILVEIRA, José Júlio, *Nação Agredida*, pp. 185-6. O autor indica as cidades de Salto e Artigas como os locais em que Assis Brasil se reuniu com Isidoro e o deputado João Simplício para discutir a proposta de paz.

269 - MACAULAY, Neill, op. cit., p. 88.

270 - BARROS, João Alberto Lins de, op. cit., p. 70.

271 - PRESTES, Anita Leocádia, op. cit. p. 153. Em depoimento prestado à autora, Prestes revelou que só muito tempo depois ficou sabendo que o tenente João Pedro Gay fugiu com a cumplicidade de João Alberto, que se apiedara com a sua situação.
272 - Cópia xerocada da carta de Isidoro a Prestes, cedida ao autor pelo marechal Juarez Távora. AA.
273 - PRESTES, Anita Leocádia, op. cit., pp. 143 a 146.
274 - QUEIROZ, Maurício Vinhas de, *Messianismo e Conflito Social*, pp. 243-4-5 e 291.
275 - PRESTES, Anita Leocádia, op. cit., pp. 162-3. Depoimento de Luís Carlos Prestes à autora; carta do *coronel* Fidêncio de Mello enviada de Posadas, em 27 de abril de 1925, narrando o encontro mantido com Prestes em Barracão. CPDOC / FGV.
276 - PRESTES, Anita Leocádia, op. cit., pp. 155.
277 - *A Notícia*, 14 de janeiro de 1925. Rio de Janeiro.
278 - Relatório confidencial do embaixador Edwin Morgan, despacho número 2.275. NA/USA.
279 - BRASIL MIRANDA, Floriano Napoleão do, *Revolta*, p. 65.
280 - Santos Nelson Tabajara dos, *A Revolução de Isidoro*, pp. 132-3.
281 - SILVA, Hélio, *A Grande Marcha*, pp. 60 a 66; CABANAS, João, op. cit., p. 326.
282 - CARVALHO, J.M., *As Forças Armadas na 1ª República*, p. 183.
283 - ANDRADE, Euclides e CÂMARA, Heli F. da, *A Força Pública de São Paulo. Esboço Histórico*, pp. 52-3, 145 a 147.
284 - *A Notícia*, 16 de março de 1925. Rio de Janeiro.
285 - *A Notícia*, 8 de janeiro de 1925.
286 - PINHEIRO, Paulo Sérgio, op. cit., p. 66.
287 - Idem, op. cit., p. 108; íntegra do documento em espanhol, rolo 7, fotogramas 936 a 942. AAB
288 - *A Cidade*, 29 de março de 1925, Corumbá, Mato Grosso, in *A Notícia*, de 6 de abril de 1925; *A Notícia*, 1º de abril de 1925; MOREIRA LIMA, Lourenço, op. cit., pp. 93-4.
289 - CABANAS, João, op. cit., p. 321.
290 - Idem, op. cit., p. 331.
291 - Idem, pp. 328-9.
292 - PRESTES, Anita Leocádia, op. cit., p. 172.
293 - Depoimento de Trifino Correia ao jornalista Cláudio Lacerda, em junho de 1974.
294 - PRESTES, Anita Leocádia, op. cit., pp. 171-2-3; depoimento de Emigdio Miranda ao autor.
295 - PRESTES, Anita Leocádia, p. 174.

296 - Barros, João Alberto Lins de, op. cit, pp. 80-1.
297 - Idem, pp. 82-3.
298 - LANDUCCI, Ítalo, op. cit., p. 60.
299 - CABANAS, João, op. cit., pp. 333-4.
300 - Idem, pp. 337 a 339.
301 - *A Notícia*, 24 de abril de 1925. Rio de Janeiro.
302 - Idem, 18 de abril de 1925; CAVALCANTI, Paulo, *O Caso Eu Conto como o Caso Foi: de Prestes a Arraes*, pp. 41 a 45.
303 - LANDUCCI, Ítalo, op. cit., pp., 55-6; LINS e BARROS, João Alberto, op. cit., pp. 86 a 88; o episódio em que o *coronel* Carreteiro fascinou os paraguaios com suas roupas bizarras foi narrado ao autor por Emigdio Miranda. João Alberto, op. cit., pp. 53-4, faz uma descrição minuciosa de como o *coronel* se vestia.
304 - PRESTES, Anita Leocádia, op. cit., p. 177. Em depoimento à autora, Prestes cometeu um lapso de memória, dizendo que o oficial paraguaio era tenente, quando, na verdade, era capitão.
305 - BARROS, João Alberto Lins de, op. cit., p. 88.
306 - LANDUCCI, Ítalo, op. cit., pp. 56-7.
307 - Idem, p. 57; MOREIRA LIMA, Lourenço, op. cit., p. 117. Existem várias versões sobre a invasão do Paraguai pelas forças revolucionárias. Juarez Távora, op. cit., p. 178, diz que o documento firmado pelos rebeldes foi assinado no dia 26 de abril de 1925; João Cabanas registra outra data: 27 de abril; Landucci, op. cit., p. 55, e João Alberto, op. cit., p. 87, afirmam que a invasão começou com a apreensão do navio *Bell*, no dia 26, enquanto Cabanas, op. cit., p. 342, garante que a embarcação só foi aprisionada pelos rebeldes no dia 29.
308 - TÁVORA, Juarez, op. cit., pp. 178-9; MOREIRA LIMA, Lourenço, op. cit., p. 126.
309 - CABANAS, João, op. cit., p. 329; *A Notícia*, 18 de abril de 1925. Rio de Janeiro.
310 - TÁVORA, Juarez, op. cit. p. 179; MOREIRA LIMA, Lourenço, op. cit., p. 130.
311 - CARNEIRO, Glauco, *Lusardo, o último caudilho,* pp. 286-7.
312 - *A Notícia*, 4 de maio de 1925. Foi o jornal que melhor descreveu o ataque dos rebeldes ao 3º RI, na Praia Vermelha, além de ser também o único a revelar que os oficiais revolucionários estavam com o rosto pintado de branco.
313 - *A Noite*, 4 de maio de 1925. Rio de Janeiro.
314 - CARNEIRO, Glauco, op. cit., pp. 286-7.
315 - *Jornal do Commércio*, 5 de maio de 1925. Rio de Janeiro; *A Noite*, 5 de maio de 1925. Rio de Janeiro.
316 - LANDUCCI, Ítalo, op. cit., p. 63; BARROS, João Alberto Lins de, op. cit., pp. 89 e 90.
317 - *A Notícia*, 4, 5 e 6 de maio de 1925. Rio de Janeiro.
318 - Idem.

319 - Relatório do embaixador Edwin Morgan, em 29 de novembro de 1924. Rolo 6, fotogramas 443 e 444. NA/USA.

320 - PINHEIRO, Paulo Sérgio, op. cit., pp. 63-4.

321 - Exemplar da reportagem do *Times* anexada ao relatório número 22 da embaixada americana. Rolo 2, fotogramas 504 e 507.

322 - Idem

323 - Relatório do adido militar da Embaixada dos Estados Unidos, *in* PINHEIRO, Paulo Sérgio, op. cit., p. 65.

324 - BARROS, João Alberto Lins de, op. cit., pp. 91-2; depoimento de Emigdio Miranda ao autor.

325 - Idem, pp. 94 a 97.

326 - MACAULAY, Neill, pp. 59 e 60; TÁVORA, Juarez, op. cit., p. 180; depoimento de Cordeiro de Farias ao autor. Rio de Janeiro, junho de 1974.

327 - CABANAS, João Cabanas, op. cit., pp. 344-5.

328 - PRESTES, Anita Leocádia, op. cit., p. 180.

329 - Idem, anexo número 17, p. 425. Boletim revolucionário comunicando a expulsão de Felinto Müller das forças revolucionárias.

330 - Idem, anexo número 19, p. 427.

331 - Depoimento de Aristides Leal ao autor. Rio de Janeiro, maio de 1974.

332 - MOREIRA LIMA, Lourenço, p. 144.

333 - TÁVORA, Juarez, op. cit., pp. 180-1; PRESTES Anita Leocádia, op. cit., p. 190. Depoimento de Prestes à autora.

334 - PRESTES, Anita Leocádia, op. cit., p. 191.

335 - MOREIRA LIMA, Lourenço, op. cit., pp. 149 e 150.

336 - Depoimento de Emigdio Miranda ao autor.

337 - MOREIRA LIMA, Lourenço, op. cit., p. 136; PRESTES, Anita Leocádia, op. cit., p. 190.

338 - Idem, pp. 131, 137-8; idem, pp. 195 e 198.

339 - Ibidem, pp. 91 a 93.

340 - *A Notícia*, 30 de março de 1925. Rio de Janeiro.

341 - MOREIRA LIMA, Lourenço, op. cit., p. 145; LANDUCCI, Ítalo, op. cit., p. 70.

342 - TÁVORA, Juarez, op. cit., pp. 179 e 180.

343 - MOREIRA LIMA, Lourenço, op. cit., p. 160.

344 - BARROS, João Alberto Lins de, op. cit., pp. 105-6; MOREIRA LIMA, Lourenço, op. cit., p. 164. O sonho de João Alberto foi realizado vinte anos depois: ele voltou a Mato Grosso e comprou a fazenda Bahaus, que ainda pertencia ao mesmo dono.

345 - *A Notícia*, 18 de junho de 1925. Rio de Janeiro.

346 - LANDUCCI, Ítalo, op. cit., pp. 75 a 77.

347 - MOREIRA LIMA, Lourenço, op. cit., p. 167; BARROS, João Alberto Lins de, op. cit., pp. 108-9.
348 - Idem, pp. 169, 318-9; CHAGAS, Paulo Pinheiro, op. cit., p. 57.
349 - *O Jornal*, 2 e 6 de janeiro de 1927. Rio de Janeiro.
350 - *A Notícia*, 5 e 6 de junho de 1925. Rio de Janeiro.
351 - *O Jornal*, 12 de setembro de 1925.
352 - *A Notícia*, 25 de agosto de 1925; carta de João Francisco a Assis Brasil, *in* ASSIS, Dilermano de, op. cit., parte 1, p. LXI.
353 - MOREIRA LIMA, Lourenço, op. cit., pp. 161 a 164.
354 - Idem, pp. 177-8; PRESTES, Anita Leocádia, op. cit., pp. 211-2.
355 - KLINGER, Bertoldo, *Narrativas Autobiográficas*, p. 246.
356 - Idem, volume 4, pp. 187-8.
357 - Ibidem, volume 4, pp. 188-9.
358 - MOREIRA LIMA, Lourenço, op. cit., pp. 169, 180 a 184; depoimento de Emigdio Miranda ao autor.
359 - Idem, pp. 186, 188-9.
360 - Idem, pp. 192-3.
361 - *O Globo*, 17 de agosto de 1925. Rio de Janeiro.
362 - Idem, 30 de julho de 1925.
363 - Anais da Câmara Federal, sessão de 22 de junho de 1925, p. 351, volume 2.
364 - *A Notícia*, 9 de julho de 1925. Rio de Janeiro.
365 - Idem, 10 de julho de 1925.
366 - Ibidem, 23 de julho de 1925.
367 - MOREIRA LIMA, Lourenço, op. cit., pp. 194 a 196.
368 - Idem, op. cit., p. 196
369 - MOREIRA LIMA, Lourenço, op. cit., p. 197; e AUDRIN, José Maria, *Entre Sertanejos e Índios do Norte*, p. 251.
370 - Idem, pp. 133 e 198; PRESTES, Anita Leocádia, op. cit., p. 217.
371 - Depoimento de Joaquim Maia Leite ao autor. Porto Nacional, Goiás, junho de 1974.
372 - MOREIRA LIMA, Lourenço, op. cit., pp. 198-9.
373 - Idem, pp. 138-9-40.
374 - Ibidem, p. 138; AUDRIN, Frei José Maria, op. cit., pp. 575 e 577.
375 - Discurso do deputado Batista Luzardo sobre as requisições efetuadas pelos rebeldes. Anais da Câmara Federal, sessão de 25 de julho de 1926, p. 538. Imprensa Nacional.
376 - AUDRIN, Frei José Maria Audrin, op. cit., pp. 572-3.
377 - Depoimento de Joaquim Maia Leite ao autor.
378 - Idem.
379 - *A Notícia*, 18 de fevereiro de 1925. Rio de Janeiro.

380 - Idem, 2 de setembro de 1925.
381 - *O Globo*, 30 de julho de 1925.
382 - *A Noite*, 6 de abril de 1925.
383 - DIAS, Everardo, *Bastilhas Modernas*, capítulos: "A Polícia Central e suas Prisões", "Os Reféns" e "Da Detenção à Ilha Rasa".
384 - Idem, capítulo "Os Reféns"; DIAS, Everardo, *História das Lutas Sociais no Brasil*, p. 145; *O Jornal*, 2 de janeiro de 1927. Rio de Janeiro.
385 - *Correio Paulistano*, 17 de janeiro de 1925. São Paulo. Pesquisa realizada pelo autor sobre os presídios da Ilha Grande.
386 - *O Jornal*, 3 de janeiro de 1928. Rio de Janeiro.
387 - Idem.
388 - Ibidem.
389 - Idem, ibidem.
390 - *Correio da Manhã*, 30 de março de 1905, *in O Jornal*, 3 de janeiro de 1928.
391 - DIAS, Everardo, op. cit., capítulo "Os Reféns".
392 - DULLES, John W. Foster, op. cit., pp. 213-4.
393 - Pesquisa realizada pelo autor na Guiana Francesa, Caiena, Iles du Salut e Saint-Laurent du Maroni, novembro de 1994.
394 - DULLES, John W. Foster, op. cit., p. 212, nota de página número 126; PINHEIRO, Paulo Sérgio, op. cit, pp. 88, 91 a 93.
395 - PINHEIRO, Paulo Sérgio, op. cit., p. 101; DIAS, Everardo, op. cit., capítulo "Os Desterrados do Oiapoque".
396 - Exemplar da reportagem de *El Día*, do Uruguai, anexada ao despacho número 63 do cônsul americano em Porto Alegre. Rolo 6, fotogramas 807 a 810. NA/USA.
397 - CARNEIRO, Glauco, op. cit., p. 296.
398 - *A Notícia*, 13 de outubro de 1925. Rio de Janeiro.
399 - MOREIRA LIMA, Lourenço, op. cit., pp. 199 a 201.
400 - Idem, p. 204; MOREL, Edmar, *A Marcha da Liberdade*, pp. 29 e 30; informações recolhidas pelo autor na cidade de Carolina. Maranhão, junho de 1974.
401 - Informações recolhidas pelo autor em Carolina.
402 - *O Libertador*, AA.
403 - Depoimento de Severino Alves Feitosa ao autor. Severino foi o barqueiro que transportou as forças legalistas de Grajaú, no Maranhão, para Benedito Leite, no Piauí. Oeiras, Maranhão, junho de 1974.
404 - *Jornal da Tarde*, julho de 1974. Reportagem do autor sobre a Coluna Prestes, carta de João Alberto a Juarez Távora, in MOREIRA LIMA, Lourenço, op. cit., p. 223.
405 - Informações recolhidas pelo autor em Carolina; *A Noite*, 20 de janeiro de 1927.
406 - *Jornal da Tarde*, julho de 1974; *A Noite*, 20 de janeiro de 1927.

407 - Idem.

408 - Idem; PRESTES, Anita Leocádia, op. cit., pp. 235 a 237.

409 - TÁVORA, Juarez, op. cit., p. 196. A família do major Araújo Filho, que vive na fazenda Santa Angélica, em Oeiras, guarda, até hoje, o lenço vermelho que Juarez trazia no pescoço ao ser preso, em 1926. O cavalo que ele montava pertencia ao ex-governador do estado; assustado com os tiros, o animal tomou direção diametralmente oposta à que Juarez desejava.

410 - CUNHA, Higino, *Os Revolucionários do Sul Através dos Sertões do Nordeste,* pp. 86-7.

411 - Informação prestada ao autor pela família do major Araújo Filho. Seus parentes contam que Juarez, ao se entregar, revelou que estava muito doente e necessitava ser medicado com urgência. Higino Cunha, por sua vez, op. cit., pp. 91-2, afirma que Juarez não foi preso; segundo o autor, ele entregou-se por estar sofrendo de cistite.

412 - CUNHA, Higino, op. cit., pp. 94-5; MOREIRA LIMA, Lourenço, op. cit., pp. 229 a 233. A versão do acordo entre Prestes e o bispo Severino Vieira de Melo foi revelada ao autor pela família do major Araújo Filho.

413 - BARROS, João Alberto Lins de, op. cit., p. 133; MOREIRA LIMA, Lourenço, op. cit., p. 240.

414 - MOREIRA LIMA, Lourenço, op. cit., p.212.

415 - PRESTES, Anita Leocádia, op. cit., p. 239.

416 - BARROS, João Alberto Lins de, op. cit., p. 134.

417 - TÁVORA, Juarez, op. cit., pp. 201 a 203.

418 - DULLES, John W. Foster, op. cit., pp. 213-4; DIAS, Everardo, op. cit., capítulo "Os Desterrados do Oiapoque".

419 - Depoimento do preso Alberto Saldanha, *A Noite*, 3 de janeiro de 1927; DIAS, Everardo, op. cit., capítulo "Os Desterrados do Oiapoque".

420 - Informações recolhidas pelo autor em Arneiroz, Vale do Jaguaribe. Ceará, maio de 1974.

421 - Depoimento do farmacêutico Francisco das Chagas Paes ao autor. Ipu, Ceará, maio de 1974.

422 - Idem.

423 - BARROS, João Alberto Lins de, op. cit., pp. 5 a 8; MOREIRA LIMA., Lourenço, op. cit., p. 331.

424 - MACAULAY, Neill, op. cit., p. 192; depoimento de Emigdio Miranda ao autor: "Cometemos muitos excessos, mas também pagamos por muitas coisas que não fizemos."

425 - MACAULAY, Neill, op. cit., pp. 185-6; KEITH HUNT, Henry, *Soldados Salvadores*, pp. 142-3.

426 - FACÓ, Rui, *Cangaceiros e Fanáticos*, pp. 178-9; OLIVEIRA, Aglaé Lima de, *Lampião, Cangaço e Nordeste*, pp. 58 a 60.

427 - Relatório do vice-cônsul americano em Porto Alegre, E. Kitchel Farrand, para o embaixador Edwin Morgan, em 7 de janeiro de 1926. Rolo 6, fotograma 893. NA/USA.

428 - DANTAS, José Ibarê Costa, op. cit., pp. 167 a 169, 171-2.

429 - NONATO, Raimundo, *Os Revoltosos em São Miguel*, pp. 65-6.

430 - Idem, pp. 125 a 130; relatório do inquérito policial instaurado pelo major Luís Júlio sobre a invasão de São Miguel.

431 - Depoimento de Emigdio Miranda ao autor.

432 - MOREIRA LIMA, Lourenço, op. cit., pp. 250-1.

433 - Relatório do cônsul americano no Recife; mensagem do presidente da Paraíba, João Suassuna, à Assembléia Legislativa, em 10 de outubro de 1926.

434 - *A União*, 27 de fevereiro de 1926. Paraíba.

435 - Idem.

436 - Ibidem.

437 - MOREIRA LIMA, Lourenço, op. cit., p. 220.

438 - Relatório do cônsul americano em Recife, Nathaniel Davis, em 10 fevereiro de 1926. Rolo 6 fotogramas 969 a 973.

439 - MACAULAY, Neill, op. cit. pp. 200-1.

440 - LANDUCCI, Ítalo, op. cit., p. 114; MACAULAY, Neill, op. cit., pp. 201-2202; CAMARGO, Aspásia, e GÓES, Walder de, *Cordeiro de Farias*, p. 144.

441 - MOREIRA LIMA, Lourenço, op. cit., p. 256; MACAULAY, Neill, op. cit., pp. 201 a 203.

442 - CAMARGO, Aspásia, e GÓES, Walder de, op. cit., pp. 145 e 203. Existem várias versões sobre a tragédia de Piancó. Anita Prestes, op. cit., p. 248, conta que padre Aristides e seus capangas foram fuzilados pelos rebeldes; Cordeiro de Farias, ao ser procurado pelo autor, em maio de 1974, para dar um depoimento sobre a Coluna Prestes, impôs uma condição: não falar sobre o que aconteceu em Piancó. Em junho do mesmo ano, ao reconstituir a marcha do movimento rebelde, foi localizado em Corumbá um dos protagonistas desse episódio: o soldado Nelson Pereira de Souza, o *Bamburral*, que aderiu às forças revolucionárias no Maranhão. Ele revelou que Aristides foi degolado e, em seguida, castrado. *Bamburral* contou que foi escolhido, pessoalmente, por Emigdio Miranda para imolar o padre.

443 - PRESTES, Anita Leocádia, op. cit., p. 248.

444 - MOREIRA LIMA, Lourenço, op. cit., p. 258; MACAULAY, Neill, op. cit., p. 203; CAMARGO, Aspásia, e GÓES, Walder de, op. cit., p. 146.

445 - Depoimento do general Aristides Leal. História Oral, pp. 22-3, CPDOC / FGV,

1975. Rio de Janeiro; LETTI, Nicanor, *A Degola, in Revolução Federalista*, pp. 82-3.

446 - Depoimento de Emigdio Miranda ao autor.

447 - Depoimento de Mário Rosal ao autor. Fortaleza, Ceará, maio de 1974.

448 - Relatório do presidente da Paraíba, João Suassuna, em 26 de março de 1926.

449 - Idem.

450 - Relatório do cônsul de Pernambuco Nathaniel Davis sobre o Congresso Regional do Nordeste, em 4 de março de 1926. Rolo 6, fotogramas 1001 a 1004.

451 - MAUCAULAY, Neill, op. cit., p. 194.

452 - MOREIRA LIMA, Lourenço, op. cit., p. 259; BARROS, João Alberto Lins de, op. cit., pp. 53-4.

453 - MOREIRA LIMA, Lourenço, op. cit., p. 259.

454 - Idem, p. 261.

455 - Relatório confidencial do cônsul Nathaniel Davis, em 20 de fevereiro de 1926. Rolo 6, fotogramas 974 a 979. NA/USA.

456 - Tese de mestrado em História do professor Alberto Frederico Lins sobre Cleto Campelo, Universidade Federal de Pernambuco, pp. 23, 33 a 35.

457 - Idem, pp. 32-33; bilhete manuscrito, sem assinatura, informando o endereço do comitê revolucionário em Buenos Aires. Rolo 6, fotograma 2.198. AAB.

458 - LINS, Alberto Frederico, op. cit., p. 33.

459 - Idem, pp. 33 e 23; DULLES, John W. Foster, op. cit., p. 204.

460 - Ibidem, p. 37

461 - Relatório do delegado Apulcro de Assunção publicado no *Jornal do Commércio*, de Recife, em 14 de março de 1926.

462 - *Diário de Pernambuco e Jornal do Commércio*, 19 de fevereiro de 1926.

463 - LINS, Alberto Frederico, op. cit., pp.40 a 42.

464 - Idem, op. cit., pp. 42 a 46.

465 - Ibidem, op. cit., pp. 49 a 52.

466 - Ibidem, op. cit., pp. 51 a 52. Depoimento do jornalista Alfredo Sotero sobre a morte de Cleto Campelo, op. cit., p. 61.

467 - Ibidem, op. cit., pp. 60-1.

468 - Ibidem, op. cit., pp. 65 a 68.

469 - Ibidem, op. cit., p. 69. Cleto Campelo foi enterrado na rua do Fuarquirão, no Cemitério de Santo Amaro, em Recife.

470 - *Jornal Pequeno*, 20 de fevereiro de 1926. Recife, Pernambuco.

471 - LINS, Alberto Frederico, op. cit., p. 75. DULLES, John W. Foster, op. cit., pp. 204-5, afirma que o sargento Waldemar de Lima foi preso, ferido e, depois, degolado em uma cadeia de Limoeiro, com base no depoimento de Josias Carneiro Leão. O professor Frederico Lins, apoiado em outros depoimentos,

sustenta que Waldemar foi executado em Taquaretinga, durante uma emboscada.

472 - MOREIRA LIMA, Lourenço, op. cit., pp. 265 a 268; BARROS, João Alberto Lins de, op. cit., 128 e 129; *A União*, 26 de fevereiro de 1926. João Pessoa, Paraíba. O deputado Floro Bartolomeu, em telegrama enviado ao presidente Artur Bernardes, em 26 de fevereiro de 1926, assume a responsabilidade pela vitória contra os rebeldes na fazenda Cipó, declarando que eles foram derrotados pela sua tropa de *romeiros*. Telegrama número 9.843, enviado para o Palácio Rio Negro, em Petrópolis. Rolo 20, AAB.

473 - BARROS, João Alberto, op. cit., p. 139.

474 - MOREIRA LIMA, Lorenço, op. cit., pp. 273, 593 e 594.

475 - Idem, op. cit., pp. 273-4.

476 - Ibidem, pp. 275, 286-7; MORAES, Walfrido, *Jagunços e Heróis*, pp. 147, 150 a 162.

477 - MOREIRA LIMA, Lourenço, op. cit., p. 275.

478 - TÁVORA, Juarez, op. cit., p. 182.

479 - BARROS, João Alberto Lins de, op. cit., p. 129.

480 - TÁVORA, Juarez, op. cit., p. 187; MOREIRA LIMA, Lourenço, op. cit., p. 164; depoimento de Emigdio Miranda ao autor.

481 - MOREIRA LIMA, Lourenço, op. cit., p. 164.

482 - BARROS, João Alberto Lins de, op. cit., p. 127. Cordeiro de Farias contou ao autor que Prestes passava as noites em silêncio, caladão, com olhar distante. Durante as brincadeiras no QG, o máximo a que se permitia era deixar escapar um sorriso, contido; os pensamentos estavam sempre em outro lugar.

483 - Depoimento de Cordeiro de Farias ao autor.

484 - BARROS, João Alberto Lins de, op. cit., pp. 142 a 144.

485 - MOREL, Edmar, *O Santo do Juazeiro*, pp. 106 a 108.

486 - *Diário do Ceará*, 28 de fevereiro de 1926.

487 - Idem, 13 de janeiro de 1926.

488 - PANG, Eul-Soo, *Coronelismo e Oligarquias 1889-1930. A Bahia na Primeira República Brasileira*, pp. 34-5. *Brazilianist* sul-coreano, formado em História pela Universidade de Berkeley, nos Estados Unidos, Pang visitou a Bahia em 1974 e microfilmou os arquivos pessoais de Horácio de Matos que se encontravam sob a guarda do filho Tácio, em Mucugê, na região de Lavras Diamantina. Ao pesquisar esses mesmos arquivos com a socióloga Marilena Balsa, em dezembro de 1974, encontrei-os parcialmente arruinados pelo mofo e pela traça, abandonados em quatro grandes baús, no fundo de um galpão.

489 - Idem, p. 36.

490 - *O Jornal*, edição vespertina, 3 de março de 1926; Anais da Câmara Federal, sessão de 4 de março de 1926, p. 277..

491 - *A Noite*, 1º de março de 1926.
492 - MOREIRA LIMA, Lourenço, op. cit., p. 276; depoimento de Cordeiro de Farias ao autor.
493 - PRESTES, Anita Leocádia, op. cit., pp. 259 e 260.
494 - MOREIRA LIMA, Lourenço, op. cit., pp. 276-7.
495 - Idem, pp. 286-7.
496 - LANDUCCI, Ítalo, op,. cit., pp.123-4.
497 - MOREIRA LIMA, Lourenço, op. cit., pp. 292 a 294.
498 - Dossiê, sem assinatura, com o nome dos principais contraventores do Rio de Janeiro e a relação de 50 *pontos* onde se podia jogar no bicho e participar de outros tipos de jogatina. Rolo 20, AAB.
499 - *A Notícia*, 8 e 9 de abril de 1926.
500 - Idem, 10 de abril de 1926.
501 - Idem.
502 - Ibidem.
503 - Ibidem.
504 - *A Notícia*, 20 de abril de 1926.
505 - Idem, 15 de abril de 1926.
506 - MOREIRA LIMA, Lourenço, op. cit., p. 296.
507 - Idem, p. 298.
508 - *O Sertão*, 31 de agosto de 1925; *A Vanguarda*, 15 de julho de 1924. AHM.
509 - Pesquisa realizada pelo autor na cidade de Lençóis. Bahia, maio de 1976.
510 - MORAES, Walfrido, op. cit., pp. 147, 162-3 e 173-4; *A Vanguarda*, 15 de julho de 1924.
511 - Idem, p. 160.
512 - MOREIRA LIMA, Lourenço, op. cit., pp. 287 e 294; MACAULAY, Neill, op. cit., p. 213.
513 - BARROS, João Alberto Lins de, op. cit., pp. 147 a 149.
514 - Idem pp. 149-50.
515 - Ibidem, pp. 152 a 155.
516 - MOREIRA LIMA, Lourenço, op. cit., p. 306.
517 - MORAES, Walfrido, op. cit., p. 176; *O Sertão,* 29 de abril de 1928. AHM.
518 - MOREIRA LIMA, Lourenço, op. cit., p. 310.
519 - MORAES, Walfrido, op. cit., pp. 169 a 171.
520 - Depoimento de Emigdio Miranda ao autor.
521 - Anais da Câmara Federal, sessão de 5 de maio de 1926, pp. 299 a 305.
522 - *A Notícia*, 20 de outubro de 1925.
523 - Idem.
524 - Ibidem.
525 - MOREIRA LIMA, Lourenço, op. cit., pp. 311 a 313.

526 - Idem, pp. 315 a 317.
527 - Ibidem, pp. 330-1.
528 - TÁVORA, Juarez, op. cit., p. 189.
529 - MOREIRA LIMA, Lourenço, op. cit., p. 172; depoimento de Emigdio Miranda ao autor.
530 - BARROS, João Alberto Lins de, op. cit., p. 144; MOREIRA LIMA, Lourenço, pp. 335 a 339; MORAES, Walfrido, op. cit., p. 189, nota número 16; *O Sertão*, 8 de junho de 1926. AHM.
531 - LANDUCCI, Ítalo, op. cit., p. 139.
532 - Emigdio Miranda ao autor; Cordeiro de Farias ao autor; PRESTES, Anita Leocádia, op. cit., p. 139.
533 - LANDUCCI, Ítalo, op. cit., p. 131; Emigdio Miranda ao autor.
534 - MOREIRA LIMA, Lourenço, op. cit., p. 349.
535 - Idem, p. 350; João Alberto, op. cit., p. 156.
536 - LANDUCCI, Ítalo, op. cit., pp. 172-3; depoimento de Aristides Leal ao autor.
537 - Depoimento de Aristides Leal ao autor; LINS e BARROS, João Alberto, op. cit., pp. 111-2.
538 - Depoimento de Aristides Leal ao autor.
539 - LANDUCCI, Ítalo, op. cit., p. 137; depoimento de Aristides Leal ao autor.
540 - Idem pp. 135 a 137; LINS e BARROS, João Alberto, op. cit., pp. 71-2.
541 - MOREIRA LIMA, Lourenço, op. cit., p. 132.
542 - Idem, p. 256.
543 - Ibidem, p. 116.
544 - BARROS, João Alberto Lins de, op. cit, pp. 150-1.
545 - PRESTES, Anita Leocádia, op. cit., p. 456. Anexos. Relatório do general Álvaro Mariante para o ministro Setembrino de Carvalho.
546 - Relatório do capitão Góes Monteiro sobre o Grupo de Destacamentos Mariante no Interior do Brasil (contra as forças rebeldes "ao mando de Prestes e Miguel Costa"), pp. 11, 12 e 16. AGE.
547 - PRESTES, Anita Leocádia, op. cit., pp. 452-3. Anexos. Relatório do general Álvaro Mariante; *O Sertão*, 4 de abril de 1926 AHM.
548 - Idem, p. 455.
549 - Ibidem, pp.457-9.
550 - Assentamentos do general Álvaro Mariante. A 20 de julho de 1926, ele viaja ao Rio para se avistar com o ministro do Exército; oito dias depois retorna ao Nordeste e instala seu QG em Sergipe. AGE.
551 - *O 5 de Julho*, julho de 1926, edição comemorativa do 1º aniversário da revolução. AA.
552 - Depoimento do jornalista Paulo Mota Lima ao autor. Março de 1995, Rio de

Janeiro. Paulo era amigo e conterrâneo de Leônidas de Resende, fiel colaborador do *5 de Julho*.

553 - *O 5 de Julho*, número 5. AA.

554 - MOREIRA LIMA, Lourenço, op. cit., pp. 349-51. O total de mortos, nesse combate, é revelado por *O Sertão*, 23 de maio de 1925. AHM.

555 - Idem, p. 356

556 - Ibidem, 358-362; a morte de Gumercindo Gomes é descrita de forma pungente por LANDUCCI, Ítalo, op. cit., p. 138.

557 - MORAES, Walfrido, op. cit., pp. 178-189, nota número 17.

558 - Telegrama número 1436 enviado, de Aracaju, pelo general Álvaro Mariante ao *coronel* Horácio de Matos, em Lençóis, Bahia. AHM.

559 - *O Sertão*, 16 de janeiro de 1927. AHM.

560 - Pesquisa realizada pelo autor em Lençóis, em dezembro de 1974. Depoimento de Waldrido Moraes ao autor, através de carta, em 20 de junho de 1974.

561 - *O Sertão*, 11 e 18 de abril de 1926. AHM.

562 - Biblioteca de Horácio de Matos. Mucugê, Bahia.

563 - *O Sertão*, 4 de julho de 1926. AHM.

564 - Idem, 13 de junho de 1926. AHM. O jornal diz que Prestes mandou degolar o surdo-mudo por vingança, o que me parece um exagero.

565 - Idem, 25 de abril de 1926. AHM.

566 - Ibidem, 11 de abril de 1926. AHM.

567 - Anais da Câmara Federal, sessão de 18 de julho de 1926.

568 - Idem, sessão de 21 de julho de 1926, p. 258.

569 - Lourenço Moreira Lima, op. cit., 369-371; depoimento de Cordeiro de Farias ao autor: "Os rebeldes nunca receberam as armas que o general Isidoro prometeu enviar para a Bahia."

570 - Depoimento da família do ex-deputado Juarez Tapety ao autor. Tapety foi batizado com o nome de Juarez em homenagem ao chefe revolucionário preso no Piauí. Oeiras, Piauí, junho de 1974.

571 - A discussão entre Prestes e Siqueira foi testemunhada, na época, pelo adolescente Possidônio Nunes de Queiroz. Depoimento de Possidônio ao autor. Oeiras, Piauí, junho de 1974.

572 - Depoimento de Possidônio Nunes de Queiroz ao autor.

573 - Anais da Câmara Federal, sessão de 28 de setembro de 1926, pp. 200-1.

574 - *A Notícia*, 6 de março de 1925.

575 - Idem, 6 de março e 19 de julho de 1925.

576 - Diário de Campanha do Batalhão Patriótico Lavras Diamantina, *O Sertão*, 9 de setembro de 1928. AHM.

577 - Idem, 2 e 9 de setembro de 1928. AHM.

578 - As principais diretrizes do plano de campanha de Horácio de Matos foram

resumidas num manuscrito, a lápis, sem assinatura, em meio a uma série de recomendações gerais, de caráter militar. O documento não deve ter sido escrito por Horácio, que era semi-alfabetizado, mas ditado por ele a um dos seus auxiliares diretos. AHM.

579 - Discurso de Batista Luzardo. Anais da Câmara Federal, sessão de 28 de setembro de 1926, p. 196.

580 - MOREIRA LIMA, Lourenço, op. cit., p. 415.

581 - Diário de Campanha do BPLD, *O Sertão*, 9 de setembro de 1928. AHM.

582 - Idem, *O Sertão*, 16 de setembro de 1926. AHM.

583 - Idem, *O Sertão*, 30 de setembro de 1928. AHM.

584 - Idem, *O Sertão*, 7 de outubro de 1928. AHM

585 - Idem, *O Sertão*, 7 de outubro de 1928. AHM.

586 - Idem, *O Sertão*, 14 de outubro de 1928. AHM.

587 - BARROS, João Alberto Lins de, op. cit., pp. 160-1. João Alberto apresenta outra versão para o ataque. Diz que a tropa comia churrasco ao ser surpreendida pelo inimigo, logo derrotado por Siqueira Campos, que se encontrava nas imediações. Moreira Lima, por sua vez, refere-se ao episódio de forma superficial, sem entrar em detalhes.

588 - BARROS, João Alberto Lins de, op. cit., pp. 160-1.

589 - Id., p. 161 depoimento de Aristides Leal ao autor.

590 - PRESTES, Anita Leocádia, op. cit., p. 279. Discurso do deputado Batista Luzardo na Câmara Federal, sessão de 28 de outubro de 1926. Diário do Congresso Nacional de 31 de outubro de 1926. pp. 4919 a 4921; depoimento de Emigdio Miranda ao autor.

591 - *O Jornal*, 3 de agosto de 1926. Rio de Janeiro.

592 - Diário de Campanha do BPLD, *O Sertão*, 9 de dezembro de 1928. AHM.

593 - *O Paiz*, 26 de fevereiro de 1926. Rio de Janeiro.

594 - Diário de Campanha do BPLD, *O Sertão*, 26 de janeiro de 1926. AHM; depoimento de Emigdio Miranda ao autor.

595 - MOREIRA LIMA, Lourenço, op. cit., p. 432. O episódio de Olhos d'Água foi registrado por vários autores com diferentes versões. Moreira Lima diz que o tiroteio atravessou toda a madrugada e só foi interrompido às 8 da manhã de 2 de outubro, com cerca de 200 mortos, entre rebeldes e legalistas. Não só o relato do combate, como o elevado número de vítimas, me parece exagerado. Batista Luzardo, em discurso na Câmara Federal, na sessão de 14 de outubro de 1926, aumentou o número de mortos para 400. Franklin de Queirós, em *O Sertão* de 26 de janeiro de 1929, diz que o incidente não ocorreu a 2 de outubro, mas no dia 23. Em telegrama enviado ao general Álvaro Mariante, no dia 7 de de outubro de 1926, Franklin comunica apenas a morte de um oficial, o tenente Nego, informando que fora vítima de uma emboscada, sem fazer nenhuma menção

ao tiroteio com tropas legalistas. AHM. Nos relatórios da época, tanto os rebeldes como as forças do Governo costumavam aumentar ou diminuir a importância dos combates, de acordo com interesses políticos e de caráter logístico.

596 - Carta assinada por A. Alcântara para Horácio de Matos, em 30 de março de 1926. AHM.

597 - Telegrama de Franklin de Queirós para o general Álvaro Mariante. AHM

598 - *O Globo*, 7 de outubro de 1926. Rio de Janeiro.

599 - Informe reservado do Exército, datado de 19 de outubro de 1926, encaminhado ao comandante da Circunscrição Militar de Mato Grosso pelo tenente-coronel Marcionillo G. Barros. Documento anexado ao relatório do general Álvaro Mariante. AGE.

600 - PRESTES, Anita Leocádia, op. cit., p. 276. Telegrama do general Álvaro Mariante ao ministro Setembrino de Carvalho.

601 - MOREIRA LIMA, Lourenço, op. cit., p. 171; PRESTES, Anita Leocádia, op. cit., p. 277. Depoimento de Luís Carlos Prestes a autora.

602 - *O Jornal*, 23 de outubro de 1926; CHATEAUBRIAND, Assis, *Terra Deshumana*, pp. 167-8-9, 171-2-6-7.

603 - MOREIRA LIMA, Lourenço, op. cit., pp. 444-5-9; BARROS, João Alberto Lins de, op. cit., pp. 165-7-8-9.

604 - Idem, p. 449; PRESTES, Anita Leocádia, op. cit., pp. 309-10.

605 - Discurso de Batista Luzardo publicado em *O Globo*, 10 de novembro de 1926.

606 - Idem.

607 - Ibidem.

608 - Artigo do jornalista José Vasconcelos publicado na *Gazeta da Serra*, em 2 de novembro de 1925. Ubajara, Ceará.

609 - *O Combate*, 19 de junho de 1926. Fortaleza, Ceará.

610 - Diário de Campanha do BPLD, *O Sertão*, 27 de janeiro de 1929. AHM.

611 - Idem; PRESTES, Anita Leocádia, op. cit., pp. 279-80.

612 - Diário de Campanha do BPLD, *O Sertão*, 27 de janeiro de 1929. AHM.

613 - Idem. *O Sertão*, 20 de janeiro de 1929. AHM.

614 - *O Globo*, 15 de novembro de 1926. Edição das 17h.

615 - Idem, 11 de novembro de 1926. Edição das 19h.

616 - Idem, 15 de novembro de 1926. Edição das 17h.

617 - *O Globo*, 17 de novembro de 1926. Edição da manhã. Na época, os principais jornais do Rio de Janeiro circulavam diariamente com duas ou três edições.

618 - Idem, 22 de novembro de 1926. Edição das 19h.

619 - Discurso de Batista Luzardo, na sessão de 11 de novembro da Câmara Federal, transcrito em *O Globo*, em 13 de novembro de 1926 depoimento de, Emigdio Miranda ao autor.

620 - Idem.

621 - PRESTES, Anita Leocádia, op. cit., p. 263. Depoimento de Luís Carlos Prestes à autora.

622 - Discurso de Batista Luzardo transcrito em *O Globo*, 13 de novembro de 1926.

623 - *O Jornal*, 27 de novembro de 1926. Rio de Janeiro.

624 - OLIVEIRA, Nelson Tabajara de *A Revolução de Isidoro*, pp. 67-8-9.

625 - Idem, pp 71-2.

626 - Depoimento do coronel Enéas Pires ao *Diário de Notícias,* de Porto Alegre, em 10 de dezembro de 1926, in *O Jornal*, 2 de janeiro de 1927.

627 - OLIVEIRA, Nelson Tabajara de, op. cit., pp. 72-3.

628 - Carta de Franklin de Queirós a Horácio de Matos, enviada de Barra do Mendes, em 15 de junho de 1926. AHM.

629 - MOREIRA LIMA, Lourenço, op. cit., p.469; Diário de Campanha do BPLD, *O Sertão*, 10 de fevereiro de 1929. AHM.

630 - LANDUCCI, Ítalo, op. cit., pp. 167-8-9, 170; BARROS, João Alberto Lins de, op. cit., pp. 119, 120; MOREIRA LIMA, Lourenço, op. cit., pp. 131-2.

631 - O episódio foi confirmado pelo jornal *O Piauhy*, de Teresina, ao reproduzir depoimento de um soldado legalista sobre o atendimento que Hermínia prestava aos feridos das tropas do Governo.

632 - MOREIRA LIMA, Lourenço, op. cit., p. 130.

633 - BARROS, João Alberto Lins de, op. cit., p. 92; LANDUCCI, Ítalo, op. cit., p. 170.

634 - MOREIRA LIMA, Lourenço, op. cit., pp. 469-70; BARROS Lins de, João Alberto, op. cit., p. 129.

635 - Idem, pp. 472-3-4.

636 - Relatório do presidente do Rio Grande do Sul, Borges de Medeiros, em 20 de julho de 1927; OLIVEIRA, Nelson Tabajara de, op. cit., pp. 77-9, 80-5-6.

637 - MOREIRA LIMA, Lourenço, op. cit., pp. 471-3.

638 - *A Noite*, 8 de janeiro de 1927.

639 - *O Jornal*, 8 de janeiro de 1927.

640 - Depoimento do jornalista e escritor Hélio Pennafort ao autor, em novembro de 1994.

641 - DULLES, John W. Foster, op. cit., pp. 214-5. Nota do autor: o ex-ministro da Agricultura, Miguel Calmon, fez um longo discurso na Câmara Federal, em 1928, defendendo-se das acusações de ter sido o responsável pelas mortes de presos políticos em Clevelândia. Sustentou que o local oferecia excelentes condições sanitárias, esclarecendo que o elevado número de óbitos não foi provocado por maus-tratos, mas pela desenteria bacilar contraída pelos rebeldes nas trincheiras de Catanduvas, no Paraná. *O Jornal*, 3 de janeiro de 1928.

642 - MOREIRA LIMA, Lourenço, op. cit., pp. 493-4; BARROS, João Alberto Lins de, op. cit., pp. 175 a 179, 180 a 183; relatório do general João Gomes ao ministro

da Guerra, descrevendo os "processos táticos e os ardis" que os rebeldes usaram durante a campanha do Piauí. *O Jornal*, 16 de janeiro de 1927.

643 - BARROS, João Alberto Lins de, op. cit., p. 175.

644 - *O Jornal*, 27 de janeiro de 1927.

645 - Idem, 2 de janeiro de 1927.

646 - Idem, 26 de dezembro de 1926.

647 - Idem, 23 e 30 de novembro de 1926; 4, 16 e 26 de dezembro de 1926; 4 de janeiro de 1927.

648 - BARROS, João Alberto Lins de, op. cit., pp. 183 a 5; *O Sertão*, 3 de março de 1929. Moreira Lima não faz nenhuma menção a esse combate no diário da Coluna. Mas a emboscada sofrida pelos rebeldes é narrada, com detalhes, tanto por João Alberto como por Franklin de Queirós, em seu diário de campanha..

649 - MOREIRA LIMA, Lourenço, op. cit., p. 489.

650 - BARROS, João Alberto Lins de, op. cit., pp. 170-1.

651 - *O Globo*, 2 e 3 de dezembro de 1926.

652 - *O Jornal*, 4 de dezembro de 1926.

653 - *O Globo*, 2 de dezembro de 1926. Nessa edição foi publicado, na íntegra, o projeto de criação do cruzeiro, o novo padrão monetário que deveria substituir o real.

654 - MOREIRA LIMA, op. cit., p. 501;BARROS João Alberto Lins de, op. cit., pp. 186-7-8; LANDUCCI, Ítalo, op. cit., p.185.; depoimento de Cordeiro de Farias ao autor.

655 - BARROS, João Alberto Lins de, op. cit., p. 186; MOREIRA LIMA, Lourenço, op. cit., p. 498. Moreira Lima calcula que os rebeldes tenham percorrido cerca de 26 mil quilômetros; Prestes, por sua vez, estima a marcha da Coluna em torno de 36 mil quilômetros.

656 - *O Jornal*, 10 e 12 de março de 1927. Reportagens de Rafael Correa de Oliveira, enviado especial do jornal à Bolívia; MOREIRA LIMA, Lourenço, op. cit., p 510.

657 - *O Jornal*, 12 de março de 1927.

658 - BARROS, João Alberto Lins de, op. cit., pp. 188 a 193.

659 - *O Jornal*, 2 de março de 1927; idem, 3 de outubro de 1926.

660 - A revolução de 1930 impediu que Washington Luís substituísse o mil-réis pelo cruzeiro. A mudança do novo padrão monetário, sugerida pelos banqueiros ingleses, só conseguiu ser implantada em 1942, durante o governo Vargas.

661 - *O Jornal*, 12 de março de 1927.

662 - Na série de reportagens de Rafael de Oliveira publicadas em *O Jornal*, é reproduzido o dia-a-dia no acampamento de La Gaiba, na Bolívia. O jornalista não esconde o seu encantamento com a saga dos rebeldes e o fascínio que Prestes exerceu sobre ele.

663 - Idem, 17 de março de 1927.
664 - Idem, 22 de março de 1927.
665 - Idem, 27 de março de 1927.
666 - Idem, 5 de abril de 1927.
667 - Idem, 30 de março de 1927.
668 - Idem, 17 e 30 de março de 1927.
669 - Idem, 5 e 13 de abril de 1927.
670 - Idem, 19 de abril de 1927.
671 - Idem, 30 de março de 1927.
672 - O ator, poeta, escritor e compositor Mário Lago descreveu a morte de Conrado Niemeyer no livro *Rolança no Tempo*, pp. 73 a 75. Por um lapso de memória, Lago, que testemunhou a morte do empresário quando ainda era menino, diz que ela ocorreu por "volta de 1923 ou 1924", quando aconteceu em 1925. A distância de quase 54 anos entre o assassinato e a publicação do livro levou-o a ser mais uma vez traído pela memória: o crime não ocorreu à noite, mas pela manhã. A descrição da morte do empresário, feita por Mário Lago, que viu Conrado ser atirado pela janela da Polícia Central, é dramática.
673 - *O Jornal*, 19 de abril de 1927; *O Globo*, 17 de maio de 1927.
674 - *O Jornal,* 15 de junho de 1927, sétima reportagem da série. "Um raid jornalístico de 12 mil quilômetros."
675 - MOREIRA LIMA, Lourenço, op. cit., pp. 508-12-13. Ao reconstituir a marcha da Coluna para o *Jornal da Tarde*, em 1974, encontrei Guilhermino Barbosa no povoado de El Carmen, na Bolívia, a 120 km da fronteira com Corumbá. Guilhermino casou-se com uma boliviana e nunca mais voltou ao Brasil. Ao regressar a Mato Grosso, localizei outro remanescente da Coluna: o repentista Nelson Pereira de Souza, o *Bamburral*, um dos protagonistas do massacre de Piancó. Pobre, magro e doente, *Bamburral* levava em 1974 uma vida ainda mais miserável que a dos homens que a Coluna imaginou libertar. Morava com mulher e filhos numa cabana tosca, de chão de terra batida, plantando milho e feijão, numa "roça de favor", nas imediações da divisa com Puerto Suarez.
676 - Depoimento de *Bamburral* ao autor. Corumbá, junho de 1974.
677 - *O Globo*, 7 de janeiro de 1927; *O Jornal*, 24 de março de 1927.
678 - *O Jornal*, 9, 10 de março de 1927.
679 - Carta de Francisco Ângelo da Silva a Horácio de Matos. AHM.
680 - Carta de Guilherme Meyer a Horácio de Matos, enviada do Rio de Janeiro, ameaçando denunciar à impresa "tudo o que sabia" sobre o Batalhão Patriótico Lavras Diamantina. AHM.
681 - Cópia manuscrita das folhas de pagamento da tropa e dos relatórios de despesas do BPLD enviadas ao major José Scarcella Portela, chefe do Serviço de Intendência do Destacamento Mariante. AHM.

682 - Cópia datilografada do relatório enviado por Horácio de Matos ao general Álvaro Mariante, em 6 de novembro de 1926, desculpando-se do atraso e das falhas encontradas nas prestações de contas do BPLD. AHM.

683 - Relação do armamento "perdido em operações de guerra contra os rebeldes", datado de 30 de setembro de 1927. AHM.

684 - Recibos apresentados pelos oficiais do BPLD para justificar despesas realizadas durante a campanha contra a Coluna Prestes. A maior parte dos recibos está com os valores originais rasurados e adulterados. AHM.

685 - Carta do fazendeiro Ananias José Alves a Horácio de Mattos exigindo indenização pelos prejuízos causados pelo BPLD. AHM.

686 - *O Globo*, 12 de março de 1927.

687 - DULLES, John W. Foster, op. cit., pp. 229-30.

688 - *O Globo*, 17 e 19 de maio de 1927; MELLO FRANCO, Afonso Arinos de, *Um Estadista da República*, volume II, p. 1027.

689 - Idem, 19, 20, 24, 25 de maio de 1927; *O Jornal*, 26 de maio de 1927.

690 - Ibidem, 26 de maio de 1927.

691 - Depoimento de Triffino Correia ao jornalista Cláudio Lacerda, em maio de 1974; *O Jornal*, 9 e 10 de março de 1927; DULLES, John W. Foster, op. cit., pp. 270-1-2-3.

692 - DULLES, John W. Foster, op. cit., pp. 272-3-4.

693 - *O Jornal*, 9 e 10 de março, 5 de maio de 1927.

694 - OLIVEIRA, Nelson Tabajara de, op. cit., p. 182; *O Jornal*, 16 de julho 1927. Segundo BASBAUM, Leôncio, *Uma Vida em 6 Tempos: Memórias*, pp. 48 e 50, Rodolfo Coutinho e Joaquim Barbosa, membros do CCE, recusavam-se a manter qualquer tipo de entendimento com os líderes da Coluna, *in* DULLES, John W. Foster, op. cit., p. 282.

695 - PRESTES, Anita Leocádia, op. cit., pp. 337 a 345. A autora fez um admirável estudo sobre as relações da Coluna com as populações rurais das regiões por onde passou.

696 - Depoimento de Emigdio Miranda ao autor.

697 - *O Jornal*, 1º de julho de 1927; MOREIRA LIMA, Lourenço, op. cit., p. 504.

698 - MOREIRA LIMA, Lourenço, op. cit., pp 459 a 465; *O Globo*, 9 de março de 1927; Diário de Campanha do BPLD, *O Sertão*, 3 de setembro de 1927, AHM; OLIVEIRA, Nelson Tabajara de, op. cit., pp. 166-7.

699 - MOREIRA LIMA, Lourenço, op. cit., p. 465.

700 - BASTOS, Abguar, *Histórias das Lutas Sociais no Brasil*, pp. 167 a 169, 170-1-7-8.

701 - PRESTES, Anita Leocádia, op. cit.., pp. 334 a 338, 369 a 375; MOREIRA LIMA, Lourenço, op. cit., pp. 513 a 523.

702 - BASTOS, Abguar, op. cit., pp. 133-4; KEITH HUNT, Henry, op. cit., pp. 197-8, 204, 220, nota número 743.

703 - Depoimento de Aristides Leal ao CPDOC/ FGV, p. 16. Na entrevista que concedeu ao autor, em 1974, Aristides contou que Prestes, durante a assembléia do Clube Militar, chegou a ser vaiado pelo plenário ao discursar contra o relatório da comissão que reconheceu como verdadeiras as cartas atribuídas a Artur Bernardes; KEITH, Henry Hunt, op. cit., pp. 203-6.

704 - KEITH, Henry Hunt, op. cit., pp. 204-5.

705 - AZEVEDO, Gwaier, *Discurso pronunciado no Clube Militar no dia 25 de junho de 1922*, pp. 8 a 11, *in* SODRÉ, Nelson Werneck, *História Militar do Brasil*, pp. 202 a 208.

706 - MOREIRA LIMA, Lourenço, op. cit., pp. 522.

BIBLIOGRAFIA

ALONSO, Martins. *A Vida ao Longo do Caminho*. Livraria José Olympio Editora. Rio. 1976.

ALMEIDA Magalhães, Bruno de. *Arthur Bernardes: o Estadista da República*. Rio, José Olympio Editor. 1973.

ALVES, Odair Rodrigues. *Os Homens que Governaram São Paulo*. São Paulo. Nobel. 1986.

AMADO, Jorge. *Vida de Luís Carlos Prestes, o Cavaleiro da Esperança*. São Paulo. Livraria Martins Ed. 5ª edição.

AMERICANO, Jorge. *A Lição dos Fatos: a Revolta de 5 de Julho de 1924*. São Paulo. s.e. 1924.

AMORA, Paulo. *Bernardes: o Estadista de Minas na República*. São Paulo. s.e. 1964.

ASSIS, Dilermano Cândido de. *Das Barrancas do Alto-Paraná*. Rio. Empresa Gráfica Editora Paulo, Pongetti e Cia. 1926.

AUDRIN, Frei José Mª. *Entre Sertanejos e Índios do Norte*. Rio. Editora Agir s. d.

AZÊDO, Maurício. *Cem Anos de Pedro Ernesto; Sessão Solene e Seminário da Câmara Municipal do Rio de Janeiro*. Rio. Câmara Municipal. 1985.

BARROS, Antonio de Moraes e BARRETO, Plínio. *Os Acontecimentos de Julho de 1924; Alegações de Defesa*. São Paulo. Gráfica Editora Monteiro Lobato. 1925.

BARROS, João Alberto Lins de. *Memórias de um Revolucionário*. Rio. Editora Civilização Brasileira. 1953.

BASBAUM, Leôncio. *História Sincera da República: 1889 a 1930*. São Paulo. Editora Alfa Ômega. 1976.

BASTOS, Abguar. *Prestes e a Revolução Social*. Rio de Janeiro. Editora Calvino. 1946.

———. *História da Política Revolucionária no Brasil*. Rio. Editora Conquista. 1969.

BONNET, Gabriel Georges Marcel. *Guerrilhas e Revolução; da Antiguidade aos Nossos Dias*. Rio. Editora Civilização Brasileira. 1963.

BRASIL Miranda, Floriano Napoleão do. *Revolta*. (cópia xerox). Biblioteca Pública de Curitiba. Paraná. s. d. s. e.

BRUM, Eliane. *O Avesso da Lenda*. Porto Alegre. Editora Artes e Ofícios. 1994.

CABANAS, João. *A Coluna da Morte*. Rio. Editora Almeida e Torres. 6ª edição.

CAGGIANI, Ivo. *João Francisco; a Hiena do Caiti*. Porto Alegre. Martins Livreiro Ed. 1988.

CALMON, Pedro. *História Social do Brasil*. São Paulo. Cia Editora Nacional. 3º tomo. 1939.

CÂMARA, 1º ten. Hely J. da e ANDRADE, Euclides. *A Força Pública de São Paulo; Esboço Histórico*. São Paulo. Sociedade Impressora Paulista. 1931.

CAMARGO, Aspásia e GÓES, Walder de. *Meio Século de Combate; diálogo com Cordeiro de Farias*. Rio de Janeiro. Editora Nova Fronteira. 1981.

CARLOS, Lasinha Luís. *A Colombo na Vida do Rio*. Rio de Janeiro.1970. s.e.

CARNEIRO, Glauco. *O Revolucionário Siqueira Campos*. Rio de Janeiro, Record, 1966.

———. *História das Revoluções Brasileiras*. Rio de Janeiro. O Cruzeiro. 1966.

———. *Luzardo, o último caudilho*. Rio de Janeiro. Editora Nova Fronteira. 1977.

CARONE, Edgard. *Revoluções do Brasil Contemporâneo (1922-1938)*. São Paulo. Editora Ática. 4ª edição.

———. *O Tenentismo; acontecimentos, personagens, programas*. Rio. Difel. 1975.

———. *A República Velha (evolução política)*. Rio. Difel. 1972.

———. *A Primeira República; 1889-1930*. São Paulo. Difusão Européia do Livro. 1973.

CARVALHO, Castro. *Revolução de 1924.*. s.e. s.d. (Biblioteca do Exército).

CARVALHO, Mal Fernandes Setembrino de. *Memórias; dados para a História do Brasil*. Rio. s. e. 1950.

CARVALHO, José Murilo de. *As Forças Armadas na Primeira República; o poder desestabilizador*. In *História Geral da Civilização Brasileira*. São Paulo. Difel. 1977.

———. *Os Bestializados; o Rio de Janeiro e a República que não Foi*. São Paulo. Companhia das Letras. 1987.

CASTRO Gomes, Angela Maria de. *Burguesia e Trabalho; política e legislação social; período 1917-1937*. Rio. Editora Campus. 1979.

CAVALCANTI, Paulo. *O Caso Eu Conto Como o Caso Foi; de Prestes a Arraes*. Recife. Editora Guararapes. 1980.

CHAGAS, Paulo Pinheiro. *Eduardo Gomes: o Brigadeiro da Libertação; ensaio bibliográfico*. Editora Zélio Valverde. 1946.

CHATEAUBRIAND, Assis. *Terra Deshumana*. Oficinas de *O Jornal*. Rio de Janeiro. 2º milhar. 1926.

CHAVES Neto, Elias. *A Revolta de 1924. São Paulo. O. de Almeida Filho e Cia. 1924.*

CHEVALIER, Cap. Carlos. *Os Dezoito do Forte*. Rio. s.e. 1930.

———. *Memórias de um Revoltoso ou Legalista*. Rio. s.e. 1925.

CORRÊA, Ana Maria Martinez. *A Rebelião de 1924 em São Paulo*. São Paulo. Hucitec. 1976.

COSTA, Cyro e GOES, Eurico de. *Sob a Metralha...* São Paulo. Cia. Gráfico-Editora Monteiro Lobato. 1924.

COSTA, Ministro Edgard. *Os Grandes Julgamentos do Superior Tribunal Federal* (*habeas corpus* do ten. Eduardo Gomes). Vol I. Rio. Editora Civilização Brasileira. 1964.

COUTINHO, Lourival. *O General Goes depõe*... Rio. Livraria-Editora Coelho Branco. 1956.

CUNHA, Euclides da. *Os Sertões*. São Paulo. Editora Cultrix-MEC. 1973.

CUNHA, Higino. *Os Revolucionários do Sul Através dos Sertões Nordestinos*. Teresina. Tipographia d'O Piauhy. 1926.

CUNHA, Themistocles. *No Paiz das Amazonas; a revolta de 23 de julho*. Bahia. Ed. Catalina. 1925.

CUSTÓDIO, Paulo. *Luís Carlos Prestes*. Porto Alegre. Tchê. 1985.

DANTAS, José Ibarê Costa. *O Tenentismo em Sergipe*. Petrópolis. Editora Vozes. 1974.

———. *Revolução de 1930 em Sergipe; dos tenentes aos coronéis*. Aracaju. Editora Cortez. 1983.

DENYS, Odylo. *Ciclo Revolucionário Brasileiro*. Bibliex. Rio. 1993.

DEAN, Warren. *A Industrialização de São Paulo; 1880-1945*. Rio. Difel. 2ª edição.

DECOUFLÉ, André. *Sociologia das Revoluções*. São Paulo. Difusão Européia do Livro. 1970.

DIAS, Everardo. *História das Lutas Sociais no Brasil*. São Paulo. Editora Alfa-Ômega. 1977.

———. *Bastilhas Modernas*. São Paulo. Editora Obras Sociais e Literárias. 1926.

DRUMOND, José Augusto. *A Coluna Prestes; rebeldes errantes*. São Paulo. Editora Brasiliense. 1991.

———. *O Movimento Tenentista: a intervenção política dos oficiais jovens (1922-1935)*. Rio. Graal. 1986.

DUARTE, Paulo. *Agora Nós*. São Paulo. J. Fonseca. 1927.

DULLES, John W. Foster. *Anarquistas e Comunistas no Brasil*. Rio. Editora Nova Fronteira. 1977.

FACÓ, Rui. *Cangaceiros e Fanáticos*. Rio. Editora Civilização Brasileira. 1972.

FAGUNDES, Antonio Augusto. *Indumentária Gaúcha*. Porto Alegre. Martins Livreiro Editor. 1994.

FERNANDES, Florestan. *A Revolução Burguesa no Brasil*. Rio. Zahar Editores. 1975.

FALCÃO, Oscar de Barros. *A Revolução de 5 de Julho de 1924*. Rio. Imprensa do Exército. 1962.

FERREIRA, Marieta de Moraes (org.). *A República na Velha Província*. Rio. Rio Fundo Editora. 1989.

FLORENZANO, Modesto. *As Revoluções Burguesas*. São Paulo. Editora Brasiliense. 1982.

FLORES, Hilda Agnes Hübner (org.). *Revolução Federalista*. Porto Alegre. Martins Livreiro — Nova Dimensão. 1993.

FORJAZ, Maria Cecília Spina. *Tenentismo e Política; tenentismo e camadas urbanas na crise da 1ª República*. Rio. Editora Paz e Terra. 1977.

FULLER, J. F. C. *A Conduta da Guerra; de 1789 aos nossos dias*. Rio. Biblioteca do Exército Editora. 1966.

GASPARIAN, Fernando. *Capital Estrangeiro e Desenvolvimento na América Latina*. Rio. Editora Civilização Brasileira. 1973.

GERSON, Brasil. *História das Ruas do Rio*. Rio. Livraria Brasiliana Editora. 1965.

GODOY, Adoasto de. *Narrando a Verdade: resposta que a Abílio de Noronha (general) dá Adoasto de Godoy (paisano)*. São Paulo. s.e. 1925.

HOBSBAWN, Eric J. *A Era das Revoluções (1789-1848)*. Rio. Editora Paz e Terra. 1989.

KEITH, Henry Hunt. *Soldados Salvadores*. Rio. Biblioteca do Exército Editora. 1989.

KLINGER, Bertoldo. *Narrativas Autobiográficas*. Rio. O Cruzeiro. 1947.

LACERDA, Maurício de. *Entre Duas Revoluções*. Rio. Livraria Editora Leite Ribeiro. 1927.

———. *A Segunda República*. Rio. Editora Freitas Bastos. 1931.

LAGO, Mário. *Na Rolança do Tempo*. Rio. Editora Civilização Brasileira. 1979.

LANDUCCI, Ítalo. *Cenas e Episódios da Coluna Prestes e da Revolução de 1924*. São Paulo. Editora Brasiliense. 1947.

LEÃO, A. Carneiro. *São Paulo em 1920*. Rio. Anuário Americano Editor. 1920.

LEITE, Aureliano. *Dias de Pavor*. São Paulo. Editora Monteiro Lobato. 1924.

LIMA, Azevedo. *Seis Meses de Dictadura*. Rio. s.e. 1925.

LINS, Alberto Frederico. *História de Gravatá*. Recife. Inojosa Editores. 1993.

———. *Cleto Campelo; um drama republicano*. Dissertação ao curso de mestrado em história. Recife. Universidade Federal de Pernambuco. 1978.

LISBOA, Rosalina Coelho. *A Seara de Caim*. Rio. José Olympio Editor. 1952.

MACAULAY, Neill. *A Coluna Prestes*. São Paulo. Difel. 2ª edição.

MACEDO Soares, Gerson. *A Ação da Marinha na Revolução de 1924*. Rio. Editora Guanabara. 1932.

MACEDO Sores, José Carlos de. *Justiça: a revolta militar em São Paulo*. Paris, Imp. Paul Dupont. 1925.

———. *Os Acontecimentos de 5 de Julho de 1924*. (xerox).

MAGALHÃES Jr., Raimundo. *A Vida Vertiginosa de João do Rio*. Rio. Editora Civilização Brasileira.1978.

MAIA, Álvaro. *Velhos e Novos Horizontes*. Manaus. Livraria Clássica. 1929.

MALAN, Gal Alfredo Souto. *Missão Militar Francesa de Instrução junto ao Exército Brasileiro*. Rio. Biblioteca do Exército Editora 1988.

MARTINS, Hélio Leôncio. *História Naval Brasileira*. Serviço de Documentação. Ministério da Marinha. 5º vol. tomo II. Rio. 1985.

MELO FRANCO, Afonso Arinos de. *Um Estadista na República*. Rio. José Olympio Ed. 1955. Vol I.

MENDONÇA, Rubens de. *História das Revoluções em Mato Grosso*. Goiânia. Editora Rio Bonito. 1970.

MIRANDA, Bertino de. *A Cidade de Manaus: sua História e seus Motins Políticos*. Manaus. Associação Comercial do Amazonas. 1984.

MIRANDA, Floriano Napoleão do Brasil. *A Revolta, Operação do 1º Batalhão de Infantaria da Polícia Militar do Estado do Paraná na Campanha de 1924*. Curitiba. Tipografia Max Roesner. s.d.

MORAES, Fernando. *Chatô, o Rei do Brasil*. São Paulo. Companhia das Letras. 1995.

MORAES, Raymundo. *Na Planície Amazônica*. Manaus. Livraria Clássica. 1926. (1ª edição).

MORAES, Walfrido. *A Grande Marcha pela Vastidão da Pátria*. (texto datilografado) s.d.

———. *Jagunços e Heróis*. Bahia. Empresa Gráfica da Bahia. IPAC. 1991.

MOREIRA LIMA, Lourenço. *A Coluna Prestes. Marchas e Combates*. São Paulo. Editora Alfa Ômega. 1979.

MOREL, Edmar. *A Marcha da Liberdade; a vida do repórter da Coluna Prestes*. Petrópolis. Editora Vozes. 1987.

———. "*O Santo* do *Juazeiro*". Rio. Editora Civilização Brasileira. 2ª edição.

NONATO, Raimundo. *Os Revoltosos em São Miguel (1926)*. Rio. Editora Pongetti. 1966.

NORONHA, Gal Abílio de. *Narrando a Verdade; contribuição para a história da revolta em São Paulo*. São Paulo. Cia Gráfico-Editora Monteiro Lobato. 1924.

———. *O Resto da Verdade; contribuição para a história da revolta em São Paulo*. São Paulo. Empresa Editora Rochéa. 1925.

NUNES de Carvalho, Joaquim. *A Revolução no Brasil (1924-1925)*. Rio. Typ. de Terra de Sol. 1931.

OLIVEIRA, Aglaé Lima de. *Lampião; Cangaço e Nordeste*. Rio. O Cruzeiro. 3ª edição.

OLIVEIRA, Nelson Tabajara de. *1924. A Revolução de Isidoro*. São Paulo. Cia. Editora Nacional. 1956.

PANG, Eul-Soo. *Coronelismo e Oligarquias (1889-1943)*. Rio. Editora Civilização Brasileira. 1979.

PENNAFORT, Hélio. *Estórias do Amapá*. Amapá. Departamento de Imprensa Oficial. 1984.

———. *"Como nasceu Clevelândia"*. texto datilografado. Amapá. 26-1-1978.

PEREGRINO, Umberto. *História e Projeção das Instituições Culturais do Exército*. Rio. Livraria José Olympio Editor. 1967.

PEREIRA, Astrogildo. *Construindo o PCB*. São Paulo. Editora Ciências Humanas. 1980.

PINHEIRO, Paulo Sérgio. *A Classe Operária no Brasil (1889-1930)*. São Paulo. Editora Brasiliense (Funcamp). 1981.

———. *Estratégias da Ilusão (Revolução Mundial e o Brasil: 1922-1935)*. São Paulo. Companhia das Letras 1992.

PINTO, Sobral e Machado, R. Lopes. *O Caso da Narrativa do Motim a Bordo do Encouraçado São Paulo; alegações de defesa*. Rio. Justiça Militar. 1932.

PRADO JÚNIOR, Caio. *A Revolução Brasileira*. São Paulo. Editora Brasiliense. 1966.

PRESTES, Anita Leocádia. *A Coluna Prestes*. São Paulo. Editora Brasiliense. 1991.

PRESTES, Luiz Carlos. *Prestes: Lutas e Autocríticas*. Petrópolis. Editora Vozes. 1982.

PRESTES, Maria. *Meu Companheiro; 40 anos ao lado de Luís Carlos Prestes*. Rio. Editora Rocco. 1982.

QUEIROZ, Maria Isaura Pereira de. *O Messianismo no Brasil e no Mundo*. São Paulo. Dominus Editora. 1965.

QUEIROZ, Maurício Vinhas de. *Messianismo e Conflito Social; a guerra sertaneja do Contestado (1912-1916)*. Rio. Editora Civilização Brasileira. 1966.

RABELO, Olimpio. *Retalhos de História*. Sergipe. Livraria Regina Editora. 1966.

REVERBEL, Carlos. *Maragatos e Pica-Paus*. Porto Alegre. L& PM Editores. 1985.

RODRIGUES, Mario. *Meu Libelo; memórias do cárcere, escrito em torno de duas revoluções*. Rio. Editora Brasileira Lux. 1925.

ROSA, Ferreira da. *Rio de Janeiro em 1922-1924*. Coleção Memórias do Rio-3. Rio. Oficinas Gráficas do Departamento de Imprensa Oficial. s.d.

SALES, Fernando. *Lençóis, coração diamantino da Bahia*. Edição Comemorativa de *Bugrinha*, de Afrânio Peixoto. Lençóis. s.e. 1973.

SANTOS, Davino Francisco dos. *A Coluna Miguel Costa e não Prestes*. São Paulo. Edicon. 1994.

SANTOS, Eloína Monteiro dos. *A Rebelião de 1924 em Manaus*. Manaus. Suframa. Gráfica Lorena. 1990. SIOGE.

SANTOS, Maureli da Costa. *A Marcha dos Revoltosos; passagem da Coluna Prestes pelo Maranhão*. São Luís. SIOGE. 1991.

SCARVADA, Levy. *História da Flotilha do Amazonas*. Rio. Serviço Geral de Documentação da Marinha. 1968.

SILVA, Hélio. *1922: Sangue na Areia de Copacabana*. Rio. Editora Civilização Brasileira. 1971.

———. *1926: A Grande Marcha*. Rio. Editora Civilização Brasileira. 1971.

———. *1933. A Crise do Tenentismo*. Rio. Editora Civilização Brasileira. 1968.

SILVA, Wilson Dias da. *O Velho Chico: sua vida, suas lendas e sua história*. Brasília. CODEVASF. 1985.

SILVEIRA, José Julio. "Nação Agredida; em resposta à Terra Deshumana."

SODRÉ, Nelson Werneck. *A Coluna Prestes; análise e depoimentos*. Rio. Editora Civilização Brasileira. 1978.

———. *A História da Imprensa no Brasil*. Rio. Editora Civilização Brasileira. 1966.

———. *A História Militar do Brasil*. Rio. Editora Civilização Brasileira. 1979.

SOUZA LIMA, Alberto de. *Bernardes Perante a História*. Belo Horizonte. Imprensa Oficial de Minas Gerais. 1983.

TALMA, João de. *Da Fornalha de Nabucodonosor*. Buenos Aires. s.e. 1926.

TAVARES, Gal Lyra. *História e Projeções das Instituições Culturais do Exército*. (xerox). s.e. s.d.

TÁVORA, Juarez. *À Guisa de Depoimento sobre a Revolução Brasileira de 1924*. São Paulo. Tipografia de O Combate. 3 volumes. 1927/1928.

———. *Uma Vida e Muitas Lutas; memórias*. Rio. Livraria José Olympio Editor. 1973.

TREVISAN, Leonardo. *A República Velha*. São Paulo. Editora Global. 1982.

VEIGA, Luiz Maria. *A Coluna Prestes*. São Paulo. Editora Scipione. 1992.

VIZENTINI, Paulo Gilberto Fagundes. *Os Liberais e a Crise da República Velha*. São Paulo. Brasiliense. 1983.

REFERÊNCIAS DOCUMENTAIS

1. Fontes Primárias

1. ORAIS

Entrevistas e depoimentos recolhidos pelo autor entre maio de 1974 e junho de 1995 nos estados do Amapá, Paraná, Mato Grosso do Sul, Goiás, Maranhão, Sergipe, Pernambuco, Bahia, Piauí, Ceará, Pará, Amazonas, São Paulo e Rio de Janeiro. Foram também realizadas pesquisas no Paraguai, Uruguai, Bolívia e Argentina em busca de documentos e de sobreviventes da Coluna que, porventura, ainda estivessem vivendo nesses países.

1.1 Entrevistas com participantes da Coluna, ex-integrantes das forças que combateram os rebeldes, testemunhas daqueles acontecimentos e moradores das regiões por onde passaram as tropas revolucionárias:

1 - Adelino Gonçalves, testemunha. (Porto Nacional, Goiás, junho/1974.)
2 - Alvim Rodrigues de Mello, ex-oficial legalista, combatente. (Salvador, Bahia, junho/1974.)
3 - Amadeu Cavalcante Borges, comerciante, testemunha. (Teresina, Piauí, junho/1974.)
4 - Amâncio Batista Caland, tipógrafo, testemunha. Ajudou a compor e imprimir o número 9 de *O Libertador.* (Oeiras, Piauí, junho/1974.)
5 - Artur Moraes, ex-combatente do BPLV. (Lençóis, Bahia, dezembro/1976.)
6 - Aristides Leal, oficial do Exército, revolucionário. (Rio, maio/1974.)
7 - Antônio de Oliveira Filho, soldado legalista, combatente. (Arneiroz, junho/1974.)
8 - Augusto do Amaral Peixoto, oficial de Marinha, revolucionário. (Rio, outubro/1974.)
9 - Araújo Filho, oficial do Exército, legalista. (Depoimento dos familiares, Oeiras Piauí, junho/1974.)

10 - Benjamim Xavier, oficial de Marinha, revolucionário. (Rio, setembro/1974.)
11 - Calixto Lobo, testemunha. (Oeiras, Piauí, junho/1974.)
12 - Cipriano Pereira Leite, barqueiro, testemunha. (Amarante, Piauí, junho/1974.)
13 - Cordeiro de Farias, oficial do Exército, revolucionário. (Rio, maio/1974.)
14 - Cirilo Martins, comerciante, testemunha. (Picos, Piauí, junho/1974.)
15 - Custódio de Oliveira, oficial do Exército, revolucionário. (Rio, maio/1974.)
16 - Emigdio Miranda, oficial do Exército, revolucionário. (Rio, maio/agosto/setembro/1974.)
17 - Eugênia Dias Carneiro, lavadeira, testemunha. (Carolina, Maranhão, junho/1974.)
18 - Francisco das Chagas Paes, farmacêutico, testemunha. (Ipu, Ceará, maio/1974.)
19 - Florentino de Araújo, testemunha. (Crateús, Ceará, maio/1974.)
20 - Israel Marcelino Ramalho, revolucionário. (Corumbá, Mato Grosso do Sul, junho/1974.)
21 - Jacob Manuel Gaioso e Almendra, oficial do Exército, legalista, ex-governador do Piauí. (Floriano, Piauí, junho/1974.)
22 - João Luís da Silva, comerciante, testemunha. (Floriano, Piauí, junho/1974.)
23 - Joaquim Maia Leite, testemunha. (Porto Nacional, Goiás, maio/1974.)
24 - José Maurício da Costa, tabelião, testemunha. (Amarante, Piauí, junho/1974.)
25 - Josefa Maria da Conceição, testemunha. (Amarante, Piauí, junho/1974.)
26 - José Oswaldo de Araújo, historiador, testemunha. (Ipu, Ceará, maio/1974.)
27 - José Oliveira Werneck, soldado legalista. (Florianópolis, Santa Catarina, outubro de 1989.)
28 - José Vitório, testemunha. (Benedito Leite, Maranhão, junho/1974.)
29 - Juarez Távora, oficial do Exército, revolucionário. (Rio, maio/1974.)
30 - Manuel Monteiro, testemunha. (Crateús, Ceará, junho/1974.)
31 - Mário Spinelli, ex-soldado da Força Pública de São Paulo, revolucionário. (Corumbá, Mato Grosso do Sul, junho/1974.)
32 - Mário Rosal, ex-oficial *patriótico* do batalhão de Juazeiro. (Fortaleza, Ceará, junho/1974.)
33 - Mário Lago, ator, poeta e escritor, testemunha. (Rio/agosto de 1995.)
34 - Murtinho Dourado, sargento instrutor legalista. (Salvador, Bahia, junho/1974.)
35 - Nelson Pereira de Souza, o *Bamburral,* revolucionário. (Corumbá, Mato Grosso do Sul, maio/1974.)
37 - Juarez Tapety e familiares, testemunhas. (Oeiras, Piauí, junho/1974.)
38 - Possidônio Nunes de Queirós, músico, testemunha. (Oeiras, Piauí, junho/1974.)
39 - Guilhermino Barbosa, revolucionário. (El Carmen, Bolívia, junho/1974.)
40 - Reis Perdigão, jornalista, revolucionário. (Rio, março/1976.)
41 - Rodolfo Borges de Campos, ex-oficial legalista. (Salvador, Bahia, junho/1974.)

42 - Nelson Tabajara dos Santos, diplomata, revolucionário. (Rio, agosto/1976.)
43 - Severino Alves Feitosa, barqueiro, testemunha. (Benedito Leite, Maranhão, junho/1974.)
44 - Tácio de Matos, filho de Horácio de Matos, comerciante. (Mucugê, Bahia, dezembro/1974.)
45 - Tirso Ribeiro, testemunha. (Teresina, Piauí, junho/1974.)
46 - Walfrido Moraes, historiador, informante. (Lençóis, dezembro/1974.)
47 - Trifino Correia, revolucionário. (Depoimento a Cláudio Lacerda.)

1.2. Informações diversas recolhidas pelo autor com os seguintes pesquisadores:
— Alberto Frederico Lins. (Gravatá, Pernambuco.)
— Alberto Pompeu. (Cascavel, Paraná.)
— Ana Maria Martinez.(São Paulo, S.P.)
— Antônio Osório. (Rio de Janeiro, RJ.)
— Eloína Monteiro dos Santos. (Manaus, Amazonas.)
— Ester Kupperman. (Rio de Janeiro, RJ.)
— Jackson Flores Jr. (Museu Aeroespacial do Ministério da Aeronáutica, Rio de Janeiro.)
— José Ibarê Costa Dantas. (Aracaju, Sergipe.)
— Júlio Abe. (São Paulo, SP.)
— Luís Macedo. (Biblioteca do Exército, Rio de Janeiro, RJ.)
— Miguel Costa, filho. (São Paulo, SP.)
— Henrique Samet. (Arquivo Público do Estado do Rio de Janeiro.)
— Hernâni Donato. (São Paulo, SP.)
— Hélio Silva. (Rio de Janeiro, RJ.)
— Hélio Pennafort. (Macapá, Amapá.)
— Otávio Sérgio. (Rio de Janeiro, RJ.)
— Pedro Mota Lima. (Rio de Janeiro, RJ.)
— Walfrido Moraes. (Lençóis, BA.)

2. *ARQUIVOS*

2.1. Arquivo Edgard Leuenroth — Centro de Documentação e Pesquisa em História Social, Instituto de Filosofia e Ciências Humanas — Unicamp, Campinas, SP.
— Acervo Artur Bernardes
— Acervo Lourenço Moreira Lima.
— Coleção Miguel Costa.
— Coleção Maurício de Lacerda.

2.2. Arquivo Geral do Ministério do Exército, Rio de Janeiro:
- — Boletins expedidos entre julho de 1924 e abril de 1927.
- — Assentamentos de oficiais.
- — Relatórios dos generais Alfredo Malan d'Angrogne, Góes Monteiro e Álvaro Mariante.

2.3. Centro de Pesquisa e Documentação de História Contemporânea do Brasil—CPDOC/Fundação Getúlio Vargas, Rio de Janeiro.

Coleções:
- — Aristides Leal
- — Augusto do Amaral Peixoto
- — Ítalo Landucci
- — João Francisco Pereira de Souza
- — Lindolfo Collor
- — Rosalina Coelho Lisboa
- — Rubem Rosa
- — Sady Vale Machado

2.4. Arquivo particular do *coronel* Horácio de Matos, Mucugê, Bahia:
- — correspondência particular e oficial do *coronel* Horácio de Matos
- — documentos sobre a formação e o desempenho do Batalhão Patriótico Lavras Diamantina (relatórios militares, ordens de serviço, requisições, mensagens enviadas pelos oficiais etc.)
- — coleção do jornal *O Sertão*, de 1926 a 1929.

2.5. Serviço Geral de Documentação da Marinha, Rio de Janeiro, RJ:
- — documentos sobre o levante do encouraçado *São Paulo*.
- — documentos sobre o levante da Flotilha do Amazonas.
- — o livro do navio do encouraçado *São Paulo*.

2.6. The National Archives of the United States (microfilmes do período 1919/1930)
- — correspondência consular enviada para o Departamento de Estado pelas representações americanas no Brasil e no Uruguai.
- — documentos diversos referentes ao período pesquisado.
- — recortes de jornais e revistas sobre os levantes militares ocorridos durante o governo Artur Bernardes anexados à correspondência diplomática.

3. *IMPRESSAS*

3.1. Anais da Câmara dos Deputados (1924/1926).

3.2. Anais do Congresso (1924).

3.3. Mensagens dos presidentes de Estado ao Legislativo:

Amazonas:

— César do Rego Monteiro (20/2/1924).
— Turiano Chaves Meira (14/7/1924).
— Alfredo Sá, interventor federal (15/12/1925).

Bahia:

— Francisco Marques de Góes Calmon (7/4/1927).

Paraíba:

— João Suassuna (1/10/1926).

Paraná:

— Caetano Munhoz da Rocha (1/2/1925).

Pernambuco:

— Sérgio Loreto (7/8/1926).

Piauí:

— Mathias Olympio de Melo (1/6/1926).

Rio Grande do Sul:

— Borges de Medeiros (22/9/1925 e 20/8/1927).

São Paulo:

— Carlos de Campos (14/7/1925 e 14/7/1926).

Sergipe:

— Maurício Graccho Cardoso (7/8/1924).

3.4 *Revistas*:

Estação da Luz — Departamento Regional de Comunicação Social, São Paulo (s.d.)

Diretrizes, número 189, fevereiro de 1944. Rio.

Revista Internacional —Problemas da Paz e do Socialismo, artigo de Luís Carlos Prestes.

80 Anos de Moda —

100 Anos de Publicidade — Fascículos, Abril Cultural. São Paulo. 1980.

História Naval Brasileira — Serviço Geral de Documentação Geral da Marinha. Rio, 1985.

Arquivo e História — Arquivo Público do Estado do Rio de Janeiro. Novembro de 1994.

A Revolta em São Paulo — Álbum editado pelo Governo do Estado de São Paulo, com a ajuda da indústria e do comércio, mostrando os danos materiais provocados na capital durante a revolta de 5 de julho de 1924 (s.d.).

3.5. *Jornais:*
Amazonas:

— *Jornal do Povo,* Manaus, agosto de 1924
— *O Republicano,* Manaus, 1923/1924.
— *O Autaense,* Itaocara, agosto de 1924.

Bahia:

— *O Sertão,* Lençóis, 1926/1929.

Ceará:

— *O Combate*, Fortaleza, 1925 /6
— *Gazeta da Serra*, Ubajara, novembro de 1925.
— *Gazeta do Cariri*, fevereiro de 1925.

Pará:

— *O Estado do Pará,* Belém, julho/agosto 1924.

Paraíba:

— *A União,* Paraíba, 1926.

Paraná :

— *A Gazeta do Povo,* Curitiba, 1924/1925.

Pernambuco:

— *Diário de Pernambuco,* Recife, janeiro/março de 1926.
— *Jornal do Commércio,* Recife, janeiro/março de 1926.
— A Província, Recife, janeiro/março de 1926.
— *Jornal Pequeno*, Recife, fevereiro/março de 1926.
— *Jornal do Recife,* Recife, fevereiro/março de 1926.

Piauí:

— *O Libertador,* órgão da revolução, número 9, Floriano, dezembro de 1925.
— *O Piauhy,* Teresina, dezembro de 1925.

Rio de Janeiro:

— *O 5 de Julho*, jornal revolucionário, números avulsos de 1924 a 1926.
— *Correio da Manhã,* junho de 1922 e julho/agosto de 1924.
— *O Jornal,* 1924 a 1928.
— *Jornal do Commércio,* 1924 a 1927.
— *O Globo,* julho de 1925 a julho de 1927.
— *A Noite,* julho de 1924 a maio de 1925.
— *A Notícia,* julho de 1924 a julho de 1927.
— *O Paiz,* junho de 1924 a janeiro de 1927

São Paulo:
— *O Estado de S. Paulo,* novembro/dezembro de 1923, e janeiro/dezembro 1925.
— *Correio Paulistano,* julho/agosto de 1925.
Uruguai:
— *El Paiz,* Montevidéu, novembro/dezembro de 1924.
— *El Diario,* Montevidéu, novembro/dezembro de 1924, e janeiro de 1925.